LES CÉRAMIQUES DE LA GRÈCE DE L'EST
ET
LEUR DIFFUSION EN OCCIDENT

Ouvrage publié grâce au concours de la
Direction Générale des Relations
Culturelles, Scientifiques et Techniques
du Ministère des Affaires Étrangères

COLLOQUES INTERNATIONAUX
DU
CENTRE NATIONAL DE LA RECHERCHE SCIENTIFIQUE
N. 569
SCIENCES HUMAINES

LES CÉRAMIQUES
DE LA GRÈCE DE L'EST
ET LEUR DIFFUSION EN OCCIDENT

Centre Jean Bérard. Institut Français de Naples

6-9 JUILLET 1976

ÉDITIONS DU CENTRE NATIONAL
DE LA RECHERCHE SCIENTIFIQUE
15, Quai Anatole-France - 75700
PARIS

BIBLIOTHÈQUE DE L'INSTITUT
FRANÇAIS DE NAPLES
Deuxième série - Volume IV
Publications du Centre Jean Bérard,
NAPLES

1978

PRÉSENTATION D'UN COLLOQUE

Je n'étais pas sans doute le plus qualifié, à tous égards, pour ouvrir ce colloque du C.N.R.S. organisé à Naples dans les locaux de l'Institut Français par le Centre Jean Bérard. Cependant, obéissant aux instructions de Madame Cébeillac-Gervasoni et de Madame de La Genière qui ont eu la charge de toute l'organisation du colloque, j'ai accepté très volontiers de prendre le premier la parole.

D'abord parce que je suis l'hôte le plus ancien de nos hôtes. Je m'explique: comme je le rappelais récemment à l'occasion de la table ronde qui s'est tenue ici même sur la céramique grecque et de tradition grecque au VIIIe siècle (1), voici plus de dix ans que le Centre Jean Bérard est, par l'intermédiaire de l'Institut Français, l'hôte de Naples et de l'Italie; voici plus de dix ans que des chercheurs français ont la chance de pouvoir y travailler dans les meilleures conditions sur les problèmes de l'Italie méridionale, et, plus précisément, sur la colonisation grecque en Italie du Sud et en Sicile. Le cercle peu à peu s'est élargi: aujourd'hui nos collègues et amis italiens accueillent, avec nous, venant de nombreux pays étrangers, les spécialistes de ces céramiques de la Grèce de l'Est qui vont nous occuper pendant trois jours. Avant de retracer avec vous les objectifs de ce colloque, je tenais à rappeler ces circonstances, qui, pour nous, restent exceptionnelles et sont devenues banales, et je voudrais prier P.E. Arias, représentant ici du CNR, de dire a nome del Direttore Generale del CNRS, e se lo permette, anche a nome mio, il profondo riconoscimento del CNRS per la collaborazione amichevole e proficua che da anni esiste tra i nostri due Centri; ti prego dunque di trasmettere questo messaggio al Presidente del CNR ed ai membri delle Commissioni che hanno le responsabilità scientifiche delle nostre discipline.

La seconde raison qui m'a poussé à accepter la proposition de Madame Cébeillac-Gervasoni, c'est que, depuis longtemps les centres d'intérêt qui sont les miens m'ont amené à aborder, plus ou moins directement suivant les circonstances, le problème des céramiques de la Grèce de l'Est; il y a en effet un peu plus de vingt ans que paraissait cet article, qui, comme bien des choses, a besoin aujourd'hui d'être « aggiornato » sur la chronologie des coupes ioniennes (2) et nos travaux — je parle au nom de Villard et de Vallet — sur les cités chalcidiennes du Détroit de Messine et sur Marseille nous ont confrontés, marginalement pour moi mais directement pour F. Villard, avec ces céramiques cosiddette « ioniennes ». Evidemment, nos approches ont toujours été occidentales, même quand elles visaient à établir une typologie et une chronologie d'une série de l'Est; et cette perspective occidentale, nous la retrouvons dans le colloque d'aujourd'hui dont le titre est significatif: « Les céramiques de la Grèce de l'Est et leur diffusion en Occident ».

Vu le nombre des rapports, la quantité des informations qui doivent être apportées, la nécessité de procéder à des échanges de vues avec de véritables discussions, je m'efforcerai d'appliquer à moi-

---

1) *La céramique grecque ou de tradition grecque au VIIIe siècle en Italie centrale et méridionale*, Naples, Centre Jean Bérard (27-29 mai 1976). *Actes* à paraître.

2) F. VILLARD et G. VALLET, *Mégara Hyblaea V. Lampes du VIIe siècle et chronologie des coupes ioniennes*, MEFR, 1955, p. 7-34.

même une des règles que nous préciserons tout à l'heure en définissant ensemble les modalités de ce colloque et de présenter le plus brièvement possible ce que je crois être les principaux objectifs de notre rencontre.

Au départ, il s'agit de céramiques, à définir, à distinguer, dont il convient de faire un inventaire et dont notamment il faudrait dresser la carte de diffusion en Occident. On voit tout de suite les deux niveaux auxquels se situe l'enquête; pour paraphraser un titre de L. Breglia (3), notre thème, c'est « le ceramiche della Grecia dell'Est e il loro valore documentario per la presenza ionica in occidente »; mais, dans l'étude de L. Breglia, il s'agissait en fait d'un type monétaire précis (« la monetazione tipo Auriol »), d'une ville précise (Phocée) et d'un phénomène historique déterminé (la colonisation de Phocée dans l'Ouest), alors que, pour nous, il s'agit d'un ensemble de séries, de provenance trop souvent indéterminée, et de phénomènes historiques qui peuvent prendre des formes bien différentes (colonisation, contacts commerciaux, directs ou indirects, etc. . . .). C'est dire que ce colloque en recouvre au moins deux. Je le dis tout de suite, et clairement, nous l'avons voulu tel: plutôt que d'aborder dans deux démarches séparées, ici avec des spécialistes plus orientés vers la céramologie, là avec des archéologues plus tournés vers l'histoire, d'un côté le problème de la définition de ces céramiques et de l'autre celui de leur inventaire (ou de l'inventaire d'une partie d'entre elles) en Occident, il était souhaitable de provoquer, avec des risques inévitables de confusion, une rencontre unique de tous ceux qui travaillent, fût-ce avec des perspectives diverses, sur un même matériel archéologique, qu'il faudra d'abord préciser. Laissant de côté provisoirement les articulations de mon propre rapport qui ont été indiquées de façon un peu schématique dans le programme, je dirai d'abord que nous avons voulu — pour l'étude de ces céramiques — partir des données fournies par les recherches effectuées sur les sites où elles ont pu être fabriquées. Autrement dit, même si un certain souci de symétrie a donné aux regroupements des rapports l'apparence d'une répartition purement géographique, l'idée essentielle est de partir des lieux possibles de production pour passer ensuite aux lieux de diffusion, de la Mer Noire au lointain Occident. Le point de départ, c'est donc le Nord de l'Ionie, l'Ionie du Sud, les îles et, en conséquence, les informations que nous attendons des recherches conduites récemment dans ces régions sont fondamentales; cela d'autant plus que ces recherches ont été assez nombreuses, bien menées et que des publications essentielles et récentes nous montrent tout ce que nous pouvons en attendre (4). Il est certain que, au cours des dernières années, notre connaissance de ces céramiques s'est considérablement enrichie.

Encore faut-il bien nous entendre sur ce dont nous parlons, et c'est pourquoi il est nécessaire, sans au demeurant les dramatiser, de prendre conscience des difficultés ou des problèmes qui existent au niveau même des définitions, des terminologies, ou si l'on veut, du vocabulaire. Je ne me réfère pas aux variantes auxquelles on se heurte toujours plus ou moins quand on définit les phases des grandes séries céramiques, par exemple aux discussions sur les noms à donner à nos vases de la première moitié du VIIe siècle: doivent-ils être appelés subgéométriques (ce qui n'est pas heureux), orientalisants (ce qui, comme le notait récemment J. Ducat, est après tout justifié) ou préarchaïques comme le propose H. Walter dans sa belle publication de Samos (5). Ces discussions ne sont pas spécifiques aux céramiques de la Grèce de l'Est et je n'en traiterai pas ici; en revanche, quand on essaye de définir, donc de dénommer, les différentes séries dont nous devons parler, on se réfère — et c'est naturel — à des critères soit descriptifs (couleur de la surface ou de la pâte), soit techniques (bucchero), soit stylisti-

3) L. BREGLIA, *La monetazione « tipo Auriol » e il suo valore documentario per la colonizzazione di Focea* dans *Nuovi Studi su Velia*, PP, XXV, 1970, p. 153-165.

4) Par exemple pour Chios: J. BOARDMAN, *Excavations in Chios* 1952-1955, *Greek Emporio*, ABSA Suppl. 6, London, 1967. Pour Samos: H. WALTER, *Samos V, Frühe samische Gefässe*, Bonn, 1968; E. WALTER-KARYDI, *Samos VI, 1. Samische Gefässe des 6. Jahrhunderts V. Chr.*, *Landschaftsstile österiechischer Gefässe*, Bonn, 1973.

5) H. WALTER, *Samos V, op. cit.*, (compte-rendu de J. DUCAT, *La céramique de Samos et les céramiques de la Grèce de l'Est du Xe au VIIe siècle*, RA, 1971, 1, p. 81-92).

ques, soit enfin plus ou moins historiques: ainsi quand nous parlons, en Occident, de la céramique phocéenne, nous parlons en fait non pas d'une céramique que nous savons ou que nous supposons fabriquée à Phocée, mais d'une céramique liée à l'expansion de la colonisation phocéenne dans l'Ouest; quand au contraire nous parlons de bucchero éolien, nous supposons, au niveau de la production, que cette céramique a pu être fabriquée en Eolide, et en Eolide seulement (il faudrait d'ailleurs connaître l'opinion de nos amis d'Asie Mineure à ce sujet); on retrouve ici, dans la terminologie, les deux niveaux que nous évoquions tout à l'heure: lieux éventuels de production, agents probables de diffusion. On pourrait penser que l'idéal serait d'attribuer une série à un atelier localisé et de donner le nom du lieu ainsi défini à la série correspondante. Mais, dans l'état actuel des choses, nous sommes loin de cet idéal apparent. Plus même, deux observations montrent qu'une telle démarche peut être dangereuse: il n'est pas toujours raisonnable de vouloir définir d'après des critères stylistiques des écoles ou des centres d'art. A cet égard, la démarche de H. Walter, qui cherche à distinguer son style samien de celui des autres centres d'art de la Grèce de l'Est, est en soi exemplaire; dès lors, les réserves émises par J. Ducat dans l'article déjà cité prennent toute leur force et elles soulignent bien l'ampleur du champ laissé libre aux appréciations subjectives (6).

D'autre part, même si ces écoles ne risquaient pas d'apparaître comme des créations artificielles, des « fausses fenêtres », serait-il raisonnable, en l'état actuel des fouilles, de les « attribuer à cette cité plutôt qu'à cette autre. Une provenance ou deux, pour tout un groupe, ne suffisent pas » (6); d'où la conclusion à laquelle arrive Jean Ducat, et à laquelle, pour mon compte, je me rallierais: « peut-être serait-il plus sage d'abandonner momentanément l'ambition de définir des styles locaux (qui sûrement ont existé), pour constituer patiemment à la base, de petits groupes incontestables (du type « peintre » ou « atelier »), auxquels on se garderait d'imposer la moindre étiquette géographique » (7).

Ce type de problème avec, comme conséquence, la difficulté de constituer de vrais groupes et de leur donner un nom, se posait, dans les cas que je viens d'évoquer, pour des céramiques à décor: c'est bien le cas des céramiques de l'Est étudiées dans la perspective de leur production. Mais il se pose maintenant d'une façon, différente sans doute, mais qui ne suscite pas moins de difficultés, si l'on passe aux céramiques de l'Est qui ont eu la plus grande diffusion dans la Méditerranée et notamment en Occident et qui ne sont pas évidemment les séries décorées. L'étude de F. Villard sur *la céramique grecque de Marseille* a bien confirmé que, à Marseille comme un peu partout en Occident, la grande majorité des importations de la Grèce de l'Est est formée de céramique grise monochrome, de céramique commune à bandes peintes, avec une production importante de coupes ioniennes. Pour la définition de ces différentes séries, les critères ne relèvent donc plus d'observations stylistiques — sauf, théoriquement, d'éventuelles remarques sur les formes —, mais de particularités techniques qui pourraient permettre de préciser des ateliers. Mais les interférences ici se multiplient du fait des « imitations locales ». Il n'est pas question d'aborder ici ce problème en détail, mais seulement d'en souligner quelques aspects et surtout d'en rappeler la complexité. Il y a évidemment le premier degré, le plus facile à définir et le plus difficile à identifier, celui de l'imitation qui, en copiant la forme et la technique, cherche à reproduire plus ou moins exactement son modèle; on pourra introduire à l'intérieur de cette grande catégorie tous les cas particuliers qu'on voudra, tous les sous-groupes que l'on retiendra nécessaires (par exemple imitations coloniales, imitations indigènes, etc. ...), on pourra rencontrer parfois beaucoup de difficultés pour identifier ces imitations comme telles par rapport à leur modèles, mais la catégorie est claire: l'imitation est globale, elle concerne également la forme et la technique. Mais voici qui va venir compliquer le problème: à côté de cette imitation globale, il peut y avoir l'imitation de la forme, et non de la technique, c'est-à-dire qu'une forme empruntée est exécutée délibérément dans

---

6) J. DUCAT, *loc. cit.*, p. 91.
7) J. DUCAT, *loc. cit.*, p. 92.

une technique que l'on pourrait appeler locale (le cas est fréquent pour certains types de coupes ioniennes); il peut y avoir aussi imitation de la technique, mais non de la forme, c'est-à-dire qu'on utilise une technique nouvelle pour une forme ancienne: citons par exemple les gobelets carénés, caractéristiques de la civilisation du premier âge du fer, que des ateliers du Sud de la France vont produire au VIᵉ siècle en pâte grise monochrome (8). Il peut y avoir enfin l'association nouvelle d'une technique (imitée) à une forme (imitée): telles ces coupes ioniennes, bien attestées également dans le Midi de la France, tournées elles aussi en pâte grise monochrome (9). Exemple intéressant, car il faut bien se demander si ce genre d'association relève effectivement et exclusivement d'un fait d'imitation: en effet, tout le raisonnement suivi jusqu'ici suppose que ces variations sur la forme et la technique sont nécessairement le fait d'imitations effectuées dans des ateliers périphériques, alors qu'il faut bien se demander si elles ne peuvent être aussi le fait d'interférences qui pourraient se produire au départ. Madame P. Zancani Montuoro rappelait récemment (10) que les lécythes dits samiens, qui normalement sont tournés dans une pâte rougeâtre, existent aussi en bucchero éolien: il s'agit bien, semble-t-il, d'une vraie variante de technique et non d'une imperfection de cuisson. C'est dire que la même forme peut exister dans deux techniques différentes. On voit alors la difficulté de désigner toutes ces variantes, puisque les critères qu'on pouvait considérer comme caractéristiques d'une classe ou d'un groupe peuvent être « empruntés » par une autre classe ou un autre groupe, qu'il s'agisse d'une « imitation » à partir d'un modèle importé ou « d'interférences » entre les ateliers ou des centres de la Grèce de l'Est: bel exemple de confusion dans le vocabulaire que ces lécythes dits samiens, qui pourraient être fabriqués à Rhodes et qui existent en bucchero éolien! Second exemple qui atteste bien ces interférences dans les productions des ateliers de la Grèce de l'Est: pour la série des lydions, la forme normalement attestée est la forme peinte; mais il y a aussi, dispersés un peu partout dans la Méditerranée (Tocra, Tarente, Syracuse, Mégara, etc....) des exemplaires en pâte buccheroïde (11). Ce n'est pas tout; il faut rappeler ici l'existence de ces vases dits d'inspiration ionienne ou pseudo-ioniens, pour lesquels on ne saurait parler de reproduction ou de tentative de reproduction, mais d'adaptation; dans certains cas, il peut s'agir de négligence, de maladresse, d'incapacité à reproduire, mais dans la plupart des cas, il s'agit d'un « air de famille » (l'expression est mauvaise, mais je n'en vois pas d'autre) qui oblige à rapprocher ces vases des productions ioniennes, sans pour autant qu'on puisse les intégrer vraiment à l'intérieur de celles-ci.

De toutes ces indications fragmentaires, retenons pour le moment ceci: connaissances lacunaires, séries présentant de nombreuses variantes, surtout difficulté de fixer des critères pertinents de définition et de dénomination étant donné l'importance des imitations et l'existence des interférences. Alors comment procéder? Se référer à des critères purement techniques ou descriptifs? Oui et non: en effet, le critère de couleur lui-même est ambigu, puisque, comme on l'a noté récemment « le terme de céramique grise monochrome qui tend de plus en plus à être adopté de préférence au terme de phocéen ou de pseudo-phocéen pose également un problème car les productions de ces types peuvent varier au niveau des couleurs de la pâte et de la couverte entre l'ocre jaune et le gris... Si l'on conserve ce terme de grise monochrome, il est bien entendu qu'il s'agit d'une appellation conventionnelle (12) ». Ne faut-il

---

8) J. J. JULLY et Y. SOLIER, *Les gobelets gris carénés, faits au tour, à l'Age du Fer languedocien, Hommages à F. Benoît,* 1, 1972 (= *RSL*, 33, 1-3, 1967) p. 217-224.

9) A. NICKELS-P. Y. GENTY, *Une fosse à offrandes du VIᵉ siècle avant notre ère à La Monediere, Bessan (Hérault), RAN,* 7, 1974, p. 25-57.

10) P. ZANCANI MONTUORO, *Lekythoi « samie » e bucchero « eolico », ArchClass,* 24, 2, 1972, p. 372-377.

11) Pour Tocra: Cf. J. BOARDMAN-J. HAYES, *Excavations at Tocra 1963-1965, The Archaic Deposits I, ABSA* Suppl. 4, London, 1966, n° 836 et 1469; pour Tarente, indications dans le rapport de P. GUZZO, *infra,* p. 110 et n. 44-49; pour Mégara, G. VALLET-F. VILLARD, *Mégara Hyblaea II, La céramique archaïque,* 1964, p. 91 et pl. 80, 7.

12) A. NICKELS-P. Y. GENTY, *loc. cit.,* p. 31, n. 2.

pas alors, pour définir, classer et dénommer, utiliser seulement le critère des formes, avec, par exemple, un clivage premier entre les vases-récipients (amphores) et les autres? Il faudrait alors établir et fixer, comme pour la campanienne par exemple, par formes et à l'intérieur des formes, une typologie précise. Certes, ces typologies sont toujours incomplètes, nécessairement subjectives, encore que l'on puisse mettre au point des classifications ouvertes, par exemple, suivant les modèles proposés par J.-P. Morel dans son travail d'ensemble (à paraître) sur *la céramique campanienne. Recherches sur les productions à vernis noir de l'Italie et de l'Occident méditerranéen*; alors on peut définir les types fondamentaux et intégrer les variantes au fur et à mesure que l'exigent de nouvelles découvertes. Pour mon compte, je pense qu'il est difficile d'éviter ce genre de typologie: par exemple, pour les coupes ioniennes, si la répartition en groupes A et B, en sous-groupes A 1 et A 2, B 1, B 2 et B 3, telle qu'elle a été proposée par F. Villard et moi-même dans l'article auquel je faisais référence tout à l'heure, a été assez suivie depuis une vingtaine d'années, ce n'est pas parce qu'elle était meilleure qu'une autre, c'est que, avec tous ses défauts, elle permettait d'identifier, de classer et surtout de dénommer des vases. Ce n'est donc pas cette typologie que je défends, mais je pense que, vu l'importance de la série, il était nécessaire d'en proposer une.

Après ce rappel un peu long des difficultés, si l'on veut proposer sinon un schéma, du moins une méthode de travail, on pourrait, reprenant certaines suggestions contenues dans le rapport de P. Guzzo, dire ceci:

1. — Dans l'état actuel de nos connaissances, nous ne pouvons qualifier une série en fonction d'une prétendue provenance; il est arbitraire et dangereux de définir *a priori* une céramique comme phocéenne, pour la seule raison qu'elle a connu une certaine diffusion dans les zones de la colonisation de Phocée.

C'est dire que les critères empruntés à la diffusion des pièces ou des séries ne peuvent être utilisés pour classer ou localiser des productions; il n'est pas de bonne méthode de partir des exportations, ou de ce que nous retenons tel, pour prétendre localiser des ateliers et définir des chronologies. Les indications provenant des lieux de production sont des données premières par rapport à celles provenant des lieux de diffusion.

2. — Il faut donc pour le moment rassembler tout le matériel provenant des fouilles et le définir, le ficher, comme dit P. Guzzo, en tenant compte seulement des critères objectifs. Mais en fonction de ce qui précède, il faut partir des données des fouilles effectuées en Asie Mineure.

3. — Pour classer tout ce matériel, définir et dénommer des catégories, il faudra avoir recours à la fois à un système de classement du type de celui qui va être mis au point pour la campanienne et sans doute aux méthodes formelles, du genre de celles qu'on s'efforce aujourd'hui d'utiliser pour les amphores.

Programme ambitieux, mais qu'il faudra bien un jour mettre au point et en application... Faute de quoi, l'importance et la multiplication des nouvelles découvertes ne fera que rendre inextricable une situation déjà compliquée.

C'est également dans une perspective Est-Ouest, ou plus exactement sous l'angle des rapports entre les données concernant la production et celles qui nous renseignent sur la diffusion de nos céramiques, que j'aimerais présenter plus rapidement quelques observations concernant la chronologie. Je laisserai de côté la question — pourtant essentielle — des systèmes de référence sur lesquels on va établir, en soi, donc au niveau de la production, les repères chronologiques. Il est clair que, pour nous en tenir au cas privilégié des céramiques de Samos, toute la chronologie est fondée par référence à la céramique corinthienne et que, pour cette dernière, H. Walter suit une chronologie très basse; dans le rapport qu'il a bien voulu présenter ici sur la céramique archaïque de Samos, H. P. Isler remonte un peu cette chronologie, mais de toute façon les dates restent nettement plus basses que celles de Payne. Il y a donc là un problème d'ensemble dont les conséquences concernent les céramiques de la Grèce de l'Est mais qui, en amont, touche l'ensemble de la chronologie des céramiques grecques. Ce problème, il n'est pas question de l'aborder ici, mais les différences qui en découlent pour nos datations devaient, je crois, être rappelées.

Cela fait, je me limiterai à quatre observations:

1. — Comme repères possibles pour une chronologie absolue, nous disposons sans doute de plus d'éléments précis pour le monde colonial d'Occident que pour l'Asie Mineure ou la Grèce. Je me bornerai ici évidemment à l'époque qui nous intéresse; par ailleurs, il faut laisser de côté les dates de fondation de Sélinonte et de Marseille puisque l'existence, dans les deux cas, d'une double tradition exclut, au moins de manière théorique, que l'on puisse les utiliser comme des points de repère absolument sûrs; en revanche, nous avons les dates de fondation d'Himère (648), de Camarine (598), de Lipari et d'Agrigente (580), puis, en 565, Aleria et, vers 540, Velia, encore que celle-ci fasse, vous le savez, problème. Dans quelle mesure — je pose ici la question de manière théorique, et non pas en fonction des informations concrètes que peut nous donner actuellement l'un de ces sites — ces dates de fondation, que l'on doit considérer comme à peu près sûres, peuvent-elles nous fournir des repères utilisables pour la chronologie des céramiques de la Grèce de l'Est? La réponse théorique suppose, je crois, les conditions suivantes: d'abord, il faut admettre, au départ, la possibilité de distinguer les importations et les imitations locales, et ne s'occuper que de celles-là (je reviendrai tout à l'heure sur ce problème, eu égard à la chronologie, des céramiques locales et des céramiques importées); ensuite, dans la mesure où nos céramiques de la Grèce de l'Est peuvent provenir d'assez nombreux ateliers ou centres différents, on devra admettre, toujours de manière théorique, que, pour chacun, l'exportation de ses produits peut se placer soit plus au début, soit plus vers la fin, soit s'échelonner tout au long de sa production; autrement dit, le fait seul de l'exportation apporte un certain élément d'incertitude chronologique, mais dont l'ordre de grandeur n'est pas de nature à rendre vaine cette perspective de recherches. Je pense donc qu'il serait opportun, pour toutes les formes de toutes les séries des céramiques de la Grèce de l'Est, de regrouper les indications précises que peuvent nous donner les sites pour lesquels nous avons des dates de fondation et d'établir ainsi une sorte de grille dont on pourra confronter les données avec celles qui viennent de l'Est: par exemple, celles dont R. M. Cook faisait l'inventaire en 1969 (13), comme la destruction de Bayrakli autour de 600-590 ou l'abandon du site de Mezad Hasavyahu en Palestine en 609, qui donne un *terminus ante quem* pour la céramique du Wild Goat II qu'on y a recueillie.

2. — Comme repères possibles pour des chronologies relatives, nous avons dans le monde colonial beaucoup de données fournies par des associations précises dans les tombes; bien entendu, nous devons, là encore, nous occuper d'abord exclusivement des importations; nous devons aussi nous rappeler les marges d'incertitude que comporte ce genre d'associations: s'agissant d'importations, nous sommes là, si je peux dire, tout à fait au bout de la chaîne, puisque toutes les phases de l'existence du vase (production, exportation, utilisation, dépôt dans la tombe) viennent ajouter leurs incertitudes chronologiques. On rappellera également les mises en garde faites récemment par M. Gras: il y a la possibilité, pas toujours suffisamment observée, de la réutilisation d'une tombe dans un délai assez court pour laisser au matériel une apparente homogénéité mais assez long tout de même pour provoquer des erreurs de datation. Il y a surtout le fait que certains types de vases peuvent avoir eu une durée beaucoup plus longue que d'autres, en raison de l'originalité de leur forme ou de leur technique, ou bien encore de leur rareté (14). Tout cela est vrai; il n'en reste pas moins que, pour l'établissement de chrono-

---

13) R. M. Cook, *A Note on the Absolute Chronology of the Eighth and Seventh Centuries B. C.*, ABSA, 64, 1969, p. 13-15.
14) M. Gras, *Nécropole et histoire: quelques réflexions à propos de Mégara Hyblaea, Kokalos*, XXI, 1975, p. 37-53. et *La céramique étrusque de Mégara Hyblaea. Contribution à l'étude des relations entre la Sicile et l'Etrurie à l'époque archaïque* (Mémoire de l'Ecole française de Rome, inédit), 1976, p. 76-79.

logies relatives, certaines associations dans le domaine colonial de vases provenant de la Grèce de l'Est avec d'autres séries peuvent donner, compte tenu des marges d'incertitude que nous venons de rappeler, de précieux points de repère. Je ne parle pas ici volontairement de chronologie absolue, en rapport avec les dates de fondation, parce qu'on ne peut pas toujours être sûr d'avoir la nécropole la plus ancienne et que, d'autre part, on discutera toujours sur l'existence d'un décalage possible entre l'arrivée des premiers colons (des hommes jeunes, rappelle-t-on volontiers) et la date des premières sépultures.

3. — Laissons de côté ces vieux problèmes, non sans avoir souligné que pour les questions de chronologie, à la différence de ce que nous avons noté tout à l'heure pour la localisation des centres de production, les données occidentales peuvent être utilisées pour leur compte, *hic et nunc*. Mais elles donnent en principe des points de référence, plutôt que des éléments de durée: si l'on y réfléchit bien, l'article de Villard et Vallet sur la chronologie des coupes ioniennes (que l'on m'excuse de le citer encore, mais c'est pour le critiquer) devait s'intituler chronologie *de la diffusion* des coupes ioniennes en Occident; en effet il est possible *a priori* de remonter le début de la production des séries plus anciennes (il y aurait un décalage après tout normal entre leur apparition et leurs premières exportations), comme il est également possible *a priori*, encore que cela pose un autre type de problème du point de vue de l'histoire économique, de supposer, que, pour les dernières séries, l'exportation s'arrête avant la fin de la production. Il me semble au demeurant — je le suggère plus que je l'affirme — que ce genre de décalage risque d'être plus important pour les séries mineures que pour les séries à grande diffusion comme les coupes ioniennes: le bucchero éolien n'apparaît pas dans l'Ouest avant la fin du VIIe siècle, alors qu'il est attesté à date plus haute en Eolide où il est l'aboutissement d'une tradition plus ancienne (15). Mais pour les séries importantes, ces décalages possibles peuvent affecter, sans doute de manière mineure, le début et la fin d'une série plus que son évolution. Encore faut-il s'entendre — et c'est le point essentiel — sur ce que recouvre le mot série: si les coupes ioniennes, pour parler encore d'elles, peuvent avoir été produites par un certain nombre d'ateliers ou de centres, n'est-il pas arbitraire de les traiter comme formant une série sinon unitaire, du moins homogène, avec une évolution linéaire que l'on pourrait en quelque sorte retracer indépendamment des apports singuliers de ces centres ou de ces ateliers? Cette question, je la pose aux spécialistes, et je ne prétends pas pouvoir personnellement y répondre. Il me semble cependant que les productions d'une aire culturelle homogène sont elles-mêmes suffisamment homogènes pour que, au moment d'apprécier leur évolution, on puisse les considérer comme étant les parties d'un même ensemble.

4. — Il n'en va pas de même pour les imitations locales; puisque dans ce cas, les aires culturelles peuvent présenter de très grandes différences, on ne pourra pas toujours, en terme de chronologie, confronter valablement une imitation et son modèle, pas plus qu'on ne devra confronter l'une par rapport à l'autre deux imitations, appartenant à des aires géographiquement, économiquement ou culturellement différentes. Cela dit, on rappellera ici les termes du débat sur les rapports chronologiques qui peuvent exister, pour les céramiques qui nous occupent comme pour d'autres, entre les séries importées et les imitations locales. Quelles sont, théoriquement parlant, les marges possibles de décalage? Il n'y a pas de réponse à donner à cette question théorique: tout ce que l'on peut dire, c'est qu'il est impossible de soutenir comme une règle que l'apparition ou le développement des céramiques locales coïncide plus ou moins — cause ou effet — avec la fin des importations. Pour aller plus loin, il faut faire du coup par coup et envisager les cas particuliers. Inutile de dire que ce qui n'est pas facile pour les imitations de la céramique corinthienne sera difficile, pour ne pas dire, dans l'état actuel des choses, à peu près impossible pour celles des céramiques de la Grèce de l'Est.

---

15) W. LAMB, *Grey Wares from Lesbos, JHS*, 52, 1932, p. 2. C. BOULTER, *Troy IV*, p. 252 sq.

Toutes ces incertitudes, jointes aux lacunes plusieurs fois rappelées de nos connaissances, rendent hasardeuses les interprétations historiques; ce n'est évidemment pas le moment de les aborder, et c'est seulement après que les fouilleurs et les céramologues nous auront fait part de leurs découvertes et de leurs observations que notre ami E. Lepore pourra voir comment encadrer ces données dans ce que nous savons des grands mouvements (colonisation, commerce) entre l'Est et l'Ouest de la Méditerranée au VIIᵉ et au VIᵉ siècle. Je me limiterai ici à poser quelques questions; ce ne sont pas nécessairement les plus importantes, mais ce sont celles auxquelles on ne peut répondre sans l'aide des archéologues. C'est pourquoi je me permets dès maintenant, et avant vos rapports, de les soumettre à votre attention.

1. — Est-il vrai que le facies des exportations de la Grèce de l'Est en Occident et celui de ses exportations dans l'Orient méditerranéen sont profondément différents? F. Villard, avec d'autres, a beaucoup insisté sur ce point en soulignant à plusieurs reprises l'absence en Occident des séries à décoration figurée, qui en revanche sont « largement présentes de la Mer Noire jusqu'à l'Egypte » (16). Si l'on songe par exemple à l'abondance des importations clazoméniennes à Panticapée, des vases de Fikellura à Histria (17), on est frappé, il est vrai, par la rareté de ces séries dans l'Ouest et, pour reprendre le mot de F. Villard, par la médiocrité de cette céramique ionienne que l'on trouve sur les sites d'Occident. Mais, pour juger pleinement de cette différence entre l'Est et l'Ouest, si toutefois les rapports que nous allons entendre la confirment, il faudrait également savoir dans quelle mesure la céramique sans décoration figurée, amphores, vaisselle de table, coupes ioniennes notamment, que l'on trouve, je ne dis pas dans tout l'Occident, mais sur les sites coloniaux ioniens d'Occident, se retrouve aussi ou non sur les sites les mieux connus des zones orientales.

2. — Pour nous limiter maintenant aux problèmes que posent les céramiques de la Grèce de l'Est en Occident, la question fondamentale reste, je crois, de confronter le domaine colonial, c'est-à-dire celui de Phocée, et le reste. Cette question revêt de nombreux aspects que je ne peux ici même énumérer en totalité. Pour m'en tenir à ce qui me semble l'essentiel, je poserai d'abord la question sous l'angle chronologique. Nous pouvons admettre pour la fondation de Marseille la date de 600: or, avant 600, il y a des importations de la Grèce de l'Est en Occident, par exemple certains types de coupes ioniennes. Quelle est la signification de leur présence du point de vue des rapports entre l'Est et l'Ouest? Il y a également, je le rappelle pour mémoire, ce problème, souvent discuté par J.-P. Morel, des Rhodiens dans l'Ouest. Bref, il conviendrait que, de notre bilan, sortent des indications précises sur ce qu'étaient les relations de la Grèce de l'Est avec l'Occident avant la fondation des colonies phocéennes.

3. — Après 600, nous avons un certain nombre de colonies phocéennes en Occident. Je serai maintenant volontairement schématique, donc sans doute inexact: comment résumer et interpréter les différences qui existent — et qui elles aussi ont été fortement soulignées par F. Villard dans l'article déjà cité — entre le facies des importations de la Grèce de l'Est sur les sites coloniaux de Phocée et dans les villes non phocéennes? Est-ce que, en fin de compte, en plus de différences quantitatives, l'opposition essentielle n'est pas — je pose la question aux archéologues d'Occident — la présence nombreuse sur les sites phocéens et la rareté relative ailleurs (Sicile orientale, Italie du Sud) du bucchero éolien, c'est-à-dire de ces plats, ou mieux de ces assiettes, qui sont précisément cette vaisselle de table coloniale médiocre dont parle F. Villard, et dont la diffusion d'ailleurs semble bien surtout se placer dans les premières décennies de la colonisation? A-t-on d'ailleurs suffisamment observé que, si l'on admet d'une part la disparition rapide des importations de bucchero éolien et d'autre part la chronologie proposée par nous pour le début des coupes B 2 (vers 580), on implique — je laisse pour le moment

16) F. Villard, *Céramique ionienne et céramique phocéenne en Occident* dans *Nuovi studi su Velia*, *PP*, XXV, 1970, p. 109.
17) P. Alexandrescu, *infra*, p. 57.

de côté toutes les interprétations possibles — que la diffusion des coupes B 2 en Occident commence quand la céramique grise cesse d'être exportée par les Phocéens? Quoi qu'il en soit, les autres composantes essentielles des importations de l'Est sur les sites coloniaux, les amphores à vin, dans la mesure où elles sont identifiées, les calices de Chios, les coupes ioniennes, on les retrouve bien, me semble-t-il (mais là encore je pose la question), en Italie du Sud et en Sicile. S'il en est ainsi, qui a diffusé ce matériel de l'Est en dehors des colonies phocéennes? Les Phocéens eux-mêmes ou d'autres? Mais, avant de se lancer dans de grandes reconstitutions historiques, il faut poser une autre question, aux archéologues d'Asie Mineure cette fois: ces coupes ioniennes peuvent-elles ou non venir, comme lieu de production, de la région de Phocée (y a-t-il des coupes ioniennes en Eolide?). C'est la question que je posais tout à l'heure et c'est cela, je crois, le point fondamental, avant de savoir si les coupes ioniennes ont été plus ou moins imitées dans le domaine colonial phocéen. J'insiste bien sur le sens de ma question: vu la pluralité, ou la multiplicité des ateliers et des centres que l'on entrevoit pour la fabrication de ces coupes, peut-il y avoir *aussi* un ou des ateliers localisés en Eolide? Si oui, on ne voit pas pourquoi *a priori* les Phocéens n'auraient pu être, pour ce type de céramique, que « des clients comme tous les autres Grecs d'Occident » et non des agents de transmission (18). On le voit, tous les problèmes se tiennent et de même que, pour reprendre une formule de J.-P. Morel (19), il ne faut pas « mettre tous les Ioniens dans le même sac » quand il s'agit de la production de la céramique de l'Est, de même, au niveau de la diffusion, il faudrait essayer de distinguer le rôle qu'ont pu jouer les uns et les autres. Et ici, comment ne pas évoquer le problème de Gravisca: quels sont ces Ioniens qui s'installent dès 580 dans le port de Tarquinia et qui y restent jusqu'au début du Ve siècle? On connaît les observations, et les conclusions très mesurées de nos amis italiens à ce sujet, qui penchent pour y reconnaître des Samiens plutôt que les Phocéens. Les arguments avancés par M. Torelli (20) ne manquent, certes, pas de poids, mais on approuvera cependant sa prudence, car, dans le fond, nous ne pouvons parler qu'en termes de probabilité (21).

Colonies, ports-francs, mouvements commerciaux directs ou indirects... On n'en finirait pas de poser aux uns et aux autres des problèmes. Par exemple, il faudrait pouvoir aborder vraiment le problème des amphores; leurs lieux de fabrication d'abord (on parle toujours d'amphores de Chios, ce qui est en effet une catégorie importante, souvent d'amphores ioniennes, ce qui veut tout dire, ou ne rien dire, jamais d'amphores « phocéennes »); leur rapport avec les autres formes de la céramique (est-il vrai par exemple, et si oui, dans quels cas, que, suivant une idée chère à M. Gras, certains vases peuvent en quelque sorte accompagner des amphores, comme des objets mineurs en apparence, mais en fait comme des signes d'une provenance, j'allais dire de l'authenticité d'un produit: en d'autres termes, la coupe ionienne est-elle aux amphores ioniennes ce que le calice de Chios est aux amphores de Chios ou le canthare étrusque aux amphores étrusques?); leur importance surtout du point de vue de l'histoire économique (mais il faudrait être sûr que les données archéologiques ont été recueillies avec une claire vision de l'importance du problème).

Autre type de question: il y a dans ce colloque, un rapport de R. Martin sur « Les influences de la Grèce de l'Est dans les domaines de l'architecture et de la sculpture ». La raison est simple: nous permettre de reprendre cette vieille question des rapports entre la présence du matériel ionien et les influences ioniennes dans l'Ouest: il y a certes des aires communes, et en gros le polygonal coïncide assez bien avec la diffusion des céramiques de l'Est. Mais, il n'en reste pas moins vrai qu'il y a un « dislivello » certain entre la médiocrité de ces importations et la qualité des influences; qu'on pense par

---

18) F. VILLARD, *op. cit.*, p. 118.
19) J.-P. MOREL, *Colonisations d'Occident (A propos d'un récent colloque)*, MEFR(A), 84, 1972, 1, p. 727.
20) M. TORELLI, *Il santuario di Hera a Gravisca*, PP, 136, 1971, p. 44-67; M. TORELLI, F. BOITANI, G. LILLIU *et alii* *Gravisca (Tarquinia). Scavi nella città etrusco-romana. Campagne 1969 e 1970*, NSA, 1971, p. 195-299.
21) Cf. J.-P. MOREL, *L'expansion phocéenne en Occident: dix années de recherches (1966-1975)*, BCH, 99, 1975, p. 863.

exemple au temple ionique de Syracuse ou au parapet éolique de Mégara récemment publié par P. Auberson (22).

Un autre type de question — le dernier, ou presque, de ceux que j'énumérerai ici —: puisque nous avons la chance d'avoir parmi nous les archéologues d'Asie Mineure, il serait important qu'ils nous disent les réactions, les chocs en retour que, d'après leurs observations, les mouvements de colonisation et de commerce vers l'Ouest ont pu provoquer non seulement sur la vie des ateliers, mais sur la vie de ces cités qui ont joué un rôle prépondérant dans ce commerce ou cette colonisation. A défaut de pouvoir toujours saisir concrètement les causes d'une colonisation, il serait important de déceler des traces matérielles de ses effets: la colonisation a-t-elle provoqué la création ou le développement d'ateliers avec tout ce que cela peut entraîner pour la modification des structures économiques d'une cité? Enfin, y a-t-il eu un changement dans l'équilibre économique entre les différentes cités d'Ionie?

Dernière remarque, en contre-point aux questions précédentes qui révélaient un certain optimisme: réussirons-nous à distinguer sans trop d'arbitraire les céramiques importées de la Grèce de l'Est et les imitations locales? Je pose cette question maintenant, ce qui est maladroit, car tout ce que j'ai dit plus haut supposait explicitement ou implicitement que cela était possible. Nous disposons aujourd'hui pour aborder, sinon résoudre le problème, des observations des archéologues et de l'aide de la science (cf. le rapport de P. Dupont sur « Une approche en laboratoire des problèmes de la céramique de l'Est»). Les observations des archéologues reposent sur des données particulièrement difficiles pour deux ordres de raisons: nous avons certainement en Asie Mineure, à la différence de ce qui se produit pour la plupart des autres séries grecques, une pluralité non seulement d'ateliers, mais de centres de production, ce qui crée à l'intérieur d'un ensemble, des groupes, des sous-groupes avec vraisemblablement des données techniques à chaque fois différentes; par ailleurs, la plupart des séries ioniennes ne sont pas protégées par un vernis comme le vernis attique par exemple, ce qui provoque souvent la corrosion de la surface; le travail de vases sans décor figuré ne permet pas non plus de se référer à des critères de qualité stylistique; j'ajoute que souvent les argiles elles-mêmes semblent assez fragiles, susceptibles plus que d'autres d'être corrodées par un long séjour dans la terre, pour peu qu'elle soit acide; c'est dire qu'au niveau de nos observations d'archéologues, les distinctions ne seront pas toujours aisées.

Pour les analyses de laboratoire, auxquelles personnellement j'ai toujours attaché la plus grande importance, la pluralité des ateliers soulève là aussi non seulement des difficultés d'ordre pratique, mais un problème de méthode. Si nos céramiques de la Grèce de l'Est présentent techniquement un « air de famille » lié à un ensemble de facteurs techniques et culturels, il ne faut pas en conclure pour autant qu'il peut y avoir dans cette aire géographique des constantes techniques ou minéralogiques qui permettent, au niveau des analyses, de déterminer un ensemble. Je pense que P. Dupont a parfaitement raison quand il dit qu'il sera sans doute « vain d'escompter résoudre les problèmes archéologiques en cherchant à définir *a priori* des traits géochimiques régionaux, permettant de subdiviser la façade occidentale de l'Asie Mineure en un certain nombre de domaines ». Mais cette prudence, précisément, et cette sagesse m'incitent à croire que l'optimisme de tous ceux qui, avec lui et comme lui, procèdent aux analyses de laboratoire méritent toute notre confiance. Simplement, pour eux et pour nous, il faut une longue patience. C'est là, par chance, une vertu dont les archéologues ne manquent pas. Les quatre jours qui viennent vont, s'il en était besoin, en fournir une preuve.

Et maintenant, au travail.

GEORGES VALLET

---

22) P. AUBERSON, *Le parapet éolique d'un autel de Mégara Hyblaea, Mélanges P. Collart (Cahiers d'archéologie romande* nº 5), Lausanne, 1976, p. 21-29.

SPAETGEOMETRISCHE KERAMIK IN BAYRAKLI
(ALT-SMYRNA)
(Pl. I–IV)

Aus den Grabungen von Bayrakli Alt-Smyrna kennen wir heute eine grosse Anzahl protogeometrischer und geometrischer Tongefaesse. In der kurzen Zeit eines Vortrages kann ich Ihnen kaum eine Vorstellung von dem Reichtum dieser Keramik geben, ich will jedoch versuchen, mit einigen wenigen ausgewaehlten Beispielen Ihnen einen möglichst genauen Eindruck von dieser Keramik zu vermitteln.

In Bayrakli wurden die ersten Ausgrabungen in den Jahren 1948-1951, und dann wieder seit 1966 unter der Leitung von Prof. E. Akurgal durchgeführt.

Bevor wir die Probleme des spaetgeometrischen Stils in Bayrakli behandeln, müssen wir einen kurzen Überblick über die Geschichte der geometrischen Keramik geben.

Die ersten bekannten Vasen in Bayrakli sind einige spaetprotogeometrische Gefaesse. Es sind: ein Krater, eine Amphora und ein Skyphos (1), die wahrscheinlich einheimisch sind, die aber einen starken attischen Einfluss in der Form sowie in der Dekoration zeigen.

Krater (Abb. 1)

Prof. B. Ögün hatte bereits darauf hingewiesen, dass es sich bei dem in Bayrakli gefundenen Krater um den grössten aus der protogeometrischen Epoche handelt (2). Im Dekor ist der Krater aus Bayrakli vergleichbar mit dem in München (3). Bei beiden Krateren sind die Ornamentreihen sehr aehnlich. Schon auf Grund dieser wenigen Beobachtungen können wir feststellen, dass der besondere Ornamentstil des Kraters aus Bayrakli von Attika beeinflusst worden ist.

Amphora (Abb. 2) (4)

Die Amphora aus Bayrakli zeigt ebenfalls attische Einflüsse, wie sich aus Teilvergleichen mit verschiedenen attischen Vorbildern zeigt. z.B. Der Amphora aus Menidi (5) und dem Kerameikos 2153 (6) und auch Eleusis 813 (7). Auf der Schulter befinden sich auf Seite A jeweils zwei Systeme konzentrischer Halbkreise. Diese konzentrischen Halbkreise sind gefüllt mit einem Sanduhrornament, wie auf der Amphora aus dem Kerameikos 2153.

---

1) E. AKURGAL, *AJA.* 62, 1962, 369 f. Taf. 96, 1.
2) B. ÖGÜN, *Batı Anadolu'da Protogeometri Devri Yunan Boyali Keramigi*, Ankara 1963 Habil. Arbeit, nicht publiziert
3) *CVA.* München 3, Taf. 103, 1, 2.
4) J. COOK, *JHS.* 72, 1952, 103 Abb. 9 b; *BSA.* 53, 1958-59, 1; E. AKURGAL, *a.O.* Taf. 96, 2; B. ÖGÜN, *a.O.*
5) *CVA.* Heidelberg 3, Taf. 103, 1. 2 (678).
6) K. KÜBLER. Ker. V¹, Taf. 7, 2153.
7) P. KAHANE, *AJA.* 44, 1940, 470, 481, Taf. 18, 1.

Skyphos (Abb. 3)

Auch der aus mehreren Stücken zusammengesetzte Skyphos aus Bayrakli ist in Form und Dekor stark von attischen Vorbildern beeinflusst. In der Form können wir den Skyphos aus Bayraklı besonders mit den festlaendischen und kykladischen (8) Vorbildern vergleichen. Zwischen den Henkeln befinden sich auf Seite A zwei Systeme konzentrischer Kreise, die mit Kreuzen in der Mitte gefüllt sind.

Diese gut erhaltenen drei protogeometrischen Gefaesse, die wir kurz gesehen haben, gehören in die zweite Haelfte des 10. Jahrhunderts v. Chr.

Die frühgeometrische Epoche in Bayrakli Alt-Smyrna ist leider nur durch Bruchstücke bekannt. Die Werkstaetten von Bayrakli benützten aber in dieser Epoche eine lange Zeit noch Schmuckelemente des protogeometrischen Stils. Es scheint aber als ob die Werkstaetten in Bayrakli daneben einen eigenen lokalen Dekorationsstil entwickelt hätten, der wiederum durch attische und vielleicht auch durch kykladische Elemente bereichert wurde. Ich möchte Ihnen zwei interessante Stücke zeigen:

Bruchstücke aus der Schulter
von einer Amphora oder Kanne
BYR 1948-51 « H » XLV, 8.20-7.80 m. (Abb. 4)

Auf diesem Schulterstück stehen neben den konzentrischen Halbkreisen ein ineinander gesetztes Dreiecksmuster, in das ein zweiteiliges Rhombenmuster gezeichnet ist. Für diese Epoche ist dieser Heimatstil in Bayrakli besonders charakteristisch.

Vier Randstücke eines Kraters
BYR 1948-51 « H » Unter dem Fussboden XLVII
8.00-7.80 m. (Abb. 5)

Auf dem zweiten Stück können wir einen gemischten Stil verfolgen:
Diese vier Randstücke gehören zu einem Krater. Unter der Lippe wird ein durch drei umlaufende Linien eingefasstes Band von vertikalen Streifen nach dem Metopensystem eingeteilt. In der Mitte der Henkelzone befindet sich eine Zentraldekoration mit konzentrischen Kreisen, die von Punktreihen umgeben sind. Die konzentrischen Kreise sind an beiden Seiten von gefirnissten senkrechten Rautenketten und schraffierten Sanduhren und Dreiecken begrenzt. Die Punktreihen werden auch an den Aussenseiten der senkrechten Rautenketten wiederholt.

Ich möchte eine Frage stellen, ob dieser Punktreihenstil für Bayrakli ein Unikum ist oder nicht. Diese Frage ist hier nicht endgültig zu entscheiden, aber meiner Meinung nach ist dieser Stil vom griechischen Festland beeinflusst worden (9), denn beispielsweise findet sich dieses Motiv auch in der Keramik aus Nea Ionia (10) und auch auf der in den letzten Jahren gefundenen Kanne aus Lefkandi (11).

---

8) W. MÜLLER-F. OELMANN, Tiryns I Abb. 18; *CVA.* Würzburg 1, 11, 12 Taf. 4; H. DRAGENDORFF, Thera II 30 Abb. 81; E. Lord SMITHSON, Hesperia 30, 1961, 167 Taf. 27, 46 und Taf. 27 Ker. Inv. 609; NACH F. HÖLSCHER. *CVA.* Würzburg 1, Delt. 19, 1964, Chron. Taf. 83 B; V. R. d'A. DESBOROUGH, *Protogeometric Pottery*, 83, 84, 214; W. KRAIKER-K. KÜBLER, Ker. I, 419 Anm. 2 Taf. 49, 606; E. KUNZE, *OJH.* 39, 1952, 55 Anm. 10.

9) J. N. COLDSTREAM, *Greek Geometric Pottery*, 265 f; Zum Vergleich (zur Verzierung und Datierung) s. G. BASS, *AJA.* 64, 1963 Taf. 83, 16; 84,19; Y. BOYSAL, *Katalog der Vasen im Museum in Bodrum*, Taf. 38, 14.

10) E. Lord SMITHSON, *a.O.* Taf. 26, 22, 23, 26, 30.

11) DESBOROUGH-NICHOLLS-POPHAM, *BSA.* 65, 1970, 21 f. Taf. 11 a.

Auf Grund des Punktreihenstiles darf man die Kraterstücke aus Bayrakli in frühgeometrische Epoche datieren, weil die neu gefundene Kanne aus Lefkandi aehnlichen Ornamentstil hat (12).

In der reifgeometrischen Epoche gibt es in Bayrakli Werkstaetten, in denen gute Meister ihre eigene Keramik herstellen, auch wenn sich klare Einflüsse von Attika und Samos verraten, wie E. Akurgal bereits betonte (13).

Ich möchte Ihnen wieder zwei reifgeometrische Stücke zeigen, welche die charakterischsten Stücke aus dieser Epoche in Bayrakli sind.

Bruchstücke von einem Krater
aus Bayrakli. Meister von Bayrakli 41
BYR 1948-51 « H » XLI 8.20-8.10 m. (Abb. 6)

Das ist der wichtigste Krater aus Bayrakli, der in seinem eigenen Verzierungsstil in der lokal geometrischen Töpferkunst von Bayrakli ganz aussergewoehnlich ist. Mit diesem Anhaltspunkt können wir zum ersten Mal in Bayrakli einen Meister feststellen, der Meister 41 Bayrakli genannt wird.

In der Henkelzone des Kraterstücks befindet sich ein grosses Metopenfeld, worin ein lokales Maeandermuster gezeichnet ist. Das Metopenfeld wird durch vertikale Streifen seitlich eingefasst. Zusaetzlich erscheint auf beiden Seiten eine gegitterte Rautenkette. Das Maeandermuster hat nach meiner Ergaenzung zweieinhalb Windungen; in die innerste Windung ragt ein abzweigender Maeanderarm hinein. Das Maeanderband ist in wechselnden Richtungen unregelmaessig schraffiert. An der Stelle des Richtungswechsels bilden sich ineinander geschchatelte Dreiecke.

Das Kraterstück von Meister 41, das wir gesehen haben, stellt mit seinem eigenen Ornamentstil keine echte Vergleichsmöglichkeiten und Kontakt zu den ostgriechischen und attischen-samischen Töpferwerkstaetten. Trotzdem haben wir einige Kleinigkeiten zum Vergleich. Das unregelmaessige schraffierte Maeanderband ist von attischen Werkstaetten beeinflusst worden (14). Auf den Bildeinteilungen kann man mit einem Blick übersehen, dass die Motivreihen aus Attika und von Samos scheinbar beeinflusst sind. Auf beiden Seiten zusaetzlich erscheinende Rautenketten trifft man auch auf attischen und samischen Kraterverzierungen (15). Aber man kann so ein grosses Maeanderfeld in der griechischen Töpferkunst und die eigenen individuellen Maeanderverzierungsstile nicht antreffen.

Die Kraterstücke von Meister 41 aus Bayrakli entstanden mit eigenem Maeanderstil und grossem Metopenfeld am Anfang des reifgeometrischen Stils.

Bruchstücke eines Kantharos
aus Bayrakli, BYR 1948-51 « H »
auf dem Fussboden XLVII
8.30-8.20/8.25-8.20 m. (Abb. 7)

Zum zweiten Mal werden wir einen Kantharos sehen, der mit seiner Form und Ornamentstil für Bayrakli sehr charakteristisch ist.

---

12) DESBOROUGH-NICHOLLS-POPHAM, a.O. 22 f.
13) E. AKURGAL 2, DTCF. Der. 8, 1950, 10 und 59 f.
14) K. KÜBLER, a.O. Taf. 20, 290; 21, 290; 31, 255; 45, 825; 54, 257; 85, 258; J. N. COLDSTREAM, a.O. Taf. 4 a, b, d; 5 f, g; 3 l, n.
15) K. KÜBLER, a.O. Taf. 20, 290; 21, 290; J. N. COLDSTREAM, a.O. Taf. 5 f; H. WALTER, Samos V. Abb. 3 Taf. 3, 21; 4, 21.

In der Henkelzone befindet sich ein grosses Metopenfeld, worin zwei gegenstaendig dargestellte Zinnenmaeander gezeichnet sind (16). Die Aussenseite des Metopenfeldes ist ganz gefirnisst.

Die in dieser Epoche hergestellten ostgriechischen Kantharoi sind von attischen Vorbildern stark beeinflusst, wie wir auf rhodischen und samischen Beispielen sehen können (17). Aber man kann keine Aehnlichkeiten finden um unsere Kantharosstücke mit attischen und ostgriechischen Vorbildern zu verbinden. Die Kantharosstücke aus Bayrakli wurden in einer einheimischen Werkstatt hergestellt, weil deren Verzierungsmuster zum ersten Mal in der ostgriechischen Welt erscheint. Unsere Kantharosstücke entstanden am Ende der reifgeometrischen Epoche, was deren Fundniveau und gegenstaendige Zinnenmaeander zeigen.

In der spaetgeometrischen Epoche kann man die einheimische Produktion in Bayrakli deutlich verfolgen, weil die Ornamentsyntaxen in ganz verschiedener Art hergestellt sind; trotzdem kann man beobachten, dass samischer Einfluss noch fort gedauert hat, den wir auf den Vogelskyphoi und Krateren sehen können. Diese beinahe Stilübertragungen in Bayrakli lassen sich bis ins 6. Jhr. v. Chr. -bis Alyattes Zerstörung — verfolgen, wie E. Akurgal früher bemerkt hatte (18).

Zahlreiche Gefaessstücke von der spaetgeometrischen Zeit wurden in Bayrakli gefunden, deren Ornamentstil meistens aus Vögeln und Linearmotiven gebildet war. Dazu können wir Zickzack und Maeanderbaender ergaenzen.

Der in Bayrakli am haeufigsten auftretende Schalentyp ist Vogelskyphos, wie wir durch die beiden folgenden Skyphosstücke gleich sehen können.

Vogelskyphosstücke
von Bayrakli

Zahlreiche Vogelskyphoi, die in den ostgriechischen Werkstaetten gefunden wurden, wurden auch in dem Gebiet zwischen Troia und der Levante, Larisa am Hermos, Phokeia, Smyrna, Teos, Chios, Samos, Klazomenai, Ephesos, Milet, Didyma, Iasos, Beçin, Lagina, Euromos, Sardes, Dodakanes, Kykladen, Naukratis, Al Mina, Mersin, Tarsus, Ankara, Bogazköy, Alisar (19) —. Es ist sehr schwer zu entscheiden, ob diese Vogelskyphoi zum ersten Mal in Rhodos hergestellt wurden, weil sie, wie wir schon gesehen haben, in einem grossen Gebiet angetroffen werden. Die neu erschienenen samischen Vogelskyphosstücke (20) haben auch die Lösung nicht gebracht, woher zum ersten Mal diese Vogelskyphoi kommen. Doch wurden die Vogelskyphoi in den ostgriechischen Töpferwerkstaetten hergestellt.

Die Vogelskyphoi aus der spaetgeometrischen Zeit, die in Bayrakli gefunden wurden, haben einen aehnlichen Typus wie in anderen ostgriechischen Werkstaetten. Zwar wurden insbesondere die Vogelskyphoi von Bayrakli von aehnlichen samischen Vogelskyphoi beeinflusst. Aber die Werkstaetten von Bayrakli haben auch in dieser Zeit eigene Verzierungsornamente benutzt. Auf den beiden folgenden Stücken können wir diesen Stil beobachten.

Die Vogelskyphosstücke von Bayrakli können wir in zwei Gruppe einteilen:

1) Durch einen Vogel verzierte Skyphoi.
2) Ohne Vogelmuster verzierte Skyphoi.

---

16) *CVA.* Gotha 1, 33 Taf. 20-22.
17) F. JOHANSEN, *Exochi*, 115, Abb. 115, 116; H. WALTER, *a.O.* Taf. 15, 71.
18) E. AKURGAL 2, *a.O.* 10 und 59 f.
19) E. AKURGAL 2, *a.O.*; G. HANFMANN, *HSCP.* 61, 1953.
20) H. WALTER, *a.O.* 86, 87 Taf. 42, 240, 242, 245, 246.

Vier Bruchstücke der Vogelskyphoi
von Bayrakli (21)
BYR 1948-51 « H » (Abb. 8-11)

In der Henkelzone der Skyphosstücke von Bayrakli befinden sich zentral Metopenfelder, die durch vertikale und horizontale Streifen vier nach dem Metopensystem eingeteilte kanonische Felder zeigen. Ihre typische Ornamente sind Vogel, Maeanderbaum und Raute. Unter den kanonischen Feldern und auch zwischen dem zentralen Metopenfeld steht eine waagrechte Sanduhrreihe. In der Regel kommt im Nachbarfeld des Maeanderbaum ein Vogelfeld. Aber auf manchen Stücken aus Bayrakli kommt das Vogelfeld vor dem Maeanderbaum, was wir auch auf samischen Vogelskyphosstücken verfolgen können (22).

Wir können die allgemeine Bildeinteilung der Vogelskyphoi von Bayrakli mit samischen Beispielen vergleichen. Die Stücke von Samos wurden auch in aehnlicher Art wie Bayraklis Vogelskyphoi verziert, wie man bei meiner Ergaenzung hier deutlich sehen kann. Alle Stücke haben die selben Verzierungsornamente und denselben Stil, naehmlich Raute, Maeanderbaum, Vogel, Raute und das waagerechte Sanduhrmuster.

Die Vogelskyphoi, die in Samos gefunden wurden, kommen nach der Mitte des achten Jahrhunderts auf, wie wir von H. Walter in seinem Buch gehört haben (23). Mit diesem wahrscheinlich können wir auch unsere Vogelskyphosstücke in die gleiche Zeit datieren, weil deren Verzierungsstil sehr aehnlich ist, wie wir bereits beobachtet haben. Man kann auch denken, dass diese neue Mode noch spaeter in Bayrakli erschienen ist.

Vier Bruchstücke der Vogelskyphoi
von Bayrakli, die ohne Vogelmuster
verziert sind
BYR 1948-51 « H » (Abb. 12-15)

In dieser Gruppe kann man beobachten, dass die Hauptmetopenfelder dreiteilig dargestellt sind. Zwischen beiden Rautenmustern steht ein Maeanderbaum. Der Maeanderbaum befindet sich in der Mitte des Metopenfeldes und ist durch die senkrechten Chevronmuster — Lambdakette — seitlich begrenzt (24). Unter dem Hauptmetopenfeld sind waagerechte Sanduhren oder eine Zickzacklinie — in meinen Ergaenzungen — dargestellt (25). Man kann diesen Stil nicht in anderen ostgriechischen Werkstaetten antreffen, weil der mit dem Chevronmuster begrenzte Maeanderbaum besonders charakteristisch für Bayraklis Werkstaetten ist.

Wir können diese Skyphosstücke vor 700 v. Chr datieren, weil die gefundenen Vogelskyphoi aus Pithecusa — Nestor Schale (26) — und Asine (27) ungefaehr in der gleichen Zeit hergestellt wurden (28), was deren Fundniveau und Kontext zeigen.

---

21) Zum Vergleich (zur Verzierung und Datierung): CLARA RHODOS 3, Abb. 92 und 99; C. DUGAS-C. RHOMAIOS, *Delos*, XV Taf. 46; 47.
22) H. WALTER, *a.O.* Taf. 42, 246.
23) H. WALTER, *a.O.* 46.
24) O. FRÖDIN-A. PERSSON, *Asine*, 321 Abb. 219, 4.
25) O. FRÖDIN-A. PERSSON, *a.O.* Abb. 219, 4; A. D. TRENDALL, *Supplement JHS.* 79, 1956, 59 f. Abb. 4 oben links Nestor Schale »; S. HILLER, *Antike Welt* 1, 1976, 22 f. Abb. 7.
26) A. D. TRENDALL, *a.O.* 59, Abb. 4.
27) O. FRÖDIN-A. PERSSON, *a.O.* 321.
28) J. N. COLDSTREAM, *a.O.* 286 f.

Zwei Bruchstücke der Skyphoi
aus Bayrakli (29)
BYR « H » (Abb. 16, 17)

In der gleichen Zeit wurden in Bayrakli eine andere Art Vogelskyphosstücke gefunden, deren Verzierungsstil charakteristisch für Bayraklıs Werkstaetten ist. In dieser Gruppe kann man auch beobachten, dass die Hauptmetopenfelder wieder vierteilig verteilt sind, aber statt Vogelmuster gibt es untereinander dargestellte Zickzacklinien. Die Syntax ist sehr aehnlich, wie wir bereits auf Vogelskyphoi gesehen haben: Raute, Zickzacklinien, Maeanderbaum, Raute. Die Zickzacklinien sind unregelmaessig dar gestellt, wie die Vögel. Auf den Vogelskyphoi kommen manchmal Zickzacklinien vor dem Maeanderbaum, wie wir beobachtet haben. Wir können unsere Skyphosstücke wieder mit samischen Vorbildern vergleichen. Aber man kann nicht sicher feststellen, ob dieser Stil zum ersten Mal in Bayrakli oder in Samos aufkam, weil ein aehnliches Stück in Samos gefunden wurde, das von H. Walter aus Bayrakli — smyrnaeisch — bezeichnet ist (30). In der gleichen Zeit trifft man so verzierte Skyphoi auch in Samos an. Aber aus der spaetgeometrischen Zeit wurden in Bayrakli zahlreiche Beispiele ans Tageslicht gebracht. Wenn das Stück von Bayrakli nach Samos exportiert wurde (31), dann dürfen wir sagen, dass der Zickzacklinienstil zum ersten Mal in Bayrakli hergestellt worden ist. Sie entstanden auch in der gleichen Epoche, wie die Vogelskyphoi.

Die Maeanderhakenskyphoi
aus Bayrakli
BYR 1948-51 « H » XXX
Ya, 9.30 m.
XLVIII, 9.30-8.80 m. (Abb. 18-24)

In Bayraklis Werkstaetten wurden in der spaetgeometrischen Epoche nicht nur zahlreiche Vogelskyphoi hergestellt, aber auch Maeanderhakenskyphoi. In der ostgriechischen Welt trifft man solche Gefaesse auch aus Rhodos (32), Samos (33), Chios (34) und Milet (35). Die Werkstaetten von Bayrakli und Samos haben in aehnlichem Stil diese Maeanderhakenskyphoi hergestellt. Wir können auf samischen Beispielen diese aehnlichen Stilwanderungen verfolgen.

Die Verzierung befindet sich in der Henkelzone, wie wir auf samischen Vorbildern sehen können (36). Das Hauptmetopenfeld wurde durch den vertikalen und horizontalen Streifen nach dem Metopensystem begrenzt, im Metopenfeld sind Maeanderhaken dargestellt, die von Strichmaeander begleitet werden, wie wir auf allen Stücken verfolgen können. Die Maeanderschraffierung ist regelmaessig oder mit Punkten gebildet. Die Verzierungstile beider Werkstaetten sind gleich. Mit diesen Aehnlichkeiten können wir unsere Maeanderhakenskyphoi in die gleiche Zeit einordnen, wie samische Beispiele, die wohl vor 700 v. Chr. entstanden sind, was das Fundniveau der samischen Beispiele zeigt (37).

---

29) Zum Vergleichen s. H. WALTER, a.O. Taf. 42, 247.
30) H. WALTER, a.O. Taf. 42, 249; D. LEVI, ASAtene. 31-32, 1969-70, 508, Abb. 59.
31) H. WALTER, a.O. Taf. 42, 249.
32) CLARA RHODOS 3, IALYSOS GRAB 50, 84, No. 1 Inv. 11642; J. N. COLDSTREAM, a.O. Taf. 61 c.
33) H. WALTER, a.O. Taf. 41, 228-232.
34) J. BOARDMANN, BSA. Suppl. 6, 1967 Taf. 31, 187, 189; 32, 210.
35) P. HOMMEL, IM. 9-10, 1959-60 Taf. 59, 3.
36) H. WALTER, a.O. Taf. 41, 228-232.
37) H. WALTER, a.O., 40, 87.

Bruchstück von einem einheimischen
Maeanderhakenskyphos aus Bayrakli
BYR 1948-51 « H » XXX (Abb. 25)

Aus der gleichen Epoche wurde in Bayrakli ein einheimisches Stück gefunden, dessen Stil für Samos und andere ostgriechische Werkstaetten neu ist. In der Henkelzone befindet sich wieder ein Metopenfeld. Zusätzlich erscheint auf beiden Seiten eine ineinander gezeichnete Raute, wie wir — nach meiner Ergaenzung — gesehen haben. Zwischen den beiden Rauten des Metopenfeldes sind Maeanderhaken dargestellt, die wieder von Strichmaeander begleitet sind. Die durch Rauten begrenzten Maeanderhaken sind für Bayraklı charakteristisch. Dieses Stück entstand wohl am Ende des spaetgeometrischen Stils, weil auf dem Unterteil des Metopenfeldes Streifen gezeichnet sind; gegen Ende der spaetgeometrischen Epoche werden in Bayrakli die waagerechten Sanduhrreihen nicht mehr angetroffen.

Aus dieser gleichen Epoche wurden in Bayrakli zahlreiche Skyphosstücke gefunden, deren Verzierungsornamente aus Zickzacklinien bestehen. Ursprünglich wurde dieser Stil in der frühgeometrischen Zeit aus der attischen Töpferkunst übernommen.

In der spaetgeometrischen Zeit wurden einige Beispiele aus den ostgriechischen Werkstaetten angetroffen. Aber die meisten Beispiele stammen aus Bayrakli. Manche der Zickzacklinienskyphoi kommen aus Milet (38), Chios (39), Teos (40) und Ephesos (41).

Bruchstücke der Zickzacklinienskyphoi
aus Bayrakli
BYR 1948-51 « H »
XLa 8.70-8.40 m. (Abb. 26)
XLI 8.90-8.70 m. (Abb. 27, 28)
XLI 9.10-9.00 m. (Abb. 29)

Die Ornament-Syntax der Zickzacklininenskyphoi von Bayrakli ist sehr aehnlich mit der Verzierung der Vogel- und Maeanderhakenskyphoi. Wir können den aehnlichen Stil klar beobachten. Die Ornamentzone befindet sich in der Henkelzone, die seitlich mit drei Strichen begrenzt ist. Unter dem Bild stehen noch drei waagerechte Baender. In der wie oben beschriebenen begrenzten Ornament-Zone wurden doppelte Zickzacklinien dargestellt. Solche reifgeometrischen Gefaesse, die auch in Bayrakli gefunden wurden, sind mit drei Zickzacklinien verziert. Wenn wir die reifgeometrischen Zickzacklinien mit den neuen Stücken von Bayrakli vergleichen können, dann dürfen wir meinen, dass die mit doppelten Zickzacklinien verzierten Skyphoi von Bayrakli jünger als die anderen sind, weil deren Verzierungsstil noch entwickelter ist. Diese Stücke wurden in der selben Zeit wie die Vogelskyphoi in Bayrakli hergestellt, und diese Verzierungsmode hat in Bayrakli noch weiter angedauert. Man kann solche Beispiele auch in den subgeometrischen Schichten von Bayrakli antreffen. Sie sind ungefaehr am Ende des achten Jahrhunderts bis zum ersten Viertel des siebten Jahrhunderts in Bayrakli benützt worden.

---

38) G. KLEINER, *IM*. 9-10, 1959-60, 94 Taf. 79, 2 Kat. 7a-c.
39) J. BOARDMAN, *a.O*. 101, Taf. 31, 175, 180.
40) Im Magazin der Ausgrabungen.
41) Im Museum in Selçuk.

Mit konzentrischen Kreisen
verzierte Skyphoi aus Bayrakli

In der spaetgeometrischen Epoche wurden Bayraklis Werkstaetten wieder von Samos beeinflusst. Dieser Einfluss geht aus dem Ornament der konzentrischen Kreise hervor.

Bruchstücke eines Skyphos
aus Bayrakli
BYR 1948-51 « H »
unter dem Fussboden XVIII 9.80-9.70 m. (Abb. 30)

In der Henkelzone trifft man wieder das rechteckige Bildfeld wie wir vorher auf Vogel — Maeanderhaken — und Zickzacklinienskyphoi aus Bayrakli gesehen haben. Die syntaktischen Systeme sind immer gleich auf den Skyphoi aus Bayrakli. Auf dem Bildfeld befinden sich eine Gruppe von vier konzentrischen Kreisen.

Die samischen Werkstaetten haben in der reifgeometrischen Epoche solche konzentrische Kreise zum ersten Mal in der ostgriechischen Welt benützt (42). Dieser Kreisstil hat bis in die spaetgeometrische Zeit in Samos angedauert (43). Die mit solchen konzentrischen Kreisen verzierten Skyphoi aus Bayrakli wurden zum ersten Mal in der spaetgeometrischen Phase hergestellt, was deren Fundniveau und samische Vorbilder zeigen.

Mit Strichgruppen und Wellenlinien
verzierte Skyphosstücke aus Bayrakli

Mit Strichgruppen und Wellenlinien verzierte Skyphoi sind für Bayraklis Werkstaetten sehr charakteristisch und lokal, wie aus der Ton- und Fundstatistik der spaet- und subgeometrischen Stücke hervorgeht. Aus der gleichen Zeit wurden auch in Rhodos (44) und Chios (45) solche verzierte Skyphoi oder Fragmente gefunden. Aber man kann eine Verbindung und einen Vergleich mit rhodischen Vorbildern nicht durchführen, weil deren Syntax und Stil ganz verschieden sind.

Die durch Strichgruppen und Wellenlinien verzierten Skyphoi von Bayrakli müssen wir in eine Sequenz bringen. Die Verzierungsornamente befinden sich auf der Bildzone. Das früheste Stück wurde mit zehngruppigen senkrechten Strichen und Wellenlinien verziert. Die spaeteren Vorbilder zeigen eine kleinere Zahl von Strichgruppen und Wellenlinien, wie wir sehen werden:

Sieben senkrechte Strichgruppen und Wellenlinien (Abb. 31, 32);

Fünf	»	»	»	»	(Abb. 33);
Vier	»	»	»	»	(Abb. 34).

Dann kommen zwei spaete Stücke, die mit sechs oder fünf Strichgruppen und einer dünnen Wellenlinie verziert sind (Abb. 35, 36). Man kann aus dieser dichten Sequenz gleich sehen, dass die

42) H. WALTER, a.O. Abb. 5 Taf. 5, 33 Abb. 6 Taf. 5, 24.
43) H. WALTER, a.O. 34 Taf. 23, 131.
44) F. JOHANSEN, a.O. Abb. 41; 50; 72; 101; CLARA RHODOS 6/7, KAMIROS Abb. 73; CHR. Blinkenberg, Lindos I Taf. 38, 889.
45) J. BOARDMAN, a.O. Taf. 30, 160-164.

mit Strichgruppen und Wellenlinien verzierten Skyphoi zum ersten Mal in Ionien in Bayraklıs Werkstaetten hergestellt wurden. Mit diesem Anhaltspunkt können wir unsere Stücke zwischen dem Ende des achten Jahrhunderts bis zum ersten Viertel des siebten Jahrhunderts ansetzen, weil die Skyphosstücke aus Chios nach Boardman zwischen 690-660 v. Chr. eingeordnet werden (46). Deren Verzierungsstile kann man mit den spaeteren Vorbildern aus Bayrakli vergleichen, da der Verzierungsstil bei beiden Gruppen sehr aehnlich ist, wie wir gesehen haben.

Werfen wir einen abschliessenden Blick auf die spaetgeometrischen Kratere aus Bayrakli.

Zwei Stücke von Krateren, die in den spaetgeometrischen Schichten in Bayrakli gefunden wurden, sind sehr charakteristisch für diese Epoche. Mit diesen Stücken können wir wieder attische und samische Einflüsse in Bayrakli verfolgen. Aber diese Überlieferungen erscheinen nur an Verzierungsornamenten, nicht aber in der Syntax.

Ein grosse Kraterstück
von Bayrakli (47)
BYR 1948-51 « H » XXXIII D - XXXII K
Unter dem Fussboden X und XX
10.60-10.00, 10.00-9.80
9.50-9.40, 9.90-9.70 m. (Abb. 35)

Dieser Meister aus Bayrakli verteilt die Ornamente auf ein Friessystem. Zusaetzlich erscheinen auf beiden Seiten des waagerechten Friesfeldes vierteilige senkrechte Seitenfelder. Bei dieser Verteilung gibt es kein spezielles Zentralornament in der Mitte. Die waagrechten Friesfelder zeigen von oben nach unten: Maeanderhaken, die seitlich durch gegitterte Sanduhren begrenzt sind, zweiteilige Zickzacklinien, schraffierte Dreiecke, wieder Maeanderhaken, gegitterte liegende Sanduhrreihen, die auch seitlich durch gegitterte senkrechte Sanduhrmotive begrenzt sind. Die breiten waagrechten Felder werden an beiden Seiten von gleich verzierten senkrechten Friesen flankiert: senkrecht dargestellte Maeanderhaken, drei übereinander stehende Metopen mit Blattstern, Swastika und wieder Blattstern, senkrechte gegitterte Rautenketten und schraffierte Dreiecke. Unter den Friesfeldern befinden sich zwei Basisfriese, einer mit zweiteiligen Zickzacklinien, der andere mit unregelmaessigen S — Schlingen verziert.

Die Kratere aus der spaetgeometrischen Phase aus Ostgriechenland sind meistens mit zentralem Bildfeld dargestellt (48), waehrend das Schmucksystem des Bayrakli-Kraters weniger klar und zentriert erscheint, wie wir sehen können. Der Meister des Bayrakli-Kraters will die Henkelzone dicht füllen, deshalb möchte er möglichst viele geometrische Schmuckornamente benützen. Zum ersten Mal erscheint auf diesem Kraterstück ein attisches Verzierungselement; es ist der Blattstern. Wir haben leider keine Vergleichsmöglichkeiten in anderen Lokalstilen, die den Krater aus Bayrakli aus seiner Isolation lösen würden. Dieses Stück ist auch ein Unicum für Bayraklis Werkstaette. Unser Krater wurde ungefaehr am Ende des achten Jahrhunderts hergestellt, wie das Fundniveau zeigt.

---

46) J. BOARDMAN, a.O. 101, 117.
47) J. M. COOK, BSA. 53-54, 1958-59 Taf. 5 d; J. N. COLDSTREAM, a.O. Taf. 63 f; H. WALTER, a.O. Taf. 51,300.
48) C. ÖZGÜNEL, Belleten, 157, 1976, 24 f. Şek. 10; J. N. COLDSTREAM, a.O. Taf. 63 a; H. WALTER, a.O. Taf. 86, 486; F. JOHANSEN, a.O. Abb. 46, 103, 133.

Bruchstücke von einem Krater
aus Bayrakli
BYR 1948-51 « H »
9.20 m. (Abb. 36)

Das letzte Kraterstück von Bayrakli zeigt samischen Einfluss, den wir an den auf der Lippe dargestellten Punktreihen verfolgen können (49). Die in der Henkelzone abgebildeten Schmuckelemente sind typisch, weil wir in der spaetgeometrischen Phase so dargestellte Friessysteme in anderen Werkstaetten nicht antreffen können.

In der Henkelzone befindet sich ein grosses Metopenfeld, das durch vier waagrechte Friesfelder eingeteilt ist. Von oben nach unten sind die Friese so angeordnet: dreiteilige Zickzacklinien, gegitterte waagerechte Rautenketten, und zwei Mal wieder dreiteilige Zickzacklinien. An der unteren rechten Seite des Metopenfeldes steht ein Schachbrettmuster, das wir auf dem reifgeometrischen Krater von Bayrakli sehen können (50).

Das letzte Kraterstück von Bayrakli wird noch früher entstanden sein, weil dessen Verzierungsstil und Syntax noch klarer sind. Wenn wir das letzte mit dem ersten spaetgeometrischen Kraterstück von Bayrakli vergleichen, erscheinen uns manche Verzierungsornamente des letzten Kraterstückes reifgeometrisch.

Die dreiteiligen Zickzacklinien und das Schachbrettmuster können wir auf den reifgeometrischen Skyphoi und dem Kraterstück von Bayrakli sehen.

Dieses Kraterstück ist spaetgeometrisch, weil es auf dem Ornamentfeld nicht deutlich zentriert ist, und die auf der Lippe dargestellten Punktreihen spaetgeometrischen samischen Einfluss zeigen. Unser Kraterstück wurde ungefaehr vor dem letzten Viertel des achten Jahrhunderts hergestellt oder es kommt nach der reifgeometrischen Epoche.

Ein Teil der spaetgeometrischen Keramik, die in Bayrakli gefunden worden ist, ist nach lokalem Stil verziert. Andere hat verschiedene Einflüsse erkennen lassen, wie wir gesehen haben. Wir können mit oben gemachten Beobachtungen diese Begriffe zusammenfassen.

In der spaetgeometrischen Phase dauerten die samischen Einflüsse in Bayraklis Werkstaetten noch an, die von Rhodos-Kykladen über Samos nach Bayrakli (Alt-Smyrna) gekommen sind. Trotzdem können wir eine lokale Produktion in Bayrakli verfolgen: es sind die Kraterstücke, Wellenlinienskyphoi und Zickzacklinienskyphoi.

Die relative Chronologie in der geometrischen Epoche in Bayrakli (Alt-Smyrna) laesst sich als folgende Arbeitshypothese aufstellen.

	Attika (51)	Bayrakli
SPG (Spaetprotogeometrisch)	950-900	925-875
FG (Frühgeometrisch)	900-850	875-825
MG (Mittelgeometrisch)	850-750	825-725
SG (Spaetgeometrisch)	750-700	725-680/670

Coşkun Özgünel

49) H. Walter, *a.O.* Taf. 23, 131.
50) H. Walter, *a.O.* Taf. 51, 299; J. N. Coldstream, *a.O.* Taf. 60 f.
51) J. N. Coldstream, *a.O.* 331.

LES CÉRAMIQUES CHIOTES D'ANATOLIE

(Pl. V–VII)

Il me serait impossible de vous présenter la céramique dite autrefois de Naukratis appelée aujourd'hui généralement la céramique de Chios, sans préciser ses lieux de trouvaille en Anatolie occidentale et certains points importants de son évolution. Les pièces que nous allons présenter proviennent des fouilles récentes faites en Anatolie ainsi que des publications antérieures. Chronologiquement parlant, la plus ancienne vient de Pitane (Çandarli) et se trouve actuellement au Musée d'Istanbul et à Bergama. Elle y serait entrée par un heureux hasard accompagnée d'un vase mycénien. D'autre part, une série de centres, tels que Milet et Larisa, nous en fournit, en quantité très faible; Smyrne a livré cette céramique dans des couches bien définies. Bien qu'elle soit très peu abondante, elle provient des couches de VIIe et surtout de VIe siècle av. J.-C. Les vases sont faits avec des techniques différentes: à silhouette réservée, et à figures noires; certains sont de la main d'un peintre dont les oeuvres sont abondantes à Pitane; nous l'appelerons d'ailleurs le Peintre de Pitane.

En deuxième rang viennent Phocée et Daskyleion. Ces sites nous ont donné un certain nombre de vases richement décorés dont la typologie est difficile à établir; d'autre part le manque de stratigraphie sûre ne permet aucun jugement. A Phocée un exemple de vase d'argile grise sans engobe ressemble beaucoup, du point de vue de la forme, aux deux skyphoi de Würzburg et permet ainsi de suivre une évolution dans les formes et dans la technique de la peinture.

C'est surtout la nécropole de Pitane qui attire l'attention par l'intérêt des sépultures: on y trouve à la même époque des sarcophages, des pithoi, des tombeaux d'inhumés, des zones de crémation. Ainsi les gens de Pitane avaient plusieurs rites funéraires et offraient toutes sortes de poterie (Photo 1), sans préjugé aucun; on y rencontre les oinochoès, les grands vases à couvercle, les phiales à omphalos, les coupes, les vases de libation en forme de lanterne et d'abondants calices (Photos 2-6). Seuls les skyphoi et les calices permettent de déterminer une suite typologique. Sans compter les types sans décor, l'exécution technique de la peinture évolue depuis l'ornement simple jusqu'à la figure noire en passant par les décors polychromes et par la réserve-silhouette. On peut en déduire que la nécropole de Pitane est un lieu de sépulture utilisé exclusivement pour une période du VIe siècle.

Je dois signaler tout de suite que l'importance de Pitane, pour cette sorte de poterie, vient de son association avec des vases attiques et corinthiens (Photo 1). Si, en effet, la chronologie de la poterie attique et corinthienne est prise comme incontestable, la datation du type de poterie dite de Chios devient possible, pour l'évolution des formes comme pour ses styles successifs.

Aucune poterie de Chios avec inscription n'a été trouvée malheureusement dans les cités dont le nom est mentionné plus haut. Tous ces centres n'étaient importants ni pour leurs temples, ni pour leurs oracles. Ils n'étaient pas non plus de grands centres commerciaux. D'après nous, les fouilles effectuées ces dernières années à Erythrai, aussi riches que celles de Chios par certains côtés, semblent résoudre certains problèmes mais, en même temps, en suscitent d'autres. Elles ont lieu chaque année depuis 1965 sur l'acropole de la ville et donnent une idée assez précise des objets importés à Erythrai et de la céramique que nous étudions maintenant, jusqu'à l'époque où l'acropole fut à peu près complètement abandonnée. Le malheur veut qu'en l'absence de toute stratigraphie, cette poterie provenant de l'acropole d'Erythrai n'est qu'un mélange désordonné depuis l'époque protogéométrique jusqu'à la fin du VIᵉ siècle av. J.-C. Ainsi, malheureusement, ni l'acropole d'Erythrai, ni Phocée, ni Daskyleion ne fournissent des données stratigraphiques.

Prenons maintenant en examen cette céramique pour son argile, l'engobe, les formes, la technique.

Comme nous avons dit tout à l'heure, parmi les sites en Anatolie occidentale, c'est seulement à Erythrai que l'on trouve des exemples de l'époque géométrique. Pour tous les autres sites il nous est impossible, pour le moment, de parler de l'époque géométrique. Si on étudie la pâte de la poterie, telle qu'elle est, d'une manière stylistique sans tenir compte de la détermination pétrographique, nous arrivons à reconnaître sans trop de doutes les exemplaires du VIIIᵉ siècle. Pour tous les exemples de la poterie du VIIIᵉ siècle, une série de couleurs, de la pâte du rose pâle jusqu'au gris, est due certainement au différent degré de la cuisson. Suivant le degré de pureté, la pâte contient du sable, des particules calcaires, et du mica en abondance. Mais pour le VIIᵉ siècle et surtout au VIᵉ siècle la couleur gris marron domine et pratiquement le sable, le calcaire, le mica disparaissent.

L'engobe est généralement rose, mais dans les endroits où le décor est polychrome, il devient marron, marron violet et noir. Tous les vases de formes ouvertes sont noirs à l'intérieur, tantôt noir vert, noir gris; à partir du VIIᵉ siècle nous rencontrons des motifs ornementaux en rouge et en blanc sur cette même couleur. Pour les exemples en polychrome au VIᵉ siècle, c'est-à-dire à décor blanc surajouté, certains vases de luxe comportent la même polychromie à l'intérieur. Je dois toutefois ajouter que les pièces polychromes sont rares. Et jusqu'à présent en Anatolie, on ne rencontre qu'à Pitane les couleurs rouge, blanc, noir et pourpre. Dès le début du VIᵉ siècle l'engobe crème clair comme une coquille d'oeuf caractérise cette sorte de céramique.

Quant aux formes: calice, bol, phiale à omphalos, skyphos, et skyphos-cratère, elles sont particulièrement abondantes. Sans doute faut-il également signaler la présence de milliers d'amphores, mais comme elles sont sans motifs décoratifs, nous les tenons à l'écart. Les autres types cités tout à l'heure ne permettent pas tous de suivre l'évolution des formes. Seuls les calices et les bols nous aident à suivre une évolution déterminée, telle qu'elle est déjà signalée par Boardman dans *Emporio*. Si l'on étudie de près les pièces de Chios et d'Erythrai, la forme du calice, sa première forme, n'est qu'un skyphos creux, la lèvre n'est pas encore haute, le pied est court. Le calice à notre avis ne peut avoir comme ancêtre ni les vases mycéniens ni ceux des Cyclades au IXᵉ siècle; il en va de même pour les tasses à anse unique. On peut très bien les comparer aux objets géométriques de l'Attique, aux coupes de bucchero de l'époque protogéométrique et géométrique de l'Eolide, et même à des vases phrygiens. Chaque potier peut tourner une tasse ou un skyphos sans avoir recours à un modèle, puisque la technique de tournage et l'idée de l'utile exigent cette forme fonctionelle. Avec le temps, le calice prend une forme plus souple, plus élancée, les bords sont également plus hauts et le pied presque conique. Les anses horizontales se placent toujours dans la partie la plus large de la vasque au VIIᵉ et au VIᵉ siècles. Ajoutons que, surtout aux VIIIᵉ et VIIᵉ siècles, des boutons plastiques prennent place de chaque côté des anses sur les vases trouvés à Erythrai. Dans le deuxième quart du VIᵉ siècle, nous rencontrons un type standard de calice quelle que soit sa décoration peinte: les bords sont presque aussi hauts que la partie creuse et le pied conique a la même hauteur. L'acropole d'Erythrai et la nécropole de Pitane ont cessé d'être utilisées à partir du milieu du VIᵉ siècle; nous n'avons pas rencontré en effet le type de calice à anses inclinées de Chios. La poursuite des fouilles d'Erythrai permettra sûrement de dégager ce type de calice portant des marques de dégénérescence. La forme des tasses ou bien des bols est longuement décrite par J. Boardman dans son étude des objets de Chios et nous ne trouvons rien à y ajouter.

Pour les calices dits de Chios la décoration peinte peut être définie d'après les trouvailles d'Anatolie. Les pièces subgéométriques portent des décors en cercles concentriques, des bandes horizontales et des papillons ou diabolos entre des zones de filets verticaux (Photos 7 et 8). On peut y ajouter des méandres et des décors en trapèze. Toutefois les motifs en dents de scie peuvent être remplacés par des motifs d'oeil sur les boutons placés au niveau des anses. Au VIᵉ siècle la forme et l'engobe crème clair sont caractéristiques. Les lignes droites en gerbes entre les anses et les motifs en dents de scie entre ces lignes sont également les caractéristiques de cette poterie.

Laissant de côté les calices, voyons maintenant trois skyphoi de même grandeur et de même forme. Le premier est sans ornement, le deuxième comporte une simple décoration de motifs végétaux en forme de fleur de lotus, le troisième est richement décoré en silhouettes réservées de figures d'animaux. Les deux premiers viennent des fouilles de Pitane (Photos 9, 10) le troisième, vous le connaissez bien, c'est l'un des skyphoi de Würzburg. Signalons aussi un calice-skyphos à Erythrai, orné peut-être par le même peintre que celui de Würzburg (Photo 11).

D'après les trouvailles nous pouvons dire que la forme du skyphos disparaît graduellement à l'époque de la technique de la silhouette réservée, car le calice est une forme idéale pour cette sorte de céramique. L'emploi de la technique de la figure noire avec rehauts rouges et de la technique polychrome avec rehauts blancs n'a nullement empêché la continuation de la technique de la silhouette réservée. Les céramiques trouvées dans la nécropole de Pitane prouvent clairement que ces trois techniques différentes étaient employées en même temps, depuis le début du VIᵉ siècle jusqu'au 3ème quart du siècle. Lors des fouilles de Pitane nous avons pu dégager plus de 250 contextes dont 35 possèdent de la céramique dite de Chios. Ils étaient accompagnés de vases attiques et corinthiens qui garantissent leur datation. D'après les contextes, les plus anciens vases polychromes de cette catégorie viennent l'un avec une kylix du peintre KX, un lydion et un lécythe dans un sarcophage en pierre de la nécropole de Pitane (Photo 12). Beazley donne une date pour le peintre KX vers la fin du premier quart du VIᵉ siècle; Cook et Boardman le placent entre 580 et 570 av. J.-C. L'autre vase polychrome a été trouvé dans une tombe à crémation avec une oinochoè, un grand vase à couvercle et un vase à libation — ces trois derniers vases appartiennent au même peintre — (Photos 2, 3, 4) et une kylix — band-cup — attique. Signalons encore, dans un sarcophage en pierre, un calice et une kylix du peintre d'Heidelberg. Dans une autre tombe deux calices (Photo 6) avec, comme à Tocra, la présentation d'un coq, associés à trois plats attiques à figures noires, deux cotyles et un aryballe corinthien tardif, datables vers le milieu du VIᵉ siècle. Signalons encore un calice trouvé avec un aryballe corinthien « Warrior Group » datable du troisième quart du VIᵉ siècle.

La stratigraphie de Bayrakli donne presque la même chronologie et elle consolide ainsi les datations de Pitane. Par exemple un couvercle de pyxis peint par le peintre de Pitane provient du même niveau que le vase de Sophilos et les figurines à polos. Selon les trouvailles archéologiques nous savons que Alyattes a détruit Smyrne vers la fin du corinthien ancien et la reconstruction de la ville eut lieu 30 ans après. Cela donne des points fixes pour confirmer les datations de Pitane. Ainsi, la chronologie de ce type de céramique est basée sur deux stations bien nettes, l'une avec stratigraphie, l'autre avec contextes. On contestera peut-être la conclusion proposée ici, c'est-à-dire la contemporanéité au VIᵉ siècle des trois techniques décoratives. Rappelons en effet en quoi consistait la théorie de Price et celle de Cook et des chercheurs qui nous ont précédé. Ils classaient en ordre chronologique les quatre séries suivantes:

1) Au début de l'époque orientalisante un groupe de poterie constitué par les types de skyphoi de Würzburg et d'Erythrai et par les calices exécutés dans une technique de « Silhouette réservée » avec beaucoup d'ornements de remplissage.

2) Ensuite un groupe de calices, comportant des motifs animaliers avec peu d'éléments de remplissage.

3) Un groupe de calices analogues aux précédents, mais avec la vasque plus creuse et ornée d'une seule ou de deux figures, et exécutés dans une technique de la « silhouette réservée » sans remplissage.

4) Enfin un groupe qui se rapproche du troisième, mais exécuté dans une technique à figures noires ou dans une technique polychrome.

29

Pour ma part je proposerais en conclusion de considérer comme coexistant à partir du début du VIᵉ siècle les trois principales techniques distinguées:

a) La technique de la « silhouette réservée », dont le début a précédé l'apparition des deux autres;

b) La technique à figures noires, qui apparaît vers la fin du premier quart du VIᵉ siècle;

c) La technique polychrome, c'est-à-dire avec l'emploi du blanc, contemporaine de la précédente.

Chacune a évolué indépendemment selon la mentalité conservatrice ou révolutionnaire du maître-potier et du peintre qui ont confectionné cette sorte de poterie durant au moins 75 ans.

D'après les nouvelles trouvailles et les résultats des analyses en laboratoire, je dirai quelques mots sur la fabrication de cette céramique.

Autrefois, on avait pensé à Naukratis comme lieu d'origine. Ensuite on a proposé Chios à cause des résultats des fouilles de Kourouniotes et Lamb qui ont découvert à Chios une succession depuis le géométrique jusqu'à l'époque hellénistique.

Je voudrais proposer une nouvelle hypothèse pour le lieu de fabrication ou l'un des lieux de fabrication de la céramique dite de Chios. On a trouvé à Erythrai une quantité considérable de fragments qui représentent environ un millier de vases de cette série allant du géométrique jusqu'au milieu du troisième quart du VIᵉ siècle. Pour l'instant nous ne connaissons pas de matériel postérieur; il est vrai que seule l'acropole a fait l'objet de recherches; beaucoup de fragments portent des inscriptions (noms de potiers, dédicaces à Athéna).

Une analyse de laboratoire appliquée à des fragments de géométrique du VIIIᵉ et VIIᵉ, provenant d'Erythrai, ainsi qu'à des fragments du VIᵉ siècle de Pitane, Daskyleion et Phocée, prouve que l'argile de ces vases est identique. En conséquence il me paraît clair que Erythrai a eu des ateliers qui produisaient de la céramique dite de Chios.

CEVDET BAYBURTLUOĞLU

30

LES CÉRAMIQUES ARCHAÏQUES DU SANCTUAIRE
CARIEN DE LABRAUNDA. VUE D'ENSEMBLE

(Pl. VIII–XI)

Grâce à l'étroite et amicale collaboration avec le Professeur Gösta Säflund il nous est possible de présenter un bref aperçu des céramiques archaïques du sanctuaire Carien de Labraunda.

Il s'agit de documents qui ont été recueillis au cours des fouilles suédoises qui ont eu lieu sur le site entre 1949 et 1953. Ces fouilles ont permis de découvrir le plus ancien bâtiment de culte de ce sanctuaire de Zeus des Armées, les Propylées et des « terrasses ». Les traces d'incendie qui ont été reconnues sont datables — semble-t-il — de 497, c'est-à-dire du moment où les Cariens, qui avaient fait cause commune avec la révolte de l'Ionie, ont été, à deux reprises successives, vaincus.

Les quatre groupes principaux de céramiques archaïques, qui proviennent du « grand et saint bosquet de platanes » (Hérodote V, 119), sont constitués par des pièces du type dit, parfois, « subgéométrique », par des céramiques « orientalisantes », par des exemplaires de poteries communes d'Anatolie occidentale et par de la céramique attique à figures noires.

a) Le groupe des vases à décor « subgéométrique » comprend trois sous-groupes: 1) les exemplaires à fond clair et à décor peint sur engobe blanc ou bien sans engobe (bol à oiseau: fig. 1-1, coupe à métope(s), skyphos à chevrons);

2) les exemplaires caractérisés, sur leur face interne, par une polychromie (bol à marli, coupe à filets blancs, bruns, rouges, plat à chevrons, plat à tige avec prise latérale du type à bobine — *lug* — et avec un ornement de chevrons et de points sur engobe blanc);

3) les exemplaires à fond sombre et décor clair (plat à tige avec même type de prise latérale que celle qui a été mentionnée précédemment).

Une datation à la fin du VIIe s. semble pouvoir être retenue pour le bol à oiseau qui est proche des exemplaires du groupe « d » de Robertson (*JHS*, 60, 1940, p. 13).

b) Les vases « orientalisants » ont été subdivisés en trois sous-groupes: 1) les exemplaires de style « Rhodien » soit à décor zoomorphe soit à décor linéaire (seul conservé). Dans le premier cas il s'agit d'un sphinx sur ce qui était, peut-être, un couvercle de pyxis (fig. 1-3) et du décor du style « *Wild Goat* » sur oenochoè, par exemple sur les exemplaires reproduits sur les fig. 1-2 et 2 a, b. Dans le cas des pièces à décor linéaire nous signalons les formes suivantes: plat avec grecque au bord ou bien registres de groupes de traits parallèles et plat à tige haute avec grecque aussi ou encore avec, à l'intérieur, au centre, un décor curviligne très simple et très schématisé.

Le type élégant du sphinx paraît pouvoir être rangé parmi les pièces qui sont encore du VIIe s. et faire partie même du groupe *Middle Rhodian I* de R. M. Cook (*Gnomon*, 37, 1965, p. 506). Le type de *Wild Goat* à dessous de ventre réservé (fig. 1-2) est datable vers 600 (J. Boardman). Les fragments de même style avec fleur de lotus à cinq éléments sont à rattacher au *Late Rhodian* de R. M. Cook (*ABSA*, 34, 1933-34, p. 77, 78): voir notre fig. 2 a, b;

2) style de Fikellura: il ne s'agit que d'un très petit nombre de minuscules fragments avec, notamment, le décor de croissants ou de larges barres juxtaposées;

3) imitations « provinciales ». Parmi ce sous-groupe il est possible de signaler deux types de décor qui se trouvent, principalement, sur la forme du dinos: α) décor zoomorphe: restes d'un quadrupède à droite sous des languettes avec traits intercalés; lion à gauche au-dessus de rangs horizontaux de chevrons; taureau accompagné d'énormes motifs — rosette à tige (*stalked rosette*), grossière tresse verticale (fig. 4); lion de type assyrianisant — gueule ouverte — face à un taureau d'un type original (fig. 3-2), composition antithétique qui, dans ce cas précis, n'est pas sans rappeler ce qui est connu à Chios (J. Boardman); ces deux dernières pièces sont datables du VIᵉ s.;

β) décor anthropomorphe: exemplaire avec incision et retouches violettes: cavalier bras droit levé (ayant tenu un javelot?) avec, face à lui, encolure de cheval à droite (fig. 3-1): environ 600;

c) Poteries communes d'Anatolie occidentale. Quatre sous-groupes ont été retenus: 1) exemplaires à décor végétal (plat à tige à feuilles de lierre, plat à fleur et bouton de lotus, oenochoè à grandes feuilles effilées sur l'épaule);

2) fragments avec un décor autre que des bandes: cratère avec rectangles et filets, oenochoè avec, sur l'épaule, des arêtes pleines, pendantes, grande coupe à ligne ondée;

3) pièces avec bandes/filets provenant de vases pour boire pour l'essentiel: coupes à courbure continue, bols de divers types, skyphos du type de ceux de Sardes, c'est-à-dire présentant d'une part sous le bord une zone réservée, d'autre part sur la paroi, en dessous de la zone, une peinture striée; parmi les autres formes de la vaisselle de table on peut mentionner des fragments de plats et des plats à tige haute ainsi que, pour ce qui est des petits vases de toilette, des pots à onguent d'un type parfois semblable à l'exemplaire en terre monochrome grise de la sépulture 244 de Pithécusses, vase qui se trouvait en association avec du corinthien moyen; à part il faut ajouter la catégorie assez bien fournie des coupes « ioniennes » avec les divers types formels déterminés par G. Vallet et F. Villard bien que, parfois, des chevauchements de caractéristiques d'un type à l'autre semblent pouvoir être reconnus;

4) vases sans décor, tantôt avec enduit uniforme, tantôt sans peinture: dans le premier cas il s'agit de bols de divers types, de la forme du skyphos du type de ceux de Sardes, à pâte dure et peinture, le plus souvent sur les deux faces, du pot à onguent et du *lydion* avec méplats sur le corps comme sur les *lydia* de Sardes; un seul askos peut également être rangé ici; dans l'autre cas les exemplaires sans peinture possèdent les mêmes formes que celles qui ont été mentionnées précédemment avec, en plus, celle du lekythos et, en moins, celle de l'askos.

d) Céramique attique à figures noires.

La seule forme qui soit fréquente est celle de la coupe et le type le plus ancien sur le site, celui de la coupe de Siana, n'est pas rare (14 fragments) avec, notamment l'image d'un hoplite portant le casque corinthien et se protégeant avec un bouclier béotien; la coupe à lèvre n'est représentée que par un fragment; celle des petits maîtres, par contre, est très fréquente (61 fragments); parmi les coupes du dernier tiers du VIᵉ s. ou de la fin de ce siècle seules celles de Droop (10 fragments) et à yeux (19 fragments) sont assez bien représentées; toutefois la coupe de Cassel (1 fragment), celle à palmettes (9 fragments) et celle à rameau de points (2 fragments) ne sont pas absentes à Labraunda. Une coupe-cotyle avec sphinx et datable du dernier quart du VIᵉ s. ou du début du Vᵉ s. peut être également signalée ainsi que 37 fragments de la forme du skyphos.

* * *

La chronologie des céramiques archaïques qui sont représentées sur le sanctuaire Carien de La-braunda est comprise entre les dernières décennies du VIIe s. et le début du Ve s. La période qui nous paraît être la plus favorisée est le VIe s. dans sa totalité. C'est alors en effet que la plus grande variété de séries de céramiques est attestée à Labraunda.

En conclusion il faut remarquer l'absence de céramique corinthienne bien que certains fragments de skyphoi à décor linéaire semblent pouvoir être rapprochés d'un type corinthien de skyphos. Le calice de Chios est également absent. Mais il est remarquable que l'on puisse reconnaître l'existence à Labraunda de pièces du VIIe s. finissant avec des éléments ornementaux de style Ephésien (fig. 1-3 et fig. 2 a) ainsi que la présence, pour le VIe s., de deux formes lydiennes — le lydion et le skyphos — puis une relative fréquence de coupes attiques à figures noires.

J. J. Jully

ZUR MILESISCHEN KERAMIK IM 8. UND 7. JH. v. CHR.

(Pl. XII–XIV)

Die beiden Jahrhunderte, von denen ich hier ausgehen möchte, um einige Fragen der milesischen Keramik zur Diskussion zu stellen, sind durch die Funde jüngerer Grabungen besonders aus den Jahren 1957, 1963 und 1966 relativ gut belegt. Sie sind außerdem durch zwei stratigraphische Horizonte gegliedert, die es erlauben, bestimmte Aspekte der Formbildung und Formentwicklung innerhalb der keramischen Produktion der Stadt besser zu verstehen. Ich kann nur hoffen, daß sich daraus ein Interesse ergibt, das nicht allein auf Milet beschränkt ist.

Die eben getroffene vorsichtige Einschätzung der Funddichte in dem zu behandelnden Zeitraum bedeutet bereits eine Wertung gegenüber anderen Jahrhunderten des nachmykenischen Milet. Daß es sich so verhält, hat in Milet seine besonderen Gründe. Der wichtigste betrifft die wissenschaftliche Zielsetzung der 1938 von Prof. Weickert wieder aufgenommenen und nach dem Kriege von ihm und Prof. Kleiner fortgeführten Grabung. Es galt zunächst, überhaupt erst die Lage und die Ausdehnung des archaischen Milet festzustellen — eine Aufgabe, die von der älteren Grabung unter Th. Wiegand nicht mehr gelöst worden war (1). Das bisher zutage gekommene Material muß also unter dem Gesichtspunkt kleinerer, an verschiedenen Stellen des Stadtgebietes niedergebrachter Sondagen gesehen werden. Erst jetzt, nachdem die Lage des archaischen Milet unter der späteren hellenistischen Großstadt feststeht und reiche frühe Schichten gefunden wurden, bietet es sich an, diese Schichten um ihrer selbst willen zu erforschen und die geometrischs-archaische Besiedlung in größeren Flächen freizulegen. Angesichts der geschichtlichen Bedeutung Milets in dieser Zeit und auch angesichts der bereits erkennbaren Bedeutung seiner keramischen Produktion, von der ich Sie zu überzeugen hoffe, wäre es dringend erwünscht, hier einen Schwerpunkt der kommenden Grabungen zu setzen. In einer Flächengrabung würde man auch mit einem anderen Problem, das bisher einer intensiveren Erforschung der frühen Schichten entgegenstand, dem hohen Grundwasserspiegel, besser fertig werden.

Grabungen in Stadtgebieten haben ihre Nachteile, auf die zuletzt Prof. Boardman hingewiesen hat (2). Es darf aber nicht vergessen werden, daß in Milet auch die Nekropolen noch auf ihre Ausgrabung warten. Hier könnte die jetzt noch kleine Materialbasis schnell erweitert und vor allem durch vollständige Gefäße ergänzt werden, die für eine Beurteilung der Formen und der Entwicklung unerläßlich sind. Die Verbindung von Grabzusammenhängen und Siedlungsstratigraphie wird dann auch ein dichteres Netz ergeben als wir es bisher besitzen.

Den wichtigsten chronologischen Anhaltspunkt im 8. Jh. stellt eine Brandschicht dar, die an verschiedenen Stellen des Stadtgebietes aufgedeckt wurde und demnach auf eine generelle Katastrophe der Stadt hinweist (3). Wir halten sie in Milet für spätgeometrisch, während sie von Coldstream (4) als mittelgeometrisch bezeichnet wird. Bei der Grabung 1957 trat sie in Verbindung mit einem geometrischen

1) Vgl. G. KLEINER, *Die Ruinen von Milet* (1968) 11; ders. Ist. Mitt. 23/24, 1973/74, 63 ff.
2) *Dialoghi di Archeologia* 3, 1969 Nr. 1-2, 115 ff.
3) Ist. Mitt. 9/10, 1959/60. 91 ff.
4) Greek Geometric Pottery (1968), 268.

Hausrest auf (5). 1963 konnte festgestellt werden, daß sie die Zerstörungsschicht einer Siedlungsphase ist, in der in Milet — wie in Altsmyrna — geometrische Ovalhäuser gebaut wurden (6). Es ist nun bemerkenswert, daß auch die letzte Phase der Ovalhäuser in Altsmyrna durch eine offenbar umfassende Katastrophe zu Ende ging (7). Sobald die betreffenden Materialien beider Grabungen ausführlich miteinander verglichen werden können, wird sich feststellen lassen, ob wir es hier am Ende des 8. Jhs. mit einem wichtigen historischen Synchronismus zu tun haben. Die Zerstörung könnte ihren Anlaß in den Kimmeriereinfällen oder den frühen Kriegszügen der Lyder unter Gyges haben, wie P. Hommel meinte (8), oder aber auf eine Erdbebenkatastrophe zurückgehen, die dann weite Strecken der anatolischen Westküste erfasst hätte (9). Zur genauen Datierung dieser Schicht können wir von Milet aus noch nicht beitragen, da bisher keine Importkeramik in ihr gefunden wurde.

Die zweite wichtige Schicht, von der ich eingangs sprach, ist in der Grabung 1963 wieder mit dem Baubefund korrelierbar. Es handelt sich um eine Brand- und Zerstörungsschicht, in der die unmittelbar auf die Ovalhäuser folgende Bebauung in Milet zugrunde gegangen ist (10). Nach dem überwiegenden Eindruck der in ihr gemachten Funde haben wir sie als subgeometrische Zerstörungsschicht bezeichnet. Im Gegensatz zur spätgeometrischen Brandschicht ist sie durch spätprotokorinthische Importfunde in die Zeit um die Mitte des 7. Jhs. zu datieren (11).

Auf der Grundlage der Chronologie dieser beiden Schichten möchte ich nun versuchen, Ihnen einige besondere Erscheinungen der milesischen Keramik vorzuführen.

In der spätgeometrischen Brandschicht fanden sich außer einem Querschnitt anderer Formen, — besonders Amphoren (12), auf deren kykladische Inspiration aufmerksam zu machen ist — sehr viele Skyphosränder mit einem Dekor aus konzentrischen Kreisen (Abb. 1). Form und Verzierung sind so häufig, daß man von diesen Skyphoi geradezu als einer Leitform der milesischen Keramik sprechen kann. Ihre Wandung reicht tief herab, die Lippe schwingt leicht nach außen aus (13). Sie können sowohl mit einem Kegelfuß als auch mit einem flachen Ringfuß ausgestattet sein (14). Neben der Verzierung mit konzentrischen Kreisen begegnen auch liegende und stehende Strichgruppen (15) oder eine ähnliche Metopengliederung ausschließlich aus stehenden Strichgruppen (16). Die Beliebtheit der Gefäßform in Milet zeigt sich auch darin, daß es parallel eine einheitliche Gruppe von sehr kleinen Gefäßen mit übereinstimmendem Profil und ähnlicher Verzierung gibt (17). Form und Dekor der Skyphoi mit konzentrischen Kreisen sind alt und weisen letztlich auf einen Import protogeometrischer attischer Gefäße in Milet hin. Wir können den Nachweis protogeometrischer milesischer Exemplare nicht mit letzter Sicherheit führen, da eine eindeutige Trennung dieser frühen Schichten noch nicht möglich ist (18). Ein Fragment der Grabung 1963 ist aber sicher älter als die Brandschicht, da es zusammen mit frühgeometrisch aussehen-

---

5) Ist. Mitt. 9/10, 38.

6) Ist. Mitt. 23/24, 69 ff., 84 ff.

7) *BSA* 53-54, 1958-59, 43, 124.

8) Ist. Mitt. 9/10, 39; vgl. für Altsmyrna J. M. Cook, *CAH* II, 27.

9) *BSA* 53-54, 1958-59, 43, 124.

10) Ist. Mitt. 23/24, 71 f., 85; Ist. Mitt. 25, 1975, 41.

11) Ist. Mitt. 23/24, Kat. Nr. 139, 14, Taf. 32. Zu der Scherbe Kat. Nr. 142 verdanke ich J. Benson forgende Bemerkung « Nicht später als SPK. MPK II nicht ausgeschlossen; vorgeschlagene Datierung 650 v.Chr. ».

12) Ist. Mitt. 23/24, Kat. Nr. 14-15, Taf. 19.

13) Vgl. z. B. Ist. Mitt. 25, Kat. Nr. 40, 45.

14) Vgl. z. B. Ist. Mitt. 9/10, Taf. 57, 1; Ist. Mitt. 23/24, Kat. Nr. 40, Taf. 22.

15) Vgl. C. Weickert, *Bericht* 6. Internationaler Kongreß für Archäologie Berlin 1938 (1940), 325 ff. Taf. 45; Ist. Mitt. 9/10 Taf. 57, 2.

16) Ist. Mitt. 25, Kat. Nr. 42, Taf. 9.

17) Ist. Mitt. 25, Abb. 5 Taf. 12.

18) Vgl. Ist. Mitt. 9/10 Taf. 55.

den Krügen in einem Pithos gefunden wurde (19). Auch die Dekoration aus stehenden und liegenden Strichgruppen begegnet früher: zwei Fragmente fanden sich zusammen mit zwei anderen Skyphosrändern (Abb. 2) in einer gemischten Schicht unter der Brandschicht, die unmittelbar über dem Meersand lag und außerdem Protogeometrisches und Mykenisches enthielt (20). Bemerkenswerter ist aber, wie weit diese Skyphoi herabreichen. Man hat zwar immer angenommen, daß sie in Ionien eine lange Lebensdauer hatten. Jetzt lassen sie sich in Milet aber noch in der subgeometrischen Zerstörungsschicht nachweisen, wobei sie sogar ihre alte Forom des Kegelfußes beibehalten haben (21). Es wäre wichtig zu wissen, welchen Formveränderungen sie im Verlauf ihrer langen Existenz unterworfen waren. Bisher läßt sich nur sagen, daß sie in Milet in geometrischer Zeit unter den Einfluß korinthischer Kotylen geraten zu sein scheinen, denen einige von ihnen ihren Ringfuß sowie den steilen oder leicht einwärts gebogenen Rand verdanken (22).

Die Beharrlichkeit, mit der hier an protogeometrischem Formgut festgehalten wird, erklärt in ganz ähnlicher Weise die Bildung einer anderen und wohl auch milesischen Gefäßform.

Die tiefe Form und der Kegelfuß ionischer Schalen hat bereits Hanfmann an protogeometrische Skyphoi erinnert (23). Der eigentliche Ausgangspunkt für die ionischen Schalen mit ihrer steil stehenden oder nur leicht ausschwingenden Lippe war die gewöhnliche Form des mittelgeometrischen attischen Skyphos (24). Diese Skyphoi werden in Milet nachgeahmt, wobei man einerseits die Technik der Vorbilder möglichst genau zu tereffen versuchte, andererseits aber auch die eigene Malweise verfolgte und den Firnis auf einen weißen Überzug setzte (25). Wie bei den zuerst vorgestellten Skyphoi mit ausschwingender Lippe ist auch hier ein Metopendekor auf der Schulter beliebt. In Samos, wo die Entwicklung parallel verläuft, begegnet am oberen Rand der Lippe bisweilen eine Wellenlinie (26). Die eben beschriebenen Gefäße kommen in Milet in der spätgeometrischen Brandschicht vor. Dagegen stammen die in Milet vertretenen frühen Exemplare der Sonderform mit schwarzgefirnißtem Gefäßkörper und tongrundigem Streifen zwischen den Henkeln (27), denen üblicherweise allein die Bezeichnung « ionische Schalen » gilt, bisher in keinem gesicherten Fall aus dieser Schicht, sondern scheinen jünger zu sein. In der Gesamtform muß man sie sich übereinstimmend mit ganz erhaltenen samischen Schalen beispielsweise aus dem Brunnen G (28) vorstellen. Von den mittelgeometrischen attischen Vorbildern ist nicht viel mehr als die steile Mündung übrig geblieben. Den tiefen Gefäßkörper und den Kegelfuß verdanken sie dem gleichen zurückgewendeten Formgefühl, das auch die vorher besprochenen Skyphoi mit konzentrischen Kreisen geprägt hat. Daß in Milet eine solche Formbildung selbst noch in nachgeometrischer Zeit vonstatten gehen konnte, lehrt das Beispiel eben dieser weit in das 7. Jh. hineinreichenden Skyphoi. Aufgrund dieses spezifischen Pränomens und der lückenlosen Formtradition wird man sich Milet neben Samos als ein weiteres Zentrum für die Entstehung und Produktion der « ionischen Schalen » vorstellen dürfen.

Bisher war im Zusammenhang mit der milesischen Keramik hauptsächlich von Tendenzen die Rede, die in die Vergangenheit zurückreichten. Milet ist aber auch entscheidend an der Ausbildung neuer Formen beteiligt gewesen.

---

19) Ist. Mitt. 23/24, Kat. Nr. 3, Taf. 17-18.
20) Ist. Mitt. 23/24, 68.
21) Vgl. oben Anm. 13.
22) Vgl. z. B. Ist. Mitt. 23/24, Kat. Nr. 46 Taf. 22; Ist. Mitt. 25 Kat. Nr. 60 Taf. 12.
23) The Aegean and the Near East 168.
24) Vgl. Thera II 217 (H. Dragendorff), Coldstream 290.
25) Ist. Mitt. 23/24 Kat. Nr. 26/27 und 28-30; vgl. Ist. Mitt. 9/10 Taf. 58, 2.
26) Samos V Taf. 40 Nr. 220, 222.
27) Ist. Mitt. 23/24 Kat. Nr. 63-65 Taf. 24.
28) *AM.* 74, 1959 Taf. 33, 3-4.

In der subgeometrischen Brand- und Zerstörungsschicht treten zahlreiche Fragmente von Kannen mit runder Mündung auf (29). Sie erlauben es, gleichartige Fragmente, die aus einer anderen, nicht durch den Zerstörungshorizont gegliederten Schicht des 7. Jhs. stammen (30) oder nicht sicher stratifiziert sind (31), ebenfalls der ersten Hälfte des 7. Jhs. zuzuweisen.

Besonders bei dieser bedeutenden und schönen Gattung empfindet man es als bedauerlich, daß bisher in Milet keine vollständig erhaltenen Gefäße gefunden worden sind. Dafür können jedoch in gewissem Umfang die gleichzeitigen Kannen aus Samos eintreten, wo die Entwicklung parallel verlaufen zu sein scheint (32). Immerhin sind auch in Milet die wichtigsten Einzelelemente der Dekoration belegt. Den Hals füllt in mehreren Fällen ein Schachbrettmuster mit Punktfüllung, das oben und unten von Ketten liegender, ebenfalls punktgefüllter S-Haken gerahmt ist. Ein ähnlich rhythmisiertes Ornamentband legt sich um die weiteste Ausdehnung des Gefäßkörpers. Im Henkelfeld begegnen abwärtsgerichtete Blattstrahlen, die auch von dem Fuß des Gefäßes ausgehen können. In der figürlichen Dekoration stehen subgeometrische neben voll entwickelten archaischen Formen. Subgeometrisch wirken besonders die rauten- und punktgefüllten stehenden Dreiecke, die sich mit ihrer eingerollten Spitze aus dem geometrischen Mäanderbaum entwickelt haben dürften (33). In die gleiche Zeit weist auch der Vogel, der auf der Schräge eines dieser Dreiecke steht. Die Beine eines schreitenden Raubtieres und das punktgefüllte Rautennetz zweier anderer Kannen zeigen ebenfalls ihre Abhängigkeit von einer älteren Tradition. Dagegen ist bei den erhaltenen Löwenbildern der Übergang zur archaischen Formensprache vollzogen. Leider erlaubt der fragmentarische Erhaltungszustand der milesischen Scherben keine sicheren Aussagen über die Einteilung des figürlichen Schmuckes auf der Schulter der Gefäße. Es scheint aber, daß man auch hier, wie in Rhodos und Samos (37), von einer engeren, auf geometrische Tradition zurückweisenden Felderteilung zu breiteren Friesen übergegangen ist, die dem Tierbild eine reichere Entfaltung gestatteten (Abb. 3).

Die Malerei auf den Kannen mit runder Mündung wirkt wie ein Vorspiel zur Entstehung der bedeutendsten ostionischen Dekorationsart archaischer Zeit, des Tierfriesstiles, der in seiner Frühstufe die gleiche Gefäßform bevorzugt. Bei der Frage nach den Hauptzentren der Ausbildung dieses Stiles erhalten Samos und Milet schon von hieraus ein besonderes Gewicht. Die Funde aus Milet scheinen die von Samos aus bereits früher erkennbare Priorität des südionischen Bereichs etwa gegenüber Rhodos im Einzelnen zu bestätigen (35).

Aus Milet stammt der früheste Fries weidender Rehe, eines der Lieblingstiere des Tierfriesstiles (36). Sie sind auf einen Amphorenhals gemalt, dessen Fundlage als unmittelbar über der spätgeometrischen

---

29) Ist. Mitt. 25, Kat. Nr. 21-24, 26, 31 Taf. 6-7.

30) Ist. Mitt. 25 Kat. Nr. 19, 25, 27, 36-38 Taf. 6-7.

31) Ist. Mitt. 23/24 Kat. Nr. 75, 77-78 Taf. 26.

32) H. WALTER, *Samos* V, 47 ff. Eine kürzlich im Kunsthandel aufgetauchte Kanne, die sich jetzt in den Kunstsammlungen der Ruhr-Universität Bochum befindet (Kunst und Altertum am Rhein. Antiken aus rheinischem Privatbesitz, Köln 1973, Nr. 434, Taf. 196. N. Himmelmann, Bonner Universitätsblätter 1974, 30 Abb. 1. B. Andreae, Jahrbuch 1975 der Ruhr-Universität Bochum 17 Abb. 10), kann mit guten Gründen Milet zugewiesen werden. Der Überzug und der glimmerhaltige Ton entsprechen den dort gefundenen Scherben. Für die Elemente der Dekoration sind zu vergleichen: Ist. Mitt 25 Kat. Nr. 25-26, 29 (Halsornament, plastische Reifen am Halsansatz, die in Milet auch an der älteren Kanne Ist. Mitt 7, 1957 Taf. 38 begegnen); Ist. Mitt 25 Kat. Nr. 31, 35-36 (Füllornament, Bauchstreifen); Ist. Mitt 23/24 Kat. Nr. 107 (Schulterfeld). Der Stil der Löwen entspricht dem auf der Scherbe Ist. Mitt Kat. Nr. 33 Taf. 7. Die Kanne ist als milesisches Importstück innerhalb eines Fundes anzusehen, der aufgrund des provinziellen Stiles der anderen Gefäße am ehesten im Hinterland der milesischen Halbinsel zu lokalisieren ist.

33) Vgl. Samos V, 49.

34) Samos V, 50, 60 f.

35) Samos V, 74, f. 81.

36) Ist. Mitt. 9/10, 88 Taf. 80, 2.

Brandschicht angegeben wird. Das Gefäß ist sicher milesisch, zumal sich 1963 ein ähnlicher Amphorenhals fand (37). Die Zeichenweise der Tiere und das sparsame Füllornament entsprechen der frühen Zeitstufe. Noch fehlt die Tüpfelung des Fells und der später übliche gepunktete Bauchstreifen. Der Körper ist hoch und schwer und ruht auf unsicher stehenden, etwas unorganisch aus dem Rumpf herauswachsenden Beinen. Neben diesem Fries weidender Rehe findet sich in Milet auch der früheste Fries schreitender Steinböcke (38). Sie sind, wiederum unkanonisch, auf die Wendung eines Kraters gemalt (Abb. 4), der auch in Samos neben der Kanne mit runder Mündung zum Hauptträger von Tierdarstellungen wird. Obwohl die Steinböcke vielleicht etwas jünger sind, ist ihre Übereinstimmung in der Malweise mit den weidenden Rehen unverkennbar, sodaß ihr gemeinsamer milesischer Ursprung nicht zu bestreiten ist. Es mag in Samos ältere Steinböcke geben (39). Erst die milesischen Tiere haben das ausgesparte Gesicht und die einzelnen Formeln der Zeichnung, die den späteren ausgereiften Tierfriesstil kennzeichnen. Wir haben es hier in der Tat mit dem frühesten Beispiel des sog. Kamiros-Stiles zu tun. Die Steinböcke der Leningrader Kanne, die bisher als die ältesten galten, sind deutlich jünger, wie sich allein in der Lage und der Form des Auges der milesischen Tiere zu erkennen gibt. Sie erinnern darin an die älteren Tiere etwa aus Samos oder auf einer Kanne unbekannter Herkunft in Brüssel (40).

Zum Schluß möchte ich noch auf zwei Scherben hinweisen, die wie ich glaube, in Milet wie im ganzen ostionischen Bereich einzigartig dastehen (41). Sie stammen von einem geschlossenen Gefäß und stellten ursprünglich ein großformatiges Bild, wahrscheinlich ein Sagenbild, dar. Links sehen Sie einen stehenden Bogenschützen, rechts die Pferde eines Gespannes. Ein solches Bild befremdet im ostionischen Bereich. Zwar kennen wir einige frühe Menschenbilder aus Rhodos oder Samos (42). Selbst in die Darstellungen von Tierfriesgefäßen sind bisweilen menschliche Darstellungen eingeschoben, so auf einer frühen Tierfrieskanne in Laon, auf die mich Prof. R. M. Cook aufmerksam gemacht hat (43), und einem späten Teller aus Samos (44). Keines davon erreicht jedoch das Bild auf dem milesiche Gefäß. Die Anregung zu dieser Darstellung stammt mit Gewißheit von den Kykladen, wohin besonders die Pferde weisen mit ihrer eigenartigen Stilisierung des Schultergelenkes, deren orientalische Herkunft Prof. Akurgal nachgewiesen hat (45). Der Stil der Dartstellung und das Fabrikat der Scherben sind aber milesisch. Von dem Bogenschützen mit seinen abgerundeten, auf einem besonderen Verständnis des Volumens beruhenden Formen läßt sich eine Verbindung bis zu den archaischen Skulpturen Milets ziehen.

Ich habe über einen Ausschnitt aus der milesischen Keramik eines begrenzten Zeitraumes gesprochen. Sie ersehen daraus eher die noch zu leistenden Aufgaben als das, was schon getan ist. Unerforscht sind beispielsweise die Beziehungen der Mutterstadt zu ihren Kolonien, von denen sie seit der Mitte des 8. Jhs. über 80 ausgesendet haben soll. Unerforscht ist auch das Ausgreifen der großen Handelsmetropole nach Osten und Westen (46). Voläufig läßt sich nur etwas über die Einflüsse sagen, die die Stadt errreichten. Sie kamen vorwiegend von Westen über das Meer, aus Athen und dem Bereich der Kykladen, wäh-

---

37) Ist. Mitt. 23/24 Kat. Nr. 95 Taf. 28.

38) Ist. Mitt. 23/24 Kat. Nr. 80 Taf. 26.

39) Samos V, Taf. 59, Nr. 349.

40) Samos V, Taf. 90, Nr. 501; W. SCHIERING, *Werkstätten orientalisierender Keramik auf Rhodos* (1957), Taf. 12, 1.

41) Ist. Mitt. 21, 1971, 109 ff. Taf. 33.

42) Vgl. z.B. SCHIERING, a.O. Taf. 1, 1-3. *AM.* 74, 1959, 20 Abb. 2.

43) Laon Museum, Inv. 37.786.

44) Samos VI, 1, 12. Taf. 24, 190.

45) E. AKURGAL, *Orient und Okzident* (Kunst der Welt) 194.

46) Vorläufig läßt sich nur sagen, daß eine gewisse Anzahl von Scherben aus den Schichten 5-7 von Al Mina nach ihrem allgemeinen Aspekt milesisch sein könnten. Ich kenne diese Scherben aber nicht aus eigener Anschauung.

rend die Stadt zum Land hin relativ abgeschlossen gewesen zu sein scheint. Bevor diese und andere Fragen gestellt werden können, muß aber die Materialbasis in Milet selbst durch neue Grabungen erweitert werden.

Zusammenfassung

Der Diskussionsbeitrag geht von zwei datierten Schichten in Milet aus. Es handelt sich jeweils um Zerstörungsschichten, von denen die eine am Ende des 8. Jhs., die andere in der Mitte des 7. Jhs. enttanden ist. Auf dieser Grundlage ergibt sich, daß die alte Form des Skyphos mit tiefer Wandung und einer Dekoration aus konzentrischen Kreisen, die als eine der Leitformen der milesischen Keramik angesehen werden kann, bis in die Mitte des 7. Jhs. herabreicht. In diesem konservierten « protogeometrischen » Klima wird auch die Entstehung der « ionischen » Schalen verständlich, die in Milet über Zwischenstufen an mittelgeometrische attische Skyphoi angeschlossen werden können. Die Funde aus der 1. Hälfte und der Mitte des 7. Jhs. zeigen außerdem, welchen bedeutenden Anteil Milet an der Ausbildung des Tierfriesstiles gehabt haben muß. Neben einer reichen Tradition subgeometrischer und vorarchaischer Malerei finden sich in Milet auch die frühsten entwickelten Beispiele dieses Stiles.

V. von Graeve

FUNDZUSAMMENHÄNGE ARCHAISCH-MILESISCHER KERAMIK
DES 6. JAHRH. V. CHR.

Es soll der Inhalt von vier archaischen Brunnen des 6. Jh. v. Chr. besprochen werden, die in den letzten Jahren auf dem Gebiet der mykenischen Siedlung in Milet aufgedeckt worden sind.

Es handelt sich 1) um einen Brunnen der zweiten Hälfte des 6. Jh. südöstlich des Athenatempels (Quadrat H 12 auf dem Plan Ist. Mitt. 9/10, Beil. 2). Er enthält neben Attisch-Schwarzfigurigem hauptsächlich einheimische, zum Teil figürlich verzierte Keramik.

Der 2. Brunnen am Westrand der Siedlung brachte vor allem Gebrauchskeramik.

Der 3. Brunnen vom Ostrand der Siedlung war reich an milesischer Keramik, die sich von mitgefundenem Samischen trennen läßt.

Der. 4. Brunnen auf der Höhe des Stadionhügels ist bis in eine Tiefe von 8,25 m durch den Felsen gebohrt, wo er durch eine Wasser führende Mergelschicht gespeist wird. Er ist nach dem Befund der früheste der Brunnen und ist 494 v. Chr. mit Schutt der Perserzerstörung zugefüllt worden.

5. Wird ein erst im letzten Jahr aufgedeckter Grabzusammenhang gezeigt. Hier sind — im Nekropolengebiet südlich der Stadt — schwarzfigurige und einheimische Keramik, auch Marmoralabastren, zusammen mit zwei archaischen Sarkophagen gefunden worden. Es handelt sich um einen Marmorsarkophag mit dachförmigem Deckel und einen Porossarkophag mit flachem Deckel aus rotem Stein.

Im Ganzen muß immer wieder versucht werden, mit Hilfe von Funden aus dem Schwarzmeergebiet sicher Milesisches deutlicher zu bestimmen. Das besprochene material wird in den Istanbuler mitteihingen vorgelegt werden.

PETER HOMMEL

LA CÉRAMIQUE DE LA GRÈCE DE L'EST À RAS EL BASSIT

(Pl. XV–XVIII)

La céramique de la Grèce de l'Est à Ras el Bassit n'a pas été retrouvée dans les tombes (à une seule exception près, d'ailleurs douteuse), mais dans l'habitat; c'est dire que dans la grande majorité des cas elle est brisée et lacunaire. Elle n'a donc aucun caractère spectaculaire et ne saurait être comparée aux magnifiques spécimens provenant des nécropoles ou des sanctuaires proches des centres de fabrication. Elle ne présente pas non plus, sauf peut-être pour certaines fabriques, comme la céramique beige lissée, d'intérêt particulier en elle-même: sa valeur ne résulte que de sa présence à Ras el Bassit, qui atteste l'exportation, à certaines phases de la période archaïque, de tel ou tel type céramique.

Les plus anciennes importations, au IIe âge du Fer, plus précisément au VIIIe s. av. J.-C., ne proviennent d'ailleurs pas de la Grèce de l'Est, mais des Cyclades qui, de 750 à 650, resteront la source principale. Cependant, dès cette époque, apparaissent les premiers documents attribuables au Dodécanèse et plus particulièrement à Rhodes: ainsi, un fragment de bol rhodien géométrique, un fragment de skyphos à file de hérons, probablement rhodien, ou un fragment de skyphos d'imitation protocorinthienne très semblable à certains exemplaires trouvés à Exochi (fig. 1).

A la première moitié du VIIe s. on peut rapporter plusieurs fragments de *dinoi* de la Grèce de l'Est, décorés au peigne (fig. 2) et quelques bords de cratère soulignés d'un zigzag incisé comme on en trouve à Samos.

Mais c'est de 650 env. à 550 que les exportations de la Grèce de l'Est à Ras el Bassit sont les plus abondantes et les plus variées.

On peut en effet attribuer à la seconde moitié du VIIe s., grosso modo, de nombreux vases ou fragments généralement considérés, à tort ou à raison, comme rhodiens. Les formes représentées sont l'amphore, l'oenochoè basse à épaule carénée, l'olpè, l'aryballe, l'askos-couronne, le cratère, le dinos, toutes les variétés de coupes définies par Vallet-Villard (A 1, A 2, B 1) et Hayes (fig. 3 et 4), ainsi que d'autres, qui n'entrent pas dans ces classifications (fig. 5), le bol à oiseau (fig. 6), le plat à pied haut (fig. 7), le support tripode etc. Pour les techniques du décor, on peut citer les filets blancs et rouges, la bichromie (sur un fr. de support tripode), l'« émail » polychrome étudié par Peltenberg. Le style de la Chèvre Sauvage est attesté par un certain nombre de fragments (fig. 8) ainsi que la « technique mixte » corinthianisante (fig. 9).

Pendant la première moitié du VIe s., les exportations se poursuivent avec les types correspondants des mêmes formes (amphores, oenochoè à languettes ou à zigzag, cratère, dinos, coupe) auxquelles s'ajoutent l'hydrie, l'alabastre tubulaire à filets incisés, la coupe à facettes, la phiale à manche. Les techniques du décor comprennent maintenant, outre le dessin au trait et la silhouette, la figure noire avec incision et rehauts, l'incision sur fond noir (coupes de Vroulia). La composition du décor est celle des coupes B 1 et B 2 (fig. 10), ou, sur certaines coupes peut-être dotées d'une seule anse horizontale, des bandes et filets intérieurs (cf. G. PLOUG, *Sūkas*, II, p. 38-41) (fig. 11). Les motifs attestés sont ceux de la « file d'animaux » rhodienne tardive, les rosettes et les arêtes au trait sur les bols (fig. 13), les motifs floraux sur les plats (fig. 12).

Un certain nombre de documents peuvent être attribués à des fabriques plus ou moins déterminées: certains fragments du style de la Chèvre Sauvage, dont la terre est orangée ou cuivrée pourraient provenir de Smyrne, ainsi que des amphores plus ou moins fragmentaires à coeur gris fer, couverte brune et bandes d'un noir franc; d'autres, dont l'argile est blanchâtre et terne, de Milet.

La céramique grise, monochrome et polie, commune à Lesbos, en Eolide et ailleurs en Asie Mineure, est bien attestée par des cols d'amphore, d'oenochoè trilobée, des fragments d'hydrie, de dinos à anse plastique (fig. 14), de plat à pied haut et surtout de nombreuses assiettes à rebord rainuré, pied en anneau et dessous incisé de cercles concentriques. La variante beige de cette céramique, qui est connue en Asie Mineure, est particulièrement bien représentée par des assiettes, de type analogue, ou à rebord plat, parfois partiellement vernies (fig. 15).

Quelques fragments présentent les croissants de lune du style dit de Fikellura; d'autres, les écailles à point noir sur rehaut blanc de Clazomènes, ou sans rehaut blanc (de Samos ou de l'Ionie du Nord?).

La production chiote est présente: amphores à arabesques, y compris la variété à couverte savonneuse et zigzags orange dessinés au peigne, oenochoè (fig. 16), petite oenochoè élancée sans engobe, dinos, calices du type III à lotus et palmettes polychromes intérieures, phiales polychromes à omphalos etc.

A la céramique proprement dite il conviendrait d'ajouter quelques figurines de la Grèce de l'Est (par ex. un « démon ventru » du type rhodien).

A partir de 550-540 av. J.-C., les importations attiques, présentes dès le début du VIe s., l'emportent définitivement sur celles de la Grèce de l'Est.

Ras el Bassit inscrit un point de plus sur la carte de distribution de la céramique de la Grèce de l'Est, mais la céramique qu'on y a retrouvée ne peut, de toute évidence, préciser la localisation des centres de fabrication. C'est au contraire la solution préalable de ces problèmes qui pourrait fournir une interprétation correcte des courants commerciaux aboutissant à Ras el Bassit.

Une contribution à l'établissement de la chronologie de la céramique de la Grèce de l'Est pourrait peut-être être fournie par ses associations stratigraphiques à d'autres céramiques archaïques, bien que souvent les fragments en question aient été retrouvés dans des contextes beaucoup plus tardifs.

Enfin, la présence relativement abondante de la céramique figurée confirme la différence de physionomie déjà bien connue entre les exportations vers l'Orient et celles qui étaient destinées à l'Occident.

PAUL COURBIN

SALAMINE DE CHYPRE ET LE COMMERCE IONIEN

(Pl. XIX–XXIII)

Une étude de la céramique importée de la Grèce d'Asie à Chypre pendant la période archaïque s'inscrit dans le problème plus général de la diffusion de ce matériel à travers la Méditerranée orientale. Cependant la place particulière de l'île comme escale dans les échanges commerciaux, comme intermédiaire dans les influences qui s'exerçaient, comme lieu de rencontre entre les puissances assyriennes puis égyptiennes et perses, et le monde hellénique, fait qu'il n'est pas sans intérêt de déterminer également sa position à l'égard des pays de la Grèce d'Asie, eux aussi frontière orientale du monde grec (1).

En attendant le *Corpus* que prépare Einar Gjerstad (2) et qui contiendra un recensement exhaustif de la céramique « ionienne » importée dans toute l'île, nous voulons essayer de montrer à l'aide de quelques exemples comment un site comme Salamine, qui fut à l'époque archaïque un royaume petit certes, mais riche, ouvert aux influences étrangères, sans doute le plus puissant de l'île, a ressenti l'impact de cette extraordinaire expansion du commerce ionien.

La documentation provient surtout de fouilles récentes. Une partie importante de la nécropole archaïque a été fouillée et publiée par V. Karageorghis (3): on y retrouve le faste d'une principauté orientale, ouverte aux influences artistiques les plus variées; plusieurs vases « East Greek », surtout des amphores, en proviennent. L'exploration du site ne fait que commencer. La ville archaïque a été seulement effleurée, par les sondages de J. A. Munro et H. A. Tubbs en 1890 au lieu-dit « Cistern » (4), puis par les fouilles de la mission française (5). A l'exception d'un sanctuaire de l'époque géométrique qui est resté en fonction probablement jusqu'à la fin du VIème s. (certains niveaux archaïques y sont encore en place), le matériel archaïque provient surtout des fosses situées soit à proximité du rempart

---

1) Ainsi, lors de la révolte de l'Ionie contre les Perses, la plus grande partie de l'île s'est rangée en 498 a.C. aux côtés des Ioniens, et en particulier un roi de Salamine, *cf.* Hérodote, V, 104.

2) A paraître en 1977, ce *Corpus* doit rassembler toute la céramique grecque (Grèce continentale, îles de l'Egée, Grèce d'Asie) des périodes géométrique et archaïque, importée à Chypre; au *Corpus* considérable rassemblé par E. Gjerstad, s'ajouteront des appendices concernant du matériel inédit provenant d'Amathonte (J. P. Thalmann), Kition (V. Karageorghis), Salamine (Y. Calvet et M. Yon). E. Gjerstad avait déjà étudié cette question dans *The Swedish Cyprus Expedition* (abrégé *SCE*), IV 2, p. 269, en 1948; plus récemment, T. J. Dunbabin a effectué un recensement de la céramique grecque trouvée à Chypre (*The Greeks and their Eastern Neighbours*, 1957, p. 72-76). Mais depuis une quinzaine d'années, le matériel archéologique issu des fouilles s'est tant accru, qu'une mise à jour était indispensable.

3) V. KARAGEORGHIS, *Excavations in the Necropolis of Salamis*, I-III, Nicosie, 1967-1974 (abrégé ici KARAGEORGHIS, *Necr....* 8).

4) J. A. MUNRO et H. A. TUBBS, *JHS* 12, 1891, p. 59-198: le matériel est au British Museum pour la plus grande partie. Lors d'une mission à Londres, en 1967, M. Higgins nous avait très aimablement permis d'accéder aux inventaires et d'étudier le matériel salaminien. Nous tenons à le remercier ici.

5) Mission de l'Université de Lyon (Lyon II), 1964-1974. Voir *Salamine de Chypre* I à VI, 1969-1975, par divers auteurs; et « Chronique des fouilles et découvertes archéologiques à Chypre », *BCH* 89 à 99, de 1965 à 1975. La fouille du sanctuaire, inachevée, a été interrompue par les événements de 1974; il nous a été impossible, en outre, de revoir pour l'étudier, l'ensemble du matériel découvert depuis 10 ans de fouille.

sud de la ville, soit d'un sondage (sondage Z) pratiqué dans la ville à l'Ouest de ce rempart (près de la « Cistern » fouillée en 1890), ou encore de déblais hellénistiques ou romains: c'est dire l'état fragmentaire dans lequel ont été généralement découverts les témoignages de cette céramique. On ajoutera comme dernier élément à cette documentation venue du terrain quelques objets entrés récemment au musée de Famagouste et censés provenir sinon de Salamine même, du moins de la zone d'influence de la cité.

* * *

I. — La céramique fine décorée, figurée ou non, n'est pas très abondante dans la ville, encore moins dans les tombes. Il s'agit surtout de « bols rhodiens » ornés d'oiseaux, de rosettes ou de simples filets pourpres, de quelques plats rhodiens et de très rares fragments de vases au décor animalier du style des « Boucs sauvages ».

II. — En revanche, les « coupes ioniennes » sont relativement nombreuses, dans les fouilles de la ville surtout, et en particulier dans le sanctuaire.

III. — Enfin une quantité considérable de débris d'amphores dans la ville, ainsi que plusieurs amphores complètes découvertes dans la nécropole fournissent la preuve d'un commerce important avec la Grèce d'Asie.

Nous présentons ici quelques-uns des fragments les plus représentatifs de ce matériel (6).

I. — La céramique fine décorée

« Bols rhodiens »:

Ils appartiennent à la série bien connue des bols dont le décor conserve la tradition géométrique qu'il s'agisse d'un oiseau stylisé, d'une rosette de points, ou de simples filets tracés à la peinture pourpre (7).

Bols à oiseau (fig. 1 a-c):

Les fouilles de la ville ont livré plusieurs fragments de ces bols; ils proviennent de divers points du site: déblais sous la basilique byzantine (66/1322), région du rempart (68/3112, 68/4795), niveau archaïque du sanctuaire (72/4303, 69/9698, 60/10317, 69/10497); dans tous les cas, ils sont associés à de la céramique chypriote de la classe IV ou IV-V (fin du VIIème-début du VIème s.). En revanche, un exemplaire a été trouvé dans une tombe de la nécropole (8) qui contenait également de la céramique de la classe V (VIème s.), ainsi qu'une tête sculptée que son style égyptisant permet de dater des environs de 525 av. J.-C.

Bols à rosette (fig. 1 d):

Ils ont une forme semblable à celle des précédents et présentent la même organisation d'un motif (ou de plusieurs) sur la bande des anses; ces bols sont en outre souvent décorés d'une ligne de peinture

---

6) Pour l'illustration des fragments mentionnés ici mais non représentés, on se reportera au *Corpus* annoncé plus haut (note 2).

7) M. LAMBRINO, *Les vases archaïques d'Histria*, 1938, p. 37-64.

8) KARAGEORGHIS, *Necr.* II, p. 57, pl. CXI, CCXXIII: t. 29, 2.

pourpre à l'intérieur (9). Quelques fragments proviennent de la ville, en particulier d'un dépôt archaïque dans le sanctuaire (69/10407, 69/10407 bis . . .) et du rempart (Sal. 5263). Un bol à rosette a été trouvé dans le *dromos* de la tombe 42 (10), que son matériel fait attribuer à la fin du chypro-archaïque, c'est-à-dire la fin du VIème s.

Bols à filets pourpres, sans décor élaboré (fig. 1 e):

On a trouvé également dans la ville des fragments de bols de forme semblable, et d'une facture très soignée; l'extérieur paraît ne porter aucun motif sinon des lignes; l'intérieur est orné d'un filet pourpre, peint soit sur une mince bande de peinture blanche, soit directement sur le vernis brun (Sal. 7275, avec base à bouton; 67/768). Ils proviennent des mêmes secteurs de la ville que les fragments de bols précédents.

De tels bols se rencontrent fréquemment, en Ionie et dans les sites où ils ont été exportés (11), dans des niveaux datés de la deuxième moitié du VIIème s.; le contexte de certains autres les place au début du VIème s.: les plus anciens sont munis d'une base à bouton alors que les plus récents reposent sur une base annulaire (12). Dans la ville de Salamine, d'où proviennent surtout, comme on l'a vu, des fragments dont le profil est incomplet, le contexte paraît dans l'ensemble en accord avec cette datation. En revanche, les exemplaires de la nécropole (bol à oiseau, bol à rosette) font figure d'objets exotiques et précieux que leurs propriétaires avaient conservés avec soin jusqu'à la fin du VIème s.

* * *

« Plats rhodiens » (fig. 2):

Quelques fragments doivent provenir d'une série également bien connue dans la première moitié du VIème s. (13); ce sont des plats à rebord étalé, fréquemment orné d'un méandre, tandis que le centre est décoré d'une étoile de feuilles rayonnantes (69/1004, 67/592, 69/542). Aucun exemplaire à décor figuré n'a été trouvé à Salamine.

* * *

Céramiques à décor figuré du style des « Boucs sauvages » (Rhodes ou autres provenances) (fig. 3):

Le style des « Boucs sauvages » n'est représenté ici que par quelques fragments: en effet les fouilles de la ville n'ont mis au jour aucun vase complet de ce type, mais seulement des tessons, rares, et la nécropole pour sa part ne semble pas en avoir fourni non plus. Certains de ces fragments proviennent d'ateliers rhodiens; pour d'autres, il faut peut-être chercher une origine du côté de Chios ou de Samos (?).

---

9) R. M. Cook, *Greek Painted Pottery*, 1960, p. 118 (fin du VIIème-début du VIème s.); cf. K. Kinch, *Vroulia*, 1914, pl. 25, 6; pl. 43, 25, 2 a.

10) Karageorghis, *Necr.* II, p. 74, pl. CXXVI, CCXXVIII: A 1.

11) Par exemple H. Walter, *Samos*, V, 1968, pl. 85; Lambrino, *Histria*, p. 37 sq.; Kinch, *Vroulia*, p. 134, fig. 44 a-b; à Tarse, Hanfmann, *Studies... H. Goldman*, p. 176.

12) Voir plusieurs exemplaires du dépôt I de Tocra avec base à bouton: J. Boardman et J. Hayes, *Excavations at Tocra*, 1966 (abrégé ici Hayes, *Tocra*), p. 44 et pl. 38, n° 723, 729; d'autres à base annulaire: *ibid.*, n° 733, 734... Le n° 733, à large bande noire sous l'oiseau paraît à J. Hayes certainement postérieur à 580 a.C. (*ibid.* p. 45).

13) Hayes, *Tocra*, p. 50 et fig. 26, n. 636, pl. 36; *ibid.* p. 44: *Deposit* II, c'est-à-dire 580-560 a.C., une cinquantaine. Pour d'autres exemples à Délos, Chios, Rhodes, Istros, etc.... voir *ibid.* p. 44, note 1.

Un fragment d'oenochoè conservé au British Museum (14) porte une frise de daims aux pattes fines, paissant; une bande de peinture pourpre sépare ce registre de la partie inférieure décorée de lotus aux pétales cernés d'un trait (fig. 3 a); on peut l'attribuer à un atelier rhodien de la fin du VIIème s. (15). Avec ce fragment, les fouilleurs anglais avaient trouvé deux tessons d'un cratère ou d'un *dinos* (fig. 3 b), orné sur l'épaule d'un animal difficile à identifier (16): l'oreille, énorme, ressemble à une corne, mais la patte griffue et le museau froncé font penser à un molosse; le style du dessin rappelle certains vases de Chios, par exemple un *dinos* publié par J. Boardman (17); mais la rosette caractéristique, composée de quatre gros pétales ronds et de cinq petits points, se retrouve sur un vase rhodien de la phase B (18). Ce vase doit dater du premier quart du VIème s. Le fragment 67/Z-1215, trouvé dans le sondage Z à peu de distance des précédents, appartient aussi à une phase récente, comme en témoignent le dessin plus ramassé du corps de l'animal et les motifs de remplissage (fig. 3 c); la partie inférieure est ornée de motifs rayonnants (19). Une épaule d'oenochoè ou d'amphore, fragmentaire (67/1000), qui provient d'un déblai hellénistique, porte des capridés tournant la tête vers l'arrière (20); elle est peut-être aussi rhodienne, et c'est un des exemplaires les plus récents du style des « Boucs sauvages » que nous ayons à Salamine, probablement de la période 580-560 av. J.-C. (21). En revanche, le fragment 69/7394, où l'on distingue le dos et le cou d'un animal broutant pourrait, si l'on en juge par son engobe blanc épais et le style de ses ornements de remplissage (22), provenir d'un atelier de Chios, travaillant pendant la période 640-600 av. J.-C.

II. — LES COUPES IONIENNES

L'usage est de désigner ainsi, comme l'ont fait F. Villard et G. Vallet (23), une catégorie extrêmement répandue (24) de bols à petit rebord, munis de deux anses, et recouverts partiellement d'un « vernis » dont la tonalité va du noir au rouge orangé le plus vif: c'est de cette forme que dérive la coupe attique du VIème s. (coupe des petits maîtres, etc. . . .). Les niveaux archaïques de Salamine (625-575 environ) en ont livré un assez grand nombre. Nous n'entrerons pas ici dans le difficile problème de leur origine précise, mais nous évoquerons seulement à leur propos les attributions que l'on a tentées pour des séries bien déterminées (25).

14) Inventaire 91.8-6.73; découvert à Salamine par l'expédition anglaise de 1890 au lieu-dit « Cistern », à très peu de distance de notre sondage Z (MUNRO et TUBBS, *JHS*, 12, 1891, p. 137-145; et plan du site en pl. V).
15) Voir COOK, *Greek Painted Pottery*, fig. 30 b; cf. d'autres exemplaires comparables: M. ROBERTSON, « The Excavations at Al Mina, Sueidia, IV: The Early Greek vases », *JHS* 60, 1940, pl. I, c, e; pl. II, m; p. 8 (dernier tiers du VIIème s.); WALTER, *Samos* V, pl. 119, nº 599, 600; KINCH, *Vroulia*, p. 197-264 et fig. 76 b.
16) Inventaire 91.8-6.72 (= A 722): MUNRO et TUBBS, *JHS* 12, 1891, p. 142, fig. 5.
17) J. BOARDMAN, *Excavations in Chios, 1952-1955, Greek Emporio*, 1967, p. 151 et pl. 55.
18) COOK, *Greek Painted Pottery*, p. 121 et pl. 31 B: 600-575 a.C.; cf. R. M. COOK, « Fikellura Pottery », *BSA* 34, 1933-1934, p. 2, note 1; ROBERTSON, *JHS* 60, 1940, p. 8.
19) KINCH, *Vroulia*, p. 196-197 et 223.
20) Voir une amphore de la tombe 106 d'Amathonte: A. S. MURRAY, A. H. SMITH et H. B. WALTERS, *Excavations in Cyprus*, 1900, p. 104, fig. 151; cf. LAMBRINO, *Histria*, p. 247, fig. 211: « amphore du style de Camiros ».
21) HAYES, *Tocra*, pl. 29, nº 588.
22) BOARDMAN, *Greek Emporio*, p. 150, nº 634-652.
23) Voir la classification dans F. VILLARD et G. VALLET, « Mégara Hyblaea, V: Lampes du VIIème s. et chronologie des coupes ioniennes », *MEFR* 67, 1955, p. 7-34 (abrégé ici *Megara Hyblaea* V); M. LAMBRINO (*Histria*, p. 81) critiquait le terme « coupes ioniennes », mais l'employait néanmoins.
24) Voir par exemple M. A. HANFMANN, « On some Eastern wares found at Tarsus », *The Aegean and the Near East, Studies . . . H. Goldman*, p. 167.
25) Par exemple HAYES, *Tocra*, p. 111-134, « Black-glazed cups ». nº 1192-1405.

a) *Coupes à filets pourpres et blancs:*

De ce type (type A 1 de F. Villard et G. Vallet, et rhodien type III de J. Hayes), peu de fragments ont été trouvés dans la ville de Salamine (69-2507 et peut-être 72/2867); leur niveau archaïque les datait de 600 av. J.-C. environ, ce qui concorde avec les dates admises pour cette série. Un exemplaire complet, entré en 1961 au musée de Famagouste (26), provient certainement de la région. On considère ces coupes comme rhodiennes (27).

b) *Coupes à pied court et panse recouverte de vernis:*

Cette série correspond dans la classification de F. Villard et G. Vallet au type A 2, daté de la période 620-600 av. J.-C. Plusieurs groupes différents ont pu être identifiés, tant en fonction de la matière (pâte plus ou moins fine, vernis de plus ou moins bonne qualité . . .) que de la forme (rebord droit ou évasé, etc. . . . .) et même du décor, aussi simple soit-il (place des bandes réservées, décor de filets horizontaux ou de lignes ondulées sur le rebord . . .). En nous fondant sur les analyses de J. Hayes pour le matériel de Tocra, nous avons cru reconnaître en particulier un groupe samien et un groupe rhodien (28).

Coupes de type « samien », au rebord presque droit, assez grandes (diamètre atteignant souvent 16 ou 17 cm) (fig. 4 a-d):

Du groupe I de Tocra (*Tocra* 1298), caractérisé par une seule bande réservée à hauteur des anses, un unique exemplaire, fragmentaire, a été découvert à Salamine, sous la basilique byzantine (Sal. 3126 fig. 4 a). En revanche, on a trouvé dans la ville un assez grand nombre de coupes du type samien II (*Tocra* 1298), que l'on reconnaît en particulier à leur décor de filets horizontaux sur le rebord: elles proviennent de la région du sanctuaire archaïque (Sal. 5269, 69/2515, 69/2502, 69/10813), de dépôts archaïques près du rempart (Sal. 1240) ou de la basilique byzantine (Sal. 3229). Ce type, très fréquent à Chypre, est également exporté dans de nombreuses directions; on en trouve, outre à Samos qui serait son lieu d'origine, à Ephèse, Istros, Al Mina, Tocra (29), ainsi qu'en Occident (30). La coupe 69/2503, de plus petite taille (diamètre 13 cm) et d'une pâte plus fine, aux filets plus minces (Fig. 4 c), provient sans doute d'un atelier différent, peut-être rhodien. Salamine a fourni en outre un exemplaire fragmentaire du groupe samien III de J. Hayes (31), proche du type II à ceci près qu'il porte une ligne ondulée sous la lèvre (69/749) (fig. 4 d).

Ces coupes « samiennes » voisinent à Salamine avec de la céramique chypriote de la classe IV en majorité; la présence de quelques types de la classe V permet de suggérer une datation couvrant la fin du VIIème s. et le début du VIème s.: cette date concorde tout à fait avec ce qu'indiquent les trouvailles de Tocra ou d'Al Mina (32).

Coupes de type « rhodien », à pâte généralement fine et rebord plus évasé que celui des coupes « samiennes » (type rhodien IX de Tocra) (fig. 4 e):

---

26) *BCH* 86, 1962, p. 384, fig. 79 (« provenance exacte inconnue »).
27) Plusieurs exemples à Vroulia: KINCH, *Vroulia*, pl. 8, 2; cf. COOK, *Greek Painted Pottery*, p. 142.
28) HAYES, *Tocra*, p. 11 et 115.
29) Voir les exemples cités dans HAYES, *Tocra*, p. 115, note 5.
30) *Megara Hyblaea* V, p. 18-19.
31) Pas d'exemple à Tocra même, mais à Tarse (*Tarsus* III, p. 287, nº 1386, fig. 95, 144), à Al Mina (inédit), à Samos: cités par HAYES, *Tocra*, p. 115, note 6.
32) Al Mina: fin du VIIème s. (ROBERTSON, *JHS* 60, 1940, p. 15, fig. 7 n); Tocra: fin du VIIème- début du VIème s. (HAYES, *Tocra*, p. 115-116); Tarse: 725-700 a.C. (HANFMANN, *Studies . . . H. Goldman*, p. 177 et fig. 8).

La ville de Salamine a fourni plusieurs coupes de ce type, dont certaines ont été trouvées aux mêmes endroits que les précédentes, tandis que d'autres étaient groupées dans une fosse archaïque (Sal. 1685, 67/Z-1207, 1208, 1210, 1223, 1224, etc....). Le vernis en est généralement de bonne qualité, mais d'une couleur très variable (du noir au rouge orange vif selon les exemplaires); ces coupes sont souvent de plus petite taille que celles de Samos (diamètre 12 cm environ). Une coupe de ce type, quoiqu'un peu plus grande, se trouve au musée de Nicosie; elle vient de la région de Famagouste (33). Beaucoup de coupes semblables ont été découvertes dans divers sites de l'île (34).

c) *Coupes à base annulaire, rebord très court et corps réservé* (fig. 4 f-g)

Un assez grand nombre de coupes, dont la technique s'apparente à celle des coupes « rhodiennes » précédentes, se caractérise par une base annulaire et un rebord évasé très court, comme dans le type rhodien V de Tocra (35) ou B 1 de F. Villard et G. Vallet (36); mais, à la différence des séries de Tocra ou de Mégara Hyblaea, les coupes de Salamine, dont le vernis est le plus souvent noir ou brun, mais parfois rouge orangé, ne présentent pas de rehauts à la peinture pourpre (37). Plusieurs fragments et deux exemplaires complets viennent de la ville, des mêmes dépôts ou niveaux que les coupes précédentes (Sal. 4589, 5268, 5970, 6400; 69/7522, 67/Z-1209, etc....). Le diamètre moyen de l'ouverture varie de 13 à 15 cm, mais on en trouve de plus grandes, jusqu'à 18 cm (Sal. 6400); l'intérieur est entièrement verni à l'exception d'un filet réservé sur la lèvre; l'extérieur reste clair, sauf la partie supérieure et parfois le bas (Sal. 4589) (38).

A Tocra et à Mégara Hyblaea, on date ces coupes de la période 650-580 av. J.-C. environ. Dans cet ensemble de coupes « ioniennes » trouvées à Salamine, il est impossible de faire une distinction chronologique ; elles proviennent de dépôts archaïques de différents points de la ville, c'est-à-dire surtout le sanctuaire archaïque (la fin du chypro-archaïque II voit l'avant-dernier état d'occupation de ce sanctuaire à la fin du VIIème s.), une fosse très profonde dans le sondage Z contenant de la céramique chypriote de la classe IV et V et de la céramique importée datant de la période 625-575, des dépôts à proximité du rempart et des déblais mêlés sous la basilique byzantine: tous ces dépôts mêlent des fragments de ces différentes séries. La nécropole, pour sa part, a donné très peu de coupes ioniennes (39). On peut donner une limite inférieure, environ 580-575 av. J.-C., pour l'importation massive à Salamine de ces vases de Grèce d'Asie; la majeure partie, semble-t-il, vient de Rhodes et de Samos.

III. — LES AMPHORES

Si la céramique de luxe, originaire de la côte ionienne ou des îles de la Grèce d'Asie est relativement rare, les fragments d'amphore représentent pour leur part une quantité considérable du matériel non chypriote trouvé à Salamine dans les niveaux archaïques. La nécropole en a livré un grand nombre, souvent entières, alors que les bols, coupes, cratères... y étaient beaucoup plus rares; les

---

33) *BCH* 88, 1964, p. 300-301, fig. 1.
34) *BCH* 84, 1960, p. 250-251, fig. 15-16; *BCH* 93, 1969, p. 449, fig. 26; *BCH* 97, 1973, p. 606, note 5, fig. 13 et 14.
35) HAYES, *Tocra*, p. 120 et fig. 55, n° 1197.
36) *Megara Hyblaea* V, fig. 4 et p. 23-27.
37) Ce type trouve son équivalent à Histria: LAMBRINO, *Histria*, p. 88, n° 3, fig. 49 (« coupe à pied bas, de la catégorie courante »; diamètre 0,143 m; pas de filet pourpre; vernis viré au rouge); voir aussi HANFMANN, *Studies... H. Goldman*, p. 169 et fig. 4.
38) Voir une coupe semblable trouvée à Ayia Irini, avec un bol à rosette: *BCH* 86, 1962, p. 367, fig. 54.
39) KARAGEORGHIS, *Necr.* II, p. 131, pl. CLXVII, CCXLVIII: t. 85 A, 10 (coupe d'un type un peu différent).

dépôts archaïques, dans la ville même, contenaient de nombreux fragments (39 bis), dont la matière sinon toujours la forme était bien reconnaissable à côté de la céramique locale.

Les ateliers de fabrication de ces amphores sont variés et souvent difficiles à localiser pour le moment; cependant la matière, la forme et éventuellement le décor permettent de déterminer quelques groupes.

Amphores à engobe blanc et S couché (fig. 5 a-b):

Un certain nombre de fragments d'amphores, recouvertes d'un épais engobe blanc jaune ou crème sur une pâte brune et parfois décorées de motifs simples peints en brun ou en brun rouge (67-Z-1233 a-c) (fig. 5 a) se rattachent au groupe de Chios (40): les amphores fusiformes (« spindleshaped ») décorées sur l'épaule d'un S couché, dessiné d'un geste souple, comme on en trouve en d'autres points de l'île: Lefka (fig. 5 b) ou Marion (41), sont caractéristiques de cette production. Cette série à engobe blanc jaune épais semble propre au VIIème s. (42).

Amphores à S couché ou bandes horizontales, sans engobe ou à engobe léger (fig. 5 c-d):

Bien d'autres fragments semblent appartenir à des amphores portant le même type de décor, mais différentes des précédentes, tant par leur forme (corps beaucoup plus renflé), que par l'absence de cet engobe blanc épais; en outre, le motif en S couché y est, en règle générale, plus régulier et symétrique; les bandes horizontales, le cas échéant, sont de largeur égale sur un même vase (43); la base est soit annulaire, soit étroite à pied conique ou fond rentré (44).

Le sondage Z a fourni beaucoup de fragments d'amphores de cette catégorie; un autre exemplaire (Sal. 3120) avec un décor de S couché provient de la zone bouleversée située sous la basilique byzantine. Plusieurs amphores complètes ont été trouvées dans la nécropole (45), dans des tombes du chypro-archaïque II, c'est-à-dire du VIème s.

Il est certain que ces amphores sont originaires d'ateliers divers: sans doute une partie continue-t-elle la série de Chios, au début du VIème s. (46), mais l'origine des autres restera à déterminer.

Amphores pansues sans décor (fig. 5 e):

Il s'agit là de grandes amphores commerciales, dont la pâte est assez sombre (brun, gris, brun rouge), parfois micacée, fine mais légèrement rugueuse; les fragments de col ou de fond permettent d'en rattacher la plupart des exemplaires à un modèle d'amphore courant dans le monde ionien; le corps est piriforme, assez renflé (47), comme le vase presque complet trouvé dans le sanctuaire archaïque

---

39 bis) Une quarantaine de numéros ont été répertoriés pour le *Corpus* en préparation (voir note 2).

40) J. K. ANDERSON, *BSA* 49, 1954, p. 169; cf. P. BERNARD, *BCH* 88, 1964, p. 137-140, avec bibliographie sur des exemplaires trouvés dans toute la Méditerranée et la mer Noire.

41) A Lefka, amphore du musée de Nicosie, 1961/XI-3/1; à Marion, *SCE*, II, pl. LXXVII et CXL; *BCH* 86, 1962, p. 336-337, fig. 11 (aussitôt après le milieu du chypro-archaïque II).

42) Voir note 40; cf. LAMBRINO, *Histria*, p. 101 (dernier tiers du VIIème s.).

43) LAMBRINO, *Histria*, p. 109 (« grandes amphores sans engobe »).

44) Cf. également BERNARD, *BCH* 88, 1964, p. 137 et références citées.

45) KARAGEORGHIS, *Necr.* II, p. 63, pl. CXVI, CCXXIV: t. 33, 22; voir aussi *ibid.*, p. 215, n° 111; p. 7, t. 6, 10; p. 13, t. 9, 4 et 10; p. 30, t. 14, 1; p. 57, t. 29, 3; etc. . . .

46) ANDERSON, *BSA* 49, 1954, p. 168-170: série chiote sans engobe, plus récente que l'autre.

47) Voir la forme du type B de LAMBRINO, *Histria*, p. 114-115.

(Sal. 6874). Ce genre d'amphore est présent également dans la nécropole (48). Leur période d'importation à Salamine doit s'étendre de la fin du VIIème au milieu du VIème s.

Ce grand nombre d'amphores importées de Grèce d'Asie témoigne de la large diffusion de ce commerce en Méditerranée et en Mer Noire, où elles ont transporté des produits de consommation (blé, vin, huile...). Elles donnent ici la preuve d'échanges importants entre l'Ionie et Chypre à la fin du VIIème s. et au cours du VIème s. Très souvent des graffites donnent à ces amphores un caractère particulier; plusieurs amphores trouvées dans la ville (Sal. 3120, fig. 5 c), comme dans la nécropole (49) sont ainsi marquées.

* * *

D'autres sites de l'île ont livré de la céramique « ionienne », et en particulier des sites côtiers: ainsi Marion, où l'on a trouvé plusieurs fois des amphores fusiformes de Chios, mais également Kition, Soloi, Ayia Irini (50), et surtout Amathonte, d'où proviennent, parmi un abondant matériel, de belles pièces rhodiennes du style des « Boucs sauvages » (51). C'est dire que les échanges avec l'Ionie ont affecté l'île tout entière. Outre les vases réellement importés, soit pour eux-mêmes (coupes, bols, oenochoès...), soit également pour leur contenu (amphores), l'influence ionienne s'est exercée aussi sur l'industrie des potiers chypriotes (52): on rappellera ici, par exemple la forme des coupes *Plain White* V (53), vaisselle d'utilisation courante dans l'île au VIème s., dérivées à l'évidence des coupes ioniennes; on pense également, par contraste avec le style figuré caractéristique de l'art chypriote archaïque (54), aux décors qui imitent les vases rhodiens (motifs de capridés ou d'autres animaux en file, décor en registres superposés, forme du corps des animaux, etc....) (55).

L'histoire de Chypre bénéficie des informations que suggère la présence de ce matériel, et en particulier ici l'histoire de Salamine. On constate que les liens, bien attestés dans les textes, entre le royaume salaminien et les cités d'Ionie au début du Vème s. (au moment des événements que rapporte Hérodote lors de la révolte contre la suprématie perse en 499-498 av. J.-C.), existent déjà à une période plus ancienne pour laquelle les sources littéraires font défaut. Il est au reste notable qu'une recherche sur les ateliers de fabrication des vases trouvés à Salamine, lorsqu'on a pu le déterminer, nous oriente en particulier vers Samos et surtout vers Rhodes. Certes, il s'agit là de centres de production et de diffusion très actifs; mais on ne peut nier que, tant à Samos dans l'Héraion que dans le sanctuaire de Lindos, pour ne citer que ces exemples, le matériel de provenance chypriote représente une masse considérable (56): il s'agit entre autres, pour une grande part, de figurines sculptées dont le lien avec des

48) KARAGEORGHIS, *Necr.* II, p. 57, pl. CCXXIII.
49) KARAGEORGHIS, *Necr.* II, app. par. O. MASSON, p. 278.
50) *BCH* 86. 1962, p. 55, fig. 54-55.
51) *BCH* 85, 1961, p. 312-314, fig. 65 et *BCH* 86, 1962, p. 407, fig. 100 a; cf. aussi *BCH* 88, 1964, p. 329, fig. 60; MURRAY, SMITH et WALTERS, *Excavations in Cyprus*, p. 104-105.
52) Voir en particulier des coupes de fabrication locale imitant des coupes ioniennes: *BCH* 86, 1962, p. 367, fig. 53; cf. GJERSTAD, *SCE*, IV 2, p. 276-306.
53) On en a trouvé des exemplaires dans la ville (69/10396) et dans la nécropole, KARAGEORGHIS, *Necr.* II, p. 40, pl. CCXV, t. 20, 42.
54) Voir V. KARAGEORGHIS et J. des GAGNIERS, *La céramique chypriote de style figuré, Age du Fer (1050-500 av. J.-C.)*, Rome, 1975.
55) Voir par exemple à Salamine des fragments comme 67/Z-1599 (*Bichrome* IV) qui porte le corps d'un animal semblable à celui des capridés de style rhodien.
56) Beaucoup de statuettes de calcaire et de figurines de terre cuite modelées ou moulées; voir G. SCHMIDT, *Samos* VII, 1968; C. BLINKENBERG, *Lindos* I, 1931; il y a moins de céramique, car les vases chypriotes ont peine à rivaliser avec la qualité des productions locales.

ateliers salaminiens pour la période couvrant la fin du VIIème et le début du VIème s. est assez probable (57). T. J. Dunbabin interprétait avec juste raison les terres cuites chypriotes de Samos comme la production d'artisans installés à Samos; mais il refusait d'y voir le résultat d'un commerce et d'échanges continus (58). Certes, cette interprétation unilatérale est plus que probable pour la plus grande partie du VIIème s.; mais en face des objets chypriotes découverts à Samos ou à Lindos, le nombre et la nature des importations ioniennes à Salamine (vases de luxe certes, mais aussi amphores commerciales) supposent un développement particulièrement important des échanges au cours de la période qui s'étend de 630 à 580-575 av. J.-C. environ (59).

Quelles qu'aient été alors les réalités politiques, le poids de l'Assyrie ou de l'Egypte sur les royaumes chypriotes (60), ces modestes documents salaminiens témoignent à leur manière d'un climat favorable au développement des activités commerciales en Méditerranée orientale, comme en témoignaient également par exemple les trouvailles faites dans le reste de Chypre, aussi bien que celles de Tocra ou de Naucratis, de Tarse ou d'Al Mina. Qui transportait ces objets, qui tenait les comptoirs? Étaient-ce des Grecs, des Phéniciens, des Chypriotes? Le problème reste posé.

Yves Calvet et Marguerite Yon

---

57) Cf. M. Yon, *Salamine de Chypre*, IV, ch. II « Lions archaïques », p. 45.
58) T. J. Dunbabin, *The Greeks and their Eastern Neighbours*, p. 50.
59) C'est-à-dire dans la chronologie chypriote: fin du chypro-archaïque I et début du chypro-archaïque II.
60) G. Hill, *History of Cyprus*, I, 1940, p. 95-110.

LA CÉRAMIQUE DE GRÈCE DE L'EST DANS LES CITÉS PONTIQUES

(Pl. XXIV–XXVI)

L'historiographie antique nous a légué une double tradition concernant la date de fondation d'Histria. Dans une étude plus ancienne j'avais essayé d'examiner la valeur des deux traditions en soulignant le sens plus exact du texte de la chronique d'Eusèbe, par rapport au passage de Ps. Skymnos (1). Je n'ai pas eu l'intention dans cette étude d'affirmer que la date de 656/5 donnée par Eusèbe puisse être considérée avec plus de certitude que n'importe quelle autre avec laquelle est obligé d'opérer l'historien de l'époque grecque archaïque. Sa valeur est surtout sérielle, à mesure qu'elle donne une chronologie relative des fondations helléniques en mer Noire. De la sorte, on peut prendre Histria comme la plus ancienne colonie du littoral occidental et septentrional de cette mer, suivie de près par Berezan-Olbia (646/5).

A Histria ont été mis au jour une série de documents céramiques datant au plus tôt du dernier quart du VIIe s. Le groupe de cette période est le plus riche et le plus varié de l'ensemble du monde colonial pontique. Si la publication complète des découvertes de Berezan ne va pas changer la proportion qui nous est connue à l'heure actuelle, Histria peut être considérée, en parfait accord avec la tradition littéraire, comme la plus ancienne et la plus importante colonie pontique du VIIe s. La catégorie céramique la plus riche datant du dernier quart du VIIe s. est celle du style moyen II des Chèvres Sauvages. Dans mon volume dédié à « *La céramique d'époque archaïque et classique. Histria IV* » (à paraître prochainement) figurent 36 pièces de cette catégorie. Ce nombre dépasse la série de Berezan, publiée par Varvara Skudnova et conservée à l'Ermitage (2).

Quels étaient les centres qui produisaient les vases de ce style? La plus grande partie des pièces classées dans la phase du style moyen II semble avoir été fabriquée à Rhodes, en justifiant de la sorte au moins pour certains groupes stylistiques, la désignation de « rhodienne » utilisée autrefois pour l'ensemble de la céramique du style des Chèvres Sauvages. La majeure partie des groupes faisant partie des chapitres dédiés au « Style Classique Camiréen » et au « Style Subcamiréen » de l'ouvrage fondamental de Chr. Kardara, *Rhodiaké Angeiographia*, portent la marque d'une évidente unité stylistique et semblent avoir été produits, en effet, à Rhodes même. La liste de diffusion des pièces, dressée par Kardara, rend plausible cette attribution.

Seize pièces d'Histria font partie des groupes rhodiens. En suivant la distribution de ces documents, on constate que cette colonie se trouvait dans une chaîne comprenant, dans le bassin pontique Berezan, et dans la Méditerranée Orientale quelques comptoirs comme Mersin en Cilicie, Al Mina en Syrie du Nord, Meṣad Ḥashavyahu en Palestine et Naucratis en Egypte. L'entrée dans cette chaîne ne s'est pas produite pour Histria et Berezan en même temps que celle des autres. J. Boardman avait fait cette remarque, à propos du rapport entre Al Mina et Naucratis: « It is very interesting that the

---

1) P. ALEXANDRESCU, *Studii Clasice*, 4, 1962, pp. 49 et suiv.
2) V. M. SKUDNOVA, *SA*, 1960, 2, pp. 153 et suiv.

earliest East Greek pottery at Naucratis in Egypt is very like the latest at Al Mina » (3). Si vraiment une telle différence existe, elle est valable aussi pour Histria et Berezan : la céramique du style moyen II de ces sites est plus récente que celle d'Al Mina et de Mersin.

En effet, les vases les plus anciens du style des Chèvres Sauvages, remontant au style moyen I, n'ont été découverts ni à Histria ni à Berezan, mais dans les vastes régions nord-pontiques, à des endroits éloignés parfois de centaines de kilomètres de la côte maritime. La pièce la plus belle est la fameuse oenochoè de Temir Gora, près de Kerch. Quelques autres fragments ont été mis au jour dans les sites du bassin du Boug et du Dniepr Moyen. De telles découvertes ne peuvent pas passer comme témoignage d'un commerce hellénique précolonial, du moment où selon la tradition littéraire les premiers *emporia* grecs existaient déjà à l'époque. Cette céramique a donc pu être transportée sur les lieux de sa découverte par le truchement de ces comptoirs à peine fondés, même si les fouilles pratiquées dans des cités comme Histria ou Berezan n'ont pas encore livré de telles pièces.

Il nous faut tout au moins constater un certain décalage chronologique entre les plus anciennes importations grecques enregistrées dans le milieu indigène nord-pontique et les plus anciennes découvertes faites dans les colonies mêmes. En termes archéologiques, on peut exprimer cette constatation de la façon suivante :

Style moyen I : Al Mina, Mersin, URSS méridionale.

Style moyen II : Al Mina, Mersin, Meṣad Ḥashavyahu, Naucratis, Histria, Berezan, URSS méridionale.

Dans ce schéma Histria et Berezan se retrouvent dans la même position que Naucratis, où la céramique la plus ancienne remonte au style moyen II (4). Ce parallèle peut être élargi à d'autres catégories de céramique. Ainsi donc les premières importations corinthiennes enregistrées à Histria et à Berezan datent de la fin du VIIᵉ s. Quant à la céramique attique, Histria a livré le plus ancien document, daté 620-600. Boardman résume comme suit la situation des plus anciennes découvertes corinthiennes faites à Naucratis : « The earliest pottery from the site which is datable is, as usual, Co-

---

3) J. BOARDMAN, *Greek Overseas*, 1964, p. 74.

4) L'oenochoè basse décorée sur l'épaule d'une chèvre sauvage, trouvée à Apollonie Pontique et conservée au Musée de Sozopol, récemment publiée par B. IVANOV, *Iskustvo*, Sofia 1975, 3-5, pp. 30-1, soulève un intéressant problème de chronologie (fig. 1). Les groupes des petites oenochoès, des oenochoès à protomé d'oiseau et celles avec des protomés de chèvre sauvage de Kardara, pp. 111-2, 304, forment tous les trois une classe de vases contemporains. Plusieurs fragments de cette classe ont été trouvés à MEṢAD ḤASHAVYAHU, *Israel Exploration Journal*, 12, 1962, pp. 89 et suiv. : un fragment du groupe des oenochoès à protomé d'oiseau, p. 110, fig. 9, p. 11/c; deux fragments du groupe des oenochoès à protomé de chèvre sauvage, p. 112, fig. 10, pl. 10/a et 11/b. Le vase d'Apollonie fait partie de cette classe. Si donc la place de Meṣad Ḥashavyahu fut abandonnée avant 609 (J. NAVEH, *Israel Exploration Journal, op. cit.*, pp. 89 et suiv.; R. M. COOK, *BSA*, 64, 1969, pp. 13-4; portant Karydi, p. 98) et si la colonie milésienne d'Apollonie Pontique fut fondée selon la tradition historique vers 610 av. n.è. (F. BILABEL, *Die ionische Kolonisation*, p. 14; G. MIHAILOV, *IGB*, I, p. 343), voici un possible raccord entre la chronologie historique et celle relative : cette « fourchette » semble en l'espèce fixer la date de production des oenochoès basses peu avant ou après 610-9.

A ce propos il faut remarquer la présence, parmi les pièces du style des Chèvres Sauvages mises au jour dans les ruines du fort de Meṣad Ḥashavyahu d'un fragment d'épaule d'oenochoè du groupe de Kardara, pp. 110-1, en l'espèce *Israel Exploration Journal, op. cit.*, p. 110, fig. 9, pl. 11/a. Ce groupe est dominé par les tessons d'Al Mina, ce qui fournit un nouvel argument en faveur de la date proposée par Martin Robertson pour ce site. D'autre part ce synchronisme infirme une suggestion de M.me Karydi, qui voyait dans la classe des oenochoès dont fait partie le vase d'Apollonie une étape plus évoluée par rapport aux oenochoès du groupe de Kardara, pp. 110-1.

53

rinthian: one scrap of "Transitional", made about 630-20, and rather more "Early Corinthian" of the later years of the seventh century and earliest sixth". Quant à la poterie attique: « The earliest at Naucratis is about 620 B.C. » (5). Il est permis donc de supposer que ces trois sites, Naucratis, Histria et Berezan, fussent fondés à la même époque.

* * *

Depuis le début du VIᵉ s. les importations céramiques se diversifient de façon considérable. Dans les colonies du Pont Euxin la catégorie la plus importante reste celle de la Grèce de l'Est. C'est la raison pour laquelle le problème des villes qui produisaient et qui livraient cette denrée est l'un des plus ardus. Récemment encore, Rhodes était considéré comme centre principal de production de la céramique du style tardif des Chèvres Sauvages. Chr. Kardara avait défendu ce point de vue. Pourtant dans son ouvrage elle trace déjà les pistes pour les nouvelles recherches, qui devraient séparer dans l'amalgame de cette céramique les troncs stylistiques principaux et les groupes provinciaux. Les groupes et les ateliers proposés par Chr. Kardara représentent déjà un premier abord de la détermination des centres ou des régions. Les difficultés restent encore nombreuses. Certaines tentatives, partiellement réussies, vers une nouvelle géographie stylistique de la Grèce de l'Est au VIᵉ s., ont récemment été entreprises par Elena Walter-Karydi (6).

La recherche actuelle est dominée par la tendance à localiser une partie des groupes du style tardif des Chèvres Sauvages dans la moitié septentrionale de l'Ionie. Cette tendance me semble raisonnable. Malheureusement, jusqu'à ce jour nous n'apprenons à connaître que le développement artistique de deux des villes de cette région. L'une est Clazomène, avec toute sa constellation d'ateliers anonymes, bien que fortement apparentés. L'autre c'est Chio, où l'on signale les plus anciennes pièces en technique mixte, découvertes dans la couche de destruction du temps d'Alyattes.

* * *

En examinant les groupes proposés par Chr. Kardara l'on peut se rendre compte de la parenté stylistique de certains d'entre eux: l'Ecole de l'Oenochoè d'Oxford G 119, l'Ecole du Deinos Campana, l'Ecole de Reading, l'Ecole A, mais ils ne sont pas tous suffisamment cohérents. Il me semble raisonnable d'en déduire un centre de production commun, qui ne saurait être ni Rhodes, ni une ville du Sud de l'Ionie, où très peu des vases appartenant à l'un de ces groupes furent mis au jour. L'ascendant que semble avoir joué l'art de Chio, sur le style de ces groupes est évident. En principe, je me range du côté d'Elena Walter-Karydi qui avait attribué cette céramique à l'Ionie Septentrionale.

Pour la moitié méridionale de la Grèce de l'Est, la publication des fouilles de Samos a souligné l'importance des ateliers qui travaillaient dans cette île à la génèse du style Fikellura, aussi bien à Samos que dans d'autres villes sudioniennes, y compris Rhodes, déjà depuis le début du VIᵉ s. Les rapports avec le style des Chèvres Sauvages ne sauraient être passés sous silence. R. M. Cook avait déjà remarqué comme base du Fikellura la phase moyenne de ce style (7). A mesure que l'on constate aujourd'hui

5) *Ibidem*, pp. 138 et 142.
6) E. WALTER-KARYDI, *Samos VI* 1, 1973, et mon compte-rendu dans *Dacia*, 19, 1975, p. 327.
7) R. M. COOK, *BSA*, 34, 1934, pp. 90 et suiv.

l'appartenance d'une partie des groupes de cette phase (en l'espèce du style moyen II) à l'Ionie du Sud et surtout à Rhodes, et que l'on se dirige vers le Nord de l'Ionie à la recherche des villes productrices de la plupart des groupes de la phase tardive du style des Chèvres Sauvages, le rapport stylistique noté par R. M. Cook n'en devient que d'autant plus clair et plus intelligible: Fikellura avait été une étape « modernisée » du style des Chèvres Sauvages, créée et développée dans l'Ionie du Sud et à Rhodes, à l'époque où les villes du Nord étaient passées à une formule stylistique plus ambiguë, celle de la technique mixte. Quant au hiatus chronologique entre la phase moyenne du style des Chèvres Sauvages et les débuts de Fikellura, remarqué toujours par R. M. Cook, et qui date les plus anciens documents de ce dernier style pas avant 580, cette question ne saurait être examinée qu'en rapport avec la chronologie de l'art grec de la première moitié du VIe s. pris dans son ensemble.

* * *

Une vue d'ensemble sur le groupement dans les colonies pontiques pourrait être instructive.

Dans ces colonies il faut d'abord signaler la présence des classes d'amphores Lévitsky et Tocra, cat. 580 (8). Ces catégories sont signalées à Tocra, Tell Sukas, Délos-Rhénée et à Chypre; elles manquent à Naucratis, Samos et Chio. Le nombre de pièces trouvées à Rhodes est négligeable. A Naucratis pourtant a été trouvée une céramique assez typique pour ce site et qui n'apparaît ni à Tocra, ni à Tell Sukas. Elle est réalisée dans une technique mixte: bols, cratères, deinoi, couvercles, classés pour la plupart par Chr. Kardara dans l'Ecole de l'Oenochoè d'Oxford G 119. De telles pièces sont aussi typiques pour les villes pontiques. A Histria et à Berezan ont été enregistrés aussi quelques fragments de cratères, surtout dans la technique des figures noires, qui sont assez rapprochés des cratères produits en Ionie du Nord (figs. 4 et 5). Il s'agit de la production d'ateliers « provincialisés », comme celui qui avait produit le cratère du Musée Académique de Bonn trouvé à Clazomène (9), ou celui de Pitané au Musée d'Istanbul (10). De tels vases ne semblent avoir été trouvés ni à Tocra, ni à Naucratis. Mais ils ne sont pas absents à Tell Sukas.

La catégorie la plus abondante dans les villes pontiques est celle des assiettes à pied haut ou annelé. Rien qu'à Histria, plus de 50 pièces ont été publiées dans mon livre qui est sous presse, mais leur quantité est en réalité plus grande. Les plus anciennes appartiennent au style moyen II des Chèvres Sauvages et sont probablement rhodiennes. Mais pour la plupart, la détermination des centres de production est impossible à l'heure actuelle. Les pièces du groupe « Silhouette et incision » de Chr. Kardara sont apparentées au style de Chio. Quelques-unes semblent avoir été fabriquées en Ionie Septentrionale, sinon à Clazomène. Enfin, un groupe d'assiettes à pied annelé, de facture assez banale, est tout aussi abondant à Histria et dans les autres colonies pontiques, comme à Tocra.

* * *

Parmi les colonies pontiques, Berezan semble avoir été le plus important débouché pour la céramique de Chio. Cette catégorie ne fait pas son apparition dans les villes de cette région avant le début du

---

8) Dans le cadre de l'Ecole de l'Oenochoè d'Oxford G 119, peuvent être définies deux classes différentes d'amphores. L'une groupée autour du vase de Berezan (fig. 2) de l'ancienne coll. Lévitsky à l'Ermitage B 4612 (Karydi, cat. 928, p. 113; voir aussi le dessin du tableau chez KINCH, *Vroulia*, fig. 116); l'autre, plus évoluée, mais pas forcément plus récente, autour de l'amphore de *Tocra* I, cat. 580, aux épaules tombantes, à la panse ovoïdale et au col trapu, (fig. 3); sur l'épaule, le motif de la chèvre sauvage ou spirales rapides.
9) Bonn 1522; JOHANSEN, *Acta Archaeologica*, 13, 1942, p. 23, fig. 12; Karydi, cat. 970, pl. 118.
10) *Archaeological Report* for 1964-1965, p. 36, fig. 5.

VIᵉ s. Deux fragments d'oenochoès, à l'embouchure en forme de tête d'animal, plus anciennes, n'ont pas été trouvés dans les villes de la côte, mais dans l'hinterland indigène. L'absence des importations chiotes antérieures au début du VIᵉ s., est l'un des faits significatifs des relations commerciales de ces colonies. Au VIᵉ s., par contre, cette céramique est assez fréquente. La catégorie la plus recherchée semble avoir été celle des calices.

Les pièces les plus anciennes découvertes à Berezan et publiées par Varvara Skudnova (11), ont été classées par J. Boardman et J. Hayes dans la série des calices du début du VIᵉ s. (12). Plus nombreuses et plus importantes, elles ne sont comparables qu'avec celles de Naucratis ou de Tocra. Les parallèles avec ce dernier site sont très étroits pour toute la série des « Animal Style Chalices ». Dans les deux cités on a trouvé même des calices peints par les mêmes peintres.

Le principal style chiote à figures noires, le « Sphinx & Lion Style », est aussi présent dans les colonies pontiques. Le vase décoré le plus souvent dans ce style, c'est le bol à couvercle. Histria en a livré plusieurs fragments, dont un en technique mixte, d'un intérêt particulier, assez proche du style tardif des Chèvres Sauvages. D'autres vases furent trouvés à Berezan: des amphorettes de type corinthien, des canthares, des couvercles de bols, des calices. Les vases du « Sphinx & Lion Style » ont eu une diffusion plus réduite dans les colonies pontiques.

* * *

Parmi les pièces de la Grèce de l'Est trouvées dans les villes pontiques il y en a quelques-unes fabriquées dans la partie la plus nordique, en Eolide. C'est le mérite de R. M. Cook d'avoir reconnu le premier de tels documents à Histria (13). Récemment Elena Walter-Karydi (14) a essayé de fixer les lignes principales du style éolien, en partant du groupe de l'Atelier du Deinos de Londres rassemblé par Chr. Kardara (15). Selon Elena Walter-Karydi, le centre artistique de l'Eolide archaïque aurait été Phocée cette ville énigmatique, qui depuis des années risque « d'absorber par son vide les créations artistiques de l'Ionie du Nord » (16) et de l'Eolide. Je suis persuadé, avec Elena Walter-Karydi, que l'atelier qui avait produit ces vases ne se trouvait point à Rhodes, comme le pensait Chr. Kardara, ni dans l'Ionie méridionale. Les affinités stylistiques avec l'art de Chio d'une part et celui de Larissa de l'autre nous autorisent à le situer dans la partie nordique de la Grèce de l'Est.

Les pièces signalées par R. M. Cook et par E. Walter-Karydi ne sont pas les seules identifiées jusqu'à ce jour dans une ville pontique, en l'espèce à Histria. Une amphore découverte toujours dans cette cité, présente certaines analogies morphologiques et ornementales avec la « G 2-3 Ware » (fig. 6), identifiée par C. Boulter à Troie (17). La diffusion de cette catégorie fut limitée à quelques sites de la partie Nord-Est du bassin égéen: Antissa, Samothrace, Thasos. Elle semble avoir exercé une certaine influence sur la céramique « prépersane » d'Olynthe.

* * *

Il est intéressant d'observer que dans la seconde moitié du VIᵉ s., lorsque la céramique attique avait envahi les marchés, la concentration de la céramique travaillée dans la Grèce de l'Est dans les

11) V. M. SKUDNOVA, *SA*, 1957, 4, pp. 132 et suiv.
12) J. BOARDMAN, *Emporio*, p. 157; J. HAYES, *Tocra* I, pp. 58-9.
13) R. M. COOK, *JHS*, 1939, p. 194.
14) E. WALTER-KARYDI, *Antike Kunst. Beiheft*, 7, 1970, pp. 3 et suiv.
15) Chr. KARDARA, pp. 273-4.
16) S. SETTIS, apud J. P. MOREL, *BCH*, 1975, p. 856.
17) *Troy* IV, pp. 253-5.

villes pontiques continue à être considérable. Les deux principales catégories décorées sont Fikellura et les vases à figures noires clazoméniens ou réalisés sous influence clazoménienne.

Pour la première de ces deux catégories, les études de R. M. Cook, encore parfaitement actuelles, rendent superflue une reprise de la discussion (18). Tout au plus, faut-il préciser qu'Histria, à force de découvertes toujours renouvelées, se présente comme le principal débouché de cette vaisselle (fig. 7).

Quant à la seconde, le marché le plus important a dû être Panticapée. Aux pièces mentionnées par R. M. Cook dans son catalogue (19), il faut ajouter les nouvelles découvertes faites par l'équipe du Musée Pushkine de Moscou. Il semble qu'au moins jusqu'à ce jour, la céramique clazoménienne peut être mieux étudiée à Panticapée qu'à Clazomène. Les pièces découvertes dans les autres colonies pontiques ne sont pas nombreuses. Elles ne font que grossir les groupes déjà définis par R. M. Cook.

Je me permets d'attirer votre attention sur une pièce d'Histria d'un intérêt particulier. Il s'agit d'un fragment d'amphore à col, l'une des plus remarquables de toute la série, représentant une tête de silène, d'une exécution très soignée (fig. 8). Ce document se rapproche d'une amphore fragmentaire découverte à Panticapée (figs. 9 et 10) et attribuée à l'Enmann Class par N. I. Sidorova (20). Elle est proche également du style de l'amphore 2932 du Musée de Berlin, et de l'askos de l'ancienne coll. Chanenko. Toutes ces pièces ont dû être produites dans un centre artistique unique et sous l'influence très marquée de Clazomène. Ainsi donc, la classe d'Enmann, enrichie de ces nouvelle découvertes, semble avoir joué un rôle principal dans la discussion autour des rapports entre la catégorie dite « clazoménienne » et le groupe de l'amphore Northampton. Sans m'attarder sur cette délicate question, je voudrais rendre hommage à l'intuition de ce parfait connaisseur qu'était Robert Zahn, celui qui, il y a plus de 70 ans, attribuait le groupe Northampton au cercle clazoménien. Les découvertes nord-pontiques ne font que souligner l'importance de ce cercle, dont l'influence artistique apparaît dans d'autres milieux de la Grèce de l'Est, peut-être aussi en Italie.

* * *

Certaines catégories céramiques de la Grèce de l'Est ne peuvent pas être attribuées à une région déterminée. C'est le cas des bols, dont une quantité notable fut découverte dans les cités pontiques. Les bols décorés d'oiseaux aquatiques, autrefois considérés comme rhodiens, en sont les plus anciens. Pourtant toutes les pièces enregistrées jusqu'à présent appartiennent à la série la plus récente de ces vases. A l'exception d'une seule découverte faite dans la région de Kiev, à Trachtémirov, du dernier quart du VIIe s., ces bols sont de la fin de ce siècle et du début du suivant. De la même époque sont également les bols décorés de rosettes de points ou de minces filets horizontaux, au pied massif. Une source commune pour toutes ces catégories a été supposée par J. W. Hayes. La série plus récente, et qui avait circulé durant une bonne partie du VIe s., provenait par contre de centres artisanaux différents. Il s'agit pour la majeure partie de bols à rosettes, à yeux, à lotus.

* * *

Pour avoir une vue d'ensemble plus complète sur les importations céramiques de la Grèce de l'Est dans les villes du Pont Euxin, il faut avoir sous l'oeil aussi la vaisselle courante. L'étude de ces vases se révèle tout aussi éloquente que celle de la céramique décorée. Pour cette catégorie, mon exposé est

18) R. M. COOK, BSA, 34, 1934, pp. 1 et suiv.; idem, CVA British Museum 8.
19) R. M. COOK, BSA, 1952.
20) N. I. SIDOROVA, Soobščenija Gos. Muzeja J. J. Puškin, 4, 1968, pp. 112 et suiv.

fondé sur les résultats obtenus à Histria, où ce côté de la recherche a été poussé plus loin et réalisé de façon plus complète que dans les autres villes de la région. Elles ont été menées dans deux directions différentes, mais complémentaires.

Une première, inaugurée brillamment par la regrettée Marcelle Lambrino, est celle de la classification intégrale de toute la céramique d'usage courant. Son livre, *Les vases archaïques d'Histria* (1938), est fondé sur l'analyse globale de toute la poterie grecque-orientale découverte dans cette cité, aussi bien les vases décorés que ceux d'usage courant. Ses études ont été continuées après guerre par l'équipe des fouilleurs d'Histria.

En effet, la plus grande partie de la vaisselle courante venait de la Grèce asiatique. Histria recevait cette denrée aussi bien de la partie méridionale de la Grèce orientale (oenochoès apparentées à la céramique du style des Chèvres Sauvages, lécythes, vases couronnes), que de la partie nordique de cette région (amphores, amphores-pithoi, lekanés, bassins). Il en reste toujours beaucoup de catégories usuelles anonymes. Pourtant, du point de vue du groupement des formes et des techniques, on observe que, dans sa totalité, la céramique usuelle découverte à Histria se rapproche plutôt de celle qui nous est connue de la partie septentrionale d'Ionie ou des colonies phocéennes de la côte méridionale de la France. La céramique de ces centres présente de façon surprenante un air de famille avec celle d'Histria. Le mérite de cette remarque revient à Marcelle Lambrino: « Nous tenons à préciser que les fragments provenant de Phocée, publiés par P. Jacobsthal et J. Neuffer, sont courants à Histria ... Quant aux fragments trouvés à Marseille et attribués par les mêmes auteurs à la fabrique de Phocée, ils se rencontrent également à Histria. Les autres fragments de Marseille sont identiques non seulement par la forme mais aussi par la couleur » (21). En soulignant les rapprochements entre la céramique d'Histria et celle de la zone nord-ionienne et phocéenne, il faut aussi marquer les différences qui se dégagent, toujours sous le rapport global, entre le groupement d'Histria et celui mis en évidence par les recherches archéologiques effectuées sur les sites du Sud de la Grèce de l'Est. Nous avons fait cette constatation sur le matériau découvert à Samos, soit publié, soit accessible aux archives photographiques de l'Ecole Allemande d'Athènes (aimablement mises à notre disposition par M.lle Karin Braun). Notre recherche a été ensuite complétée, pour Rhodes, surtout grâce à *Clara Rhodos*. Malheureusement je connais encore très mal la céramique découverte à Milet.

Une seconde direction de recherches menées à Histria est celle concernant la production locale. En marge du quartier civil de la ville, Maria Coja dirige depuis plusieurs années les fouilles dans la zone des fours céramiques, à caractère monumental, et qui représentent l'une des découvertes les plus surprenantes faites après guerre. En parallèle, l'équipe d'Histria a réussi à définir les caractères techniques et morphologiques de la poterie histrienne, en dressant un premier inventaire de formes et en précisant les caractères techniques (22). Le côté expérimental de cette recherche a été confié au Laboratoire de Brookhaven (USA). Dr. Garman Harbottle de ce Laboratoire a eu l'amabilité de faire examiner 16 tessons selon le procédé de l'activisation nucléaire (concentration des oxydes en parties de 1/1.000.000). Depuis 1973, ces recherches ont pris une grande envergure, grâce à l'appui généreusement offert par le Laboratoire de Céramologie de Lyon (actuellement U.R.A. n° 3 du C.N.R.S.), dirigé par Maurice Picon, qui a chargé Pierre Dupont d'étudier sous ce rapport la question de la céramique produite à Histria. Un mémoire sur les principaux résultats de cette recherche vous sera présenté par Pierre Dupont. Je me permets d'ajouter seulement que ses résultats feront l'objet d'un ouvrage qui sera publié par les Editions de l'Académie Roumaine, dans la série *Histria*.

Les ateliers locaux d'Histria avaient commencé à travailler déjà au VIe s. Le plus ancien ensemble avec la poterie histrienne est daté du milieu du siècle. La période d'épanouissement de cette produc-

---

21) M. Lambrino, *Les vases archaïques d'Histria*, p. 365.
22) P. Alexandrescu, *Dacia*, 16, 1972, pp. 113 et suiv.

tion se situe au Ve s. La technique atteint un degré supérieur de finesse et le nombre de vases, leur variété, sont les plus riches. La production histrienne est caractérisée par le fait d'avoir utilisé, en même temps, deux procédés de cuisson: oxydante (argile couleur ocre) et réductrice (argile grise).

Je disais plus haut que la céramique importée d'usage courant d'Histria a un air de famille avec les poteries d'Ionie du Nord, d'Eolide et des colonies phocéennes du Midi de la France. Cette orientation a laissé son empreinte aussi sur la production locale. Les modèles qui ont pu être surpris derrière certains types de vases histriens étaient aussi d'origine nord-ionienne ou éolienne. Le bucchero éolien y est pour une grande partie. Je me permets d'y insister en quelques mots.

C'est Miss Lamb qui avait attiré l'attention sur le bucchero éolien, après ses fouilles dans l'île de Lesbos. Elle observait alors que cette céramique se retrouve dans tout le Nord-Ouest de l'Anatolie (Larissa, Pyrrha) et qu'elle semble apparentée au minyen. Cette dernière remarque fut confirmée par l'équipe américaine qui travailla à Troie. Les caractères de cette céramique ont été bien définis par Miss Lamb. Le terme d'éolien est sans doute raisonnable, bien que le bucchero fut produit également dans le Nord d'Ionie. L'exportation en fut limitée: Al Mina, Naucratis (des fragments avec inscriptions votives de gens de Mytilène), Thasos. En Méditerranée cette catégorie apparaît au Sud de la Provence, où elle semble avoir joué un rôle essentiel, comme en Thrace d'ailleurs [23], à la formation de la céramique celtique tournée. L'aire de diffusion du bucchero éolien se confond avec celle de la céramique phocéenne, selon la remarque d'il y a plus de 40 ans de Jacobsthal et de Neuffer [24]. Les deux savants avaient supposé l'origine phocéenne du matériau en comparant la céramique grise du Sud de Provence avec celle d'Ionie septentrionale. Bien que les fouilles systématiques de Phocée ne soient pas encore publiées, il en existe aujourd'hui des preuves supplémentaires qui permettent de considérer la métropole de Marseille comme l'un des centres de production du bucchero éolien. L'existence d'une tradition locale pour cette céramique en est suggérée par l'histoire même de cette contrée, éolienne jusqu'à la fin du VIIIe s.

Une deuxième catégorie de bucchero, nommé rhodien, est opposée aujourd'hui au bucchero éolien, grâce aux découvertes de K. Blinkenberg à Lindos [25]. Il fut produit dans le Sud de la Grèce de l'Est, et diffusé par les commerçants rhodiens. Les formes sont plus massives: alabastres, lécythes, aryballes, etc. En Méditerranée Occidentale, les deux zones ne se recoupent qu'à peine: la céramique éolienne s'est répandue dans le Midi de la France et sur la côte Nord-Est de l'Espagne, tandis que l'autre est signalée en Sicile [26].

Pour revenir au matériau histrien, je dirai que la production locale dénote une évidente parenté avec le bucchero éolien et peu de rapport avec le bucchero rhodien. C'est ainsi que pourraient s'expliquer les types de vases histriens, dont les modèles se retrouvent à Phocée, à Larissa, à Troie, aussi bien que la popularité du procédé de la cuisson réductrice. Par conséquent, bien qu'à l'heure actuelle l'on ne saurait identifier à Histria du bucchero éolien importé (c'est l'une des tâches de l'analyse de laboratoire), l'on peut néanmoins reconnaître l'influence exercée par les cités d'Ionie du Nord, sinon d'Eolide, sur la production locale.

* * *

A la fin, quelques mots sur la question des négociants qui apportaient cette céramique dans les cités de la Mer Noire. Dans une étude sur les importations attiques dans le bassin pontique [27],

23) P. Alexandrescu, *Dacia*, 21, 1977, pp. 113 et suiv.
24) P. Jacobsthal et J. Neuffer, *Préhistoire*, 2, 1933, pp. 13 et suiv.
25) K. Blinkenberg, *Lindos*, coll. 275-8.
26) F. Villard, *Nuovi studi su Velia*, p. 116.
27) P. Alexandrescu, *Revue archéologique*, 1973, pp. 31 et suiv.

j'ai abordé cette discussion en partant de l'idée d'un commerce archaïque, tout particulièrement de céramique, effectué au niveau des petits commerçants, ayant d'autres coordonnées que la politique. Les rapports qui s'établissaient entre différents groupes de commerçants et de producteurs se trouvaient, du point de vue social, au niveau du δῆμος et non à celui des γνώριμοι. Il me semble donc utile d'avoir toujours en vue le passage de la *Politique* d'Aristote sur lequel M.I. Finley a attiré l'attention (28) et où se trouve commentée la diversité de l'occupation du δῆμος, dans les cités qui n'étaient pas fondées uniquement sur l'économie agraire. Aristote donne comme exemple de négociants maritimes les gens de Chio et d'Egine, de pêcheurs ceux de Tarente et Byzance, etc. On pourrait donc envisager une sorte de spécialisation des cités, certaines jouant le rôle d'intermédiaires entre diverses régions du monde grec. Pour la mer Noire, c'étaient probablement les Ioniens qui avaient assumé cette tâche, selon le témoignage d'Hérodote VI 5 et 26, au moins jusqu'aux troubles provoqués par l'invasion perse, et il est fort probable qu'ils l'ont assumée aussi pour l'Egypte.

Pour l'Occident de la Méditerranée le tableau est assez intéressant, surtout quant à la céramique attique. Il semble que les Athéniens, du moins jusqu'à l'expédition de Sicile, ne connaissaient pas très bien les pays situés à l'Ouest de la Grèce. D'autre part, les inscriptions gravées sur les vases à figures noires et rouges découverts en Etrurie (mais aussi à Naucratis!) étaient en alphabet ionien. Enfin, les chiffres notés sur ces vases appartiennent au système alphabétique milésien. Toutes ces observations conduisent à la conclusion que les centaines de vases attiques qui avaient inondé l'Etrurie n'y sont pas arrivés sur des navires athéniens, mais bien plutôt grâce à des intermédiaires, que d'aucuns identifient avec les Phocéens (29).

L'étude des groupements céramiques pourrait représenter, selon une féconde idée de R. M. Cook, une nouvelle approche à la question du commerce archaïque (30). Les catégories moins répandues, disons de second ordre, sont surtout sujettes à de telles interprétations. C'est ainsi que les cités helléniques du bassin pontique recevaient la céramique produite par les ateliers situés aussi bien au Sud du monde grec oriental qu'au Nord. A ce point, le groupement enregistré dans ces villes est plus proche, par exemple, de Naucratis, que de Tocra ou de Tell Sukas, où, semble-t-il, sont entrées en concurrence les marchandises d'un nombre plus réduit d'ateliers, voire de centres, situés surtout dans la partie nordique d'Ionie.

Ainsi donc, dans ces colonies se retrouve la céramique de Clazomène — surtout à Panticapée — qui est fréquente dans le Nord d'Ionie, en faisant complètement défaut au Sud. Elle se retrouve à Naucratis. Par contre, la céramique de Fikellura, fabriquée dans le Sud d'Ionie et à Rhodes, est très rare en Ionie septentrionale et en Eolide, à Tocra et à Tell Sukas, mais abondante à Naucratis et Tell Defenneh et dans les villes pontiques, surtout à Histria et à Berezan. Enfin la céramique de Chio est répandue en Ionie du Nord, à Naucratis, à Tocra, quelques fragments à Tell Sukas, dans les villes pontiques surtout à Berezan. Ces catégories céramiques peuvent indiquer quels étaient ceux qui cabotaient entre l'Asie Mineure, l'Egypte et la mer Noire: c'étaient ceux qui étaient connus sous le nom générique d'Ioniens, bien qu'en fait il s'agissait de négociants appartenant à diverses régions du monde grec oriental.

Carl Roebuck a attiré l'attention sur le fait que la factorie de Naucratis pourrait procurer une indication au sujet de la collaboration commerciale des villes asiatiques (31). Hérodote, II 179, mentionne le temple d'Hellanion de Naucratis comme une oeuvre commune des Ioniens (Chio, Théos, Phocée,

28) M. I. Finley, dans les *Actes de la IIe Conférence Internationale d'Histoire Economique*, Aix-en-Provence 1962 (1965), pp. 11 et suiv.
29) G. Vallet, *Réghion et Zancle*; F. Villard, *art. cit.*; E. Lepore, dans le même volume, pp. 19 et suiv., sur le rôle de ville marchande joué par Phocée.
30) R. M. Cook, *JdI*, 74, 1959, pp. 114 et suiv.
31) Carl Roebuck, *Classical Philology*, 46, 1951, pp. 212 et suiv.

Clazomène), des Doriens (Rhodes, Halicarnasse, Phasélis) et des Eoliens (Mytilène). Outre ce temple trois autres villes avaient leurs sanctuaires propres: Milet, Samos et Egine. Uniquement ces villes avaient leurs προστάται τοῦ ἐμπορίου. Ce type de factorie, sans correspondant dans l'organisation de la *polis*, s'est imposé probablement à la suite des conditions propres à l'Egypte. Mais il n'en exprime pas moins la tradition et l'esprit de collaboration des Grecs de l'Est qui avaient déjà réalisé chez eux une *koiné* culturelle et une étroite entente politique, sous la pression des événements extérieurs. Ce qui nous intéresse ici c'est le fait que la majeure partie des villes qui faisaient partie de la factorie de Naucratis sont représentées, par leurs marchandises, dans les colonies pontiques. Même la présence d'Egine, la seule cité de la Grèce européenne ayant un sanctuaire à Naucratis, est un indice de sa coopération avec les villes asiatiques, non seulement à la factorie de Naucratis, mais au commerce pontique, comme le suggère également une anecdote racontée par Hérodote, VII 147. Nous l'avons déjà écrit ailleurs (32), c'est toujours par le truchement de ces négociants que les marchandises de la Grèce propre, comme par exemple la céramique d'Athènes ou de Corinthe, ont dû trouver leur route vers les cités de la mer Noire.

PETRE ALEXANDRESCU

---

32) P. ALEXANDRESCU, *art. cit.*

61

POTTERY EVIDENCE FROM THE NORTH AEGEAN
(8th-6th cent. B.C.)
(Pl. XXVII–XXX)

The history of the coastal cities and settlements of the North Aegean from the early Iron Age to the Archaic Period may be followed to some extent in the comparatively scanty written references in later ancient historians, geographers, or other authors, and in the archaeological discoveries that have come to light either by chance or as the result of excavation, but it remains a dark chapter, at least for the colonisation period and the preceeding centuries. It is only for the period of the Persian Wars and onwards that our information becomes more complete, or, to put it better, closer to reality, thanks to Herodot and Thucydides.

The confused picture that we have of the history of the coastal settlements of Macedonia and Thrace (from Thessaloniki to the river Strymon, and from there to the river Hebros) is due to the fact that excavations so far have been very few in number and limited in extent. It is therefore impossible to form a complete picture of what was happening, of relations with other areas in the Aegean, and of the problems that arose between the colonists of the coasts and the natives of the hinterland. Modern scholars concerned with the history of colonisation and of movements within the Aegean world from 12th to the 6th century B.C., therefore, are either silent with regard to the North Aegean, or merely repeat the same evidence or theories; this phenomenon can be seen in the bibliography of works from the beginning of the century to the present day. The same is true of the study of the pottery. When one reads the various publications and articles dealing with the pottery of the Aegean, Asia Minor and the colonies of the Black Sea and the West from the 8th to the 6th centuries B.C., it quickly becomes apparent that the coasts of the North Aegean (Chalkidike and Thrace) are mentioned only incidentally and without discussion. The case of Thasos is an exception, for there, the local history of the colonisation and the archaeological data have been studied at length by French archaeologists; and the recent Greek excavations in settlements dating from the Bronze Age and Early Iron will furnish interesting information about the situation prevailing on the island in the 8th and 7th centuries B.C. and also about the relations between the local inhabitants and the other islands of the Aegean, the Troad, Aeolia and the Thracian coast opposite, before the Parian settlement had firmly established itself.

The limited length of this communication permits me to give only a brief indication of the excavations and pottery finds from the period in question, in the region that extends eastwards from the river Hebros as far as the Chalkidike and the gulf of Thermaikos in the west. I shall dwell at somewhat greater length on the Chalkidike, for I believe this to be the crucial geographical point, which should shed light on the evolution of the pottery from the Bronze Age to the Early Iron Age and on the mutual influences between northern and Aegean elements, as well as between the former and elements of NW. Asia Minor and the Aeolid down to the ripe Archaic Period, when the dominant pottery styles are the Corinthian and Attic and their local imitations.

The density of the colonies and the origin of their settlers may be seen on the map.

Beginning in the east, the colonies from the Hebros to the Nestos river are mainly East Greek with a Thasian wedge at Stryme. From the Nestos river to the Strymon the coast is dominated by the Thasians (of Parian origin). At the mouth of the Strymon matters become complicated with Parians, Andrians and Ionians (Milesians). To the west of the Strymon, however, is an area clearly dominated by the Andrians, followed by the Chalkidike peninsula, where we have a picture of « Eretrian » and « Chalkidian » colonies that is confused in terms of foundation dates (1), where we are faced with question, which has so far received no satisfactory answer as to how far the peninsula owed its name to Chalkis in Euboea, and how far to the « Chalkidic tribe » that settled there as part of the general migration of the Ionians to South Greece, the Aegean and Asia Minor during the 13th-12th centuries B.C. Those who support the view that the settlement of the Chalkidike took place at an era earlier than the well-known period of colonisation in the 8th century B.C., base themselves on historical and linguistic evidence that is persuasive enough; a careful study of the pottery of the Early Iron Age and the « orientalising period » might give positive support to this evidence or reject it decisively.

In any event the troubled history of the Aegean in the 8th and 7th centuries, and the competition between the great naval and commercial powers to extend their influence through colonies, is undoubtedly closely interwoven with the military clashes of the period, for which very little evidence has survived to the present day. The outcome of these clashes, however, is reflected in the colonies of the northern coasts of the Aegean: the friendship between Paros and Miletos and her allies precluded the appearance in the Northern Aegean of powerful Naxos, and also of Corinth (2). The Milesian Coalition, on the other hand was the dominant colonising force (Miletos, Samos, Chios, Teos, Clazomenae), and protected the spread of Paros along the Thracian coast, and also that of Andros, despite the hostility between the latter and Paros (3); for we must not forget that Andros belonged to the sphere of influence of Eretria, whose friendship with Miletos continued till the 5th century B.C.

The colonies along the coast of the Northern Aegean may be divided into two categories: colonies that were at once agrarian and commercial, and that were founded in areas where they could control communications and practise trade (Ionian and Parian-Thasian colonies), and colonies with an agrarian economy (Euboean and Andrian colonies) that retained their purely agrarian nature; the latter group remained outside the main stream of colonisation, intermixed with their indigenous neighbours, and became the indifferent allies or subjects of a dominating Greek city, till the beginning of the 4th century B.C.

POTTERY FROM EXCAVATED SITES ALONG THE COASTS OF THE NORTH AEGEAN

Mesembria (4), in the area which was called « the walls of Samothrace Σαμοθρηίκεα τείχεα », has been excavated since 1966, and amongst the finds there are rough « plain ware » pots from the Early Iron Age, and sherds of the « Wild Goat » type, probably from north Ionian or Cycladic rather than Rhodian workshops.

Maroneia, founded by Chios in the first half of the 7th century B.C., has been the subject of continuous research for the last twenty years, but so far the site of the Chians first settlement, and the

---

1) The colonisation of the Chalkidike is one of the subjects most urgently in need of research. From the evidence at present available, we may suggest that the colonisation occured before the outbreak of the Lelantine War — that is before the end of the 8th century B.C.

2) The evidence of Corinthian pottery must be treated with caution. It was a pottery of the highest quality, worth possessing and carrying for its own sake by any Greek, and it does not automatically indicate the active participation of the Corinthian traders in the east and north of the Aegean. Corinthian vases have been discovered throughout the Greek world, without necessarily indicating Corinthian presence or trade.

3) PLUTARCH, Q. Gr. 30.

4) *Rh. Mus. für Phil.*, 1976, pp. 1-3. E. Meyer discusses the identification of the sites of « Samothracian Peraea ».

plan of the archaic town generally, are unknown. There is reason to believe, however, that the Mycenaeans entered the area, and that east Greek pottery existed alongside that of the native inhabitants during the first decades of the 7th century B.C.

In the case of Stryme, the colony of Thasos, we know of the struggles between Maroneia and Thasos to occupy it, but research has so far yielded no pottery from the first settlement by the Thasians in the first half of the 7th century B.C.

Abdera is the most genuinely East Greek colony on the Thracian coast; it was originally founded by Clazomenians in the middle of the 7th century, but the colony failed and was subsequently refounded by Ionians from Teos about 545 B.C. Excavation began here in 1952, and has continued at intervals ever since, yielding great quantities of pottery from East Greek workshops (7th and 6th century B.C.); also of interest is the existence of a local workshop at the end of the 6th century B.C., which imitated the painted sarcophagi of the Clazomenian type. Clazomenian pottery is common not only at Abdera, which had special connections with Clazomenae, but also further west along the whole of the « Thasian Peraea ».

The area extending westwards from Abdera to the river Strymon was clearly dominated by Paros-Thasos. The known colonies on the coast and inland are Pistyros, Akontisma, Neapolis, Antisara, Oesyme-Ematheia, Apollonia, Galepsos, Daton, Skapte Hyle and Amphipolis, of which Neapolis, Oesyme and Antisara have been excavated systematically. The finds demonstrate that the colonies on these sites were slightly later than or possibly contemporary with the colonisation of Thasos by the Parians. There is an abundance of sherds from East Greek and Cycladic workshops, a feature of which is the existence of the so-called « Melian » painted pithos-amphoras, that are in fact Parian. The earliest pottery discovered is dated to the end of the third quarter of the 7th century B.C., and we thus have a « terminus ante quem » for the foundation dates of the Thasian colonies on the Thracian coast opposite.

The region around the mouth of the river Strymon was an area of conflict and rivalry between the Parians, Andrians and some East Greeks (Milesians e.t.c) before the Athenians made their appearance here. It is certain that the indigenous Thracians did not withdraw from their region, but remained in their settlements and entered into relations with the colonists that were sometimes peaceful and sometimes hostile; we cannot be sure, therefore, if East greek pottery finds from this area dating from the 7th to the 6th B.C. belong to sites settled by colonists, or to Thracian sites that had been continuously occupied from the Bronze Age and later to historical times.

Argilos, Kerdylion, to the west of the Strymon mouth, followed by *Stageira, Akanthos* and *Sane* on Athos, were colonies of Andros. The site of *Argilos,* which was perhaps one of the earliest colonies in the area, founded in the 7th century B.C. has not been certainly identified, but there are strong indications as to where it might have been, and we have some pottery (« ionian »?) from the beginning of the 6th century.

The case of *Akanthos* is more interesting: the site is definitely known, and systematic excavation has been taking place at the archaic and classical cemetery since 1973. The earliest pottery from the cemetery is from the first half of the 7th century B.C., though earlier material may yet be found. Amongst it, there is pottery from the northern Cyclades-Euboea; of pottery from East Greek workshops, the bulk is of North Ionian origin. There is also « Rhodian » ware, but we probably have here local imitation, either direct or indirect, imported from neighbouring colonies such as Thasos, even though Thasos was not on friendly terms with the eastern coast of the Chalkidike at this period.

In the 6th century and the first decades of the 5th, Corinthian, East Greek and Cycladic wares predominate, and there is less Attic ware. Of the figurines, « Rhodian » types are the most com-

64

mon; they are not imports, however, but are either local imitations or come from workshops in neighbouring areas (Thasos). Another typical group consists of « wave-line » hydrias and amphoras. There are both East Greek imports and local products. The preclassical pottery of Akanthos from the end of the 8th century to the beginning of the 5th may be described as follows: sub-geometric related directly to the sphere of the northern Cyclades-Euboea, Corinthian pottery of all phases and East Greek, especially « Rhodian » and « north-ionian ».

The excavations that have begun in recent years in the « Eretrian » colonies on Pallene, the westernmost prong of the Chalkidike have all been rescue excavations and there is no clear stratigraphy. From sites like Aphytis, Mende, Neapolis and Skione, we so far have nothing earlier than the 5th century, but from the site of the so called « Sane », geometric and sub-geometric Corinthian and Cycladic pottery has been found, along with a small amount of East-Greek, and a great quantity of Corinthian ware for all the phases from the end of the 7th cent. to the 6th cent. onward. The material from Same come from both tombs and the remains of dwellings.

There has been no systematic excavation at *Aineia*, but the site has yielded geometric and sub-geometric wares from the Northern Cyclades-Euboea group, and local imitations of them.

« Chalcidian » Torone on Sithonia, and « Eretrian » Methone on the west side of the Thermaic gulf, have yielded nothing earlier than the 5th century, despite the fact that they are thought to be among the oldest colonies in the area and to date from the 8th century B.C. Systematic excavation began last year at Torone, and the indications are that pottery earlier than the 5th century B.C. will be found.

In conclusion, it should be observed that even if excavations should take place on a systematic basis in the North Aegean, it would not be an area that would shed light on the problem of the East Greek pottery workshops, which so far remains a confused one, despite the recent publications of material; for it was a region received large numbers of imports from the different centers, and improvised its own products in a rough and ready way, imitating, and at the same time mingling the various decorative motifs (this phenomenon may be observed particularly in the Chalkidike, where it continues down to the local ware of the 4th century B.C.).

The main interest of the region lies in the study of the meeting and co-existence of the local Thracian elements, from the Bronze Age on, with the imported ware from Asia Minor, the Eastern Islands and the Cyclades that come in with the colonists, and in the study of the influences they exerted on each other. In other words, the study of the pottery is more likely to produce interesting evidence bearing on questions relating to population changes and historical developments in this important crossroads area, than to explain problems relating to artistic evolution, production and influences.

KATERINA RHOMIOPOULOU

SELECTED BIBLIOGRAPHY

BILABEL, *Die Ionische Kolonisation, Philologus*, Suppl. XIV.
BRADEEN, *The Chalkidians in Thrace, Ann. Journ. of Phil.*, 1952.
BÉRARD, *L'expansion et la colonisation grecques.*
COOK J. M., *JHS*, 1946.
BOARDMAN, *B.S.A.* 1957 and *J.H.S.* 1965.
ZAHRNT M., *Olynth und die Chalkidier, Vestigia*, 14 (1971).
KONTOLEON, *Arch. Ephem.*, 1963, pp. 1-26.
LAZARIDIS D., *Thasos and its Peraia. Ancient greek cities*, 5.
ID., *Abdera and Dikaia. Ancient greek cities*, 6.
ID., *Samothrace and its Peraia. Ancient greek cities*, 7.
ID., *Maroneia and Orthagoria. Ancient greek cities*, 16.

ORIENTAL INFLUENCES ON RHODIAN VASES

(Pl. XXXI)

The subject of this paper is a general outline of the influences exercised by some oriental models on Rhodian vase-painting during the seventh and early sixth centuries B.C.

During this period, in which oriental models inspired Greek craftsmen, the following centres existed in the Near East from which goods reached Greece.

1. The Cilician and North Syrian coast, where the Greek port Ποσείδιον (Al Mina) was flourishing in the eighth and seventh century B.C., in which Rhodian Wild Goat pottery appears from the middle of the seventh century. Here we find many survivals of the Hittite tradition and some other elements of less defined traditions, including few Mycenaean remnants. Both in the late second and in the early first millenium B.C. this area was one of the major mixing places of the ancient world but by the early seventh century B.C. its chief feature was Assyrianization since its centres became Assyrian provinces by 700 B.C. (Samal fell into the hands of the Assyrians in 725 B.C., Cachermish in 717 B.C., Narash in 711 B.C.). At the end of the seventh century, however, the Assyrian empire fell into the hands of the Babylonians and in the early years of the following century Nebuchadnezar II extended the Babylonian empire to the Mediterranean coast. At Al Mina occupation after 600 B.C. became very slight and this decline has been connected with this change of power.

2. The Phoenician centres to the South. In these centres we find influences from Egypt lacking almost completely from the North Syrian centres, also some Mesopotamian influences and considerable Mycenaean survivals. Both in the late second and the early first millenium B.C. this area also was a mixing place of the ancient world and by the middle of the seventh century B.C. it showed Assyrianization since its centres became Assyrian provinces before 650 B.C. (Sidon fell into the hands of the Assyrians in 676 B.C. and Tyre in 668 B.C.). A major Phoenician centre, Sukas, was 50 miles south of Al Mina. Visited by Greek merchants from the eighth century B.C., this centre contained a prosperous Greek settlement after 600 B.C. which was connected with the shift of power from the hands of the Assyrians to the hands of the Babylonians. Phoenician centres also existed on the island of Cyprus.

3. Cyprus. In this island, which was in continuous contact with Greece even in the early part of the first millenium B.C., both North Syrian and Phoenician influences are found along the Greek tradition with a profound love for polychromy. By the early seventh century B.C. Assyrianization is also evident there since the island by 700 B.C. became an Assyrian province (it was occupied by the Assyrians in 709 B.C.).

4. The inland of Asia Minor where two large states were prominent in the seventh and sixth centuries B.C., Phrygia and Lydia. Phrygia presents North Syrian influences with strong Hittite survivals as well as elements of Assyrianization and some others, less defined, brought mostly by artisans

who fled from Armenia (Van-Urartu) in the eighth century B.C. (some of these artisans had also fled to North Syria). A persistence of geometrism, due probably to the Balkan origin of the Phrygians and to their contact with the East Greeks of the Geometric period, is also evident there. In the late eighth century B.C. the Phrygians were driven from their southern Anatolian plateau. At this time the trade between the inland of Asia Minor and East Greece was frequent but after the first quarter of the seventh century B.C., when the Cimmerian invasion happened and the Phrygians were overwhelmed from the North and East, the roads leading from the interior of Asia Minor to the Aegean were deserted for a considerable time (for until after 650 B.C.) (1). During this time the sea-routes leading to the Levant along the southern shore of Asia Minor became more frequent. Phrygian sites, however, revived after the middle of the seventh century B.C., seem to become part of Lydia (which so far may have been part of Phrygia).

Rhodes, being located to the South-West corner of the Aegean. also close to the Asia Minor corner, served as a station to Greek and Oriental ships carrying various goods from the Near Eastern centres westwards. Rhodian craftsmen, therefore, could be easily affected by oriental models. Thus, the formation and development of Rhodian orientalizing vase-painting was due, to a certain extent, to the location of the island. Its main oriental dependencies can be here illustrated by the following examples:

The oriental influences are clearly noticeable on the Rhodian vases from the second quarter of the seventh century B.C. and are seen particularly on human faces which are now entirely freed from the geometric tradition. Thus, for instance:

On a sphinx (2) drawn on a jug in the Museum of Rhodes, dating from the second quarter of the seventh century B.C. (Fig. 1), the big eye and the heavy nose, the low skull and the contour of the head recall oriental models, especially some heads of sirens, which serve as attachments of cauldrons from Urartu reaching Greece from North Syria and Phrygia and widely copied by the Greeks. These objects were found at Olympia, Delphi, Athens, Argos, Delos, Rhodes and Phrygia (3). Of the Rhodian sphinx the broad ribbon-like outline and the series of dots, reminiscent of certain traditional embroideries, as far as the technique is concerned, used for details of its body and loved on other vases particularly for the rendering of subsidiary decorative elements, mostly floral, recalls analogous use on other Greek vases of the same period but also that which occurs on Phrygian vases of the late eighth century B.C. (4). Since then Phrygia was reputed in antiquity as the homeland of embroidery, we may assume that oriental embroidered tissues, mostly Phrygian, influenced at that time directly the manufacture of Greek embroidered tissues and through them the technique of Greek vase-painting along with other oriental works of art (5).

After 650 B.C. other oriental influences are noticeable on Rhodian vases, particularly in the rendering of the face and bodies of lions or of other feline creatures. Thus, for instance:

On a chimaera (6) depicted in the tondo of a plate from Rhodes, now in the Louvre, dating from the early second half of the seventh century B.C. (Fig. 2), strong debts to the North Syrian art are clearly noticeable in the rendering of the body and especially in the rendering of its lion head. Thus, the big shell-like eye, the strong and broad jaws, the open mouth, the chevron-like mane with an oblong curl of hair swinging from the ear down to the chin, are largely derived from the North Syrian tradi-

1) C. ROEBUCK, *Ionian Trade and Colonization*, 45.
2) CH. KARDARA, Ροδιακὴ Ἀγγειογραφία, 35, fig. 6.
3) J. BOARDMAN, *The Greeks Overseas*, 85.
4) E. AKURGAL, *Phrygische Kunst*, pls. 21 b, 22.
5) KARDARA, *op. cit.*, 48-9. On the influence of Phrygian textiles on early Greek art, see BARNETT, *JHS*, 48, 1948, 9, note 50. *The Aegean and the Near East, Studies Presented to Betty Goldman*, 226.
6) KARDARA, *op. cit.*, 84, no 3, fig. 52.

tion where they occur and which shows strong Hittite elements. The flat and pointed ear, however, seems to be a modification of the Hittite heart-shaped type of ear (7).

On a sphinx (8) drawn on the shoulder of a Rhodian oenochoe, coming from Rome and now in the Louvre, dating from the second half of the seventh century B.C. (Fig. 3), apart from the big shell-like eye and the heavy nose, which give an austere touch to the face and recall also North Syrian models, a lock of hair hanging down from the temples towards the chin reminds of a fashion characteristic of North Syrians, particularly of the Arameans.

But on a lion (9) depicted on the shoulder of another Rhodian oenochoe, found in Crete and now in the Museum of Herakleion, dating from the early second half of the seventh century B.C. (Fig. 4), details to be noted especially are: the closed mouth, the hair over the forehead (three vertical lines) indicating bushy eyebrows, the rather long legs and the slender and lithe body. These features, however betoken an Egyptianizing influence, especially the closed mouth of the beast (10). This influence then was probably exercised through Phoenician goods transported to Rhodes from Phoenician centres either of the coast of Phoenicia or of Cyprus. Another detail of the lions of this Rhodian oenochoe to be noted is the mane which is composed of series of Vis, that is of locks rendered like chevrons. This feature occurs both on Phoenician and North Syrian lions of the early seventh century B.C. Still another detail to be noted on these Rhodian lions is the folded ear. but this seems to be rather of a North Syrian and Assyrian origin.

Although the lions of this oenochoe are rather unique in Greek orientalizing vase-painting, since they clearly betray Egyptianizing Phoenician models, they are not, however, the only Phoenician elements occurring in Rhodian vase-painting after 650 B.C. For other Phoenician elements seem to appear in this painting from this time on. Thus, for instance:

The head of a sphinx (11) on an oenochoe from Rhodes, now in the Louvre, dating from the advanced second half of the seventh century B.C. (Fig. 5), recalls Phoenician cherubs not only because of its profile but also because of its hair-dressing which looks like a scarf.

The lotus flowers alternating with buds, drawn after 650 B.C., around the bottom of the oenochoes, as a rule, also betray a Phoenician source. On account of their formation and of their composition they are comparable to oriental models occurring on a Phoenician ivory from Samaria (12). The polychromy, however, evident on these garlands of flowers and on other decorative themes of Rhodian vases, being generally a characteristic feature of Cypriote painting, can be taken as indicating an influence exercised through goods from Cyprus, where Phoenicians were established in some ports.

Another case of Rhodian vase-painting influenced by Phoenician models can be seen on an oenochoe in Rhodes dating from the early second half of the seventh century B.C. (Fig. 6). On the shoulder of this oenochoe a lion is drawn attacking a bull, an oriental theme known to the Mycenaeans, from whom it was transferred to the Levant in the late second millenium B.C. (14). The mane of this lion, like that of the other lions on the aforementioned oenochoe from Crete, stylized as a series of Vi-shaped locks, a feature common on Phoenician and North Syrian lions, as already said, was probably

7) The heart-shaped ear originated with the Hittite lions (cf. AKURGAL, *Späthethitische Bildkunst*, 1, 74).

8) KARDARA, *op. cit.*, 93, no 10, 153, fig. 118.

9) *Ibid.*, 92, no 2, 151, fig. 114.

10) R. D. BARNETT, *The Nimrud Ivories*, p. 11, A 9: Phoenician ivory with lion. For the closed mouth characteristic of an Egyptian or egyptianizing influence cf. L. BROWN, *The Etruscan Lion*, 98. For the three lines over the forehead of a lion cf. the silver (Phoenician) bowl from Praeneste (*MAAR* III, 16); MÖHLSTEIN, *Die Kunst der Etrusker*, pls. 16-8.

11) KARDARA, *op. cit.*, 108, no 19, 154, fig. 121.

12) CRAWFOOT, *Early Ivories from Samaria*, pl. XVI.

13) KARDARA, *op. cit.*, 92, no 4, 152, fig. 116.

14) BROWN, *op. cit.*, 3 ff.

derived from Mycenaean prototypes reaching the Levant in the late second millenium B.C. (15). The lithe body, however, of this Rhodian lion clearly indicates a Phoenician derivation. It can, therefore, be inferred that the painter of this oenochoe also had in mind a Phoenician loan.

An indication from a North Syrian loan, however, can be presumed for the two lions (16) depicted on the shoulder of a Rhodian oenochoe, now in the British Museum, dating from the second half of the seventh century B.C. (Fig. 7). Details of these two lions, shown flanking a bull, to be noted especially are: the lively expression, the open mouth with the lolling tongue, the wrinkles shown prominently on the upper lip, the reticulate mane which stands like a roll round the heavy neck, the rather compact body and the determined pose. These features seem to come from the same oriental tradition from which come most Greek orientalizing lions. This tradition, however, betrays an Assyrian source which is believed to have reached the Aegean probably from North Syria after the Assyrians occupied it (17). The heart-shaped and back turned ears of these lions are a North Syrian modification of the heart-shaped Hittite form, while the vertical line in their middle seems to be a modification of the folded form. As to the three vertical lines on the forehead of these beasts, they seem to be a loan from a different origin which is connected with the Egyptianizing Phoenician loans. These lions, therefore, present a good example of how Rhodian vase-painters mixed their prototypes.

Another case of North Syrian lions influencing Rhodian vase-painting can be presumed for the two lions (18) flanking a boar on the shoulder of a Rhodian oenochoe, now in the British Museum, dating from the advanced second half of the seventh century B.C. (Fig.8). The features of this lion also seem to have come from the same oriental tradition from which come most Greek orientalizing lions, that is from the Assyrian tradition, which reached Greece from North Syria. The mane of these lions, however, covered with down-turned scales or feathers seems at first sight to come from another tradition. But it is probable that it is due to a modification of the mane which is covered with series of Vi-shaped locks and which occurs both in the Phoenician and the North Syrian lions. The series of small teeth, at any rate, seem to derive from the Hittite tradition.

Some other Assyrian elements are also clearly noticeable on Rhodian orientalizing lions but they appear on Rhodian vases made from the end of the seventh century onwards. Thus, for instance:

On a lion (19) depicted on an oenochoe from Rhodes, now in Berlin, dating from the early sixth century B.C. and on another lion (20) on a plate in Rhodes dating from the same period (Fig. 9), a leaf-like lock of hair, common on Assyrian lions, hangs from the ear of the beast. The same feature also appears in Corinthian vase-painting from the Early Corinthian period onwards and seems to become fashionable in Early Attic Black-Figure, too. The occurrence of this feature on Lydian electrum coins is thought (21) to indicate that it became frequent as an oriental loan rather from an intermediate East Greek source. To be sure, the Rhodian example is slightly later than the Corinthian. As Corinthianization, therefore, became frequent in Rhodian vase-painting about 600 B.C., one cannot exclude the possibility that in Rhodian vase-painting this feature was derived from an Early Corinthian influence directly or indirectly associated with an oriental source.

Another Assyrian element, seen occasionally in Rhodian vase-painting from the end of the sixth century B.C., is the treatment of the haunches of the lion, indicating a back-mane, a feature un-

15) *Ibid.*
16) KARDARA, *op. cit.*, 95, no 5, 141, fig. 115.
17) According to Dunbabin (*The Greeks and the Eastern Neighbours*, 48), Assyrian themes were transmitted to Greece through Assyrian decorated textiles. According to him (*ibid.*), Assyrian motives, such as the lion, became known to the Greeks from North Syria.
18) KARDARA, *op. cit.*, 181, no 1, 179, fig. 154.
19) *Ibid.*, 283, no 1, 285, fig. 283.
20) *Ibid.*, 286, no 1, 273, fig. 270.
21) BROWN, *op. cit.*, 12.

known to Corinthian vase-painters, as it appears, for instance, on the aforementioned plate in Rhodes from Nisyros (Fig. 9), dating from the early sixth century B.C. This feature occurring on Levanto-Mycenaean works of art seems to have been widely spread in the Near East in the early first millenium B.C. and to have become predominant in North Syria by the seventh century B.C. (22). For its appearance, however, in Rhodian vase-painting one can credit an East Greek source derived from an oriental source.

From the foregoing account a general picture emerges of the main oriental elements contributing to the development of Rhodian orientalizing vase-painting. It should be pointed out that Rhodian vase-painters often seem to alter and to mix the oriental loans and to adapt them to their own East Greek idiosyncrasy, thus showing a considerable remove from the oriental models which inspired them.

In general, however, one can say that there are three distinct waves of oriental influence exercised on these painters: One, evident before the middle of the seventh century B.C., containing elements mainly from Phrygia and North Syria, a second slightly later, that is after 650 B.C., comprising elements from the Phoenician, the North Syrian as well as the Assyrian tradition, often intermixed; and a third, considerably later, that is after 600 B.C., carrying on more Assyrian elements. It should be reminded that about 600 B.C. Rhodian vase-painting becomes strongly influenced by Corinthian vase-painting and about the same time also slightly influenced by a north East Greek tradition, probably Aeolian (23).

At that time, that is after 600 B.C., Rhodian pottery is exported in groups in Tocra, Istros, Naucratis and Sukas and in rather isolated pieces in cities of the Black Sea. This distribution, however, is thought (24) that it does not correspond to the mediocre role played by the Rhodians at that time in sea-adventures but it corresponds rather to that played by the Milesians. Also, since Milesian painted pottery has not yet been identified with certainty, the Milesians are thought that may have used imported vases, such as Rhodian. There has also been suggested (25) that the Greek merchants living in Sukas were allowed to stay there among the Orientals after 600 B.C., since this site shows a considerable prosperity attested by the Greek finds of the early sixth century B.C. This prosperity of the Greeks at Sukas, contrasting that of the Greeks of Al Mina, who show an obvious decline at that time, has been explained on the basis that there « was more interest in direct trade with Syria and less with the remote centres served by Al Mina » (26).

The oriental influence exercised on Rhodian vase-painting after 600 B.C. could have then come from the Greeks living at this time in the Levant. The oriental influence exercised on early Greek architecture at this time, not being explained « by contact with seventh century Al Mina » (27) is presumed to have come from these Greeks of the Levant, perhaps. In Rhodian vase-painting after 600 B.C. there also exists, however, a north East Greek influence, too, which comes from the area of the Aeolid. The oriental impetus, therefore, which is noticeable on Rhodian vases after 600 B.C. could have come through a north East Greek source as well.

CHRYSOULA P. KARDARA

22) *Ibid.*, 29.
23) KARDARA, *op. cit.*, 271.
24) BOARDMAN, *op. cit.*, 74. G. PLOUG, *Sukas II*, 97.
25) BOARDMAN, *op. cit.*, 77.
26) *Ibid.*, 76.
27) PLOUGH, *op. cit.*, 99.

SAMOS: LA CERAMICA ARCAICA

(Pl. XXXII–XLIV)

OSSERVAZIONI INTRODUTTIVE

Provenienza del materiale, particolarità del sito

Nel trattare la ceramica di Samos mi riferisco a quella trovata nel santuario di Hera (1), che mi è familiare. I rinvenimenti di ceramica arcaica in altre zone dell'isola, e in particolare nell'antica capitale, l'odierna Pythagorion, sono in parte sporadici (scavi dell'Istituto Germanico di Atene) (2), in parte non ancora pubblicati (scavi dell'eforia delle Cicladi, eseguiti negli ultimi anni da Konstantinos Tsakos) (3). Avendo potuto prendere visione di parte di questi nuovi materiali, credo di poter affermare che dovrebbero in sostanza confermare le nostre conclusioni, benché la relazione statistica tra le differenti classi di ceramica possa essere diversa, vista la provenienza da un contesto di altro carattere e cioè dall'abitato.

La ceramica dell'Heraion di Samos è di due generi. Da un lato ci sono vasi ivi portati come *offerta votiva*: A questa categoria appartiene la ceramica fine dipinta. Va comunque sottolineato che nella gamma degli oggetti votivi il rango della ceramica varia nel corso del tempo. Mentre nel periodo geometrico la ceramica era senz'altro il dono votivo di pregio più in auge (4), nel 7º e 6º secolo essa fu, quanto a prestigio, sorpassata da altre categorie di oggetti. Oltre alle importazioni egizie ed orientali (5) basti ricordare i calderoni con protomi di grifone (6) numerosissimi a Samos e, a partire della seconda metà del 7º secolo, la grande statuaria (7) prima in marmo, poi anche in bronzo.

L'altro genere di ceramica consiste nelle *forme comuni*, d'uso quotidiano, come coppe, tazze, oino-

1) E. WALTER-KARYDI, *Samos* VI 1, *Samische Gefässe des 6. Jh. v. Chr.*, 1973 (Recensione: J. HAYES, *AJA* 78, 1974 pp. 439 s.).

H. WALTER, *Samos*, V, *Frühe samische Gefässe*, 1968 (Recensioni: J. DUCAT, *RA* 1971, pp. 81-92; J. N. COLDSTREAM, *JHS* 91, 1971, pp. 202- 04; W. SCHIERING, *Gnomon*, 43, 1971, pp. 280-289).

G. KOPCKE, *AM* 83, 1968, pp. 250-314.

H. WALTER-K. VIERNEISEL, *AM* 74, 1959, pp. 10-34.

H. WALTER, *AM* 72, 1957, pp. 35-51.

E. KUNZE, *AM* 59, 1934, pp. 81-122.

R. EILMANN, *AM* 58, 1933, pp. 47-145.

W. TECHNAU, *AM* 54, 1929, pp. 6-40.

Evidentemente la mia relazione deve molto a questi studi, e particolarmente ai libri del Walter e della Walter-Karydi.

2) R. TÖLLE-KASTENBEIN, *Samos* XIV, *Das Kastro Tigani*, 1974, pp. 142-147 e figg. 218, 221-232, 234.

3) K. TSAKOS, *Deltion* 24, 1969, *Chronika* p. 384, tav. 388. ID., *Deltion* 25, 1970, *Chronika* p. 416, tavv. 350 s.

4) *Samos* V, p. 23.

5) U. JANTZEN, *Samos* VIII, *Aegyptische und orientalische Bronzen aus dem Heraion von Samos*, 1972.

6) U. JANTZEN, *Griechische Greifenkessel*, 1955, con supplemento in *AM* 73, 1958, pp. 26-48.

7) E. BUSCHOR, *Altsamische Standbilder* I-V, 1934-1961. E. FREYER-SCHAUENBURG, *Samos* XI, *Bildwerke der archaischen Zeit und des strengen Stils*, 1974.

choai, olpai, idrie ecc. Ceramica comune è stata trovata in gran numero nell'Heraion si tratterà di vasi utilizzati dai visitatori in occasione di feste e cerimonie e lasciati in seguito nel santuario, sia affondati nei pozzi (8), che gettati e ammucchiati (9).

La ceramica comune non è quindi solo di gran lunga più numerosa di quella fine, ma si è anche spesso conservata in forme intere, mentre la ceramica fine che veniva deposta intorno all'altare e lasciata finché si rompeva, si ritrova ridotta a frammenti singoli e sparsa in tutto il centro del santuario. Da questo risulta chiaramente che, malgrado si tratti di materiali provenienti da un centro sacro, i nostri risultati riguardanti la ceramica comune saranno più completi e forse più attendibili di quelli riguardanti la ceramica fine; per questa, infatti, lo scavo di una necropoli fornirebbe senz'altro ulteriori notizie più vaste e più complete (10).

Vista questa particolare situazione della documentazione è evidente il pericolo che la ceramica fine di Samos resti sottovalutata per il semplice fatto che è rappresentata da frammenti spesso anche malmenati. Per conoscere le forme intere si dovrà invece tentare — in base sempre alle conoscenze acquisite attraverso il materiale frammentario — di attribuire oggetti trovati altrove ai ceramisti di Samos.

La cronologia relativa dell'Heraion

Per il periodo che ci interessa gli scavi nell'Heraion hanno portato alla definizione di una serie di complessi stratigrafici che permettono di stabilire la successione relativa dei materiali; è inutile ripetere qui quanto già pubblicato (11). Gli scavi alla Porta Nord del temenos che ho avuto modo di svolgere negli anni 1964-1972 hanno però permesso di precisare ulteriormente la cronologia relativa (ed assoluta) dei decenni intorno alla metà del 6° secolo. Benché in questa sede non possa evidentemente inoltrarmi nell'argomentazione stratigrafica, vorrei elencare i tre complessi che ci possono interessare:

Porta Nord, materiale associato alla prima fase di costruzione: *anteriore al 560 a.C.*

Porta Nord, materiale associato alla seconda fase di costruzione: 550-540 a.C.

Porta Nord, scarico di materiale arcaico: 560-550 a.C.

La cronologia assoluta dell'Heraion

Per quanto riguarda il 6° secolo la cronologia assoluta dell'Heraion non si basa sul solo sistema corinzio del Payne, in quanto sono da considerare anche le indicazioni delle fonti letterarie sulla cronologia del tiranno Polykrates come pure la relazione tra i grandi templi di Samos e di Ephesos, quest'ultimo, come noto, da connettere con la cronologia del re lidio Kroisos. Senza entrare qui in

---

8) *AM* 74, 1959, pp. 12-27, pozzi A-G.

9) *AM* 72, 1957, pp. 35-51. *AM* 74, 1959, pp. 27-32. *AM* 83, 1968, pp. 250-314, soprattutto p. 251 per l'interpretazione dei depositi.

10) Gli scavi di J. Boehlau, *Aus jonischen und italischen Nekropolen*, 1898, hanno interessato una parte limitata delle necropoli. Per i ritrovamenti del Boehlau ora a Kassel cf. R. Lullies in *CVA Kassel* 2, tavv. 52-57 (materiale della Grecia orientale). Recenti ritrovamenti nelle necropoli: K. Tsakos, *Deltion* 24, 1969, *Chronika* pp. 388-390; Id., *Deltion* 25, 1970, *Chronika*, pp. 417 s.

11) I complessi stratigrafici sono elencati in *Samos* V, pp. 85-89, e *Samos* VI 1, pp. 98 s. Sono da aggiungere i complessi descritti dal Kopcke, *AM* 83, 1968, pp. 303-314.

tutta questa problematica (12) devo dire che la cronologia tradizionale del Payne per il 6° secolo ci sembra troppo alta e nelle recenti pubblicazioni di Samos si sono usate cronologie più basse. Mentre il Walter e la Walter-Karydi nelle loro pubblicazioni hanno preferito abbassare la cronologia tradizionale di un venticinquennio (13) io mi associo al Kopcke (14) e ad altri (15) usando una cronologia intermedia:

Corinzio antico   610-585 a.C.
Corinzio medio   585-560 a.C.
Corinzio tardo   560-540 a.C.

Con queste indicazioni non vorrei provocare una discussione sul valore della cronologia tradizionale o addirittura della cronologia assoluta del periodo arcaico, ma solo chiarire dall'inizio la base delle datazioni che in seguito saranno adoperate per il 6° secolo.

La ceramica

Evidentemente non è possibile in questa sede trattare la ceramica di Samos in maniera esauriente. Penso che per lo scopo di questa riunione un trattamento del genere non sia neanche opportuno. Cercherò di mettere in evidenza lo sviluppo generale della ceramica fine nelle forme più importanti, lasciando da parte le varianti. Inoltre mi vorrei concentrare sulle coppe ioniche trattando in maniera piuttosto sommaria la ceramica comune.

Vorrei dunque dividere la ceramica in *tre categorie*, enumerando (come proposto nel programma del convegno) per ognuna il materiale e cercando in seguito di definire quanto è di fabbrica locale.

Le tre categorie sono:

1) *la ceramica fine* (ad eccezione delle coppe);
2) *le coppe ioniche*;
3) *la ceramica comune* (ad eccezione delle coppe).

Una tale divisione è resa necessaria dal fatto che le coppe ioniche appartengono in parte alla ceramica fine, in parte a quella comune, come risulterà in seguito; era comunque preferibile trattarne unitamente.

Tecnica e materiale

Partendo da nozioni acquisite con la ceramica corinzia e quella attica siamo inclini a presumere che ogni centro di produzione ceramica avesse la sua caratteristica argilla omogenea e ben definibile.

---

12) Cronologia tradizionale: H. PAYNE, *Necrocorinthia*, 1931, pp. 1-66 passim. T. J. DUNBABIN, *The Western Greeks* 1948, pp. 435-471. Decisiva però la critica di J. DUCAT, *L'archaïsme à la recherche de points de repère chronologiques*, *BCH* 86, 1962, pp. 165-184.

13) *AM* 74, 1959, pp. 64-66. *Samos* VI 1, p. 97.

14) *AM* 83, 1968, p. 281.

15) Cf. J. DUCAT, *BCH* 86, 1962, pp. 178-182. Una cronologia media viene usata anche da J. BOARDMAN-J. HAYES, *Tocra* I, 1966, p. 12 (Deposit I); *Tocra* II, 1973, p. 3.

A Samos invece — e penso anche altrove — i fatti sono diversi (16): Il colore dell'argilla, sempre ben epurata, varia entro una certa gamma, dal rosso-brunastro fino al bruno e al grigio. La mica è sempre presente, la densità delle scaglie di mica varia comunque. Un ingobbio non viene regolarmente applicato, ma si trova sempre sulla ceramica più fine. Colore e spessore dell'ingobbio variano. La vernice è lucente solo per certe classi di materiale fine della seconda metà del 7° e del 6° secolo; di solito, non solo per la ceramica comune, è semilucente o addirittura opaca. Spesso l'applicazione della vernice è fluida e si distinguono le tracce del pennello. Il colore della vernice, anche se lucente, varia: è nera, nero-brunastra e va fino al rosso, anzi al verdognolo e al giallo. Evidentemente lo scopo dei ceramisti non era una vernice nera lucente (tipo quella attica), ma un certo colorismo anche su uno stesso vaso. Eccezione fanno solo certe classi di vasi che si volevano accostare a quelle attiche come le coppe tipo « piccoli maestri ». La cottura dei vasi sami è meno intensa di quella attica. I recenti ritrovamenti nell'antica città di Samos confermano però che la ceramica trovata all'Heraion risulta assai trasformata nella sua consistenza a causa del sottosuolo paludoso: cocci provenienti dalla città danno l'impressione di una cottura migliore rispetto a cocci del tutto analoghi trovati nell'Heraion! Del resto anche la buona ceramica attica trovata nell'Heraion risulta non di rado assai rovinata.

1) La ceramica fine

7° secolo

Le due forme più importanti per lo sviluppo della ceramica sono il cratere e l'oinochoe.

Il *cratere* (17) è la tradizionale forma monumentale della ceramica samia sin dall'inizio del geometrico antico. Si tratta di crateri ad alto piede; l'orlo verticale continua la tradizione geometrica, mentre l'orlo obliquo con marcata profilazione rappresenta un'invenzione nuova. Dopo la metà del secolo dominano crateri senza piede. L'orlo verticale si trasforma ora in collo alto.

Durante la prima metà del 7° secolo nel tradizionale riquadro posto tra le anse sulla spalla del cratere penetra la decorazione figurata. All'inizio le zone con figure sono ancora innestate nella decorazione di tradizione geometrica (18). Nel secondo venticinquennio si arriva a composizioni di grandiosa monumentalità (19). Dopo la metà del secolo s'incontrano sui crateri due sistemi di decorazione e cioè quella a fregi d'animali tipica per la ceramica greco-orientale di questo periodo (20), e quella a pannelli densamente riempiti di ornamentazioni vegetali, animaleschi ed anche geometrici (21). Il ritrovamento di nuovi frammenti permette di affermare che alla base anche di tali crateri si trova un grandioso nastro di volute e palmette.

L'*oinochoe* (22) è la forma moderna del tempo, sulla quale si può seguire uno sviluppo coerente della decorazione che porta alla nascita del tipico fregio di animali della ceramica greco-orientale (Wild Goat Style).

Delle due forme di oinochoe, a bocca tonda e corpo appiattito e a bocca trilobata e corpo ovoidale, la prima si afferma a Samos come la più importante. I primi esemplari del 7° secolo portano

16) Sulla tecnica e sull'argilla EILMANN in *AM* 58, 1933, pp. 47-51, e WALTER in *Samos* V, pp. 73s. Inoltre KOPCKE, *AM* 83, 1968, p. 251; WALTER-KARYDI, *Samos* VI 1, p. IX e già TECHNAU in *AM* 54, 1929, p. 8.
17) *Samos* V, pp. 14-18; pp. 24-28; pp. 32-35 per il periodo geometrico e pp. 52-57; pp. 68-70 per il 7° secolo a.C.
18) *Samos* V, pp. 52 s., no. 363, tav. 62. *AM* 83, 1968, pp. 254 s., cat. 9, fig. 4, tav. 93, 2.
19) *Samos* V, p. 54, no. 377, tavv. 66-68.
20) *Samos* V, pp. 68 s., no. 559-560, fig. 42, tavv. 106 s. e no. 556, tav. 105. *AM* 83, 1968, p. 261, cat. 26, tav. 97, 2.
21) *Samos* V, p. 70, no. 561-563, fig. 43, tavv. 107-109. *AM* 83, 1968, p. 261, cat. 27, tav. 97, 3.
22) *Samos* V, pp. 47-52; pp. 64-68.

sulla spalla ancora decorazioni di tradizione geometrica divise in vari settori (23). La zona decorativa tende comunque a diventare unitaria e vi s'inseriscono elementi vegetali e singoli animali, che acquistano sempre più importanza (24). Verso la metà del 7° secolo si incontrano i primi esemplari del tipo caratteristico con fregi d'animali e collana di loto alla base (25). Continua però anche durante il terzo venticinquennio e oltre una decorazione a pannelli del tutto analoga a quella dei crateri (26).

6° secolo

Le forme principali del 7° secolo, cratere ed oinochoe, rimangono importanti, ma vi si aggiunge il piatto a piedestallo.

I *crateri* (27) possono essere bassi oppure avere un alto piede; il collo ha la solita forma alta. La decorazione sembra per lo più vegetale ed è disposta a fregio oppure consiste di singoli elementi. Questi sistemi di decorazione si ritrovano sulle *oinochoai*.

Queste presentano ora la forma con bocca trilobata e corpo ovoidale (28). Più rara è una forma bassa (29), mentre la forma a corpo appiattito è scomparsa. L'oinochoe rimane importante per l'evoluzione dei sistemi decorativi nella prima metà del secolo. Dopo il 550 a.C. si aggiungono altre forme come l'anfora a collo staccato e l'idria.

Nella prima metà del 6° secolo sulle oinochoai si incontrano tre sistemi di decorazione. Nel primo (30) il corpo del vaso rimane quasi privo di decorazione ad eccezione di singoli elementi sulla spalla; analoga era la decorazione di un gruppo di crateri (31). Nel secondo (32) troviamo il vaso tutto ricoperto di fregi vegetali ed ornamentali di uguale altezza. Nel terzo gruppo (33) invece la decorazione è liberamente applicata sul corpo, centrata su di un piccolo fregio al centro della spalla. Intorno alla metà del 6° secolo la decorazione figurata acquista sempre maggiore importanza (34). Nel terzo venticinquennio sarà comunque ancora la decorazione a fregio a dominare, per quanto trasformata nel senso che una larga zona media accoglie la decorazione ornamentale o figurata, mentre fregi secondari minori si trovano sulla spalla ed al disopra del piede (35).

Il periodo di massima importanza del *piatto a piedestallo* (36) è il tardo 7° e la prima metà del 6° secolo. Al posto dell'orlo liscio si trova, più raramente, un orlo sagomato. Il sistema decorativo ereditato dal 7° secolo è quello a fregi concentrici (37).

Al posto degli animali s'incontra ora la catena di loto. A partire dalla fine del 7° secolo predomina la decorazione « metopale », dove gruppi di raggi si alternano a motivi vegetali o protomi di

---

23) *Samos* V, p. 48, no. 304, tav. 52.
24) *Samos* V, p. 49, no. 328, fig. 28, tav. 56.
25) *Samos* V, pp. 50 s., no. 349-350, figg. 30 s., tav. 59.
26) *Samos* V, p. 65, no. 502, tavv. 91-93; per i crateri sopra nota 21.
27) *Samos* VI 1, pp. 7-9.
28) *Samos* VI 1, pp. 1-4.
29) *Samos* VI 1, pp. 4 s.
30) *Samos* VI 1, p. 2, no. 12-24, 27-29, 31-35, fig. 2, tavv. 2 s.
31) Cf. i crateri *Samos* VI 1, p. 8, no. 165-167, tavv. 19 s.
32) *Samos* VI 1, p. 3, no. 25, 26, 36-41, 68-74, fig. 5, tavv. 2, 4, 6, 7.
33) *Samos* VI 1, pp. 3 s., no. 47-67, figg. 3 s., tavv. 4-6.
34) *Samos* VI 1, p. 5, no. 108, tav. 12.
35) *Samos* VI 1, p. 4, no. 43-46, tav. 3, 6, 8 per le oinochoai, e p. 5 per le anfore.
36) *Samos* VI 1, pp. 10-15.
37) *Samos* VI 1, p. 11 e p. 15, no. 214-217, fig. 15, tav. 29.

animali (38). Una terza maniera di decorare questi piatti consiste in una libera ma ordinata disposizione di singoli elementi decorativi nel tondo; al centro si trova un ornamento a rosetta (39).

La qualità dei piatti a piedestallo è variabile; accanto a pezzi di ottima fattura si notano esemplari scadenti sia nella tecnica come nella decorazione, che è limitata a soli cerchi concentrici (figg. 1-2) (40).

Conclusioni

Criteri di materiale e di tecnica, la statistica di ritrovamento, come pure gli elementi decorativi e la continua evoluzione stilistica permettono di individuare i prodotti locali. È in tal modo possibile ricostruire il divenire della ceramica samia a partire dal geometrico fino all'estinguersi degli stili vascolari non attici nel corso della seconda metà del 6º secolo; la tecnica tradizionale a Samos sembra spegnersi nel tardo terzo venticinquennio del 6º secolo. Della produzione forse più importante di Samos nella seconda metà del secolo, delle coppe a figure nere, si dovrà trattare in seguito. Lo sviluppo ininterrotto, come ci pare evidente a Samos, ci insegna che sia il caratteristico stile a fregio di animali (certe volte anche detto « stile rodio ») che lo stile greco-orientale del 6º secolo chiamato « stile di Fichellura » non si possono definitivamente più ritenere stili locali (41). Si tratta invece di maniere di decorazione usate in più centri, analogamente p.e. a quella a figure nere, che, come noto, si incontra non solo in Attica.

Accettato questo presupposto, ne consegue ovviamente il compito difficile ma inevitabile di tentare, nella massa del materiale greco-orientale del 7º e 6º secolo, di distinguere diverse officine e diversi luoghi di provenienza, visto che, oltre ai centri di produzione di Samos e di Rodi, ce ne saranno senz'altro di analoghi in altre città della Grecia Orientale (Mileto, Efeso, Smirna ecc.). Questo compito è già stato abbordato, per ultimo nelle pubblicazioni del materiale di Samos del Walter e soprattutto della Walter-Karydi. Questi ed altri tentativi hanno riscontrato critiche non sempre fondate, per cui mi sembra utile richiamare i due passi metodici che vi occorrono.

Il primo passo è quello di individuare singoli gruppi in base al materiale, allo stile e, preferibilmente, alla statistica di ritrovamento; la ceramica di produzione samia mi pare infatti, dopo le pubblicazioni accennate, assai bene definibile. Intorno ad un tale nucleo locale sarà forse anche più facile formare altri gruppi di materiali non locali e, quindi, importati. Anche qui, mi pare, le possibilità di arrivare a risultati consistenti sono buone. Un secondo passo porta poi all'identificazione del luogo d'origine di questi gruppi e con ciò all'attribuzione di determinati gruppi stilistici a determinati centri di produzione. Per arrivare a questo esiste una sola via sicura e cioè lo scavo nei supposti centri di origine di tali gruppi stilistici. Essendo questo possibile soltanto con il passare del tempo, in tanti casi non ci resta per il momento che formare delle ipotesi, ipotesi fondabili su considerazioni stilistiche e su materiali sporadici trovati nei centri interessati. Che anche questa via non sia comunque senza speranza, mi pare lo dimostri il fatto che il gruppo di ceramica attribuito dalla Walter-Karydi a Efeso (42) e definito come « hotch-potch » (43), cioè pasticcio, da un recensente, resta a mio avviso confermato dal materiale trovato negli ultimi anni durante gli scavi all'altare di Artemide ad Efeso (44).

---

38) *Samos* VI 1, pp. 12 s., no. 193-211, figg. 12-14, tavv. 26-28.
39) *Samos* VI 1, p. 14, no. 218-228, figg. 16-18, tavv. 29-31.
40) *Samos* VI 1, p. 15, no. 240-247, tavv. 32 s., Porta Nord cat. 514 e 515 (qui *figg*. 1 e 2): i numeri dei ritrovamenti dalla Porta Nord di Samos si riferiscono al catalogo del materiale che sarà pubblicato nel volume *Samos* IV, 1978.
41) Della stessa opinione (per il 7º secolo) J. DUCAT, *RA* 1971, p. 87 nella sua ponderata e giusta recensione di Samos V.
42) *Samos* VI 1, p. 66, tav. 89.
43) J. HAYES, *AJA* 78, 1974, p. 440.
44) A. BAMMER, *IM* 23-24, 1973-74, p. 54, tavv. 3 s.

Lo stesso Akurgal, nella sua relazione di ieri, ha attribuito questo gruppo pure a Efeso. Anche altri dei suoi gruppi corrispondono a gruppi definiti dal Walter (44 a) (Smirna) e dalla Walter-Karydi (44 b) (Eolia e Ionia Settentrionale). Comunque sia, ritengo importante sottolineare ancora che anche se una attribuzione di un gruppo stilistico a un certo centro viene contestato, questo assolutamente non significa che detto gruppo non esista come entità tecnica e stilistica!

2) Le coppe ioniche

Mentre altre classificazioni delle coppe ioniche (Vallet-Villard, Hayes per Tocra, Ploug per Sukas) (45) partivano, anzi dovevano partire, da materiale importato e avevano dunque da classificare materiale selezionato in antichità per scopi commerciali, a Samos ci troviamo in uno dei centri di produzione di tali coppe. Avrò quindi da parlare di tutte le forme di coppe che mi risultano a Samos (benché non possa elencarne qui tutte le varianti), senza tener conto del fatto se venissero esportate o no. Evito perciò anche di usare classificazioni esistenti che in ogni caso non potrebbero coprire la produzione samia.

Dico subito che il risultato dell'analisi non sarà una evoluzione lineare di una forma di coppa, dato che esisteva sempre la possibilità che diversi tipi venissero fabbricati ed usati contemporaneamente, come del resto abbiamo avuto occasione di osservare anche per i crateri e le oinochoai della ceramica fine. Vorrei poi ricordare quanto detto nelle osservazioni introduttive, che cioè si constatano notevoli differenze di qualità tra i singoli tipi di coppa come anche tra una coppa e l'altra all'interno dello stesso tipo. Per il 6° secolo una distinzione di tipi tra coppe fini e coppe di uso comune non è comunque possibile. Passo dunque alla presentazione dei diversi tipi che si incontrano a Samos, distinguendone sei:

a) *Coppe a piede basso con esterno dell'orlo risparmiato* (46)

È, questa, la forma più caratteristica a Samos. La vasca della coppa è più o meno profonda, il piede non è troppo largo. L'esterno della coppa è verniciato ad eccezione dell'orlo e di una zona tra i manici. Pure l'interno è verniciato a parte una sottile zona lungo il labbro, regolarmente risparmiata. L'orlo esterno è quasi sempre decorato con linee orizzontali. Questo tipo di coppa esiste a partire dal tardogeometrico fino alla metà del 6° secolo. Esemplari tardogeometrici e di poco più recenti presentano talvolta, oltre a linee orizzontali sull'orlo, anche una linea ondulata (Fig. 3) (47). Nella prima metà del 7° secolo la forma della vasca pare sia piuttosto appiattita (Fig. 4) (48), mentre aumenta in profondità nella seconda metà quando anche la sagoma diventa più panciuta (Fig. 5) (49). Questa forma si incontra ancora nella prima metà del 6° secolo (Figg. 6-9) (50); dato che nel materiale dalla Porta Nord dell'Heraion che è più o meno contemporaneo, le variazioni nella sagoma sono assai grandi, non credo si possa arrivare, in base alla forma di una singola coppa, a datazioni trop-

---

44 a) *Samos* V, pp. 76 s., no. 613 e 622.

44 b) *Samos* VI 1, p. 88 e *Antike Kunst*, Beiheft 7 (1970) pp. 3 ss.; *Samos* VI 1, pp. 77 ss.

45) G. VALLET-F. VILLARD, *Mégara Hyblaea* V: *Lampes du VIIᵉ siècle et chronologie des coupes ioniennes*, MEFR 67, 1955, pp. 14-34. J. HAYES, *Tocra* I, 1966, pp. 111-116; *Tocra* II, 1973, pp. 55 s. G. PLOUG, *Sukas* II, 1973, pp. 27-28.

46) Cf. VALLET-VILLARD, MEFR 67, 1955, pp. 18 s., forma A 2, fig. 3.

47) *AM* 72, 1957, p. 41, Beil. 54, 3. *AM* 74, 1959, p. 19, Beil. 33, 4. *AM* 83, 1968, p. 257, cat. 20, fig. 8, tav. 95, 3.

48) *AM* 72, 1957, p. 46, Beil. 67, 3. *AM* 74, 1959, p. 19, Beil. 33, 3.

49) *AM* 72, 1957, p. 49, Beil. 71, 4 e 72, 2. *AM* 74, 1959, p. 28, Beil. 61, 4. *AM* 83, 1968, p. 257, cat. 21 e 23, fig. 9, tav. 95, 4 e 6.

50) Porta Nord cat. 138-141, associate alla prima fase di costruzione e cat. 542-551 dallo scarico di materiale arcaico. Cf. qui *Figg.* 6-7 (cat. 140) e 8-9 (cat. 141).

po dettagliate. A partire dalla fine del 7° secolo (51), e soprattutto nel 6° secolo, questo tipo di coppa è comunque quasi sempre di buona, se non ottima qualità tecnica: la forma è precisa, la parete sottile, la vernice nera lucente, le linee orizzontali sull'orlo dipinte regolarmente con vernice diluita cotta bruno-chiaro. Gli esemplari migliori pareggiano con le migliori coppe a piede alto del tipo «piccoli maestri». Sono queste coppe di qualità buona che venivano, mi pare, anche esportate.

a) *Variante*

Una variante combina la forma *a)* con una decorazione a vernice nera e diluita molto caratteristica per le coppe a piede alto tipo «piccoli maestri» e cioè a cerchi concentrici all'interno della vasca (Figg. 10-11) (52).

b) *Coppe a piede basso con esterno dell'orlo verniciato* (53)

Nel secondo venticinquennio del 7° secolo nasce, pare, un altro tipo di coppa a piede basso (Fig. 12) (54). Forma e proporzioni corrispondono più o meno a quelle del tipo *a)*, l'esterno dell'orlo è però completamente coperto di vernice. Anche per questo tipo *b)* la vasca tende, dopo la metà del secolo, a diventare più profonda (Fig. 13) (55). Nello stesso tempo si osserva comunque una differenziazione nello sviluppo del piede che, nel tipo *b)*, tende a restringersi sempre più al punto di attacco con la vasca; negli anni intorno al 600 a.C. si incontra una coppa fine a pareti sottili e a piede conico, risultato finale dell'evoluzione accennata (Fig. 14) (56). Questa coppa può talvolta essere decorata con linee rosse e bianche sovraddipinte. È noto che anche queste coppe venivano esportate. Parallelamente a queste coppe fini esisteva ancora una variante più semplice (Figg. 15-16) (57). Le coppe del tipo *b)* sembrano comunque spegnersi agli inizi del 6 secolo.

Resta infine da menzionare una variante interessante (Figg. 17-18) (58). Si tratta di un esemplare gigantesco (diametro dell'orlo 49 cm); benché il piede mancante sia restaurato la forma ne è sicura, dato che l'attacco alla vasca è in parte conservato. È ovviamente una trasposizione del tipo fine menzionato; questo vaso, databile agli inizi del 6° secolo, si distingue anche per la tecnica con pareti sottili relativamente alla dimensione e con un colorismo vivo, tra nero e rosso lucente, della vernice.

c) *Coppe a decorazione lineare*

Nel corso della prima metà del 6° secolo nasce un altro tipo di coppa che è attestato solo per la ceramica comune (59). La forma continua quella delle semplici coppe del tipo *a)*, mentre la decorazione all'esterno risulta cambiata: sono verniciati l'orlo, il piede e la zona bassa della vasca, mentre

51) *AM* 72, 1957, p. 49, Beil. 72, 2.
52) Porta Nord cat. 529, qui *figg*. 10-11. Per la decorazione a cerchi concentrici *Samos* VI 1, pp. 24 s., inoltre l'esemplare analogo p. 22, no. 345, tav. 43.
53) Cf. Vallet-Villard, *MEFR* 67, 1955, pp. 15-18, forma A 1, tav. IV.
54) *AM* 74, 1959, p. 19, Beil. 38, 1-3. Probabilmente anche *AM* 83, 1968, p. 257, cat. 22, fig. 9, tav. 95, 5.
55) *AM* 72, 1957, p. 49, Beil. 69, 3 e 72, 1 e 3. *AM* 74, 1959, p. 28, Beil. 61, 5.
56) *AM* 72, 1957, p. 49, Beil. 72, 4. *AM* 74, 1959, p. 28, Beil. 62, 1 e 2. *Samos* VI 1, p. 22, no. 338, tav. 41. Anche Porta Nord cat. 525. È questa fase evolutiva del nostro tipo *b)* che corrisponde alla forma A 1 di Vallet-Villard, *MEFR* 67, 1955, pp. 15 s. e tav. IV A e B.
57) Porta Nord cat. 137, qui *figg*. 15-16.
58) Porta Nord cat. 539, qui *fig*. 17 con l'esemplare *AM* 72, 1957, Beil. 72, 4 di dimensioni ordinarie, e *fig*. 18.
59) Il tipo è finora stato pubblicato solo da Technau, *AM* 54, 1929, p. 36, fig. 28, 6.

sul corpo e sulla spalla si trovano linee orizzontali (Figg. 19-20) (60). In tutti i casi controllabili queste coppe portano un'iscrizione sovraddipinta in prossimità del manico composta dalle lettere delta ed eta; tali iscrizioni si incontrano pure su altre forme della ceramica comune di questo periodo, e potrebbe darsi che fosse appunto la necessità di applicare queste lettere a dare origine al nuovo modo di decorazione delle coppe c). Non vorrei ora entrare nell'argomento del significato di queste lettere; non pare escluso che stiano in rapporto con il culto nell'Heraion. Comunque sia, anche questo tipo di coppa non dura oltre la metà del 6° secolo.

d) *Coppe senza vernice*

Intorno al 550 a.C. si nota un radicale cambiamento nella fattura della ceramica comune, in quanto questa, d'ora in poi, non viene più verniciata neanche all'interno delle forme aperte. Sono coinvolte anche le coppe che, nella forma, continuano, seppure in esecuzione più rozza, la tradizione dei tipi a) e c) (Figg. 21-23) (61). Interessante è il fatto che si conoscano alcuni esemplari di coppa senza vernice (62) che portano ancora le due lettere sovraddipinte, cioè pezzi di transizione tra il tipo c) e d).

e) *Coppe basse a piede anulare largo con linee sovraddipinte* (63)

Questa forma nota e diffusa pare rara nel materiale dell'Heraion di mia conoscenza (64). Si tratta di una coppetta bassa e piuttosto larga con piede fine. L'interno è verniciato tranne una zona sottile sul labbro. All'esterno l'orlo e la spalla come anche il piede sono verniciati (Figg. 24-25): a mezza altezza della vasca si nota talvolta una zona di vernice addizionale (65). Regolarmente all'interno, e talvolta pure all'esterno, ci sono gruppi di linee rosse sovraddipinte. Gli esemplari trovati da me in strato si collocano prima del 560-50 a.C.

e) *Variante*

Varianti della forma e) a decorazione dipinta sono presenti a Samos (66); specialmente bello è un esemplare completo a decorazione figurata databile alla metà del 6° secolo (Figg. 26-28). Tutto questo gruppo si innesta nella ceramica fine samia contemporanea.

f) *Coppe a piede alto* (tipo « piccoli maestri ») (67)

Preferisco non distinguere ulteriormente all'interno di questo tipo secondo l'altezza del piede, e ciò per due motivi: il primo è che nei rinvenimenti frammentari dell'Heraion non è quasi mai possibile associare piedi e frammenti della vasca di un vaso; il secondo, che il piede alto mi sembra sia il risultato di una evoluzione continua della forma.

---

60) Porta Nord cat. 142 e 552-559, qui *figg.* 19-20 (cat. 552).

61) *AM* 72, 1957, p. 50, Beil. 74, 3, datata nel « periodo di Rhoikos » come i frammenti dalla Porta Nord, cat. 565-570, provenienti dallo scarico di materiale arcaico. Più recenti gli esemplari *AM* 72, 1957, p. 50, Beil. 74, 4 e *AM* 83, 1968, pp. 275-279, cat. 73 e 74, fig. 27, tav. 107, 3 e 5 e, per la datazione, p. 312.

62) Porta Nord cat. 560-561.

63) Corrisponde alla forma B 1 di VALLET-VILLARD, *MEFR* 67, 1955, pp. 23-27, fig. 4, tavv. IX B, X, XI A.

64) Porta Nord, cat. 129, 130 (qui *figg.* 24-25), 526 e frammenti non catalogati. Inoltre *Samos* VI 1, p. 22, no. 333, tav. 41.

65) p.e. Porta Nord cat. 526 e *Samos* VI 1, tav. 41, 333.

66) *Samos* VI 1, p. 21, no. 324 e 325, fig. 26, tav. 39. Porta Nord cat. 131, qui *figg.* 26-28.

67) Cf. VALLET-VILLARD, *MEFR* 67, 1955, pp. 21-23, forma B 2, fig. 5, tav. VI A 1-3. tav. VIII e tav. IX A; pp. 27-29, forma B 3, tav. XI B e C.

Al tipo *f*) appartengono le famose coppe ioniche a decorazione figurata (68) trovate tra l'altro a Samos e oggi, penso, comunemente attribuite ad una fabbrica samia. Ma fanno parte di questo tipo di forma anche esemplari molto più semplici nella decorazione come nella qualità (Figg. 29-32) (69). Questi portano all'interno una decorazione a cerchi concentrici, talvolta limitata al solo orlo, mentre l'esterno segue i soliti schemi delle coppe tipo « piccoli maestri ». La corona d'alloro all'esterno dell'orlo si incontra anche su coppe senza decorazione dipinta. Una evoluzione della forma si può vedere nel fatto che la vasca più profonda intorno alla metà del secolo tende a diventare più bassa nel terzo venticinquennio (70). La fabbrica, alla quale possono essere attribuiti una classe di kantharoi plastici e poche altre forme (71), sembra non sia stata attiva oltre il 520 a.C. Non intendo occuparmi in questa sede dello stile a figure nere di queste coppe e rimando alle sottili osservazioni del Kunze e della Walter-Karydi (72).

f) *Variante*

Di ottima qualità tecnica è una variante della coppa a piede alto (come indica la rottura del piede) che combina in un certo modo elementi della coppa tipo *a*) (orlo a linee orizzontali), della coppa tipo *e*) (coppa bassa ad orlo basso) e della coppa tipo *f*) (piede alto). L'esemplare, databile prima del 550 a.C., è di carattere sperimentale (Figg. 33-34) (73).

Conclusione

L'evoluzione della coppa ionica a Samos si distingue assai chiaramente durante il 7º secolo quando, contemporaneamente, si osservano i tipi *a*) e *b*) senza che si possa dire quale venisse preferito. Questi tipi vengono, verso la fine del 7º secolo, eseguiti anche in qualità ricercata. Mentre il tipo *b*) si estingue dopo il 600, il tipo *a*) continua fino a verso il 550 a.C., allorché si osserva un radicale cambiamento nella fattura della ceramica comune che in seguito rimane priva di vernice, come le coppe *d*). Carattere di interludio nella prima metà del 6º secolo hanno le coppe *c*) a decorazione lineare. La storia delle coppe si complica comunque nel 6º secolo, in quanto, oltre alle coppe fini tipo *a*), si incontra il tipo *e*) basso a piede anulare e il tipo *f*) a piede alto, tutt'e due con varianti più o meno importanti. Dopo la metà del secolo è il tipo a piede alto *f*) a rimanere quello favorito.

Dovendo definire quanto è da ritenere di fabbrica locale posso senz'altro affermare che tutti gli esemplari dei tipi *a*) (con varianti), *b*), *c*) e *d*) sono locali. Locale è anche la variante del tipo *e*) a decorazione figurata. Il tipo *f*), non esito ad attribuirlo a Samos, pur senza escludere che l'uno o l'altro dei frammenti appartenga ad un vaso importato. Locale è la variante del tipo *f*). Quanto al tipo *e*) a linee sovraddipinte, devo dire che i tre esemplari da me trovati, come pure i frammenti che conosco, non mi paiono di fabbrica locale in quanto di cottura più dura e perciò anche di aspetto coloristico diverso. D'altro lato non potrei contestare l'affermazione della Walter-Karydi (74) che, basandosi su altro materiale, dice che si trovano anche esemplari locali di questo tipo.

---

68) E. Kunze, *AM* 59, 1934, pp. 81-122. *Samos* VI 1, pp. 22-29. Cf. anche H. P. Isler, *Numismatica e Antichità Classiche* VI, 1977, pp. 40 ss.

69) *Samos* VI 1, pp. 23 s., tav. 43 s. Porta Nord cat. 135 (qui figg. 29-32) e 531-534.

70) Cf. *Samos* VI 1, pp. 22 s. Porta Nord cat. 135 è associata alla seconda fase di costruzione, 550-540 a.C.

71) *Samos* VI 1, pp. 30-33.

72) Cf. nota 68.

73) Porta Nord cat. 538, qui *figg.* 33-34.

74) *Samos* VI 1, p. 22, cat. 333, tav. 41.

I tipi *a)*, *b)* e *f)* sono senz'altro anche stati esportati, mentre per i tipi di ceramica comune *c)* e *d)* questo non mi risulta. Vorrei comunque sottolineare che sarebbe certamente sbagliato voler ora attribuire a Samos tutti gli esemplari altrove importati che corrispondono ai tipi elencati. Queste forme potevano certamente venir fabbricate in più centri (richiamo qui quanto ci ha detto ieri il collega von Graeve), ed è solo l'osservazione anche delle qualità tecniche come argilla, vernice e cottura che permetterà attribuzioni sicure, qualità tecniche queste che, come sappiamo, difficilmente si lasciano rendere nelle pubblicazioni. Con questa premessa oso comunque cautamente affermare che il tipo *a)* mi pare particolarmente tipico per la ceramica samia e forse solo per questa. Sarebbe tentante attribuire anche le coppe di questo tipo recentemente trovate nel cuore dell'Etruria, a Murlo (75), alla fabbrica ceramica di Samos.

3) La ceramica comune (ad eccezione delle coppe)

Mi limito qui a presentare tre forme principali e cioè le tazze, le idrie insieme alle anfore, e i crateri; come appendice presenterò un'invenzione nuova della metà del 6° secolo, un tipo di ciotola. Lascio quindi da parte il ricco materiale in altre forme, come scodelle di vari tipi, bacini, piatti, oinochoai, piccole olpai, ecc., per il quale rimando alle pubblicazioni (76). Tutto il materiale trattato in seguito è di fabbrica locale.

Tazze

La forma solita consiste in una tazza a parete curva verso l'esterno. Esistono comunque varianti con parete diritta o con orlo staccato nell'8° e 7° secolo, che qui vengono lasciate da parte. La forma normale si lascia seguire dall'8° fino alla seconda metà del 6° secolo. Gli esemplari del periodo tardogeometrico e della prima metà del 7° secolo sono interamente verniciati (Fig. 35) (77), mentre nel corso del terzo venticinquennio del 7° secolo nasce un nuovo tipo (Fig. 36) (78): all'interno verniciato, ad eccezione di una zona sottile sul labbro, all'esterno invece verniciato solo nella parte inferiore. Questo tipo vive fino alla metà del 6° secolo, quando viene soppiantato da un tipo completamente privo di vernice. Nel 6° secolo esiste una serie di queste tazze semi-verniciate con la stessa iscrizione sovraddipinta (Figg. 37-38) (79) che si incontra pure sulle coppe a decorazione lineare *c)*. Hanno carattere sperimentale le rare tazze con decorazione a linee orizzontali all'interno databili al momento di passaggio dalla tazza semiverniciata a quella priva di vernice (Figg. 39-40) (80). Anche tra le tazze esistono esemplari senza vernice con la sola iscrizione sovraddipinta (81). Dopo il 550 a.C. tutte le tazze sono comunque senza vernice (Figg. 41-42) (82).

---

75) E. NIELSEN and K. M. PHILLIPS, Jr., *AJA* 78, 1974, pp. 268 s., figg. 3-6, tavv. 55 s.

76) Cf. sopra nota 1 (ad eccezione dei volumi Samos V e VI 1), inoltre *Samos* IV, 1978.

77) *AM* 72, 1957, p. 40, Beil. 51, 1 e 3-4; p. 46, Beil. 68, 3-4 e 69, 1-2. *AM* 74, 1959, p. 12, Beil. 12; p. 13, Beil. 14, 1; p. 19, Beil. 34, 3-5 e Beil. 36, 1. *AM* 83, 1968, pp. 270 s., cat. 54-58, figg. 20 s., tav. 104, 2-6.

78) *AM* 72, 1957, p. 49 s., Beil. 71, 1-2 e 73, 2-3. *AM* 74, 1959, p. 27 s., Beil. 59, 4-7 e 60, 4. *AM* 83, 1968, p. 271, cat. 59, fig. 21, tav. 104, 7.

79) Numerose nel materiale dalla Porta Nord: cat. 153-156 e 608-621, dieci delle quali con l'iscrizione sovraddipinta. cf. qui *figg.* 37-38 (cat. 156).

80) Porta Nord cat. 622 (qui *figg* 39-40) e 623.

81) Porta Nord cat. 624-625.

82) *AM* 72, 1957, p. 50, Beil. 73, 4; p. 50, fig. 6 è stato trovato in un contesto stratigrafico più recente che ci da comunque solo un terminus ante quem. *AM* 83 1968, p. 275, cat. 73 e 74, fig. 28, tav. 107, 4 e 6.

Idrie e anfore

Le forme dell'idria e dell'anfora del periodo tardogeometrico e del 7° secolo sono molto variabili e pare difficile metterle tutte in un ordine sistematico. Ci limitiamo qui — per il periodo menzionato — a presentare qualche idria del noto tipo a decorazione ondulata (83); secondo affermazioni nelle vecchie pubblicazioni di materiale samio, esisterebbero pure anfore di questo tipo (84); tra gli esemplari pubblicati nel dopoguerra ci sono comunque solo idrie (Figg. 43-44) (85).

L'evoluzione della forma e della decorazione di questo tipo di idria non pare ancora molto chiara. Interessante è che la forma forse non si incontra più nel 6° secolo; non è infatti più presente tra i ritrovamenti dalla Porta Nord. Ma esiste una forma seguace — solo anfore? — attestata finora solo da frammenti di collo, forma che rinuncia alla solita decorazione ondulata sul collo staccato ed ha verniciati solo l'orlo nonché la zona di transizione tra collo e corpo del vaso (Figg. 45-50) (86). Per lo studio dell'evoluzione di questa forma potrà forse essere utile l'analisi della sagoma dell'orlo che pare si sia trasformata da sagoma rotonda a sagoma angolare in un lasso di tempo relativamente breve (Figg. 46-48-50) (87). Anche per le idrie del 7° secolo sono state osservate le sagome dell'orlo (88) — purtroppo non sistematicamente —; esse preparano forse questa sagoma rotonda. Resta però molto debole ogni argomentazione basata su dettagli della forma per una ceramica, nel suo insieme, poco accurata; solo ulteriori ritrovamenti di depositi databili potranno confermare quanto ipotizzato sopra.

Anche le anfore a orlo verniciato si spengono dopo il 550 a.C. Continua invece a vivere l'anfora a collo non separato dal corpo che ora rimane sprovvista di vernice (Figg. 51-52) (89). La forma ha una tradizione risalente, a Samos, almeno alla seconda metà del 7° secolo (Figg. 53-54) (90). In un contesto dell'inizio del 5° secolo è stata trovata un'altra anfora della stessa forma, ormai di fattura di nuovo più precisa e di tecnica più ricercata, possibilmente un esempio della produzione post-arcaica di Samos (Figg. 55-56) (91).

Crateri

Una distinzione tra crateri fini e crateri comuni ci pare possibile e necessaria solo dopo la metà del 7° secolo. Tra questo momento e la metà del 6° secolo esiste però una classe di crateri chiaramente di fabbrica comune (92) in netto contrasto dai crateri fini dei quali si è parlato sopra. Forme intere di questi crateri comuni che permettano di studiare la loro evoluzione e gli schemi decorativi sono comunque rare.

Per la seconda metà del 7° secolo e l'inizio del 6° secolo è attestato un cratere ad alto piede (Figg. 57-58). Una forma a basso piede è stata proposta dal Technau (93); mi mancano però le prove

83) Cf. G. M. A. HANFMANN, *On Some Eastern Greek Wares found at Tarsus*, The Aegean and the Near East, *Studies presented to Hetty Goldman*, 1956, pp. 178-182.
84) *AM* 54, 1929, pp. 29 s. *AM* 58, 1933, p. 131.
85) *AM* 72, 1957, p. 42, fig. 3, Beil. 55, 1-2. *AM* 74, 1959, p. 21, Beil. 46-48. *AM* 83, 1968, pp. 266-268, cat. 46 e 47, fig. 17, tav. 103, 1 e 2.
86) Porta Nord cat. 626-629 (qui *figg.* 47-48: 627) e *AM* 83, 1968, p. 268, cat. 48 e 49, fig. 18, tav. 103, 3 e 4.
87) Cf. *AM* 83, 1968, fig. 17 e fig. 18 con Porta Nord, cat. 627 (qui *fig.* 48).
88) *AM* 58, 1933, p. 131, fig. 80.
89) *AM* 83, 1968, p. 275, cat. 70 *c* e *d*, fig. 25, tav. 106, 5 e 6.
90) *AM* 74, 1959, p. 20 s., fig. 2, Beil. 45 = *Samos* V, tav. 115, 590.
91) Porta Nord cat. 160, qui *figg.* 55-56.
92) Cf. HANFMANN (sopra nota 83) p. 182: cratere analogo da Tarsus.
93) *AM* 54, 1929, p. 33, fig. 24, 2-4. Cf. HANFMANN p. 182.

per poter affermare oppure negare l'esistenza di una tale forma, dato che singoli frammenti esistenti di tali piedi possono venir attribuiti sia a crateri che a scodelle grandi. Nella seconda metà del 7° secolo la sagoma dell'orlo segue la tradizione (Figg. 59-60) (94), mentre esempi più recenti hanno una sagoma semplificata, comune di questo periodo (Figg. 57-58) (95). Una sagoma d'orlo diversa (Figg. 61-62) che si ispira senz'altro a quella degli esemplari fini, è invece rara (96). Mentre i primi esemplari della seconda metà del 7° e dell'inizio del 6° secolo hanno ancora la tradizionale forma del manico ad arco collegato coll'orlo (97), quelli più recenti dispongono di un semplice manico orizzontale (Figg. 63-64) (98). La decorazione di questi crateri, dapprima ancora nella tradizione dell'ornamentazione geometrica, si riduce poi a semplici nastri e linee ondulate, mentre sul labbro persistono i gruppi di strisce radiali. Crateri dipinti o acromi che siano databili dopo il 550 a.C. non mi risultano dal materiale a mia conoscenza.

Ciotole tarde

Si tratta di una forma senza accenti nata verso la metà del 6° secolo, forse la prima forma completamente sprovvista di vernice e l'unica invenzione nuova di questo periodo (Figg. 65-66). La forma è molto diffusa a Samos nella seconda metà del 6° secolo (99) e sarà senz'altro alternativa per le coppe.

Conclusioni

La ceramica comune — e parlo ora anche delle coppe che appartengono a questo gruppo — ha, a Samos, una larga tradizione che risale all'epoca geometrica. Non per tutte le forme e non in tutti i periodi è possibile una differenziazione tra ceramica comune e ceramica fine (100). L'evoluzione di questa ceramica comune pare, nel suo insieme, chiara. Da vasi di aspetto scuro perché spesso completamente verniciati si passa, nella seconda metà del 7° e la prima metà del 6° secolo, a vasi sempre più chiari, mentre nella seconda metà del 6° secolo sono forme prive di vernice che vengono fabbricate.

I vasi con iscrizione sovraddipinta delta ed eta formano un gruppo a parte; sono coppe, tazze, oinochoai, olpai, crateri, scodelle varie ecc. Si tratta evidentemente di un'usanza in vigore per un periodo relativamente limitato (che corrisponde al secondo venticinquennio del 6° secolo?), per cui l'iscrizione permette di stabilire una contemporaneità per tutte queste forme.

Il cambiamento nella tecnica della ceramica comune si lascia ormai, grazie ai contesti stratigrafici della Porta Nord, datare con precisione: esso ha avuto luogo entro il decennio tra 560 e 550 a.C., e cioè durante il periodo, nella cronologia samia, detto « di Rhoikos », periodo quindi della costruzione del primo diptero ionico.

Dopo la metà del 6° secolo la ceramica comune risulta ridotta a poche forme semplici non verniciate: coppe, ciotole, tazze, anfore a collo non separato, anche un tipo di brocca. Quest'aspetto uniforme si trova in vivo contrasto con la varietà delle forme, delle dimensioni e dei colori della ceramica samia del 7° secolo e della prima metà del 6° secolo.

---

94) *AM* 83, 1968, p. 266, cat. 43, fig. 16, tav. 102, 1.
95) *AM* 83, 1968, p. 266, cat. 44, fig. 16, tav. 102, 2 e Porta Nord, cat. 571, qui *figg.* 63-64.
96) Porta Nord cat. 577, qui *figg.* 61-62. Cf. i crateri fini citati nelle note 17 e 27.
97) *AM* 83, 1968, p. 266, cat. 43 e 44, fig. 16.
98) Porta Nord cat. 571, qui *figg.* 63-64.
99) Porta Nord, cat. 147 (qui *figg.* 65-66) e 148-150, 603-605. *AM* 83, 1968, p. 275, cat. 69-71, figg. 24-26, tavv. 105, 12-13 e 106, 1-4.
100) Così anche E. WALTER-KARYDI in *Samos* VI 1, p. IX.

Dopo questo « tour d'horizon » sulla ceramica samia spero sia apparso chiaramente che sull'isola fosse esistita, dal periodo geometrico alla seconda metà del 6º secolo, una tradizione ceramistica continua di alto livello. Questa ceramica, quella comune come anche quella fine, era però destinata in prima linea all'uso locale. Serie destinate all'esportazione, come sono note a Corinto e più tardi ad Atene, erano rare, tranne forse intorno al 600 a.C. e nei decenni successivi; allora certi tipi di coppe ioniche (tipi *a* e più tardi *f*) e forse anche la ceramica dipinta tipo Fichellura venivano più largamente esportate, mentre la ceramica a figure nere della metà e del terzo venticinquennio del 6º secolo entrò ovviamente in stretta competizione con quella attica analoga che imitò nella tecnica.

Domandandoci del contributo che la ceramica samia può apportare in quanto esportata dobbiamo subito affermare che per la classificazione e la datazione di materiale associato non potrà mai pareggiare neanche minimamente con quelle di Corinto e di Atene (la cui cronologia arcaica ci pare del resto abbastanza aperta malgrado tutto quanto sia stato fatto), mentre sul livello dei rapporti commerciali e in seguito culturali lo studio di tali importazioni porterà senz'altro ulteriori risultati.

HANS-PETER ISLER

THE LESS FAMILIAR CHIAN WARES

This paper deals not so much with the presentation of new material as with some principles and dangers inherent in our study of material from major sites. The identification of the major classes of pottery at a site and deduction from them of the wares probably made locally usually present few problems. For Chian pottery the main classes are easy to define and the publication of material from the recent excavations in Turkish sites, with the current re-study of the Naucratis material will make them even better known. It is not uncommon, however, that a potters quarter also admits minor ateliers producing vases of some idiosyncrasy yet necessarily related to the main classes. This is often a matter of individual invention or taste. Such minor groups, when identified, could easily be regarded as imports, but there is an equal danger in taking them for local unless some criteria associating them with the main style of production can also be demonstrated. In Athens a case in point is the Polos Painter whose style might easily be regarded as foreign, yet with our knowledge of the development of shapes and the role of Corinthian models his Athenian character becomes clear.

In Chios, I draw attention to just one example of such minority production. The main well-known classes of Chian pottery are distinguished by their shapes and technique, with a fine white slip. At Emporio, however, we found a small number of unslipped black figure kantharoi (*Greek Emporio*, 169 f.) which we might have been tempted to call imports. The criteria for judging them local, apart from the possibly misleading appearance of the clay, were the history of the same shape in the demonstrably Chian wares and the close stylistic similarity of the figure drawing of animals, notably the cock, to that of the black figure animals on the slipped Chian vases. The possibility of the Chian origin of such unslipped black figure was also indicated by the unslipped chalice in Copenhagen (*CVA*, iii, pl. 80.2) and further scrutiny revealed examples of the class, unpublished, among the Naucratis fragments. The abandonment of slip and the palmettes might well be attributed to the example of Attica.

Other scraps of black figure pottery from Emporio present similar problems, not yet soluble. Such are nos. 848 and 849, in a version of the « Six technique ». These might be Chian and they may have suggested Mrs Walter-Karydi's attribution of the work of the Tocra Painter to Chios (*Samos*, vi. 1, nos. 838-842), an attribution which must be discounted on other grounds.

A further problem presented by the finds from Emporio is the danger that they might be taken to be representative of the best of the island's products in the sixth century. The site is of paramount importance in the eighth and seventh centuries but the deposits of the sixth century are extremely meagre and it seems very probable that there was more than one centre of pottery production in the island. The prime source is bound to have been Chios town and only one excavation there has yielded any quantity of sixth-century pottery of quality, and this, by the late Professor Kontoleon at Rizari, remains unpublished.

Comparable problems are presented by the more common wares. Even the finer decorated pottery offers considerable difficulties of classification when something like a koine style is involved, as with the Wild Goat style and possibly Fikellura. With the plainer vases the possibilities of error are far greater and the material available for study far more scanty; except from the most recent excavations. In Chios, the familiar broad-mouthed jars and hydriae of the sixth century (*Greek Emporio*, p. 44, X. Y) can only be readily identifiable elsewhere where the whole shape is preserved since the elements of decoration (the wavy lines on belly and by handles) are common to many other classes and are in fact a rare relic of the decoration of comparable striped vases of the end of the Bronze Age. Moreover, the small concentric semicircles on both shapes could easily mislead in fragments, since this is again a type of « fossil » decoration, picked up in the eighth century in various parts of the East Greek world, and retained into the sixth century. Chios gives particularly clear warnings about the possible mistakes which can derive from such conservatism, with the metope decoration persisting from the eighth-century skyphoi into the sixth-century chalices, and the chalice shape itself persisting into the Hellenistic period (*Greek Emporio*, 103). These should warn us against over-enthusiastic dating and localisation of incomplete material, and underlines the need for far fuller knowledge of the common wares of all major East Greek centres lest we are unduly influenced by the very few that are comparatively well known.

JOHN BOARDMAN

LA CÉRAMIQUE DE STYLE CHIOTE À THASOS

(Pl. XLV–LII)

Thasos, au Nord de l'Egée, proche de la Thrace et des détroits, est naturellement ouverte aux influences et accessible aux courants commerciaux. Sur le site urbain antique, au Nord de l'île, une première phase d'occupation, reconnue encore de façon sporadique, a livré des céramiques locales ou d'inspiration macédonienne et des vases importés provenant de l'Ionie du Nord ou de Lemnos: bucchero à décor ondé, séries subgéométriques. Après l'arrivée des colons, venus de Paros vers 680, avec l'oikiste Télésiclès et son fils le poète Archiloque, les sanctuaires, l'habitat grec donnent un matériel qui est surtout, pour les pièces nobles, d'importation cycladique, avec des fabrications thasiennes originales de style « mélien »[1], accompagnées par des vases du protocorinthien et du corinthien ancien, et même un vase protoattique. C'est vers la fin du VIIe siècle qu'apparaissent à nouveau des importations « grecques de l'Est ». Le matériel découvert de 1911 à 1956 dans les fouilles de l'Ecole Française d'Athènes a été publié et étudié par L. Ghali-Kahil[2]. On possède maintenant, notamment grâce aux fouilles de l'Artémision et du sanctuaire d'Athéna Poliouchos[3], des séries plus importantes et plus significatives. Parmi elles, il en est d'abondantes, comme les bols rhodiens, les coupes à décor subgéométrique (cercles concentriques et traits verticaux) les coupes « ioniennes » qui sont, à cause de leur caractère banal, et en l'absence de stratigraphie différenciée difficiles à classer. D'autres séries sont confuses encore, ou trop courtes: dans les céramiques « rhodiennes » et apparentées, les principes de mise en ordre ne peuvent que venir d'ailleurs; parfois on ne trouve à Thasos qu'un exemplaire ou quelques exemplaires isolés d'un type ou d'un style[4]. Pour illustrer ce genre de rencontre, et parce que cette pièce peut servir par elle-même de point de référence, je rappellerai l'existence d'un plat votif de l'Artémision[5], à fond galbé et marli étroit, avec rosace centrale, sphinx et panthères, décor géométrique et spirales (fig. 1 et fig. 2): cette offrande, unique en son genre, est à ranger parmi les produits les plus beaux annonçant le style de Fikellura.

Plutôt que de dresser le bilan incertain de ces importations, il m'a semblé utile d'entrer ici dans une analyse un peu plus précise, et de ramener l'attention — suivant ici le vœu de J. Boardman — sur une catégorie de céramique régulièrement trouvée à Thasos et sur les sites voisins de la pérée thasienne: une céramique que l'on peut juger, au premier coup d'oeil, de style chiote, mais qui offre, à l'examen, des traits spéciaux. Le problème posé par ces vases, surtout lorsqu'ils sont sans engobe, ou lorsqu'ils ne présentent qu'un engobe très mince, simple couverte de surface, a été bien indiqué, dès sa publication

---

1) Voir F. SALVIAT, dans les *Actes du huitième congrès international d'archéologie classique* (Paris, 1963, publiés en 1965), p. 300-301.
2) *Etudes thasiennes*, VII, *La céramique grecque* (Fouilles 1911-1956) (Paris, 1960).
3) Il faut souligner que ces recherches sont l'oeuvre d'une équipe; il m'est agréable de citer ici plus particulièrement les noms de mes camarades Nicole Weill, P. Bernard, Cl. Rolley, F. Croissant, J. J. Maffre.
4) Voir ainsi le plat publié *BCH*, 83 (1959), p. 776, fig. 2, à décor géométrique et floral (rosace centrale, damier, lotus, méandre sur le marli), du type exact du plat de Cassel T 469, lui-même parfaitement isolé (voir R. M. COOK, *BSA*, 1952, p. 152 et pl. 33, 3).
5) Voir *Guide de Thasos*, p. 159, fig. 99.

de 1960, par L. Ghali-Kahil (6), à partir d'une collection encore embryonnaire. Il peut être maintenant abordé avec un peu plus de sûreté, à la lumière des nouvelles trouvailles, et grâce à la meilleure connaissance de la céramique effectivement originaire de Chio que nous devons par exemple aux découvertes de Pitané ou de Tocra (7) et surtout à la publication des trouvailles d'Emporio (8).

On a recueilli et l'on recueille encore à Thasos, chaque fois que l'on explore des couches archaïques, des fragments de vases sûrement originaires des fabriques de Chio, avec l'engobe blanc épais, le vernis gris intérieur, se détachant par plaques, si caractéristiques: ces fragments se laissent aisément identifier comme des débris de calices, ou, plus rarement, de phiales. On ne les rencontre qu'en très petit nombre, et mal conservés; aucun n'est très remarquable et il n'est pas nécessaire de s'y attarder.

Il n'est pas non plus lieu, davantage, de s'arrêter sur la céramique à figures noires incisées, de style chiote, trouvée à Thasos. Elle aussi est relativement rare. On peut citer surtout plusieurs fragments anciennement découverts, publiés par L. Ghali-Kahil: bol et support de bol provenant de l'Acropole *Et. thas.* VII, p. 37 et 38; fragments divers *ibid.* pl. XIII, 24 à 25 bis. On ajoutera, parmi les trouvailles nouvelles de l'Artémision, un plat avec chaîne florale sur un marli large et deux frises, dont l'une avec sphinx, rosace centrale (fig. 3); et surtout un support de dinos fragmentaire (inv. 2688 et 2689, hauteur conservée 0,12 m) mouluré, avec sphinx, lion, sirène, décor de godrons et chaîne florale (fig. 4). Cette pièce doit retenir l'intérêt par sa qualité et par la légèreté de sa couverte de surface. Elle se classe assez mal dans les séries chiotes ordinaires.

Voici maintenant la série la plus originale. La plupart des vases de style « chiote » trouvés à Thasos sont décorés à la manière ancienne, dans la technique du décor linéaire et du réservé, sans incisions. De fort bonne exécution dans l'ensemble, ils sont immédiatement apparentés aux produits chiotes, et diffèrent pourtant des catégories que nous savons maintenant être, de façon sûre, originaires de Chio. Je présenterai ici les principaux exemplaires de la collection actuelle, classés par formes; la plus belle pièce n'est pas une trouvaille de Thasos même, mais de Cavalla, l'antique Néapolis, colonie de Thasos sur la côte en bordure de la pérée continentale (9).

Base de statuette

On peut mettre à part une base de statuette en terre cuite peinte, avec cavité rectangulaire d'encastrement pour la plinthe d'une figurine à la face supérieure. Le décor des faces comporte une tresse et des carrés alternativement noirs et pointés sur une face, un lion et un sanglier sur les faces latérales. Voir *BCH*, 83 (1959), p. 779-780 et fig. 10, p. 780.

Plats.

Plusieurs fragments de plats sont de ce style. J'en présenterai ici deux exemples, à fond galbé et à marli étroit, horizontal.

Un plat de l'Artémision, inv. 3997 (dimensions du fragment: 0,11 × 0,065 m) (fig. 5), décoré d'une frise animale avec griffon (tête et aile), de carrés alternativement noirs et pointés, puis, sur le marli, de carrés juxtaposés au centre noir et cadre réservé, se présente avec un engobe solide et un vernis rouge, dans la même technique que certaines lékanés qui seront décrites plus loin.

---

6) *Et. thas.* VII, p. 34 sqq. et en particulier p. 35. Bibliographie antérieure sur la céramique chiote *ibid.*, p. 34.

7) HAYES, dans BOARDMAN-HAYES, *Excavations at Tocra*, 1963-1965, *The Archaic deposits*, I (1966), p. 57 à 63.

8) J. BOARDMAN, *Excavations in Chios*, 1952-1955. *Greek Emporio* (1967); voir surtout p. 156 sqq.

9) Parmi les fragments « chiotes » de Cavalla qui se rattachent sans doute au groupe étudié ici, voir encore *BCH*, 85 (1961), p. 833, fig. 4 (cité par BOARDMAN, *Emporio...*, pl. 137, note 4).

Un autre plat, en plusieurs fragments (dimension du fragment principal 0,13 × 0,11 m, diamètre approximatif 0,40 m) (fig. 6) a une frise animale (lion, sanglier) à ornements de remplissage, une bande de carrés alternativement noirs et pointés à la limite du fond et du marli, et une tresse sur le marli. Engobe et vernis sont moins résistants que sur le plat précédent.

Lékanés

Cette forme est celle que l'on rencontre le plus souvent. Le vase présente un pied bas et large, bien détaché, et une vasque assez plate, à paroi relativement épaisse, et, après une courbe assez franche dans le galbe, à rebord vertical, s'achevant par une lèvre plate, élargie, soulignée vers l'extérieur par un bourrelet. Les anses sont en ruban, collées sur le rebord, avec extrémités saillantes. L'intérieur est verni, avec des bandes rouges à l'occasion; l'extérieur est décoré de frises géométriques, florales ou animales. Cette forme — bol ou vase à boire, succédané de la coupe, plutôt que plat — est très fréquente dans le courant du VIᵉ siècle dans la production thasienne à figures noires (10). On rencontre des lékanés à Samos, en Attique (style de Vari, peintre du Polos, etc.) (11) et, très fréquemment, en Béotie (12). Certains types de lékané sont signalés à Chio; mais ils sont différents du modèle trouvé à Thasos: J. Boardman les rapproche justement soit des bols du corinthien ancien, soit des « plats creux » cycladiques (13).

Dans la publication donnée par L. Ghali-Kahil des céramiques trouvées à Thasos jusqu'en 1956, des fragments de vasques de lékanés ont été signalés dans la série assimilée à un atelier « chiote » sans engobe: il s'agit des pièces dont l'image est donnée *Et. thas.* VII, pl. XIII, 13, 14 et 18 à 23; il faut y ajouter les fragments de bords décorés de fleurs et de boutons de lotus, pl. XIV, 7 et 8, ici fig. 7 (avec les profils pl. C) rattachés hypothétiquement à l'Asie mineure, et les bords à godrons pl. VII, 33 et 34, classés dans la catégorie « mélienne ».

On connaît maintenant des exemplaires plus nombreux, et mieux conservés, qui permettent de se former une idée plus précise de la forme et du décor de cette série.

Certains ont un *engobe blanc* mat, solide. On peut en donner pour exemple une lékané trouvée à l'Acropole, au sanctuaire d'Athéna (nᵒ 2301); un fragment important (0,11 × 0,18 m) en est conservé (fig. 8); on voit que le vase avait 0,35 m environ de diamètre; la frise principale montre l'affrontement d'un lion et d'un taureau, corne basse; sur le rebord, chaîne florale de lotus; le vernis a une couleur rouge. Un autre fragment, inv. 3993, avec l'arrière-train d'un lion conservé dans la zone de la frise et des godrons sur le rebord (fig. 9), et un autre encore, avec le dos d'un lion et, sur le rebord, des zigzags, sont de même aspect et de même technique (fig. 10).

La plupart des lékanés trouvées à Thasos sont cependant *sans engobe*. Le plus bel exemple est la lékané fragmentaire inv. 2142, provenant de l'Artémision (fig. 11). Son diamètre est de 0,34 m environ; l'argile est brun rose; le vernis a tendance à bleuir. A l'intérieur, vernis noir, et bandes rouges en rehaut. Quant au décor, on relève, du centre à la périphérie, les motifs suivants, au vernis noir avec rehauts rouges: sous le pied, une rosace à languettes rayonnantes; puis une frise de carrés juxtaposés avec partie centrale en noir et cadre réservé; sur la vasque, une frise de boutons et fleurs de lotus; une bande de godrons; entre deux filets, une bande double de points alternés; une frise à ornements de remplissage et décor animal: coq, lion accroupi, sphinx passant, et bouquetin (?) (dont il reste une patte arrière) sur le fragment principal, et sur un fragment flottant, lion passant à gauche, une patte avant levée; en-

---

10) Voir L. GHALI-KAHIL, *Et. thas.*, VII, pl. XV, 20 (avec le profil, pl. C) et surtout pl. XXIV à XXVI, avec les profils pl. F. Les trouvailles sont nombreuses depuis cette publication: voir par exemple *BCH*, 100 (1976), p. 780, fig. 29.
11) J. BOARDMAN, *Athenian Black-Figured Vases*, p. 189.
12) Voir J. J. MAFFRE, *BCH*, 99 (1975), p. 438 à 446, et URE, *Metrop. Mus. St.* 4 (1932-33), p. 18-38.
13) J. BOARDMAN, *Emporio* ..., p. 130; J. HAYES, *Tocra* ..., I, p. 105 et p. 109.

fin, sur le bord, une bande de carrés alternativement pointés et noirs, des godrons, et sur le bourrelet extérieur de la lèvre, des carrés à centre noir. Du point de vue du style, on note, comme une particularité, l'absence du motif du « fer à cheval » fréquent dans les ornements chiotes; les motifs de remplissage sont tous des variantes de la rosette ou de la rosace. Le peintre est sans doute le même que celui du bol-cratère 2144 (voir ci-après fig. 19).

D'autres lékanés, sans engobe encore, témoignent d'un style et d'une technique différents, avec la même inspiration. On peut mentionner un exemplaire illustré de deux frises au dessin très fin (lion et taureau dont on voit la corne, lion), à paroi mince, à vernis rouge (dimension du fragment: 0,135 × 0,115 m; diamètre approximatif: 0,32 m) (fig. 12). D'autres sont d'une technique plus grossière: c'est le cas de deux lékanés, manifestement décorées par le même peintre, utilisant dans le champ des ornements de remplissage caractéristiques (dont le fer à cheval, et une rosace à quatre boules noires); l'une montre une frise avec des lions et un taureau corne baissée (fig. 13); l'autre, des lions et un bouquetin (fig. 14). Du même atelier provient une lékané plus grande (diamètre: 0,40 m environ; épaisseur de la vasque 0,008 m) avec deux frises animales à répertoire identique (fig. 15). On notera, dans ce groupe, une tendance à la dégénérescence du décor secondaire: godrons, frises avec points alternés, zigzag sur le rebord. Ce type de décor se retrouve sur les lékanés à figures noires de fabrication thasienne, qui apparaissent ensuite (14).

Ces exemples suffisent à montrer l'originalité, la cohérence du groupe, une évolution possible, et les liens qu'il a à la fois avec le chiote traditionnel et la production évidemment locale.

Bols-cratères

Cette forme n'a pas été signalée par L. Ghali-Kahil parmi les trouvailles anciennes. Elle est cependant assez bien représentée, et c'est, après la lékané, la plus fréquente. Le vase se présente comme un grand bol ouvert, de 0,20 à 0,30 m de haut, avec un bord détaché, des anses latérales de section ronde, et un pied conique bas. La forme se retrouve exactement, comme celle de la lékané, dans la production thasienne à figures noires (15). Le décor comporte des godrons ou une chaîne florale sur les lèvres, et des frises animales de même genre que celles des lékanés, mais en deux étages, avec un panneau spécial sous chaque anse. Entre les deux frises, on trouve parfois une tresse, motif qui n'existe pas sur les lékanés.

Parmi les vases *à engobe*, on peut citer le bol-cratère fragmentaire de l'Acropole inv. 2056, avec dédicace à Athéna Poliouchos (fig. 16) (16), et les fragments du groupe inv. 4020, de style très proche (largeur totale: 0,26 m; hauteur: 0,26 m) (fig. 17). L'un et l'autre vase présentent une frise inférieure décorée de bouquetins vers la droite.

D'autres fragments portent un *engobe très mince*, ou *pas d'engobe*. On peut citer un fragment trouvé dans un sondage, avec la représentation d'un coq (17), un fragment de l'Artémision avec une panthère ocellée, tête vue de face (18), et les fragments du groupe inv. 2143 (largeur du fragment principal: 0,185 m; épaisseur 0,7 m): sphinx, lions, bouquetins, sanglier (fig. 18). Le bol-cratère inv. 2144, de l'Artémision, montre un décor animalier assez bien conservé, avec deux sphinx dans la frise inférieure (fig. 19); il s'agit manifestement de l'atelier qui a produit la lékané 2142, également sans engobe visible.

---

14) Voir par exemple *Et. thas.*, VII, pl. XXV, 65 et 66 (points), 69, 72, 76, 77, 79 (zigzags sur le rebord).
15) Voir par exemple *BCH*, 100 (1976), fig. 30, p. 780.
16) *BCH*, 83 (1959), p. 783, fig. 14. Ce fragment est mentionné en note par BOARDMAN, *Emporio ...*, p. 137, note 4, parmi les exemples d'« Animal Style chalices ». Dimensions: hauteur: 0,17 m; largeur: 0,18 m.
17) *BCH*, 87 (1963), p. 854, fig. 13, 8. Ce fragment est également cité par BOARDMAN, *Emporio ...*, p. 137, note 4.
18) *BCH*, 100 (1976), p. 777, fig. 28.

Cratère à colonnettes

La plus belle pièce de ce groupe, et une pièce unique, est un cratère à colonnettes fragmentaire trouvé dans la fouille des remblais du sanctuaire de la Parthénos à Cavalla (Néapolis). Ce vase a été signalé *BCH*, 85 (1961), p. 832 et *BCH*, 86 (1962), p. 837; il est décrit par son inventeur D. Lazaridis dans le *Guide du Musée de Cavalla* (en grec, 1969) p. 106, avec une planche (pl. 36) reproduite ici à titre signalétique (fig. 20). Il porte le numéro d'inventaire 985-6. Au bas du cratère, arêtes rayonnantes; au-dessus, un décor figuré en deux zones: la zone inférieure comporte des lions et griffons, avec des ornements de remplissage (rosaces et rosettes); la frise principale montre une mise en scène de la chasse de Calydon; le sanglier, qui fait face vers la droite, est attaqué par trois chiens et cinq guerriers allant vers la gauche, porteurs de boucliers à épisèmes (sphinx, lion, aigle qui saisit un lièvre, rosace). Une inscription dédicatoire incisée, boustrophédon, est fragmentaire. Sur la tranche de l'embouchure, bande de carrés accolés à zone centrale noire et cadre réservé.

Ce vase, d'une remarquable qualité, que D. Lazaridis signale comme « chiote », fait manifestement partie de l'ensemble de productions qui est si bien représenté à Thasos — avec des affinités pour l'atelier de la lékané 2142 et du bol-cratère 2144. Il est le seul de ce groupe à présenter un décor animé mythologique; cette originalité s'explique par la forme, qui est celle d'un vase plus important et d'usage noble.

Après cet inventaire rapide, il apparaît:

1) Que cette céramique est apparentée, de façon très directe, aux produits chiotes « Wild goat » et « Chalice style ». Le décor animalier, qui s'inspire peut-être aussi de certaines tendances cycladiques, fait une très grande place au lion, si caractéristique, patte, crinière et masque dessinés au trait, gueule ouverte, mufle plissé, oreille basse et petite, dans la tradition « hittite » (nord-syrienne) (19); mais on trouve aussi tout un bestiaire, des taureaux, aux fanons striés, des sphinx, assis ou debout, des panthères ocellées, des sangliers, des griffons, des coqs — et, en relative abondance encore, des bouquetins. Le détail du ventre réservé, avec une ligne de points, se rencontre régulièrement. Le décor secondaire est aussi du genre chiote, avec des tresses, des bandes de carrés, blancs, noirs, ou pointés, ou à cadre réservé, et des chaînes florales à boutons et fleurs de lotus.

2) Que cette céramique a des traits originaux: c'est indéniable (20). Ceci est visible déjà dans certaines particularités du décor: les frises à séries de points alternés (qui se rencontrent par exemple en Attique dans les produits du peintre KX) ne sont pas en faveur dans l'ornementique des vases sûrement chiotes. Mais les vases trouvés à Thasos sont originaux par la technique: beaucoup n'ont point d'engobe, ou une couverte très légère. Et les formes surtout sont remarquables: lékanés, bols-cratères ne sont pas chiotes.

Il est donc évident que cette production a des affinités « chiotes » fortes; mais elle doit être classée dans un groupe particulier. On pourrait s'arrêter là, et se satisfaire d'avoir déterminé l'existence de cet ensemble indépendant, et l'attribuer, en gros, au Nord de l'Egée, où Maronée, colonie de Chio (encore inexplorée) a pu servir de relais. Mais ne peut-on aller au-delà? Ce groupe n'est-il pas, pour l'essentiel, thasien, ainsi que le suggère, à partir d'un lot encore mince, L. Ghali-Kahil? (21).

---

19) Sur les représentations de lions dans la céramique grecque orientalisante, voir N. Weill et F. Salviat, *BCH*, 85 (1961), p. 108 sqq., et F. Salviat, *BCH*, 86 (1962), p. 109 à 112.

20) Il est important de dire que cette originalité a été reconnue, à l'examen, par E. Akurgal et J. Boardman.

21) *Et. thas.*, VII, p. 35. R. M. Cook, *Greek Painted Pottery*[2] (1972), p. 141, accueille l'hypothèse avec réserves: « It seems unlikely that several distinct and competing styles were being practised without serious contamination in a single place, even if the practitioners were immigrant craftsmen ... ».

En faveur d'une réponse positive, on notera surtout qu'il existe une continuité étroite dans les formes et parfois même dans le décor secondaire entre les produits de ce groupe et les vases — lékanés, bols-cratères — décorés dans la technique à figures noires, et de fabrication sûrement thasienne (22). Je crois pour ma part que l'hypothèse thasienne est, provisoirement au moins, la meilleure. Des certitudes pourront sans doute être atteintes par l'extension des fouilles au Nord et au Nord-Est de l'Egée, et aussi par le développement de l'analyse des argiles.

Même si le problème reste ainsi pendant, la manière de juger le style « de Chio » doit être, dès maintenant, nuancée. Il n'y a pas un style, mais des styles voisins, avec des centres de production divers. On découvre ici, à l'analyse, une complexité inattendue dans un matériel qui paraissait jusqu'à présent, assez clairement, homogène.

FRANÇOIS SALVIAT (23)

---

22) Sur ces ateliers locaux, dont les décorateurs sont sous l'influence corinthienne et attique, voir L. GHALI-KAHIL, *Et. thas.*, VII, p. 51 sqq.; N. Weill, *BCH*, 83 (1959), p. 430-454.

23) Les photographies des figures, 1, 3 à 5, 8, 12 à 14, 16 et 17, ont été prises par G. Réveillac (Centre National de la Recherche Scientifique, Aix-en-Provence). On lui doit aussi l'essai de restitution graphique présenté fig. 2.

CERAMICHE DELLA GRECIA DELL'EST A GELA

(Pl. LIII–LVIII)

Premetto che non sono uno specialista per quanto riguarda le ceramiche greche dell'Est. Il mio compito è semplicemente quello di fornire qualche dato sulla diffusione di queste ceramiche nell'area di Gela, la colonia rodio-cretese fondata, secondo Tucidide, nel 690/88 a.C. Naturalmente mi baso sui risultati degli scavi dell'Orsi (1900-1906) e dei nuovi scavi condotti dal 1951 al 1970 (1). Non conosco in particolare, perché inediti, eventuali dati di scavi posteriori al 1970, ma ritengo non siano tali da modificare il quadro generale di queste importazioni.

Con riferimento al tema del nostro convegno vorrei però ricordare anzitutto che l'importazione di ceramiche greco-orientali è solo uno degli aspetti della presenza culturale dell'Est in occidente per quanto riguarda la produzione artistica. A Gela, come altrove, le ceramiche, cioè i vasi, sono affiancate da altri prodotti o completamente diversi (bronzi, oreficerie) oppure del tutto simili ma non classificati comunemente come « ceramiche ». Abbiamo ad es. collane e figurine di faïence accanto ai vasetti di faïence, oppure statuette ioniche di importazione accanto ai balsamari ionici configurati, identici alle statuette.

Paradossalmente poi il più marcato influsso dell'Est sul piano tipologico, iconografico e stilistico coincide, anche a Gela, con quell'ultimo trentennio del VI sec. a.C. nel quale si ha la rapida sparizione della ceramica ionica e il dilagare della ceramica attica. In questo periodo, che vede nuove migrazioni dei Focei e dei Samii verso i mari e le terre d'occidente, l'impronta ionica è fortissima nella produzione gelese: basti pensare allo ionismo delle terracotte figurate di fabbrica locale, ai capitelli ionici, alle antefisse dipinte, così legate a quelle dei santuari dell'Asia Minore (2). L'importazione delle ceramiche greco-orientali non è quindi che uno degli aspetti della presenza culturale dell'Est in occidente in età arcaica e in particolare nel VI sec. a.C.

Ciò premesso consideriamo gli aspetti e l'intensità di questa importazione di ceramiche dell'Est a Gela.

È noto che anche a Gela, come in tutte le colonie greche della Sicilia, prevale in modo assoluto l'importazione di ceramica corinzia. Le ceramiche greco-orientali occupano il secondo posto, ma in percentuale molto ridotta rispetto alla produzione corinzia. Non posso purtroppo presentare delle vere e proprie statistiche, ma solo fare qualche esempio a titolo indicativo.

Nella necropoli arcaica del Borgo P. Orsi scavò 496 tombe del VII e VI secolo; secondo l'Orsi solo 8 tombe avrebbero conservato, nel corredo, « ceramiche insulari e greco-asiatiche » (3). Di fatto,

1) P. ORSI, *Gela, Monumenti Antichi Lincei*, vol. XVII, 1907; D. ADAMESTEANU-P. ORLANDINI, *Scavi di Gela*, in *Notizie degli Scavi*, 1956, pp. 203-401, 1960, pp. 67-246, 1962, pp. 340-408 (ivi tutta la bibliografia precedente); P. ORLANDINI, in *Monumenti Antichi Lincei*, XLVI, 1962, pp. 1-78; ID., in *Kokalos*, XII, 1966, pp. 8-35; ID., in *Rivista dell'Istituto di Archeologia e Storia dell'Arte*, 1968, pp. 20-66.

2) P. ORLANDINI, in *Archeologia Classica*, VI, 1954, p 1 e sgg.; D. ADAMESTEANU, in *Archeologia Classica*, V, 1953, p. 1 sg. e X, 1958, p. 9 sg.; D. THÉODORESCU, *Chapiteaux ioniques de la Sicile méridionale, Cahiers du Centre J. Bérard*, I, Napoli 1974, p. 12 sg., tav. I.

3) P. ORSI, *o.c.*, col. 246.

riesaminando oggi i corredi della necropoli, vediamo che ceramiche greco-orientali, compresi i balsamari plastici, sono presenti in almeno 40 tombe su 496, con una percentuale dell'8%.

Un altro esempio, più modesto ma preciso, può offrirlo la stipe votiva del piccolo santuario extra-urbano del predio Sola, sul pendio meridionale di Gela (4). La ceramica importata dello strato più antico, databile tra il 640 e il 540 circa a.C., comprendeva 148 vasi corinzi, per lo più aryballoi, e 9 frammenti di vasi greco-orientali (Fig. 1). In questo caso la proporzione, calcolata sui vasi e non sulle tombe, è del 6%.

Non possiedo ancora dati statistici per gli scavi dell'acropoli e soprattutto per il santuario-thesmo-phorion di Bitalemi, con le sue migliaia di offerte votive sepolte nella sabbia dello strato n. 5 e databili tra la metà del VII e il 540 circa a.C. (5). Posso tuttavia affermare, avendo diretto questi scavi per anni, che anche in questo caso le ceramiche dell'Est non superano certamente il 10% del materiale nel suo complesso e sono sempre in forte minoranza rispetto alla ceramica corinzia.

Credo che, su questo punto, Gela si trovi, più o meno, nelle stesse condizioni di altre colonie siceliote come Siracusa, Megara o Selinunte, cioè con una costante prevalenza delle importazioni co-rinzie rispetto a quelle greco-orientali.

Vediamo ora quali sono le classi più comuni di ceramiche dell'Est a Gela. Per quanto riguarda i primi anni della colonizzazione abbiamo, accanto alla ceramica protocorinzia, dei frammenti di coppe rodie tardogeometriche rinvenuti sull'acropoli (6) (Figg. 2-3): si tratta di kotylai con la consueta de-corazione a uccelli, rombi quadrettati, squadre o il motivo del Meanderbaum (7). Questi frammenti, se teniamo ferma la cronologia di Tucidide, dovrebbero datarsi tra il 690 e il 680 a.C. Rientrano nella prima metà del secolo alcuni esemplari di Voegelschalen di tipo subgeometrico, come l'esemplare in-tegro della collezione Aldisio-Cartia già pubblicato dall'Orsi (8) (Fig. 4).

Rientrano nella tradizione tardogeometrica anche gli aryballoi c.d. «rodio-cretesi», molto fre-quenti nei corredi funerari di Gela nella prima metà del VII sec. a.C. (9) (Fig. 5). Sono per lo più di forma tronco-conica, di argilla rosea, acromi o dipinti nel Kreis und Wellenband Stil, secondo la classificazione dello Johansen (10). A questi vasetti «rodii», ma anche a più antichi modelli orientali, richiama un aryballos antropomorfo con l'imboccatura a forma di testa umana, che proviene dagli strati più profondi del santuario di Bitalemi e che, per la stratigrafia e le associazioni, non dovrebbe datarsi prima della metà del VII sec. a.C. (11) (Fig. 6). Nella prima metà del VII sec. rientra invece un noto frammento di vaso plastico a forma di testa umana proveniente dalla stipe dell'Athenaion, riferibile con ogni probabilità ad ambiente samio (Fig. 7) (12).

Notevoli infine, tra le ceramiche più arcaiche di provenienza orientale, alcuni frammenti di vasi ciprioti (Fig. 8), probabilmente oinochoai, con decorazione bicroma della classe IV della classifica-

4) P. Orlandini, Gela. La stipe votiva arcaica del predio Sola, in Monumenti Antichi Lincei, XLVI, 1962, col. 1-78.

5) P. Orlandini, Lo scavo del thesmophorion di Bitalemi e il culto delle divinità ctonie a Gela, in Kokalos, XII, 1966, pp. 8-32; Id., Gela: nuove scoperte nel thesmophorion di Bitalemi, in Kokalos, XIII, 1967, pp. 177-179; Id., Diffu-sione del culto di Demetra e Kore in Sicilia, in Kokalos, XIV-XV, 1968-69, pp. 334-338; Id., Gela - Topografia dei santuari e documentazione archeologica dei culti, in Rivista dell'Istituto di Archeologia e Storia dell'Arte, p. 38 sgg.; Id., Gela - Depositi votivi di bronzo premonetale nel santuario di Demetra Thesmophoros a Bitalemi, in Annali dell'Isti-tuto Italiano di Numismatica, 12-14 (1965-1967), pp. 1-20.

6) Cfr. Notizie Scavi, 1960, p. 106, fig. 26 bis; 1962, p. 393, fig. 72.

7) J. N. Coldstream, Greek Geometric Pottery, Londra 1968, p. 277 sg., tav. 61.

8) P. Orsi, o.c., col. 248, fig. 186.

9) Cfr. Notizie Scavi, 1956, p. 291, fig. 4, 292, fig. 6; M. Cristofani Martelli, C.V.A: Museo Nazionale di Gela: Collezione Navarra, II, tav. 33, 1-2.

10) K. Friis Johansen, Exochi-Ein fruehrodisches Graeberfeld, Copenhagen 1958, pp. 157-161.

11) E. Meola, Terrecotte orientalizzanti di Gela, in Monumenti Antichi Lincei, XLVIII, 1971, p. 69, tav. XIX a.

12) D. Adamesteanu, in Notizie Scavi, 1956, p. 210, figg. 7-8; E. Meola, o.c., p. 49, tav. I a.

zione del Gjerstad. Provengono dalla stipe dell'Athenaion e dallo strato più profondo di un saggio eseguito a nord di questo tempio. Sono stati pubblicati dall'Åström (13) che li considera « i più antichi con provenienza certa da Cipro ritrovati in Occidente », importati forse tramite Rodi nei primi anni della fondazione di Gela.

A partire dalla metà circa del VII sec. comincia anche a Gela l'importazione di ceramica « rodia » figurata del Wild Goat Style, con la presenza dei vari gruppi classificati dallo Schiering (Kamiros, Euforbo, Vlastos) (14) (Fig. 2 e Figg. 9-15). Pur essendo Gela una colonia rodia bisogna dire che l'importazione di questa ceramica fu piuttosto ridotta, probabilmente perché si trattava di prodotti più costosi rispetto a quanto offriva il mercato corinzio. A Gela questi vasi, così comuni nelle necropoli di Rodi, Naukratis o Histria, sono sempre relativamente rari e, per la verità, non mi è mai capitato di trovarne uno completo in un corredo funerario e lo stesso vale per gli scavi dell'Orsi. Si hanno solo frammenti di dinoi, oinochoai o pinakes, sia dalla necropoli, sia dai santuari dell'acropoli e di Bitalemi (15).

Il frammento più interessante rinvenuto sull'acropoli (Fig. 9) è quello che lo Schiering considera come il più antico esempio in Occidente di un vaso rodio dello stile di Vlastos, databile verso il 660 a.C., mentre il Cook lo considera più tardi, di poco posteriore al 650 (16). Ha il motivo del leone che porta sul dorso un animale ucciso, motivo nato in oriente, diffuso nella Grecia micenea e ripreso in età orientalizzante anche sulla più antica ceramica rodia. Gli altri frammenti figurati appartengono alla comune produzione rodia ed è sufficiente richiamare, attraverso le illustrazioni, alcuni degli esempi più significativi (Figg. 10-15).

Rientrano nel gruppo Vlastos a tecnica mista, c.d. rodio-corinzia, anche i frammenti di una oinochoe sporadica della necropoli gelese di Via Crispi (Fig. 16) (17), molto simili a quelli della nota oinochoe di Siracusa, già citata nelle relazioni di ieri (18). Per questi frammenti di Gela io conservo però ancora il dubbio di una possibile imitazione locale, già espresso nella relazione di scavo.

Per quanto riguarda l'importazione a Gela di ceramica di Chio, posso ricordare soltanto, come provenienti dai nuovi scavi, alcuni frammenti di calici a fondo bianco rinvenuti nello strato 5 del santuario di Bitalemi e ancora inediti. C'è poi il problema del dinos gelese del museo di Palermo (Fig. 17) che lo Schiering considera rodio, anche se di tecnica provinciale, mentre altri lo attribuiscono a Chio (19).

Nel complesso mi sembra che le ceramiche del Wild Goat Style importate non solo a Gela ma in tutta l'Italia meridionale e Sicilia, provengano da un numero limitato di centri della Ionia o dell'area rodia, ancora non chiaramente identificati. Il quadro delle importazioni in occidente è certamente molto limitato e selezionato rispetto alla vasta gamma di fabbriche dell'Est quale è emersa dai nuovi scavi e dalle relazioni di ieri e di questa mattina.

---

13) In *Kokalos*, XIV-XV, 1968-69, p. 332 sg., tav. XLIX.

14) W. SCHIERING, *Werkstaetten orientalisierender Keramik auf Rhodos*, Berlino 1957; sulla ceramica « rodia » si veda inoltre R. M. COOK, in *Enciclopedia Universale dell'Arte*, VI (1961), col. 843 sgg. e C. KARDARA, ''Ροδιακὴ Ἀγγειογραφία'', (1963).

15) P. ORSI, *o.c.*, figg. 57, 58, 128, 185, 187, 407, 408; *Notizie Scavi*, 1960, p. 106, fig. 26 bis; 1962, p. 358, fig. 18; *Kokalos*, XII, 1966, tav. XXI, 1.

16) W. SCHIERING *o.c.*, p. 12 sg. e p. 100; P. AMANDRY, in *Athenische Mitteilungen* 77 (1962), p. 54, tav. 15, 4. Per il rinvenimento cfr. *Notizie Scavi*, 1960, p. 114, n. 5. L'opinione del Cook è riportata in nota nell'articolo dell'Amandry (p. 54, n. 124).

17) Cfr. *Notizie Scavi*, 1960, p. 148, fig. 13.

18) P. ORSI, *L'Athenaion di Siracusa, Monumenti Antichi Lincei*, XXV, 1918, col. 182, tav. XII.

19) P. ORSI, *o.c.*, col. 250, fig. 188; W. SCHIERING, *o.c.*, p. 39; P. BOCCI, in *Enciclopedia dell'Arte Antica*, VI, p. 758, fig. 880.

Gli influssi della ceramica orientalizzante rodia e insulare si possono cogliere, a Gela, anche nella ceramica figurata di fabbrica locale della seconda metà del VII sec. a.C., rappresentata soprattutto da due noti vasi della necropoli arcaica a suo tempo pubblicati dall'Adamesteanu (20). Nello stamnos della necropoli di Villa Garibaldi (Fig. 18) il motivo rodio dei cani che inseguono stambecchi è qui sintetizzato e semplificato nella raffigurazione centrale di un solo cane che insegue uno stambecco in un vasto spazio libero da riempitivi; semplicità e immediatezza di fronte al gusto ripetitivo e decorativo delle ceramiche greco-orientali di importazione. A influssi cicladici richiama invece la decorazione a cerchi concentrici sul collo e sul lato posteriore del vaso.

Ancor più legato al gusto cicladico è l'altro piccolo stamnos con raffigurazioni metopali di grifi e uccelli contrapposti (Figg. 19-20); mi sembrano evidenti i richiami alla decorazione di vasi di Tera, Paros e Naxos. Anche qui il gusto locale tende alla semplificazione, concentrando l'interesse sulla scena figurata, questo tête-à-tête tra un uccello rapace e un timido trampoliere: quasi una favola.

Accanto ai vasi figurati abbiamo a Gela, nel VII sec., altri vasi di uso comune (pentole, pithoi, grandi anfore) che certamente provengono dalla Grecia dell'Est e che si affiancano ad altre importazioni del genere come le anfore attiche SOS o le anfore acrome cuoriformi corinzie. Questi vasi erano usati come contenitori per uso pratico o votivo, oppure nelle necropoli per le sepolture a incinerazione o a enchythrismòs. Dalla necropoli arcaica provengono frammenti dei noti pithoi rodii con decorazione a rilievo (21). Altri vasi cinerari della necropoli sono delle pentole di forma globulare con superficie marrone lucidata a stecca (Fig. 21) che si ritrovano con frequenza anche nello strato 5 del santuario di Bitalemi con gli avanzi dei pasti rituali (22). Sempre a Bitalemi si hanno, sul fondo dello strato 5, alcune grandi anfore di argilla bruno-rossiccia fortemente micacea, certamente greco-orientali, accanto alle più consuete anfore corinzie o di fabbrica locale (Fig. 22).

Nell'ultimo quarto del VII sec. inizia a Gela l'importazione di altre ceramiche greco-orientali e precisamente il « bucchero » e le coppe ioniche a vasca profonda del tipo A della classificazione Vallet-Villard (23).

Il bucchero orientale è presente a Gela, come altrove, sia nel tipo detto ionico o rodio, di impasto grigio con superficie plumbea o nera lucida, sia nel tipo « eolico » di colore grigio chiaro sia nell'impasto che nella superficie. L'importazione di bucchero « ionico », che tocca il culmine nella prima metà del VI sec., comprende soprattutto alabastri fusiformi con decorazione a solcature o a fasci di linee incise (Fig. 23) (24). Sono però presenti altre forme, la più singolare delle quali è il vaso a tulipano rinvenuto dall'Orsi nei saggi di Bitalemi (Fig. 24) (25).

Quanto al « bucchero » grigio la forma prediletta a Gela è quella del kantharos, e l'esemplare più notevole è il grande kantharos della necropoli di Via Crispi (Fig. 25) (26). È interessante ricordare che nello stesso periodo (ultimo quarto del VII-primo quarto del VI sec. a.C.) si diffonde anche a Gela una importazione di kantharoi etruschi, anche di grandi dimensioni, molto più significativa di quanto non ritenesse a suo tempo l'Orsi, come dimostrano i recenti scavi (27).

---

20) D. ADAMESTEANU, *Vasi gelesi arcaici di produzione locale*, in *Archeologia Classica*, V, 1953, p. 244 sgg.; cfr. *Notizie Scavi*, 1956, p. 305, fig. 23 e p. 317-318, figg. 1-2.

21) Cfr. *Notizie Scavi*, 1956, p. 313, fig. 30.

22) Cfr. *Notizie Scavi* 1956, p. 285, fig. 5; *Kokalos*, XII, 1966, tav. XVII, fig. 1.

23) G. VALLET-F. VILLARD, in *M.E.F.R.*, 1955, pp. 14-34.

24) Cfr. *Notizie Scavi*, 1956, p. 302, fig. 20, 312, fig. 29; *Monumenti Antichi Lincei*, XLVl, 1962, tav. XXVIII e, f, g; *C.V.A.*, *cit.*, tav. 39, 1, 2.

25) P. ORSI, *o.c.*, col. 647, fig. 464.

26) *Notizie Scavi*, 1960, p. 149, fig. 14.

27) *Notizie Scavi*, 1956, pp. 214 e 384; 1960, p. 149, n. 3; *Kokalos*, XIII, 1967, p. 179, tav. XXII, 1; *Kokalos*, XIV XV (1968-69), p. 461.

A vasi configurati di bucchero grigio dovevano appartenere due teste taurine rinvenute in tombe della necropoli arcaica (Figg. 26-27) (28). È singolare il fatto che nelle tombe furono collocate solo le teste, ottenute rompendo i vasi originarii, come dimostra la frattura del collo.

Come ho detto in precedenza anche a Gela compaiono, nell'ultimo trentennio del VII sec., le coppe ioniche a vasca profonda del tipo A1, associate a vasetti del corinzio antico (29); uno degli esemplari più antichi è quello della collezione Navarra, pubblicato dalla Cristofani Martelli (Fig. 28) (30). Il tipo si evolve fino al 600 circa a.C. verso le forme del tipo B. Sarà interessante, a questo proposito, riordinare e classificare le coppe ioniche dello strato 5 di Bitalemi, con le eventuali associazioni di ceramica corinzia (Fig. 29).

L'importazione di coppe ioniche continua nel primo quarto del VI sec. assieme a quella dei vasi di bucchero orientale, nero e grigio: è questo anzi il momento di maggior diffusione del bucchero cui si aggiungono, nel corso del secolo, vasetti di faïence, come ad es. un fine aryballos globulare dello strato 5 di Bitalemi (Fig. 30). Da ricordare anche, per questo periodo, alcuni frammenti di coppe rodie del tipo « di Vroulià », con decorazione incisa, provenienti dai santuari di Bitalemi e Madonna dell'Alemanna (31).

Il secondo e terzo quarto del VI sec. sono caratterizzati anche a Gela da una forte importazione di ceramica ionica. Alle coppe dei tipi B 2 e B 3 si aggiungono i lydia e, dopo la metà del secolo, vari tipi di vasi con decorazione a fasce, sopratutto anfore, pissidi e stamnoi (Figg. 31-34). Inoltre le ben note lekythoi c.d. samie, sia del tipo rastremato, acrome o dipinte (Figg. 35-36), sia del tipo cilindrico, con frequenti resti di colore rosso sul fondo bruno dell'argilla.

Veramente notevole è, nello stesso periodo, l'importazione di balsamari configurati di stile ionico e di probabile fabbrica rodia o samia (32). Questi balsamari rientrano in una serie più vasta di prodotti coroplastici importati, serie che comprende statuette e maschere di divinità femminili. Questa importazione, a lungo andare, stimola l'artigianato locale che, a partire dal 540 circa a.C., avvia quell'imponente produzione di terracotte figurate di gusto ionico che, praticamente, mette fine all'importazione di questi prodotti (33).

I balsamari plastici importati possono datarsi tra il 570 e il 530, con massima concentrazione nel ventennio 560-540 a.C. e, se si eccettuano i rari esemplari di tipo c.d. rodio-cipriota con decorazione dipinta su ingubbiatura bianca (Fig. 37), presentano tutti la consueta argilla micacea di color marrone o arancio, con frequenti resti della colorazione in rosso e nero. I tipi sono quelli consueti (Figg. 38-42): divinità femminili stanti o in trono, con o senza colomba, figure maschili inginocchiate, teste di Eracle, sirene, animali vari. Oltre agli esemplari pubblicati dall'Orsi abbiamo ora la ricca documentazione del santuario di Bitalemi (34), dove i balsamari ionici, come le statuette e le maschere, erano deposti nei primi 30 cm. dello strato 5, associati per lo più a skyphoi del Tardo Corinzio II (35).

Tutta questa importazione ha prodotto, anche a Gela, una serie di imitazioni locali che riguardano non tanto i balsamari (le imitazioni sono rare) quanto le coppe ioniche, le lekythoi samie, i lydia.

28) P. ORSI, o.c., col. 171, fig. 129; Notizie Scavi, 1960, p. 149, fig. 15.

29) Notizie Scavi, 1960, p. 152, fig. 2 b.

30) C.V.A., cit., tav. 35, 1.

31) Notizie Scavi, 1956, p. 384.

32) P. ORSI, o.c., figg. 23, 74, 87, 142, 528, 543, 544, 548; Notizie Scavi, 1960, p. 230, fig. 20, 3; Monumenti Antichi Lincei, XLVI, 1962, tav. XXVII c.; Kokalos, XII, 1966, tav. XIX, 3, tav.XX, 1,2, 3. Per questa categoria di oggetti si veda in particolare J. DUCAT, Les vases plastiques rhodiens archaïques en terre cuite, Paris 1966.

33) Sulla cronologia e le fasi del rapporto importazione-produzione locale delle terracotte figurate a Gela rimando al citato articolo sui santuari di Gela (R.I.A.S.A., 1968), p. 25-28.

34) Cfr. Kokalos, XII, 1966, tavv. XIX-XX.

35) Cfr. Kokalos, XII, 1966, pp. 23-24.

Dopo la metà del VI sec., la ceramica ionica si associa sempre più frequentemente alla ceramica attica a figure nere, che prende decisamente il sopravvento a partire dal 540-530 a.C. Sostanzialmente si può dire che a Gela l'importazione di prodotti ionici cessa verso il 530-520. Da questo momento l'unica ceramica importata è quella attica mentre, come ho già detto, all'importazione di balsamari e statuette ioniche subentra la nuova produzione dei coroplasti gelei.

È questo, a grandi linee, il quadro delle ceramiche greco-orientali importate a Gela nel VII e VI sec. a.C. Nel complesso delle importazioni sembrano prevalere i prodotti rodii, o ritenuti tali; comunque non in misura tale da autorizzare l'ipotesi di un rapporto previlegiato tra Gela e Rodi per quanto riguarda il commercio delle ceramiche, terrecotte o altri prodotti, come del resto aveva già giustamente rilevato il Dunbabin (36). È piuttosto nei riti funerari e nei culti religiosi, come quello di Atena Lindia, che si manifesta il legame tra Gela e Rodi, sopratutto nella fase più arcaica (37).

Per quanto riguarda i centri indigeni ellenizzati del retroterra di Gela va sottolineata la sostanziale assenza, in questi centri, di ceramiche o altri prodotti greco-orientali nel corso del VII sec. a.C. (38). L'importazione di ceramica del Wild Goat Style non si estende al retroterra e ciò sembra confermare il suo carattere di prodotto di lusso; lo stesso vale per i balsamari di bucchero o di faïence. La più comune ceramica di importazione è sempre quella corinzia, anche se in quantità ridotta rispetto a Gela. Prevalgono i prodotti di imitazione, sia locali, sia coloniali di fabbrica gelese. Molto diffuse le oinochoai trilobate con decorazione geometrica o con motivi a cerchi concentrici di tipo cicladico ma di fabbrica coloniale (39) (Fig. 43).

È nel VI sec. che si diffondono anche nel retroterra vasi ionici importati che vengono però subito largamente imitati e prodotti localmente. Dominano le coppe ioniche del tipo B 2, presenti in tutti gli strati di abitazione, santuari e necropoli dei vari centri (Monte Bubbonia, Montagna di Marzo, Gibil-Gabib, Sabucina, Vassallaggi ecc.) con frequente associazione, nelle tombe, ai c.d. kothones corinzi o di imitazione (Figg. 44-46).

Un ottimo riassunto di questa diffusione delle coppe ioniche nei centri interni della Sicilia si può trovare nel citato II volume del C.V.A. della collezione Navarra, della dott. Cristofani Martelli (40).

È un fenomeno, questo della diffusione delle coppe ioniche, importate e imitate, nei centri indigeni del retroterra, largamente comune alla Sicilia e alla Magna Grecia nel corso del VI sec. a.C.

Piero Orlandini

36) J. T. Dunbabin, *The Western Greeks*, Oxford 1948, p. 228 sg.

37) Ch. Blinkenberg, *L'image d'Athena Lindia*, Copenhagen 1917; P. Orlandini, *Gela - Topografia dei santuari e documentazione archeologica dei culti*, in *Rivista dell'Istituto di Archeologia e Storia dell'Arte*, 1968, pp. 25 sg.

38) Per le scoperte nel retroterra di Gela rimando al mio articolo di sintesi, *L'espansione di Gela nella Sicilia centro-meridionale*, in *Kokalos*, XII, 1962, pp. 69-119 (ivi tutta la bibliografia precedente). Per le scoperte successive cfr. P. Orlandini, in *Archeologia Classica*, XV, 1963, p. 86, sg., XVII, 1965, p. 133 sg., XX, 1968, p. 1 sg. (Scavi di Sabucina); G. V. Gentili, in *Notizie Scavi*, 1969 (Suppl. II) (Scavi di Montagna di Marzo e Monte Navone); L. Mussinano, in *Kokalos*, XVI, 1970, p. 166 sg. (Montagna di Marzo); P. Orlandini, in *Notizie Scavi*, 1971 (volume di Supplemento) per gli scavi di Vassallaggi.

39) Cfr. *Kokalos*, VIII, 1962, tav. XVI, figg. 1, 2, tav. XXII, fig. 4; *Archeologia Classica*, XVII, 1965, tav. LIV.

40) Sezione II D, pp. 6-7 (tav. 35).

LE IMPORTAZIONI GRECO-ORIENTALI A SELINUNTE
A SEGUITO DEI PIU' RECENTI SCAVI

Desidero innanzi tutto ringraziare il Soprintendente alle Antichità della Sicilia Occidentale, Prof. V. Tusa, che mi ha affidato con tanta liberalità la direzione dello scavo dell'abitato antico di Selinunte e la pubblicazione globale dei reperti e delle strutture. Desidero inoltre ringraziare il Prof. R. Martin e la sua équipe per gli incoraggiamenti e i suggerimenti. Va inoltre il mio grazie anche al Direttore del Centro Jean Bérard per avermi concesso di esporre a questo colloquio un'anticipazione di una parte dei miei studi.

Il materiale illustrato in questa sede, utile a fornire alcuni nuovi dati sia per la cronologia che per le correnti del commercio vascolare nella Sicilia Occidentale, proviene da recenti scavi, eseguiti negli anni 1973 e 1974 in tre successive campagne trimestrali, nell'abitato antico di Selinunte, situato a nord dell'Acropoli su un pianoro denominato modernamente Manuzza.

I risultati che verranno presentati, da considerare ancora largamente provvisori in quanto la classificazione dei materiali è tuttora in corso, sono il frutto dello studio di circa la metà del materiale reperito.

Dato di estrema importanza scaturito da questi scavi (e al quale, nella presente discussione, è necessario accennare per chiarezza) è l'esistenza di uno strato indigeno precedente la colonizzazione. Tale strato, costituito da sabbia rossiccia molto compatta, poggiante direttamente sulla roccia, presenta un livello inferiore sterile dove la profondità è maggiore, e due livelli di vita: il primo caratterizzato dalla sola presenza di ceramica indigena assai grossolana nelle forme e nello spessore, ma abbastanza ben depurata, per lo più di colore rosa scuro all'esterno con spesso nucleo grigiastro; il secondo dall'associazione dello stesso tipo di ceramica talora decorata a incisione (finora è attestato solo lo zig-zag), con ceramica di importazione.

Quest'ultimo livello è riferibile a una occupazione del sito non sotto forma stagionale o comunque saltuaria, ma come vero e proprio insediamento a causa della presenza di strutture di abitazioni (si sono trovati fondi di capanna in pietra e tracce di focolari), di primitive attività domestiche (sono attestati macine e piccoli pesi da telaio piramidali, alti non più di cm. 3, di impasto grigio scuro con numerosi inclusi di augite, i quali si esauriscono in questo strato) ed è pertanto inseribile in una economia agricolo-pastorale abbastanza ben definita. Questo secondo livello di vita insiste, all'interno di alcune delle strutture reperite, sopra un sottilissimo battuto sabbioso di colore chiaro.

Sopra lo strato indigeno, ben definito dalle strutture e da alcuni dei ritrovamenti, molto meno dalla tipologia della ceramica locale purtroppo di carattere esclusivamente domestico e assai poco significativa, si è impiantato senza soluzione di continuità il primo strato greco dell'abitato selinuntino, caratterizzato all'interno delle abitazioni da un battuto tufaceo giallastro, all'esterno da uno strato grigiastro per lo più argilloso, sigillanti lo strato indigeno.

Va sottolineato che nell'ultimo strato di vita del livello indigeno si trova, nei luoghi in cui è accertata la presenza di strutture, una associazione di ceramica indigena e di ceramica greca arcaica, più precisamente corinzia antica, o comunque di ceramica databile all'ultimo venticinquennio del VII secolo.

Si può dunque desumere che i primi contatti sicuramente documentati tra le popolazioni indigene dell'area selinuntina e le genti provenienti da Megara Hyblaea risalgono all'ultima generazione del VII secolo. Tuttavia anche la datazione del primo strato greco su Manuzza, con relative strutture architettoniche ricalcanti o comunque imitanti quelle della madre patria, risale all'ultimo quarto del VII secolo per la presenza in strato chiuso di ceramica corinzia antica e di ceramica prodotta a Megara Hyblaea, databile alla fine del VII secolo. Infatti sono attestati grandi vasi con decorazione curvilinea (1), sia idrie che anfore, coppe a labbro verticale e filetti orizzontali di tradizione subgeometrica appartenenti al tipo II della classificazione di Vallet-Villard (2), piccoli kalathoi (3), lekane (4), coppette a labbro orizzontale ecc. (5). I numerosi frammenti di ceramica megarese rinvenuti a Selinunte, facilmente riconoscibili per il colore e la qualità dell'argilla e per la tecnica di fabbricazione, attestano tutte e quattro le tecniche in uso nella madre patria, ben definite dal Villard, senza apparenti preferenze nell'esportazione, per l'una o l'altra tecnica.

Pertanto ritengo che i primi contatti tra la popolazione indigena e la successiva e immediata occupazione greca del pianoro di Manuzza, con sovrapposizione pacifica di culture, si siano svolti nel corso di una sola generazione.

Per maggiore chiarezza si può riassumere così la successione stratigrafica dell'abitato selinuntino, nel primo periodo arcaico:

ROCCIA

STRATO INDIGENO
1) Livello sterile, dove c'è.
2) Livello di vita indigeno, puro.
3) Livello di vita indigeno misto (ceramica indigena + ceramica greca arcaica).

STRATO GRECO

I) Ceramica corinzia antica + ceramica megarese.

II) Ceramica corinzia antica + ceramica megarese + bucchero orientale + ceramica corinzia media + coppe ioniche tipo B 1 + ceramica greco-orientale.

III) Ceramica corinzia media + coppe ioniche tipo B 1 + bucchero orientale + importazioni dalla Grecia orientale + ceramica megarese + ceramica selinuntina.

IV) Ceramica corinzia media e corinzia recente + ceramica selinuntina, ecc.

Sul primo strato greco si sono via via sovrapposti i nuovi livelli di vita che, per il periodo arcaico e comunque per il passaggio tra il VII e il VI secolo a.C., hanno dato ceramica corinzia antica e corinzia media sia di importazione sia di imitazione locale megarese o comunque coloniale; grandissima quantità di ceramica megarese del tipo locale (direi che è la predominante) e un discreto

---

1) Cfr. per il tipo G. VALLET-F. VILLARD, *Mégara Hyblaea*, 2, *La céramique archaïque*, Paris 1964, pp. 155 sgg., tavv. 161-163.
2) Cfr. *ibidem*, p. 144, tav. 125.
3) Cfr. per il tipo VALLET-VILLARD, *op. cit.*, p. 147, tav. 130, 9.
4) Per il tipo decorato a onda cfr. VALLET-VILLARD, *op. cit.*, p. 156, tav. 167 e 168; per il tipo acromo tav. 208, 1 e 2, p. 185.
5) Cfr. VALLET-VILLARD, *op. cit.*, p. 185, tav. 208, 3.

numero di frammenti di « bucchero orientale ». Si ha una preponderanza di forme aperte, di cui alcune ricostruibili: piatti e ciotole bassi e larghi, alcuni apodi, altri con piede ad anello; ma sono anche attestate forme chiuse quali l'alabastron (un frammento di fondo a superficie liscia), l'oinochoe a bocca trilobata (un frammento di labbro con rotella) e altri numerosi frammenti di pareti.

Dall'analisi dei reperti si evidenzia una fioritura di commercio con la Ionia e in generale con la Grecia orientale a cavallo tra il VII e il VI secolo a.C. Oltre al bucchero, che per i confronti con il materiale di Larisa si può datare tra il 640 e il 550 a.C. (6), sono attestati due esemplari di coppe ioniche tipo A 1 (7), di cui uno degli esemplari nella variante di grandi dimensioni con linea bianca ondulata sotto l'orlo, del tutto simile a un esemplare rinvenuto a Megara Hyblaea (8); un esemplare del tipo A 2 e un massiccio numero di coppe B 1, dai quattro ai dieci esemplari per vano e per strato, attribuibili a Rodi, a Samo e ad altre fabbriche non ancora individuate. Sono abbastanza numerosi i frammenti di fabbricazione rodia (piatti, coperchi e coppe), samia (piatti) e forse di Myrina, del medio e tardo wild goat style (9).

Come materiali di sopravvivenza (si chiarirà oltre in quale accezione viene usato tale termine) precedenti l'ultimo quarto del VII secolo, sono stati rinvenuti nell'abitato alcuni frammenti di ceramica east greek databili intorno alla metà o al terzo quarto del VII secolo e di ceramica corinzia transizionale: 1) frammento di vaso aperto, forse un calice, decorato con una figura di grifo, di cui i confronti più pertinenti sono da ricercare nel materiale di Larisa, per la tipica decorazione floreale puntinata del terzo quarto del VII (10) e più largamente nella ceramica cicladica della seconda metà del VII. 2) Frammento con avantreno di canide volto a destra, di attribuzione non ancora precisata. 3) Frammento di pisside corinzia transizionale (11), a pareti concave.

Va sottolineato che i vasi per versare o per contenere sono per la maggior parte di fabbricazione megarese (rari i grandi vasi del corinzio antico, più numerosi quelli del corinzio medio, relativamente numerose le anfore comuni da vino corinzie), mentre i vasi per bere (skyphoi, kylikes, coppette) sono equamente suddivise tra Corinto, Grecia orientale (Jonia), e Megara Hyblaea. Parlando in termini di percentuale, si può affermare che finora le importazioni dalla Grecia orientale e quelle da Corinto grosso modo si equivalgono, con un leggero indice in più per la ceramica corinzia. I numerosi frammenti di imitazione di quest'ultima fanno ritenere che essa venisse considerata sul mercato locale di maggiore pregio rispetto alle coeve ceramiche della Grecia orientale.

Il rapporto tra le varie ceramiche di importazione in uso nell'abitato selinuntino, nei primi due strati greci più antichi, può essere schematizzato visivamente negli schemi p.103.

Un altro dato assai significativo, scaturito dalla classificazione dei materiali, è la distinzione e la definizione di una ceramica locale selinuntina.

---

6) Per alcune di queste forme, quali la patera databile nella seconda metà del VII secolo a.C. e il dinos cfr. J. BOEH-LAU-K. SCHEFÖLD, *Larisa am Hermos*, III, *Die Kleinfunde*, Berlin 1942, tav. 47, 9, figg. 38 b, 37 1 databile intorno alla metà del VI sec. a.C.

7) Cfr. G. VALLET-F. VILLARD, in *MEFR*, 1955, pp. 23 sgg., corrispondente al tipo III della classificazione di J. BOARD-MAN-J. HAYES, *Excavations at Tocra 1963-1965. The Archaic deposits I*, p. 113. Per il colore e il tipo dell'argilla l'esemplare decorato esternamente sul labbro con linea ondulata bianca sopra filetti bianchi e paonazzi è ascrivibile alla produzione rodia; del secondo esemplare, invece, di sottigliezza metallica, verniciato di rosso lucido e con argilla grigiastra, la provenienza è ancora imprecisata.

8) Cfr. VALLET-VILLARD, *Mégara Hyblaea, cit.*, tav. 75, 3, p. 88.

9) Cfr. R. M. COOK, *Greek Pottery*[2], Oxford, 1972, tav. 30.

10) In assenza di un confronto puntuale, cfr. per la presenza della decorazione floreale puntinata J. BOEHLAU-K. SCHE-FOLD, *op. cit.*, tav. 21, 17, p. 69 appartenente al terzo strato datato al 640-610; per la decorazione a scacchiera puntinata, *ibidem*, tav. 20, 2, p. 68.

11) Cfr. in generale H. PAYNE, *Necrocorinthia*, Oxford, 1949, pp. 273, 280, 292; per un confronto puntuale v. VAL-LET-VILLARD, *op. cit.*, p. 55, tav. 38, 13.

Negli strati greci più antichi, cioè in quelli della fine del VII e degli inizi del VI secolo a.C. a Selinunte è documentata esclusivamente ceramica di importazione, sia greca che coloniale. Solo a partire dal primo quarto avanzato del VI secolo, si comincia a trovare un tipo di ceramica locale, fabbricata a Selinunte, imitante quella megarese non decorata, e oramai ridotta a forme sempre più stanche, dalla quale si distingue per il colore dell'argilla (bianco rosato, rosa pallido, giallo rosato e rosa giallastro intenso, in sostanza dunque colori piuttosto tenui) e per il tipo dell'impasto, piuttosto poroso, polveroso e morbido, con una chamotte molto fine come sgrassante. Questo tipo di ceramica si comincia a trovare in strato associata al corinzio medio.

Per la presente discussione è necessario anche illustrare brevemente i materiali provenienti dalla necropoli arcaica da me rinvenuta, alla fine dell'ultima campagna del 1974, a nord est dell'Acropoli sulle propaggini meridionali del pianoro di Manuzza.

Si tratta di una necropoli a incinerazione databile, per i ritrovamenti finora venuti in luce, tra la fine del VII e gli inizi del VI secolo a.C., con tombe costituite per lo più da un solo vaso fungente da urna e privo di corredo d'accompagno. I vasi rinvenuti sono nella maggior parte di fabbricazione megarese dell'ultimo quarto del VII, del tipo con decorazione curvilinea (12), ma è attestata anche una incinerazione entro un'anfora comune da vino corinzia del VII-VI secolo.

La tomba più significativa, ai fini del presente lavoro, per il corredo d'accompagno, è la tomba I in podere Galatà, del tipo a dolio.

Essa conteneva una oinochoe, di probabile fabbricazione samia per forma e decorazione (13), databile nel terzo quarto del VII secolo, due coppe corinzie antiche con decorazione a tremolo sotto l'orlo (14), tre coppe megaresi a labbro verticale subgeometriche dell'ultimo quarto del VII (15) e un alabastron corinzio antico con leprotto allungato tra due leoni affrontati (16). Tutto il corredo era inserito dentro un grande pithos locale, di impasto bruno grigiastro con ingubbiatura chiara, ovoide, decorato con quattro protuberanze coniche nella parte superiore della spalla e a fasce verticali dipinte sul corpo, di colore giallo bruno abbastanza diluito, assai vicino per decorazione alle ceramiche dipinte tipo Segesta.

Abbiamo dunque una deposizione greca con materiale greco dell'età della colonizzazione (se si segue la datazione bassa tucididea del 629/8) con la sopravvivenza di un vaso di età anteriore, importato dalla Grecia orientale, entro un pithos locale fungente da urna. Questi dati si saldano come l'anello di una catena che si chiude, a quanto illustrato precedentemente da un punto di vista stratigrafico e cronologico.

Il termine di sopravvivenza, adoperato sopra, a proposito degli scarsi rinvenimenti precedenti l'ultimo quarto del VII secolo, è stato impiegato tenendo presente proprio questa tomba e la conseguente

---

12) Cfr. VALLET-VILLARD, *op. cit.*, tav. 161.
13) Per la forma tipicamente samia cfr. H. WALTER, *Frühe samische Gefässe*, in *Samos* V, Bonn 1968, n. 349, tav. 59, fig. 30, appartenente al Fundgruppe XXII, datato al 640-630; cfr. per la forma anche una oinochoe proveniente da Rodi, *ibidem*, tav. 87, n. 492. Il tipo del fiore di loto chiuso rientra nell'early wild goat style, mentre per quello aperto non sono stati trovati finora dei confronti pertinenti. Oltre che per la forma questa oinochoe sembra debba appartenere a fabbrica samia anche per il tipo della decorazione a tratteggio formante una falsa greca verticale, presente anche su un cratere samio del 660 a.C. ca. (cfr. *ibidem*, tav. 49, n. 293). Per la decorazione della parte inferiore del vaso cfr. l'oinochoe di Leningrado, proveniente da Kertc in K. F. KINCH, *Vroulia*, Berlin, 1914, p. 220, fig. 107; e l'oinochoe di Parigi, S. 1768 in C. KARDARA, *Rodiake Angeiographia*, Atene, 1963, p. 67, n. 1 e fig. 34.
14) Cfr. PAYNE, *op. cit.*, p. 297.
15) Cfr. VALLET-VILLARD, *op. cit.*, tav. 125, 3 e 4.
16) Cfr. PAYNE, *op. cit.*, p. 281 sgg., tav. 17,5 n. 266 A; tav. 17, 2, 3, per la posizione dei leoni, nn. 230, 228; tav. 22,8, n. 564 per la lepre e i leoni; tav. 23,2 n. 400 per la posizione della lepre; tav. 26, 1 e 5, nn. 669 e 538 per la posizione della coda.

possibilità di spiegare la presenza di tali materiali, conservati come qualcosa di assai prezioso e raro, come il risultato di una corrente commerciale passante per il tramite di Megara Hyblaea e approdata a Selinunte con la colonizzazione.

Agli inizi del VI secolo, infatti, gli scambi commerciali con la Grecia orientale non appaiono più mediati attraverso la madre patria, bensì diretti.

Non mi è stato ancora possibile controllare e confrontare i dati esposti, desunti dallo studio dei materiali dei recenti scavi, con quelli della necropoli di Manicalunga e con quelli che si potranno eventualmente trarre dai materiali della Malophoros. Mi riprometto di farlo per la pubblicazione definitiva.

A. RALLO

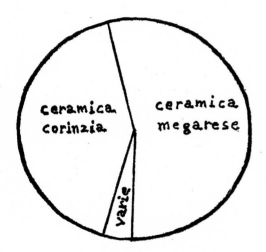

I strato. Fine VII a.C.

II strato. Inizi VI a.C.

103

LA QUESTION DES CANTHARES EN BUCCHERO DIT « IONIEN »

Si, généralement, l'ensemble des séries de céramique ayant subi l'action d'un feu réducteur est désigné par le terme de *bucchero*, plusieurs distinctions sont faites entre les diverses productions. Le *bucchero* étrusque, presque toujours d'un noir brillant, s'oppose ainsi au *bucchero* éolien, d'un gris fumé. Certes, le contraste des teintes est commode mais ne doit pas être systématisé: on sait qu'il y a du *bucchero* gris en Etrurie et que certains vases « éoliens » portent une couverte noire. Néanmoins, ces deux importantes séries sont généralement bien distinguées; les aires de production sont nettement définies et les formes communes rares.

Mais, à côté du *bucchero* éolien (c'est-à-dire de la céramique dite aussi « phocéenne » ou « grise-monochrome » d'Asie), on rencontre parfois des allusions à des vases en *bucchero* « grec », « asiatique » ou « oriental ». Ces expressions désignent souvent plusieurs productions mais elles s'appliquent en général à des céramiques provenant de l'Asie Mineure méridionale (par opposition aux vases « éoliens »). On a, peu à peu, abandonné cette terminologie pour ne parler, de façon plus précise, que de *bucchero* « ionien » ou « rhodien ». Le critère de la couleur a, ici encore, été utilisé: ce *bucchero* beige s'oppose au *bucchero* gris d'Eolide et au *bucchero* noir d'Etrurie.

Le *bucchero* « ionien » présente le plus souvent une argile brun rougeâtre, granuleuse et micacée; la surface est sombre (1). La forme la mieux représentée est l'alabastre en forme d'ampoule allongée présentant une panse côtelée, lisse ou striée de rainures qui ne sont parfois que de minces lignes incisées horizontalement: le fond est souvent pointu. Ce type de vase se rencontre très fréquemment en Méditerranée Orientale (Ephèse, Rhodes, Samos, Délos, Chypre, etc. ...), mais aussi en Occident (par exemple à Tarente, Syracuse, Mégara Hyblaea, Géla, Sélinonte et Himère ainsi qu'en Etrurie) (2). L'aryballe globulaire à panse lisse ou côtelée est beaucoup plus rare mais il a une diffusion assez voisine, semble-t-il, en particulier sur les sites d'Occident. La troisième forme généralement citée est le canthare. Mais, dans ce cas, une série de difficultés surgissent: elles sont l'objet de cette brève intervention.

Le canthare en *bucchero* « ionien » est signalé à Rhodes, à Mégara Hyblaea et à Marseille. Cette répartition est très différente de celle des alabastres et c'est là un premier point à souligner. Plus importante est la question de la forme: le canthare en *bucchero* « ionien » a, en effet, exactement la même forme que le canthare étrusque; il n'y a pas la moindre variante, même dans le détail. Or, si dans la céramique archaïque, les imitations de forme sont fréquentes (par exemple dans la série des coupes), elles n'arrivent pratiquement jamais à une véritable reproduction.

---

1) Cf. F. VILLARD, *Monuments Piot*, 1956, p. 51, n. 9; *La céramique grecque de Marseille*, 1960, p. 51-52 et n. 6; *Bull. d'Archéo. Marocaine*, 1960, p. 2; *La Parola del Passato*, 1970, p. 2.

2) Pour l'ensemble des références sur l'alabastre de *bucchero* « ionien » cf. les notations récentes de M. CRISTOFANI MARTELLI, *Corpus Vasorum Antiq.*, Italie 53, Géla 2, 1973, pl. 39 n. 2 et p. 9. La datation (fin VIIe-milieu VIe) paraît indiscutable. K. M. T. ATKINSON (*Papers of the British School in Rome*, 1938, p. 124-126) et T. J. DUNBABIN (*ibid.*, 1948, p. 21-22) ont fait de nombreuses observations à propos du matériel de Sélinonte et parlent de la diffusion en Occident; sur ce problème, cf. aussi notre tour d'horizon dans les *MEFRA*, 1974, 1, p. 95.

Mais surtout, on sait qu'il y a à Rhodes des canthares étrusques en *bucchero nero* qui, de toute évidence, on été fabriqués en Etrurie et exportés ensuite. De même, il y a eu exportation de canthares étrusques vers Mégara Hyblaea et Marseille. On pense donc tout de suite à une hypothèse simple: si le canthare « ionien » est identique au canthare étrusque et si on le retrouve sur les mêmes sites, en Orient comme en Occident, peut-on raisonnablement songer à deux aires de production?

Pour tenter de répondre à cette question, nous avons examiné les deux cent cinquante fragments de canthares « ioniens » provenant des fouilles de l'habitat à Mégara Hyblaea (3). L'observation a permis de mettre en évidence trois groupes principaux:

— le premier (qui concerne la quasi-totalité des exemplaires) se caractérise par une argile allant du gris sombre au noir; la surface offre une gamme de teintes qui s'échelonnent entre le brun orangé et le noir. Mais ces variations sont souvent visibles sur un même fragment: il s'agit donc de phénomènes secondaires. Tous ces fragments sont légèrement micacés;

— le second est constitué par quelques tessons représentant un nombre extrêmement limité de vases. L'argile est rouge, ainsi que la surface. Il n'y a pas de mica;

— le troisième groupe, lui aussi très réduit, présente des fragments à pâte claire et à surface également claire. On ne remarque pas de mica.

De toute évidence, le premier groupe représente des canthares étrusques qui ont subi l'action d'un feu secondaire; la teinte orangée de la surface et la couleur brune de la pâte ne sont donc que le résultat d'un « accident ».

Qu'en est-il des deux autres groupes? Il s'agit, à mon sens, de quelques copies réalisées en prenant comme modèles des exemplaires touchés par un coup de feu plus ou moins important. Il n'y a rien là que de très normal. Le même phénomène semble avoir eu lieu à Chios, à Sélinonte et en Provence (4). On remarquera que, dans tous ces cas, ces vases sont isolés: l'originalité de la forme du canthare explique sans doute de tels essais; mais ceux-ci sont demeurés exceptionnels, vraisemblablement en raison de la difficulté technique que représentaient la forme et la cuisson (5).

Par contre, les canthares de Rhodes, de Marseille, ainsi que celui de Tharros, sont des canthares étrusques « recuits » accidentellement comme la plupart de ceux de Mégara Hyblaea (6). On peut ajouter à cette série les exemplaires, encore inédits, de Pézenas (en Languedoc) où j'ai pu observer des fragments recollant mais étant l'un noir, l'autre orangé: dans ce cas, la « recuisson » a eu lieu après

---

3) Cf. G. VALLET-F. VILLARD, *Mégara Hyblaea II: La céramique archaïque*, 1964, p. 90. J'ai plaisir à partager mes remerciements entre les responsables du chantier de Mégara Hyblaea (G. VALLET et F. VILLARD), et ceux de la Surintendance aux Antiquités de Sicile Orientale (P. PELAGATTI et G. VOZA). Les uns et les autres ont tout fait pour faciliter mon travail.

4) Pour Chios, cf. J. BOARDMAN, *Excavations in Chios 1952-1955, Greek Emporio*, Oxford, 1967, p. 119 (n° 216, pl. 32). Sur le *bucchero* étrusque de Chios, cf. *id.*, p. 137 (n° 480, pl. 43). Pour Sélinonte, un exemplaire de la Malophoros en pâte blanche se trouve au Musée de Palerme (renseignement de J. de La Genière, que je remercie). Au Mourre-de-Sève, en Provence, Ch. Arcelin me signale aimablement quelques canthares en pâte grise locale.

5) Notons encore deux exemples d'imitation laconienne (?) de canthares étrusques: à Tocra (cf. J. HAYES dans *Excavations at Tocra 1963-1965, The Archaic Deposits*, I, Oxford, 1966, p. 89 et n° 997, p. 68 (dessin, p. 92) et à Théra (cf. *Athenische Mitteilungen*, 28, 1903, p. 217, n° 19 et pl. XXXIX cité par J. HAYES, *op. cit.*).

6) Pour Rhodes, il n'y a aucun doute: G. Jacopi, qui est le seul à mentionner la présence d'un canthare de couleur rougeâtre ajoute qu'il est « semicombusto » (*Clara Rhodos*, III, 1929, p. 23-24 et pl. II). CHR. BLINKENBERG, *Lindos. Fouilles de l'Acropole*, I, 1931, col. 529 dit bien que la terre rhodienne « affecte différentes nuances depuis le brun gris jusqu'au rouge brique selon la cuisson (et) paraît dans quelques cas contenir du mica » mais n'attribue jamais cette terre aux canthares et reconnaît par ailleurs la présence de canthares étrusques. Quant à K. F. KINCH, *Vroulia*, 1914, p. 152, il donne une description si précise qu'il ne peut s'agir que de canthares étrusques.
Pour Marseille, cf. F. VILLARD, *op. cit.*
Pour Tharros, cf. *MEFRA*, 1974, 1, p. 93-94: cet objet a été à l'origine de la présente recherche.

le bris du vase (peut-être sur le bûcher funéraire car nous sommes dans une nécropole à incinération) (7).

A ce stade, tout semble clair: il n'y aurait pas de canthares « ioniens »; il s'agirait en fait de vases étrusques, mis à part quelques rares cas d'imitation locale. Mais une difficulté subsiste: si Rhodes n'a pas fabriqué de canthares, comment expliquer la découverte, dans la nécropole de Camiros, du grand canthare d'argent du Musée du Louvre? Je ne développerai pas ici ce point, ayant l'intention d'étudier ailleurs cet objet exceptionnel (8). Incontestablement, il s'agit d'une fabrication orientale, comme en témoigne le décor de feuilles d'or travaillées sur les anses et au centre de la vasque. Je proposerai, à titre d'hypothèse, d'y voir une imitation des canthares étrusques; l'artiste rhodien n'aurait-il pas eu sous les yeux des canthares de *bucchero* arrivés de l'Etrurie? L'élégance de la forme aurait alors pu l'inspirer. Je sais bien qu'un tel jugement paraîtra en contradiction avec les remarques que l'on fait souvent sur l'origine métallique de la forme du canthare. A y réfléchir, la contradiction est plus apparente que réelle: cette forme est, quelle que soit son origine, propice au travail du métal. Sans aborder non plus cette question de l'origine (une telle étude sera faite dans un travail d'ensemble, en préparation), je ferai simplement remarquer qu'il ne me semble pas fondé de voir dans le canthare de Camiros un élément déterminant pour proposer une origine gréco-orientale de la forme (9).

MICHEL GRAS

---

7) Matériel en cours de publication par une ERA du CNRS. Sur un autre canthare, les traces brunes ne sont visibles que sur les anses et le fond de la vasque, ce qui suppose que le vase était renversé lorsqu'il a « recuit ». Pour le Languedoc, on pourrait multiplier les exemples mais on se méfiera du terme de « bucchero rosso » employé à tort par J. J. Jully et R. Majurel (*Revue d'Etudes Ligures*, 1972, 3-4, p. 279-280) à propos de canthares « recuits » provenant de Mailhac; cette expression désigne en fait une céramique bien particulière, que l'on trouve essentiellement à Cerveteri et en Campanie; elle est parfois employée en archéologie phénico-punique (cf. A. JODIN, *Mogador, comptoir phénicien du Maroc atlantique*, Tanger, 1966, p. 171, note).
Le canthare gris de Géla publié par P. ORLANDINI (*Not. degli Scavi*, 1960, p. 149) est une pièce exceptionnelle mais ne se rattache pas du tout à une éventuelle production rhodienne: *stricto sensu*, sa technique est plus « éolienne » qu'« ionienne »; il relève vraisemblablement d'une fabrication étrusque.
8) Sur ce canthare, cf. surtout *Jahrbuch des deut. arch. inst.*, 44, 1929, p. 211 et 214.
9) Une telle hypothèse est émise par M. CRISTOFANI, *Le tombe da Monte Michele nel Museo archeologico di Firenze*, 1969, p. 57.

IMPORTAZIONI FITTILI GRECO-ORIENTALI
SULLA COSTA JONICA D'ITALIA
(Pl. LIX- LXII)

A quasi trent'anni dallo studio del Dunbabin (pp. 224-258) sul commercio in Magna Grecia si può affermare che il panorama conosciuto è cambiato, per la quantità dei rinvenimenti, da quello noto allo studioso inglese. Mancano però, e pare che continuino a mancare, studi d'insieme che raccolgano e critichino gli sparsi rinvenimenti. E, lacuna forse ancor più dolorosa, di troppe località scavate mancano rapporti: per non parlare degli elementi, definitivamente andati perduti per incuria di chi aveva il compito di tutelarli.

L'ordine di esposizione del materiale a me noto sarà quello cronologico. Per quanto riguarda l'individuazione delle fabbriche, tranne alcuni casi, ed in attesa di digerire i risultati di questo utile incontro, mi terrò un po' sulle generali, in quanto che anche i risultati delle più recenti ricerche mi sembra non siano del tutto accettabili.

VII SECOLO

La più antica attestazione di importazione greco-orientale a me nota sulla costa jonica è una oinochoe sub-geometrica, molto probabilmente rodia (1), databile all'inizio del VII sec., proveniente da Sibari.

Alla prima metà del secolo sono ascrivibili due coppe ad uccelli, anch'esse rodie, da Policoro (2-3). Il frammento 3 è stato interpretato dall'editore come imitazione locale, in base al disegno poco curato: tuttavia è lecito dubitare della fabbrica, sia perché si hanno confronti abbastanza precisi in Grecia Orientale anche per disegni un po' trascurati, non necessari indizi di cronologia bassa, sia perché non sono note imitazioni locali sicure in quest'epoca. Poco prima della metà del secolo vorrei situare i frammenti di collo di oinochoe a bocca tonda, probabilmente di importazione samia, provenienti dal santuario di Demetra (4). Altre due coppe ad uccelli, della metà del secolo, provengono dagli scavi dell'abitato di Policoro (5-6).

Le imitazioni locali sembrano iniziare intorno, o poco dopo, la metà del secolo. Dai vecchi scavi

1) *Sibari* 70, p. 173, fig. 188, n. 378, p. 179. Parco del Cavallo, saggio 4, strato F 2. Inv. S 69-10953, 10948. Cfr. molto puntuale *CVA*, München 6, tav. 272, 1-3. Confronti anche a Bayrakli (Ozgünel).
2) *NSc* 1973, p. 449, fig. 28, 15, p. 447. Policoro, trincea I, strato 2.
3) Neutsch, *Siris-Heraclea*, p. 22, fig. 15; *AntKunst*, 11, 1968, p. 116, fig. 6; *NSc*, 1973, p. 442, fig. 25, 9-11, p. 446 Policoro, Trincea I, strato 1.
Per la tipologia delle coppe ad uccelli, cfr. Coldstream, *Pottery*, pp. 298-301.
4) Policoro, santuario di Demetra. Museo di Policoro, inv. S 193. 2 fr. di collo, argilla giallina. 5,8 × 5; 5,7 × 5. Cfr. Walter, *Samos* 5, tavv. 91-93, n. 502, Fundgruppe XXII, prima del 640-30 a.C.
5) *NSc*, 1973, p. 465, p. 474, fig. 48, 5. Policoro, trincea IV, strato 1,2.
6) Policoro, coppa ad uccelli (*DLG*).

di Satyrion (7) proviene una brocchetta acroma, con sagoma ben documentata a Rodi: è tuttavia difficile pronunciarsi circa l'effettiva localizzazione della produzione, anche se sembra piuttosto singolare l'importazione di un prodotto non decorato.

Da Sibari, Stombi, proviene un sostegno tronco-conico con modanature, decorato da figurine di volatili sovradipinti (8). Il sentimento eclettico del prodotto, samio per la sagoma, ionico per le figurazioni, sembra indicarne appunto una produzione locale.

Poco più recente della metà del secolo, è da Policoro un pithos cicladico con figure a rilievo (9), forse non direttamente pertinente all'argomento, ma che sembra indicativo dell'ampiezza dei traffici sia per quanto riguarda in particolare Siris, sia più in generale per l'intera costa jonica.

Nella seconda metà del secolo, fino intorno al 600, i ritrovamenti infatti si fanno più numerosi e frequenti. Abbiamo infatti coppe ad uccelli da Satyrion (10); da Sibari, Stombi (11), e Parco del Cavallo (12); da Crotone (13); probabilmente da Caulonia abitato (14); da Reggio (15), area sacra di Griso-Laboccetta.

Da quest'ultima località proviene inoltre un frammento di oinochoe decorata sulla spalla angolata con losanghe a graticcio, che sembra databile poco dopo l'inizio del secolo (16), poco dopo il frammento di Sibari.

Iniziano inoltre le importazioni di prodotti di lusso, come il notevole deinos con grifone dall'Incoronata di Metaponto, sia esso samio o rodio (17). Sempre da Metaponto, area sacra di S. Biagio, è nota un'olpe rodia orientalizzante (18).

Da Sibari, Parco del Cavallo, è nota un'oinochoe anch'essa rodia con, in origine, una teoria di stambecchi (19); da Reggio, Griso-Laboccetta, tre frammenti dello stile di Euphorbos (20).

Alla stessa corrente si possono ascrivere i primi prodotti chioti qui noti: da Sibari, Parco del Cavallo, calici (21) e una oinochoe (22) dagli Stombi; da Locri, Centocamere, un calice (23).

7) *NSc* 1964, p. 230, fig. 50, nota 9. Satyrion, vecchi scavi, inv. 5572.

8) *Sibari 71*, p. 119, nn. 218-219, fig. 129. Stombi, inv. St 71-8602, 9316, 15815, 8829. Cfr. la sagoma: WALTER, *Samos* 5, tav. 76, nn. 417-418. Cfr. prodotti «Nordionien»: *Samos* 6, 1, tav. 129, n. 936. Prob. transizione agli uccelli «pontici»: ENDT, *Vasenmalerei*, p. 53, fig. 24; p. 56, fig. 30; *ibid.*, p. 61, fig. 41: sostegno analogo, anche se più semplice.

9) NEUTSCH, *Siris-Heraclea*, p. 22, fig. 14 (*DLG*); *AntKunst*, 11, 1968, p. 116, fig. 7; *NSc*, 1973, pp. 426-427.

10) *NSc*, 1964, p. 225, fig. 46, 4, p. 230 (*DLG*). Satyrion, inv. 119664. Manca il profilo.

11) *Sibari 71*, p. 90, fig. 92, nn. 123-129 (*DLG*). Stombi, invv. St 71-18276, 19044, 20701, 22243, 22244, 33453, 37366. Nn. 126, 129, prob. III gruppo COLDSTREAM, *Pottery*, con uccelli allungati (cfr. n. 125 con triangoli di base). BOARDMAN, *Emporio*, p. 133, abbassa a contesti di Corinzio Antico. Nn. 125, 128 con rosette legate e non a punti staccati (per la quale v. n. 130) dell'inizio del VI sec. N. 130 della prima metà VI sec.: cfr. BOARDMAN, *Emporio*, p. 170

12) *Sibari 71*, p. 431, fig. 439, n. 446 (*DLG*). Parco del Cavallo, saggio 1 a, inv. PdC 71-36061.

13) Inedita (*DLG*).

14) ORSI, in *MonAntL*, 23, 1914-1915, col. 816, fig. 77, 4.

15) *NSc* 1914, p. 210, fig. 2; DUNBABIN, p. 474, nn. 74-77; VALLET, *Rhégion*, p. 143.

16) VALLET, *Rhégion*, p. 143. Dal « muro di cinta ». Cfr.: WALTER, *Samos* 5, tav. 87, n. 490, p. 60; *CVA*, München 6, tav. 272, n. 455, con bibl. Sotto lo spigolo generalmente si trova un campo a v. nera, ma cfr. *Perachora* 2, tav. 155 n. 4035.

17) ADAMESTEANU, *Metaponto*, p. 68, fig. 3 (*DLG*); *ArchReports* 1972-1973, p. 38, fig. 10 b; ADAMESTEANU, *Basilicata*, pp. 72-73. Cfr. WALTER, *Samos* 5, tav. 105, n. 556, p. 69.

18) Inedita (*DLG*).

19) *Sibari 71*, fig. 431, n. 379, p. 406 (*DLG*); *AMemMG*, 1972-1973, tav. 50 b. Parco del Cavallo, saggio 1 a, inv. PdC 71-29680.

20) *NSc*, 1914, p. 209, fig. 1; *JdI*, 48, 1933, p. 81, f 4; DUNBABIN, p. 474, nn. 74-77; VALLET, *Rhégion*, p. 143.

21) *Sibari 70*, p. 155, fig. 159, n. 377, p. 179 (*DLG*). Parco del Cavallo, saggio 4, inv. S 69-14722, 14722 bis, 10801, 14742. Per la tipologia, cfr. BOARDMAN, *Emporio*, p. 103, fig. 60, pp. 156-158.

22) *Sibari 71*, p. 89, nn. 151-152, fig. 89, p. 98. Stombi, inv. St 71-20681, 33768, 19159, 33766.

23) Inedito (*DLG*).

Inizia, anche nell'ultimo quarto del secolo, la conoscenza del c.d. « bucchero » ionico: si ha infatti un alabastron da Taranto (24) e due aryballoi globulari, uno da Taranto (25), l'altro da Sibari, Parco del Cavallo (26).

La relativa abbondanza delle importazioni rafforza le imitazioni locali: un caso che sembra sicuro è documentato a Sibari, Stombi, da un vaso chiuso (27), che si rifà a repertori assegnati a Chio ed alla Ionia Settentrionale. Una brocca da Policoro (28) offre preciso confronto per un analogo recipiente da Larissa sull'Hermos, ma l'argilla impiegata pare locale. Un modello si può anche indicare in un frammento di Francavilla M.ma, Timpone della Motta, databile all'inizio del secolo (28 bis), e sicuramente di importazione.

TRA VII E VI SECOLO

Sullo scorcio del secolo, o all'inizio del successivo, si datano alcuni prodotti che continuano il panorama fin qui offerto. Da Taranto si ha una coppa ionica di sagoma A 2 (29), sulla cui classe di pertinenza si parlerà in seguito; ed un lydion in bucchero, che pare il più antico rappresentante della classe (30).

Da Policoro, abitato, proviene un frammento di vaso chiuso, che conserva solamente parte del muso di due stambecchi (31).

Due oinochoai figurate sono anche note dal santuario di Francavilla M.ma: l'una decorata da un cinghiale, l'altra da una sfinge e da un cigno (32-33). Forse chiota la prima, a causa dell'abbondanza

24) *ASAtene* 37-38, 1959-1960, p. 62, fig. 45 e, p. 64 (*DLG*). Complesso 32, Arsenale Militare 29-XI-1908, inv. 4912. Per la tipologia cfr. ISLER, in *NSc* 1968, pp. 300-301; DUNBABIN, in *PBSR*, 16, 1948, pp. 21-22; ATKINSON, in *PBSR*, 14, 1938, pp. 125-128.

25) *ASAtene*, 37-38, 1959-1960, p. 53, n. 2, fig. 38 b. Complesso 26, v. Messapia 3-VI-1939, inv. 52715.Cfr. n. seg.

26) *Sibari* 71, p. 410, n. 392, figg. 432, 460. Parco del Cavallo, saggio 1 a, inv. PdC 71-29899. I dati tecnici corrispondono con le descrizioni di BLINKENBERG, *Lindos* 1, coll. 277-278. Gli aryballoi da Vroulia (KINCH, *Vroulia*, tavv. 31, 7; 32, bb 3; 33, p 4) hanno solcature orizzontali sulla spalla. Rimangono le incertezze di SHEFTON, in *Perachora 2*, p. 332. Cfr. anche *Sibari* 71, p. 438.

27) *Sibari* 71, p. 100, n. 154, fig. 91; *AMemMG*, 1972-1973, tav. 50 c (*DLG*). Stombi, inv. St 71-41524, 41538. Caratteristico il doppio tratto che lega i boccioli: cfr. BOARDMAN, *Emporio*, n. 652 = KARYDI, *Samos* 6, 1, n. 740. Questo pezzo è assegnato dal Boardman al Wild Goat Style, dalla Karydi a « Chios », dove però la scacchiera non sembra frequente. La forma aperta dei boccioli sembra propria delle periferie ioniche. Il puntino allungato alla sommità dei boccioli non mi pare molto frequente: KARYDI, *Samos* 6, 1, p. 72, fig. 140, n. 731 « Chios » (ma cfr. l'importanza data al particolare nel pezzo infra 96, che sembra locale). Si ritrova inoltre in prodotti « Nord-ionien »: KARYDI, *Samos* 6, 1, tav. 107, n. 889; p. 83, fig. 150, n. 941. Il doppio tratto a margine sembra caratteristico di Chio: KARYDI, *Samos* 6, 1, p. 71, fig. 138, n. 721. Il modello greco-orientale di questa imitazione locale sembra essere: KINCH, *Vroulia*, tav. 24, 6 c, col. 132.

28) *NSc*, 1973, p. 464, fig. 40, 6, p. 463. Policoro, trincea III, fossa III. Ivi precisi cfr.

28 bis) Inedito. Museo di Sibari. Probabilmente samio.

29) *ASAtene*, 37-38, 1959-1960, p. 61, n. 1, p. 62, fig. 45 a; KARYDI, *Samos* 6, 1, tav. 43, n. 345. Complesso 32, Arsenale Militare 29-XI-1908, inv. 4910. La Karydi attribuisce il pezzo a « Samos ».

30) *ASAtene*, 37-38, 1959-1960, p. 91, fig. 65 f, p. 91 (*DLG*). Complesso 46, v. Regina Elena 13-IX-1930. Cfr. tipologia KERÉNYI, in *NSc*, 1966, pp. 301-3 M4, p. 302, fig. 7. Tipo 2 c-d.

31) Da Policoro, cardo X, strato i. Inedito, Museo di Policoro. Alt. 6.

32) *AMemMG*, 1970-1971, p. 60, n. 8, tav. 24 a-c (*DLG*); *REG*, 86, 1973, p. 379, n. 128. Per l'abbondanza del graffito a « Chios », cfr. KARYDI, *Samos* 6, 1, p. 68.

33) *AMemMG*, 1970-1971, p. 61, tav. 24 d, n. 9 (*DLG*); *REG*, 86, 1973, p. 379, n. 128. La Stoop la dice dello stile di Vlastos; il Metzger dubita sull'origine rodia.

d'uso del graffito; forse rodia la seconda. Della prima si conserva anche parte di un fregio inferiore con stambecchi.

Questi pezzi derivano evidentemente dall'emporio di Sibari, dove nello stesso periodo se ne hanno frequenti attestazioni, sia nelle oinochoai figurate sicuramente rodie (34-35), sia nelle forme aperte, probabilmente chiote (36-37). Più difficoltosa sembra l'assegnazione di una coppa che conserva un grifone con particolari sovradipinti (38) su ingubbiatura bianca; e di due piatti, uno con decorazione floreale (39), l'altro con linea ondulata sul bordo (40). È notevole la presenza di un'anfora da trasporto, sicuramente chiota (41), indizio della molteplicità commerciale.

PRIMA METÀ DEL VI SECOLO

Con la prima metà del VI sec. le importazioni di fabbriche greco-orientali cominciano a diventare assai forti per numero, così che forse è preferibile esaminarle divise per località di ritrovamento, scendendo la costa jonica da Taranto a Reggio.

A *Taranto* il gruppo più consistente è quello definito come « bucchero »: le forme attestate sono quelle dell'oinochoe (42), con decorazione sovradipinta in rosso e bianco; della phiale mesomphalos (43) con sovradipinture rosse; del lydion (44-49); dell'alabastron (50); dell'aryballos globu-

---

34) *Sibari* 71, p. 97, nn. 143-149 (*DLG*); *AMemMG*, 1972-1973, tav. 51 b. Stombi, invv. St 71-32978, 32979, 33767, 33768, 33769, 41362, 41563.

35) *Sibari* 70, p. 254, fig. 263, n. 126 (*DLG*); *AMemMG*, 1972-1973, tav. 51 a. Stombi, inv. S 70-27031.

36) *Sibari* 71, p. 93, n. 131, fig. 60, p. 64 (*DLG*). Stombi, invv. St 71-20684-22370. Per la forma, cfr. infra 38.

37) *Sibari* 71, fig. 93, nn. 132-137, p. 93 ss. (*DLG*). Stombi, invv. St 71-18752, 20192, 20682, 33852, 36064, 37463. È probabile sia chioto, cfr. KARYDI, *Samos* 6, 1, tav. 94, n. 744. L'elemento curvo sotto la zampa del capro è forse un fiorellino con stelo, assegnato a « Rhodos »: KARYDI, *Samos* 6, 1, p. 65, fig. 137, n. 626.

38) *Sibari* 70, p. 254, n. 127, fig. 264 (*DLG*). Stombi, inv. S 70-26956. La decorazione figurata est. su questa forma sembra piuttosto rara: KARYDI, *Samos* 6, 1, tav. 37, n. 291 « Samos »; fregi piccoli: ibid., tav. 125 « Nord-ionien ». Le forme BOEHLAU, *Nekropolen*, p. 80, fig. 36 e KARYDI, *Samos* 6, 1, n. 874 sembrano più grandi. Per l'ala di grifone con penne sovradipinte in rosso e bianco cfr. KARYDI, *Samos* 6, 1, tav. 98, n. 687.

39) *Sibari* 71, p. 73, n. 67, fig. 68, p. 63 (*DLG*). Stombi, inv. St 71-18242. Con più ricchezza: KARYDI, *Samos* 6, 1, tav. 39, n. 325: « Samos ».

40) *Sibari* 70, fig. 264, n. 128, p. 254 (*DLG*). Stombi, inv. S 70-25503, 25742. Per la linea spezzata sull'orlo cfr. BOEHLAU, *Nekropolen*, tav. 10, 8.

41) *Sibari* 71, p. 100, n. 156, fig. 84 (*DLG*). Stombi, inv. St 71-22599. Altro esemplare: *Sibari* 73-74, Stombi 74, n. 213, inv. St. 74-3317.

42) *ASAtene*, 33-34, 1955-1956, p. 16, nota 4, fig. 8; *ASAtene*, 37-38, 1959-1960, p. 191, fig. 165 b; KARYDI, *Samos* 6, 1, p. 97, n. 10. Complesso 147, v. G. Giovine 29-I-1953, inv. 52852. Cfr. BOEHLAU, *Nekropolen*, tav. 9, 4; KARYDI, *Samos* 6, 1, p. 19.

43) *ASAtene*, 37-38, 1959-1960, p. 192, fig. 165 a (*DLG*). Complesso 147, v. G. Giovine 29-I-1953, inv. 52853.

44) *ASAtene*, 37-38, 1959-1960, p. 130, fig. 102 c (*DLG*). Complesso 62, v. Di Palma 7-VIII-1943, inv. 52732. Tipo 2 a-b KERÉNYI.

45) Vecchio Museo. Inedito, a quanto consta. Lydion in bucchero grigio con due solcature sulla spalla.

46) Corso Italia 29-III-1946. Inedito, a quanto consta. Grosso lydion in bucchero grigio, con due solcature sulla spalla. Manca il labbro.

47) Vaccarella 10-X-1920. Inedito, a quanto consta. Lydion a pancia sferoidale su piede conico con labbro piano espanso. Sul collo graffito: KA. Impasto grezzo arancio-bruno con mica. Pare di importazione.

48) V. Regina Elena 19-VIII-1920. Inedito, a quanto consta. Lydion con corpo ovoide e solcature sulla spalla, senza piede. Impasto bruno.

49) Contrada S. Francesco 8-VII-1904. Inedito, a quanto consta. Due lydia con corpo sferoidale e solcature sulla spalla. Bucchero grigio.

50) *ASAtene*, 37-38, 1959-1960, p. 171, fig. 149 d (*DLG*). Complesso 77, Vaccarella 7-V-1924, inv. 20757. Inoltre: due lydia frammentari simili ibid., p. 173, nn. 11-12.

lare (51); e della kylix, con sovradipinture rosse e bianche, di sagoma B 2 (52). Si hanno inoltre lydia, in diversi impasti, sia dello stesso tipo di quelli in bucchero (53-56); sia a corpo ovoidale decorato a fasce orizzontali (57-58).

Dei prodotti di lusso sono attestati due calici chioti: il primo è quello celeberrimo con la sfinge in silhouette (59), di cronologia un po' controversa; l'altro non è decorato, ma è di simile cronologia nel secondo quarto del secolo (60).

Ben rappresentati, anche perché pubblicati ex professo, i vasetti configurati: due a protome di Acheloo (61-62), ma di tipo diverso; uno a testa di guerriero (63); uno a forma di anatra (64); e, per finire, un alabastron con la parte superiore plasmata a figura femminile (65). Alla stessa produzione, di localizzazione rodia, appartiene il balsamario in faïence verde-azzurra foggiato a figura maschile inginocchiata davanti ad un recipiente (66). Da aggiungere un vasetto configurato a piede scalzo, in impasto buccheroide grigiastro (68).

La localizzazione della fabbrica delle lekythoi, c.d. samie, è controversa: se ne hanno due esemplari a corpo angolato (69-70) e tre affusolati (71-73), che però sembrano di uguale cronologia. Insieme all'ultima di queste sono stati rinvenuti due aryballoi rodî in faïence, con scaglie rilevate (74).

51) *ASAtene*, 37-38, 1959-1960, p. 184, n. 5, fig. 157 e. Complesso 80, v. Leonida 8-IV-1924, inv. 20855.

52) *ASAtene*, 37-38, 1959-1960, p. 191, fig. 164 (*DLG*); KARYDI, *Samos* 6, 1, p. 98, n. 15. Complesso 82, contrada Lupoli 1-V-1907, t. 36, inv. 2276. La Karydi, pp. 20, 22, la assegna a fabbriche samie o milesie; il Lo Porto a fabbrica rodia.

53) *ASAtene*, 37-38, 1959-1960, p. 168, fig. 147 b (*DLG*). Complesso 76, v. Di Palma 18-VII-1910, inv. 4919. Tipo 2 a-b KERÉNYI.

54) Inv. 4892, v. Pupino 21-II-1902.

55) Carceri Vecchie 23-IV-1943. Inedito, a quanto consta, Lydion con solcature sulla spalla, d'impasto giallino.

56) Contrada Lumilier 17-II-1937. Inediti, a quanto consta. Due lydia in impasto giallino.

57) *ASAtene*, 33-34, 1955-1956, p. 22, fig. 17, p. 25. T. XIX del 14-IV-1951. Tipo 2 c-d KERÉNYI.

58) V. Capotagliata 28-III-1958. Lydion con corpo sferoidale a fasce. Vaccarella 31-VII-1915. Due lydia con corpo sferoidale a fasce su piedino alto ed esile. Tutti inediti, a quanto consta.

59) *ASAtene*, 37-38, 1959-1960, p. 125, fig. 99 a-c, fig. 98 d, p. 126, n. 7 (*DLG*); KARYDI, *Samos* 6, 1, n. 758, tav. 94; p. 97, n. 12; *BSA*, 44, 1949, p. 158, nota 14 n. 1. Complesso 60, v. Principe Amedeo 17-VII-1931, inv. 20740. Sul tipo a figura semplice cfr. BOARDMAN, *Emporio*, pp. 157-158.

60) *ASAtene*, 37-38, 1959-1960, p. 187, fig. 160 c (*DLG*); KARYDI, *Samos* 6, 1, p. 98, n. 14. Complesso 81, v. D'Alò Alfieri 1-VIII-1935, inv. 52105.

61) *ASAtene*, 37-38, 1959-1960, p. 102, fig. 79 c, fig. 81 (*DLG*); DUCAT, *Vases*, p. 58, tipo B' 2. Complesso 50, Vaccarella 7-XII-1926, t. 75, inv. 20535.

62) *ASAtene*, 37-38, 1959-1960, p. 128, fig. 101 b (*DLG*); DUCAT, *Vases*, p. 58, tipo B' 4. Complesso 61, Arsenale Militare 17-IV-1914, inv. 4873.

63) *ASAtene*, 37-38, 1959-1960, p. 128, fig. 101 a (*DLG*); DUCAT, *Vases*, p. 14, serie H, n. 4. Complesso 61, Arsenale Militare 17-IV-1914, inv. 4874.

64) *ASAtene*, 37-38, 1959-1960, p. 131, fig. 103 a (*DLG*); DUCAT, *Vases*, p. 93, tipo F 1. Complesso 63, Caserma Vigili del Fuoco 1-III-1952, inv. 52735.

65) *ASAtene*, 37-38, 1959-1960, p. 174, fig. 151 a (*DLG*); DUCAT, *Vases*, p. 75, serie rodia II, alabastron 1. Complesso 78, v. Oberdan 1-VII-1933, inv. 20804.

66) *ASAtene*, 37-38, 1959-1960, p. 119, fig. 94 d, n. 4, fig. 95. Complesso 59, v. Messapia 21-VI-1926, inv. 20690. Sulla localizzazione della fabbrica a Rodi: BOARDMAN, *Greeks Overseas*, p. 144.

67) Vacat.

68) V. Argentina 15-IV-1952. Inedito, a quanto consta.

69) *ASAtene*, 37-38, 1959-1960, p. 124, fig. 98 c, p. 126, n. 6. Complesso 60, v. Principe Amedeo 17-VII-1931.

70) *BollArte*, 1961, p. 270, n. 2, fig. 2 d. T. II, v. Temenide 15-IV-1958, inv. 110553.

71) Inv. 4892, v. Pupino 21-II-1902.

72) Rinvenuta il 19-VII-1915.

73) Contrada S. Francesco 8-VII-1904.

74) Contrada S. Francesco 8-VII-1904.

Genericamente ionica si può definire un'anfora decorata a fasce orizzontali a vernice nera (75), vista la diffusione della semplice decorazione.

A *Metaponto*, area sacra di S. Biagio, si ha un alabastron di bucchero grigio (76); dall'abitato, zona del castrum, un frammento di calice chioto non decorato all'esterno (77).

Anche se l'oggetto è sicuramente locale, sembra opportuno qui ricordare il peso di Isodike, proveniente dalla zona di *Policoro*, iscritto in alfabeto milesio e con uso del dialetto ionico, indizio sicuro della presenza di Siris in zona. E non sarà un caso che, a quanto consta, dal comprensorio del Sinni non si hanno oggetti greco-orientali più recenti di questo (78) termine *ante quem non* per la distruzione della colonia colofonia.

Un alabastron in bucchero con piedino (79) proviene da *Amendolara*, necropoli Paladino Ovest.

Da *Sibari* è noto un nutrito gruppo di importazioni, dalle quali derivano alcuni prodotti locali. Direttamente collegate alle più antiche coppe ad uccelli sono quelle a rosette, delle quali un esemplare è rodio (80), mentre un altro sembra locale, a giudicare dall'argilla impiegata (81).

La fabbrica più nota, forse perché più facilmente riconoscibile, è quella chiota dei calici (82-88), dei quali resta ben poco della decorazione.

Rapportabile a sagome di kalathoi e coppe fonde su piede, proprie dell'isola, è una pisside a corpo angolato, ricoperta da vernice nera con fascia di vernice rossastra sovradipinta (89). Essa è rapportabile ad un altro esemplare inedito acromo, oltre ad esemplari simili dalla necropoli di Macchiabate a Francavilla M.ma. Inoltre la forma è stata accostata a quella delle c.d. lekythoi samie da parte della sig.ra Zancani Montuoro.

Incerto se di fabbrica rodia o chiota è un vaso chiuso con resto della consueta figurazione di leone e capro, databile alto nella prima metà del secolo (90). Altrettanto incerto è un deinos, del quale ri-

75) *AS Atene*, 37-38, 1959-1960, p. 200, n. 8, fig. 175 c. Complesso 84, t. 1, v. Duca degli Abruzzi 16-XI-1922, inv. 20793. Cfr. in generale: BOEHLAU, *Nekropolen*, tav. 8.

76) S. Biagio, a quanto consta inedito (*DLG*). Frequenti rinvenimenti di bucchero grigio anche nell'area dell'Incoronata: cfr. *Popoli anellenici*, pp. 18-20.

77) Castrum, quadrato F 4, strato 1. Antiquarium di Metaponto, inv. 31923.

78) ORSI, in *NSc*, 1912, suppl., p. 61; JEFFERY, in *JHS*, 69, 1949, pp. 32-33; BÉRARD, in *Festschr. Langlotz*, pp. 218-222; GUARDUCCI, in *AMemMG*, 1958, pp. 58-59; JEFFERY, *Local Scripts*, p. 286, n. 1, tav. 54; GUARDUCCI, *Epigrafia Greca*, 3, pp. 350-351, fig. 121.

79) Paladino Ovest, t. 278 (scavi 1975) (cortesia Juliette de La Genière). Cfr.: BOEHLAU, *Nekropolen*, tav. 9, 7, p. 46; *NSc* 1968, p. 295, fig. 4 a sin.

80) *Sibari* 71, p. 93, n. 130, fig. 85 (*DLG*). Stombi, inv. St 71-22373. In generale: BOARDMAN, *Emporio*, p. 170.

81) *Sibari* 71, p. 100, n. 157, fig. 70, p. 72. Stombi, inv. St 71-35633.

82) *Sibari* 70, p. 155, fig. 159, n. 326, p. 169 (*DLG*). Parco del Cavallo, saggio 4, strato F 1, invv. S 69-13082, 10650, 14699. Lo strato non è precisamente databile: cfr. ibid., p. 165.

83) *Sibari* 71, p. 95, n. 138, fig. 71 (*DLG*). Stombi, inv. St 71-38851.

84) *Sibari* 69, p. 94, fig. 81, nn. 212-213 (*DLG*). Parco del Cavallo, saggio 3, inv. S 69-8092. Per il meandro cfr. BOARDMAN, *Emporio*, n. 731, stile animalistico pesante.

85) *Sibari* 69, p. 120, fig. 106, n. 86 (*DLG*). Parco del Cavallo, saggio 5, inv. S 69-10895. Cfr. KARYDI, *Samos* 6, 1, p. 72, fig. 142, n. 779.

86) *Sibari* 71, n. 398, fig. 434, p. 412 (*DLG*). Parco del Cavallo, saggio 1 a, inv. PdC 71-31078.

87) *Sibari* 69, pp. 129-130, nn. 142-146, fig. 111 (*DLG*). Parco del Cavallo, saggio 5, invv. S 69-11343, 11344.

88) *Sibari* 69, p. 137, fig. 115, n. 184 (*DLG*). Parco del Cavallo, saggio 5, inv. S 69-11428.

89) *Sibari* 70, p. 258, fig. 269, n. 142. Stombi, inv. S 70-24886. Cfr. sagoma in *Palinuro* 2, tav. 52, 3: VIII, 4, p. 31, fig. 15. Può derivare da kalathoi chioti ai quali « foot may be added »: BOARDMAN, *Emporio*, p. 132, fig. 82, n. 436. inoltre: ibid., p. 163, fig. 110, n. 779. Esemplare inedito: inv. St 72-8483. Cfr. la tecnica a Ras el Bassit (Courbin, 7-VII-1976).

90) *Sibari* 71, p. 91, fig. 91, n. 150, p. 98. Stombi, inv. St 71-41538 bis. Probabilmente chioto per l'abbondanza del graffito: cfr. KARYDI, *Samos* 6, 1, tav. 97, nn. 703-704; BOARDMAN, *Emporio*, n. 824. Il riempitivo a croce con estremità circolari è documentato a Rodi (SCHIERING, *Werkstätten*, Beil. 3) e a Samo (KARYDI, *Samos* 6, 1, p. 47, fig. 87, n. 29).

mane solo parte di una decorazione a treccia: ai motivi già addotti per una fabbricazione locale, si può aggiungere l'uso del motivo a tratti nel listello, che si incontra su altri prodotti locali (91).

Rodî sicuramente, anche se pertinenti ad una produzione di larga diffusione, sono i piatti su piede con decorazione vegetale, abbondantemente rappresentati (92-95).

Di alcuni prodotti, che sono sicuramente locali, è incerto definire esattamente l'origine dei modelli. Un piatto (96) decorato da una catena di boccioli, alternati a rosette a punti, presenta motivi noti nelle fabbriche rodie, ma particolare è la sciattezza del disegno e la scarsa copertura della vernice.

Una coppa (97) a vernice nera ha graffiti, rosette e boccioli: come tecnica ricorda quella detta di Vroulia, ma lì mancano confronti precisi per il disegno.

Un piatto (98) presenta accostati tremuli ed una grossa rosetta con doppio contorno: confronti si trovano in ceramiche battezzate Ost-Doris, ma l'argilla sembra locale.

Per un'oinochoe (99) decorata sul collo da una treccia nelle cui anse è apposta una palmetta i confronti sembrano un po' troppo dispersi, così che pare lecito dubitare o della sistematizzazione finora presentata o dell'importazione del pezzo.

Per il sostegno tronco-conico (100) si hanno precisi confronti funzionali da Samo, ma la decorazione sembra, a Sibari, più corrente. Così che ugualmente si può dubitare: e questa volta sul fatto se gli studiosi ci hanno fatto conoscere solo gli elementi di lusso, tralasciando a bella posta (ma perché?) quelli più correnti.

Sicuramente locale e, credo, di notevole interesse una brocchetta con la raffigurazione di un uccello che si appresta a beccare un serpente (101).

Per quanto riguarda la coroplastica rimane una testina femminile di una statuetta, coperta da un polos basso (102): l'argilla è locale; la matrice è ispirata da modelli rodî.

Da *Francavilla M.ma* si ha un'interessante imitazione locale in un'oinochoe dal santuario del Timpone della Motta (103), decorata con girali puntinati, ripresi da modelli « rodî », ma con l'ansa a righe spezzate, a quel che sembra tipicamente indigene ancor più che greco-coloniali.

La concentrazione maggiore, questa volta dalla necropoli di Macchiabate, è costituita da almeno

91) *Sibari* 69, p. 80, fig. 70, n. 136 (*DLG*). Parco del Cavallo, saggio 3, invv. S 69-8089, 8587. Il Paribeni (*Sibari 69*, p. 141) lo ritiene di fabbrica locale; a conforto di questa ipotesi si osservi l'uso dei tratti dipinti sul listello che si ritrovano nel sostegno figurato supra n. 8.

92) *Sibari* 71, p. 95, n. 131, fig. 94 (*DLG*). Stombi, inv. St 71-37419.

93) *Sibari* 71, p. 96, n. 140, fig. 95 (*DLG*). Stombi, invv. St 71-32981, 33462, 33851, 35058, 41381, 41382.

94) *Sibari* 71, p. 96, n. 141, fig. 83 (*DLG*). Stombi, inv. St 71-41535.

95) *Sibari* 71, p. 96, n. 142, fig. 96 (*DLG*). Stombi, inv. St 71-41542, 41370.

96) *Sibari* 71, p. 60, n. 20, p. 53, fig. 43. Stombi, inv. St 71-26147. I motivi decorativi sono presenti nella produzione rodia.

97) *Sibari* 71, p. 101, nn. 158, 160, figg. 101, 86. Stombi, invv. St 71-22245, 41564. Imitazione dalla produzione c. d. di Vroulia.

98) *Sibari* 71, p. 136, n. 280, fig. 147. Stombi, inv. St 71-3816. Il petalo arrotondato pare tipico della produzione « Ostdoris »: KARYDI, *Samos* 6, 1, tavv. 130-140, nella quale si vede anche la preferenza per la decorazione a linee, più o meno tremule, che invece sembrano mancare nelle altre fabbriche.

99) *Sibari* 71, p. 100, n. 153, p. 64, fig. 60. Stombi, inv. St 71-20308. Cfr. la palmetta nell'ansa della treccia: KARYDI, *Samos*, 6, 1, tav. 84, n. 613 (« Milet »); tav. 6, n. 48 (« Samos »).

100) *Sibari* 71, p. 81, n. 89, fig. 80. Stombi, inv. St 71-17271. È presentato come tubo di gronda, ma sembra preferibile intenderlo come sostegno del tipo: *AM* 58, 1933, Beil. 38, a 9, p. 127; KARYDI, *Samos*, 6, 1, p. 19. Cfr. da Gela: *NSc* 1962, p. 372 n. 11 fig. 45 a.

101) *Sibari* 71, p. 115, n. 209, fig. 120; *AMemMG*, 1972-1973, tav. 51 c, pp. 71-72. Stombi, inv. St 71-8123.

102) *Sibari* 69, p. 80, fig. 70, n. 137 (*DLG*). Parco del Cavallo, saggio 3, inv. S 69-8773.

103) *AMemMG*, 1970-1971, pp. 62-65, tav. 25, n. 10; *REG*, 86, 1973, p. 379, n. 128. Per il modello dei girali delle palmette cfr. KARYDI, *Samos*, 6, 1, tav. 70, n. 545; per i riempitivi puntinati, cfr. ibid., tav. 62, n. 514; ambedue attribuiti a « Rhodos ».

una dozzina di lekythoi c.d. samie (104), alcune delle quali conservano ancora decorazioni a vernice rossastra oppure nerastra. Sull'interesse dell'osservazione ha già richiamato l'attenzione la sig.ra Zancani Montuoro. Vale piuttosto ricordare i due balsamari (105) in bucchero « eolico », uno a forma di anforisco, l'altro a forma di frutto, forse un fico, pertinenti alla ricchissima tomba T. 26, chiusa intorno alla metà del VI sec. ma con materiali sia di importazione sia di imitazione da modelli della prima metà del secolo.

Dall'abitato di *Crotone* si ha traccia di almeno un calice chioto (106).

Anche dall'abitato di *Caulonia* si hanno frammenti di grossi recipienti d'impasto, decorati a roulette (107), secondo motivi che riprendono modelli anche greco-orientali.

Nelle diverse zone di *Locri* si hanno attestazioni di importazioni rodie sia dalla Mannella (108-109), sia forse dalla necropoli (110), trattandosi di un pezzo della coll. Scaglione, con attestazione di un meandro spezzato che si ritrova però anche in altre fabbriche. Da Centocamere proviene un calice chioto (111), con figurazione animalistica. Infine, dalla necropoli in contrada Monaci, una lekythos c.d. samia del tipo affusolato (112).

Un'altra lekythos della classe, ma con sagoma cilindrica (113), proviene da una tomba arcaica in territorio di *Palizzi*, presso capo Spartivento. L'interesse della tomba, con ricco corredo d'importazione, è notevole: e il collega Sabbione ce ne ha promesso da tempo la pubblicazione.

Generalmente dalle poco note aree sacre all'interno dell'abitato di *Reggio* provengono varie importazioni greco-orientali. La meno nota è costituita da un calice chioto con figurazione di comasti (114), che sembra ci tramandino la gioia di essere scampati alle speculazioni edilizie. Fra i materiali raccolti dal Vallet ricadono in questo periodo due coppe ioniche (115) ed un grande piatto a fasce nere e rosse (116), oltre ad undici statuette del tipo c.d. di Athena Lindia (117).

MetÀ del VI secolo

Intorno alla metà del VI sec. la quantità del materiale rimane invariata, così come la varietà e la localizzazione dei rinvenimenti. Il grosso concentramento a Taranto credo derivi più dalla specia-

---

104) *ArchClass*, 24, 1974, pp. 372-377. *Ibid.*, p. 372 la Zancani Montuoro riporta l'impressione del Dunbabin (p. 476 ss.) che questi recipienti derivassero da forme « levantine ». A quanto consta si è notato qualche cfr. per la sagoma della bocca in prodotti fenici, che presentano tuttavia un corpo del tutto differente (cfr. J. M. Blazquez, *Tartessos y los origines de la colonizaciòn fenicia en Occidente*², Salamanca, 1975, p. 297, fig. 23; p. 404, fig. 90, n. 46). Sulla derivazione: Bisi, in *Austr. Journ. Bibl. Arch.*, 3, 1976.

105) *ArchClass*, 24, 1974, pp. 372-377, t. T. 26.

106) A quanto consta inedito (*DLG*).

107) *NSc*, 1972, p. 609, fig. 99 q; p. 640, fig. 137 (*DLG*).

108) A quanto consta inedito (*DLG*).

109) A quanto consta inedito (*DLG*).

110) *AMemMG*, 1961, p. 119, tav. 57, 207 (*DLG*). È detto rodio (per un tipo più antico di rosetta a punti cfr. Karydi, *Samos* 6, 1, tav. 74, n. 570). La rosetta è stata anche ascritta a « Milet », cfr. ibid., tav. 77, n. 597; tav. 78, n. 598, 669; tav. 79, n. 604; dove si ritrova anche il meandro spezzato: ibid., tav. 79, n. 666; tav. 80, n. 667.

111) A quanto consta inedito (*DLG*).

112) Inedito: notizia Sabbione. Contrada Monaci, museo di Reggio Calabria, inv. 6485.

113) Inedito: informazione Sabbione. Località Campovenere. Museo di Reggio Calabria.

114) A quanto consta inedito (*DLG*). Tipo IIIA di Boardman-Hayes, *Tocra* 2, p. 26, n. 807; per i riempitivi, cfr. ibid., n. 2046. V. inoltre Karydi, *Samos* 6, 1, tav. 95, n. 759.

115) Vallet, *Rhégion*, p. 144.

116) Vallet, *Rhégion*, p. 144. Ex Civico inv. 1603.

117) Vallet, *Rhégion*, p. 143.

lizzazione delle pubblicazioni che da un'effettiva realtà economico-commerciale, almeno fino alla distruzione di Sibari. Di Metaponto si sa ancora troppo poco.

Sembra qui opportuno ricordare una pisside angolare dalla necropoli di Monte Sannace (118), comune di *Gioia del Colle:* la sagoma si rifà ad esemplari, noti a Sibari (cfr. 89) e a Palinuro ed accostabili a quella delle lekythoi c.d. samie del tipo cilindrico; la decorazione figurata è sicuramente di influenza, se non di fabbrica, ionica.

La specializzazione delle conoscenze, come detto, emerge particolarmente nel caso di *Taranto,* dove il gruppo più consistente è rappresentato da vasetti plastici configurati, tutti provenienti dalle necropoli. I pezzi più antichi sembrano due alabastra a figura femminile (119), uno dei quali forse è di imitazione locale (120). Si hanno poi figure femminili stanti (121-124) e sedute (125), oltre ad una sicura imitazione locale (126); una figura maschile stante drappeggiata (127) e due inginocchiate, la prima sbarbata (128) la seconda barbata (129). Presente anche il tipo del demone, piuttosto che comasta, panciuto (130). Per quanto riguarda le figure animali, si hanno attestazioni di leone (131), di ariete (132), di cavallo (133); per le figure di fantasia abbiamo una doppia attestazione di sirena (134-135). Infine un balsamario a forma di piede calzato di sandalo (136) forse rodio.

Sicuramente rodie le statuette in faïence, configurate a suonatore di doppio flauto (137), a figure

118) GERVASIO, *Bari,* tav. 7, 7, pp. 51-53. Per la sagoma cfr. supra n. 89 (Sibari).
119) *NSc,* 1936, p. 133, fig. 21, p. 134 i. Vaccarella, v. Nettuno 7-III-1934, inv. 50244.
120) *BollArte,* 1962, p. 158, fig. 9 (*DLG*); DUCAT, *Vases,* p. 80. serie rodia III, variante b, n. 2. Complesso 5, t. 2, Corti Vecchie 25-V-1933.
121) *BollArte,* 1962, p. 164, fig. 20 d (*DLG*). Complesso 9, v. Anfiteatro 11-VIII-1911, inv. 4979. Sembra del tipo: DUCAT, *Vases,* p. 65 « Serie samia I, b, con abito rodio ».
122) *BollArte,* 1962, p. 162, fig. 17 (*DLG*); DUCAT, *Vases,* p. 64, Korai con abito rodio a 15. Complesso 8, v. Alighieri t. 1, 10-II-1926, inv. 20670.
123) *BollArte,* 1962, p. 160, fig. 13 (*DLG*); DUCAT, *Vases,* p. 69, serie samia II, Korai 13. Complesso 7, t. 12 Corti Vecchie 1-V-1943.
124) A quanto consta inedito. Museo di Bari, vetrina 47, n. 3235.
125) *ASAtene,* 37-38, 1959-1960, p. 205, fig. 182 a; DUCAT, *Vases,* p. 66, donne sedute 1. Complesso 85, n. 11, t. 82, Vaccarella 9-XII-1926, inv. 20813.
126) *ASAtene,* 37-38, 1959-1960, p. 206, fig. 182 b; DUCAT, *Vases,* p. 43. Complesso 85, t. 82, Vaccarella 9-XII-1926, inv. 20814.
127) *BollArte,* 1962, p. 163, fig. 18 (*DLG*); DUCAT, *Vases,* p. 70, serie samia II, Kouroi 3. Complesso 8, t. 1 v. Alighieri 10-II-1926, inv. 20671.
128) *BollArte,* 1962, p. 163, fig. 19 b (*DLG*); DUCAT, *Vases,* p. 70, serie samia II, uomo inginocchiato 1. Complesso 8, t. 1, v. Alighieri 10-II-1926, inv. 20650.
129) *BollArte,* 1962, p. 159, fig. 10 a (*DLG*); DUCAT, *Vases,* p. 78, serie rodia III, uomini inginocchiati b, barbuti 3. Complesso 6, t. 3 contrada S. Lucia 22-IV-1910, inv. 4884.
130) *BollArte,* 1962, p. 167, figg. 21 g, 24 (*DLG*); DUCAT, *Vases,* p. 149. Complesso 10, S. Lucia 8-XI-1884, inv. 4960.
131) *BollArte,* 1962, p. 163, fig. 19 a (*DLG*); DUCAT, *Vases,* p. 119, tipo b, n. 4. Complesso 8, t. 1, v. Alighieri, 10-II-26, inv. 20651.
132) *BollArte,* 1962, p. 157, fig. 7 (*DLG*); DUCAT, *Vases,* p. 101, arieti interi, tipo B 4. Complesso 4, tomba incerta, inv. 4778.
133) *BollArte,* 1962, p. 153, fig. 1 e (*DLG*); *AntKunst,* 1964, p. 63 ss., n. 16; DUCAT, *Vases,* p. 110, tipo G, n. 4. Complesso 1, t. 11, v. Abruzzo 2-XII-1953, inv. 52758.
134) *ASAtene,* 33-34, 1955-1956, p. 18. Contrada Vaccarella 12-VI-1926. Contesto con kantharos di bucchero etrusco e prodotti del Corinzio Medio.
135) *BollArte,* 1962, p. 155, fig. 6 a. Complesso 3, v. Capecelatro 11-IX-1931, inv. 20509. Cfr. DUCAT, *Vases,* tav. 8, 4, ma di tipo B.
136) *BollArte,* 1962, p. 154, fig. 5 (*DLG*); DUCAT, *Vases,* p. 184, tipo B, 20. Complesso 2, v. Crispi 30-VI-1933, inv. 20195. La produzione rodia è ricavata solo sulla forma del boccaglio che si ritrova in aryballoi di faïence.
137) *ASAtene,* 37-38, 1959-1960, p. 206, fig. 182 c, n. 13. Complesso 85, t. 82, Vaccarella 9-XII-1926, inv. 20824.

gradienti (138) e a leoncino accovacciato. Stessa provenienza è da assegnare ai cinque aryballoi a scaglie rilevate (139-141).

Continua l'uso di prodotti in bucchero; i più frequenti sono i lydia, del tipo alto (142-145), in numero di cinque. Oltre ad un alabastron con decorazione risparmiata sul corpo (146) e a tre aryballoi globulari (147), si ha una phiale mesomphalos con rosetta sovradipinta in rosso (148), forma già in precedenza incontrata (cfr. 43).

La forma del lydion, sempre nel tipo alto, è ripresa anche in argilla che sembra locale, sia con ingubbiatura grigiastra (149), che sembra dipendere dal bucchero, sia con ingubbiatura arancio (150-151) che fa accostare il pezzo alla tecnica usata in una sorta di pignattino (152) che trova un preciso confronto a Jalisos. Sembra ripetersi il caso della brocchetta da Satyrion (cfr. 7).

Anche a Taranto le lekythoi c.d. samie arrivano alla metà del secolo, sia nel tipo angolato (153) sia nel tipo affusolato (154-155). Assieme ad un esemplare di quest'ultimo tipo sono stati rinvenuti un lydion con superficie marmorizzata ed un'anfora a fasce (156), simile a quella già ricordata (cfr. 75).

Definita anch'essa lekythos è una sorta di fiasca, la sagoma della quale non sono riuscito a confrontare, decorata con figure di volatili dal lungo collo che, questi sì, sembrano derivare da modelli di Fikellura (157).

Dal santuario *metapontino* di Apollo Lykios si ha un vaso configurato (158), così come dalla ne-

---

138) V. Duca degli Abruzzi 22-III-1920: leoncino accovacciato; fig. femm. gradiente. A quanto consta inediti. Museo di Taranto, inv. I.G. 8395: fig. masch. gradiente. A quanto consta inedita.

139) *ASAtene*, 37-38, 1959-1960, p. 207, nn. 14-15, p. 203, fig. 180 g, p. Complesso 85, t. 82 Vaccarella 9-XII-1926, invv. 20810-20811.

140) *BollArte*, 1962, p. 154, fig. 2 b-c. Complesso 2, v. Crispi 30-VI-1933, invv. 20193-20194.

141) V. Lecce 13-V-1916. A quanto consta inedito.

142) *BollArte*, 1962, p. 159, fig. 10 (*DLG*). Complesso 6, contr. S. Lucia 22-IV-1910, invv. 4885-4886.

143) *BollArte*, 1962, p. 157, fig. 8 (*DLG*). Complesso 5, t. 2, Corti Vecchie 25-V-1933.

144) *BollArte*, 1961, p. 273, fig. 9 g, n. 4 (*DLG*). Complesso 3, v. Argentina V-1959, t. 10, inv. 114189.

145) V. Sardegna 11-VIII-1955. Lydion in bucchero grigio con solcature sulla spalla. A quanto consta inedito.

146) *ASAtene*, 37-38, 1959-1960, p. 203, fig. 180 k (*DLG*). Complesso 85, t. 82, Vaccarella 9-XII-1926, inv. 20825. KARYDI, *Samos* 6, 1, p. 18 attribuisce a Samo i prodotti più accurati, quelli più correnti a Rodi.

147) *BollArte*, 1962, p. 166, nn. 4-6, fig. 21 b, d. Complesso 10, S. Lucia 8-XI-1884, invv. 4961-4962, 4965.

148) *BollArte*, 1962, p. 161, n. 9, fig. 14 b. Complesso 8, v. Alighieri, t. 1 10-II-1926, inv. 20664.

149) *ASAtene*, 37-38, 1959-1960, p. 219, fig. 195 e. Complesso 88, t. 428, Arsenale Militare 26-VIII-1908, inv. 4953.

150) *BollArte*, 1962, p. 160, n. 3, p. 161, fig. 14 e. Complesso 8, t. 1, v. Alighieri 10-II-1926, inv. 20661. Ripete in argilla il tipo 2 a-b di KERÉNYI, in *NSc* 1966, ma senza solcature.

151) V. *Sardegna* 11-VIII-1955. Lydion a corpo ovoide, impasto giallastro, con due solcature sulla spalla. A quanto consta inedito.

152) *ASAtene*, 37-38, 1959-1960, p. 47, fig. 32 c, n. 4. Complesso 21, t. 2, Vaccarella 14-III-1922, inv. 20473.

153) *BollArte*, 1962, p. 159, fig. 10 b. Complesso 6, contr. S. Lucia 22-IV-1910, inv. 4887.

154) *NSc*, 1940, p. 321, fig. 11. Contr. Corvisea, t. 193 25-VIII-1934, inv. 51172.

155) V. Anfiteatro, 1911. A quanto consta inedita.

156) V. Anfiteatro, 1911. Anfora con tre fasce orizzontali. Grosso lydion a superficie marmorizzata: cfr. RUMPF, in *AM*, 45, 1920, p. 167 per la cronologia. A quanto consta inediti.

157) *ASAtene*, 37-38, 1959-1960, p. 223, fig. 198 a. Complesso 90, t. 3, Vaccarella 15-VII-1924, inv. 20764. I cfr. richiamati sembrano pertinenti solamente al disegno del volatile, che sono propri dello stile di Fikellura. La forma del vaso manca in quelle fabbriche.

158) LETTA, *Coroplastica*, p. 27, nota 53.

116

cropoli Paladino di *Amendolara* un balsamario rodio a figura maschile (159), e una figura femminile dal santuario di *Francavilla M.ma* (160).

A *Sibari* la documentazione è rappresentata da due lydia, uno del tipo alto (161), ad ingubbiatura rossastra forse locale, l'altro del tipo ovoide (162). Inoltre un frammento di piatto con modello di palmetta arrotondata piuttosto proprio (163), che trova un precisissimo confronto a Naucrati ed in prodotti assegnati alla Ionia Settentrionale; la sagoma, caratterizzata da un listello sporgente alla base della breve parete svasata, sembra da accostare a prodotti databili nel periodo del Corinzio Medio, nel secondo quarto del secolo. Una notevole frequenza assume la produzione locale: sia in forme semplici (164), riprese da più antichi o contemporanei modelli come l'anfora da Taranto (cfr. 75, 156), sia in pezzi di maggiori dimensioni decorati a roulette (165), già visti a Caulonia (cfr. 107). Si hanno però anche prodotti più complessi, come la coppa ionica con protome femminile applicata (166), nella quale la sagoma ionica è mescolata con una testina attestata nella produzione dell'area metapontino-sibarita, nella quale sceverare le influenze sarebbe forse più da perito settore che da archeologo. In quel che rimane dell'hydria con sirena, volatili e cespuglio (167) l'influsso ionico, che direi clazomenio, sembra molto più preciso e vi si potrebbe vedere un tramite per la produzione « pontica », in una luce di rapporti Mileto-Etruria via Sibari, che, dopo tutto, sembra legittima, anche per la presenza nel Tarantino di altri pezzi analoghi (cfr. 195-196).

Da *Crotone* abitato è attestato un balsamario a testa di cane (168), forse samio; mentre dal santuario di Hera Lacinia si hanno lydia (169), di tipo e quantità non precisati.

Dalla necropoli Lucifero di *Locri* provengono due lydia del tipo ovoide a fasce orizzontali (170). Gli altri prodotti sono invece di origine incerta, ma probabilmente anch'essi da tombe, considerandone la conservazione e la tipologia. Rodio sembra un balsamario a forma di colomba (171); più incerta la fabbrica per gli altri balsamari e statuette a figura femminile, dispersi in varie colle-

159) DE LA GENIÈRE, in *RevArch*, 1967, p. 202, fig. 11; LAVIOLA, *Amendolara* ², p. 27, fig. 13.
160) *AMemMG*, 1970-1971, p. 55, tav. 22, n. 5 (*DLG*).
161) *Sibari 69*, p. 33, fig. 28, n. 72 (*DLG*). Parco del Cavallo, saggio 1, inv. S 69-1169. Tipo 2 a-b: KERÉNYI, in *NSc*, 1966.
162) *Sibari 69*, p. 80, fig. 72, n. 144. Parco del Cavallo, saggio 3, inv. S 69-7752. Tipo c-d: KERÉNYI, in *NSc*, 1966.
163) *Sibari 71*, p. 124, nn. 230-232, fig. 136. Stombi, invv. St 71-8220, 24125, 26284, 13389, 19055. Cfr. molto vicino: *JHS*, 44, 1924, tav. 7, 7, p. 196; per il disegno della palmetta, ma all'interno del piatto ed in catena alterna: KARYDI, *Samos*, 6, 1, tav. 122, n. 922 « Nord-ionien ». Sagoma simile, ma con listello meno accentuato: KINCH, *Vroulia*, tav. 35: si tratta di un « Segmentteller », tipico delle fabbriche « Ostdoris », secondo Karydi. Nei piatti di fabbrica corinzia si nota un ingrossamento del piede e talvolta un listello nel periodo Corinzio Medio: *BCH*, 86, 1962, p. 117.
164) *Sibari 71*, p. 115, n. 210, fig. 121. Stombi, inv. St 71-10428. Cfr. *MonAntL*, 48, 1973, tav. 70, 1, p. 225, n. 3 (con bibl.), da Matera; *ASAtene*, 37-38, 1959-1960, p. 213, fig. 188 e, p. 217, n. 5; ROSS HOLLOWAY, *Satrianum*, tav. 111, 77, p. 60, t. 9; CONDURACHI, *Histria*, 2, p. 230, nn. 1-2, tav. 83; *ClRhodos*, 4, 1931, p. 186, fig. 194 a d. La forma manca in Grecia Orientale, a quanto consta: vi è però tipica la decorazione a fasce orizzontali cfr. BOEHLAU, *Nekropolen*, tav. 8.
165) *Sibari 69*, p. 94, fig. 81, n. 215 (*DLG*). Parco del Cavallo, saggio 3, inv. S 69-8779.
166) *Sibari 69*, p. 79, n. 135, p. 80, fig. 70. Parco del Cavallo, saggio 3, inv. S 69-7654. Cfr. KINCH, p. 146, *Vroulia*, fig. 47; KARYDI, *Samos* 6, 1, tav. 42, n. 346; DE SANTIS, *Lagaria*, fig. 30 (da Francavilla M.ma).
167) *AMemMG*, 1972-1973, tav. 52 b-c, p. 72. Stombi, inv. St 72-3079. Cfr. *AA* 1936, col. 378, fig. 34, col. 381, n. 31. Per i vasi « pontici »: ENDT, *Vasenmalerei*, p. 42, fig. 17.
168) A quanto consta inedito (*DLG*). Il tipo del cane è noto anche a Rodi: DUCAT, *Vases*, p. 150.
169) *Klearchos*, 14, 1972, p. 140. « Alcuni lydia ionici » databili per lo strato di rinvenimento alla metà del VI sec.
170) Museo di Reggio Calabria, invv. S 168-169. A quanto consta inediti. Necropoli Lucifero, t. 1418.
171) *AMemMG*, 1961, p. 94, n. 103, tav. 39 (*DLG*).

zioni (172-176). Tramite un vasetto configurato, della collezione Scaglione, a protome di Acheloo (177) si rafforza l'attribuzione a Locri di un doppio aryballos del British Museum (178), già assegnato dallo Higgins.

Sul vaso configurato con melograne, serpente e ranocchie (179) si è discusso: corinzio o rodio, non sembra agevole decidere. È da osservare che nei c.d. kernoi samî è caratteristica la sovrabbondanza dei motivi plastici compositivi, che non pare propria invece della produzione corinzia.

Anche a *Reggio* la documentazione pare limitata ai balsamari configurati ed alle statuette, tutti dall'area sacra di Griso-Laboccetta. Si inizia con un alabastron, di notevoli dimensioni, a figura femminile (180); le figure femminili sono di gran lunga predominanti (181-187), con una dozzina abbondante di esemplari, sugli esemplari maschili (188-189). È anche attestato il tipo del demone panciuto (190).

SECONDA METÀ E FINE DEL VI SECOLO

Con il declinare del VI sec. l'attestazione di prodotti greco-orientali si contrae progressivamente, e sembra specializzarsi nella coroplastica, nella quale la parte dominante è però di produzione locale.

È questo il caso di quattro statuette, simili fra loro, di figura femminile seduta, con provenienza generica dall'Apulia (191), da Canosa (192) e da Rudiae (193), derivanti da matrici rodie o per lo meno da lì influenzate. Forse invece importato è un askos a ciambella (194), decorato a fasce, proveniente da Canosa.

Comprato a Taranto, e quindi di provenienza dalla zona, è un frammento di cratere, probabilmente clazomenio (195): sembra questa l'unica importazione in Magna Grecia dalla fabbrica nord-

172) *AMemMG*, 1961, tav. 32, n. 71, p. 87 (*DLG*). Sembra locale.

173) HIGGINS, *BMTerracottas*, 1, p. 325, n. 1198, tav. 164. British Museum, reg. 1905. 3-14. 2.

174) WEBSTER, in *AntJournal*, 1936, p. 140, tav. 24, 2; CVA, *Scheurleer*, tav. 9, 3; DUNBABIN, p. 479; BUSCHOR, *Standbilder*, fig. 121, p. 34. Museo di Reggio Calabria. Tipo: MAXIMOWA, fig. 64; cfr. supra n. 121.

175) CVA, *München*, 3, tav. 150, 3-4; DUCAT, *Vases*, p. 63, korai con abito rodio a 3. Museo di Monaco, inv. 5256.

176) Vente Hôtel Drouot 17-VI-1912, tav. 8, n. 113; CVA, *La Haye*, II D, tav. 1, 3; BUSCHOR, *Standbilder*, tav. 121; DUCAT, *Vases*, pp. 62, korai con abito samio n. 2.

177) *AMemMG*, 1961, tav. 38, n. 102, p. 94.

178) HIGGINS, *BMTerracottas*, 2, p. 48, n. 1682, tav. 33.

179) *AMemMG*, 1961, p. 119, tav. 57, n. 206; *ArchClass*, 14, 1962, p. 73, n. 6; DUCAT, *Vases*, p. 145, n. 6. Adde: *Münzen und Medailen, Auktion* 22, 13-V-1961, n. 118.

180) VALLET, *Rhégion*, p. 144. Museo di Reggio Calabria, inv. 977.

181) VALLET, *Rhégion*, p. 144 (*DLG*). Museo di Reggio Calabria, inv. 831.

182) VALLET, *Rhégion*, p. 144 (*DLG*). Museo di Reggio Calabria, inv. 831.

183) VALLET, *Rhégion*, p. 144.

184) VALLET, *Rhégion*, p. 144.

185) VALLET, *Rhégion*, p. 144. Museo di Reggio Calabria, inv. 795.

186) VALLET, *Rhégion*, p. 144 (*DLG*).

187) Dall'area Vilardo, presso il Duomo. Ringrazio il sig. Felice Costabile per la comunicazione.

188) VALLET, *Rhégion*, p. 144.

189) VALLET, *Rhégion*, p. 144. Museo di Reggio Calabria, inv. 832.

190) VALLET, *Rhégion*, p. 144. Cfr. BOEHLAU, *Nekropolen*, tav. 13, 4.

191) MOLLARD BESQUES, *Louvre*, p. 76, n. B. 533, tav. 49. Museo del Louvre, ex coll. Durand ED 2038, inv. S 854.

192) MOLLARD BESQUES, *Louvre*, p. 76, n. B. 532, tav. 49. Museo del Louvre, dono Ecole Française de Rome, inv. MNB 2018 (1880).

193) BERNARDINI, *Lecce*, p. 13, fig. 35. Museo di Lecce, invv. 2476, 2483.

194) A quanto consta inedito. Museo di Lecce, inv. 4567. Cfr. LAMBRINO, *Histria*, pp. 205-209.

195) COOK, in *BSA* 47, 1952, p. 139, n. F 17. Museo di Würzburg, inv. H. 4710.

ionica, e quindi, oltre all'hydria da Sibari (cfr. 167), assume particolare valore un'hydria da Massa-fra (196) se veramente, come sembra, è di imitazione clazomenia: che dirla di importazione sembra eccessivo.

A Metaponto si hanno alcune statuette dei tipi consueti: ad alto polos (197), stante con colom-ba (198), con polos basso (199), sicuramente femminile. Interessante una testa maschile barbata (200), ripresa da modelli greco-ciprioti, e che trova un confronto a Taranto, in una terra verdastra che non pare affatto locale.

A Sibari continua la produzione locale ispirata da modelli decorativi più antichi ma su forme che non paiono attestate nella Grecia Orientale (201). La diffusione di questi prodotti avviene am-piamente nel territorio, come attesta una brocchetta da Laino (202); lo stesso avviene nell'entroterra metapontino, come è attestato per es. a Matera (cfr. 164). L'epoca documentata è quella tra VI e e V sec., ma è probabile che ciò sia dovuto alla casualità dei rinvenimenti (cfr. excursus II).

A Locri, sempre in collezioni e probabilmente di provenienza tombale, si hanno ancora balsamari, come un alabastron a figura femminile (203), uno a figura femminile stante (204), tre a forma di si-rena (205-207), due demoni panciuti (208), due a figura femminile seduta (209-210), una a figura ma-schile stante (211). Non sempre è agevole decidere sul luogo di fabbricazione, ma per lo più sem-brano prodotti locali.

VI SECOLO

Per concludere si ricordano alcuni pezzi che non sono stato in grado di situare più precisa-mente che nel VI sec.

Sono due terracotte da Taranto (212-213), di produzione o influsso rodio; una dozzina di fram-

196) CVA, Lecce, III F, tav. 1, 1-2; ROMANELLI-BERNARDINI, Museo, p. 64, n. 557; BERNARDINI, Lecce, fig. 42, p. 18. Museo di Lecce, inv. 557. Per la sagoma: DIEHL, Hydria, pp. 59-60. Cfr. AA, 1929, col. 45, fig. 2; SovArch 1965, 3, p. 226, fig. 1 mancanza di proporzioni fra le figure: AA, 1911, col. 224, fig. 32. Nella produzione clazomenia il toro sembra mancare (COOK, in BSA, 47, 1952, p. 142) dal Gruppo Urla (p. 130 ss.) che è quello dove si notano più numerose le hydriai; nella classe Enman, n. 8, è rappresentato un leone che azzanna un toro; e nel fr. F. 22 sono rappresentati un leone ed un toro. La catena di fiori di loto e boccioli è ugualmente piuttosto rara (p. 145): ma v. A. 17, p. 125 (= CVA, Oxford, II D, tav. 10, 12). Inoltre: KARYDI, Samos 6, 1, p. 83, fig. 150, n. 941. Da cfr. ed approfondire quanto affermato da HANNESTAD, Paris Painter, p. 31 a proposito del motivo sui vasi pontici.

197) LETTA, Coroplastica, pp. 50-51, tav. 6, 3 (DLG).

198) LETTA, Coroplastica, pp. 49-50, tav. 6, 2 (DLG).

199) LETTA, Coroplastica, pp. 51-52, tav. 6, 4 (DLG).

200) LETTA, Coroplastica, pp. 52-53, tav. 7, 1 (DLG). Caso analogo: MOLLARD BESQUES, Louvre, p. 72, n. B. 498, tav. 46, da Taranto.

201) AMemMG, 1972-1973, tav. 46 c, p. 45. Stombi, inv. St 72-1270. Esemplari con decorazioni lineari diverse e figurate: AA, 1929, coll. 235-266.

202) Museo di Castrovillari. Klearchos, in stampa.

203) CrArte, 6, 1941, tav. 31, 12.

204) AMemMG, 1961, tav. 38, n. 96 (DLG).

205) AMemMG, 1961, tav. 39, n. 99, p. 94.

206) HIGGINS, BMTerracottas, 1, pp. 325-326, n. 1200, tav. 164. British Museum, reg. 1935. 5-16, 1.

207) CrArte, 6, 1941, tav. 31, 16.

208) AMemMG, 1961, p. 92, tav. 37, nn. 89-90 (DLG).

209) AMemMG, 1961, p. 87, tav. 32, n. 70 (DLG).

210) AMemMG, 1961, p. 93, tav. 38, n. 95 (DLG).

211) AMemMG, 1961, p. 91, tav. 37, n. 88 (DLG).

212) DUNBABIN, p. 479.

213) DUNBABIN, p. 479. Museo di Taranto, inv. 2278.

menti chioti, da calici e coppe, da Sibari (214-216); da Reggio infine due balsamari a testa di lepre e a forma di capra, forse dal muro di cinta (217-218): la capra è un tipo che non sembra raccolto dal Ducat; e una piccola hydria, di fabbrica locale, decorata con una linea ondulata (219).

* * *

Sembra necessario, dopo questa lunga e noiosa enumerazione, indicare qualche elemento di discussione. Così che, figurativamente, raccogliamo tutti insieme questi cocci avvolgendoli nel lussuoso mantello di Alcistene (220), e vediamo cosa ne possiamo tirare fuori.

Anche se da integrare, come detto all'inizio, le linee fondamentali rilevate dal Dunbabin (cfr. schema a p. 224) sono da conservare. Le importazioni greco-orientali iniziano, fin dall'inizio del VII sec., con pochi pezzi, dei quali il più significativo sembra essere quello da Policoro, se lì veramente è la Siris colofonia.

La predominanza assoluta è nella prima metà e fino al terzo quarto del VI sec., sia per quantità di importazioni sia per ampiezza di fabbriche interessate alla produzione. Con la fine del secolo l'importazione decade bruscamente, per l'affermarsi di una produzione locale, specie nel campo della coroplastica. Imitazioni d'altronde si erano già avute fin dalla metà del VII sec. (sostegno da Sibari con volatili; brocca da Policoro) di oggetti con impegno decorativo ben superiore alle statuette.

Un secondo elemento da considerare è quello della frequenza dei rinvenimenti: quelli provenienti da abitati sono quasi uguali, in percentuale, a quelli tombali. E occorre considerare lo stato delle conoscenze, che favorisce le necropoli (per es. a Taranto) rispetto agli abitati. Meno di un quarto del totale proviene da aree sacre: e questo può essere significativo, se rispondente alla realtà antica, per cercare di interpretare il modo e la ragione dei rapporti con la Grecia Orientale.

L'identificazione dei centri di produzione è soggetta a tutte le cautele già esposte: quello più sicuramente attestato è Rodi, seguito da Chio e dalla fabbrica, o fabbriche, del c.d. bucchero. Sembrano inoltre da riconoscersi rapporti con Samo e con la Ionia Settentrionale, in specie forse con Clazomene.

Si può quindi concludere che le importazioni greco-orientali sulla costa jonica della Magna Grecia iniziano al principio del VII sec. e terminano con la seconda metà del VI sec. Sono principalmente d'uso corrente, come dimostrano sia i luoghi di rinvenimento sia il sorgere di imitazioni. Sembrano seguire lo sviluppo delle importazioni corinzie, pur non escludendosi rapporti diretti, almeno nei casi di Sibari (Erodoto, VI, 21; Amphinomos: C. BLINKENBERG, *La chronique du temple lindien*, Copenhague, 1912, p. 15, cap. XXVI) e, all'inizio, di Siris.

214) *Sibari* 70, p. 255, fig. 265, n. 129 (*DLG*). Stombi, invv. S 70-24704, 24705, 24784, 25072, 27033.
215) *Sibari* 70, p. 107, fig. 76, n. 90 (*DLG*). Stombi, inv. S 69-13341 a.
216) *Sibari* 70, p. 92, fig. 76, n. 40 (*DLG*). Stombi, inv. S 69-13761 a.
217) VALLET, *Rhégion*, p. 145 (*DLG*).
218) VALLET, *Rhégion*, p. 145 (*DLG*). Il tipo non sembra raccolto in DUCAT, *Vases*.
219) VALLET, *Rhégion*, p. 222, tav. 15, 2.
220) Da ultimo HEURGON, in *Festschr. Michalowski*, pp. 445-450.

EXCURSUS I: IMPORTAZIONI FITTILI GRECO-ORIENTALI NEL BACINO ADRIATICO

Si è già entrati a considerare questo mare trattando dei rinvenimenti da Rudiae, Canosa e Gioia del Colle. Per quanto sia da osservare che nessuno dei centri nominati si trova immediatamente sulla costa, quanto piuttosto un po' all'interno: così che se ne può supporre anche un collegamento via terra con Taranto, grosso centro importatore, come si è visto.

È stato infatti supposto (Braccesi) che la navigazione verso il *caput Adriae* si svolgesse per il tratto meridionale lungo e attuali coste albanese e jugoslava, fino all'altezza di Zara. E solo da questo punto si traversasse il mare verso Occidente, in direzione del Conero.

È però un fatto, almeno a quanto mi risulta, che oggetti di importazione greco-orientale mancano sulle coste balcaniche, da Corfù a Zara: mentre, anche se pochi, se ne hanno a Numana ed a Adria. Inoltre a Vis e a Zara si hanno ugualmente importazioni, fra le quali un frammento sicuramente clazomenio che riveste un particolare interesse se lo si ricollega agli esempi da Taranto e da Massafra. Inoltre, all'estremo Nord di S. Lucia di Tolmino, si hanno vari esempi di coppe ioniche (fra le quali un esemplare A 2) ed una oinochoe che lo Jacobstahl giudicava ionica.

L'entroterra emiliano è da ricordarsi per due lydia: da S. Martino di Gattara e da Servirola S. Polo, l'ultimo dei quali di tipo particolare.

Tutto il materiale noto, tranne l'anfora di Fikellura* da Adria, trova precisi riscontri in quello che si è esaminato partitamente per la costa ionica ed in particolare a Taranto. Così che sembra proponibile l'ipotesi che questi prodotti abbiano risalito l'Adriatico lungo la costa occidentale, così come hanno fatto i recipienti apuli indigeni: questa sola può essere la strada seguita da chi ha portato a Brac uno statere di Crotone.

Sulla costa orientale il materiale può essere pervenuto al termine di diverse rotte che, da diversi punti, hanno lasciato la costa italiana. Oltre che, naturalmente, da un cabotaggio continuo da Sud a Nord, così come si è supposto per la costa occidentale. Tuttavia è da notare un'impressione di contrasto tra i ricchi materiali, anche se non molto abbondanti, da Apollonia, per esempio, e quelli, così scarsi e sciatti, della Jugoslavia. Quasi che il cuneo dei Liburni-Japodi abbia costituito un ostacolo alla diffusione delle merci greche, aperto com'è invece ai rapporti con la penisola italiana.

Alla brillante ipotesi del Colonna, che vede un interessamento egineta dallo scorcio del VI sec. non ha fatto riscontro, per l'epoca precedente che qui interessa, nessuno studio analogo: troppo scarso di numero è il materiale a disposizione per riempire questo quadro che, con Morel, definirei ancora ipotetico.

In generale: MOREL, in *PdP*, 1966, p. 389; IDEM, in *RevArch*, 1975, p. 143; DE JULIIS, in *ArchStPugliese*, 28, 1975, pp. 74-77; LO SCHIAVO, in *MemAccLincei*, 1969-1970, pp. 511-512; GITTI, in *PdP*, 1952, p. 161 ss.; L. BRACCESI, *Grecità Adriatica*, Bologna, 1971, pp. 19-34; COLONNA, in *RivStAntichità*, 4, 1974, pp. 1-22; LISICAR, in *Arch. Jugoslavica*, 14, 1973, pp. 3-27; MOREL, in *BCH*, 99, 1975, pp. 857-858.

Materiale utilizzato:

ADRIA.
SCARFI'-FOGOLARI, *Adria*, p. 56, n. 7, tav. 7; *MEFRA*, 85, 1973, p. 62, nota 7; COLONNA, in *RivStAntichità*, 4, 1974, p. 17, nota 67.

BRAC.
NIKOLANCI, in *VjesnikDalm*, 68, 1966, p. 116, n. 6, tav. 15.

NUMANA.
COLONNA, in *RivStAntichità*, 4, 1974, p. 17, nota 63.

S. MARTINO DI GATTARA.
Inedito (informazione di G. Colonna, che ringrazio).

---

* Dai nuovi scavi di Policoro proviene un'anforetta ovoide di Fikellura, esposta nella vetrina XII di quel museo.

S. LUCIA DI TOLMINO.
FREY, in *Oblatio Calderini*, pp. 364, 385, tav. 2, 1; JACOBSTAHL, *Pins*, p. 173; COLONNA, in *RivStAntichità*, 4, 1974, p. 16, nota 62.

SERVIROLA S. POLO.
COLONNA, in *RivStAntichità* 4, 1974, p. 17, nota 64, tav. 2 d.

VIS (Issa).
NIKOLANCI, in *VjesnikDalm*, 68, 1966, pp. 116-117, tav. 16, 1.

ZARA.
NIKOLANCI, in *VjesnikDalm*, 68, 1966, p. 117, n. 13, tav. 18, 1; COLONNA, in *RivStAntichità*, 4, 1974, p. 17.

EXCURSUS II: COPPE COSI' DETTE IONICHE

Si è più sopra rimandato il *redde rationem* con la spinosa questione delle coppe ioniche; e non sembra argomento di poco conto. Da quando è apparso lo studio fondamentale di Vallet e Villard, vent'anni fa, sul problema non si sono più avute prese di posizione, tranne per quanto riguarda alcuni prodotti da porsi all'inizio della serie, incentrando l'analisi sui reperti da Tarso, e per quanto riguarda gli esemplari rinvenuti a Tocra. Sembra che gli archeologi si siano con soddisfazione adagiati nei comodi binari apprestati dagli studiosi francesi.

Ma proprio con la sistemazione preliminare della classe si è aperto il problema delle coppe ioniche: e che il loro fosse solamente un punto di partenza era ben chiaro agli Autori. L'abbondanza di dati da allora disponibili, troppo superficialmente sistematizzati, ha fatto a ragione soprassedere la sig.ra de La Genière dall'includere le coppe ioniche nei supplementi alle liste di importazioni, che appariranno nella seconda edizione dell'opera del Dunbabin.

Quanto seguirà, quindi, si prenda, se si vuol prendere, solamente come una proposta di schema per un lavoro tutto ancora da compiere. Lavoro che richiede l'impegno di un'équipe di studiosi, dotata forse più di buona volontà che di mezzi appariscenti, ma che principalmente incontri lo spirito di collaborazione dei responsabili delle diverse Soprintendenze. E questi ultimi, in casi ancora dolorosamente attuali, dovrebbero mettere a disposizione le immense miniere di materiale, ricordando che sono pagati dal contribuente per la tutela di questo, cioè anche per una valida conoscenza scientifica, e non per un'occhiuta e stolida guardia ad un « bidone », del quale troppo frequentemente lo stesso guardiano ignora il contenuto.

Si era in precedenza tentato di raccogliere i prodotti più antichi della classe, sia quelli definiti « prototipi », sia gli esemplari della classe A, nei due tipi 1 e 2.

Ai « prototipi » raccolti in quell'occasione, tutti di localizzazione greco-orientale o greco-metropolitana, si può aggiungere un esempio, un po' incerto in verità, da Locri, Centocamere, scavi del 1969 (n. inv. 268), con vasca fonda, orletto breve a profilo un po' sinuoso. L'incertezza di datazione del pezzo, in attesa della pubblicazione, magari anche preliminare, dello scavo, può però far interpretare il pezzo anche come variante locale intermedia tra la coppa fonda della classe A e l'orlo breve del tipo B 1.

Per la sagoma A 1 è da aggiungere un esemplare da Matera, fontana dei Marroni, che mi pare d'importazione: anche se fosse d'imitazione (come preferisce il Lo Porto) la sua importanza non sarebbe minore.

Dalla zona che ci interessa vengono invece numerosi esemplari del tipo A 2: così a Noicattaro, Satyrion, Taranto, Sibari (*Sibari* 71, p. 423, n. 420). Come forse si ricorderà, solo quella di Taranto è stata compresa nelle importazioni, delle quali si è detto sopra (cfr. 29). La ragione di questa discriminazione è semplice, perché già per prodotti di questa sagoma si hanno motivi per supporne la fabbricazione locale. È il caso di esemplari da Melfi, Chiuccari t. F (*Popoli anellenici*, p. 108, n. 50428); da Noicattaro; da Satyrion stesso. Particolare interesse sembra rivestire il caso di Melfi, che parrebbe dimostrare come dalle città greco-coloniali della costa già sullo scorcio del VII sec. si sia diffuso il commercio di prodotti coloniali che prendono modello dalla produzione, diciamo così, « inventata » in Grecia Orientale. Dell'ampia diffusione testimonia l'esemplare da S. Lucia di Tolmino.

Perché poi il prodotto più diffuso, nel seguente intero VI sec., sia stata la coppa con sagoma rapportabile a quella ionica B 2, è forse il fondamento della ricerca. Ché infatti non c'è dubbio che il « fossile guida » per strati del VI sec., almeno per quanto è la mia conoscenza nella Magna Grecia jonica o tributaria, è costituito da frammenti di coppe ioniche. La ragione è probabilmente da ricercarsi nel fatto che la sagoma è semplice e funzionale, così come d'altronde è la decorazione, basata sull'alternanza orizzontale di fasce a vernice nera e risparmiate.

D'altronde la sagoma è prodotta anche nelle figuline attiche, con un particolare gradino tra orlo e spalla, ma con costante ripetizione delle proporzioni tettoniche e decorative.

Le fabbriche corinzie sembrano invece meno influenzate dal modello ionico, ma piuttosto da quello attico (cfr. per es. *Hesperia* 25, 1956, tav. 54, p. 361, 31): a meno che non sia la stessa etnia degli scavatori a specializzare i prodotti dei due centri.

La indubbia fabbricazione greco-coloniale delle coppe di sagoma B 2 è definitivamente provata per l'area metapontina dalla scoperta effettuata a Metaponto di fornaci, con scarti di lavorazione di tali prodotti (ADAMESTEANU, *Metaponto*, p. 26, fig. 7) oltre che dalle dediche dipinte su alcuni esemplari, sempre con la stessa provenienza. A Sibari sono stati rinvenuti diversi frammenti con notevoli difetti di cottura, per es. biscottatura dell'impasto o evidentissime avvampature della vernice decorativa, così che se ne può inferire una fabbricazione locale. Per quest'ultima città, ma non solo per essa, si aggiunga il problema delle coppe, databili tra fine VII e prima metà del VI sec., con orlo decorato a filetti

123

orizzontali, per le quali viene impiegata un'argilla sicuramente locale. Per Amendolara è stato affermato, anche se in alternativa, che le coppe ioniche possono essere greco-coloniali (*NSc*, 1971, p. 469).

Anche senza il punto fermo costituito dall'avvenuta scoperta delle fornaci metapontine, la stessa quantità e dispersione dei ritrovamenti di questi recipienti erano motivi che permettevano di supporne la fabbricazione coloniale, anche se messi in guardia dalla vecchia ipotesi che vedeva nei vasi a figure attici prodotti etruschi.

Oltre a questo aspetto, almeno un esemplare da Garaguso pone il problema di imitazioni indigene della forma (MOREL, in *CRAI*, 1974, pp. 384-385, fig. 10).

Problemi particolari sono presentati dalle coppe di sagoma B 1; da quelle che intendo come « Panionion » o, se si vuole, gruppo V Sibari; dalle imitazioni dei modelli attici detti ΣT.

Per quanto riguarda le prime, sembra di osservarne una scarsa frequenza, se rapportata a quella del tipo B 2 e, in proporzione, anche a quelle A 2. Gli esemplari che ho potuto osservare personalmente (Sibari, Francavilla M.ma, Armento) mi sono sembrati confezionati in argille locali e quindi anch'essi farebbero parte della produzione coloniale, che si rivelerebbe così articolata, almeno in una fase iniziale. Di altri recipienti analoghi (per es. quello da Montescaglioso, Cugno del Pero, loc. Bufalara) non potrei affermare con sicurezza la produzione italiota.

Per quanto riguarda le coppe di sagoma Panionion, o gruppo V Sibari, queste sono caratterizzate dalla dolce curva della spalla che lega con un'ampia sinuosità il labbro alla vasca, piuttosto profonda e tondeggiante (*Sibari 70*, p. 262). Anche queste paiono presenti in proporzione scarsa, ma con dispersione pari a quella delle B 2. Per gli esemplari che ho potuto controllare personalmente sarei sicuro di una fabbricazione greco-coloniale. Per Vietri si è indicata un'origine da Samo o da Chio (*Diald'Arch* 2, 1968, p. 144), che il dr. Hommel ritiene possibile. A quanto mi pare manca, ad oggi, il modello sicuro di importazione, almeno sulla costa jonica: quindi il problema sarebbe di identificare il modo nel quale la sagoma è pervenuta nella zona. Se si tratta di una elaborazione, parallela a quella attestata in Ionia, ma indipendente; se invece è questione del figulo trapiantato; o se, infine, future scoperte permetteranno di conoscere importazioni del tipo nel bacino del mar Jonio.

La preferenza per la forma profonda, mostrata dalle coppe tipo Panionion, è dimostrata anche dagli skyphoi che, nel labbro, ripetono il modello della coppa ionica B 2. Di questi è sicura la produzione coloniale, trovandosene inoltre scarti nella già citata fornace di Metaponto.

Alcuni esemplari sono stati identificati come di produzione attica, distinti con la sigla ΣT, dalla denominazione del settore di scavo nell'Agora di Atene dove, per la prima volta, sono stati identificati recipienti della classe. Altri ancora sono stati riconosciuti come imitazioni greco-coloniali della sagoma ΣT. Il criterio principale per identificare questi prodotti attici, o imitanti gli attici, è stato più il tipo di argilla impiegata che la particolare conformazione del settore tra orlo e spalla, separati da un gradino. Per quanto è la mia esperienza diretta, posso dire che esiste una costante nella sagoma che non sempre trova riscontro nelle caratteristiche dell'argilla. Anche perché, sempre basandomi sugli esemplari che ho visto, l'argilla attica, nel corso del VI sec., presenta variazioni vistosissime: più o meno tenera, più o meno rosata, fino ad assumere toni camoscio. A quanto mi sembra, un'importazione di coppe ΣT in Magna Grecia non può essere esclusa, mentre gli esemplari che, in argille che hanno tutte le apparenze per essere locali, ripetono il caratteristico gradino tra orlo e spalla più che imitare la sagoma attica possono essere libere, e parallele, elaborazioni coloniali del modello ionico. Come detto, importazioni dirette non si possono escludere, però occorre considerare che nella prima metà del VI sec. i prodotti attici sembrano non molto numerosi, e tutti principalmente di un notevole impegno figurativo.

Un gruppo di esemplari, finora a me noti dal Materano, ripete la sagoma canonica B 2, ma si presenta completamente coperto da vernice nera lucente. A quanto so, dall'Agora (*Agora* 12, n. 381) proviene un esemplare, ugualmente del tutto verniciato, anche se con vasca più profonda e con vernice matta e non lucida.

Credo sia opportuno concludere questo elenco di dubbi e di incertezze con proposte di lavoro: schedatura a tappeto di tutte le coppe, complete di profili, analisi oggettiva delle argille, cronologia stretta. I dati raccolti, che si suppongono piuttosto ingenti, andrebbero tabulizzati e criticati tenendo presente che ci si trova di fronte forse alla più antica produzione preindustriale di oggetti di uso quotidiano. Con la massiccia raccolta di dati si potrebbe forse anche stringere il problema cronologico: abbastanza precisato è l'inizio della produzione, mentre la sua fine deve probabilmente porsi con quella del VI sec. (cfr. MOREL, in *Simposio de Colonizaciones*, Barcelona-Ampurias, 1971, Barcelona 1974, pp. 154-156; IDEM, in *RevArch*, 1975, p. 143, n. 4.1).

In generale: VALLET-VILLARD, in *MEFR*, 57, 1955, p. 21 ss.; HANFMANN, in *Festschr. Goldman*, pp. 165-184; BOARDMAN-HAYES, *Tocra*, 1, pp. 111-134; *MEFRA*, 85, 1973, pp. 55-64; BEDINI, in *Sibari 70*, pp. 261-267.

Si dà un elenco di esemplari schedati sommariamente, noti nelle località d'interesse al presente rapporto.

ALIANELLO (Mt).
1) *Popoli anellenici*, p. 54, inv. 36779.
2) *Popoli anellenici*, p. 52, tav. 12, inv. 36793.

3) Magazzino museo di Policoro, t. 5: sagoma « Panionion ».

AMENDOLARA (Cs).

4) *NSc*, 1971, p. 463, fig. 34 = p. 471, fig. 46.

5) *NSc*, 1971, p. 466, fig. 44.

6) Laviola, *Amendolara* ², p. 37, fig. 20.

ARMENTO (Pz).

7) *AMemMG*, 1970-1971, p. 87, n. 13, p. 91.

8) Museo di Policoro, contr. Fiumarella, t. 1: B 2 coloniale.

ARPI (Fg).

9) T. B, scavi 1957-61, museo di Foggia: B 2 coloniale.

ASCOLI SATRIANO (Fg).

10) S. Rocco, t. 16, museo di Foggia: B 2 con int. completamente a v. n., tranne un cerchio a v. rossa sul fondo. È l'unico pezzo coloniale in un contesto indigeno.

BARI.

11) Gervasio, *Bari*, tav. 8, 4, p. 68, n. 4 = Baldassarre, *Bari*, p. 31, fig. 14 d: orlo completamente a v. n., con sagoma da ricollegare al tipo ΣT.

BELMONTE PICENO (AP).

12) Dall'Osso, *Guida*, p. 141, fig. in basso.

CANCELLARA (Pz).

13) T. 21, museo prov. Potenza: due B 2 coloniali.

14) T. 26, museo prov. Potenza: B 2 coloniale; B 2 malcotta.

CEGLIE DEL CAMPO (Ba).

15) T. 12, scavi 1929, museo di Bari: B 2 coloniale.

FERRANDINA (Mt).

16) Dono Santolauro, museo di Matera: B 2 malcotta.

FRANCAVILLA MARITTIMA (Cs).

17) Museo Civico di Cosenza: B 2 coloniale.

18) *Magna Graecia* I, 2, 1966, p. 8: applicazioni est. a forma di astragalo.

GARAGUSO (Mt).

19) Tomba N: *Popoli Anellenici*, p. 38 = *MEFR*, 82, 1970, p. 560, fig. 26.

20) *CRAI*, 1974, pp. 384-385, fig. 10 (anche fig. 7): imitazione indigena?

21) *NSc*, 1971, p. 430, fig. 10: t. X: cinque B 2.

22) *NSc*, 1971, p. 430, fig. 9: t. V: B 2 « di eccellente fattura ».

23) Magazzino del museo di Metaponto: vari esemplari B 2.

24) Loc. Ponte del Diavolo, museo di Matera: B 2 malcotta miniaturistica.

GIOIA DEL COLLE (Ba).

25) Gervasio, *Bari*, tav. 7, 6, p. 42, figg. 37-38. V. inoltre *passim*, *NSc*, 1962.

GRAVINA DI PUGLIA (Ba).

26) *PBSR*, 34, 1966, p. 142, fig. 5 b.

27) *PBSR*, 37, 1969, pp. 134-135, figg. 14-15, 5, 2.

IRSINA (Mt).

28) Museo di Matera: B 2 malcotta.

LATERZA (Ta).

29) Museo di Matera: tre B 2 malcotte.

LAVELLO (Pz).

30) *BollArte*, 1967, p. 45, fig. 3.

LOCRI (RC).

31) Centocamere, magazzino museo di Locri (cortesia Barra Bagnasco e Bacci): vari fr., fra i quali una B 1.

MATERA.

32) Loc. Paolicelli, t. 7, museo di Matera: B 2 malcotta.

33) Loc. Picciano, museo di Matera: B 2 coloniale, con piede a trombetta.

34) Ospedale Vecchio, museo di Matera: B 2 malcotta.

35) Loc. S. Martino, museo di Matera: B 2 coloniale.

36) Loc. Martinelle, museo di Matera: due B 2 coloniali.

37) Loc. Serra la Stella, museo di Matera: B 2 coloniale, con cerchio risparmiato sul fondo.

38) Loc. Ciccolocane, museo di Matera: quattro interamente a v.n.

39) Loc. Ciccolocane, museo di Matera: B 2 coloniale.

40) Loc. Rifeccia, museo di Matera: B 2 coloniale.

41) Loc. Fontana dei Marroni, museo di Matera: B 2 malcotta miniaturistica.

42) Museo di Matera, inv. 150000: tipo ΣT.

43) Museo di Matera, inv. 150097: tipo « Panionion ».

44) *NSc*, 1935, p. 112, fig. 6.

45) *NSc*, 1936, p. 87, fig. 5, p. 87, n. 15.

46) *NSc*, 1936, p. 86, n. 7 (museo di Matera, inv. 150180).

47) *MonAntL*, 48, 1973, p. 225, n. 5.

48) *MonAntL*, 48, 1973, p. 220, n. 5.

49) *MonAntL*, 48, 1973, p. 216, nn. 15-17.

50) *MonAntL*, 48, 1973, p. 214, n. 2.

51) *MonAntL*, 48, 1973, p. 213, n. 16: per il Lo Porto è un tipo di transizione tra A 1 e B 2.

52) *MonAntL*, 48, 1973, p. 209, n. 4; B 2 malcotta miniaturistica.

53) *MonAntL*, 48, 1973, p. 206, n. 1: B 1 di imitazione.

54) *BollArte*, 1968, p. 111, fig. 18 e = *MonAntL*, 48, 1973, p. 207, n. 5; interamente a v. n.

55) *BollArte*, 1968, p. 111, fig. 18 e = *MonAntL*, 48, 1973, p. 207, n. 3: B 1.

56) *BollArte*, 1968, p. 111, fig. 18 g = *MonAntL*, 48, 1973, p. 208, nn. 7-8: quattro B 2.

MELFI (Pz).

57) *Popoli anellenici*, p. 108, n. 50428 = *AMemMG*, 1965-1966, p. 201, n. 7: Chiucchiari, t. F.

MESAGNE (Br).

58) *Atti Taranto*, 1971, tav. 136, 1.

METAPONTO (Mt).

59) Antiquarium di Metaponto, loc. Crucinia: B 2 coloniale.

60) Antiquarium di Metaponto, coll. Bersanetti: quattro B 2; un esemplare miniaturistico.

61) Antiquarium di Metaponto, area sacra: frr. di B 2 locali con orlo est. a v. n. ed iscrizioni dipinte ad Afrodite.

MIGLIONICO (Mt).

62) Museo di Matera, inv. 152361: B 2 malcotta.

63) Museo di Matera, inv. 152029: A 2.

64) Museo di Matera, inv. 152095: ΣT con orlo quasi verticale.

65) Museo di Matera, inv. 152222: sagoma intermedia tra ΣT e B 2.

66) *MonAntL*, 48, 1973, p. 197, nn. 2-3.

MONTESCAGLIOSO (Mt).

67) Magazzino di Metaponto, Cugno del Pero, loc. Bufalara: B 1.

68) *Popoli anellenici*, p. 30, inv. 21672.

69) *Popoli anellenici*, p. 31, inv. 21697.

70) *Popoli anellenici*, p. 31, inv. 21752: B 2 bruciata.

71) Museo di Matera, inv. 14692 MT 4: interamente a v. n.

72) Museo di Matera invv. 9623, 9834, 9603, 9609, 9610: cinque B 2 malcotte.

73) Museo di Matera invv. 9833, 9770, 9905, 9904: quattro B 2 coloniali.

74) Museo di Matera, inv. 9729: B 2 probabilmente locale.

75) Museo di Matera invv. 14527-2, 14527: due probabili ΣT.

76) Museo di Matera, scavi 1975: due B 2 coloniali, una delle quali malcotta.

77) *MonAntL*, 48, 1973, p. 187, nn. 8-10.

78) *MonAntL*, 48, 1973, p. 186, n. 8.

79) *MonAntL*, 48, 1973, p. 185, n. 7.

80) *MonAntL*, 48, 1973, p. 184, n. 1.

81) *MonAntL*, 48, 1973, p. 184, nn. 2-3.

NOICATTARO (Ba).

82) GERVASIO, *Bari*, tav. 13, 4, p. 100, 4-9.

83) GERVASIO, *Bari*, tav. 13, 6, p. 100, 4-9.

84) GERVASIO, *Bari*, tav. 13, 8, p. 100, 4-9.

85) GERVASIO, *Bari*, tav. 14, 5, p. 100, 2.

86) GERVASIO, *Bari*, tav. 15, 10, p. 115, 4.

OPPIDO LUCANO (Pz).

87) *BollArte*, 1967, p. 48, fig. 18 = *Popoli anellenici*, p. 88, inv. 50155 = *NSc*, 1972, p. 505, n. 1.

ORDONA (Fg).

88) *NSc*, 1973, p. 299, nn. 7-8.

89) *NSc*, 1973, p. 301, n. 5.

ORIA (Br).

90) *Atti Taranto*, 1971, tav. 135, 1.

PISTICCI (Mt).

91) Museo di Matera, inv. 156015: miniaturistico tra B 1 e B 2.

92) Museo di Matera, invv. 156000, 156281, 156282, 156780: quattro B 2 coloniali.

93) Museo di Matera, inv. 156289: A 2 con orlo teso.

94) Museo di Matera, inv. 156185: sagoma intermedia tra B 2 e ΣT.

95) *MonAntL*, 48, 1973, p. 174, n. 4.

96) *MonAntL*, 48, 1973, p. 174, nn. 1-3.

97) *MonAntL*, 48, 1973, p. 170, n. 7.

98) *MonAntL*, 48, 1973, p. 170, n. 8: interamente a v. n.

99) *MonAntL*, 48, 1973, p. 169, nn. 3-6.

100) *MonAntL*, 48, 1973, p. 167, n. 5: interamente a v. n.

101) *MonAntL*, 48, 1973, pp. 162-163: quarantaquattro B 2 coloniali.

102) *MonAntL*, 48, 1973, p. 161, nn. 8-11.

103) *MonAntL*, 48, 1973, p. 161, n. 12: interamente a v. n.

104) *MonAntL*, 48, 1973, p. 158, nn. 9-20.

105) *MonAntL*, 48, 1973, p. 157, nn. 4-11.

POLICORO (Mt).

106) 11. *RMErgH*, 1967, p. 185, fig. 44 a.

107) 11. *RMErgH*, 1967, p. 185, fig. 44 b-c.

108) 11. *RMErgH*, 1967, p. 185, fig. 44 f-g.

109) Museo di Policoro, santuario di Demetra: due esemplari tipo « Panionion ».

110) Museo di Policoro, santuario di Demetra: due B 2 coloniali.

111) Museo di Policoro, santuario di Demetra: B 2 miniaturistica.

112) Museo di Policoro, t. 72 B, scavi 1973: B 2 coloniale.

113) *NSc*, 1973, p. 439, fig. 24: vari frr. di B 2 coloniali.

114) *NSc*, 1973, p. 439, fig. 24: frr. di orli a filetti.

POMARICO (Mt).

115) Museo di Matera, inv. 157164 MT 91: A 2 probabilmente di importazione.

ROCCANOVA (Pz).

116) *Popoli anellenici*, p. 64, invv. 37118, 37122: varianti della sagoma B 1.

117) *Popoli anellenici*, p. 62, invv. 37050, 37063, 37067.

RUDIAE (Le).

118) BERNARDINI, *Vasi*, tav. 59, 1.

SATRIANO (Pz).

119) ROSS HOLLOWAY, *Satrianum*, tav. 92, 29 T-4.

120) ROSS HOLLOWAY, *Satrianum*, tav. 114, 87 T-10.

121) ROSS HOLLOWAY, *Satrianum*, tav. 114, 88 T-10.

121) ROSS HOLLOWAY, *Satrianum*, tav. 137, 149 T-25.

123) *Popoli anellenici*, p. 93, inv. 54384.

124) *AJA*, 72, 1968, p. 120.

SATYRION (Ta).

125) *NSc*, 1964, p. 226, fig. 47, 12, 14; p. 236, nn. 1-2.
126) *NSc*, 1964, p. 226, fig. 47, 13; p. 1236, n. 4.
127) *NSc*, 1964, p. 238, fig. 54, 7-9, 10-11.
128) *NSc*, ·1964, p. 268, fig.. 85, 6; p. 267,. 5.

SIBARI (Cs).

129) *AMemMG*, 1961, tav. 13 c; p. 47.
130) *Search Sybaris*, tav. 15 f, p. 283.
131) *Search Sybaris*, tav. 17 e, p. 284.
132) *Search Sybaris*, tav. 22 a-d, p. 295.
   V. inoltre passim: *Sibari* 69; *Sibari* 70; *Sibari* 71.

SIPONTO (Fg).

133) Museo di Foggia, loc. Cupola, t. 8, scavi 1966: B 2 coloniale.
134) Museo di Foggia, loc. Cupola, t. 9, scavi 1966: B 2 coloniale.

STRONGOLI (Cz).

135) Magazzino *SoprAARC*, loc. Murge, sopraluogo VII-1975: vari frr. B 2 coloniali.

TARANTO.

136) *ASAtene*, 1955-1956, p. 23, fig. 18, pp. 23-24.
137) *ASAtene*, 1955-1956, p. 17,· fig. 10, p. 17.
138) *ASAtene*, 1955-1956, p. 15, fig. 8, p. 16.
139) *ASAtene*, 1959-1960, p. 195, fig. 168 f, p. 199.
140) *ASAtene*, 1959-1960, p. 191, fig. 164, p. 191.
141) *ASAtene*, 1959-1960, p. 124, fig. 98 b, p. 125.
142) *ASAtene*, 1959-1960, p. 62, fig. 45 a, p. 61.
143) *ASAtene*, 1959-1960, p. 102, fig. 79 b, p. 103.
144) *ASAtene*, 1959-1960, p. 142, fig. 118 g, p. 144.
145) *ASAtene*, 1959-1960, p. 162, fig. 140 c, p. 162.
146) *ASAtene*, 1959-1960, p. 177, fig 153, g, p. 178.
147) *ASAtene*, 1959-1960, p. 190, fig. 163 e, p. 192.
148) *ASAtene*, 1959-1960, p. 190, fig. 163 g, p. 192
149) *BollArte*, 1961, p. 270, fig. 2 b-c; p. 272, 4-5.
150) *BollArte*, 1961, p. 278, fig. 12 k-z; p. 280, 10-22.
151) *BollArte*, 1961, p. 270, fig. 12 e; p. 277.
152) *BollArte*, 1961, p. 268, 3 (non illustrata).
153) *BollArte*, 1962, p. 161, fig. 14 f; p. 162, 18.
154) *BollArte*, 1962, p. 161, fig. 14 a; p. 162, 11.

TIMMARI (Mt).

155) Museo di Matera, inv. 11849: B 1 locale.
156) Museo di Matera, inv. 11052: B 2 locale.
157) Museo di Matera, invv. 11137, 11397, 11603, Montagnola t. 25-IV-1911: cinque B 2 coloniali.
158) Museo di Matera, invv. 11139, 11247, 11229, 11628, 11625, 11627, 11629, 11596, dalla stipe: nove B 2 malcotte.
159) Museo di Matera, inv. 4904: interamente a v. n.
160) Museo di Matera, inv. 11636: B 2, forse di importazione.
161) Museo di Matera, inv. 11637: B 2 con fascia int. risparmiata.
162) Museo di Matera, inv. 11652: B 2 con cerchio risparmiato sul fondo.
163) Museo di Matera, Montagnola t. 25-IV-1908: B 2 malcotta con orlo a v. n.

VALENZANO (Ba).

164) Museo di Bari, inv. 7996: B 2 coloniale.
165) Museo di Bari, inv. 7995: B 3 coloniale.
166) GERVASIO, *Bari*, tav. 10, 3, p. 82 d.

ABBREVIAZIONI.

Studi su classi di produzione: COOK, in *BSA* 44, 1949, pp. 154-161; COOK, in *BSA* 47, 1952, pp. 123-152. E. WAL-TER-KARYDI, *Samische Gefässe des 6. Jahrhunderts v. Chr.*, Samos VI, 1, Bonn 1973 (cfr. rec. in *ArchClass*, 27, 1975, pp. 162-169). La sig.ra de La Genière ha steso liste di importazioni come appendici alla seconda edizione del DUN-BABIN: i materiali raccolti sono distinti con la sigla: *DLG*.

Questo lavoro non sarebbe stato possibile senza la cortese collaborazione delle sig.re J. de La Genière; G. Delli Ponti; P. Zancani Montuoro; e dei sig.ri D. Adamesteanu; P. Ciongoli; G. Colonna; F. Costabile; E. M. De Juliis; G. Foti; F. G. Lo Porto; C. Sabbione.

ADAMESTEANU, *Basilicata*.　　D. ADAMESTEANU, *La Basilicata antica. Storia e monumenti*, Cava dei Tirreni, 1975.

ADAMESTEANU, *Metaponto*.　　D. ADAMESTEANU, *Metaponto*, Napoli, 1973.

Agora 12.　　B. A. SPARKES-L. TALCOTT, *Black and Plain Pottery of the 6, 5, and 4 Cent. B. C.*, The Athenian Agora, 12, Princeton, 1970.

BALDASSARRE, *Bari*.　　I. BALDASSARRE, *Bari Antica*, Bari, 1966.

BERNARDINI, *Lecce*.　　M. BERNARDINI, *Il Museo provinciale di Lecce*, Roma, 1958.

BERNARDINI, *Vasi*.　　M. BERNARDINI, *Vasi dello stile di Gnathia. Vasi a vernice nera. Museo Provinciale S. Castromediano*, Bari, 1961.

BLINKENBERG, *Lindos* 1.　　C. BLINKENBERG, *Lindos 1: Les petits objets*, Berlin, 1931.

BOEHLAU, *Nekropolen*.　　J. BOEHLAU, *Aus jonischen und italischen Nekropolen*, Leipzig, 1898.

BOARDMAN, *Emporio*.　　J. BOARDMAN, *Greek Emporio. Excavations in Chios, 1952-1955*, Oxford, 1967.

BOARDMAN, *Greeks Overseas*.　　J. BOARDMAN, *The Greeks Overseas*, Aylesbury, 1964.

BOARDMAN-HAYES, *Tocra* 1-2.　　J. BOARDMAN-J. HAYES, *Excavations at Tocra, 1963-1965. The Archaic Deposits 1-2 and Later Deposits*, Oxford, 1966-1973.

BUSCHOR, *Standbilder*.　　E. BUSCHOR, *Altsamische Standbilder*, Berlin, 1934.

COLDSTREAM, *Pottery*.　　J. N. COLDSTREAM, *Greek Geometric Pottery*, London, 1968.

CONDURACHI, *Histria* 2.　　E. CONDURACHI, *Histria*, 2, Bucarest, 1966.

DALL'OSSO, *Guida*.　　I. DALL'OSSO, *Guida illustrata del Museo Nazionale d'Ancona*, Ancona, 1915.

DE SANTIS, *Lagaria*.　　T. DE SANTIS, *La scoperta di Lagaria*, Corigliano Calabro, 1964.

DIEHL, *Hydria*.　　E. DIEHL, *Die Hydria. Formgeschichte und Verwendung im Kult des Altertums*, Mainz, 1964.

DUCAT, *Vases*.　　J. DUCAT, *Les vases plastiques rhodiens archaïques en terre cuite*, BEFAR, 209, Paris, 1966.

DUNBABIN.　　T. J. DUNBABIN, *The Western Greeks*, Oxford, 1948.

ENDT, *Vasenmalerei*.　　J. ENDT, *Beiträge zur jonischen Vasenmalerei*, Prag, 1899.

GERVASIO, *Bari*.　　M. GERVASIO, *Bronzi arcaici e ceramica geometrica nel Museo di Bari*, Bari, 1921.

GUARDUCCI, *Epigrafia Greca* 3.　　M. GUARDUCCI, *Epigrafia Greca 3: Epigrafi di carattere privato*, Roma, 1974.

HANNESTAD, *Paris Painter*.　　L. HANNESTAD, *The Paris Painter*, Kobenhavn, 1974.

HIGGINS, *BMTerracottas* 1-2.　　R. HIGGINS, *Catalogue of the Terracottas in the . . . British Museum 1-2*, London, 1954.

JACOBSTAHL, *Pins*.　　P. JACOBSTAHL, *Greek Pins and their Connections with Europe and Asia*, Oxford, 1956.

JEFFERY, *Local Scripts*.　　L. H. JEFFERY, *The Local Scripts of Archaic Greece*, Oxford, 1961.

KARYDI, *Samos* 6, 1.　　E. WALTER-KARYDI, *Samische Gefässe des 6. Jahrhs. v. Chr.*, Samos 6, 1, Bonn, 1973.

KINCH, *Vroulia*　　K. F. KINCH, *Fouilles de Vroulia (Rhodes)*, Berlin, 1914.

LAMBRINO, *Histria*.　　M. F. LAMBRINO, *Les vases archaïques d'Histria*, Bucuresti, 1938.

LAVIOLA, *Amendolara*[2].　　V. LAVIOLA, *Necropoli e città preelleniche, elleniche e romane di Amendolara*[2], Cosenza, 1971.

LETTA, *Coroplastica*.　　C. LETTA, *Piccola coroplastica metapontina nel Museo Archeologico Provinciale di Potenza*, Napoli, 1971.

MAXIMOWA.　　M. J. MAXIMOWA, *Les vases plastiques dans l'Antiquité*, Paris, 1927.

MOLLARD BESQUES, *Louvre*.　　S. MOLLARD BESQUES, *Catalogue raisonné des figurines et reliefs*, Paris, 1954.

NEUTSCH, *Siris-Heraclea*.　　B. NEUTSCH, *Siris ed Heraclea. Nuovi scavi e ritrovamenti archeologici di Policoro*, Urbino, 1968.

Palinuro 2.　　R. NAUMANN-B. NEUTSCH, *Palinuro. Ergebnisse der Ausgrabungen 2*, RMErgH, 4, 1960.

129

Perachora 2.   T. J. Dunbabin et alii, *Perachora* 2, Oxford 1962.

Popoli anellenici.   *Popoli anellenici in Basilicata, Catalogo Mostra*, Napoli, 1971.

Romanelli-Bernardini, *Museo.*   P. Romanelli-M. Bernardini, *Il Museo Castromediano di Lecce*, Roma, 1932.

Ross Holloway, *Satrianum.*   R. Ross Holloway, *Satrianum. The Archaeological Investigations conducted by Brown University in 1966 and 1967*, Providence, 1970.

Scarfi'-Fogolari, *Adria.*   B. M. Scarfi'-G. Fogolari, *Adria antica*, Venezia, 1970.

Schiering, *Werkstätten.*   W. Schiering, *Werkstätten orientalisierenden Keramik aus Rhodos*, Berlin, 1957.

Search Sybaris.   E. M. Lerici-F. Rainey, *The Search for Sybaris 1960-1965*, Roma, 1967.

Sibari 69.   G. Foti et alii, *Sibari: saggi di scavi al Parco del Cavallo (1969)*, *NSc*, 1969, 1° suppl.

Sibari 70.   G. Foti et alii, *Sibari: scavi al Parco del Cavallo (1960-1962; 1969-1970) e agli Stombi (1969-1970)*, *NSc*, 1970, 3° suppl.

Sibari 71.   G. Foti et alii, *Sibari III. Rapporto preliminare della campagna di scavo: Stombi, Casa Bianca, Parco del Cavallo, San Mauro (1971)*, *NSc*, 1972, suppl.

Vallet, *Rhégion.*   G. Vallet, *Rhégion et Zancle*, *BEFAR*, 189, Paris, 1958.

Walter, *Samos 5.*   E. Walter, *Frühe samische Gefässe*, Samos 5, Berlin, 1968.

Pier Giovanni Guzzo

LE IMPORTAZIONI DELLA GRECIA DELL'EST IN PUGLIA

(Pl. LXIII–LXX)

Se per assurdo volessimo estendere nel tempo, oltre i limiti imposti dal tema di questo Convegno, la ricerca sulle importazioni in Puglia dal bacino orientale del Mediterraneo, non avremmo difficoltà a dare un posto d'onore alle splendide ceramiche micenee, provenienti da Rodi e fors'anche da Cipro, scoperte in abbondanza a Scoglio del Tonno e in altri insediamenti dell'età del Bronzo delle coste ionica e adriatica della regione (1).

Come è noto, sulla rotta di questa penetrazione commerciale promanante dall'Est, sullo scorcio del II millennio a.C., si instaura con l'Italia meridionale una corrente migratoria in cui si innestano le antiche leggende della colonizzazione rodia in Italia, di cui la Puglia per la sua particolare situazione geografica e secondo il racconto delle fonti sembra abbia fortemente risentito le conseguenze (2). Si ricordi l'Ἐλπία, πόλις ἐν Δαυνίοις, κτίσμα Ῥοδίων (3) e i vari toponimi: Rudiae, Rodi del Gargano, ecc. (4).

Anche Creta in questa età, seppure con ruolo minore rispetto a Rodi, figura nelle fonti come protagonista, accanto agli Illiri, dell'esordio etno-culturale della Japigia (5).

Nei secoli dal X all'VIII a.C., a giudicare dalla scoperta a Satyrion di frammenti di ceramica protogeometrica e geometrica, che ritengo di provenienza insulare (6), non si può escludere il perdurare di questa corrente commerciale marittima, seppure lenta ed intermittente, la quale prelude alle prime ondate della colonizzazione storica in Occidente con il conseguente graduale infittirsi dei rapporti fra Est ed Ovest (7).

In età precoloniale e protocoloniale i traffici commerciali dei Fenici sembrano scartare la Puglia e, aggirando il Capo di Leuca, lasciano solo qualche traccia lungo la costa ionica dell'odierna Calabria (8), così protesi come appaiono verso i più lucrosi *emporia* del Tirreno (9).

---

1) W. TAYLOUR, *Mycenean Pottery in Italy*, 1958, pp. 81 ss.; F. G. LO PORTO, *Leporano (Taranto) — La stazione protostorica di Porto Perone*, in « Not. Scavi », 1963, pp. 377 ss.; IDEM, *Origini e sviluppo della civiltà del Bronzo nella regione apulo-materana*, in « Atti X Riun. Scient. dell'Istit. Ital. di Preist. e Protost. », 1965, pp. 161 ss.; IDEM, *Italici e micenei alla luce delle scoperte archeologiche pugliesi*, in « Atti e Mem. del I Congr. Intern. di Micenologia », 1967, pp. 1186 ss.

2) J. BÉRARD, *La colonisation grecque de l'Italie méridionale et de la Sicile dans l'antiquité*, 1941, pp. 72 ss.; IDEM, *La Magna Grecia*, 1963, pp. 66 ss.

3) STEPH. BYZ., s.v. Ἐλπία.

4) J. BÉRARD, *ll. cc.*

5) F. G. LO PORTO, *L'attività archeologica in Puglia*, in « Atti XI Conv. Stud. Magna Grecia », 1971, pp. 480 ss. (ivi bibl.).

6) F. G. LO PORTO, *Satyrion (Taranto) — Scavi e ricerche nel luogo del più antico insediamento laconico in Puglia*, in « Not. Scavi », 1964 (cit. av. *Satyrion*), p. 221, fig. 42.

7) *Ibd.*, pp. 277 ss.

8) P. ZANCANI MONTUORO, *Francavilla Marittima - Necropoli di Macchiabate*, in « Atti e Mem. Soc. Magn. Grecia », 1970-71, pp. 9 ss.

9) G. VALLET, *Rhégion et Zancle*, 1958, pp. 180 ss.; J. N. COLDSTREAM, *Greek Geometric Pottery*, 1968, p. 389 (ivi bibl.).

Durante il VII e la prima metà del VI secolo a.C. i due porti di Brindisi e Taranto sono i più importanti della costa sud-orientale della penisola italiana e luoghi di transito necessari per le navi provenienti da ogni dove del mondo ellenico (10). Nella nostra rapida rassegna delle evidenze archeologiche apparirà per questa età via via sempre più imponente in Puglia, e specialmente a Taranto, il manifestarsi fra la massa delle importazioni, precipuamente corinzie e laconiche, di tutta una ricca gamma di prodotti artistici di provenienza ionica, in cui è l'isola di Rodi che sembra svolgere un ruolo di primo piano sia nella produzione che nella diffusione in Occidente.

Allo stato delle nostre scoperte in Puglia, uno dei primi prodotti d'importazione greco-orientale in età « orientalizzante » è un *pithos* ovoide a basso collo e orlo fortemente espanso (11), che fungeva da cinerario in quel sepolcreto arcaico di « Tor Pisana » a Brindisi, forse riferibile ad una comunità di mercanti greci operanti nell'ambito di quel porto (12). Tale vaso, seppure presente nelle Cicladi, a Thera, è comunissimo a Rodi e Gela, dove è anche impiegato nel rito funerario dell'*enchytrismos*, sì che è lecito considerarlo d'importazione rodia (13). Il nostro esemplare conteneva un gruppo di cinque ariballi protocorinzi sub-geometrici databili al 670-660 a.C. (14). Notevole, nella stessa necropoli, una coeva tomba d'inumato nel cui corredo figurava una interessante *pyxis* cretese sub-geometrica insieme con un gruppo di ariballi protocorinzi del 660 circa a.C. (15).

Per quanto non direttamente collegabile con le produzioni vascolari greco-orientali, ma evidentemente compreso nella massa delle importazioni egee, non posso qui non ricordare un altro esemplare di pisside cretese (fig. 1), di forma analoga a quella di Brindisi, ma di stile orientalizzante, anch'essa databile al secondo quarto del VII secolo e proveniente dalla necropoli di Taranto, come l'interessante frammento ugualmente cretese (fig. 2), ma forse più antico delle due *pyxides*, e recante l'immagine di un toro unicorne brucante e il motivo del « wind-mill » tipicamente orientalizzante e cretese (16). Altro frammento di vaso cretese fu da me raccolto a Satyrion, la più antica colonia laconica in Puglia (17). Appare pertanto lecito chiedersi se questa relativa frequenza in Puglia, in piena età orientalizzante, di autentici prodotti vascolari provenienti da Creta non debba richiamare quegli antichi vincoli d'ordine etnico e culturale, ricordati sopra, fra la Japigia e il mondo cretese (18).

Tornando ai prodotti d'importazione greco-orientale, databili intorno alla metà del VII secolo, ricordo ancora la scoperta a Satyrion di un frammento di coppa ad uccelli (*bird-bowl*) (19) e di una brocchetta acroma sicuramente di provenienza rodia (20).

A fabbriche di Rodi — come è noto — si ascrivono alcuni vasi in bucchero, generalmente di piccole dimensioni. Il Blinkenberg, a proposito di tali ritrovamenti a Lindos, osserva che questi pro-

---

10) F. G. Lo Porto, *Ceramica dalla necropoli arcaica di « Tor Pisana » a Brindisi*, in « Atti e Mem. Soc. Magn. Grecia », 1964 (cit. av. *Tor Pisana*), pp. 126 ss.; Idem, *Topografia antica di Taranto*, in « Atti X Conv. Stud. Magn. Grecia », 1970, pp. 350 ss.

11) *Tor Pisana*, p. 117, tav. XXVI, *a*.

12) *Ibd.*, p. 126. Pubblicando i materiali della necropoli brindisina, avevo ventilato la suggestiva possibilità che si trattasse di Tarantini, richiamandomi alla tradizione scritta, la quale narra che Phalantos, l'ecista di Taranto, esiliato dai suoi concittadini, si rifugiò a Brindisi, dove morì.

13) *Ibd.*, p. 118, note 25, 26 e 27.

14) *Ibd.*, pp. 118 ss., tav. XXVI.

15) *Ibd.*, pp. 125 ss., tav. XXV, *a*, *b*.

16) Lo Porto, *Ceramica arcaica dalla necropoli di Taranto*, in « Ann. Sc. Arch. Atene », N.S. XXI-XXII, 1959-60 (cit. av. *CAT*), pp. 32 ss., figg. 23-25.

17) *Satyrion*, p. 230, fig. 47, 10.

18) Vd. nota 5.

19) *Satyrion*, p. 229, fig. 46, 4.

20) *Ibd.*, p. 230, fig. 50.

132

dotti riproducono le forme più correnti della ceramica contemporanea di altre fabbriche (21). Uno degli esemplari più antichi di questo genere di ceramica importata dall'Est nell'Italia meridionale è certamente la coppa scoperta sulla collina dell'Incoronata, presso Metaponto, recentemente studiata e pubblicata dal Burzachechi (22) e che sembra riprodurre formalmente la tazza protocorinzia geometrica della fine dell'VIII o degli inizi del VII secolo a.C. (23).

Nella necropoli di Taranto seguiamo con impressionante puntualità e per circa un secolo, dal secondo quarto del VII al secondo quarto del VI secolo a.C., l'esordio, lo sviluppo e la scomparsa del bucchero ionico, con le sue caratteristiche tecniche dell'impasto grigio generalmente ingubbiato e le varianti di colore brunastro, dovute spesso ad effetti di cottura, fino ai prodotti più tardi sovrappinti in bianco e rosso (24).

A Taranto, dunque, il più antico esempio di bucchero ionico compare nel corredo di una tomba di via Di Palma, databile al 670 circa a.C., dove accanto ad ariballi protocorinzi sub-geometrici, come in molte tombe siracusane della necropoli del Fusco (25), figura appunto un *aryballos* ovoide in bucchero (fig. 3) che, similmente agli esemplari rodii di Lindos (26), riproduce indiscutibilmente il vasetto protocorinzio (27).

Più tardi, in una tomba di via Messapia del 625 circa, insieme ad ariballi del protocorinzio finale troviamo un *aryballos* in bucchero ionico ormai globulare e lievemente schiacciato (fig. 4), come gli analoghi ariballi paleocorinzi di forma A del Payne (28). Va notato che gli esemplari più numerosi di questo tipo di vasetto in bucchero ci provengono da Rodi, e in Italia e Sicilia, da Cuma, Megara Hyblaea e Gela (29).

Altra forma assai comune nel bucchero ionico è quella dell'*alabastron* fusiforme, che compare per la prima volta a Taranto in una tomba, scoperta presso l'Arsenale insieme ad una tipica *kylix* ionica d'importazione di forma A 2, un balsamario corinzio a forma di leprotto accovacciato, un vasetto locale ed un *aryballos* paleocorinzio del 620 circa a.C. (fig. 5) (30).

Pure frequente a Taranto, a partire dall'ultimo quarto del VII secolo, come in altre necropoli della Magna Grecia e della Sicilia, dell'Etruria e dell'Oriente ellenico da cui proviene, è il *lydion* in bucchero, forma tipicamente ionica e, come gli *alabastra*, ornato spesso di scanalature orizzontali (31). Un esemplare fu scoperto in via Regina Elena in un corredo funerario nel quale figurano numerosi ariballi paleocorinzi ed una interessante *lekythos* sferoide con ornato metopale a protomi umane e figura cavallina, richiamante prodotti vascolari d'ambiente cicladico e greco-orientale, da cui sembra provenire il vaso (fig. 6) (32).

Nella necropoli arcaica di Taranto, durante la prima metà del VI secolo, il quadro delle importazioni dalla Grecia dell'Est si fa particolarmente ampio e consistente, mentre la ceramica corinzia, sovrabbondante nel primo quarantennio del secolo, cede gradualmente il posto, insieme ai coevi prodotti vascolari laconici, ai vasi attici a figure nere. Nella massa cospicua delle importazioni dall'Est è però

21) C. BLINKENBERG-K. KINCH, *Lindos*, I, 1931, p. 275, n. 964; *CAT*, p. 13.
22) M. BURZACHECHI, *Nuove epigrafi arcaiche della Magna Grecia*, in « Arch. Cl. », XXV-XXVI, 1973-74, p. 75, tav. XVIII.
23) Cfr. COLDSTREAM, tav. 20, a.
24) *CAT*, pp. 191 ss.
25) P. ORSI, in « Not. Scavi », 1893, pp. 470 ss.; 1895, p. 126.
26) Vd. nota 21.
27) *CAT*, p. 13, fig. 4.
28) *Ibd.*, pp. 53 ss., fig. 38.
29) *Ibd.*, p. 53, note 10-13; p. 54, note 1-4.
30) *Ibd.*, pp. 61 ss., fig. 45.
31) *Ibd.*, p. 91, note 3 e 4.
32) *Ibd.*, pp. 86 ss., figg. 65-69.

sempre Rodi ad avere quasi il controllo, se non il monopolio del commercio delle ceramiche e di altri prodotti di artigianato artistico, fra cui si annoverano anche bronzi, come le note *oinochoai*, scoperte di recente in Puglia, ad Ugento, e nell'Enotria ellenizzata, ad Armento (33).

Fra le produzioni più pregevoli dell'industria fittile rodiota che, fors'anche per il loro contenuto in essenze e profumi orientali, sembrano predilette dal *mundus muliebris* tarantino, acquistano particolare rinomanza i balsamari plastici, i quali spesso si distinguono nei rispetti tecnici dell'argilla dai coevi analoghi prodotti samii. L'esame e lo studio in corso di tutti i materiali raccolti nella necropoli di Taranto, mi ha dato modo di rilevare che mentre tali unguentari, se provengono da Rodi, sono di un'argilla giallina rosata contenente pagliuzze micacee, quelli di Samos, se è veramente questa la loro patria, sono plasmati di argilla color bruno rossiccio intenso con una più ricca quantità di elementi micacei ed un più spiccato sapore orientale sul piano artistico (34).

Nel corredo di una tomba tarantina, scoperta nel 1926 in contrada « Vaccarella » e comprendente vasi paleocorinzi e mesocorinzi ed una *kylix* ionica di forma A 2, figura un balsamario a protome di Acheloo (fig. 7), forse il migliore fra tutti gli esemplari analoghi conosciuti e sicuramente rodio (35). Se ne hanno esempi nelle necropoli di Jalissos e Kamiros, a Rodi, a Selinunte, Populonia e altri luoghi dell'Etruria e dell'Italia meridionale (36). L'associazione con i vasi corinzi ci consente di datare il nostro balsamario al 590-580 a.C., così come un altro esemplare con analoga testa del dio fluviale (fig. 8), fortemente permeato di ionismo ma di un tipo un po' diverso, scoperto presso l'Arsenale di Taranto in una tomba con ceramica mesocorinzia del 580-570 a.C. (37).

Pure di produzione rodia è il balsamario a forma di Sirena (fig. 9), di cui un esemplare figura nel corredo di una tomba tarantina della « Vaccarella » con ceramica corinzia del 570-560 a.C. (38). Tre altri esemplari di tale tipo di balsamario e di eguale datazione sono stati raccolti recentemente a Taranto in contrada « Carmine » in una tomba sottostante la muraglia del V secolo a.C. (39).

Ancora a Rodi va ascritto un balsamario a forma di ariete (fig. 10) (40), nonché un *alabastron* plastico del tipo di Afrodite (fig. 11), scoperto a Taranto in contrada « Corti Vecchie » in una tomba con ceramica tardocorinzia del 570 circa a.C., un *lydion* di bucchero ed un *amphoriskos* attico (41). Di provenienza samia invece è un altro esemplare di balsamario, il quale si distingue dal precedente per l'argilla rossiccia e per più spiccati accenti ionici. Fu scoperto in una tomba tarantina di via Oberdan con una *kylix* d'imitazione laconica ed un *aryballos* tardocorinzio del 570 a.C. (42). Pure samio è ancora un balsamario, mutilo al bocchino, del tipo della figura virile ignuda ed inginocchiata (fig. 12), che si fa ascendere a prototipi egizi, scoperto in contrada « Santa Lucia » con due *lydia* ed una bottiglia « samia » cilindroide (tipo B) della stessa argilla rossiccia del balsamario (43). A corpo piriforme (tipo A) è invece un altro tipo di *lekythos* samia, che si trova in tombe tarantine del secondo quarto inoltrato del VI secolo a.C. (44).

33) F. G. Lo Porto, *Tomba messapica di Ugento*, in « Atti e Mem. Soc. Magn. Grecia », 1970-71, pp. 108 ss., tav. XLV; D. Adamesteanu, *ibd.*, p. 86, tav. XXXV.

34) Lo Porto, *Tombe arcaiche tarantine con terrecotte ioniche*, in « Boll. d'Arte », 1962 (cit. av. *Tombe arcaiche*), pp. 153 ss.

35) *CAT*, pp. 102 ss., figg. 79-81.

36) *Ibd.*, p. 103, note 4 e ss.

37) *Ibd.*, pp. 127 ss., figg. 100-101.

38) *Tombe arcaiche*, pp. 156 ss., fig. 6.

39) F. G. Lo Porto, *L'attività archeologica in Puglia*, in « Atti Conv. Stud. Magn. Grecia », 1968, pp. 200 ss.

40) *Tombe arcaiche*, p. 157, fig. 7.

41) *Ibd.*, pp. 156 ss., figg. 8-9.

42) *CAT*, pp. 174 ss., figg. 151-152.

43) *Tombe arcaiche*, pp. 158 ss., fig. 10.

44) *Ibd.*, p. 158, nota 72.

La presenza dei *lydia* in bucchero ionico nella necropoli di Taranto continua per tutta la prima metà del secolo VI, se li ritroviamo in molti corredi, come in questo di via Di Palma del 580 circa a.C. (fig. 13) (45).

Frequenti le suppellettili funerarie con ceramica mesocorinzia e tazze ioniche di forma B 1, come in una tomba di contrada « Vaccarella » del 580-570 a.C. (46), e di forma B 2, come nel corredo di una tomba dell'Arsenale comprendente anche una *kylix* mesocorinzia del « Vogelfriesmaler » ed un *aryballos* mesocorinzio con motivo floreale (47).

È inutile dire che le datazioni emergenti dall'esame di tali corredi tombali scoperti a Taranto, mentre da un lato confermano nelle grandi linee la validità della cronologia fissata dal Payne per la ceramica corinzia (48), danno ragione ai colleghi Villard e Vallet per quanto attiene alla classificazione tipologica e cronologica delle coppe ioniche (49).

Continuando la nostra rassegna, va segnalata in contrada « Lupoli », a Taranto, una tomba del 560 a.C. con ceramica tardocorinzia, una *kylix* ionica di forma B 1/B 2, tazze di tipo ionico di produzione locale e forma B 2 ed una coppa in bucchero ionico policromo, come alcuni esemplari scoperti a Delos (50). Da via Giovanni Giovine proviene un'*oinochoe* ed una *phiale mesomphalos* in bucchero policromo di produzione ionica, raccolte in una tomba del 580-570 a.C. insieme a ceramica laconica e corinzia (51).

Nel corredo di una tomba del 580 circa, scoperta in via Principe Amedeo, insieme ad un *amphoriskos* mesocorinzio, una *lekythos* samia ed una tazza attica di tipo ionico, figura un calice chiota con sfinge dipinta (fig. 14) (52). Di età un po' più tarda, del 570 circa, e con decorazione più semplice è un altro esemplare di calice chiota (fig. 15), scoperto in via d'Alò Alfieri con un *amphoriskos* mesocorinzio, uno *skyphos* paleoattico ed una pisside di un tipo sicuramente prodotto a Metaponto (53).

Si ritengono comunemente di fabbrica rodia alcuni prodotti in *faïence*, come questo balsamario di tipo egizio (fig. 16), scoperto a Taranto in contrada « Vaccarella » accanto ad un folto gruppo di vasi mesocorinzi del 580 circa a.C. (54). Da altra tomba rinvenuta nella stessa località proviene una statuetta di auleta similmente in *faïence* (fig. 17), raccolta con altri prodotti ionici e corinzi della metà circa del VI secolo a.C. (55).

Ritornando ai balsamari plastici di probabile produzione rodia, non posso qui non ricordare un cospicuo gruppo di tali fittili del genere trattato a vernice nera lucida (56), anch'essi presenti nella necropoli di Taranto. Un esemplare a forma di anatroccolo (fig. 18), fu rinvenuto nel 1952 in una tomba con un unguentario a forma di leprotto, ma corinzio, del 580 circa a.C. (57); un altro a forma di protome equina (fig. 19) fu raccolto con ceramica tardocorinzia ed un *amphoriskos* attico in una sepoltura del 570 circa (58); un altro ancora, a forma di piede calzato di κρηπίς con ornamento di palmetta di-

---

45) *CAT*, pp. 129 ss., fig. 102.
46) *Ibd.*, pp. 142 ss., fig. 118.
47) *Ibd.*, pp. 161 ss., fig. 140.
48) H. PAYNE, *Necrocorinthia*, 1931, pp. 269 ss.
49) F. VILLARD-G. VALLET, *Mégara Hyblaea V - Lampes du VIIᵉ siècle et chronologie des coupes ioniennes*, in « Mél. d'Arch. et d'Hist. », 1955, pp. 14 ss.
50) *CAT*, pp. 190, figg. 163-164.
51) P. PELAGATTI, *La ceramica laconica del Museo di Taranto*, in « Ann. Sc. Arch. Atene », N.S. XVII-XVIII, 1955-56, p. 15, fig. 8; *CAT*, p. 192, fig. 165.
52) *CAT*, pp. 124 ss., figg. 98-99.
53) *Ibd.*, pp. 186 ss., fig. 160.
54) *Ibd.*, pp. 118 ss., figg. 94-95.
55) *Ibd.*, pp. 202 ss., figg. 180-182.
56) R. A. HIGGINS, *Catalogue of the Terracottas in the British Museum*, II, 1959, pp. 7 ss.
57) *CAT*, pp. 130 ss., fig. 103.
58) *Tombe arcaiche*, pp. 153 ss., fig. 1.

pinta sull'ansa (fig. 20), era associato nel corredo di una tomba di via Crispi a due *aryballoi* in *faïence* ed una tazza attica di Siana della maniera del « Griffin-bird Painter » e databile alla metà circa del VI secolo a.C. (59).

Con la serie cospicua dei balsamari antropomorfi, generalmente acromi, raggiungiamo e forse oltrepassiamo il 550 circa a.C.

Sicuramente di Samos è un pregevole esemplare di argilla rossiccia, purtroppo mutilo alla base, raffigurante Afrodite con la colomba (fig. 21), che è la più « ionica » della serie a giudicare dai dettagli del volto con gli occhi a mandorla ed obliqui, il corpo sinuoso ed il ricco panneggio. Fu scoperto insieme con ceramica tardocorinzia I in una tomba tarentina di contrada « Corti Vecchie » (60).

A Rodi invece ci riporta un altro gruppo di balsamari analoghi, ma — come si è detto — di argilla più chiara, di cui un esempio ritroviamo nel corredo di una tomba scoperta a Taranto in via Dante ed in cui figurano con ceramica tardocorinzia, una tazza attica di tipo ionico ed un *lydion* ormai di forma evoluta, una statuetta virile di fabbrica rodia e due balsamari samii a forma di figura in ginocchio e a testa leonina (fig. 22) (61). La tomba va datata alla metà circa del VI secolo, come un'altra di contrada « Vaccarella », dove insieme con uno *skyphos* tardocorinzio a vernice nera fu raccolta un'interessante *lekythos* con uccelli acquatici dipinti che ci riportano allo stile rodio della ceramica di Fikellura (fig. 23) (62).

Da contrada « S. Lucia », a Taranto, proviene un corredo tombale della metà circa del VI secolo, fra cui particolare interesse desta una figuretta di argilla color arancione e di probabile provenienza rodia, raffigurante una divinità nana e panciuta, che non è Bes, ma — secondo Blinkenberg — una derivazione egiziana da Phtah-Sokar-Osiris (fig. 24) (63). Si ricordi che Erodoto (III, 37) ci narra che i Fenici usavano collocare sulle loro navi immagini di divinità in forma di nani, detti *Pataikoi*, i quali erano considerati geni buoni e protettori della vita domestica. La nostra statuetta richiama certamente uno di questi esseri creati dalle credenze popolari elleniche, identificabili a Rodi nei *Telchines* della tradizione letteraria (64).

Con questa immagine benigna di demone protettore, che ci riporta ancora in ambiente rodio, chiudiamo la rassegna delle importazioni greco-orientali in Puglia, e concludendo, possiamo affermare che intorno alla metà del VI secolo a.C. si avverte soprattutto a Taranto, ma anche in altri luoghi del mondo ellenico occidentale, una sensibile diminuzione delle importazioni dalla Grecia dell'Est, in cui — come abbiamo detto — Rodi per oltre un secolo ha avuto una parte di primo piano nella produzione e diffusione di tali mercanzie, non escludendo naturalmente l'intervento milesio, samio e per ultimo focese, come ha sostenuto l'amico Vallet (65).

È ora Atene, con la sua vasta produzione vascolare ad avere il sopravvento nei mercati d'Italia e di Sicilia anche nelle colonie ioniche e rodie. Ed è interessante osservare che gradualmente scompaiono, nel terzo quarto del VI secolo, quelle produzioni locali d'imitazione, come le famigerate tazze « ioniche », quasi che contribuisse al loro superamento la mancanza degli originali d'importazione. Rimane però vitale a Taranto, come altrove nel mondo coloniale, l'apporto della cultura ionica alla formazione di uno stile artistico italiota nell'ultimo quarto del VI secolo a.C. (66).

Felice Gino Lo Porto

59) *Ibd.*, pp. 154 ss., fig. 2.
60) *Ibd.*, pp. 158 ss., fig. 13.
61) *Ibd.*, pp. 159 ss., figg. 14-19.
62) *CAT*, pp. 223 ss., fig. 198.
63) *Tombe arcaiche*, pp. 165 ss., figg. 21-26.
64) *Ibd.*, p. 167, nota 176.
65) G. Vallet, *Rhégion et Zancle*, 1958, pp. 160 ss.
66) E. Langlotz-M. Hirmer, *L'arte della Magna Grecia*, 1968, pp. 16 ss.

136

IMPORTAZIONI GRECO-ORIENTALI IN CAMPANIA

(Pl. LXXI–LXXII)

L'area di cui tratterò è, naturalmente, la Campania antica, compresa tra il Sele e il Garigliano, e il suo retroterra immediato, pertinente nel periodo che c'interessa in parte alla facies della valle del Liri e in parte occupato dai Sanniti, che tendono via via ad ampliare il loro territorio. Tralascio invece, salvo per fatti particolari che hanno influito, come vedremo, anche più a N., la zona a S. del Sele, pertinente all'Enotria, in quanto sembra potervi riscontrare una dinamica diversa che la ricollega non solo al Tirreno meridionale, ma anche al versante ionico, e meriterebbe quindi un esame a parte (1).

Le più antiche importazioni di materiali provenienti dall'area greco-orientale risalgono all'VIII secolo. Si tratta di due tazze fra di loro identiche, provenienti evidentemente dalla Ionia meridionale, trovate a Pitecusa in contesti del tardo-geometrico II iniziale, una delle quali è la ben nota tazza di Nestore, e di due fibule di un tipo ben rappresentato tra l'altro nella stipe dell'Artemision di Efeso. Mentre queste ultime sono praticamente le uniche fibule di tipo greco trovate finora tra Cuma ed Ischia, l'alfabeto calcidese dell'iscrizione della tazza di Nestore dimostra che questa dev'esser stata in uso per qualche tempo, in quanto evidentemente non si può attribuire significato funerario al testo graffito su di essa, per cui una datazione al secondo quarto dell'VIII secolo è ammissibile (2). Fra i materiali da Capua una tazza dello stesso tipo di quelle da Pitecusa, ma con decorazione di tipo greco e non anatolico, trovata nella tomba 492, del periodo II b e quindi databile al più tardi verso la metà del secolo, è, se non importata, almeno una buona imitazione di tipi greco-orientali rappresentati nell'ambito Samo-Mileto-Iasos e dovuta evidentemente ad un artigiano di quell'area, dove si trovano anche i motivi metopali con gruppi di chevrons isolati (3).

La presenza di tale gruppo di oggetti più antichi è facilmente comprensibile tenuto anche conto del loro numero esiguo, se si pensa alla provenienza da gran parte dell'Egeo e del Mediterraneo orientale e sostanzialmente dalla sfera d'interessi euboica dei materiali d'importazione di età precoloniale e protocoloniale, e con l'arrivo di artigiani dalle stesse aree. Hanno invece un significato già diverso gli aryballoi a « spaghetti » di provenienza rodia, piuttosto abbondanti ad Ischia fra gli ultimi decenni dell'VIII e i primi del VII sec. a.C. (ben 99 esemplari), il cui commercio, dovuto forse più che altro al contenuto, è evidentemente in diretto rapporto con la rotta commerciale che dalla Siria settentrionale raggiungeva l'Italia lungo il bordo meridionale dell'Egeo e tende ad essere meno frequentata in seguito alle conquiste assire (4).

Una ripresa delle importazioni che stavolta non interessa più solo la Ionia meridionale e la Doride, ma anche aree più a Nord e fra le quali abbondano le *kylikes* si ha nell'orientalizzante recente. Una tazza del tipo A 1, di una variante con pareti sottili e piede a tromba, e fascia risparmiata nella zona delle anse, particolarmente diffusa a Samo intorno alla metà del VII secolo, è stata trovata a Pitecusa nella tomba 263 insieme con vasi del tardoprotocorinzio, e una imitazione locale in contesto con vasi del corinzio antico comprova la conoscenza dell'altra variante con piede basso e poco più ampio e decorazione a due fasce distanziate nella parte alta (5). Due tazze del tipo A 2, di piccole dimensioni, con una fascia sopra le anse e una sulla parte estrema dell'orlo, in argilla a superficie arancione e vernice bruna lucida, provengono dalle tombe 528 e 782 con contesti fra corinzio antico e corinzio medio. Infine una tazza che appartiene già al tipo B 2, con piede relativamente alto e decorazione analoga, ma piuttosto grossolana e argilla alterata dal fuoco, ma la cui vernice dal tono metallico sembra tradire la provenienza rodia, sicura per esemplari identici, è stata trovata insieme con un frammento che sembra appartenere al tipo B 1 in contesto con vasi del corinzio antico nella tomba 189.

Gli ultimi tre tipi si trovano anche in sepolture dell'orientalizzante recente di Stabiae, dove sia negli esemplari più piccoli con piede basso in argilla arancione e vernice bruna (almeno 7 esemplari), sia in quelli, meno frequenti, dal piede alto in argilla giallina con vernice tendente talvolta al metallico, ma in genere matta, di probabile provenienza rodia (almeno 4 esemplari), si nota la transizione dal tipo A 2 a quello B 2, che almeno nel primo gruppo sembra un fatto cronologico (i 2 esemplari del tipo B 2 sono in associazioni dei primi decenni del VI secolo), mentre gli altri vasi importati in contesto sono del corinzio antico e del corinzio medio. Significativo può essere il fatto che una delle due tazze del tipo B 1 è associata oltre che con una kylix B 2 del gruppo « rodio », con un aryballos del corinzio antico.

A Pontecagnano e ad Oliveto Citra, dove sembrano mancare tipi con piede alto e quello B 1, la situazione è pressappoco analoga, mentre si hanno associazioni sicure con vasi meso-corinzi.

Mentre da Cuma è noto qualche frammento del tipo A 1 in contesto non meglio delimitato, a Capua è stata trovata nella tomba 1132, in associazione con un frammento del corinzio antico con vasi del periodo IV B (620-600 circa), e con un vaso configurato pure greco-orientale, una tazza del tipo A 2 in argilla giallina con basso piede svasato, fascia sopra le anse e orlo convesso a filetti in vernice rossiccia (fig. 1,2), che coincide esattamente con almeno una tazza da Mileto (6). In due contesti della prima metà del VI secolo vi erano inoltre, forse non a caso nello stesso gruppo di tombe, kylikes di una forma tarda del tipo Melye, attestata anche a Massalia. Sempre nell'ambito dell'orientalizzante recente rientrano inoltre un frammento da Pozzuoli e parte di una tazza del tipo B 2 dalla stipe di Mondragone, in territorio evidentemente ausone.

A Pitecusa e Pontecagnano sono anche abbastanza frequenti gli alabastra in bucchero eolico sia grigio che nero e di varii tipi (allungato con o senza gruppi di linee incise o con serie di scanalature orizzontali, più breve e ampio con terminazione a punta), sempre in contesto con ceramica del corinzio antico in genere inoltrato e del corinzio medio, e a Capua un esemplare non decorato proviene dall'ustrinum 1131, sovrapposto nella stessa fossa alla tomba 1132 di cui si è parlato e solo di pochissimo posteriore. Fra i balsamari rientrano anche i lydia, dei quali peraltro solo un esemplare da Capua, senza contesto, ma già del VI secolo, è di sicura provenienza asiatica.

Per quel che riguarda invece i vasi configurati, ne sono stati trovati finora solo a Pitecusa, Cuma (7) e Capua. Mentre due dei sei esemplari cumani, a forma di busto femminile, di provenienza probabilmente rodia, rientrano nel VII secolo inoltrato, una civetta e un fallo da Pitecusa sono in contesti con vasi meso-corinzi. Molto interessante è l'aryballos a testa di guerriero trovato insieme con la tazza di cui si è già parlato nella tomba 1132 di Capua, il quale è in argilla giallina e si discosta dagli esemplari ritenuti comunemente rodii (ma attestati anche a Mileto e Samo), con i quali presenta tuttavia affinità stilistiche, perché indossa un elmo corinzio, di tipo peraltro attestato proprio in ambiente greco-orientale (p. es. un esemplare da Lindo presenta anche una decorazione assai simile). Di altre categorie di ceramica di lusso è noto finora in Campania solo un frammento di calice chioto con animali rinvenuto a Cuma. Se passiamo al vasellame di bronzo, una tazza del tipo A 1 trovata a Cales nella tomba 1, in un contesto del transizionale, leggermente alterata nella forma da un cattivo restauro, ricorda per la forma del piede quelle di tipo samio. Non mi pare invece che si debbano ritenere di importazione greca le oinochoai del tipo Kappel-Vilsingen trovate in Campania e nel suo retroterra (a Capua almeno 3 esemplari, a Cales, Stabiae, Oliveto Citra, Cairano uno per parte, a Caudium 2), in quanto sono in tutto simili a quelle trovate nell'Italia centrale, per cui è stata proposta con validi motivi l'attribuzione ad officine etrusche (8).

138

Assai diverso è il quadro dopo la conquista della Ionia da parte dei Persiani. A Cuma sono stati trovati in numero considerevole terrecotte votive e vasi configurati importati evidentemente dalla Ionia meridionale e forse anche da Rodi (sono in numero prevalente prodotti in un'argilla rosa chiara morbida, notevolmente micacea, ma ce ne sono anche in argilla giallina), con una certa varietà di tipi (korai con o senza velo, patechi, un kouros, donne sedute con alto polos), databili nel periodo 540-500. Una statuetta femminile seduta è stata rinvenuta nel santuario di Marica sul Garigliano (9), mentre korai del tipo noto da Cuma hanno influenzato attraverso riproduzioni a stampo statuette di Capua e di Rufrae nel Sannio. Le tazze ioniche di questo periodo rinvenute in Campania sono tutte del tipo B 2 con risega, piede basso molto espanso, fasce molto distanziate sulla spalla e sull'orlo e anse incurvate verso l'alto. Si tratta di prodotti di qualità discreta che per l'argilla rosso-arancione possono essere attribuiti con grande probabilità ad officine di Velia, dove sono piuttosto frequenti. Se ne sono trovate in misura relativamente larga tra l'altro a Pontecagnano, Vico Equense, Stabiae, Capua, Abella, Caudium (fig. 3,4) e la loro presenza a Massalia sembra la riprova della loro diffusione attraverso il commercio delle colonie focee. In base ad associazioni in tombe capuane esse possono essere datate nel periodo che va dal 540 fino verso il 510. Un'altra riprova dell'inserzione della Campania nella zona d'influenza eleate è costituita dalla contemporanea apparizione a Cuma, Capua, e sul Garigliano, di terrecotte architettoniche di tipo greco-orientale, le cui ulteriori fasi di sviluppo sono attestate oltre che in Campania anche a Velia e a Himera.

Passando ai problemi di carattere generale, mentre sembra esserci uno hiatus fra le importazioni greco-orientali di fase orientalizzante e quelle del periodo dopo la conquista persiana, solo il vasellame di bronzo sembra esclusivo delle tombe delle oligarchie locali, quale tra l'altro quella 1 di Cales e, se come penso, un colum da Capua è stato prodotto nella Ionia meridionale, anche nelle tombe principesche di tale città dell'orientalizzante recente non mancavano prodotti di tale origine. Quanto alle tazze con decorazione a fasce, si tratta, ovviamente di surrogati più economici delle tazze figurate corinzie e poi attiche, e ciò spiega la loro presenza anche in tombe dal corredo modesto.

W. JOHANNOWSKY

(1) Ringrazio il Soprintendente prof. A de Franciscis per avermi autorizzato a tener conto di numeroso materiale inedito; ringrazio altresì i colleghi G. Buchner, C. G. Franciosi, B. d'Agostino per i dati che mi hanno fornito su Ischia, Montesarchio, Pontecagnano e Cairano.
(2) Sulle importazioni greco-orientali dell'VIII secolo a Pitecusa v. tra l'altro G. Buchner in *D.d.A.* III (1969), p. 85 s. con bibliografia precedente.
(3) W. Johannowsky in *D.d.A.* I (1967), p. 172, fig. 9.
(4) Sugli aryballoi « a spaghetti » v. tra l'altro K. F. JOHANSEN, *Exochi* (*Acta Archeol.*, XXVIII, (1957)), p. 155 s. e BUCHNER, *art. cit.*
(5) Cfr. tra l'altro *Ath. Mitt.*, LXXII (1957), fig. 72,4; LXXIV (1959), 46 s.; per la classificazione dei tipi più diffusi in Occidente v. G. Vallet-F. Villard, in *MEFR*, LXV (1955), p. 7 s.; sui tipi rodii v. J. Boardman-J. Hayes, *Tocra*, I, London, 1966.
(6) Cfr. *Istamb. Mitt.*, XXIII-XXIV (1973-74).
(7) E. Gabrici in *Mon. Ant.*, XXII (1913), tav. XXV, 68.
(8) V. sul problema O. H. Frey in *Marb. Wkmprgr.*, 1957 e H. HILLER, *ibidem.*
(9) P. Mingazzini in *Mon. Ant.*, XXXVIII (1937).

PROBLEMATICA DELLA SARDEGNA

Vorrei solo dire poche parole sulla situazione della Sardegna, o meglio, vorrei mostrare che anche la Sardegna è presente in questo quadro. Purtroppo non sono in grado di dare conclusioni di lavori o presentare risultati di ricerche — questo mio stesso intervento è improvvisato e non programmato — essendo l'isola, dal punto di vista di tali studi, ancora pressocché vergine. Cercherò soltanto di esporre una problematica che mi si è presentata esaminando i reperti di alcune località, di cui peraltro non posso dare conto con la puntualità e precisione necessaria, in quanto ancora in corso di scavo e con materiale inedito. Posso solo di questi citare S. Sperate, piccolo centro una ventina di km. a NW di Cagliari, grazie alla cortesia dell'amico Bedini, mio predecessore alla Soprintendenza Archeologica di Cagliari e scavatore del sito con la collaborazione del Dr. Ugas, che voglio qui vivamente ringraziare.

Dunque in queste località si presenta una situazione assai interessante. Le ceramiche importate comprendono o possono comprendere — non tutte le classi sono presenti contemporaneamente nei singoli luoghi — ceramica corinzia, laconica, attica, greco-orientale (uso questo termine nel suo senso più lato), etrusco-corinzia, bucchero etrusco. In particolare, come già ha detto Gras nel suo articolo in *MEFRA* 1974, a Tharros abbiamo ceramiche corinzie, laconiche, attiche (fra cui quello che, a quanto mi consta, è il più antico pezzo a figure nere importato nell'isola, cioè un'anfora tirrenica del 560 a.C. circa pubblicata da G. Pesce), etrusco-corinzie, bucchero, e, sembra, una coppa ionica di tipo B 2.

Da S. Sperate provengono ceramiche laconiche, attiche di fine VI, bucchero, e due frammenti di labbro di coppe ioniche di tipo B 3 decorato a filetti bruni.

Il primo dei problemi che ci si presenta è il tramite attraverso cui queste ceramiche giungevano in Sardegna. Da notare che, a quanto so, queste si trovano in centri punici o punicizzati. Il tramite può essere stata Cartagine stessa? o piuttosto può essere, come ha prospettato Gras per Tharros — e credo con ragione — un commercio etrusco, data la associazione pressocché costante di tali materiali greci o greco-orientali con materiali etruschi? può essere stato invece un commercio diretto greco e possiamo dire più specificamente greco-orientale?

Questa è una prima serie di interrogativi cui non si può dare ancora una risposta per la mancanza di ricerche e studi. Personalmente, ma è solo un'impressione, concordo con Gras e propendo per la seconda ipotesi, anche se non escludo — e direi che non si può escludere — che qualche punto di appoggio greco possa esserci stato, specialmente sulla costa orientale, tirrenica, dell'isola. A ciò ci confortano sia le testimonianze delle fonti sull'interesse greco per la Sardegna — mi riferisco in particolare al famoso passo erodoteo — sia il rinvenimento di una navicella bronzea sarda a Gravisca in un contesto assolutamente greco.

Un altro aspetto notevole, che volutamente ho lasciato separato anche se in realtà è strettamente connesso ed inscindibile dalla problematica sopra esposta, è quello della ceramica a fasce.

Morel, nel suo articolo in *BCH* 1975, parlando della Sardegna ha esortato alla prudenza in questo delicato settore. In effetti il problema è ancora da affrontare su basi scientifiche, cioè studio tecnico delle argille, ricostruzione di forme, tipologie, ecc., ma sembra di poter ritenere questi frammenti almeno come imitazione della ceramica greco-orientale. Del resto, da una località presso Cagliari sono usciti frammenti di una coppa di impasto che imita forme greche della prima metà del VI.

Questa ceramica a fasce è presente nei contesti cui sopra ho accennato, cioè con ceramica laconica, talora attica, bucchero. Si tratta di imitazione? e allora dove si sono ispirati, da dove provengono i modelli? Si tratta di importazione? e allora quale funzione ha in una facies di commercio di lusso che presuppone una ideologia ben definita?

Sembrerebbe qui di tornare alla vecchia ma ancora fondamentalmente valida distinzione di Vallet-Villard fra vasi-mercanzia e vasi-contenitori, intendendo cioè i vasi decorati a fasce come contenitori di beni di prestigio, ma non tutte le forme sono di contenitori.

Come avete udito, questa sintesi non presenta che scarsi dati di fatto, e invece molte ipotesi e punti interrogativi. È voluta essere solo una testimonianza della presenza della Sardegna, con un suo aspetto caratteristico, meno « classico », che deve essere investigato e studiato, con il concorso dei colleghi che si occupano più particolarmente dei problemi della tradizione locale e di quelli della presenza fenicia, per potere intendere e saper collocare la Sardegna nelle correnti di frequentazioni arcaiche del Mediterraneo.

CARLO TRONCHETTI

NOTA SULLE IMPORTAZIONI IN SARDEGNA IN ETÀ ARCAICA

(Pl. LXXIII–LXXIV)

Ringrazio il collega Carlo Tronchetti per avermi dato, con il suo intervento, lo spunto per alcune brevi osservazioni. Il richiamo da lui fatto ai recentissimi dati emersi dagli scavi effettuati a S. Sperate, paese del Campidano meridionale, a circa 20 Km. a NO da Cagliari, dagli amici Alessandro Bedini e Giovanni Battista Ugas e ancor oggi inediti (1), può ben essere integrato e con i cenni già forniti sulle precedenti scoperte dell'Ugas a Monte Olladiri, piccola collinetta nei pressi di Monastir, non molto distante da S. Sperate, dal Barreca (2), dal Lilliu (3), dal Torelli (4), dal Gras (5) ed infine dall'amico Morel (6). Esse si inquadrano nelle ricerche effettuate dal collega Ugas già da alcuni anni e che hanno portato a risultati interessanti di cui attendiamo la prossima pubblicazione. Altri centri, in questi ultimi anni, hanno restituito ceramiche d'importazione etrusche e, presumibilmente, poiché lo studio ne è ancora in corso trattandosi di materiali inediti e di ricerche in atto (7) (pertanto non si dispone di dati definitivi), greco-orientali, nonché di fittili a decorazione cromatica dipinta a bande orizzontali e pure ceramica attica.

Possiamo segnalare Tharros, per cui disponiamo dell'eccellente catalogo del Gras (8), Bithia (9)

---

1) Eccetto per alcuni cenni sulla stampa quotidiana: A. MARCIA, *Una città punica uscita sotto le case di S. Sperate*, in *L'Unione Sarda* del 28-1-1976, p. 9.

2) F. BARRECA, *Ricerche puniche in Sardegna*, in *Ricerche puniche nel Mediterraneo centrale*, Studi Semitici, Roma, 1970, pp. 25-26. IDEM, *Sardegna*, in *L'espansione fenicia nel Mediterraneo*, Studi Semitici, Roma, 1971, pp. 17, 23; IDEM, *La Sardegna fenicia e punica*, Sassari, 1974, p. 29.

3) G. LILLIU, *Navicella di bronzo protosarda di Gravisca*, in *Not. Scavi di Antichità*, 1971, pp. 296-297.

4) M. TORELLI, *Il santuario di Hera a Gravisca*, in *La Parola del Passato*, CXXXVI, 1971, p. 65, nota 60: ricorda « coppe ioniche (tipo B 3 Vallet-Villard) nel Campidano, senza contare il precedente importante dell'olletta stamnoide tardo-geometrica di fabbrica cicladica nel tophet di Sulcis » (v. *infra*, la nota 18, si riferisce, di fatto, alle scoperte di Ugas; per Sulci, v. la nota 12).

5) M. GRAS, *Les importations du VIᵉ siècle avant J.-C. à Tharros (Sardaigne)*, in *MEFRA*, 86, 1974, 1, pp. 110, nota 7, 127, nota 5. V. pure P. MELONI, *La Sardegna romana*, Sassari, 1975, pp. 9, 377.

6) J. P. MOREL, *L'expansion phocéenne en Occident*, in *BCH*, XCIX, 1975, II, *Chroniques et Rapports*, p. 863.

7) V. la nota 1. Ringrazio vivamente il Ch.ssimo Prof. Enrico Atzeni dell'Università di Cagliari per avermi associato a tali ricerche ed in particolare per avermi affidato lo studio dei materiali di età storica reperiti negli scavi da lui diretti in località Cuccuru Nuraxi a Settimo S. Pietro (Ca) e Cuccuru Is Arrius a Cabras (Or) così come il Soprintendente archeologico delle due provincie, Prof. Ferruccio Barreca, per avermi incaricato della direzione scientifica dello scavo del sito di Pani Loriga a Santadi (Ca) e avermi liberamente favorito nello studio dei reperti conservati nei Musei della sua giurisdizione.

8) GRAS, *op. cit.*, pp. 79-139. Sul trovamento di un frammento di piede di *kantharos* in bucchero etrusco v. A. CIASCA, *Lo scavo del 1974*, in *Rivista di Studi Fenici*, III, 1, 1975, p. 105.

9) M. GRAS, *Céramique d'importation étrusque à Bithia (Sardaigne)*, in *Studi Sardi*, XXIII, I, 1973-74, pp. 131-139; G. TORE-M. GRAS, *Di alcuni reperti dell'antica Bithia (Torre di Chia - Sardegna)*, in *MEFRA*, 88, 1976 1, (bucchero), pp. 51-90.

142

Pani Loriga (10), Settimo S. Pietro (11), Monte Sirai e, probabilmente, l'antica Sulci, odierna Sant'Antioco, nella Sardegna sud-occidentale, e Nora (12), odierno Capo di Pula, in quella sud-orientale. Alcuni elementi emergono pure per Karales, odierna Cagliari (13), e per un anonimo insediamento nella località di Cuccuru Is Arrius, nei pressi dell'attuale villaggio di Cabras, nella Sardegna centro-occidentale (14). Della fine del secolo scorso è la segnalazione del Pais (15) di ceramica greca in un sito non lontano dall'odierna Porto Torres. I dati forniti si riferiscono ad un arco cronologico abbastanza ampio che va dalla fine del VII sec. agli inizi del V sec. a.C. (16) e comprende varie classi ceramiche, dai bucchieri (17) alle ceramiche di tipo greco-orientale sia di importazione che di imitazione (18)

10) G. Tore, *Due cippi - trono del tophet di Tharros*, in *Studi Sardi*, XXII, 1971-72, p. 219; Idem, *Notiziario archeologico*, in *Studi Sardi*, XXIII, I, p. 370, nota 15. Si segnalano due frammenti di bucchero pertinenti a un'olpe (inv. 67918) e un *aryballos* panciuto (inv. 55409) dalla superficie assai abrasa, presumibilmente d'importazione (corinzio?).

11) G. Lilliu, *Navicella di bronzo, cit.*, p. 298. I cenni sui reperti fittili fatti da S. Moscati, *Fenici e Cartaginesi in Sardegna*, Milano, 1968, pp. 38, 40, 61, 62, non segnalano altro che « ceramica punica di tipo arcaico ». Così pure in F. Barreca, *La Sardegna fenicia e punica, cit.*, pp. 30, 56. Ambedue ignorano la presenza di fittili d'importazione, quali un'*oinochoe* in bucchero, frammentata, databile all'inizio del VI sec. a.C. (Gras, *Les importations, cit.*, p. 106 e nota 2), un frammento di ceramica laconica ed altri del tipo a bande. Alcuni presentano una decorazione di tipo tardo-geometrico, dipinta. Ad un rapido esame preliminare le ceramiche sicuramente individuabili come fenicio-puniche non paiono superare un quantitativo dalla consistenza assai scarna. Dal colle omonimo proviene un'ampolla con il collo strozzato, di tipo arcaico (v. W. Culican, *Phoenician Oil Bottles and Tripod Bowls*, in *Berytus*, XIX, 1970, pp. 5-17; A. M. Bisi, *Le componenti mediterranee e le costanti tipologiche della ceramica punica*, in *Simposio internacional de Colonizaciones*, Barcelona, 1974, pp. 15-21) databile almeno al VII sec. a.C. (Tore, *Due cippi-trono, cit.*, p. 243).

12) Monte Sirai: F. Barreca, in *Monte Sirai*, III, Roma, 1966, pp. 26-28; Idem, in *Monte Sirai*, IV, Roma, 1967, p. 15; M. Gras, *Importations, cit.*, inizio VI sec. a.C.; Sulci: urna cineraria ritenuta di fattura siceliota dell'VII sec. a.C. dallo scopritore (G. Pesce, *Sardegna punica*, Cagliari, 1961, fig. 116, p. 70), riedita da J. N. Coldstream, *Greek Geometric Pottery*, London, 1968, p. 389 (« The urn at Sulcis, likewise, suggests contact with colonial Euboeans ») e da questi data alla fine dell'VIII sec. a.C. (v. pure *supra* la nota 4). Di recente è stata avvicinata « alle pissidi tardo-geometriche euboiche » (A. M. Bisi, *La ceramica punica*, Napoli, 1970, p. 121); vaso rituale dalla necropoli datato al VII-VI sec. a.C. (Barreca, *La Sardegna fenicia e punica, cit.*, p. 132, tav. XXXI), i cui *kotiliskoi* sono decorati con testine di tipo greco-orientale in rilievo; elmi e schinieri in bronzo di tipo corinzio, dalla necropoli (A. Taramelli, *Guida del Museo Nazionale di Cagliari*, Cagliari, 1914, p. 50); Nora: G. Pesce, *Nora, guida agli scavi*, Cagliari, 1972, p. 46, segnala « cocci di vasi attici a figure nere del VI secolo, e di quelli a figure rosse del V secolo, il bucchero d'importazione etrusca ». Di recente la studiosa spagnola M. E. Aubet, *El origen de las placas en hueso de Nora*, in *Studi Sardi*, XXIII, I, pp. 125-130, ha riedito alcune placche d'osso già edite da G. Patroni, *Nora, colonia fenicia in Sardegna*, in *Mon. Ant. Acc. dei Lincei*, XIV, Roma, 1904, coll. 98-100, fig. 29, e coll. 119-120, ascrivendole all'artigianato etrusco del V sec. a.C. D'importazione è pure un frammento di cratere a vernice nera, presumibilmente databile al V sec. a.C., con una iscrizione menzionante Tanit, già pubblicato dal Patroni, *op. cit.*, coll. 57-58.

13) Frammento di ceramica attica del V sec. a.C. da me raccolta alla periferia dell'odierno centro urbano, in prossimità di Via Brenta, nei pressi di rovine antiche (area cimiteriale?). Una statuetta di tipo rodiota, dalla necropoli occidentale, già edita nel 1912 dal Taramelli, è stata recentemente ascritta al VI sec. a.C. (Gras, *Importations, cit.*, p. 94, nota 4, 97, nota 1).

14) Frammentino di ceramica attica databile alla fine del V sec. a.C. Dallo stesso scavo (estate 1975) provengono una testina muliebre databile fra la fine del V e gli inizi del IV sec. a.C. e numerosi frammenti di ceramiche a bande insieme a resti di anfore di tipo punico arcaico.

15) E. Pais, *La Sardegna prima del dominio romano*, in *Atti della R. Acc. dei Lincei*, 1880-81, *Memorie*, Serie III, vol. VII, Roma, 1881, pp. 289-290: villaggio nuragico nei pressi del Nuraghe Monte Cau a 3 km. a Est di Sorso. I materiali vennero trasportati nell'attuale Museo « G. A. Sanna » di Sassari dove dovrebbero trovarsi ancora.

16) Se non si eccettui l'urna cineraria di Sulci (v. *supra*, la nota 12).

17) Se ne conoscono a Tharros, Monte Sirai, Pani Loriga-Santadi, Bithia, Nora (v. la nota 12), Cuccuru Nuraxi-Settimo S. Pietro, Monastir, S. Sperate (v. la nota 1). Per i siti succitati cf. le note 8-12. Bucchieri etruschi da Tharros sono pure nei Musei statali di Torino e nel British Museum: Gras, *Les importations, cit.*, p. 80, note 1 e 2.

18) Sulci (nota 12), Pani Loriga-Santadi (labbro di coppa ionica databile alla fine del VI sec. a.C.: ringrazio il Prof. F. Villard per la cortese precisazione), Monte Olladiri-Monastir (Gras, *op. cit.*, p. 127, note 5: coppe ioniche tipo B 3 e B 2), Monte Sirai-Carbonia (J. P. Morel, *L'expansion, cit.*, p. 863, nota 39: coppa ionica tipo B 2), Tharros-Cabras

a quelle a bande (19), la cui esatta collocazione, come ha di recente rilevato, a ragione, il Morel (20), è da verificarsi attentamente. La ceramica attica, rappresentando la fase più tardiva di tali contatti, esula, al momento, dall'epoca in cui si addensano maggiormente i reperti fittili di cui trattiamo (21). Il tramite di tali contatti è difficilmente precisabile allo stato attuale degli studi. Già per il commercio etrusco il Gras ha individuato almeno due diverse correnti di traffico: Vulci-Tharros, Caere-Bithia. Abbiamo poi tracce di contatti in epoca più antica con le esportazioni di bronzi protosardi cui ha fatto cenno nella sua opera recente il Camporeale e a cui è da aggiungere la pubblicazione del Lilliu sulla navicella nuragica di Gravisca (22). Se abbiamo dati per la presenza di materiale « pregiato » protosardo (quale credo si possano considerare i bronzi figurati e non) per l'Etruria, disponiamo pure per Lipari, grazie a nuovi scavi (23), di ceramica nuragica in contesti risalenti al IX sec. a.C. A quest'epoca parrebbero datarsi gli inizi dei contatti con l'Etruria, attestati dai bronzi protosardi, perduranti sino all'inizio del VI sec. a.C., se si accetti la navicella di Gravisca quale ultimo termine (24). In questo quadro le correnti commerciali da e per la Sardegna non paiono definibili con eccessiva schematizzazione, tenuta pure presente la presenza semitica nella zona (25).

Perciò mi pare opportuno riportare il problema di tali importazioni ed in particolare della loro eventuale eco, nell'ambito delle fasi finali della cultura isolana che si è soliti definire nuragica; fasi la cui natura è oggetto di rinnovato interesse per le nuove acquisizioni di questi ultimi anni e la cui esatta

---

(GRAS, *op. cit.*, p. 129, nota 2, due coppe ioniche; a p. 139, *Addendum*, ricorda pure, oltre le due succitate, su informazione di D. M. BAILEY, altri fittili di importazione tharrense nel British Museum fra cui coppe etrusco-corinzie, un *aryballos* e un *cothon* corinzio databili al VI sec. a.C. e menziona anche «lécythe attique à figures noires»). Fittili di importazione etruschi, etrusco-corinzi, corinzi e laconici da Tharros e in collezioni pubbliche sarde sono stati editi da GRAS, *op. cit.*, pp. 81-123, che ricorda inoltre fittili attici della fine del VI sec. a.C. e una coppa attica a vernice nera attribuibile agli anni 520-490 a.C. (GRAS, *op. cit.*, p. 123, nota 2) e un'anfora attica di tipo tirrenico già edita (PESCE, *Sardegna punica*, cit., p. 111, fig. 119) che data attorno al 570-560 a.C. (GRAS, *op. cit.*, p. 135). Segnala poi un frammento di bucchero eolico a Monte Olladiri (*Ibidem*, p. 127) e numerosi frammenti di ceramica a bande dipinta dallo stesso sito.

19) Monastir (loc. Monte Olladiri: v. *supra*, note 2-4, 5, 18), Settimo San Pietro (loc. Cuccuru Nuraxi: v. *supra*, nota 11), Cabras (loc. Cuccuru Is Arrius: v. *supra*, nota 14), Santadi (loc. Pani Loriga: frammenti individuati dallo scrivente), Uri (loc. Nuraghe Su Igante: scavi effettuati dal prof. E. Contu nell'estate 1962): nel perimetro esterno della torre rinvenne ceramica dipinta a fasce e reperti bronzei insieme a «una coppa emisferica di rame con piede in piombo» (per le palmette che vi ho individuato v. *supra* nota 33) di riutilizzo da un vaso del noto tipo « oinochoe » orientalizzante (v. E. CONTU, *Notiziario - Sardegna: Valle del Cuga-Uri*, in *Rivista di Scienze Preistoriche*, 17, 1962, p. 298).

20) J. P. MOREL, *L'expansion*, cit., p. 863, nota 39. Mi pare, di fatto, assai semplicistico ritenerla « tout court » pertinente ad ambiente fenicio-punico, trattandosi di elementi di una sintassi decorativa di ampia diffusione nell'Occidente mediterraneo e i cui archetipi possono ritenersi latamente orientali, senza per questo poter stabilire, almeno al momento e specie per la Sardegna, ascendenze e filiazioni troppo rigide.

21) VII-VI sec. a.C. Sulla differenziazione dei rapporti commerciali, almeno con l'Etruria, dall'VIII al VII-VI sec. a.C. da e per la Sardegna, v. le prudenti affermazioni del GRAS, *op. cit.*, pp. 131 e 133.

22) G. CAMPOREALE, *I commerci di Vetulonia in età orientalizzante*, Firenze, 1969, pp. 94-97; LILLIU, *Navicella di bronzo*, cit., pp. 292-94.

23) *Viva voce*, M.elle M. Cavalier, Direttrice del Museo Eoliano di Lipari, che ringrazio sentitamente. Ho potuto vedere i reperti in questione nel corso di un viaggio di studio in Sicilia nell'estate del 1975.

24) LILLIU, *op. cit.*, pp. 289, 293: fine VII, inizi VI sec. a.C. È da notare che la si sia rinvenuta in un donario ionico e che a Gravisca si siano rinvenuti pure frammenti di anforoni « punici » databili al VI sec. a.C. (per il tipo e la cronologia v. TORE, *Notiziario archeologico*, cit., p. 370, nota 19, fig. 2, 3 c), esposti in occasione di questo colloquio e su cui valgano i cenni forniti dalla Dott. Malgorzata Szlaska.

25) V. la nota 24 e quanto osservato dal LILLIU, *op. cit.*, p. 294, e, antecedentemente, R. REBUFFAT, *Les Phéniciens à Rome*, in *MEFR*, 78, 1966, pp. 10-16, specie la nota 2 a p. 13, e S. MOSCATI-M. PALLOTTINO, *Rapporti fra Greci, Fenici, Etruschi ed altre popolazioni italiche alla luce delle recenti scoperte*, Quaderno 87, Acc. Naz. Lincei, 1966, pp. 3-16. Interessanti pure le notazioni di J. N. COLDSTREAM, *Greek Geometric Pottery*, cit., pp. 388-389, specie per i siti di Cartagine, Mozia e Sulci. Recente messa a punto dei contatti Etruria-Sardegna in MELONI, *Sardegna romana*, cit., pp. 12-15, 378-79.

144

definizione dipende largamente da studi ancora oggi in corso e di cui si attende la prossima pubblicazione (26).

Pertanto la questione di una presenza greca in Sardegna, legata sinora ad alcuni passi della storiografia antica (27) e pochi elementi mitografici di età tarda (28) sembrerebbe sì maggiormente evidenziarsi alla luce di queste testimonianze archeologiche, ma, come è stato pure in questa sede ricordato, alcuni oggetti, e per di più in contesti ancora largamente da verificare, non sono elementi cogenti per delineare un quadro la cui cornice non appare per ora definibile rigidamente e le cui sfumature appena si intravvedono se non addirittura sfuggono del tutto. Del resto i dati sulle fondazioni presunte greche in Sardegna, Olbia e *Ogryle*, non confermano tale tradizione, per altro tarda. Le testimonianze più antiche di Olbia sono due fittili fenicio-punici databili al VI sec. a.C. (29). Di presenza greca nel sito per

---

26) Specie le pluriennali ricerche e scavi del Prof. Enrico Atzeni e gli studi del collega Santoni (v. pure la nota 1). Vedasi anche le recenti acquisizioni: G. LILLIU, *Dal « betilo » alla statuaria nuragica*, Studi Sardi, XXIV, 1975-76, Sassari, 1977 (estratto); V. SANTONI, *Osservazioni sulla protostoria della Sardegna*, MEFRA, 89, 1977, 2.

27) ERODOTO, I, 170, 2 (Biante di Priene: 546 a.C.); V, 106, 1 (Istico di Mileto: 499 a.C.); V, 124, 2 (Aristogora di Mileto: 497 a.C.). I passi citati mostrano chiaramente l'interesse degli Ioni dalla seconda metà del VI ai primissimi anni del secolo successivo v. PAIS, *op. cit.*, pp. 307-309 e P. MELONI, in « Studi Sardi », VI, 1, 1942-44 (1945), pp. 64-66. Antecedentemente PAUSANIA, IV, 23, 5, attesta, riportando il consiglio di Manticle ai Messeni di colonizzare la Sardegna (628 a.C.), che tale interesse era vivo già da età arcaica presso i Greci. Il GRAS, *Les importations, cit.*, p. 128, nota 3, ha da poco richiamato l'attenzione sul passo diodoreo (V, 13) sull'equivalenza Nicea (di solito identificata con Aleria) — Calares. Elemento indiretto è poi il problema connesso alla battaglia di Alalia o del Mare Sardo (ERODOTO, I, 166, 2) che, tenuto conto della tradizione attestata in DIODORO, IV, 30, 3, V, 15, 6, della partenza di Iolao e di molti compagni (v. la nota 27) dalla Sardegna per stabilirsi nei dintorni di Cuma ed in Sicilia, di fronte alla reazione cartaginese, potrebbe forse adombrare l'eco di una cesura fra un tentativo di colonizzazione in atto (o comunque di presenza meno rada e più intensa) e la successiva espansione cartaginese della fine del VI e gli inizi del secolo successivo. Sintomatico è il riferimento alla zona di Cuma che sembrerebbe ben adattarsi alle circostanze della fondazione di Velia: cf. PAIS, *op. cit.*, pp. 310-311; LILLIU, *Navicella di bronzo, cit.*, pp. 294-98; MELONI, *La Sardegna romana, cit.*, pp. 7-11, 377-78. Sulle fonti antiche v. PAIS, *op. cit., App. I*, pp. 352-366. La complessità del problema è anche testimoniata dall'interpretazione dei Serdaioi, ricordati a proposito di un'alleanza con Sibari, con abitanti della Sardegna (attorno la metà del VI sec. a.C. (cf. G. PUGLIESE CARRATELLI, in *La Parola del Passato*, 1966, pp. 164-65; 1970, p. 10). Sugli echi della battaglia del Mare Sardo ed il fallimento della spedizione di Malco cf. A. MOMIGLIANO, *Quarto contributo alla storia degli studi classici e del mondo antico*, Roma, 1969, pp. 349 sgg. e V. MERANTE, *Sui rapporti greco-punici nel Mediterraneo occidentale nel VI sec. a.C.*, in *Kokalos*, XVI, 1970 (1971), pp. 115-126.

28) Permane fondamentale il noto studio di P. MELONI, *Gli Iolei ed il mito di Iolao in Sardegna*, in *Studi Sardi*, 1942-44 (1945), 1, pp. 43-66. È interessante rilevare che l'identificazione (v. MELONI, *op. cit.*, p. 55, nota 4) degli 'Ιολάϊα χωρία (PAUSANIA, X, 17, 5) o 'Ιολάεια πέδια (DIODORO, IV, 21, 5) con la zona denominata già dal Medioevo « Parte Olla » (v. A. TERROSU ASOLE, *L'insediamento umano medioevale e i centri abbandonati tra il secolo XIV e il secolo XVII*, Suppl. fasc. II, Atlante della Sardegna, Roma, 1974), si riveste di nuovo interesse dal momento che i centri di Settimo San Pietro e San Sperate risultano contigui a tale zona e, nel caso di Monastir, ne fanno parte.

29) PAUSANIA, X, 17, 5, menziona Olbia come la più importante città degli Iolei. Breve sunto delle opinioni dei maggiori studiosi (PAIS, GARCIA Y BELLIDO, BREGLIA, DUNBABIN) sulla grecità di Olbia in MERANTE, *op. cit.*, p. 120, nota 85; v. anche BARRECA, *La Sardegna fenicia e punica, cit.*, p. 38; GRAS, *op. cit.*, p. 127; MELONI, *La Sardegna romana, cit.*, pp. 10, 12; MOREL, *op. cit.*, p. 863, note 40. La maggior parte degli studiosi, pur non escludendo una fondazione greca, ritiene che tale colonia abbia avuto una vita effimera e che abbia subito il contraccolpo della battaglia del Mare Sardo. Sulla documentazione archeologica di età arcaica v. A. M. BISI, *La ceramica punica*, Napoli, 1970, p. 136, nota 126 (due fittili già editi ma in modo erroneo in P. PANEDDA, *Olbia nel periodo punico e romano*, Roma, 1953, p. 68, fig. 5, una « oinochoe à bobèche » e un'« ampolla a collo strozzato e fondo convesso »). Essa viene riferita dalla studiosa alla « necropoli del VII-V sec. a.C. ». Sui due fittili in discorso v. TORE, *Due cippitrono, cit.*, p. 223, 242-43. La datazione allora proposta, alla metà del VII sec. a.C., mi pare sia da ribassarsi, dopo aver potuto controllare di persona l'*oinochoe à bobèche*, che presenta tracce di decorazione cromatica, ai primi anni del VI e comunque non prima della fine del VII sec. a.C., per la presenza della decorazione e la sagoma. Nella stessa collezione privata ho potuto individuare un'« oinochoe » a bocca trilobata, dalla sagoma panciuta, data come proveniente da Olbia e la cui cronologia parrebbe confarsi alla precedente. Un esame degli elementi per una possibile

145

quell'epoca e per il secolo successivo mancano sino ad oggi notizie. Di *Ogryle*, di cui è dubbia anche l'identificazione, se si accetti il suo collegamento con la Gurulis Vetus del geografo Tolomeo (30) e l'odierna Padria poco si può dire se non che le testimonianze archeologiche più antiche (31) non portano al momento oltre la prima metà del III sec. a.C. (32), se non si eccettuino i ruderi di un fortilizio presumibilmente databile, sulla base della tecnica edilizia, al momento dell'espansione cartaginese del V sec. a.C. È interessante notare che i siti di presunta fondazione greca si trovano nella Sardegna settentrionale mentre i reperti paiono sinora addensarsi in quella meridionale con qualche attestazione in quella centrale.

Crediamo poi che i traffici di cui si è parlato, in particolare per l'arco cronologico che va dal VII al VI sec. a.C., debbano inquadrarsi nell'ambito del fenomeno dell'orientalizzante di cui alcune, pur se deboli tracce, sembrano documentarsi da poco anche nell'isola (33).

Giovanni Tore

datazione arcaica di Olbia in Lilliu, *Navicella di bronzo, cit.*, pp. 297-96, e G. Lilliu, *Tripode bronzeo di tradizione cipriota dalla grotta Pirosu-Su Benatzu di Santadi (Cagliari)*, in *Estudios dedicados al Profesor Dr. Luis Pericot*, Barcelona, 1973, p. 304, nota 169, dove ascrive al VII-VI sec. a.C. la « penna d'oro » di Olbia. In precedenza (Idem, *Navicella di bronzo, cit.*, pp. 295-96 e nota 11, data l'« oinochoe à bobèche » al VI sec. a.C. e l'esistenza di Olbia punica anteriormente al 540 a.C. Il pezzo è ascritto da S. M. Cecchini, *I ritrovamenti fenici e punici in Sardegna*, Roma, 1969, p. 71: « al più tardi alla fine del V sec. a.C. ».

30) Su Olbia e Ogryle v. Pais, *op. cit.*, pp. 308,359. Il riferimento a Iolao come fondatore dei due centri è esplicito in Pausania, X, 17, 4, mentre Solino, 51, 18, 22, riporta « Olbiam atque alia graeca oppida extruxit ». Cf. pure Meloni, *Gli Iolei, cit.*, pp. 55-56; Ptolom., III, 3,7 = « Γουρυλὶς παλαιά ».

31) Almeno allo stato attuale delle conoscenze. Il sito era comunque interessato da un notevole concentramento di monumenti nuragici che hanno restituito bronzi figurati datati alla prima Età del Ferro, v. G. Lilliu, *Sculture della Sardegna nuragica*, Cagliari, 1966, nn. 97, 258, pp. 184-187, 364-367: VIII-VII sec. a.C.; barchetta nuragica dagli scavi da me diretti nel 1973 in località S. Giuseppe, alla periferia dell'odierno villaggio di Padria, sommariamente edita da F. Lo Schiavo, in *Studi Etruschi*, XLII, p. 548, tav. CIII, a-f (cf. anche Tore, *Notiziario archeologico, cit.*, p. 376, nota 23). Nella collezione archeologica del Comune di Padria, di cui ho in corso lo studio con i colleghi V. Santoni e P. B. Serra, si documentano fittili di tipo tardo-ellenistico (*kernophoroi, ex-voto* (?)), ceramica a vernice nera (tipi della *c.d.* ceramica « campana », A, B, C) e numerosi frammenti di ceramica di età romana imperiale. Altri reperti sono conservati nei Musei nazionali di Cagliari e Sassari. Sui trovamenti di età tardo-punica (fittili e monete) v. S. M. Cecchini, *I ritrovamenti fenici e punici in Sardegna, cit.*, p. 74. Il reperto più tardo sinora noto è una lucerna paleocristiana del tipo *c.d.* « mediterraneo » pertinente alla collezione municipale di Padria (*viva voce*, Dott. P. B. Serra).

32) Due monete in bronzo puniche rinvenute nella campagna di scavo del 1975, v. Tore, *Notiziario, cit., Addenda*, p. 379 (la datazione è dovuta alla cortesia del compianto Prof. L. Forteleoni).

33) A Tharros: bronzi (M. L. Uberti, *I bronzi*, in E. Acquaro et Alii, *Anedocta Tharrica*, Roma, 1975, pp. 124-125; scarabei (E. Acquaro, *I sigilli, ibidem*, pp. 61-62). In generale v. S. Moscati, *Anedocta Tharrica, ibidem*, pp. 131-132. Per gli avori va notato il raffronto con la placchetta di Nora (v. la nota 12) di un consimile pezzo tharrense edito da M. L. Uberti, *Gli avori e gli ossi*, pp. 95-97, n. D 5, la cui datazione e collocazione culturale concorda puntualmente con la valutazione espressa dalla Aubet, *op. cit.*, pp. 128-130. Altro materiale orientalizzante pertinente a « oinochoe » del noto tipo (palmette) è stato da me di recente individuato fra i reperti dal N. Su Igante di Uri (v. la nota 19). Altro elemento di notevole importanza dovrebbe fornirci il riesame dettagliato delle architetture nuragiche e fenicio-puniche in Sardegna per verificare l'esistenza di possibili influssi greco-orientali (per ionismi nell'architettura nuragica cf. Lilliu, *Navicella di bronzo, cit.*, p. 296). Altrettanto sarebbe utile fare per la coroplastica punica arcaica e per le figurazioni delle stele votive sarde.

Vanno ricordati, infine, i numerosi fittili di importazione greca giacenti nei musei statali sardi. Dei due *skyphoi* che presentiamo nella tavola annessa si ignora l'esatta provenienza. Essi pervennero comunque nel Museo di Cagliari prima del 1883.

146

NOTA DI PROTOSTORIA NURAGICA

(Pl. LXXV)

L'intervento dei colleghi Tronchetti e Tore offre lo spunto per alcune considerazioni su taluni aspetti della protostoria della Sardegna, in particolare riguardo ai secoli VII e VIII, nell'ambito delle cui esperienze mi pare possa trovare una corretta interpretazione la comparsa dei reperti fittili di tipo ionico di cui si è fatto cenno. Sembra cioè che la lettura isolata di questi ultimi nel quadro della problematica storica ad essi connessa nel VI secolo, come d'altronde già osservato dai primi Editori (1), riveli debolezza di metodo, soprattutto in considerazione del dislivello esistente tra la protostoria dell'isola e la protostoria - storia del bacino centrale e orientale del Mediterraneo, per cui sarebbe il caso di verificare se l'emergenza del fenomeno cosiddetto ionico altro non sia che la soluzione ultima del processo di orientalizzazione dell'isola, già presente e attivo nel corso dei due secoli immediatamente precedenti e non invece un quadro a sé stante di prospezione coloniale non realizzata, il cui unico risultato sarebbe stato la produzione di reperti fittili di larga produzione orientale.

Di fatto esiste, con l'avvio dell'VIII secolo, una netta cesura culturale rispetto alle precedenti esperienze nuragiche: tale cesura è segnata principalmente dai bronzetti figurati e dal loro conseguente significato ideologico-sociale. Essa è confermata dal mutamento della produzione materiale, soprattutto fittile e, fenomeno ancor più significativo, dal cambiamento ideologico-funerario e religioso.

I bronzetti figurati, per il momento, in ragione della maggiore attenzione scientifica ad essi prestata (2), offrono il quadro stratigrafico più probante dell'evoluzione artistica e anche materiale, nel corso dei secoli compresi dall'VIII al VI. La produzione vascolare e la restante industria materiale, in special modo la bronzistica non figurata, offrono ancora molti lati oscuri, sia in riferimento con quanto le ha precedute nel corso del IX, sia in rapporto alle possibili differenziazioni nel corso del VII e dell'VIII, sia infine in relazione agli sviluppi del VI secolo, nel cui ambito sono ancor più incerte le conoscenze del quadro materiale.

L'associazione della nota barchetta di Gravisca con materiale di tipo ionico (3), e i bronzetti dell'insediamento fenicio-punico di Monte Sirai (Carbonia) strettamente legati alla produzione nuragica (4), infine l'esemplare di barchetta anche essa nuragica, rinvenuta con ceramiche individuate come

---

1) G. LILLIU, *Navicella di bronzo protosarda da Gravisca*, in *Not. Scavi*, 1971, p. 296; M. TORELLI, *Il santuario di Hera a Gravisca*, in *Parola del Passato*, CXXXVI, 1971, pp. 44 ss.; M. GRAS, *Les importations du VIe siècle av. J.-C. à Tharros*, in *MEFRA*, Tome 86, 1974, 1, pp. 127 ss.; F. BARRECA, *La Sardegna fenicia e punica*, Ed. Chiarella, Sassari, 1974, pp. 29-30; P. MELONI, *La Sardegna romana*, Ed. Chiarella, Sassari, 1975, p. 9; J. P. MOREL, *L'expansion phocéenne en Occident*, in *BCH*, XCIX, 1975, *Chroniques et Rapports*, p. 863.

2) G. LILLIU, *Sculture della Sardegna muragica*, La Zattera, 1966.

3) IDEM, *Not. Scavi*, cit., p. 294.

4) F. BARRECA, in *Monte Sirai, II*, 1965, pp. 57-58, tavv. XXVI-XXVII; IDEM, in *Monte Sirai, III*, 1966, p. 18, tavv. XXXVIII-XXXIX; G. LILLIU, *Tripode bronzeo di tradizione cipriota dalla grotta Pirosu. Su Benatzu di Santadi (Cagliari). Estudios dedicados al Profesor Dr. Luis Pericot*, Barcelona, 1973, p. 307, nota 183; A. PARROT, M. H. CHEHAB, S. MOSCATI, *Les Phéniciens. L'expansion phénicienne. Carthage*, Ed. Gallimard, 1975, figg. 245-246.

tardonuragiche e altre definite puniche nel nuraghe Su Igante di Uri (Sassari) (5) sono, per il momento, i dati scientifici più validi per valutare il quadro delle relazioni interne ed esterne all'isola, tra la fine del VII e l'inizio del VI.

Comunque, la risposta ai problemi di stratigrafia e culturali potrà derivare dalla conoscenza dei risultati di scavo nei complessi nuragici di Genna Maria di Villanovaforru (6), di Cuccuru Nuraxi di Settimo San Pietro (7), di Monte Ollàdiri di Monastir (8) e dell'attuale abitato di San Sperate vicino a Cagliari (9), i tre ultimi in particolare, estremamente utili per cogliere gli anelli di raccordo culturale con le nuove esperienze del VI sec.

Il rinvenimento di ceramica cosiddetta ionica anche nell'ambito di S. Vittoria di Serri, materiale riconoscibile tra i reperti esposti nelle vetrine del Museo di Cagliari (10), ripropone anche per S. Vittoria lo stesso problema culturale.

Ma la possibilità di acquisire dati più significativi utili per approfondire le problematiche di ordine stratigrafico e culturale nel pieno del VI, deriva dalla giacitura di ceramica dipinta a fasce in corrispondenza del lembo superiore di riempimento della capanna oo (omicron-omicron), nel villaggio Su Nuraxi di Barumini (11) (Tav. I).

Tale documentazione, ovviamente, ripone in discussione l'interpretazione stratigrafica e culturale già proposta dal Lilliu per il complesso nuragico di Barumini, un ventennio or sono (12). Recenti dati venuti in luce in occasione del riordino dei materiali del Su Nuraxi nel Museo di Cagliari consentono infatti di vedere il contesto del *Nuragico II* riferibile a tempi intorno al VII o anche all'VIII sec. e non invece a momenti successivi alla fine del VI (13).

Sia a S. Vittoria di Serri sia a Barumini non è possibile attribuire alcun rimaneggiamento edilizio in corrispondenza del momento fittile c.d. ionico. Non escludendo altre interpretazioni future, rimane da considerare verosimile una evoluzione della produzione fittile geometrica per anelli di passaggio dall'ornato grafico dell'incisione e dell'impressione al decorativismo pittorico della ceramica internazionale a bande.

Il passaggio al decorativismo pittorico, che attende di essere verificato nei possibili anelli di sviluppo, una volta che siano noti in particolar modo i contesti materiali di Monastir e di San Sperate (14), fu determinato anche per evoluzione generale d'epoca, ma sarebbe stato forse favorito, sul finire del VII — inizi del VI, dalle più o meno coeve manifestazioni decorative semitiche.

---

5) E. CONTU, *La Sardegna dell'età nuragica*, in *Popoli e civiltà dell'Italia antica*, vol. III, 1974, p. 194, tav. 160 a.

6) E. ATZENI, *Notiziario. Sardegna*, in *Riv. Sc. Preist.*, 1972, pp. 476-477; G. LILLIU, *Antichità nuragiche della diocesi di Ales*, in *Diocesi di Ales, Usellus, Terralba. Aspetti e valori*, 1975, p. 138, tav. XXXII.

7) Scavi di E. Atzeni.

8) G. B. UGAS, *Un contributo alle ricerche paletnologiche sul monte Ollàdiri di Monastir*, Università di Cagliari, anno accademico 1969-70 (tesi di laurea), p. 90; G. LILLIU, in *Not. Scavi, cit.*, pp. 296-297.

9) Scavi della Soprintendenza Archeologica di Cagliari (1975-76). Iniziati dai colleghi A. Bedini e G. B. Ugas (1975), sono poi proseguiti sotto la direzione del Soprintendente Prof. Ferruccio Barreca (1976), con l'assistenza agli scavi del sig. Antonio Zara della stessa Soprintendenza Archeologica di Cagliari.

10) Inv. n. 33639.

11) G. LILLIU, *Il nuraghe di Barumini e la stratigrafia nuragica*, in *Studi Sardi*, vol. XII-XIII, parte I, p. 425. Tale riempimento fu indicato come pertinente alla fase punico-romana.

12) La datazione al 560-535 della ceramica dipinta a fasce (G. LILLIU, *Navicella, cit.*, p. 296) sposta infatti la stesura della capanna *omicron - omicron* al pieno del VII sec., così anche delle altre consimili per tecnica muraria e per planimetria, tutte riferite dal Lilliu al *nuragico II*. Alcune di queste, anzi, potrebbero risalire al pieno dell'VIII, come i materiali di stile geometrico ivi rinvenuto tende a confermare. Il discorso, ovviamente, necessita di un adeguato approfondimento e di una sede più congrua per la presentazione dettagliata delle argomentazioni.

13) IDEM, *Il nuraghe di Barumini, cit.*, pp. 314-317.

14) G. LILLIU, *Not. Scavi, cit.*, p. 296; v. note 8-9.

148

La possibilità di risolvere tale problematica pare rinviare al quadro dei rapporti comuni della civiltà semitica e di quella indigena con il mondo cipriota (15), verso il quale occorrerà indirizzare più precise indagini, in particolare riferimento alla produzione fittile di età geometrica isolana, oltre che ai quadri coevi della penisola italiana (16).

VINCENZO SANTONI

15) IDEM, *Cit.*, pp. 296-297. Dello stesso Autore vedasi l'importante contributo recente, *Dal betilo aniconico alla statuaria nuragica*, in *Studi Sardi*, XXIV, 1977, edito in corso di correzione delle bozze del presente testo.

16) L'argomento dell'articolo trova un più congruo sviluppo in una parallela indagine condotta dallo scrivente in altra sede e tuttora in corso di stampa, dal titolo *Osservazioni sulla protostoria della Sardegna*, in *MEFRA*, 1977, 2.

LA CERAMICA GRECO-ORIENTALE IN ETRURIA *

(Pl. LXXVI–LXXXIX)

Le difficoltà che si prospettano a chi oggi tenti di fornire un quadro d'insieme delle importazioni di ceramica greco-orientale in Etruria sono di origine quasi esclusivamente esterna, data l'impossibilità di presentare il materiale nella sua completezza, suddiviso com'è in depositi spesso impraticabili o associato in contesti di proprietà scientifica altrui.

Si aggiunga a ciò che, specialmente in Etruria, nell'ambito di un più ampio quadro di importazioni greco-orientali, la esclusiva considerazione dei prodotti ceramici può considerarsi limitativa, soprattutto avendo riguardo alla fisionomia del cosiddetto orientalizzante recente, nel quale la documentazione extravascolare, per il suo carattere di bene di prestigio, assume un valore del tutto peculiare. Le recenti scoperte di Gravisca, d'altro canto, hanno aperto alla considerazione storica, in particolare per il VI sec. a.C., nuove prospettive, di cui è necessario tenere conto nel bilancio storico e

---

* Oltre alle abbreviazioni dell'*Archäologische Bibliographie*, si sono adottate le seguenti altre:

Albizzati.	C. ALBIZZATI, *Vasi antichi dipinti del Vaticano*, Roma, 1925.
Beazley-Magi.	J. D. BEAZLEY-F. MAGI, *La raccolta Benedetto Guglielmi nel Museo Gregoriano Etrusco*, I, Città del Vaticano, 1939.
Boehlau.	J. BOEHLAU, *Aus Ionischen und Italischen Nekropolen*, Leipzig, 1898.
BOARDMAN, *Chios*.	J. BOARDMAN, *Excavations in Chios 1952-1955*, Oxford, 1967.
Coldstream.	J. N. COLDSTREAM, *Greek Geometric Pottery. A survey of ten local styles and their chronology*, London, 1968.
CVA.	*Corpus Vasorum Antiquorum*.
Ducat.	J. DUCAT, *Les vases plastiques rhodiens archaïques en terre cuite*, Paris, 1966.
Führer Würzburg.	*Führer durch die Antikenabteilung des Martin von Wagner Museums der Universität Würzburg* (hrg. E. Simon), Mainz, 1975.
Gsell.	S. GSELL, *Fouilles dans la nécropole de Vulci*, Paris, 1891.
HELBIG, *Führer* [4].	W. HELBIG, *Führer durch die öffentlichen Sammlungen klassischer Altertümer in Rom* [4], III, Tübingen, 1969.
Kardara.	CH. KARDARA, Ροδιακὴ 'Αγγειογραφία, Athinai, 1963.
MAV, II.	*Materiali di antichità varia, II, Scavi di Vulci, Materiale concesso alla Società Hercle*, Roma, 1964.
MAV, III.	*Materiali di antichità varia, III, Scavi di Vulci. Località « Osteria », Materiale concesso al Signor Francesco Paolo Bongiovì*, Roma, 1964.
MAV, V.	*Materiali di antichità varia, V, Concessioni alla Fondazione Lerici, Cerveteri*, Roma, 1966.
Mingazzini, I.	P. MINGAZZINI, *Vasi della collezione Castellani, Catalogo*, I, Roma, 1930.
Schiering.	W. SCHIERING, *Werkstätten orientalisierender Keramik auf Rhodos*, Berlin, 1957.
Sukas, 2.	G. PLOUG, *Sukas, II, The Aegean, Corinthian and Eastern Greek Pottery and Terracottas* (Publications of the Carlsberg Expedition to Phoenicia, 2), København, 1973.
Tocra, 1.	J. BOARDMAN-J. HAYES, *Excavations at Tocra 1963-1965. The archaic Deposits I*, Oxford, 1966.

nella valutazione storico-economica dei fatti, che diviene sempre più pressante (1). Ma è pur vero che per compiere questo passo, certo più interessante, manca una adeguata base documentaria ed è per questo motivo che, accogliendo il cortese invito del CNRS e del Direttore del Centro Jean Bérard, ho cercato di raccogliere i dati attualmente disponibili, che peraltro non sono del tutto esaustivi, tentando di fornire alcune indicazioni programmatiche.

La mia indagine muove pertanto su due linee: l'identificazione delle classi di materiale attestate in Etruria e la loro distribuzione diatopica e cronologica.

A) CERAMICA DI TRADIZIONE GEOMETRICA

1. — I prodotti ceramici più antichi che risultano importati in Etruria dall'area greco-orientale sono gli aryballoi c.d. rodio-cretesi, per i quali J.N. Coldstream, in occasione dell'incontro sul geometrico svoltosi qui a maggio (2), ha proposto la nuova definizione di « semioriental », ribadendo che la loro fabbricazione ed esportazione non fu esclusivamente greca.

La presenza in Etruria di questa classe vascolare non risulta affatto dall'elenco a suo tempo redatto da Friis Johansen (3), mentre in effetti gli esemplari provenienti dall'Etruria e dal Lazio ammontano a oltre una decina e appartengono alla forma A distinta dallo studioso danese. Al momento, la maggiore concentrazione si osserva a Cerveteri: tre aryballoi di questo tipo sono stati rinvenuti infatti nella tomba 2 del Tumulo 1 della Banditaccia [1-3], un quarto è stato — forse indebitamente — inserito dal Pareti nel corredo della tomba Giulimondi [4]; uno è presente nella tomba 18 s. di via del Manganello [5], che ospita anche una coppa a uccelli sulla quale torneremo più oltre (4), mentre due

---

Tocra, 2.	J. BOARDMAN-J. HAYES, *Excavations at Tocra 1963-1965. The archaic Deposits II and later Deposits*, Oxford, 1973.
VILLARD, *Marseille*.	F. VILLARD, *La céramique grecque de Marseille (VIᶜ-IVᶜ siècle), Essai d'histoire économique*, Paris, 1960.
Walter.	H. WALTER, *Frühe Samische Gefässe, Chronologie and Landschaftsstile* (Deutsches Archäologisches Institut, Samos, Band V), Bonn, 1968.
Walter-Karydi.	E. WALTER-KARYDI, *Samische Gefässe des 6. Jahrhunderts v. Chr., Landschaftsstile Ostgriechischer Gefässe* (Deutsches Archäologisches Institut, Samos, Band VI, 1), Bonn, 1973.

Ringrazio vivamente i Soprintendenti A. E. Feruglio, G. Maetzke e M. Moretti, la dott. L. Cavagnaro Vanoni della Fondazione Lerici e la dott. C. Morigi Govi del Museo Civico di Bologna per l'autorizzazione ad esaminare materiali conservati nei depositi e la concessione di fotografie. La mia riconoscenza va anche ai sigg. R. Magazzini e C. Mannucci, della Soprintendenza alle Antichità d'Etruria, per avere eseguito molte delle fotografie che illustrano il presente lavoro. Particolare gratitudine esprimo al prof. A. Giuliano, cui debbo varie informazioni e suggerimenti.

1) M. TORELLI, *Il santuario di Hera a Gravisca*, in *PP*, 26, 1971, pp. 44-67; J. P. MOREL, *L'expansion phocéenne en Occident: dix années de recherches (1966-1975)*, in *BCH*, 99, 1975, pp. 857 ss.

2) Cfr. *Atti del Convegno « La céramique grecque ou de tradition grecque au VIIIᶜ s. av. J.-C. en Italie du Sud et en Sicile»*, *Cahiers du Centre Jean Bérard*, 3 (in corso di stampa).

3) K. FRIIS JOHANSEN, *Exochi, Ein frührhodisches Gräberfeld*, København, 1958, pp. 155, 157 ss. Per varie integrazioni ed aggiunte v. inoltre B. D'AGOSTINO, in *NSc*, 1968, p. 87, note 1-3; COLDSTREAM, pp. 276, 280 s., tav. 62 b; IDEM, *The Phoenicians of Jalysos*, in *BICS*, 16, 1969, p. 4 e nota 33, tav. 2 h; I. A. PAPAPOSTOLOU, in Δελτ. 23, 1968, p. 86 s.; D. RIDGWAY, *The first Western Greeks: Campanian Coasts and Southern Etruria*, in *Greeks, Celts and Romans. Studies in Venture and Resistance* (eds. C. and S. Hawkes), London, 1973, p. 15, fig. 2 a; *CVA*, Gela, 2 commento a tav. 33 (M. CRISTOFANI MARTELLI).

4) pp. 153 e 156, n. 6

altri ricorrono nella tomba 460 di Monte Abatone [6-7] (5). Ancora un esemplare figura nella tomba 2 di Casaletti di Ceri [8], significativamente associato, fra l'altro, come del resto nella già citata tomba 2 della Banditaccia, a ceramica cumana e databile poco dopo il 700 a.C.

Altre attestazioni si registrano poi a Tarquinia, nella tomba 8 di Poggio Gallinaro [9], assieme a ceramica italo-geometrica e ad una kotyle protocorinzia collocabili nel primo quarto del VII secolo a.C., e a Vulci, nella Tomba del Carro di Bronzo [10], per la quale si può proporre una cronologia attorno al 680-670 a.C.

Dal Lazio conosciamo ora l'esemplare dalla tomba XV della necropoli di Castel di Decima [11], della fine dell'VIII sec. a.C.: l'associazione con tre coppe tipo Thapsos e con un aryballos panciuto PCA ne ripete alcune di Mylai e Cuma (6).

Relativamente alla sua diffusione, mi pare interessante notare come questo tipo di aryballos risulti associato, nei contesti più antichi nei quali compare in Etruria, a ceramica cumana: se ne può dunque ragionevolmente arguire che si tratta di gruppi di materiali che pervengono direttamente dall'area campana (a questo riguardo si tengano presenti, oltre alle attestazioni a Cuma, quelle, assai elevate numericamente, di Pithecusa, che ha restituito, come ha comunicato D. Ridgway nel precedente convegno svoltosi qui a maggio, ben novantasette « spaghetti aryballoi », di cui ottanta in tombe del LG II, ossia dell'ultimo quarto dell'VIII, e i rimanenti in tombe del primo quarto del VII, nonché due imitazioni locali), la quale ne opera la redistribuzione in Etruria, ove le presenze si inoltrano almeno fino a tutto il primo quarto del VII sec. a.C., come ci segnala ad esempio l'aryballos della Tomba del Carro.

Analogamente a quanto farò per tutte le classi vascolari che verranno progressivamente esaminate, fornisco di seguito la lista dei pezzi considerati (7), indicando le referenze bibliografiche, allorché essi siano già pubblicati, e altri elementi di riconoscimento, ove si tratti di inediti.

1-3. Da Cerveteri, Banditaccia, tomba 2 del Tumulo I a Roma, Museo di Villa Giulia, inv. 22205, 22214.
MonAnt. 42, 1955, cc. 219, n. 8, fig. 10, 1, 220, nn. 17-18, fig. 10. 3.

4. Da Cerveteri, necropoli del Sorbo (?) a Roma, Musei Vaticani.
L. PARETI, *La tomba Regolini-Galassi del Museo Gregoriano Etrusco e la civiltà dell'Italia centrale nel sec. VII a.C.*, Città del Vaticano, 1947, p. 404, n. 490, tav. 61, fig. 1(II ripiano).
Il pezzo, assente negli elenchi di G. PINZA, in *RM* 22, 1907, pp. 35 ss., è stato incluso dal Pareti nella tomba Giulimondi per il fatto che era esposto insieme alla suppellettile di tale tomba: la sua pertinenza al complesso è quindi dubbia.

5. Da Cerveteri, Banditaccia, tomba 18 s. di via del Manganello a Roma, Museo di Villa Giulia. Inedito.

---

5) Il secondo di essi, del tutto privo di decorazioni e caratterizzato da fondo alquanto arrotondato recante al centro una piccola concavità, è presumibilmente un'imitazione.

6) Cfr., ad es., L. BERNABO' BREA-M. CAVALIER, *Mylai*, Novara, 1959, pp. 46 s., 58, 106, tavv. XL, 2 e XLI, 1-2 (tombe 65 e 16); *MonAnt.*, 22, 1913, cc. 224 s., 233, 242, 263 s., E. I, H, tavv. XLIX, 3, 6, XLI, 2, XL, 6 (tombe 12, 18, 32 e 58 Stevens).

7) Non vi ho compreso invece l'aryballos con decorazione dipinta a denti di lupo con reticolato interno sulla spalla e fascette su collo e corpo dalla tomba 22 (scavi Mancinelli 1895) di Vulci, a Philadelphia (E.H. DOHAN, *Italic Tomb - Groups in the University Museum*, Philadelphia, 1942, pp. 89, 92, tav. 47, n. 11), che trova calzanti confronti in esemplari di Cuma e che D'AGOSTINO, *art. cit.*, p. 87, nota 1, ha annoverato nella serie « rodio-cretese », perché, con la Dohan, ritengo si tratti di un prodotto etrusco o, più probabilmente, cumano, se pure dipendente da prototipi cretesi.

152

6-7. Da Cerveteri, necropoli di Monte Abatone, tomba 460 a Cerveteri, Magazzino degli scavi. Inediti.

8. Da Casaletti di Ceri, tomba 2 (scavo 1956) a Cerveteri, Museo Archeologico.
G. Colonna, in *StEtr.*, 36, 1968, p. 268, n. 3, fig. 3, n. 4, propende a considerarlo un'imitazione cumana.

9. Da Tarquinia, Poggio Gallinaro, tomba a fossa 8 a Firenze, Museo Archeologico, inv. 83474/n.
L. Pernier, in *NSc*, 1907, p. 338, fig. 68 (in basso, a d.); H. Hencken, *Tarquinia, Villanovans and early Etruscans*, Cambridge (Mass.), 1968, p. 345, fig. 344 b.

10. Da Vulci, necropoli dell'Osteria, Tomba del Carro di Bronzo (scavo 1965) a Roma, Museo di Villa Giulia.
G. SCICHILONE, in *Arte e civiltà degli Etruschi*, Torino, 1967, p. 43, n. 55; riconosciuto da M. CRISTOFANI MARTELLI, in *StEtr.*, 40, 1972, p. 80, nota 9 e in *CVA*, Gela, 2, II D, p. 3, testo a tav. 33, 1-2.

11. Da Castel di Decima, tomba 15 a Ostia, Museo Archeologico, inv. 32262.
F. ZEVI, in *Civiltà del Lazio primitivo*, Roma, 1976, pp. 262, 263, n. 16 e in *NSc*, 1975, pp. 266, 291, n. 13, figg. 34, 38.

2. — Più numerosa è invece nel complesso la quantità delle coppe a uccelli. A Cerveteri se ne contano otto esemplari, inseribili nei gruppi II e III della classificazione Coldstream (8). Di essi, ben tre [1-3] provengono dalla tomba 4 di Monte Abatone, esposta nel Museo di Cerveteri e sostanzialmente inedita, la cui cronologia si pone poco prima o intorno alla metà del VII sec. a.C. Allo stesso torno di tempo rimonta il contesto nel quale ricorre un altro esemplare, la nicchia destra della tomba Regolini-Galassi [4]. Un quinto, finora inedito, appartiene alla tomba 90 di Monte Abatone [5] (9) ed è riconoscibile come tipo evoluto del gruppo II Coldstream, presentando la parte inferiore del bacino interamente verniciata e il volatile con accenno di prolungamento della coda, nonché i riempitivi a losanga, crocetta e semicerchio con punto (fig. 1). Sempre nel gruppo II Coldstream rientra un esemplare inedito dalla tomba 18 s. di via del Manganello [6], con la metà inferiore del corpo verniciata, coda del volatile appena accennata e riempitivi a triangolo reticolato a s., semicerchio con punto in alto a d. e cerchiello in basso a d., prossimo al n. 12, p. 299 della lista redatta dallo studioso inglese; la tomba in questione accoglie pure un aryballos del tipo rodio-cretese (v. pp. 151-152, n. 5), una kylix ionica B 1 (v. p. 199, n. 144) e una delle redazioni in bucchero delle coppe morfologicamente dipendenti appunto dalle *bird-bowls* (v. p. 155, nota 17). Ancora una coppa a uccelli figura nella tomba 36 di Monte Abatone [7], mentre un'altra, adespota, risulta conservata al Louvre [8].

Da Narce conosciamo un esemplare [9] che, a giudicare dalla riproduzione grafica datane da Mon-

---

8) Coldstream, pp. 298 ss. Sulla classe in generale v. più recentemente J. BOARDMAN, *Tarsus, Al Mina and Greek Chronology*, in *JHS*, 85, 1965, pp. 5 ss.; BOARDMAN, *Chios*, pp. 132 ss., con altra lett.; J. HAYES, in *Tocra*, 2, p. 21. Per exx. pubblicati in questi ultimi anni v. inoltre H. G. NIEMEYER, *Zwei Fragmente ostgriechischer Schalen von Toscanos*, in *AEsp* 44, 1971, pp. 152-156; A. D. TRENDALL, *Greek Vases in the Logie Collection*, Christchurch (N.Z.) 1971, p. 50, n. 7, tav. II, f (da Bayrakli); *CVA*, Berlin 4 (1971), tav. 155, 1 (da Rodi) e 2 (da Kamiros); M. VICKERS, *Some unpublished sherds from Naukratis in Dublin*, in *JHS*, 91, 1971, p. 114, 1, tav. 13, A; N. KUNISCH, *Antiken der Sammlung Julius C. und Margot Funcke*, Bochum, 1972, p. 47, n. 51; V. TUSA, in *AA. VV.*, *Mozia VIII*, Roma, 1973, tav. IX, 2, p. 19, a, ove è erroneamente definita protocorinzia (dal « Cappiddazzu »); V. von GRAEVE, *Milet*, in *IstMitt*, 23-24, 1973-74, p. 97, tav. 24, nn. 59-60, 62; *Das Tier in der Antike*, Zürich, 1974, tav. 31, n. 194, p. 33; E. LANGLOTZ, *Studien zur nordostgriechischen Kunst*, Mainz, 1975, p. 184, tav. 64, 1 (Siracusa); *CVA*, Würzburg 1 (1975), tav. 21, 1-2 e *Führer Würzburg*, tav. 10, 1, p. 75, H 538; *CVA*, Louvre, 18 (1976), tav. 40, nn. 1-2, 3-4 (da Kamiros, scavi A. Salzmann; per la provenienza v. l'« avant-propos »).

9) La dott. L. Cavagnaro Vanoni mi ha cortesemente comunicato che la coppa misura cm. 14,4 di diametro e che il corredo consta di settanta pezzi, fra « vasi di impasto, di bucchero e di terracotta », segnalandomi inoltre in par-

telius, sembra abbastanza antico, inseribile nel II gruppo Coldstream: la tomba 3 del Quarto Sepolcreto di Pizzo Piede che lo conteneva scende tuttavia nel terzo quarto del VII sec. a.C., in quanto
il corredo comprende, oltre a un'oinochoe TPC, una coppa ionica A 1 (v. p. 196, n. 44) e una serie
di vasi in bucchero sottile.

Ancora alle caratteristiche del II gruppo Coldstream sembra accostarsi una « bird-bowl » appartenente a un contesto di Vulci databile forse poco prima della metà del VII sec. a.C., la camera A della
tomba XII dello scavo Gsell [10] (10), mentre nel III gruppo possono includersi, data la decorazione
a raggi della metà inferiore della vasca, due esemplari di un'altra tomba vulcente, la Gsell LII [11-12],
che sembrerebbe rimontare al terzo quarto del VII, uno da un'altra tomba messa in luce dallo stesso
Gsell [13] e uno, sporadico, da Tarquinia [14].

Mentre non consta, sulla scorta dei dati attualmente disponibili, che gli aryballoi « rodio-cretesi »
abbiano raggiunto l'Etruria settentrionale, questa risulta invece interessata, e in misura non marginale, dal circuito distributivo delle « Vogelschalen », attestate infatti a Vetulonia e a Populonia.

La coppa rinvenuta nella quarta fossa della Tomba vetuloniese del Duce [15] è associabile al
II gruppo della classificazione Coldstream (figg. 2-3). La datazione del complesso, fissata dal Camporeale agli ultimi decenni del VII sec. a.C., è stata, a ragione, rialzata alla metà del secolo da Cristofani, dalla Strøm e da Boardman (11), il quale ultimo ha in particolare sottolineato validamente il preciso apporto che proprio il pezzo in questione reca ai fini della determinazione cronologica. Da Vetulonia, da una tomba dello stesso periodo, il Circolo delle Tre Navicelle, proviene poi un altro esemplare [16], che, analogamente al precedente, rientra ancora nella tipologia della prima metà del VII sec.
a.C.: benché la decorazione sia largamente evanide, si osserva infatti che la parte inferiore del bacino
è interamente verniciata e che il volatile non reca coda prolungata (fig. 4).

Un esemplare strettamente affine a quello della Tomba del Duce, con la metà inferiore della vasca
verniciata e bande dipinte ai lati delle anse, è stato rinvenuto recentemente in una tomba a tumulo in
località Poggio Pelliccia [17] presso Gavorrano (Grosseto), sulla quale avremo più volte occasione di
ritornare perché accoglieva, oltre a una rilevante quantità di vasi corinzi e attici, anche un calice chiota,
coppe ioniche e un aryballos « rodio » a testa d'aquila (v. pp. 161, n. 6; 164, 199, n. 133, 201, nn. 196-
197; 179, 209, n. 71). Accanto a quelle di Vetulonia e di Populonia, di cui dirò immediatamente, questa
nuova scoperta documenta inequivocabilmente come la distribuzione areale di questo tipo di importazioni
interessi specificamente il distretto minerario dell'Etruria settentrionale e sia quindi direttamente connessa
con gli scambi commerciali legati alle attività estrattive.

Populonia annovera due coppe a uccelli: la prima, sin qui inedita [18], forse da una tomba a camera della necropoli di S. Cerbone (12), è pure del tipo II Coldstream (figg. 5-6); la seconda [19], di dimensioni assai ridotte e caratterizzata da gruppi di zig-zag che fiancheggiano l'uccello, in sostituzione

---

ticolare la presenza di un'oinochoe del CA avanzato (D. A. AMYX, *Vases from the Etruscan Cemetery at Cerveteri*,
Berkeley, 1965, n. 4), di « fr.i di una kylix ionica, di fr.i di due anforoni squamati » e di molti aryballoi ed alabastra etrusco-corinzi.

10) Gsell, p. 45 s.: la suppellettile comprende, fra l'altro, due anfore vinarie del tipo etrusco (sul quale da ultimo
M. MARTELLI, in *Prospettiva*, 4, 1976, p. 44 e qui, pp. 166 s. e nota 54, con vari rifer.) *ibidem*, nn. 3-4, tav. suppl. A-B,
forma 40, una patera bronzea con orlo perlinato *ibid.*, n. 9, tav. suppl. C, forma 145 e una fibula del tipo Sundwall
H II α d *ibid.*, n. 11, fig. 10.

11) M. CRISTOFANI, *Kotyle d'argento di Marsiliana d'Albegna*, in *StEtr.*, 38, 1970, p. 274 s.; I. STRØM, *Problems concerning
the Origin and early Development of the Etruscan Orientalizing Style*, Odense, 1971, pp. 179 e 233, nota 148;
J. BOARDMAN, in *JRS*, 59, 1969, p. 297.

12) L'ho rintracciata infatti, in uno dei depositi del Museo Archeologico di Firenze che ospitano i materiali alluvionati,
insieme alla suppellettile della tomba a camera, già esposta nella sala XXIX della sezione topografica, sommariamente edita da A. MINTO, in *NSc*, 1925, pp. 349-352. Poiché però non risulta affatto menzionata nel citato rapporto di scavo, la sua pertinenza a tale tomba resta dubbia.

154

delle più consuete losanghe fra filetti, proviene dalla nota Tomba dei Flabelli (figg. 7-8) e trova una replica puntualissima nella tomba CXLIII di Macrì Langoni (Kamiros) (13): il complesso di appartenenza fu utilizzato per circa un secolo (14) e il pezzo in esame potrebbe costituirne uno dei punti di riferimento cronologico più alto.

Con un generico dato di provenienza dall'Etruria è indicata poi una coppa conservata ad Heidelberg [20], del gruppo 2 Coldstream, che sarebbe stata rinvenuta con una kylix TPC a raggi. Presumibilmente dall'Etruria meridionale viene infine un esemplare già sul mercato antiquario milanese [21], assai simile a quello della Tomba del Duce.

Segnalo, d'altro canto, per il suo interesse, in quanto sola attestazione del t po a me nota in Etruria una coppa inedita da Populonia (fig. 9) (15), certamente prodotta e importata dalla Grecia orientale, se non proprio da Rodi, morfologicamente identica alle « Vogelschalen », ma con vasca semplicemente decorata all'esterno da due bande dipinte in bruno inframmezzate da una fascetta a risparmio, mentre una più ampia banda risparmiata corre superiormente, all'altezza delle anse: per essa, ancora una volta, un termine di confronto estremamente calzante è offerto da una tomba camirese, la XI del sepolcreto di Papatislures (16).

In totale le attestazioni sono pertanto più di venti, numero abbastanza rilevante, che plausibilmente giustifica la fortuna che assai precocemente questa forma ha incontrato anche nelle redazioni in bucchero sottile (17), prima di essere soppiantata dalle imitazioni di coppe ioniche.

1-3. Da Cerveteri, Monte Abatone, tomba 4 a Cerveteri, Museo Archeologico: un ex. (n. 11) nella camera s. e due exx. (nn. 14, 16) nella camera d.
   Inediti; uno, citato da J. BOARDMAN, in *JHS*, 85, 1965, p. 6, nota 6 e in *Chios*, p. 133, nota 9 e riprodotto da C. M. LERICI-E. CARABELLI, *Apparecchiatura fotografica per ricerche archeologiche*,

---

13) Cfr. *Clara Rhodos*, IV, 1931, p. 271 s., n. 3, fig. 301 (= *CVA*, Rodi, 2, II D e, tav. 6,5; Coldstream, p. 300, n. 17). Non sarà superfluo osservare che anche nelle dimensioni i due pezzi esibiscono una stretta affinità: quello camirese misura infatti cm. 4 di h. e 9,8 di diametro, il nostro cm. 3,7 di h. e 8,5 di diam.

14) Si vedano al riguardo le mie osservazioni in *StEtr*, 41, 1972, p. 105, nota 27.

15) Anche questa è stata da me recuperata nei depositi del Museo Archeologico fiorentino, ove risulta associata al corredo di un'altra tomba a camera della necropoli di S. Cerbone, sulla quale MINTO, *art. cit.*, pp. 357-362: poiché neppure essa venne descritta nel rendiconto di scavo, la sua appartenenza al complesso permane incerta.

16) Cfr. *Clara Rhodos*, VI-VII, 1932-33, p. 52, fig. 49 (I fila dall'alto, IV da s.). Cfr. inoltre *ibidem*, IV, 1931, p. 351, 6, fig. 396: t. 204 di Checraci.

17) Oltre agli exx. dalla tomba Giulimondi, dalla Camera degli Alari e dalla tomba Bufolareccia (scavi Lerici) 36, già raccolti da N. HIRSCHLAND RAMAGE, *Studies in early Etruscan Bucchero*, in *BSR*, 38, 1970, p. 31, figg. 5, n. 8, 13, n. 2, 20, n. 7 e classificati come forma 7 C, ricordo quelli di altri complessi di Cerveteri, ossia la Tomba dei Dolî (*MonAnt*, 42, 1955, cc. 317, n. 19, 319, nn. 48, 51, 326, n. 6, tav. agg. G, forma 144), la tomba 18 s. di via del Manganello (inedita, nel Museo di Villa Giulia), la tomba Banditaccia 8/1951 (*NSc*, 1955, p. 68, n. 13, fig. 26), le tombe Laghetto 78, nicchia a s. del dromos, e 79 (*MAV*, V, tavv. 19, n. 16 e 22, n. 6). Ma la loro presenza è documentata anche nell'agro ceretano (P. G. GIEROW, *San Giovenale*, I, 8, Lund, 1969, p. 41, n. 20, fig. 26: Valle Vesca, tomba 3), a Veio (*NSc*, 1935, p. 344, fig. 17, e: tumulo di Vaccareccia; M. CRISTOFANI, *Le tombe da Monte Michele nel Museo Archeologico di Firenze*, Firenze, 1969, pp. 37, 57, fig. 15, n. 30, tav. 16, 1: tomba D) e in varie località del Lazio, quali Castel di Decima (P. SOMMELLA, in *Quaderni dell'Istituto di Topografia antica dell'Università di Roma*, 6, 1974, p. 113, n. 20, figg. 19-20: tomba 6; *Civiltà del Lazio primitivo*, Roma, 1976, p. 281 s., n. 6 = *NSc*, 1975, p. 350, n. 6, figg. 141 bis, 143 b: tomba 68 bis), Marino - Riserva del Truglio (P. G. GIEROW, *The Iron Age Culture of Latium*, II, Lund 1964, p. 156, fig. 91, 8: tomba 6), Castel Gandolfo-Vigna Cittadini (*ibidem*, p. 308, fig. 186, 2 = I, Lund, 1966, p. 287, fig. 86, 3), Roma (E. GJERSTAD, *Early Rome*, IV, Lund, 1966, p. 278, fig. 88, 2).
   Due exx. adespoti da Vulci (acq. Campanari, 1839) sono inoltre in *CVA* British Museum, 7, IV B a, tav. 13, nn. 7, 8; altri di provenienza sconosciuta sono riprodotti in M. MORETTI, *Museo Nazionale d'Abruzzo nel castello cinquecentesco dell'Aquila*, L'Aquila, 1968, fig. a p. 296 e in *Aspects de l'art des Etrusques dans les collections du Louvre*, Paris 1976, p. 15, fig. 17.

in *Quaderni di Geofisica Applicata*, 1956, fig. 13 a p. 11, presenta fasce verticali dipinte ai lati delle anse, come quelli della Tomba del Duce e dell'asta Finarte (cfr. infra 15, 21).

4. Da Cerveteri, necropoli del Sorbo, nicchia d. della tomba Regolini Galassi a Roma, Musei Vaticani.
   Albizzati, p. 5, n. 21, tav. I, con bibl. prec.; PARETI, *op. cit.*, tav. 49, p. 382 s., n. 381.

5. Da Cerveteri, Monte Abatone, tomba 90 a Roma, Fondazione Lerici.
   Inedita (fig. 1).

6. Da Cerveteri, Banditaccia, tomba 18 s. di via del Manganello a Roma, Museo di Villa Giulia.
   Inedita; vi ha accennato G. COLONNA, in *StEtr*, 29, 1961, p. 67, nota 73.

7. Da Cerveteri, Monte Abatone, tomba 36 a Cerveteri (?). *Non vidi.*
   Inedita, ma segnalata da A. GIULIANO, in *JdI*, 78, 1963, p. 196, nota 11.

8. Da Cerveteri al Louvre. *Non vidi.*
   A. Blakeway, in *BSA*, 33, 1932-33, (1935), p. 198, n. 5 menziona « a Rhodian Bird Bowl of very primitive type, No. 12 in the Cerveteri Room ».

9. Da Narce, tomba a camera 3 del Quarto Sepolcreto a sud di Pizzo Piede a Roma, Museo di Villa Giulia (?). *Non vidi.*
   MonAnt, 4, 1894, c. 482, n. 6; O. MONTELIUS, *La civilisation primitive en Italie depuis l'introduction des métaux*, Stockholm, 1904 , tav. 323, 7.

10. Da Vulci, scavi Gsell, camera A della tomba XII.
    Gsell, pp. 46, n. 8, 395, 424.

11-12. Da Vulci, scavi Gsell, tomba LII.
    Gsell, pp. 125 s., nn. 21-22, 395, 424.

13. Da Vulci, scavi Gsell, tomba « fouillée le 18 février » (sc. 1889).
    Gsell, pp. 395, 424.

14. Da Tarquinia, sporadica a Tarquinia, Museo Archeologico (sala IV), inv. 3182.
    Inedita.

15. Da Vetulonia, Tomba del Duce, IV gruppo a Firenze, Museo Archeologico, inv. 7088 (figg. 2-3).
    I. FALCHI, in *NSc*, 1887, p. 497; IDEM, *Vetulonia e la sua necropoli antichissima*, Firenze, 1891, tav. 11, 8; MONTELIUS, *op. cit.*, c. 855, tav. 186, 9; *CVA*, Firenze, 1, III C e, tav. 1, 5 (D. Levi); G. CAMPOREALE, *La Tomba del Duce*, Firenze, 1967, p. 112, n. 82, tavv. C 8, G 9, XXII b; IDEM, *I commerci di Vetulonia in età orientalizzante*, Firenze, 1969, p. 106, tav. 38, 1; inoltre *artt.* e *op. citt.* a nota 11, *ll. cc.*

16. Da Vetulonia, Tomba delle Tre Navicelle a Firenze, Museo Archeologico, inv. 6816 (fig. 4).
    CVA, Firenze, 1, III C e, tav. 1, 30 (D. Levi); CAMPOREALE, *Commerci, cit.*, p. 106, tav. 38, 2: la datazione alla seconda metà del VII sec. a. C. ivi proposta a p. 109 va, anche in questo caso, rialzata attorno alla metà del secolo per la tipologia della coppa in questione, che ha infatti la base verniciata.

17. Da tomba a tumulo in loc. Poggio Pelliccia (Gavorrano, Grosseto) a Firenze, Museo Archeologico, inv. 29460. H. cm. 4,9; diam. cm. 13,5. Ricomposta e reintegrata; la decorazione è largamente evanide, volatile compreso. Resta leggibile, oltre alle bande verniciate, una losanga fiancheggiata da tre filetti.
    Inedita.

18. Da Populonia, forse da una tomba a camera di S. Cerbone (scavi 1924-25) a Firenze, Museo Archeologico, senza inv.
    Inedita (figg. 5-6).

H. cm. 5; diam. cm. 11,9. Decorazione largamente caduta; perduta un'ansa. L'interno e la metà inferiore esterna del bacino sono completamente verniciati. All'esterno, la metà superiore è decorata da tre metope, suddivise da doppi filetti verticali e sottolineate da altre filettature multiple, includenti al centro un volatile (privo di coda) e ai lati una losanga reticolata.

19. Da Populonia, Poggio della Porcareccia, Tomba dei Flabelli di Bronzo a Firenze, Museo Archeologico, inv. 89410 (figg. 7-8).

    A. MINTO, in *MonAnt*, 34, 1932, c. 355, fig. 23, tav. 14, 9; IDEM, *Populonia*, Firenze, 1943, p. 154, fig. 58, tav. 39, 8.

20. Probabilmente dall'Etruria ad Heidelberg, Istituto di Archeologia dell'Università, inv. 61/10.

    F. CANCIANI, in *AA*, 1963, c. 666 ss., n. 2, fig. 2; Coldstream, p. 300, n. 22; *CVA*, Heidelberg, 3, tav. 123, 1; *AEsp*, 44, 1971, p. 155, fig. 3; R. HAMPE und MITARBEITER, *Katalog der Sammlung antiker Kleinkunst des Archäologischen Instituts der Universität Heidelberg*, II, *Neuerwerbungen 1957-1970*, Mainz, 1971, tav. 18, n. 32, p. 16 s., da dove è ricavato il dato di provenienza (« Unsere Schale kam in Etrurien zutage »). Per la kylix TPC proveniente dallo stesso contesto *ibidem*, p. 18, n. 34, tav. 19, con bibl. prec.

21. Forse dall'Etruria (coll. Pesciotti Cima), già a Milano, commercio antiquario.

    Finarte, Asta di oggetti archeologici, Milano, 1970, tav. 2, 1.

B) CERAMICA ORIENTALIZZANTE

a) « *Wild Goat style* »

Non numericamente, ma qualitativamente cospicua è la serie dei vasi del « Wild Goat style » restituita dall'Etruria (18). Un esemplare prestigioso, e fra i più antichi importati, sequestrato anni or sono nei pressi di Vulci [1] ed attualmente nel Museo di Villa Giulia (fig. 10), è in corso di pubblicazione sul *Bd'A* da parte di Antonio Giuliano, alla cui cortesia devo la fotografia. Si tratta di una oinochoe a bocca rotonda con rotelle, elegantemente decorata da motivi geometrici accuratamente disegnati sul collo e sul corpo e da un fregio zoomorfo sulla spalla: uno stambecco, un grifo, un trofeo fitomorfo fiancheggiato da volatili, un grifo e due stambecchi, di cui l'ultimo rampante su un altro

---

18) Non verrà presa in considerazione come importazione greco-orientale l'oinochoe a bocca circolare con rotelle e corpo compresso inv. 6807 del Museo Arch. di Firenze (fig. 11), proveniente dalla tomba vetuloniese delle Tre Navicelle (già richiamata alle pp. 154, 156, n. 16 per l'occorrenza in essa di una coppa a uccelli), nella quale CAMPOREALE, *Commerci, cit.*, tav. 38, 3, p. 106 (ivi bibl. prec., cui sono da aggiungere MONTELIUS, *op. cit.*, c. 897, tav. 198, 15 e D. RANDALL-MAC IVER, *Villanovans and early Etruscans*, Oxford, 1924, p. 137, tav. 25, 4) ha voluto ravvisare un prodotto della « serie rodia di tradizione geometrica e subgeometrica »: con F. CANCIANI, in *AA*, 1963, c. 675 e nota 51 e P. G. GUZZO, in *StEtr*, 36, 1968, p. 291, IX, 1 io concordo infatti nel riconoscervi invece una « squat olpe » TPC o Transizionale. Il pessimo stato di conservazione ha reso pressoché del tutto illeggibile la decorazione, della quale si scorgono tuttavia gruppi di filettature sulla spalla e fascette dipinte in rosso alla base del collo. Questa forma, che è certo dipendente da prototipi greco-orientali, è stata infatti ripresa, se pure non frequentemente, dalle fabbriche di Corinto: cfr. H. PAYNE, *Necrocorinthia*, Oxford, 1931, p. 272 s., cat. 49-52 (il 52 è stato successivamente pubblicato in *CVA*, Louvre, 13, tav. 47, 1-2) e R. J. HOPPER, in *BSA*, 44, 1949, p. 242 (il framm. a Parma ivi citato è stato poi edito in *CVA*, Parma, 1, III C, tav. 1, 2), cui aggiungo un esemplare inedito (è semplicemente descritto da A. MINTO, in *NSc*, 1925, p. 361) da una tomba populoniese della necropoli di S. Cerbone, con raggiera dipinta in bruno alla base del collo e presso il fondo e decorazione lineare a vernice nero-bruna con fascette suddipinte in bianco e paonazzo sul corpo (figg. 12-13). Né andrà trascurato il fatto che questa stessa morfologia vascolare risulta adottata, già nella prima metà del VII sec. a.C., anche nella produzione italo-geometrica, tanto a Vulci (cfr. *CVA*, Karlsruhe, 2, tav. 52, 4) quanto a Tarquinia (cfr. *CVA*, Tarquinia, 3, tav. 23, 3, attribuita da F. Canciani al Pittore delle Palme, e tav. 24, 1-2, 4-5).

trofeo vegetale. La brocca può essere aggiunta al ristretto gruppo del « frühorientalisierende Stil » dello Schiering (19) e trova confronti abbastanza significativi in esemplari dall'Heraion di Samos, da Temir-Gora al Museo dell'Ermitage e in uno da Rodi al Louvre definito « ephesisch » dal Walter (20). La cronologia può essere fissata nel decennio successivo alla metà del VII sec. a.C.

Di poco posteriori, comunemente datati attorno al 630 a.C., sono due pezzi meritamente famosi: l'oinochoe Lévy [2], acquistata a Roma dal pittore E. Lévy intorno al 1855 e passata al Louvre nel 1891, il più pregevole e rappresentativo documento del gruppo di Kamiros, e il piatto già nel Kircheriano [3] (fig. 14), che lo Schiering ha inserito nello stesso gruppo, ma che la Walter-Karydi considera « milesio » (21).

Fra la fine del VII e gl'inizi del VI sec. a.C. si pone il primo vaso dello « stile a stambecchi » importato in Etruria di cui sia noto il contesto di rinvenimento, un'oinochoe a bocca trilobata con due registri zoomorfi sul corpo (fig. 15) appartenente alla Tomba dei Sarcofagi di Cerveteri [4], complesso che scende almeno fino al primo quarto del VI. Seguendo la classificazione dello Schiering, che peraltro non l'ha a suo tempo considerata, essa dovrebbe essere inclusa nel gruppo di Vlastos; i confronti più vicini sono ravvisabili, specialmente per la tipologia del leone ed il caratteristico rendimento della criniera, nella oinochoe Amburgo 3440, in una di Smirne (perduta) e in un frammento da Clazomene al Louvre (22), che la Walter-Karydi ha di recente ascritto a fabbrica « nordionica ».

Ancora come « nordionico » la stessa studiosa ha riconosciuto il cratere-dinos da Cerveteri [5] (fig. 16), di cui ha immotivatamente fornito una generica e incerta provenienza (23), già riferito da Schiering al tardo stile di Vlastos (24), databile al primo ventennio del VI sec. a.C. e morfologicamente identico ad un esemplare da Vroulia a Copenhagen (25).

1. Probabilmente da Vulci (sequestro L. Sabatini, 1961) a Roma, Museo di Villa Giulia (fig. 10). A. GIULIANO, in *Prospettiva*, 3, 1975, p. 4, fig. 1 e p. 8, nota 1, n. 5; IDEM, *Una oinochoe greco-orientale nel Museo di Villa Giulia*, in *Bd'A*, in stampa [v. ora n. 3-4, luglio-dicembre 1975 [1977], pp. 165-167, figg. 1-9].

2. Probabilmente dall'Etruria a Paris, Musée du Louvre, inv. CA 350.
   CVA, Louvre, 1, II D c, tavv. 6-7, con lett. prec.; Schiering, tavv. 13, 1 e 16, 5, pp. 50, 61 s., 68, 97; Kardara, tav. 4, fig. 3, p. 93, n. 3, con altra bibl.; Walter, tavv. 116-117, n. 592.
   Sul significato della presenza del vaso in Etruria v. le osservazioni di GIULIANO, *art. cit. supra*, p. 4.

3. Originis incertae, ma presumibilmente dall'Etruria, a Roma, Museo di Villa Giulia, inv. 24982 (già nel Museo Kircheriano, inv. 462) (fig. 14).
   R. PARIBENI, *Vasi inediti del Museo Kircheriano*, in *MonAnt*, 14, 1904, cc. 279 ss., 3, tav. 26; Schiering, *l. c.* a nota 21; Kardara, p. 97; Walter - Karydi, tav. 77, n. 651, pp. 60, fig. 127, 136.

4. Da Cerveteri, Banditaccia, Tomba 1 del Tumulo I o dei Sarcofagi, a Cerveteri, Museo Archeologico, inv. 19557 (già a Villa Giulia) (fig. 15).

---

19) Schiering, p. 8.
20) Tav. 118, n. 596, pp. 76, 126 e, per la provenienza, Schiering, p. 114, nota 25, 3; per gli exx. da Samo e dalla Russia meridionale Walter, tavv. 91-93, n. 502 e 94-96, n. 503 (« samisch »).
21) Schiering, pp. 29 e nota 201, 30 e nota 204; Walter-Karydi, p. 60.
22) Walter-Karydi, rispett. tav. 105, n. 877(= Schiering, tavv. 12, 6 e 14, 2, pp. 49 s., 55 e note 407-408, 87 e nota 668, 101 e nota 773, 111), tavv. 105 e 111, n. 879 (= Schiering, tavv. 6, 3 e 7, 1, pp. 23 s. e nota 151, 55 e nota 407, 66, 101, 110), tav. 111, n. 880, pp. 77 e nota 223, 142.
23) Walter-Karydi, p. 144, n. 938 (« wohl aus Italien »); ma cfr. E. POTTIER, *Vases antiques du Louvre*, II, Paris, 1901, p. 61, E 659: « (Inv. Campana, 21). Trouvé a Caeré, en Étrurie, et entré au Musée en 1863 ».
24) Schiering, tav. 16, 2, pp. 57 s., 62.
25) Walter-Karydi, tav. 115, n. 941.

MonAnt, 42, 1955, c. 214, n. 18, fig. 7; Walter - Karydi, pp. 97, 1, 109 e nota 223, 142, tav. 105, n. 878; M. MORETTI, *Cerveteri*, Novara, 1977, fig. 76 (a colori).

5. Da Cerveteri a Paris, Musée du Louvre (coll. Campana) (fig. 16).

POTTIER, *l. c.* a nota 23; R. M. COOK, in *Enciclopedia universale dell'arte*, VI (1958), c. 846, tav. 386; Schiering, *l. c.* a nota 24; Walter-Karydi, pp. 79, 144, fig. 154, tav. 114, n. 938, con altra bibl.

b) *Piatti su piede*

A poche unità ammontano, a mia conoscenza, i piatti su piede, che possono ricondursi, secondo la definizione della Kardara (26), allo stile classico di Kamiros. La più elevata percentuale di presenze si constata a Vulci, da cui proviene più della metà degli esemplari da me raccolti. Fra essi se ne segnala particolarmente uno a Monaco, già appartenente alla collezione Candelori [1], con palmipede sul fondo contornato da una esuberante decorazione accessoria (fig. 17), databile al primo ventennio del VI sec. a.C. e ora dubitativamente assegnato dalla Walter-Karydi a fabbrica milesia. Altri tre sono del tipo con rosone centrale circoscritto da fasce concentriche, ripetute anche all'esterno (27): due di essi sono stati recuperati in una tomba a camera della necropoli dell'Osteria [2-3] e sono riferibili, come alcuni consimili da contesti di Kamiros (28), alla prima metà del VI secolo a.C.; un altro [4], sporadico, da Vulci o comunque dal suo territorio (fig. 18) (29), ha pure paralleli assai calzanti in ambito camirese, ad esempio nelle tombe 1, 3 e 5 di Macrì Langoni (30). Sempre a Vulci, due occorrono nella tomba 40/1962 dell'Osteria [5-6], mentre dei rimanenti uno, appartenente alla collezione Faina [7], potrebbe avere provenienza orvietana, l'altro è di origine ignota, ma assai probabilmente dall'Etruria [8]. Per quest'ultimo (figg. 19-20), che è decorato da gruppi di cuspidi alternate a rosette punteggiate, meandro spezzato fra bande e rosone e, esternamente, dalle consuete fasce multiple parallele, i confronti più pertinenti sono offerti, una volta ancora, da pezzi dei sepolcreti camiresi: in particolare esso è connesso e va ad aggiungersi a quelli riuniti dalla Kardara nei gruppi ϑ e ι ed a uno, meno elaborato ma egualmente prossimo, da Kamiros a Berlino (31); come questi, è databile al secondo quarto del VI sec. a.C. Direttamente collegata con questa classe è poi una coppa, con rosone a quattro petali lanceolati circoscritto da banda dipinta in nero, da una tomba inedita di Cerveteri, la 365 Laghetto [9], nel cui corredo significativamente confluiscono altri oggetti greco-orientali, quali una coppa « ionica » A 2 (v. Appendice I, p. 197, n. 58) e due alabastra di bucchero « ionico » (v. pp. 174, nota 71 e 176, n. 10). Ricordo infine un piatto su piede dalla tomba 94/1962 della necropoli vulcente dell'Osteria [10], con decorazione dipinta a zone concentriche di elementi a S coricata, baccellature, cuspidi alternate a motivi a farfalla e disposte poi sul fondo a disegnare un rosone, che la Vagnetti (*art. cit. infra*) propende, persuasivamente, a considerare un'imitazione realizzata in Etruria.

26) Kardara, pp. 115 ss.

27) Cfr. Kardara, p. 127 s.

28) Cfr., ad esempio, *Clara Rhodos* (poi abbreviato *CR*), IV, 1931, p. 362, fig. 408 (= Walter-Karydi, p. 134, n. 586): da Checraci, tomba 209.

29) Appartiene infatti alla collezione formata da Gismondo Galli (poi confluita nell'Antiquarium di Massa Marittima), che fu insegnante a Canino intorno al 1875 e ispettore onorario ai monumenti e scavi dell'Etruria meridionale.

30) Cfr., rispettivamente, *CR*, IV, 1931, p. 43, fig. 12 (= *CVA*, Rodi, 1, II D h, tav. 2,3; Walter-Karydi, tav. 74, n. 585, con errata indicazione di provenienza da Vroulia: i riferimenti esatti sono invece quelli corrispondenti al n. 581); p. 47, n. 8, figg. 13, 17 (= *CVA*, Rodi, *cit.*, tav. 2, 2; Walter-Karydi, p. 134, n. 582); p. 55, n. 5, figg. 26, 31 (= *CVA*, Rodi, *cit.*, tav. 2,4; Walter-Karydi, n. 583).

31) Cfr. *CR*, IV, 1931, p. 81, n. 2, figg. 64, 66 (= *CVA*, Rodi, *cit.*, tav. 2,5; Kardara, p. 127, ϑ, 2): Macrì Langoni, t. 15; *CR*, VI-VII, 1932-33, p. 114, n. 6, figg. 122-123 (= Kardara, p. 127, ι, 1): Checraci, t. 32 e p. 104, n. 2, figg. 116, 119 (= Kardara, p. 127, ϑ, 3): Checraci, t. 30; *CVA*, Berlin, 4, tavv. 161, 163, 4.

1. Da Vulci (collezione Candelori) a München, Antikensammlungen, inv. 452 (fig. 17).
   CVA, München, 6, tav. 276, 1-2, fig. 3, con bibl. prec.; Walter-Karydi, tav. 80, n. 655, pp. 60, 136 (ove è infondatamente affermato « unbekannter Herkunft »).

2-3. Da Vulci, necropoli dell'Osteria, tomba a camera (non meglio specificata nella didascalia esposta nel Museo) a Vulci, Museo Archeologico.
   Segnalo che nel corredo sono presenti altre importazioni greco-orientali, ossia due kylikes « ioniche » A 2 e un alabastron scanalato in bucchero « ionico » (v. pp. 197, nn. 108-109 e 176, n. 21).
   Inediti.

4. Da Vulci o dall'agro vulcente a Massa Marittima, Antiquarium (raccolta G. Galli).
   H. cm. 12; diam. cm. 24. All'esterno, fasce concentriche dipinte in bruno.
   Inedito (fig. 18).

5-6. Da Vulci, necropoli dell'Osteria, tomba 40/1962. *Non vidi.*
   Descritti (e definiti « di imitazione greco-orientale ») in *Vulci, Zona dell'« Osteria », Scavi della « Hercle »*, Roma s.d., p. 71, nn. 4-5; di uno resta solo il piede.

7. Da Orvieto (?) a Orvieto, Museo Faina, inv. 553. *Non vidi.*
   Ne fa menzione A. GIULIANO, in *JdI*, 78, 1963, p. 196, nota 11.

8. Originis incertae, ma presumibilmente dall'Etruria (sequestrato nel 1973 a Grosseto) a Firenze, Museo Archeologico, inv. 97569.
   H. cm. 10,5; diam. cm. 28.
   Inedito (figg. 19-20).

9. Da Cerveteri, tomba Laghetto 365, camera centrale a Cerveteri, Museo Archeologico.
   Inedito.

10. Da Vulci, necropoli dell'Osteria, tomba 94 (scavo Hercle 1962) a Roma, Palazzo di Montecitorio.
   L. VAGNETTI, *La raccolta di pezzi archologici*, in AA. VV., *Il Palazzo di Montecitorio*, Roma, 1967, pp. 363, n. 4, con fig., 365. Di imitazione.

c) *Calici chioti*

A sole sette unità ammontano per ora, d'altronde, anche i calici chioti. I più fini e importanti sono i due, celeberrimi, conservati a Würzburg, già della collezione Feoli e quindi da Vulci [1-2], che documentano il « Middle Wild Goat style » elaborato dalle fabbriche di Chio alla fine del VII secolo a.C.; quasi certamente eseguiti dalla stessa mano, essi sono strettamente accostabili per lo stile alla famosa « Aphrodite bowl » da Naukratis e ad un frammento di dinos, pure da Naukratis (32). Tre esemplari privi di decorazione figurata sono invece documentati a Cerveteri: l'uno, praticamente inedito (fig. 21), dalla tomba 352 di Monte Abatone [4], è del tipo I distinto da Hayes e dunque riferibile all'ultimo quarto del VII sec. a.C.; l'altro, venuto in luce pochi mesi or sono in una tomba a camera della Banditaccia già parzialmente interessata da scavo clandestino, rappresenta una redazione lievemente più antica di questo stesso tipo, a vasca larga e bassa, verniciata, e labbro con fascia sottostata da filetti [3], ed è quindi appena anteriore al precedente, situabile cioè agli inizi dell'ultimo venticinquennio del VII; il

---

32) Per la prima cfr. E. A. GARDNER, *Naukratis*, II, London, 1888, tav. VI; E. R. PRICE, *Pottery of Naukratis*, in *JHS*, 44, 1924, p. 216; J. BOARDMAN, *The Greeks Overseas*, Harmondsworth, 1964, tav. 9, b; Walter-Karydi, tav. 90, n. 715. Per il secondo VICKERS, *art. cit.*, p. 114 s., n. 2, tav. 13, B. Si possono richiamare inoltre altri frammenti di rinvenimento naucratita: ad es., *CVA*, Cambridge, 2, II D, tav. 17, nn. 16-20 e *CVA*, Oxford, 2, tav. 5, nn. 2, 4, 6.

terzo, dalla Tomba dei Vasi Greci [5], è invece del tipo III (33) e può collocarsi nel primo o secondo venticinquennio del VI secolo a.C. Un altro, che doveva avere decorazione dipinta in nero, di cui restano però solo debolissime tracce, è stato rinvenuto recentemente nella già citata tomba di Poggio Pelliccia (fig. 22) [6], di amplissimo excursus cronologico (34), e riveste una sua specifica importanza, in quanto è la prima attestazione di questa classe vascolare nell'Etruria settentrionale. Infine, un altro calice « plain » del tipo III, con gruppi di trattini verticali fra filetti nel pannello fra le anse, affine a quello della Tomba ceretana dei Vasi Greci, proviene forse dall'Etruria (fig. 23) [7], in quanto appartenente alle vecchie collezioni granducali confluite dalle Gallerie nel Museo Archeologico di Firenze.

1-2. Da Vulci (collezione Feoli) a Würzburg, inv. Ha 244-245.
   CVA, Würzburg, 1 (1975), tavv. 22-24, 1-2, figg. 15-16, con bibl. prec.; *Führer Würzburg*, tav. 8, p. 79, L 128-129.

3. Da Cerveteri, Banditaccia (Laghetto), tomba a camera scavata nel marzo 1976.
   G. Colonna, in *StEtr*, 45, 1977, p. 443, tav. 61, a.

4. Da Cerveteri, Monte Abatone, tomba 352 a Roma, Fondazione Lerici (fig. 21).
   C. M. Lerici, *Nuove testimonianze dell'arte e della civiltà etrusca*, Milano 1960, fig. al centro a p. 46, I da s.; cenno di G. Colonna, in *AC*, 13, 1961, p. 20, nota 8 e Boardman, *Chios*, p. 120, nota 4.

5. Da Cerveteri, Banditaccia, Tomba 9 o dei Vasi Greci a Roma, Museo di Villa Giulia, inv. 20789-90.
   MonAnt, 42, 1955, c. 277, n. 35, fig. 37, 3, con bibl. prec.; R. M. Cook, *The Distribution of Chiot Pottery*, in *BSA*, 44, 1949, pp. 158, nota 14, n. 4, 160; Boardman, *Chios*, p. 158, nota 2; Helbig, *Führer* [4], III, p. 577 s., n. 2615.

6. Da tomba a tumulo in loc. Poggio Pelliccia (Gavorrano, Grosseto) a Firenze, Museo Archeologico, inv. 29463 (fig. 22).
   Inedito.

7. Originis incertae, ma verosimilmente dall'Etruria a Firenze, Museo Archeologico, inv. 3702 (fig. 23).
   Vi ha accennato Boardman, *Chios*, p. 158, nota 2.

Nel complesso dunque i vasi dello stile « della capra selvatica », i piatti di tipo rodio e i calici chioti restituiti dalle necropoli etrusche non risultano certo numerosi, ma, in particolare i primi e i due pezzi di Würzburg si pongono significativamente, per la ricchezza figurativa, sul piano dei « vasi-mercanzia »,

---

33) Per il primo cfr. *Tocra*, 1, pp. 58, 60, fig. 30, tav. 39, nn. 771-772; *Tocra*, 2, pp. 24, 26, fig. 10, n. 2042; Boardman, *Chios*, p. 120 s., fig. 74, tav. 34, 251 ss. Per il secondo cfr. *ibidem*, p. 120 s., fig. 74, tav. 33, 235 ss. Per il terzo cfr. *Tocra* 1, pp. 59 s., 63, fig. 30, tav. 45, nn. 797-799; *Tocra* 2, p. 26, tav. 15, n. 2043; Boardman, *Chios*, p. 158. Un ex. della variante più antica di questo tipo, con sequenza di punti intorno all'orlo, accostabile ad uno da Kamiros a Berlino (cfr. *CVA*, Berlin, 4, tav. 171, 2), è stato rinvenuto ultimamente in Linguadoca: v. A. Nickels, *Un calice de Chios dans l'arrière-pays d'Agde à Bessan, Hérault*, in *RA*, 1975, pp. 13-18.

34) Ringrazio la dott. A. Talocchini, che ha diretto lo scavo della tomba, per avermene cortesemente consentito la prima edizione. Per le altre importazioni greco-orientali comprese nel corredo v. la coppa a uccelli esaminata alle pp. 154 e 157, n. 17 e i rifer. ivi addotti.

la cui richiesta favorisce lo stanziamento in Etruria di quel Pittore delle Rondini, in cui Giuliano ha brillantemente individuato per primo un artigiano immigrato dalla Grecia orientale (35), che impiantò, probabilmente a Vulci, un atelier, creando una serie di prodotti vascolari che, soprattutto nella fase iniziale dell'attività, rivelano pieni e fecondi gli apporti del mondo di formazione.

C) Anfore « chiote »

Nell'ultimo quarto del VII secolo a.C. anche l'Etruria appare inserita in quel circuito di « wine trade » che è segnato dalla presenza delle anfore c.d. chiote (36), per le quali, pur nella possibile pluralità di centri di fabbricazione nella Grecia orientale, risulta accertata una produzione in Chio. In questo quadro l'Etruria è una delle molteplici aree interessate dalla diffusione di questi contenitori di una merce pregiata, i quali investono un raggio distributivo assai ampio, che va da vari siti della costa microasiatica all'Egitto (Naukratis, Daphnae), ad Al Mina, al Marocco (Mogador), alla Cilicia (Mersin), a Samos, Rodi, Thasos, Thera, Cipro, Camarina, Mylai, Marsiglia.

Gli esemplari venuti in luce nelle necropoli etrusche si trovano in contesti dell'orientalizzante recente che datano fra il 630 a.C. ca. [1-2] e gli inizi del VI sec. a.C. [3-6]. Accanto ad alcune attestazioni a Vulci [8-9] (fig. 24) e ad una a Roma [10], la più elevata densità di presenze spetta a Cerveteri, ove tali recipienti precocemente stimolano una produzione locale, ormai agevolmente riconoscibile, il cui sobrio e lineare repertorio decorativo ricalca motivi e scansione della « Waveline Ware ».

1- 2. Da Cerveteri, Banditaccia, tomba 10, camera s. o « Camera degli Alari » a Roma, Museo di Villa Giulia, inv. 21119, 21127.
MonAnt, 42, 1955, c. 336, n. 44, fig. 77, n. 24 e c. 337, n. 52, fig. 77, n. 25.

3- 5. Da Cerveteri, Banditaccia, Tomba « dei Dolii » a Roma, Museo di Villa Giulia, inv. 20970, 21103, 21107. *Non vidi.*
MonAnt, 42, 1955, cc. 319, n. 46, 321, nn. 79, 83, tav. agg. B, forma 26; G. Colonna, in *AC*, 13, 1961, p. 20, nota 9.

6. Da Cerveteri, Monte Abatone, tomba 4, camera centrale a Cerveteri, Museo Archeologico. Inedita.

7. Da Cerveteri a Paris, Musée du Louvre, inv. Campana 2390.
Pottier, *op. cit.*, I, p. 36, tav. 30, D 40; Montelius, *op. cit.*, tav. 344, 3.

a. Da Cerveteri, Banditaccia, tomba 2/1951 a Roma, Museo di Villa Giulia.
NSc, 1955, p. 51, fig. 5, n. 6; Colonna, *l. c. supra*, n. 5, che la elenca fra le importazioni. A mio

---

35) A. Giuliano, *Un pittore a Vulci nella II metà del VII sec. a.C.*, in *JdI*, 78, 1963, pp. 183-199; Idem, *Un pittore a Vulci nella II metà del VII sec. a.C. (Addenda)*, in *AA*, 1967, pp. 7-11; Idem, *Il 'Pittore delle Rondini'*, in *Prospettiva*, 3, 1975, pp. 4-8. Per altre opere del ceramografo riconosciute o edite dopo i lavori di Giuliano v. J. Hind, *A Wild Goat Style Oenochoe in Christchurch, New Zealand*, in *AA*, 1970, pp. 131-135 e A. D. Trendall, *Greek Vases in the Logie Collection*, Christchurch, 1971, p. 50 s., n. 9, tav. 3; Kunisch, *op. cit.*, p. 50, n. 54; W. Schiering, *Eine Amphora des Schwalbenmalers im Louvre*, in *RA*, 1974, pp. 3-14.
36) Su di esse più di recente v. P. Bernard, *Céramique de la première moitié du VIIᵉ siècle à Thasos*, in *BCH*, 88, 1964, pp. 137-140, fig. 50, con rifer.; *Histria*, II, Bucuresti, 1966, tav. 73, XII, 11, p. 159; *BCH*, 93, 1969, p. 448 s., n. 23, fig. 25; *Tocra*, 1, pp. 137, 139, nn. 1414-15, tav. 90 e 2, p. 62, n. 2258, fig. 25; H. Metzger, *Fouilles de Xanthos*, IV, *Les céramiques archaïques et classiques de l'acropole lycienne*, Paris, 1972, p. 69 s., tav. 25, n. 111; *Sukas*, 2, pp. 71 s., nn. 322-325, tav. 16. Per gli exx. di Mylai v. Bernabo' Brea-Cavalier, *op. cit.*, tavv. 48-49, 1-2, p. 110 (tombe 32 e 146); per quelli di Camarina v. *Archeologia nella Sicilia sud-orientale*, Napoli, Centre Jean Bérard, 1973, pp. 139, 147, n. 437, tav. 45.

avviso è invece da riconoscervi una imitazione realizzata in ambito ceretano, da inserire già a pieno titolo nel contesto della produzione etrusco-corinzia in stile lineare: la tecnica e i colori impiegati, la sintassi ornamentale e il profilo dell'orlo differiscono infatti assai sensibilmente dalle caratteristiche canoniche delle anfore vinarie sia « East Greek » in generale sia « chiote » in particolare.

Repliche di questo stesso tipo sono:

b. Da Cerveteri a Paris, Musée du Louvre, inv. Campana 288.
   POTTIER, cit. supra, p. 36, tav. 30, D 48; COLONNA, l. c. supra, n. 1.

c. Originis incertae a L'Aquila, Museo Nazionale, inv. 524.
   MORETTI, op. cit. a nota 17, fig. a p. 291.

d. Originis incertae, già sul mercato antiquario svizzero.
   Galerie am Neumarkt, Auktion XXII, Zürich 1971, tav. 20, 152.
   Altrettanto dicasi per gli esemplari, inediti, elencati di seguito:

e-f. Da Cerveteri, Bufolareccia, tomba 86 a Cerveteri, Museo Archeologico.

g. Da Cerveteri, Monte Abatone, tomba 123 a Cerveteri, Museo Archeologico.

h-i. Da Cerveteri, Bufolareccia, tomba 17 a Roma, Fondazione Lerici.

k. Da Cerveteri, Monte Abatone, tomba 426 a Cerveteri, Museo Archeologico.

l-m. Da Cerveteri, Monte Abatone, tomba 186 a Cerveteri, Magazzino degli scavi.

Sicuramente importati invece:

8- 9. Da Vulci, necropoli dell'Osteria, tomba 4/1961 (fig. 24).
   Vulci, Zona dell'« Osteria », Scavi della « Hercle », Roma, s.d., p. 14, fig. 2 a d.

10. Da Roma, Palatino (« stratum III above the Hut A », presso le Scalae Caci) a Roma, Antiquarium Palatino.
   E. GJERSTAD, Early Rome, III, Lund 1960, p. 80, fig. 50, n. 55; IDEM, Early Rome, IV, Lund 1966, p. 289, fig. 159, 4 (framm.).

D) COPPE « IONICHE »

G. Colonna è già ripetutamente intervenuto (37) per contrastare quanto Villard e Vallet avevano affermato circa la scarsa consistenza di coppe « ioniche » in Etruria (38), ma è pur vero che finora non è stata affrontata sistematicamente una raccolta di esse (39). Anche una ricerca parziale come quella che mi è stato permesso di condurre e che ha incontrato altresì parecchio materiale frammentario, di cui non sempre si può tener conto in termini rigorosi, attinge risultati numericamente cospicui, non limitati certo alla trentina di pezzi additata dagli studiosi francesi, ma raggiungendo una cifra più che decuplicata: attenendosi alla loro tipologia, si arriva a computarne — e, si ribadisce, in via provvisoria, giacché oggettive difficoltà di natura esterna non consentono al momento di redigerne un inventario completo — una cinquantina di esemplari di tipo A 1, quasi un centinaio di A 2, una dozzina di B 1, una cinquantina di B 2 e una settantina di B 3. Ma è da sottolineare come da questo novero sia esclusa, oltre a una quantità davvero non trascurabile di materiali inediti, una settantina almeno di altri esemplari, pubblicati come ionici o greco-orientali o identificabili come tali, ma non suddividibili per forme

37) Art. cit., p. 21, nota 1 e in StEtr, 29, 1961, p. 52, nota 14.
38) In Mél, 67, 1955, p. 32; VILLARD, Marseille, p. 44.
39) Per parziali rassegne v. P. G. GUZZO, Coppe ioniche in bronzo, in Mél, 85, 1973, p. 61; CVA, Gela, 2, II D, pp. 5 s., commento a tavv. 1-2, 3-4 (M. CRISTOFANI MARTELLI).

a causa della genericità delle descrizioni o delle incongruenze nei termini di confronto addotti dagli editori (40), esemplari che occorre tuttavia considerare ai fini della valutazione statistica generale.

Dalla documentazione di riscontro che ho raccolto nell'*Appendice I* e alla quale rinvio si enuclea come la più parte sia distribuita fondamentalmente nelle principali città dell'Etruria meridionale, Cerveteri, Tarquinia e Vulci, e nei rispettivi territori di influenza, ma specialmente in quello vulcente. Assai meno consistente e nel complesso decisamente modesto è invece il nucleo di attestazioni nell'Etruria settentrionale sia interna che costiera. Una certa continuità si può individuare a Chiusi e a Orvieto, ove figurano, se pure in quantità piuttosto limitata, le A 2, le B 2 e le B 3: la loro occorrenza in questi centri andrà inserita in quel circuito di scambi e di apporti, documentato per vari altri aspetti, che fa capo a Vulci, così come ad uno smistamento di Vulci sono da imputare gli esemplari dai dintorni di Orbetello e da Saturnia, che ha restituito una delle rare B 1. La percentuale di presenze di coppe di questa forma è in generale bassissima in Etruria, ma non andrà dimenticato il fatto che questo tasso ridotto non è fenomeno esclusivo dell'Etruria, riscontrandosi anche in altre aree. Ad una redistribuzione secondaria di Chiusi sono poi verosimilmente da connettere le poche A 2 e B 2 di Murlo, vasellame di pregio della « residenza » del signore locale, così come quelle di Castelnuovo Berardenga. Interessante è la presenza di un'imitazione di A 2 in un sito periferico e marginale quale l'insediamento palafitticolo di Massarosa (Lucca), di cui è problematico tuttavia definire la zona di provenienza, poiché il sito in questione ha restituito, oltre a qualche importazione ceretana, anche un'anfora massaliota. Pochissime unità, appena tre B 3 a filetti, si registrano a Populonia, che pure è il centro etrusco-settentrionale più ricco di importazioni greco-orientali. Nessun esemplare è noto da Vetulonia, mentre una A 2 miniaturistica e due B 2 evolute sicuramente di imitazione sono venute in luce, assieme a parecchi vasi greco-orientali, corinzi e attici, nel tumulo di Poggio Pelliccia presso Gavorrano (41), sulla strada che porta verso il Lago dell'Accesa. Presenze sporadiche si annoverano poi nell'agro falisco; punte isolate figurano in centri dell'interno, quale Bisenzio, e oltre Appennino, a Bologna. Rela-

---

40) Da Cerveteri: *NSc*, 1955, p. 54, n. 27, p. 74, nn. 53-54, p. 75, n. 6, p. 96, n. 3 (Banditaccia, rispettivamente tombe 3, 9, 10/1951 e tomba a fossa D); *MonAnt*, 42, 1955, cc. 241, n. 4 (tomba 8 del tumulo II), 314, n. 4 (tomba dei Dolii), 448, n. 19 (t. 53), 455, n. 7 (t. 56 o « dei Capitelli »), 459, n. 3 e 461, n. 23, detta « di imitazione » (t. 58), 518, n. 2 (t. 98), 523, n. 5 (t. 100), 706, n. 7 (t. 230), 789, n. 1 (t. 304); *MAV*, V, pp. 15, n.3 e 20, n. 1 (Bufolareccia, tt. 60 e 83), 107, n. 5 (Laghetto, t. 139), 112, nn. 2-3 (Laghetto, t. 145), 117, nn. 8-9 (ma uno, ripreso in *StEtr*, 33, 1965, p. 501, n. 8, è ivi detto attico: Laghetto, t. 159), 180, n. 38 (Laghetto, t. 185, camera laterale), 217, n. 4 (Laghetto, t. 324); per un ex. in frammenti dalla tomba 90 di Monte Abatone v. qui p. 118, nota 9.

Da Acquarossa: *Gli Etruschi.Nuove ricerche e scoperte*, Viterbo 1972, p. 31, n. 72, definita « imitazione etrusca di ceramica ionica ».

Dal territorio castronovano: *NSc*, 1941, p. 358, n. 5 (tomba D della necropoli in loc. Pisciarelli); O. Toti, *Allumiere e il suo territorio*, Roma, 1967, p. 39=Idem, *La civilizzazione etrusca nel territorio di Allumiere alla luce delle più recenti scoperte*, in *Hommages à Marcel Renard*, III, Bruxelles, 1969, p. 574 (tomba 9 della necropoli del Colle di Mezzo); F. Biancofiore-O. Toti, *Monte Rovello (Testimonianze dei Micenei nel Lazio)*, Roma, 1973, p. 70.

Da Vulci: *Vulci, Zona dell'« Osteria », Scavi della « Hercle »*, Roma s.d., pp. 19, n. 1 (t. 5), 21, n. 1 (t. 10, I camera) e 22, n. 16 (t. 10, II camera), 26, nn. 3-4 (t. 11), 51, n. 1 (t. 32), 57, n. 1 (t. 34), 87, nn. 1-2 (t. 52); *MAV*, II, pp. 10, nn. 167-169 (t. 124), 12, nn. 208-210 (t. 126), 13, nn. 241-242 (t. 127), 23, nn. 432-433 (t. 138), 24, n. 461 (t. 141), 34, nn. 732-735 (sporadico n. 3); *MAV*, III, pp. 8, n. 38 (t. 7), 10, n. 115 (t. 20), 12, n. 175 (t. 24), 15, nn. 258-259 (t. 30), 14, n. 226 (t. 28), 20, nn. 401-402 (t. 41 bis), 21, nn. 456-458 (t. 42); *StEtr*, 45, 1977, p. 459.

Da Roselle: *StEtr*, 39, 1971, p. 533 (dalla zona del Foro) e p. 557 (dalla collina di Sud-Est); inoltre cenno sommario in *La città etrusca e italica preromana*, Imola, 1970, p. 158; del tipo Σ T mi sembra invece l'ex. frammentario pubblicato come ionico da F. Hiller, in *RM*, 66, 1959, p. 22, tav. 9, n. 21.

Dall'ager Vetuloniensis (necropoli di Val Berretta): *StEtr*, 45, 1977, p. 462.

Da Roma: *BullCom*, 77, 1959-60, (1962), p. 113, tav. III, n. 9 = Gjerstad, *Early Rome*, IV, *cit.*, fig. 160, n. 1 (da S. Omobono, scavo 1938).

41) Per i materiali greco-orientali v. qui pp. 154, 156, n. 17, 161, n. 6, 199, n. 133, 201, nn. 196-197, 179, 209, n. 71. Per notizie preliminari sullo scavo v. A. Talocchini, in *StEtr*, 40, 1972, p. 357 e 41, 1973, tav. 102 a-c, p. 524.

J. Boardman ajoute quelques mots sur les problèmes de l'exportation et de la distribution des produits de Grèce de l'Est en Occident:

« We have had little opportunity to discuss the manner of export and distribution of East Greek wares in the west. I get the impression that much of it may have been casual, with the possible exception of the Ionic cups, though even here I believe we can still underestimate the importance of local production. Comparison of the pattern of import from the East Greek world on most western sites with what was observed at Tocra poses several questions. At Tocra the volume of imported pottery was overwhelming (*Tocra* ii, 5), possibly through the impossibility or reluctance in making fine pottery locally. But the imports arrived in large and well defined batches, sometimes involving quite large consignments of single shapes (*Libya in History, Benghazi conference*, 1968, 89 ff.). In the west the situation seems quite different for the East Greek wares, although not for the Attic and Corinthian (or perhaps the Laconian). This is a consideration worth further study. The attention of students of East Greek vases is particularly drawn to the red mercantile dipinti which appear on many of them but which can easily be removed in cleaning. They could prove in time an interesting source of evidence about the manner of trade (*Tocra* i, 45 f.) ».

E. Akurgal approuve la thèse de J. Boardman pour la chronologie absolue; selon lui, il faut dater la naissance des vases orientalisants après le milieu du VIIᵉ siècle. De toutes façons il faut se résigner, rappelle-t-il, à avoir une marge d'erreur de 20 à 25 ans pour la chronologie absolue. Les travaux en cours devraient permettre de mieux connaître la localisation des différents styles. Enfin il précise quelques points à propos de la céramique grise, le « bucchero ».

Il fait remarquer que la céramique grise, monochrome, existe en Anatolie depuis l'époque proto-géométrique; un de ses collaborateurs a étudié (mais ce travail est encore inédit) le bucchero de Bayrakli aux époques protogéométrique et géométrique; le bucchero anatolien à partir de l'époque protogéométrique se retrouve partout en grande quantité et jusqu'à la fin de l'époque archaïque. Plutôt que le mot « bucchero » il préférerait qu'on utilise le terme de céramique grise monochrome de l'Eolie. On la retrouve dans tous les sites de l'Eolie au VIIᵉ siècle. Par exemple, à Phocée il y en a à partir de l'époque protogéométrique jusqu'à la fin de l'époque archaïque. Il semble bien qu'il faille relier ce type de céramique à une tradition préhistorique, et soit à la céramique de Milet, soit même à la céramique hittite. Il rappelle ce qu'il a dit dans sa communication, c'est-à-dire que la céramique monochrome grise doit toujours être mise en relation avec les objets d'art phrygien; elle est en rapport intime avec l'intérieur du pays, avec une tradition locale. Le transport en Occident de cette céramique s'est fait par l'intermédiaire des Grecs qui se sont installés en Italie ou ailleurs dans la Méditerranée Occidentale et ont transporté là les traditions de leur pays d'origine; en particulier ils ont reproduit les types de céramique qui étaient ceux de leur terre natale. Voilà pourquoi il y a une parenté entre la céramique monochrome grise de l'Italie et celle de l'Asie Mineure.

W. Johannowsky prend la parole pour fournir quelques détails sur la situation à Iasos:

Il faut remarquer que le matériel archaïque n'y a pas encore été étudié, aussi se limitera-t-il à ne faire que quelques remarques à caractère général. On a retrouvé diverses décharges avec du matériel d'époques variées et a été fouillé un secteur de la nécropole daté entre le géométrique moyen et le géométrique récent (mais sans descendre en deçà du IXᵉ ou de la première moitié du VIIIᵉ siècle). Le matériel géométrique moyen est assez semblable au matériel contemporain de Samos et de Milet. Le matériel de la première moitié du VIIᵉ siècle est de type grec mais encore avec quelques caractéristiques anatoliques.

La période orientalisante est bien représentée par quelques tombes et par des décharges abondantes. On y a trouvé de la céramique de luxe, sans doute d'importation, et une céramique de type sub-géométrique, datée de l'orientalisant récent, représentée par des tasses dont la décoration ressemble à celle des tasses de Samos. Dans les strates les plus récentes, la céramique de Fikellura est assez abondante; ceci tendrait à prouver qu'il est vrai que les rapports avec Milet ont toujours été très étroits, au moins à l'époque de l'orientalisant et dans toutes les phases successives de l'archaïsme.

Correspond à la deuxième moitié du VIᵉ siècle le matériel trouvé dans le sanctuaire de Déméter et Coré; il comprend de nombreuses lampes dont une partie est semblable à celles de Gravisca. Il y a à la fois des lampes gréco-orientales à décor à bandes, quelques lampes qui semblent attiques ainsi que de nombreuses lampes sans décor, sans doute locales, avec un bec bien lisse.

Quant aux coupes ioniennes de type B 2, on en trouve sans bord saillant, avec des parois très, très lisses, une décoration à dents de loup. Enfin, notons que dans les strates archaïques, il y a de la céramique à décor à bandes brun rougeâtre ou à lignes horizontales incisées. Elle coïncide à peu près avec le bucchero gris qu'on trouve en Ionie du Nord ou en Eolide, dit céramique monochrome.

E. Akurgal reprend la parole pour préciser que la surface de cette céramique grise est très polie, dans la tradition de la céramique préhistorique; la plupart des formes y sont représentées, mais pas toutes, bien sûr. E. Akurgal a l'impression que même dans la forme il y a une tradition anatolienne; il semble que les formes choisies sont plus proches de la tradition locale que des modèles grecs.

P. Alexandrescu revient sur le problème de la chronologie relative et **E. Akurgal** répond qu'il partage l'opinion de P. Alexandrescu sur les travaux de Chr. Kardara, de H. Walter et de E. Walter-Karydi. Les résultats qu'ils ont obtenus n'ont pas été appréciés à leur juste valeur. Leur grand mérite est d'avoir commencé à faire des regroupements; ils ne sont sans doute pas exempts d'erreurs, mais c'est la seule façon d'aboutir à un résultat.

Quant à la question posée sur le problème de la couche de destruction de Smyrne, E. Akurgal fait remarquer que le temple d'Athéna a été détruit deux fois aussi est-il difficile de le prendre comme point de référence. En fait il vaut mieux partir de plusieurs maisons où les deux couches sont très bien séparées l'une de l'autre et qui permettent d'obtenir une stratigraphie claire et intégrée dans des trouvailles d'ensemble. Il ne faut pas non plus oublier que le temple a été détruit par Alyattes mais aussi par les Achéménides et par tous ceux qui, jusqu'à nos jours, ont habité là; encore aux XIXᵉ et XXᵉ siècles le temple a été l'objet de destructions. Cependant les maisons fournissent une stratigraphie assez précise, avec une marge d'erreur de 20 à 25 ans.

P. Rouillard pose alors une question à E. Akurgal:

« Dans l'extrême Occident, les céramiques de Grèce de l'Est importées sont essentiellement des céramiques communes à bandes, à pignes ondées. Les fouilleurs des sites de Grèce de l'Est nous ont parlé essentiellement des produits décorés. Aussi j'aimerais connaître la place (relative) des céramiques communes sur les sites de Grèce de l'Est, comme Phocée, dont on a peu évoqué les productions ».

E. Akurgal répond que lui-même et ses collaborateurs pour une question de temps se sont limités à parler de la céramique un peu luxueuse, mais qu'il existe bien sûr plusieurs catégories de céramique commune, très abondante et de formes très variées.

E. Paribeni ajoute quelques compléments à sa communication:

« Grazie per avermi concessa una necessaria aggiunta su quanto ho detto. Anzitutto perché i vecchi professori dimenticano, ed io dimentico, metà delle cose che avrei dovuto dire, quando all'improvviso sono chiamato a parlare; inoltre la venuta del prof. Adamesteanu mi ha portato delle nuove diapositive piuttosto importanti del dinos di Policoro, di cui abbiamo parlato, e delle sue associazioni.

Fra le mie colpe più gravi vi è stata quella di non aver parlato della più illustre ceramica di imitazione sorta sulle coste della Sicilia, quella che è qui rappresentata dai padroni di casa, quella di Megara Hyblaea. Ora questa straordinaria ceramica, forse troppo alta per esser considerata tra attività imitative, è associata indubbiamente col mondo insulare. Un frammento di Selinunte lungamente ritenuto insulare e persino con tracce di una firma è stato collegato in qualche modo con questa produzione. Ora io mi sentirei di spingere la questione un pochino oltre. Come noi abbiamo visto che c'è una ceramica con intenti narrativi in tutto l'Est (non soltanto lo splendido frammento pubblicato dal prof. Von Graeve, con un eroe cacciatore e un serpente che potrebbe essere Eracle) ma anche ricordando la presenza anche a Rodi di documenti in cui appare un interesse narrativo. Si veda l'incidenza di centauri che appare con una certa frequenza, ad esempio nel frammento subgeometrico che abbiamo visto del British Museum. Questo sembra potersi collegare con un altro forse ancora più vicino alla ceramica di Megara Hyblaea da Lindos, in cui appare un centauro col corpo metà umano, che appunto suggerisce le stesse possibilità di sviluppi narrativi.

In ultimo, la cosa che da sempre mi è sembrata decisiva è il fatto che anche nei prodotti più raffinati della ceramica di Megara Hyblaea a colori è la ricerca di una struttura umana e animalesca così precisa, così nitida, nelle giunture, così da illustrare quel termine di *Siartrosis* che Bearly ci ha insegnato, un principio di strutture articolate che sono quasi sempre assenti nello stile ionico. Ora è un fatto che questa fluidità del disegno, questa liquidità delle linee è piuttosto caratteristica dello stile ionico tardo che non degli inizi; mentre lo stile ionico del VII secolo, come vediamo nel dedalico di Samos, quale appare dagli splendidi avori, come il ragazzo, ansa di un'arpa, apprezza le giunture e trae notevoli effetti da questo gusto per le cesure, che troviamo appunto nella ceramica di Megara Hyblaea.

Un ultimo fatto rientra anche nel mondo eolico del Nord, la ceramica di Lemno, in cui appaiono caratteri simili e lo stesso amore per le giunture. Il dinos di Policoro, come ci appare nel suo contesto, un contesto non molto illuminante, è di tipica forma ionica con anse ad anello modellate e con quel singolare motivo ricorrente dei cavalli di fronte a un tripode, è una formula talmente importante che vien fatto di richiamare addirittura il tema cretese del tripode oracolare. Le forme sono ancora più decisamente ionizzanti, ancora più decisamente dell'Est, del tipo di cavallo che potrebbe essere solo insulare.

Di qui possiamo risalir al frammento dell'Incoronata, che è stato trovato in tempi molto lontani e adesso è nel Museo di Potenza, in cui questo tema ci è dato in aspetti assai più arcaici, decisamente sub-geometrici. Orientale è lo stesso tipo di vaso, il dinos che appare tanto poco in tutte le altre ceramiche. Ecco infine il frammento di dinos dell'Incoronata che appunto è vicino ai prodotti di Samos, mentre la traduzione locale in forme più rozze, più semplificate e più monumentali. In effetti quella scelta che il prof. Orlandini riteneva voluta in base a un intento artistico per me è molto spesso risultante da riduzioni e da economia di lavoro. Forme grandiose, animali del genere non sono infrequenti anche su frammenti a Policoro, quindi il fronte delle città achee è abbastanza seriamente costituito.

E adesso un ultimo piccolo chiarimento. Si è parlato di una coppa che ritenevo semmai entrasse nel dominio della Sig.ra Martelli di documenti ionici in Etruria. Questa qui è una coppa di cui mi sento responsabile per averla introdotta in questo contesto, perché per la sua singolarità avevo proposto un'origine ionica.

Si tratta di una coppa che riprende quel motivo così singolare delle coppe, ad esempio, di Rodi ad uccelli e ad occhioni del raddoppiamento: un labbro e una zona delle anse molto raccorciata in basso; nella zona raccorciata in basso c'è anche una palmetta e delle lettere che si è tentato di leggere. L'estrema singolarità di questa coppa è nel piede delicatissimo, di cui non saprei suggerire l'appoggio e che è stato lasciato incompleto. Vediamo il centro che è altrettanto importante: noi abbiamo un gorgoneion che era forse ancora più spettacolare nello stadio intermedio del restauro, ma che è tuttavia assai peculiare: un gorgoneion anzitutto al quale manca quel carattere primario della produzione attico-corinzia, quella sorta di aggressività, di veemenza. I volti gorgonici di questi ambienti parlano forte, urlano il loro quasi infantile senso di terrore. La coppa di Chiusi ci dà invece un gorgoneion contenuto, rattratto, con qualche cosa di frigido, in cui il sorriso è appena accennato. In più una cosa che indubbiamente non potete vedere da questa immagine, il graffito della barba è così delicato, così suggestivo che non risponde ai blocchi normali grandi della pittura attica, in cui si definiscono i riccioli in un senso costruttivo, ma che semplicemente sembra disfarsi in sottili effetti pittorici. La singolarità di questa coppa mi aveva indotto ad ascriverla al mondo ionico, appunto per certi atteggiamenti sperimentali».

J. de La Genière apporte un exemple qui illustre un propos de E. Paribeni:

« En liaison avec le rapport du Prof. Paribeni, et notamment avec ce qu'il a dit des centres autonomes opérant ʺ come di luce riflessa ʺ, je voudrais citer le cas d'une région de la Basilicate qui illustre la pénétration et l'installation de formes et de décors de la Grèce de l'Est et d'Anatolie dans un milieu non-grec. Les potiers indigènes y traduisent dans leur propre langage artistique des formes qu'ils ne connaissent peut-être pas directement.

Il s'agit de la zone de Roccanova dans la moyenne vallée de l'Agri, où les fouilles que j'ai menées en 1967 dans la Contrada Marcellino, que la Dott. Tocco a conduites ensuite dans la zone des Serre, ont mis au jour un grand nombre de mobiliers funéraires datables pour la plupart dans la première moitié du VIe siècle. A l'exception de quelques coupes venues probablement des sites côtiers, la céramique trouvée dans ces tombes est presque exclusivement locale; l'argile, beige rosé assez uniforme, la peinture mate bichrome (rouge et noir) sont caractéristiques et directement comparables à celles des autres centres oenôtres de la Basilicate.

Or il est frappant de constater que, si la plupart des vases réalisés par les potiers de Roccanova reprennent les modèles connus à cette époque dans d'autres sites oenôtres comme Sala Consilina (cruche à une anse, « canthare », « scodellone »...), un certain nombre de formes, également fréquentes dans les tombes, sont étrangères à ce répertoire. Elles sont en revanche directement comparables, même si elles sont traduites dans une technique diverse, à des formes connues en Anatolie, et tout particulièrement dans le nord de l'Ionie et dans les zones de rayonnement de la culture ionienne.

Dans un grand nombre de tombes on a trouvé des oenochoès dont l'embouchure trilobée apparaît pour la première fois dans la région. L'épaule, souvent très aplatie, parfois décorée d'arêtes rayonnantes, remplies ou non, rappelle les formes connues à Histria (LAMBRINO, *Histria*, p. 156, fig. 109; p. 160, fig. 113). Si la plupart ont un décor assez commun, l'une d'elles est remarquable par le motif des yeux peints dans les lobes, qui rappelle, comme l'a déjà remarqué Orlandini, des modèles rhodiens ou insulaires (*Atti del XI Convegno di Taranto*, p. 281, pl. XXVI).

Lorsque le potier de Roccanova a façonné le beau *dinos* découvert par G. Tocco aux Serre, il a réalisé un lointain écho occidental des *dinoi* de bronze qui ont provoqué en Asie Mineure les vases d'imitation dans le style « Wild Goat ». Entre les prototypes d'Anatolie et le vase de Roccanova il y a évidemment un relais, comme le prouve le *dinos* décoré de deux chevaux affrontés qui provient d'une tombe découverte par la Dott. Giardini dans la partie nord de la colline de Policoro (Musée de Policoro).

Plus significative me paraît encore la présence du *thymiaterion* en terre cuite dans une notable proportion des tombes. La forme peut être celle d'une coupelle sur un pied haut, ou, plus couramment, d'un pied creux sur lequel se posait peut-être une coupe; le pied est mouluré. La forme imite assurément des objets analogues en terre cuite bien connus sur la côte nord de l'Ionie (exemplaire de Bayrakli au Musée d'Izmir) et à Chio (BOARDMAN, *Chios, Greek Emporion*, p. 175), qui sont eux-mêmes copiés sur des prototypes métalliques.

L'une des formes les plus caractéristiques est celle des plats à pied dont le rebord, pourvu de prises et creusé de rainures, évoque également les techniques métalliques. Ces vases, très courants à Roccanova, dont on connaît un exemplaire à Amendolara, ont un profil tout à fait comparable à celui de Chio (BOARDMAN, *op. cit.*, p. 129, fig. 79, pl. 40, n. 390). On peut les comparer également aux plats à pied de bucchero de Larisa sur l'Hermos, qui sont très proches de ceux de Chio quant à la forme, mais qui évoquent mieux encore par leur couleur monochrome grise les modèles métalliques à l'origine des séries (J. BOEHLAU et K. SCHEFOLD, *Larisa III*, pl. 47, fig. 9).

Citons enfin à Alianello, c'est-à-dire sur la rive gauche de l'Agri en face de Roccanova, un type de phiale à lèvre large, évasée. (Je remercie la Dott. C. Palazzi qui m'a montré ce vase et m'a autorisée à le reproduire ici à la fig. 4). Datable dans la première moitié du VIᵉ siècle, elle répète la forme des phiales d'argent de Lydie, notamment celles du tumulus d'Ikiz Tepe, fouillé par Burhan Tezcan et conservé au Musée d'Usak.

Il me semble que la présence de cet ensemble de documents dans la moyenne vallée de l'Agri, documents qui reproduisent dans la technique traditionnelle de la poterie indigène des formes de vases de luxe, métalliques, d'origine anatolienne, ne peut pas être due seulement aux effets des échanges de vases, mais révèle au contraire l'enracinement profond de tout un répertoire de ces objets de prix dans le bassin de l'Agri. Ces observations s'accordent bien avec la présence, près du littoral, entre les bouches de l'Agri et du Sinni, des colons grecs venus de Colophon et illustrent leur pénétration dans l'arrière-pays (je renvoie ici aux observations faites par P. Guzzo sur l'inscription d'Isodikè).

Si l'on pouvait encore douter du rôle de ces Ioniens habitués par tradition aux contacts avec l'arrière-pays, il suffirait d'évoquer la présence d'une fibule de type phrygien dans une tombe du VIIᵉ siècle de Santa Maria d'Anglona, c'est-à-dire à 20 km environ de l'antique Siris. Si cette fibule est très commune dans les cités ioniennes, et même dans les sanctuaires de Grèce insulaire et continentale, elle est tout à fait exceptionnelle en Italie, et sa présence dans l'immédiat arrière-pays de Siris me paraît très significative (un exemplaire au Latium, cfr. O.W. MUSCARELLA, *Ancient Safety Pins*, in *Expedition*, 6, 2, 1964, 40; G. COLONNA, *Popoli e Civiltà dell'Italia Antica*, II, pl. 151, e; autres exemplaires à Ischia et à Lipari: information F. Lo Schiavo) ».

F. Villard demande la parole pour présenter quelques observations à propos de coupes ioniennes:

« Avant d'aborder le problème, sur un plan général, des coupes ioniennes, au moins en Occident, je voudrais comme préliminaire rappeler un fait bien connu: c'est qu'il existe différents types d'importations ioniennes, non pas tellement en fonction de l'origine de ces produits que de leur répartition variée selon des zones géographiques ou des types de lieux d'accueil de ces importations.

En gros, on peut distinguer trois zones d'importations ioniennes en Occident: en premier lieu, celle de la colonisation proprement ionienne, c'est-à-dire la zone phocéenne, de la Catalogne jusqu'à la Provence et à la Corse, avec cet appendice vers le sud que constitue Vélia; ici l'essentiel de la céramique peinte utilisée et toute la céramique commune est importée de la Grèce de l'Est et surtout reproduit localement les modèles importés.

En deuxième lieu se place la zone de la colonisation grecque en Italie méridionale et en Sicile: les céramiques importées ou locales, de type "ionien", constituent des groupes importants et relativement diversifiés (amphores à vin, coupes, vases à parfum, etc. ...).

En troisième position se trouve l'Etrurie: à l'exception de sites comme Gravisca, où l'abondance des importations s'explique par la présence d'une colonie de Grecs de l'Est installés là, les importations sont relativement peu nombreuses et les imitations pratiquement inexistantes.

Dans ces contextes variés les coupes ioniennes se présentent sous des aspects et jouent des rôles assez différents: examinons donc plus en détail la place des coupes dans ces trois groupes de céramiques aux types de la Grèce de l'Est.

Dans le monde phocéen, on s'en rend de mieux en mieux compte, les importations sont finalement fort peu nombreuses: tout ou presque tout est fabriqué sur place, conformément aux traditions de la mère-patrie, puisque l'on va jusqu'à introduire artificiellement du mica dans la pâte, pour faire davantage "ionien". Ce qui est vrai pour les vases peints ou d'argile claire, comme l'a rappelé hier François Salviat, ne l'est pas moins pour le bucchero gris: c'est ce que vient de nous prouver Madame Arcelin, avec une sûreté de méthode qui rend sa démonstration tout à fait convaincante.

Quelques exceptions cependant à cette règle concernent des produits qui ne sont pas d'origine phocéenne, tout en étant originaires de la Grèce de l'Est: ainsi des types d'amphores, comme l'amphore à pâte blanche, bien représentée à Gravisca et certainement importée de l'Est, ou certains types d'amphores " à la brosse ", que l'on trouve à Marseille aussi bien que dans les régions pontiques, mais surtout et au premier chef les coupes ioniennes.

Les Marseillais, qui se sont essayés à diverses techniques de céramique, n'ont jamais voulu ou pu se lancer dans la fabrication du " vernis noir ". Aussi, toutes les coupes ioniennes de Marseille sont-elles des importations, ce qui n'est pas sans importance comme élément de référence et de comparaison. Pourtant ces importations sont de qualité relativement médiocre: presque toutes en effet — et elles sont fort nombreuses — appartiennent au type B 2 d'une classification, qu'en dépit de ses défauts, on peut adopter pour sa relative commodité.

L'explication de cette prédominance peut être avant tout d'ordre chronologique: Marseille, on le sait, a été fondée en 600, date qui semble sûre; or les types les plus fins de coupes ioniennes sont en général antérieurs à 600 ou contemporains du début du VIᵉ siècle. De toute façon, un fait paraît clair: le type B 2 a été produit sur une beaucoup plus vaste échelle que tous les autres types réunis et il a été particulièrement apprécié par des gens qui n'étaient peut-être pas très regardant en fait de belle céramique.

Si nous passons maintenant à l'Etrurie, je me contenterai de reprendre ce qu'a bien souligné M. Torelli: à Gravisca, mais aussi d'une manière plus générale en Etrurie, les coupes ioniennes sont toutes des pièces importées; il n'y a pas d'imitations locales. Mais surtout, à l'inverse de ce que l'on constate à Marseille, ce sont les types de coupes ioniennes les plus fines — et par conséquent les moins courants, depuis les formes les plus anciennes du VIIᵉ siècle ou du début du VIᵉ siècle (A 1, A 2 et B 1) jusqu'aux plus récentes (coupes des petits-maîtres, B 3) — qui sont de loin les plus fréquents. En revanche, le type B 2 est relativement rare, sans qu'on puisse évoquer à cet égard de raisons chronologiques.

Le cas un peu particulier de Tarente servira de transition avec la Grande-Grèce et la Sicile. A Tarente qui, ne l'oublions pas, a joué un rôle particulier de relais du commerce grec (comme Gravisca), les importations des coupes ioniennes, ainsi que l'a clairement montré F. G. Lo Porto, sont nombreuses, de tous types, mais ne descendent guère au-delà du milieu du VIᵉ, au-delà des années 540 environ: c'est ce que prouvent les associations dans les tombes. Il s'agit là aussi uniquement où presque uniquement d'importations: les imitations locales semblent exceptionnelles ou inexistantes.

Si l'on passe maintenant au reste de la zone de colonisation grecque en Italie du Sud et en Sicile et aux régions indigènes de l'intérieur, qui économiquement en dépendent, la situation est toute différente, presque à l'opposé.

Il est vrai qu'on trouve tout d'abord, comme en Etrurie, des importations de coupes ioniennes de types assez anciens (A 1, A 2 et B 1), importations assez notables, sans qu'elles soient peut-être aussi abondantes à Mégara Hyblaea qu'à Gravisca, pour prendre en exemple deux sites relativement comparables par la quantité des trouvailles. On rencontre aussi, par endroits, et notamment en Sicile, quelques imitations locales, en particulier de la coupe B 1 (largement importée en Sicile orientale et méridionale et imitée, semble-t-il, à Géla et à Sélinonte).

En revanche il y a, comme on le sait, sur les sites de Sicile et de Grande-Grèce, dans les cités coloniales comme sur les établissements indigènes, surabondance de coupes du type B 2; on peut même dire, sans risque d'erreur, qu'elles sont encore plus nombreuses dans les tombes indigènes que dans les nécropoles ou sur les habitats grecs. Presque toujours dans ce cas les coupes B 2 sont de fabrication assez grossière: parois plus épaisses et déformées, modelage irrégulier des anses, vernis étalé sans grand soin sont monnaie courante; seule la qualité de la pâte et du vernis se maintient à peu près, même si la couleur de l'argile s'éloigne parfois sensiblement des prototypes ioniens.

Il s'agit évidemment d'une multitude d'imitations locales ou, plus exactement, d'une fabrication massive, sur de nombreux sites coloniaux, de coupes à vernis noir d'un modèle très simple, dont le type, à l'origine, reproduit celui de la coupe B 2 importée de la Grèce de l'Est. A cet égard les découvertes récentes de Dinu Adamesteanu sont tout à fait décisives, puisqu'il a identifié un de ces ateliers de coupes ioniennes B 2 de fabrication coloniale.

Resteraient à distinguer — ce qui vaut surtout pour les sites coloniaux — les exemplaires authentiquement importés, qui sont relativement rares, des innombrables coupes de fabrication occidentale. Dans ce domaine, la recherche est à peine esquissée, les critères subjectifs se révélant par trop insuffisants. Mais, comme l'a rappelé John Boardman, il existe désormais des méthodes d'analyse scientifique suffisamment au point pour nous permettre d'espérer qu'un jour des distinctions sûres pourront être établies entre les exemplaires importés et les différentes catégories d'imitations.

En revanche, nous ne croyons pas trop hardi de prétendre que le problème chronologique peut être considéré comme réglé: il est désormais certain, ainsi que l'avaient d'abord constaté les fouilleurs de Palinuro, et bien d'autres archéologues occidentaux par la suite, que le type B 2 descend fort avant dans la seconde moitié du VIᵉ siècle, voire même jusqu'au début du Vᵉ siècle. Mais il s'agit uniquement, croyons-nous, des très nombreuses coupes de fabrication occidentale, tandis que rien, me semble-t-il, n'indique jusqu'à présent que le type B 2 se prolonge jusqu'au-delà de 540 environ, en Grèce de l'Est.

Aux coupes ioniennes B 2 de Tarente, importées de l'Est, qui ne descendent pas au-delà de 540, il est facile désormais d'opposer celles de Sala Consilina, pour prendre un exemple caractéristique, qui pour la plupart datent de la seconde moitié du VIᵉ ou du début du Vᵉ siècle. C'est un cas typique, mais qui est loin d'être unique en son genre, de prolongation d'une forme de vase très simple et d'emploi des plus courants, à l'usage exclusif du marché occidental ».

M. Cristofani intervient pour préciser quelques points du rapport de M. Torelli:

« Un brevissimo intervento per precisare alcuni aspetti del discorso di Mario Torelli con il quale sono pienamente d'accordo a proposito del problema del rapporto fra la pittura vascolare e la pittura murale tarquiniese.

Credo che il prof. Boardman sia stato il primo a sottolineare le relazioni esistenti fra gli affreschi di Gordion e alcune pitture etrusche (*The Greeks Overseas*, London 1964, p. 214), ma ritengo che questo tipo di confronto possa essere in qualche modo specificato attraverso le pitture della tomba degli Auguri, che citava ora Mario Torelli, e gli affreschi di Gordion; l'intermediario è secondo me il pittore dell'hydria Ricci, più volte ricordata in questi giorni: basta vedere la figura di Herakles a confronto con il gruppo dei due lottatori nella tomba tarquiniese.

Ma i confronti fra le pitture etrusche e i ceramografi ionici possono ancora ampliarsi. Notevolissimo, ad esempio, è il riflesso dello stile del secondo maestro che opera nel gruppo dei dinoi Campana e le pitture della tomba delle Iscrizioni. Ancora più interessante il rapporto fra il Petrie Painter distinto da Robert Cook, la cui attività non si svolgerebbe solo a Naucrati, secondo John Cook, ma anche in Asia minore, e il gruppo di lastre dipinte da Cerveteri che si trovano a Berlino: le figure femminili hanno strettissime relazioni sul piano formale.

Questi rapporti vanno intesi nell'ambito di quel problema che è stato qui svolto da Marina Martelli, circa il trasferimento di maestranze ioniche dal Nord della Ionia in Etruria con il loro possibile passaggio attraverso Naucrati. Vorrei chiedere al prof. Boardman cosa pensa che sia avvenuto a Naucrati con l'invasione persiana, se, cioè, le maestranze greche, come già precedentemente a Focea, siano state costrette ad emigrare, poiché in tal caso il problema di Gravisca potrebbe porsi in modo leggermente diverso.

Che significato storico dobbiamo poi dare alla Enmann Class di Robert Cook, un gruppo " di comodo " nell'ambito della ceramica clazomenia, di cui qui si è parlato molto poco, visto che i prodotti riconducibili a questo gruppo sono sparsi un po' ovunque, lungo le coste del Mar Nero, a Naucrati e in Etruria: è una circolazione di artigiani o una circolazione che segue determinate correnti commerciali, puntando agli empori? ».

J. Boardman intervient brièvement à propos des artistes émigrants et des imitations:

« The emigrant artist has been identified readily enough in Boeotia (from Athens) and perhaps in Athens (from Corinth or East Greece). M. Salviat's account of the pottery from Thasos makes clear that an important series of vases owe their inspiration to an immigrant Chian artist, since the shapes and sometimes the technique are unknown in Chio or Naucratis, while the painting style is purely Chian. There may be other examples less easy to detect.

In the west we have the example of the origin of the Northampton/Campana vases, and of the Cae-retan hydriae, for the work of immigrant artists who left no immediate heritage, at least in vase production; and of the Pontic series, which left an important heritage in Etruscan black figure. These phenomena are relatively easy to study. Where imitations are concerned we are bound to ask where the models are and to try to identify them. Sometimes we should again suppose immigrant hands at work, possibly in a style yet to be identified in the homeland (like the Pontic) or in styles which we might imagine practised in other materials (e.g., wall painting) ».

F. Badoni présente quelques observations à propos de l'hydrie à figures noires provenant de Massafra et qui se trouve maintenant au Musée de Lecce.

« Vorrei fare qualche osservazione a proposito della *hydria* a figure nere proveniente da Massafra ed ora al Museo di Lecce (*CVA, Lecce*, III F, tav. 1, 1-2). La *hydria*, che Guzzo mostra di voler collegare a fabbriche clazomenie, era già stata ascritta da Mingazzini a fabbriche campane (*CVA, Capua*, III, p. 13, 11 A). Io, per mio conto, ho ritenuto opportuno escluderla dalla produzione campana e riferirla genericamente a " un'officina dell'Italia meridionale ". Ai confronti accennati in *Ceramica campana a figure nere*, Firenze 1968, p. 130, note 144-145, ho potuto apportare in seguito precisazioni, che non vanno nel senso delle indicazioni di Guzzo e che forse è bene confrontare con esse.

L'*hydria* è, com'è noto, forma molto rara per i vasi clazomenî. Essa è frequente solo nel gruppo Urla (Cook, in *BSA*, XLVII, 1952, p. 123 sgg.). Se si confronta, però, l'unica *hydria* di questo gruppo, pervenutaci integra (n. 1) da Temrjuk, essa appare di forma molto diversa da quella di Lecce, che presenta una spalla più appiattita ed uno stacco molto accentuato tra spalla e ventre; mentre quella da Temrjuk è di forma nel complesso molto più arrotondata, soprattutto nell'attacco tra spalla e ventre.

Quello che colpisce, inoltre, nell'*hydria* di Lecce è la sintassi decorativa estremamente semplificata ed impoverita e l'assenza di ogni elemento riempitivo. Il fregio dipinto sulla spalla a fiori e boccioli di loto è molto lontano da quelli clazomenî, di forme solitamente più elaborate e più geometricamente definite (Cook, A 10, Tubinga 2656, o F 18, Oxford 1924, 264), che in genere non compaiono sulla spalla. Anche l'impiego dei colori aggiunti, con l'esclusione del bianco e l'uso, invece, del paonazzo, non trova riscontro nei fregi clazomenî (Cook, A 17, Oxford G 129.1).

È evidente, inoltre, nell'*hydria* di Lecce la sproporzione tra i due animali affrontati, per i quali si nota anche il contrasto tra i graffiti molto rossi ed il disegno lineare dei contorni.

Il gruppo toro-leone ricorre raramente sui vasi clazomenî: ma si veda per esso il frammento clazomenio (Cook, B, Petrie Group, n. 7, British Museum 587) dove il rapporto fra i due animali è proporzionato; il graffito, molto accurato; il disegno, più sicuro e più sciolto.

A me sembra che si possa concludere quasi con certezza per una fabbrica localizzabile in Italia meridionale, la quale però non si rifaccia a modelli clazomenî (con i quali, come si è visto, non ha punti di contatto), ma alla serie dei vasi calcidesi. La distribuzione della decorazione e la forma del vaso ricordano, infatti, le *hydriai* di questa classe di vasi: si veda quella di Rumpf, *Chalzidische Vasen*, tav. CXLVII, 153, anche se più arrotondata, soprattutto all'attacco tra spalla e ventre. Il fregio di boccioli e fiori di loto è vicino a quelli dei vasi calcidesi; così come l'impiego, per i fiori di loto e per i boccioli, del paonazzo. Va, però, notato che il motivo sull'*hydria* di Lecce è estremamente semplificato rispetto alla ricchezza ed alla sovrabbondanza, su tutta la superficie disponibile, dei motivi decorativi calcidesi.

Per il leone dipinto sul ventre vorrei proporre un confronto con i due leoni rappresentati in posizione araldica sul ventre dell'anfora di Monaco, proveniente da Tarquinia, già pubblicata da Rumpf ed ora edita dalla Walter-Karydi, in *CVA*, *Monaco*, 6, tav. 286, 1.

Il confronto è istruttivo e ne risulta la fragilità d'impianto della figura della *hydria* da Massafra rispetto a quelle calcidesi.

La semplificazione della figurazione, infine, ricorda un'anfora che Rumpf (p. 103, tav. XCIII, 53) ricollega ai vasi calcidesi, per la distribuzione degli elementi decorativi e le particolarità tecniche, anche se il disegno è molto più corrente ed impacciato. La Walter-Karydi (*CVA*, *Monaco*, 6, tav. 287, 3-4) definisce la stessa anfora un prodotto di fabbrica d'Italia meridionale, probabile imitazione delle anfore del gruppo di Fineo ».

* * *

J.-P. Morel introduit dans cette discussion une pause pour expliciter les problèmes et les intérêts suscités par cette rencontre:

« Cette rencontre si riche en nouvelles données et en remises en cause a eu, entre autres mérites, celui de mettre en évidence de façon presque aveuglante la différence entre deux séries de problèmes (peut-être vaudrait-il mieux dire: entre deux traditions d'étude) dont la juxtaposition a fait ressortir, par éclairage mutuel, la spécificité. En schématisant, disons que l'on a débattu, d'une part, des *problèmes des céramiques de la Grèce de l'Est* sur les rives de la mer Egée, de leur classification, et de leur diffusion en Italie, mais aussi en Syrie et sur les rives de la mer Noire; et d'autre part, des *problèmes des céramiques du monde phocéen d'Occident*. En schématisant encore plus, disons que l'on nous a montré d'une part des photos de détails décoratifs, et d'autre part des profils de formes de vases: à tel point qu'on a pu se demander parfois si tout le monde parlait de la même chose. Mais, encore une fois, il s'agit là d'une différence très heureuse, très instructive, en ce qu'elle met en lumière le caractère particulier des problèmes phocéens.

1) Sur les rives de l'Egée sont en cours une remise en cause et un raffinement croissant à propos de la définition d'écoles artistiques. Beaucoup d'entre nous, certes, ont pu éprouver l'impression qu'ils assistaient à la démolition d'un édifice qui pourtant avait semblé solide. Mais, en seconde analyse, rien n'est plus normal: comment peut-on penser que la production céramique d'une région si vaste, pendant deux ou trois siècles, serait issue de quelques ateliers seulement? C'est une attitude insoutenable. Imaginons, pour prendre un exemple dans une autre époque, une rencontre analogue à celle-ci qui serait consacrée aux problèmes de la céramique campanienne: il y a fort à parier que nous en sortirions avec des idées beaucoup moins simples qu'au début de la réunion, et que nous serions ainsi sur la bonne voie vers une appréhension à peu près correcte de la réalité. Pour s'en tenir à un exemple plus voisin, la discrimination fine des diverses fabriques coloniales de la Gaule méridionale, commencée par F. Villard, continue avec une complexité croissante, qui nous conduit certainement dans la bonne direction.

Si l'on considère l'extension vers l'Occident de cette première série de problèmes, on constate qu'ils concernent la Sicile et l'ensemble de l'Italie continentale, grecque ou non, à l'exception de Vélia et de la Ligurie; et qu'ils se posent, dans ces régions, en termes de commerce — et éventuellement d'influences artistiques — mais *non* de colonisation: à tel point que l'on assiste par exemple à ce paradoxe, qu'à Géla, colonie rhodo-crétoise, les vases de la Grèce de l'Est sont moins abondants que, disons, à Sélinonte.

2) Ce tableau fait ressortir l'originalité du monde phocéen d'Occident. D'emblée, soulignons-en un caractère lui aussi paradoxal. L'expansion phocéenne est, après tout, le phénomène colonial le plus important, et de très loin, qui ait émané de la Grèce de l'Est, pour l'ensemble de la Méditer-

ranée. Or le monde phocéen apparaît, quand on traite des rapports entre les céramiques de la Grèce de l'Est et l'Occident, comme absolument marginal. J'entends par là, non pas qu'il est d'importance secondaire, mais qu'il est, littéralement, en marge.

Marginal, il l'est d'abord pour des raisons fondamentales: chronologiquement, la colonisation phocéenne ne commence vraiment qu'au VIe siècle; géographiquement, c'est un phénomène éminemment périphérique; sa métropole, enfin, n'est pas une ville gréco-orientale des plus éminentes, ni (facteur fortuit) des mieux connues actuellement, il s'en faut.

Marginal, il l'est aussi dans le domaine de la céramique, ce que les faits précités n'expliquent que partiellement. D'abord, le problème des céramiques de luxe (ou artistiques, ou décorées) ne s'y pose qu'à peine (Gaule par exemple), ou même pas du tout (Espagne par exemple). Ensuite, on assiste maintenant à ce phénomène très net, que *dans l'état actuel des recherches* (j'y insiste) les importations de la Grèce de l'Est — donc, de la métropole — s'y réduisent chaque jour comme une peau de chagrin. De grands pans de ce qu'on supposait exact s'écroulent les uns après les autres. Un exemple frappant en est donné par les céramiques grises du midi et du centre de l'Espagne, que l'on croyait phocéennes et qui ont amené F. Benoit à parler d'une " ambiance ionienne au pays de Tartessos "; or les travaux d'A. Arribas, M. Almagro Gorbea et C. Aranegui ont montré que ces céramiques sont en réalité, non pas ioniennes, mais, selon le cas, phénico-puniques ou indigènes. Et rappelons-nous les chiffres donnés ici-même par Ch. Arcelin (sur 4000 vases " phocéens " gris qu'elle a étudiés, une trentaine seulement sont d'importation) et par A. Nickels (sur plus d'un millier de vases gris à marli qu'il a considérés, moins d'une dizaine sont d'importation).

Il faut donc renoncer en grande partie à parler de commerce. S'il est un mot qui s'impose ici, lorsqu'on examine les rapports céramiques entre la métrople gréco-orientale et ses colonies occidentales, c'est celui de *tradition*: celui justement qui revient comme un leitmotiv à propos du monde phocéen d'Occident, si isolé et si fidèle à lui-même. C'est un transfert non tant d'objets que d'influences, de germes apportés de loin et qui prospèrent en Occident pour des raisons qui ne sont pas toutes claires encore.

Il y a eu, au cours de ces journées, une grande oubliée, une grande absente: Vélia. Et c'est, en un sens, justice, puisque Vélia a été fondée quand par définition elle ne pouvait plus recevoir couramment des céramiques d'Asie Mineure; il s'agit donc, pour nous, d'un cas-limite.

Or il est peu de sites dont la céramique soit aussi incontestablement ionienne que la Vélia archaïque. On en connaît surtout pour l'instant, certes, la céramique commune — celle de l'habitat — mais on y trouve tous les caractères de la céramique ionienne: et cela dans les pâtes (quant à leur couleur, leur consistance, leur mica) comme dans les vernis (rouges ou bruns, irrégulièrement répandus, répartis par bandes ou par filets), dans les détails du profil (anses bifides ou à protubérances latérales, par exemple) comme dans les formes d'ensemble de la vaisselle (coupes, lékanés, cruches ...), des amphores (dont on n'a pas assez parlé ici à propos de l'Orient), des lampes (elles aussi passées sous silence ici, sauf par P. Rouillard). A cet égard, Vélia est un véritable fossile céramique ionien (phocéen?) isolé en Italie. Son faciès céramique n'est guère comparable à celui des cités voisines de Campanie, de Lucanie ou de Calabre.

Donnons deux autres exemples, l'un direct, l'autre indirect, de la spécificité de cette tradition phocéenne, et de sa faculté d'impact:

1) A Palinuro, les traits spécifiques de la céramique phocéenne sont comme grossis par un phénomène d'amplification exubérante, baroque, en milieu indigène, des modèles grecs (exubérance des anses multipliées, et qui multiplient les boudins, par exemple): phénomène tout à fait analogue à celui que l'on constate — pour des raisons semblables et à partir des mêmes modèles — très loin de là, au Pègue, dans la vallée du Rhône.

2) Il n'y a pas, sauf erreur (et en ce cas en quantité infime) de céramique grise à Vélia. Donc la céramique grise, si abondante en Gaule méridionale, ne peut s'expliquer que par une flambée d'influen-

ces extrêmement brève — mais à conséquences extrêmement durables — à partir d'un modèle qui, quant à lui, a disparu très vite, avant la fondation de Vélia, et même sans doute avant la fondation de Lipari: donc, quelques années après l'arrivée des premiers colons grecs en Gaule.

Cet ensemble de phénomènes fait donc ressortir non seulement la faculté d'impact de cette céramique, mais aussi les *limites* de cette influence, de cette transmission, lesquelles ne concernent que des milieux " indigènes ", pour des raisons que F. Villard a analysées naguère: terrain préparé par certaines techniques locales, moindre exigence de qualité céramique. Le rôle de l'élément *récepteur* apparaît donc ici presque plus important que celui des apports. Tout cela est très caractéristique du " profil bas " de la céramique du monde phocéen d'Occident et explique l'impression de déphasage que je signalais.

Je reviens donc à mon doute initial: avons-nous perçu deux traditions d'étude différentes? Ou deux séries de problèmes différentes? L'un et l'autre, en réalité.

1) Il y a, d'abord, deux problèmes d'ordre réellement différent, qui sont ceux *a*) du commerce de la céramique de luxe ou de demi-luxe: phénomène non proprement colonial, qui concerne par exemple les rapports de la Grèce de l'Est avec la majeure partie de l'Italie; *b*) de l'expansion coloniale et de l'émigration, de la transmission des influences techniques et des objets utilitaires. Ce n'est sans doute pas un hasard si le site où aient peut-être été le plus constamment menées de front l'étude des importations de céramique de luxe gréco-orientale et celle des céramiques communes et de leurs rejetons locaux est Histria: site éminemment colonial, d'une part, et en même temps site assez proche de la Grèce d'Asie pour en recevoir une partie très notable de sa céramique de luxe.

2) Mais on doit voir aussi dans tout cela deux traditions d'étude, car la " qualité " du matériel qu'ils examinent, des problèmes qu'ils affrontent, risque de retenir les archéologues spécialistes des abords de la mer Egée de se pencher sur les préoccupations plus modestes qui sont le pain quotidien des " Occidentaux ".

Il y aurait pourtant grand profit pour qui travaille sur le monde phocéen d'Occident à savoir de leurs collègues qui travaillent " à la source " ce qui peut être phocéen (ou plus généralement gréco-oriental), ce qui l'est sûrement, ce qui ne l'est sûrement pas, non seulement dans la vaisselle de luxe, mais aussi dans la vaisselle commune, les amphores, les lampes. Ce serait là un apport très important — irremplaçable — pour comprendre exactement à partir de quelles bases s'est développée, avec ses caractéristiques propres, l'imposante et très spécifique production céramique phocéenne d'Occident.

Il en serait de même pour un problème qui se pose quotidiennement en Occident, et pas seulement dans l'aire phocéenne: celui des coupes ioniennes et notamment des coupes B 2, qui sont de plus en plus la bouteille à l'encre et qu'on ne considère plus systématiquement comme venant de la Grèce de l'Est. Avec les lampes ioniennes, les coupes sont, dans un assez grand nombre de régions, le signe le plus immédiat ou le plus important d'un contact commercial avec le monde grec (je pense à certains sites indigènes d'Italie, à certains sites puniques). Il faut bien reconnaître que le critère souvent adopté consiste à considérer comme des importations d'Asie Mineure les vases de bonne qualité, et comme " locaux " (venant de Grande Grèce, par exemple) les vases médiocres: critère pour le moins sommaire, et probablement inexact. Ces céramiques, dans quels cas faut-il, ou ne faut-il pas, y voir des produits gréco-orientaux? Là aussi nos collègues spécialistes de l'Orient méditerranéen peuvent fortement contribuer à trancher un problème que les chercheurs de l'Occident méditerranéen ne peuvent guère résoudre avec leurs seules ressources et qui, en termes de relations commerciales, est évidemment capital ».

P. G. Guzzo précise ses propos que D. Adamesteanu avait considérés comme une attaque à la gestion du territoire sous sa tutelle. Il s'agissait d'une réflexion à caractère général, d'un souhait, afin que les territoires des Surintendances soient gérés, tous, d'une manière plus complète, plus correcte. Ainsi bien des points qui semblent problématiques seraient sans doute éclairés par une meilleure connaissance de toutes les situations archéologiques.

Après cette discussion, **E. Lepore** dresse le bilan qui suit.

PROSPETTIVE STORICHE SU EVIDENZE E FATTI

« Io credo e spero che nessuno si attende da me un ultimo volume sui Greci dell'Est dopo quelli del collega Cassola (*La Ionia nel mondo miceneo*, Napoli 1957), del collega Sakellariou (*La migration grecque en Ionie*, Athènes 1958) e dei colleghi inglesi Roebuck (*Ionian Trade and Colonization*, New York 1959) e Huxley (*The Early Ionians*, London 1966), per non nominare che una parte piccolissima dell'immensa bibliografia che si dovrebbe citare se questa dovesse essere una relazione storica.

Precedentemente io ho usato come titolo di queste conclusioni " prospettive storiche su evidenze e fatti ", e come mia abitudine, questa vuol essere soprattutto la testimonianza di un ascolto attento e faticoso, dico francamente, e il frutto delle riflessioni che io son venuto facendo su quei punti che mi son sembrati importanti durante tutta questa esposizione di dati e discussioni.

Sarò, io spero, giustificato se, naturalmente, questo mio tentativo di sintesi non potrà toccare tutti i punti di queste ricchissime giornate, dove tutti hanno fatto la loro parte sempre importante.

Il collega Boardman ci ha solidamente stabilita la differenza e coincidenza tra archeologia e storia: l'archeologo come storico su evidenza contemporanea e le difficoltà dell'interpretazione di materiale muto, lo storico *tout-court* e la tradizione vivente del passato con le difficoltà di interpretare una storiografia che la racchiude e la interpreta anch'essa alla luce di realtà più tarde. Con l'amico e maestro Momigliano si potrebbbe dire che siamo quasi di fronte alla diade Tucidide-Erodoto. Sulla Ionia noi potremmo anche partire da brani di Tucidide, da brani di Erodoto, che in un certo senso hanno questo stesso tipo d'approccio che le due discipline sorelle, e storiche entrambe, hanno usato nelle esposizioni e discussioni che si sono qui compiute. Naturalmente resta un problema di commensurabilità o meno delle evidenze diverse su cui io ho sempre insistito da un po' di tempo e che mi sembra si sia ripresentato in questa discussione con le allusioni che il collega Alexandrescu ha fatto ai complicati problemi di cronologia ceramica e cronologica storiografica. Noi certamente siamo tutti persuasi che bisogna evitare i circoli viziosi e proprio per questo non pretendiamo una perfetta commensurabilità tra dati archeologici e dati storici; siamo ormai lontani dai metodi combinatori ed io, personalmente, ho molto apprezzato le distinzioni chiare, franche, che il prof. Boardman ha fatto nell'impostare i rapporti tra archeologia e storia. Direi anche paradossalmente che non appartiene sempre all'una o all'altra, singolarmente prese, di queste discipline una visione diacronica o sincronica dei fatti; direi ancora una volta paradossalmente che forse siamo al momento in cui l'archeologo ci fornirà nel tempo una visione diacronica più grande, più abbondante, più minuta e analitica di quanto possa oggi fornire lo storico, che per il fatto di rifarsi a quella tradizione vivente, racchiusa nella storiografia di una certa epoca, finisce per essere debitore della visione di quella storiografia. Noi ci attendiamo dal prof. Boardman, che già ci ha dato con i suoi lavori una visione del movimento di questa storia dell'ambito greco-orientale e che ci darà, come ho sentito annunciare, questa stessa visione per altri centri, spostandosi sempre più a Occidente, noi ci attendiamo, dicevo, un sempre maggiore approfondimento dei dati diacronici, che possono venirci dall'archeologia. Naturalmente non ce li attendiamo solo dal prof. Boardman, ma io volevo additarlo a modello di questo approccio.

Proprio questo insistere sul dato contemporaneo permette che volta a volta noi ci si rifaccia al presente di un certo passato; ma come diceva Gustav Droysen non è sempre facile recuperare tutto il presente che era in un passato, ci si arrivi attraverso l'evidenza archeologica, ci si arrivi attraverso l'evidenza letteraria. Perciò io vi chiedo perdono se non su tutte le questioni, né su tutto l'arco dei secoli che noi abbiamo visto correrci davanti in questo colloquio, si potranno trarre da parte mia conclusioni sicure. Io dicevo della tradizione e di certi elementi che ci possono venire da essa e dicevo che essi potrebbero anche assimilarsi simbolicamente a dei passi tucididei o a dei passi erodotei. Se noi vediamo il passo di Tucidide I, 12, noi per un momento ci vediamo presentati da uno storico dell'antichità, dalla coscienza di un certo determinato momento, un aspetto dei problemi che in fondo affioravano, alcuni giorni fa, in certe domande, che a me, ma credo anche a se stessa, poneva Juliette de La Genière nella brillante sintesi finale del primo giorno, di giusto apprezzamento del progresso che le indagini dei colleghi turchi, tedeschi, svizzeri avevano portato alle nostre conoscenze in campo di definizione di una certa terminologia e di una certa cronologia. Il passo voi tutti lo conoscete: è quello dove si dice che « l'Ellade, trovata a stento dopo molti anni pace duratura, e non più soggetta a violenti spostamenti di popolazione, mandò colonie; e gli Ateniesi colonizzarono la Ionia e la maggior parte delle isole, i Peloponnesi e alcune località della rimanente Ellade colonizzarono la maggior parte dell'Italia e della Sicilia » (trad. di P. Sgroi, Milano 1942).

Questo breve passo tucidideo chiude in fondo una serie di problemi che si sono presentati nel corso di questo colloquio e che si potrebbero sintetizzare nella distinzione tra influenze culturali, con certi aspetti che potrebbero essere detti "commerciali", e fenomeni di popolamento, migrazione e colonizzazione. Il passo tucidideo sembra conguagliarli tutti insieme e invece noi abbiamo già visto delle tesi e proposte moderne di questo colloquio, che cerca di far chiarezza in una prospettiva che resterebbe forse troppo anticamente globalizzante, se rimanesse quella di Tucidide. Pure, in questa prospettiva tucididea, c'è una parte di verità, come sempre nella testimonianza o nella riflessione di una fonte antica sugli avvenimenti del passato. C'è, cioè, quella parte di verità che in un primo momento effettivamente crea un qualche rapporto tra questa espansione culturale e non culturale ateniese verso Est con le conseguenze nella assenza di colonizzazione, che poi nell'ambito dell'Attica avrà, e i problemi della vera e propria espansione e colonizzazione greca in Occidente, o — più tardi — in Oriente.

Io non so se all'interrogativo di Juliette de La Genière si possa rispondere con dei veri e propri esempi storici; certo la remota influenza attica — che dalla relazione di Özgünel sembrava proseguire fino ai tempi storici e poi addirittura riprendersi, dopo una obliterazione dovuta all'emergere di uno degli elementi di questo quadro greco-orientale in Samo — richiama immediatamente alla mente gli elementi del discorso tucidideo e tutti gli elementi del mito e della leggenda, che molte fondazioni ioniche (e io non starò qui a rifarne l'elenco, che Sakellariou ha già sottilmente messo in evidenza nel suo volume) offrono. Non so se Juliette de La Genière alludesse a questi elementi quando invocava un intervento dello storico a conferma di certe evidenze che l'archeologo era venuto a fornire. Certo noi non possiamo, o almeno io non posso, o non ne sono capace, trovare una perfetta coincidenza fra un tipo di evidenza e l'altro. Quella letteraria è fra l'altro fortemente influenzata dalla *syngheneia* come motivo giustificativo di più tarda azione politica e resta uno degli esempi di quella incommensurabilità di fronte a cui noi ci troviamo a volte.

Un altro esempio — e scuserete un certo pessimismo — io direi che noi lo abbiamo anche per aspetti che riguardano la cronologia. È certamente importante quella "fourchette assez étroite" che Bayrakli fornisce col doppio strato di distruzione, se io non ricordo male, tra fine VIII secolo e metà del VII, ma direi che nelle interpretazioni stesse, che di queste distruzioni sono state fatte e proposte, si avverte la difficoltà di conguagliare perfettamente dati archeologici e grandi avvenimenti della nostra tradizione. Si tratti della spedizione di Gige, si tratti dell'invasione cimmeria, io avverto nelle stesse proposte di conguaglio tra la costatazione archeologica e l'evento che si va ad invocare — e in un'alternativa che non sempre appare con chiarezza in questo richiamo — una parte di difficoltà nel conguagliare questi problemi.

Passiamo ora ad un altro "simbolico" uso di tradizione, dopo quella tucididea che in fondo adoperava anch'essa un metodo di indizî e di ricostruzione da elementi muti; passiamo alla tradizione erodotea e soprattutto alle aree distinte linguisticamente quali vengono tracciate nel libro primo di Erodoto, per la Ionia. Dico uso "simbolico", perché dopo specialmente l'apparizione del libro di Huxley e dopo la sua professata fedeltà agli autori antichi, molta discussione moderna ha rimesso in questione tutta la testimonianza erodotea sulla Ionia ed è ben noto di quale "bias" questa visione fosse viziata, quindi non ne starò qui a fare l'analisi. Voglio solo ricordare che in Erodoto I, 142 si hanno diverse aree della Ionia che vengono fissate in modo particolare con criteri geografici e linguistici che voi tutti ricorderete: Mileto, Miunte e Priene nella Caria, Efeso, Colofone, Lebeto, Teo, Clazomene, Focea nella Lidia, due centri insulari, Samo e Chio, e una sola città sul continente, Eritre.

I Chii e gli Eritrei parlavano un medesimo linguaggio, i Samî uno particolare a loro soli. Poi — al capitolo 143 — viene fuori la posizione particolare di Smirne e la sua più tarda ammissione al Panionio, e nei capitoli successivi si ritorna alla visione di un'espansione ateniese, degli Ioni che vennero dal Pritaneo di Atene e si ritenevano i più nobili. C'è in questa, che io ripeto " simbolica " testimonianza erodotea, come in quella tucididea, certamente non la realtà, che una ricerca moderna delle aree e dei problemi di ripartizione e funzione di queste città antiche può tracciare, ma c'è in essa anche qualcosa che collega questa tradizione vivente dell'antichità alle nostre ricerche.

Possiamo adesso, sulla base della moderna ricerca delle ripartizioni e *facies* archeologiche — " a mentalità " tucididea e non erodotea, se volete scusare ancora una volta lo scherzoso bisticcio, tuttavia non privo di senso serio — correggere e precisare le aree che Erodoto aveva individuato? È una domanda che io mi son fatta, come sempre se la fa lo storico, che deve sostituire a una visione antica una più recente visione e che si domanda, poi, quali possono essere le differenze tra esse. Noi abbiamo avuto oggi due modelli di proposta ripartizione di aree, e in un primo tempo questi modelli non riguardano la sola Ionia, ma riguardano in un certo senso tutto il movimento dei Greci dell'Est nei loro spostamenti; riflettono l'insediamento, ma nello stesso tempo il movimento che da questo insediamento deriva. Il primo è rappresentato dalla tesi Villard e dalla tripartizione: Focei, correnti in Italia e Sicilia, correnti che investono Etruria, Gallia, Iberia; il secondo dalla tesi Morel, che viene in un certo senso anche a riprendere quella distinzione tra colonizzazione e commercio ed emigrazione individuale di artigiani, distinguendo tra i Focei da una parte e tutto il resto del gruppo, grosso modo, dei Greci d'Oriente dall'altro.

Ora io mi son domandato e mi domando se a questi che sono certamente schemi operativi già nelle intenzioni di chi li ha proposti — e servono appunto ad indicare a noi, schematicamente, e con brevità e chiarezza maggiori, quelle che possono essere le distinzioni da introdurre nelle nostre indagini —, io mi domando se, appunto, noi non possiamo variegare questo quadro sovrapponendo a questi tipi di griglie altri tipi di griglie interpretative che seguono invece alcuni modelli di lettura personali dei fatti archeologici. Per esempio, mi domando se, per riferirci ad un elemento che è venuto fuori nella nostra discussione, noi non si possa, per esempio, sovrapporre una lettura funzionalizzata a differenze di strutture politico-sociali, cioè a dire oligarchia o " demos ", naturalmente investendo in questo caso tutto l'arco dei problemi, dei fatti politico-sociali, in rapporto stretto con l'economia antica, che una tale distinzione, tali differenze investono. Oppure mi chiedo se non possiamo — e scusate gli schemi un po' paradossali con i quali io sono venuto ripensando le evidenze, forse troppo semplificandole, ma rendendole a me stesso anche più chiare per aspetti e tipi di raggruppamento — usare un'altra distinzione: tra " commercio " (e il prof. Boardman in un ultimo tempestivo intervento ha sfumato solidamente questo concetto e fatto, su cui torneremo), e artigianato, per esempio. Se mettessimo su una lavagna questi termini noi ci accorgeremmo che ci sono dei rapporti tra le colonne, che essi vengono a costituire, e potremmo ancora schematizzare: pensando per esempio ai prodotti esportati ricorrere alla distinzione di Vallet e Villard tra vasi recipienti e vasi mercanzia, e già dai tre modelli schematici, che io ho avanzato, voi vi accorgete che io ho cominciato a ragionare stando ai punti di partenza, quindi negli insediamenti, nelle sedi di organizzazione politica, sociale, produttiva, prima di spostarmi ai punti d'arrivo dei movimenti che da questi ambienti vengono fuori. Essi mi possono suggerire altri modelli e schemi, per esempio, questa volta forse una tricotomia, che può però diventare una diade: abitato e necropoli/santuario. Voi capite bene che la necropoli rappresenta per sezione trasversa l'abitato, ma in fondo può esser considerata spazio già da aggrupparsi con i santuari e suggerire immediatamente un altro modello schematico dualistico, che potrebbe esprimersi con i termini: bisogni materiali immediati, bisogni più largamente intesi, ma poi bisogni speciali, quelli che Torelli ci ricordava stamattina, richiamandoci l'importanza, i limiti dati dalla ideologia, quando noi studiamo certe determinate cose.

Vi accorgete che partendo da questi altri modelli differenziati, griglie sovrapposte, noi ci imbattiamo nei fatti economici di base, ma ci imbattiamo anche in fatti sociali e religiosi, che vengono a diversificare con modelli complessi, gli strumenti o gli obiettivi che noi ci dobbiamo porre per la nostra indagine. Se mi si perdonerà questo procedere per schemi che mi son preso il gusto di usare per veder, io per primo, più chiaro nelle prospettive di lavoro, che ci possono e debbono venire in evidenza da questo immenso materiale che abbiamo davanti, io vorrei adesso passare, avvertita la possibilità di tutte queste articolazioni, ad un'altra serie di grandi categorie generalizzanti, che sono state adoperate nel nostro discorso, che vengono adoperate nel discorso che facciamo tutte le volte che ci avviciniamo a fenomeni come questi che andiamo studiando, per cercare di vederne meglio la definizione e i limiti.

Una di queste grosse distinzioni è quella di *emporia* ed *apoikia*, quindi tra emporio, " comptoir " dei colleghi francesi, che non è del tutto corrispondente al " port of trade " di un'altra tradizione, e colonia, che presuppone naturalmente tutti i problemi della creazione di una comunità politica e della vita di una comunità politica.

La prima constatazione che mi viene da fare quando mi trovo di fronte a questi due modelli, che hanno animato tutta una serie di discussioni moderne e soprattutto quella più recente e di moda tra sostantivismo e non sostantivismo, tra primitivismo, di cui soltanto fino ad un certo punto il sostantivismo può rappresentare un aspetto, e modernismo, è che noi dovremmo cominciare a riflettere più attentamente sulla esasperata polarità, propria dei nostri maestri ottocenteschi, e formulabile sotto lo schema delle cause agricole e cause commerciali della colonizzazione.

Credo che siamo tutti d'accordo che quel vecchio schema va superato, io credo che lentamente dovremo andare a superare anche quest'altra polarità, segnalando anche in rapporto a fatti quantitativi i momenti e le manifestazioni eccezionali di un certo modello — credo che a questo alludesse il prof. Boardman, quando diceva che commercio è un fenomeno che dobbiamo individuare con estrema prudenza — e considerando il rapporto che può sempre intercorrere fra fenomeni emporici e fenomeni di insediamento stanziale, e quindi fra i fenomeni della frequentazione e dell'insediamento.

Uno degli ambiti dove l'esasperato dualismo tra questi due elementi ha assunto il valore di un punto morto è lo studio delle colonie del Mar Nero. Io credo che siamo giunti al momento in cui noi dobbiamo rivedere tutte le nostre concezioni — ha cominciato col farlo brillantissimamente Benedetto Bravo nel suo articolo sull'epigrafe di Berezan — rivedere interamente tutta la teoria degli emporî che precedono le colonie, e degli emporî che prendono il posto di colonie. Dobbiamo cioè dimenticare i termini emporî e colonie e cominciare anche a domandarci che cosa è strutturalmente, per la mentalità " politica " dell'antichità, un insediamento; non vorrei infatti che una serie di costruzioni che sono venute fuori sulla colonizzazione del Mar Nero subisse l'influenza di ambiti storiografici moderni i più diversi, quelli di una certa civiltà europea coloniale o colonialista — o quelli invece di una più recente temperie, non europea soltanto, attenta ai fenomeni di decolonizzazione. Intendo dire, cioè, che negli studî sulla colonizzazione pontica, all'esaltazione mitica delle civiltà locali, non greche, si va sostituendo un mito greco, dove ogni elemento è greco, e si vuol addirittura assistere al perfetto, intero ripetersi della vicenda della formazione della *polis* sulle coste del Mar Nero. Non vorrei che dietro certe distinzioni tra emporio e " polis " ci fosse appunto questa, secondo me, pericolosa visione che vorrebbe veder ripetersi sulle coste del Mar Nero, volta per volta, i fenomeni di sinecismo e di formazione della *polis* ogni volta che si insedia un elemento coloniale su quella costa.

Io credo che ai colleghi sovietici dobbiamo dire con chiarezza che questa visione è erronea e che noi la dobbiamo rivedere attentamente.

Son possibili allora categorie più sfumate? Roland Martin ci ha proposto una tipologia di centri cittadini, senza più ricorrere naturalmente alla suddetta dicotomia, ma conservando ancora qualche ricordo di essa. Il tipo della città, agraria o commerciale, almeno in certe sue tendenziali caratteristiche, effettivamente può risultare dall'evidenza urbanistica, ma tutta la storia della città, non solo come pianta urbana, ma per esempio come comunità politica, ci ha insegnato che non sempre i due aspetti coincidono e corrono parallelamente. Anche questa distinzione tra città commerciali e agrarie direi che comincia ad essere dunque pericolosa, e che, tutto sommato, tranne casi veramente eccezionali, noi dobbiamo ridimensionare la nostra considerazione dei rapporti tra agricoltura e commercio, non in senso modernistico, ma nel senso di capire meglio e più a fondo, caso per caso, i problemi che ci presentano le strutture di centri e di comunità antiche.

Direi che un esempio ci viene da studiosi di storia fenicia e punica, che hanno cominciato a ridimensionare la nozione di colonizzazione commerciale anche per quell'ambito: voglio per esempio soprattutto ricordare un brillante articolo di Dick Whittaker (cfr. " Proc. of the Cambridge Philological Society ", n⁰ 200 (N.S. n⁰ 20), 1974, pp. 57-79). Credo che queste esperienze vengono ad insegnarci che dobbiamo anche noi riconsiderare certi problemi, per quanto concerne certi rapporti già evidenziati in maniera troppo esasperata, polarizzante e non dialettica, in altri termini. Possiamo pervenire ora alla Ionia e non rimanere in termini generali? Si può fare un tentativo di descrivere certe aree? Io credo che un po' seguendo tutto quello che si è detto in questo colloquio e un po' rifacendoci alle citate aree erodotee, possiamo forse tentarlo. Ricorriamo anzitutto ad una serie di sfumate differenze tra alcuni centri che sono stati continuamente menzionati. Cominciando, per esempio, da Chio, di cui le fonti letterarie già sottolineano un particolare sviluppo economico e a proposito della quale Torelli ha ricordato già la testimonianza di Teopompo e l'emergere della prima " chattel-slavery " greca come base di una produzione specializzata, che era propria di questo ambito chiota ed era una produzione per l'esportazione. Si può in tal modo intravedere in questo centro un modello particolare di sviluppo tra le città ioniche, che potremmo tenere come contesto sul quale misurare le evidenze archeologiche e i fenomeni che noi siamo andati individuando.

Subito dopo l'altro centro insulare era Samo, che Erodoto nominava insieme al precedente (I, 142). Almeno al momento io non mi sento ancora di porre Samo perfettamente sullo stesso piano di Chio — ed Erodoto faceva distinzioni linguistiche — anche se vorrei chiarirmi meglio certi problemi e ricordare quanto diceva stamattina Torelli parlando di Samo come Mileto a Gravisca. Io metterei un punto interrogativo su questo accostamento, non tanto a Gravisca, quanto in generale: Samo come Mileto? Cioè mi domando se noi effettivamente possiamo porre sullo stesso piano questi due tipi di centri. Intanto bisogna ricordare dal punto di vista anche della storia evenemenziale come Mileto rimanga nella storia erodotea con una fisionomia esclusiva che ne fa l'ultima città costretta a soccombere a determinate pressioni politiche di grandi formazioni statali anatoliche e che, in un primo momento, riesce a non provocarne, come per altre, la conquista e la soggezione.

Ricorderei inoltre che, se ancora stiamo agli avvenimenti storici, cogliamo — e non solo sul piano dei fatti, ma sul piano della coscienza addirittura, ripensando a Biante di Priene, ad Ecateo di Mileto, a Talete — la capacità di visione centrale del problema ionico dall'osservatorio di Mileto. Non ricordo più bene in quale delle relazioni si parlava di un'area Samo-Mileto come area centrale della Ionia e si coglievano tendenze unitarie. L'analisi della società milesia è in verità un'analisi difficile, ed è stata più volte tentata, anche da una mia allieva. La contrapposizione della tradizione sulla *stasis* milesia con tutte le sue implicazioni economico-sociali può creare, con il rischio di presupporre un terzo elemento nelle genti " dai campi ben coltivati ", quello della solita dicotomia tra commercio e agricoltura, sia pur legata al nascere di ceti politici in queste società; senza tener conto di altro tipo di distinzioni e strutture. Quindi io mi chiedo fino a che punto noi possiamo assimilare Mileto con questi fenomeni di insularità, isolamento e insieme capacità di autonomia e particolari articolazioni produttive, che troviamo da una parte specialmente in Chio, dall'altra, almeno in parte, a Samo. Certo non dobbiamo dimenticare che Samo ad un certo momento è stata sede del fenomeno tirannico, sia pure nelle forme di una tirannide ionica che se ha un significato particolare, ha non meno per noi un enorme significato dal punto di vista dello sviluppo e della crescita economica e provoca anche fenomeni di liberazione o distacco di elementi del suo ambito proprio, con la diaspora samia che vediamo indirizzarsi verso Occidente.

Io mi domando — e vedo che se lo domandano sempre più i colleghi turchi — che cosa rappresentino accanto alla triade Chio, Samo e Mileto, gli altri centri che Erodoto menzionava nell'elencazione delle sue aree: a prescindere dal resto dell'ambito cario — che andrà in futuro attentamente analizzato — per esempio quelli della Lidia e tra questi centri specialmente Colofone ed Efeso, con il fenomeno particolare sotto molti aspetti, culturale, sociale, di una categoria antica come quella dei *lydizontes*, che ormai richiede da noi uno studio più approfondito. Noi vediamo che nello sviluppo di queste società ci sono battute d'arresto e perfino specializzazioni all'interno di un gruppo dominante, che permettono la formazione di un'oligarchia nell'oligarchia (a Colofone come a Focea e suoi centri coloniali).

Questo non può non avere un significato. Noi vediamo che i fenomeni economico-sociali e politici si legano in questi casi strettamente anche a fenomeni religiosi e culturali, che sembrano riprendere antiche tradizioni dei " basileis " delle aristocrazie ioniche delle origini, proiettandole addirittura sul sistema di governo (*timouchoi*) di queste entità. Tutto questo non può non essere preso in considerazione da noi per domandarci che rapporto ci sia tra questa serie di fatti e l'eventuale sviluppo produttivo: tra essi, infine, e certe determinate classi di prodotti, di oggetti, ed altre evidenze archeologiche, che si attribuiscono a questi centri.

Naturalmente la stessa domanda dobbiamo porci per la " Esapoli " dorica e per Rodi che a me stesso, per adesso, rimangono piuttosto oscure, senza che io sappia perciò pronunciarmi sul loro significato. Non bisogna dimenticare per di più il fatto che in fondo la stessa tradizione erodotea è probabilmente inficiata dall'angolo visuale eccentrico: Alicarnasso. Anche questo centro ha un posto in questa storia ed io non so fino a che punto con esso non tocchiamo proprio quei casi di ovvietà dell'evidenza letteraria, dove l'ovvio non viene riferito dalle nostre fonti, tanto è ad esse noto, lasciando a noi moderni il difficile compito di cercarlo e di conoscerlo con quella che viene chiamata una debanalizzazione di esse.

Finalmente, non posso naturalmente toccare i problemi di tutti i centri, ma Huxley ci ha prospettato, per esempio, delle cose interessanti per Eritre, Focea e l'espansione in Occidente, che mi pare abbia rappresentato il caso più interessante, il caso più evidenziato, diciamo così, in questa discussione. Cioè io mi domando se non siamo in presenza di questa specie di diade che Morel ci ha voluto un po' tracciare, ma dove, come vi accorgete da quello che ho detto fino ad adesso, dobbiamo sfumare più largamente nel gruppo delle città dalle quali stacchiamo Focea, per proiettarla verso i mondi dell'Occidente. Mi domando se non si possa tracciare una specie di asse che da Chio si allunga — e Chio è qui solo un simbolo naturalmente approssimativo — verso il Mar Nero e poi scende verso Naucrati e verso la costa africana fino a Tocra, dal quale asse io dovrei invece espungere ad un certo momento Focea per proiettarla nel mondo, appunto, del Mediterraneo occidentale. Naturalmente ci sono dei casi in cui questo schema deve essere articolato molto più minutamente, cessare d'essere uno schema e trasformarsi in analisi individualizzante. Noi potremmo a questo punto, per trasferirci con i Greci dell'Est in Occidente, secondo la tematica del colloquio, prendere il caso di Gravisca, per esempio, o il caso di Ampurias, un emporio che esplode, un emporio che diventa una colonia, qualcosa che non è né l'uno né l'altro o l'uno e l'altro. Voglio cioè dire che noi abbiamo adesso una fenomenologia più ricca che può indicarci qualcosa e che può anche evitare che si tracci un falso schema evolutivo dall'emporio alla colonia, che in parte è coscientemente, in parte incoscamente dietro gli schemi che sono stati adoperati, per esempio, per il Mar Nero.

Se dunque possiamo contentarci per oggi, dopo le fatiche di questi giorni, di indicazioni prospettiche, io direi che potremmo forse arrivare a riconsiderare alcuni problemi più generali, ma nello stesso tempo tutti volti a sottolineare quello della strutturazione della comunità, e dire che dietro quegli schemi, cui eravamo arrivati, c'è in fondo poi o il rapporto metropoli-colonia o il taglio netto dietro le spalle degli *apoikoi*, una volta partiti. Se si vuol essere ancora più precisi, c'è il caso delle città non coloniali, delle " colonie senza metropoli ", metaforicamente parlando. In questa nuova schematica delineazione, naturalmente, vengono fuori esempî e modelli che dovremmo riconsiderare e che credo riguardino soprattutto le metropoli di colonie nel Mar Nero e per esempio Mileto. Di essa dovremmo domandarci meglio — anche se l'esigenza può sembrare strana a prima vista — che tipo di città coloniale è, e quali siano i rapporti documentabili e reali con le sue colonie. Voi sapete tutti che lo schema milesio è stato assimilato a quello delle " poleis ohne territorium " di una certa tradizione storiografica tedesca, che esso è stato d'altra parte vivacemente contrastato, specialmente ad opera di Edouard Will; quindi io suggerirei che dovremmo ristudiare il problema di Mileto senza più assimilarlo al caso, specialmente corinzio, delle " poleis ohne territorium ".

Ci sono da considerare altri punti di vista ed altri problemi ad essi correlati. C'è il problema di questo ambito ionico e delle sue capacità di resistenza all'incontro-scontro con le grandi formazioni statali anatoliche, Frigia, Lidia, poi Persia. C'è il problema di chi si impegna in questa resistenza da una parte e invece di chi questa resistenza abbandona dall'altra, del tentativo di strutturare una comunità libera nel suo territorio o di abbandonare il territorio, di conservare il tipo di formazione e di sviluppi sociali che vi si è verificato, o di disgregarlo completamente e liberare così una serie di elementi che andranno a caratterizzare altri ambienti e altre aree territoriali. In questa problematica credo che il rapporto commercio-artigianato debba venire di nuovo sottoposto ad analisi. Deve esser riconsiderato il problema di certe frange, il trasformarsi di un mercato di assorbimento di certi prodotti in un'area di produzione diretta, come più volte ho visto accennato in questi nostri rapporti, con attribuzione del fenomeno o a concorrenza di produzioni locali o a fenomeni meramente politici. Il fenomeno andrebbe invece forse analizzato dal punto di vista di una nuova emergenza, formazione e liberazione di elementi di una comunità che ad un certo momento avviene, quando specialmente questi elementi non possono più rimanere nei centri in cui erano originariamente nati. Allora direi che effettivamente il problema delle " colonie senza metropoli " di stampo foceo acquista un'enorme importanza e forse ci fa capire anche perché questi elementi diventino importanti per i mondi indigeni in cui si trapiantano. Il nuovo che viene fuori in una comunità cittadina antica non è tanto quello di un *demos* emporico, ma è proprio quello di un *demos* banausico, sia esso un *demos* artigianale, sia esso (scusate se apparirà paradossale) un *demos* di intellettuali. Torelli, Martin, ci hanno già sottolineato la funzione del *technites*, l'*artifex* nel senso nobile della parola, e i problemi che oggi si analizzano dei vari contesti sociali (voglio ricordare soprattutto certi articoli di Momigliano e della Sally Humphreys: cfr. spec. *Jerome Lectures* 1971-72 (Michigan University) con " RSI ", 1971, pp. 124-129; e " Daedalus ", Spring 1975, pp. 91-118) possono aiutarci a comprendere gli statuti che vengono crescendo nell'ambito della comunità antica e che ad un certo momento generano forme di separazione, che nel caso ionico sono esplicitissime: non per nulla noi portiamo la *polis* ionica ad esempio di modello più avanzato di sviluppo per la " politica " antica.

Questi elementi sono in fondo quelli che si manifestano tra le tirannidi e la rivolta ionica, e che ad un certo momento costituiscono opposizioni e migrazioni, dando luogo ai fenomeni della diffusione massiccia dei *fenomeni* ionici; a partire specialmente dall'inizio del VI secolo.

Quando parlai dei rapporti di colonizzazione tra Sicilia ed Italia in uno dei congressi siciliani (cfr. " Kokalos ", 1968-69, pp. 60-85, spec. 76-78 e 84), volli fermarmi su questo inizio e " svolta " del VI secolo, riassumendo dati che dovevo alla competenza e alle indagini di molti colleghi archeologi e storici, e quindi non starò qui a ripetere questi problemi. Piuttosto va sottolineato oggi che sull'altro versante di questi nuovi mondi culturali e sociali ionici ci sono appunto i mondi " indigeni " di cui si parlava. Vorrei rilevare come sia significativo che al di là dei mezzi stilistici ionici, i quali possono essere altrettanto importanti, specialmente per conoscere le mentalità, si parli oggi degli intellettuali ionici.

La riflessione di Paribeni sullo stile narrativo, che ci viene da questo mondo, va di pari passo con le riflessioni che Sally Humphreys ha fatto sulla funzione della prosa ionica nella filosofia e nella scienza, cioè nella " fisiologia " come nella storiografia; quindi i mezzi stilistici non sono da considerarsi superati, ma servono a darci — come giustamente sottolineava più volte il Boardman — gli strumenti per certe distinzioni che per noi diventano sempre più importanti. Parimenti le analisi delle argille ed altri sussidi scientifici, come le esperienze tecnologiche e psicotecniche che i colleghi francesi vanno facendo sui diversi mondi " indigeni ", diventano importanti. Altrettanto importanti diventano, nella misura in cui sono usati senza mitizzazioni e feticizzazioni, gli strumenti che provengono dall'antropologia sociale o culturale, come piace chiamarla a seconda delle varie tradizioni nazionali, e che recentemente anch'essi hanno trovato un luogo di dibattito all'Ecole Française de Rome. Con essi dobbiamo sempre più frequentemente fare i conti e sono essi che dovranno investire anche il problema dell'evoluzione dei sistemi sociali dei vari mondi " indigeni ". Ricordiamoci che tecniche come quelle esemplificateci dai colleghi francesi, ci stimolano a tentar di fare qualcosa di simile anche per i mondi " indigeni " d'Italia meridionale e di Sicilia. Naturalmente quelle classi di documentazione sono di tipo diverso dalla ceramica comune senza segni e senza tratti individualizzanti, ma il tipo di attenzione minuta e di fatica enorme, che io colgo in queste indagini che ci sono state mostrate, varrebbero la pena di essere applicati a mondi ricchi come quelli dei nostri *ethne* d'Italia meridionale e di Sicilia non greci. Si chiarirebbe allora la funzione che assumono poi, anche al di là dei loro *Träger* fisici in questi nuovi mondi, la lingua, l'alfabeto, e altre manifestazioni sovrastrutturali del mondo ionico. Non dimentichiamo che l'iscrizione di Numelos è in ionico e che in ambito non eterogeneo i modelli di una comunità politica che penetrano in un sistema sociale come quello lucano, dopo una lunga vicenda che attraversa fasi di differenziazione varie, ci vengono proprio dalle mura di Serra di Vaglio, dall'iscrizione di questo magistrato che io ritengo il primo tipo di magistrato eponimo di un centro, di una comunità lucana evoluta. Non dimentichiamo che i fenomeni del mercenariato sono stati in gran parte assimilati ad elementi culturali ionici, che li hanno improntati fortemente e che il mercenariato è un'altra forma di sviluppo delle forze produttive nell'antichità; quella per così dire di manodopera militare. Non so se riusciamo a misurare lungo queste prospettive l'importanza della ricca serie di evidenze e fenomeni offertaci in questo colloquio da tanti studiosi. Certo non possiamo dire di aver chiarito l'apporto del mondo grecoorientale ai fenomeni di ellenizzazione in Occidente. Ma in special modo in Italia meridionale e in Sicilia, in Gallia meridionale, in Iberia, possiamo dire forse soprattutto d'aver cominciato a capire che cos'è, fuor di ogni formalismo e retorica, e questa volta in più concreto rapporto con la grecità anatolica, un fenomeno di ellenizzazione ».

* * *

Cette communication relance les discussions; **P. Alexandrescu** prend le premier la parole au nom de l'autonomie de l'archéologie par rapport à l'histoire.

M. Torelli intervient alors:

« Alla bellissima e lucida sintesi dell'amico Lepore desideravo aggiungere una considerazione a proposito delle opposizioni tra emporio e *apoikia*, tra " port of trade " e " comptoir ". La distinzione va fatta, a mio avviso, tenendo presenti le situazioni in cui la presenza allogena si manifesta. Tell Defenneh è cosa ben diversa, ad esempio, da Gravisca o da Emporion, Ampurias in Spagna. L'insediamento di Tell Defenneh risponde a precise esigenze di tipo non emporico dell'ambiente egiziano, come dimostrano i materiali e la fine stessa dell'insediamento. A Gravisca, invece, il santuario emporico viene assimilato dalla struttura sociale e politica circostante quando lo sviluppo stesso di questa struttura lo ha ritenuto necessario. Emporion in Spagna, alle cui spalle esiste ancora un'altra situazione economica e sociale incapace di " inghiottire " l'emporio, si trasforma in *apoikia*. Ecco dunque il senso del richiamo al rapporto con i contesti indigeni e ad antichi e recenti inviti di varii studiosi, da Finley a Coarelli, nelle discussioni di Taranto, a non considerare le due realtà come entità polari, ed astratte: esse rispondono invece alla logica dialettica di sviluppo di forze produttive, che si confrontano, si scontrano, si sottomettono a vicenda a seconda del progredire o del manifestarsi di ben precise condizioni economiche e sociali ».

E. Lepore réplique:

« Voglio solo ribadire, oltre che l'accordo con Torelli, il fatto che certi termini possono rimanere quando noi li usiamo euristicamente e non li feticizziamo come modelli che siano fini a se stessi e che esauriscano i problemi; nel caso particolare si tratta delle strutture della *emporia* e del rapporto con la comunità presso la quale funzionano. Io non avrei mai timore di continuare ad usare lo strumentario a fini euristici, per esempio anche di Polanyi, contro cui ci si è tanto scagliati, perché la nozione stessa di commercio amministrato, è proprio una nozione che presuppone il rapporto con la formazione economico-sociale verso la quale, nei riguardi della quale, questo commercio si esercita, né significa che essa depriva delle strutture di contesto, delle strutture economico-sociali gli agenti di questo commercio amministrato che ha luogo. Si tratta di riuscire a capire nel giuoco di questo prevalere del punto di vista politico o amministrativo, quale sia l'impatto, quali siano le risultanti di questo impatto tra due mondi, tra due società; questo è quello che, per esempio, ha rinnovato in senso dinamico ogni problema d'incontro-scontro fra due mondi, fra due culture, come per esempio nel caso della " frontier history ".

All'amico e collega Aïexandrescu io direi che lui non deve avere nessuna preoccupazione di difendere l'autonomia dell'archeologia, perché noi storici siamo anzi di fronte a loro in attesa appunto d'imparare tutto quanto è possibile dalla testimonianza contemporanea, fornita dall'archeologo, con le difficoltà che comprendiamo e delle quali attendiamo e attenderemo tutto il tempo necessario la soluzione. Per il resto, talvolta scambiamo tra di noi e con loro delle idee, perché pensiamo tutto sommato che farle circolare può chiarire a noi stessi, e a loro, sempre meglio gli obiettivi e gli strumenti di approccio, perché siano sempre più gli obiettivi e gli strumenti propri ai fatti e alle evidenze che noi dobbiamo analizzare ».

J. Boardman, à son tour, dressa un bref bilan:

« From what we have heard and the rich new finds we have been shown we might easily come to the conclusion that the more we know the less we understand about the localisation of East Greek wares and their distribution, but this is a valuable challenge to the archaeologist, and a challenge for him to demonstrate how his skills might serve the interests of " conventional " history. For we are all historians. Our advantage is that our evidence is contemporary, not a later reflection of what was believed to have happened. Our disadvantage is that our evidence is completely mute and we are left to the all too human frailties of interpretation. The weaknesses here are too many to name. At one extreme there is the all too natural tendency to indulge pride (personal or even national) in a particular site or region (a malaise to which I believe the prehistorian is even more prone). Specialisation too has meant a danger of reliance on only one type of evidence — the scientific, the stylistic, the stratigraphical, or just historical probability — without taking all into account, without recognising how in some circumstances some of these sources may well be defective, without making proper allowance for what we do not yet know and what we perhaps never shall know. At least some of these shortcomings can be avoided by the fullest possible knowledge of what evidence is available, and our way will be the easier if these many new finds are presented as soon as possible in publications which concentrate first on the evidence and only secondly on its interpretation. Excavators, we know, are very busy people, but they should not forget *why* they excavate ».

* ** *

Pour finir, c'est R. Martin qui accepte de tirer les conclusions de ces trois jours de débat:

« Il reste à conclure. La première question que G. Vallet vous avait posée, concernait précisément les questions de vocabulaire et de définitions et je vois que la dernière intervention de M. Torelli soulève des questions identiques de vocabulaire, de définition et de détermination du sens des mots. Serait-ce que pendant quatre jours nous avons tourné en rond pour aboutir à la conclusion que rien n'avait été décidé et que tous les problèmes restaient posés. Je ne suis pas d'une nature trop pessimiste, pas suffisamment pessimiste en tout cas pour conclure en ce sens et il est bien évident que ce serait là un paradoxe et une mauvaise plaisanterie. En effet le hasard fait que je dois conclure, alors que je ne suis pas véritablement un spécialiste du thème de ce colloque, mais après tout n'en suis-je pas plus libre et n'ai-je pas plus de liberté d'esprit pour faire un bilan qui sera certes incomplet, qui se bornera plutôt à donner quelques impressions de ce qui me paraît avoir été réalisé, obtenu, bien défini, bien déterminé et de ce qu'il vous reste à faire. Je dis vous et nous, parce que je crois, je l'ai entendu encore dans ces dernières interventions, tous les domaines de l'archéologie se trouvent intéressés dans les questions qui ont été posées et formulées.

Un colloque de ce genre peut et doit en effet se fixer un certain nombre de buts et celui-ci en particulier avec quelques objets bien définis; les uns ont été formulés par écrit et apparaissent dans les préoccupations des organisatrices; les autres sont exprimés dans l'exposé de G. Vallet en introduction à nos discussions. Le premier but était de faire rencontrer des gens qui travaillaient dans des domaines comparables, comparables par les problèmes archéologiques et aussi, je suis de votre avis, historiques qu'ils posent, gens qui parfois ne se connaissent que par correspondance et qui détenaient chacun une parcelle de vérité. Ce premier but me semble atteint. Vous vous êtes rencontrés, les discussions, les interventions multiples, variées et diverses ont apporté beaucoup de matériel, ont fait connaître des matériaux nouveaux, ont replacé dans des perspectives nouvelles du matériel ancien. Sur ce point, je crois que le bilan est très largement positif et il est certain que là nous repartons avec des éléments nouveaux et des documentations qui seront développés et enrichis par le volume des Actes qui paraîtra bientôt.

Le deuxième but était aussi parallèlement, de faire certains bilans, des bilans dans des domaines qui, à certains moments, et cela était très sensible dès le premier jour des discussions, se développaient ou développaient leur recherche d'une façon parallèle, je ne dis pas en s'évitant, mais certainement en ne parvenant pas à se rencontrer. J'ai très nettement senti, à certains moments des discussions ou des exposés, que le domaine dans lequel chacun ou chacune de ces spécialités se trouvait était limité, sans qu'on ait la préoccupation et surtout peut-être, la notion exacte des problèmes que les voisins, que les gens de l'autre bout de la chaîne se posaient. Certainement les chercheurs du monde grec Occidental et des villes occidentales aspiraient à mieux connaître certains des points de départ, puisqu'ils se trouvaient, eux, aux positions d'arrivée et aspiraient à connaître les points de départ et d'origine; en ce domaine, entre ceux de l'Ouest et ceux de l'Est, qui détiennent tous une parcelle de vérité, je ne suis pas sûr qu'ils aient toujours eu, au départ, nettement conscience des problèmes qui causaient les inquiétudes de leurs collègues, de leurs confrères. Je crois que sur ce point-là précisément il y a eu des découvertes, on les a senties, je les ai senties à certains moments, incontestablement; et là il y aura, dans un bon nombre de cas, une façon nouvelle de poser les problèmes et peut-être une façon nouvelle aussi de poser les questions, ce qui amènera, je pense, certaines des réponses qu'on attendait et qui n'ont pas toujours été clairement exprimées.

Evidemment un certain pessimisme subsiste sur quelques-unes des questions qui avaient été formulées au départ: la question des chronologies en particulier. Je pense qu'effectivement encore ce matin, en face des problèmes de chronologie absolue, il y a chez les uns une assez belle assurance qui fait parfois mon admiration et chez d'autres il y a des hésitations que je comprends; je pense qu'il y a un équilibre, mais il est certain que là des recherches complémentaires, comme on l'a dit, des études plus approfondies, doivent être faites; un certain nombre de problèmes ont été posés, des fourchettes, comme l'on dit, ont été définies, je pense que des progrès ont été réalisés, mais ils demandent à être développés et précisés.

339

Ce qui m'a aussi frappé, ce sont les difficultés qui sont apparues à certains moments dans les discussions pour définir, pour chercher la forme et les modalités du passage d'un domaine à l'autre, de l'Est à l'Ouest et j'avoue qu'il s'agit là d'un point où ma curiosité reste véritablement presque entière, un point sur lequel je croyais que ce colloque pourrait apporter davantage. Je sais bien que ces problèmes de cheminement, ces problèmes de transfert, de relais ont déjà donné lieu à bien des discussions; ce n'est pas là que nous apporterons le plus de nouveau; un bilan important a été établi sur ces questions, mais, à moins que je n'aie pas été suffisamment attentif, il ne me semble pas que sur ce point de très grands progrès ou des nouvelles idées aient été formulées; sans doute des situations, des solutions sont acquises, il me reste cependant l'impression que sur cette question des recherches pourraient être continuées et des progrès réalisés.

Troisième point qui me paraît essentiel pour ce type de colloque, c'est la remise en question, la remise sur le chantier d'un certain nombre d'idées et d'un certain nombre de conceptions. Or, sur ce point on a senti très nettement qu'à certains moments des idées anciennes ou des positions traditionnelles chancelaient et que de nouvelles perspectives, que des redistributions se faisaient sur le plan certes archéologique, mais aussi sur le plan historique. Ce matin même, Jean-Paul Morel a très nettement défini, me semble-t-il, certains aspects de ces problèmes, tout en restant encore, à mon avis, traditionaliste et peut-être trop attaché à une certaine notion du développement de la colonisation phocéenne qui est à peine une colonisation. Je ne suis pas absolument d'accord avec lui lorsqu'il dit que c'est le plus important des mouvements de colonisation. Le rôle des Phocéens comme " transporteurs " est au moins aussi important que leur rôle de " colonisateurs ". En tout cas ce qui a complètement basculé, à mon avis, ce sont certaines de ces notions, certaines versions de caractère global; on a récusé tout ce qui est " pan ": le panionisme, le panphocéisme, si j'ose dire, le panrhodien; toutes ces théories globales paraissent maintenant avoir éclaté en morceaux et vous nous avez invités à revoir et à réviser un certain nombre de ces questions. Ceci me paraît extrêmement important, car sans que ces perspectives aient été nettement définies, elles me paraissent se dégager de la façon la plus nette; je pense que la lecture du volume des Actes fera sentir d'une façon plus nette encore que nous sommes entrés dans une période où des notions globales comme celles sur lesquelles on vivait jusqu'à ce jour nous paraissent devoir être révisées; en effet ce qui m'a frappé ce sont les efforts qui ont été faits pour nuancer, pour personnaliser les faciès des cités, des zones, des régions qui se trouvaient mises en question. Ce qui s'est dégagé très nettement d'un bon nombre d'exposés, c'est précisément la définition de certaines originalités qui apparaissent avec des traits beaucoup plus précis.

Il est certain que maintenant après ce Colloque on ne parlera plus de la céramique de Samos de la même façon et que les problèmes posés par la céramique dite " rhodienne " sont également et profondément modifiés; toutes les idées antérieures doivent être soumises à certaines critiques. Il est certain que pour chacune des cités — et l'intervention de François Villard l'a bien montré aussi — pour certains des problèmes qui nous préoccupent qui étaient traités d'une façon parfois globale ou purement linéaire, pour certains types de céramiques qui étaient suivis d'une zone à l'autre, d'une région à l'autre maintenant on voit qu'il faut diversifier les recherches, diversifier les attitudes, et que les problèmes ne se posent pas du tout de la même façon dans certaines des cités de l'Italie méridionale, de la Sicile orientale, de la Sicile occidentale, de la Gaule ou d'ailleurs; la diversité même et l'originalité de chacune de ces zones, de ces régions, se reflètent aussi dans la diversité et l'originalité des recherches qui sont appliquées et que nous avons entendues dans la dernière période du Colloque; ces nouvelles attitudes donnent des possibilités de développement qui sont extrêmement intéressantes. Je crois que c'est là l'un des problèmes de relation les plus riches et incontestablement les plus importants que le Colloque a dégagés, a définis; ce qui ne veut pas dire que les problèmes doivent être fragmentés, doivent être à nouveau cloisonnés; ils étaient cloisonnés, si j'ose dire, entre l'Est et l'Ouest; ces cloisons ont sauté, il ne faut pas, sous prétexte de redéfinir l'originalité de certaines régions plus limitées ou de certaines cités, rétablir des cloisons. D'ailleurs vous ne le pourriez plus, car — et c'est sur cette image qui m'est apparue particulièrement frappante que je termine — c'est que nous sommes embarqués sur un mouvement de marée, un grand mouvement de houle qui déferle de l'Est à l'Ouest, qui prend naissance sur les côtes de l'Egée, qui supporte le mouvement de migration éolienne et qui, évidemment, dépose tout au long de son parcours et sur les côtes qu'elle frappe des objets, des matériaux, qui sont de toutes sortes. Sur ce point je me permets d'insister; il est certain que les divers domaines de l'archéologie doivent être confrontés (sculpture, architecture, céramique) pour poser et définir précisément l'originalité de ces facies, de chacune de ces idées. Cette grande houle, elle s'amortit progressivement pour venir mourir assez doucement et s'établir sur les côtes de l'Espagne où le matériel est plus pauvre puisque déjà une bonne partie des cargaisons ont été déposées ailleurs. Mais laissez-vous porter par la houle, ce n'est pas désagréable et cela vous reposera peut-être un peu des fatigues de ces quatre journées. Quatre journées pendant lesquelles, je m'en excuse, nous vous avons soumis à un rythme fort soutenu avec des creux de vague et des coups de vent, car il y a même eu des orages; malgré tout il y eut de bons moments de détente. Dans les remerciements que j'adresse à tous les participants, je fais un lot particulier pour tous ceux ou celles qui ont été directement responsables de cette rencontre, d'où nous emportons non seulement un enrichissement réel avec tout ce qui a été dit et montré, mais aussi un certain nombre de souvenirs agréables, ne serait-ce que celui des conversations que nous avons tous eues entre nous et des liens qui se sont établis. Tout compte fait, c'est là l'essentiel d'un Colloque et sur ce point, je crois que la réussite est totale ».

APPENDICE

(Pl. CXLIX - CLI)

La journée du 10 juillet a été consacrée à une excursion à Paestum et Velia. B. Neutsch, hors séance, prépare les excursionnistes à une visite de Velia:

« Anhand von Plan- und Funddokumentation gab der Referent Erläuterungen zur Urbanistik von Elea unter besonderer Berücksichtigung der von ihm in Zusammenwirken mit Mario Napoli (als Soprintendente alle Antichità von Salerno Gesamtleiter der Eleagrabung) freigelegten Zone der phokäischen Urstadt von " Hyele " (später " Elea ") am Südhang der Akropolis und im unmittelbaren Anschluss an das bekannte Gebiet des sogenannten *villaggio in poligonale* (Abb. 1) (1).

Der neuentdeckte archaische Siedlungsbereich ist durch monumentale Terrassen-Hangräume aus solidem Polygonalmauerwerk charakterisiert in Verbindung mit " mattoni-crudi "-Wänden (Abb. 2). Die Polygonalwände sind hangseitig als Raumrückwände hochgezoge, die in der Lage sind den starken Geländeschub auszuhalten: das Polygonalmauerwerk hat seine Festigkeit weniger von der Mauerfügung als vielmehr von dem Faktum, dass jeder Stein in seinem eigenen Schwerpunkt ruht ohne die Tendenz zu kippen. Das Gefüge hebt die Spannung so auf, dass durch grösseren Druck grössere Festigkeit entsteht. Mattoni-crudi-wände sind in jenen Raumpartien nachweisbar, die keinem Hangdruck ausgesetzt waren, also talseitig, seitlich oder in Oberstockwerken.

Im Anschluss an frühere Untersuchungen von P. Morel wurde die Fortsetzung dieser neuentdeckten Stadtzone auch auf dem Akropolisplateau hangwärts einer langgedehnten monumentalen Quaderstützmauer identifiziert (2). Diese grosse Stützmauer ist Bestandteil einer radikalen Neuordnung der Akropoliszone nach 480 v. Chr., zu der auch die Errichtung des ionischen " Athena "-Tempels beim mittelalterlichen Turm, dem heutigen Wahrzeichen von Velia gehört. Im Zuge der grossangelegten Neuordnung wurden weite Teile der Polygonalsiedlung vermutlich nach einer Katastrophe aufgegeben und überbaut.

Die ursprüngliche Ausdehnung der archaischen Polygonalsiedlung ist durch die letzten Untersuchungen von Mario Napoli des Jahres 1975 auch im Bereich der Nordseite des Akropolisplateaus zu

---

1) An den Kampagnen, die seit 1969 jeweils im Spätsommer stattfanden, wirkten an der Zusammenarbeit zwischen der Soprintendenza alle Antichità Salerno mit der Missione Archeologica Mannheim und seit 1971 Missione dell'Università di Innsbruck Assistenten und Studierende der Universitäten Innsbruck, Karlsruhe, Mannheim, Padova, Roma und Salerno mit. Seit 1973 integrierte sich dem Teamwork als wesentliches Element eine bauwissenschaftliche Gruppe unter Leitung von Prof. J. Daum (Univ. Innsbruck, Technische Fakultät).
Namentlich seien nach den Assistenten Dr. F. Krinzinger, Dipl. Ing. A. Höhenwarter (Innsbruck) und den Mitarbeitern der Soprintendenza Salerno Dott. E. Greco und Dott.ssa Angela Greco noch Dott.ssa Olga Salvadego (Univ. Padova) genannt, aus deren Mitarbeit eine Diss. über die Inschriftenstempel der Veliaziegel resultiert; ferner die Innsbrucker Doktoranden der Archäologie A. Bernhard-Walcher (Diss., *Phokäische Keramik aus Hyele*) und J. Prammer Weitere Miiarbeiter sind in früheren Berichten genannt. vgl. *PP*. XXV, 1970, 146 ff.; *Atti Conv. MGr.* 1971, 415 ff. sowie 1972, 307 ff. F. Krinzinger konnte zusätzlich eine Untersuchung der Nordmauerbefestigung und der Porta-Marina-Nord vornehmen, die in Bälde als Habil.-Schrift an der Univ. Innsbruck vorliegen wird.
2) Vgl. P. Morel, *PP.*, vol. XXV, 1970, 136, fig. 2, Mauerzug A-B-C-.

Füssen der mittelalterlichen Kapelle durch eine Raumsequenz in Polygonaltechnik nachgewiesen worden. Die Grundrichtung der neuentdeckten Räume (etwa parallel zur Kapelle) weicht von jener der Südhangzone ab. Dort nämlich liegt ein Grossteil der Polygonalräume an einer etwa Nord-Süd verlaufenden Plateia und deren parallel und quer verlaufenden Stenopoi in einem soweit die Hanglage es erlaubte "praehippodamischen" System. Die Aufdeckung dieses Komplexes wurde bis 1975 vorangetrieben, der letzten Kampagne im Beisein von Mario Napoli. Die zuletzt durchgeführte Kampagne hat unter anderem ergeben, dass ein am weitesten talwärts gelegener Hausbezirk (A-Γ) samt einer hangwärts ansteigenden Steintreppe unter Beibehaltung des alten "piano regolatore" unter Verzicht auf Polygonaltechnik, die durch regelmässige Bruchsteintechnik ersetzt wurde, noch im 4-3. Jh.v.Chr. fortbestand.

Die archaische Polygonalsiedlung am Südhang hatte nach Ausweis der datierenden Funde in ihrer ältesten Phase eine Lebensdauer von der durch Herodot überlieferten Gründungszeit bald nach 540 bis ca. 480 v.Chr.

Wegen der Frana-Zerstörung am Hang sind die Funde, in der Hauptmenge Keramik, sehr fragmentiert. Es handelt sich vorzugsweise um ionische Streifenware mit der Leitform ionischer Schalen überwiegend vom Typ B 2 (Abb. 3).

Eine attische Trinkschale mit der Darstellung eines Symposiasten auf der Kline im rotfigurigen Stil um 500 v.Chr. konnte durch die Restauratorin des Archäologischen Instituts Innsbruck, Dr. Maria Dawid, fast vollständig wiedergewonnen werden. Sie trägt die Inschrift im Bildfeld des Schaleninnenrunds: ΠΑΝΑΙΤΙΟϹ ΚΑΛΟϹ.

Die künstlerische Handschrift des Malers ist jedoch kraftstrotzender als jene im bekannten Oeuvre des sogenannten "Panaitiosmalers" (Abb. 5). Darüber soll anderen Orts berichtet werden. Hier sei nur darauf hingewiesen; dass typologisch der eleatische Zecher auf der Kline mit dem Motiv der Rückwendung des Kopfes eine wichtige Vorstufe zu einer entsprechenden Gestalt in der von Mario Napoli entdeckten bereits frühklassischen «tomba del tuffatore» darstellt. Was auf dem grossgriechischen Grabgemälde von Paestum als Kommunikationsmotiv von einem Figurenensemble getragen wird, ist bei dem eleatischen Symposiasten in einer einzigen Gestalt zusammengefasst.

Von nicht geringerem Interesse ist der miniaturhafte Jünglingskopf vom 2,5 cm hohen Randstück eines kleines Skyphos (Abb. 4). Trotz seines schwarzfigurigen Stils auf rötlich-orangem Tonschlickergrund (intentional red) gehört er zeitlich in nächste Nähe des rotfigurigen Zechers, Beide Neufunde sind kostbare Zeugnisse aus jener Zeit, in der die Akmé des grössten Eleaten lag, Parmenides.

In engere gedankliche Verbindung mit Parmenides brachte der Referent im Schlussteil einen von Mario Napoli entdeckten Sakralbezirk in der Südhafenzone von Elea, in dessen zentralem pozzo sacro Votive für Eros aus dem 4-3. Jh.v.Chr. geborgen wurden. Die Votive zum Teil mit dem Graffito EP (= Eros) stammen von heimgekehrten oder in See gehenden Reisenden der damaligen Zeit. Der pozzo sacro ist von einigen Naturfelsen umgeben, von denen zwei ebenfalls eine Inschrift EP beziehungsweise E (dieses linksläfig Ǝ) tragen (3). An anderer Stelle soll ausführlicher begründet werden, dass es sich hierbei um "heilige Steine" und urtümliche Kultmale handeln kann, die einer frühen Eros-Verehrung gedient haben. Für diese Frühphase wäre dann Eros nicht der konventionelle Aphrodite-Sohn der Spätzeit, sondern-als Schöpfer allen Lebens- der grosse Urgott des Parmenides».

BERNHARD NEUTSCH

---

3) Vgl. Mario Napoli, *PP.*, vol. XXIV, 1966, 223, fig. 7. DERSELBE, *Führer durch die Ausgrabungen von Velia*, 15 f. und Lageplan bei S.36.

INDEX

ı - DIVINITÉS

Achélous 111, 118, 134, 168 n. 57, 178, 179, 205 (13), (Berlin) 206 n. 165, 210 (75), 212 (107, 108, 109), 221, 232.

Aphrodite (inscription) 126, 134, 136, («— bowl» de Naucratis) 160, (sacello di — a Gravisca) 213, 214, 215, 222, (santuario di — a Naucratis) 318, 343, (type) pl. IV *11* Lo Porto.

Apollon (Lykios) 116, 214, 215, 311.

Artémis (altare di — a Efeso) 76, (hymnes à — de Callimaque) 272, 311.

Athéna (dédicaces) 30, (sanctuaire de — Poliouchos à Thasos) 87, (sanctuaire de — à Thasos) 89, (— Poliouchos, dédicaces) 90, (— Lindia) 98 et n. 37, (— Lindia) 114, 272, (temple d' — à Erythres) 300, 311, (temple d'— à Smyrne) 320, 342, (dédicace) pl. VII *16* Salviat.

Bes 136.

Coré 94 n. 5, 215, (sanctuaire de Déméter et — à Iasos) 320.

Déméter 94 n. 5, 107 et n. 4, (santuario di — a Policoro) 127, 214, 215, (sanctuaire de — et Coré à Iasos) 320.

Dionysos 214.

Eros 343.

Héra 15 n. 20, (santuario di — Lacinia a Crotone) 117, (santuario di — a Gravisca) 142 n. 4, (santuario di — a Gravisca) 147 n. 1, (santuario di — a Gravisca) 151 n. 1, (— Uni) 215, 288, 311.

Héraclès 97, 168 n. 57, 240, 272, 311, 321, 325.

Isthar 215.

Juno Moneta 272.

Kore voir Coré.

Malophoros 103, 105 n. 4, 307, (sanctuaire) 308, 309.

Mater Matuta 175 n. 71, (tempio di — a Satrico) 178, (tempio di — a Satrico) 182 n. 102, (tempio di — a Satrico) 205 (1).

Marica (santuario di —sul Garigliano) 139.

Pataikoi 136.
Phtah-Sokar-Osiris 136.

Tanit 143 n. 12, 272.
Telchines 136.

Urania-Moira 215.

Vei 215.
Vesta 175 n. 75.

Zeus 311.

II - AUTEURS ET PERSONNAGES ANTIQUES

Achéménides 320.
Achille 240.
Achillodore de Berezan 305.
Alcisthène 120.
Alexandre 272.
Alexandre d'Amyntas 305.
Alexandros 214.
Alyatte 29, 54, 320.
Anaxagore 304, 305.
Antiochos 273.
Antonin et Faustine (temple de — à Rome) 196 (46).
Amasis 214, 216, 318.
Archangelos 288.
Archiloque 87.
Aristagoras de Milet 145 n. 27.
Aristote (Politique) 60, 304, 305.
Avienus (vers 472-482) 286.

Bacchylide (fr. 20 B Snell) 305.
Bathyclès de Magnésie 312.
Bias de Priène 145 n. 27, 334.

Callimaque 272.
Cambyse 317.
Charaxos 305.
Colaios 276 et n. 12.
Creontiadès 273.
Crésus 214.

345

Deliades 214.
Diodore (IV, 30, 3; V, 13; V, 15, 6) 145 n. 27, (IV, 21, 5) 145 n. 28, 272, 273.

Ecateo voir Hécatée.
Enée (heroon di — a Lavinio) 167 n. 54, 272.
Erostrato voir Hérostrate.
Erxeno[r] 214.
Etienne de Byzance 131 n. 3, 286.
Euarchos 191, 214, 215.
Eudemos 214.
Euphorbe 95, 108, 307, 308.
Eurome 20.
Eusèbe 52.
Exechias 216.
Exochi 41, 139 n. 4, 151 n. 3.

Gygès 35, 331.

Hécatée de Milet 334.
Hérodote (V, 119) 31, (V, 104) 43 n. 1, 50, (II, 179) 60, (VII, 147) 61, 62, (VI, 21) 120, (III, 37) 136, (I, 170, 2; V, 106, 1; V, 124, 2; I, 166, 2) 145 n. 27, (I, 166) 273, (IV, 152) 276, (I, 149) 300, 330, (I, 142) 331, 332, (I, 142) 334, 335, 343.
Hérostrate 215.
Histiée de Milet 145 n. 27.

Ibiog[enes] 214.
Iolaüs 145 n. 27 et n. 28, 146 n. 30.
Isidore 272.
Isodikè 112, 323.

Kroisos 72.

Letha{i}os 214.

Maître du chameau 193.
Maître des hydries 194.
Malco 145 n. 27.
Manticlos 145 n. 27.

Nebuchadnezar II 66.
Numelos (iscrizione) 337.

Ombrikos 214.

Paktyes 214.
Parménide 343.
Pausanias (IV, 23, 5) 145 n. 27, (X, 17, 5) 145 n. 28 et n. 29, (X, 17, 4) 146 n. 30, 272.
Peintre d'Amphiaraüs 183 (11-12).
Peintre d'Amycos 315, 316.
Peintre d'Anabates 315.
Peintre « degli Arieti » 219.
Peintre de Créuse 315, 316.
Peintre de Dolon 315, 316.
Peintre de « Feoli » 170 n. 60.
Peintre du groupe Northampton 194.
Peintre de Haimon 188 (20).

Peintre de Harrow 188 (20).
Peintre de Heidelberg 29.
Peintre de l'Hydrie Ricci 325.
Peintre des Palmes 157 n. 18.
Peintre de Paris 119 n. 196, 129, 183 (11-12).
Peintre de « Petrie » 194 n. 159, 325.
Peintre de Pitane 27.
Peintre du Polos 85, 89.
Peintre « Ribbon » 193.
Peintre « delle rondini » 162 et n. 35, 165 et n. 47, 167, 242.
Peintre « della Sfinge Barbuta » 170 n. 60.
Peintre de Tityos 183 (11-12).
Peintre de Tocra 85, 288.
Peintre KX 29.
Phalante 129, n. 12.
Phinée (gruppo) 327.
Plutarque 63 n. 3, (Sol. 2, 7) 305.
Polycharme de Naucratis 215 n. 4.
Polycrate 72, 302.
Protis 305.
Ps. Skimnos 52.
Ptolomée (III, 3, 7) 146 et n. 30.

Rhadamante (d'après Diodore) 272.
Rhoikos 79 n. 61, 83, (coppa di —) 165 n. 46.

Salluste 272.
Sapho 305.
Sénèque 272.
Solin (51, 18, 22) 146 n. 30, 272.
Solon 305.
Sophilos 29.
Sostrate d'Egine 305.
Sostratos 214, 215.
Strabon (III, 4, 6-8 et 10) 286.
Symacho[s] 214.

Télésiclès 87.
Thalès 334.
Thémistagoras 214.
Théopompe 334.
Thucydide 62, 93, 94, (I, 12) 330, 331.
Troïle 240.

Ulysse 272.

Yblesios 214.

Zoilos 214.
Zonaras 272.

III - AUTEURS OU PERSONNAGES MODERNES

Acquaro E. 146 n. 33.
Adamesteanu D. 93 n. 1 et n. 2, 94 n. 12, 96 et n. 20, 108 n. 17, 123, 129, 134 n. 33, 170 n. 60, 239 n. 1, 240 n. 8, 241 et n. 9, 306 et n. 2, 312, 320, 325, 329, pl. CXLIII à CXLVIII.

118 n. 175, n. 176 et n. 179, 119 n. 218, 120, 129, 150,
178 n. 79, 179 et n. 81, n. 83, n. 85 et n. 88, 205 (5, 6,
8 à 12), 206 (16 à 18, 23, 25, 27) et n. 165, 207 (29,
34 à 48), 208 (49 à 51, 53, 55, 56, 58, 59), 209 (60, 61,
63 à 68, 71, 72) 210 (73, 75, 77, 78, 80 à 83, 86, 87),
211 (88, 90 à 97, 100) et n. 166, 212 (104 à 109, 111
à 123) et n. 167.
Dugas C. 21 n. 21.
Dunbabin T. J. 43 n. 2, 51 et n. 58, 69 n. 17, 73 n. 12,
98 et n. 36, 104 n. 2, 107, 108 n. 15 et n. 20, 109 n. 24,
114 n. 104, 118 n. 174, 119 n. 212 et n. 213, 120, 123,
129, 130, 145 n. 29, 167 n. 57, 224.
Dupont P. 16, 58, 287, 297, 310, pl. CXXXVI à CXL.
Durand (coll.) 118 n. 191, 207 (36, 38).

Edrich K. H. 208 (59), 209 (63), 210 (76), 211 (95).
Eilmann R. 71 n. 1, 74 n. 16.
Emiliozzi A. 195 (19 à 21).
Endt J. 108 n. 8, 117 n. 167, 129.
Enmann (class) 57, 119 n. 196, 193, 325.

Faina (coll.) 159.
Faina M. 201 n. 163.
Fairbanks A. 182 (3).
Falchi I. 156 (15), 177 (27), 209 (65, 69, 70).
Falconi Amorelli M. T. 174 n. 71, 197 (99), 207 (39),
208 (53).
Farras Barbera J. 285 n. 60 et n. 61.
Fasani B. L. 233 n. 10.
Feoli (coll.) 160 (1, 2), 184 (15), 202 (220), 207 (40, 48),
208 (49, 51).
Feruglio A. E. 151, 166 n. 53, 167 n. 54, 185 n. 110, 187
n. 123.
Finley M. I. 60 et n. 28, 337.
Flinders Petrie W. M. 236 n. 23.
Fogolari G. 121, 130.
Forteleoni L. 146 n. 32.
Fossati A. M. 178 n. 78.
Foti G. 129, 130.
Franchini E. 211 (88, 89).
Franciosi C. G. 139 n. 1, 303.
François A. (cratère) 190, (cratère) 191 et n. 130.
Frey O. H. 122, 139 n. 8, 170 n. 60.
Freyer Schauenburg B. 276 n. 12.
Freyer Schauenburg E. 71 n. 7.
Friis Johansen K. 94 et n. 10.
Frödin O. 21 n. 24, n. 25 et n. 27.
Funcke N. 153 n. 8.
Furtwängler A. 176 (13, 16), 184 (16, 17), 191 n. 130, 205
(7, 15), 206 (22, 25) et n. 165, 207 (44, 45), 211 (92),
212 (114).

Gabrici E. 139 n. 7, 307, 309.
Galli G. (coll.) 159 n. 29, 160 (4), pl. III *18* Martelli Cri-
stofani.
Garcia y Bellido A. 142 n. 29, 170 n. 60, 275 n. 1
Gardner E. A. 160 n. 32.
Garrido Roiz J. P. 275 n. 4.

Gauer W. 166 n. 53.
Gehrig U. 211 (92).
Gemignani (acq.) 210 (85).
Gempeler R. D. 171 n. 62.
Gentili G. V. 98 n. 38, 225 n. 7, 233 n. 10.
Genty P. Y. 10 n. 9 et n. 12, 249 n. 11, 251 n. 23, 252
n. 26, 257 n. 48.
Gerhard O. 192.
Gervasio 115 n. 118, 125, 127, 128, 129.
Ghali-Kahil L. 87, 88, 89 et n. 10, 90, 91, 92 n. 22.
Giardino L. 314, 322.
Gierow P. G. 155 n. 17, 174 n. 71.
Gitti 121.
Giuliano A. 151, 156 (7), 157, 158 (1, 2), 160 (7), 162 et
n. 35, 165 et n. 43, n. 44 et n. 47, 167 n. 55, 183 (11-12),
185 n. 107.
Gjerstad E. 43 et n. 2, 50 n. 52, 95, 155 n. 17, 163 (10),
164 n. 40, 173 (22), 175 n. 75, 178 n. 78, 182 n. 102,
196 (45), 204 (253, 254, 258).
Goldman H. 45 n. 11, 46 n. 24, 47 n. 32, 48 n. 37, 67 n. 5,
82 n. 83, 124, 231, 274, 277 n. 17.
Grace V. 224, 225 n. 6, 226, 227.
Graeve V. von 39, 81, 153 n. 8, 298, 301, 321, pl. XII
à XIV.
Gras M. 12, 15, 106, 140, 142 et n. 5, n. 8 et n. 9, 143 n. 11
à 13, 144 et n. 18 et n. 21, 145 n. 27 et n. 29, 147 n. 1,
198, 302.
Greco A. 342 n. 1.
Greco E. 342 n. 1.
Greenewalt C. H. 181 n. 97 et n. 99, 289, 300.
Greifenhagen A. 192 n. 135, 211 (92).
Gsell S. 150, (scavo) 154 et n. 10, (scavi) 156 (10 à 13),
174 n. 71, 176 (14, 15), 182 (3), 197 (100 à 106), 200
(173 à 179).
Gualandi (vasi) 171 n. 62.
Guarducci M. 112 n. 78, 129, 191 n. 134.
Guglielmi B. (raccolta) 150, 175.
Guzzo P. G. 10 n. 11, 11, 130, 157 n. 18, 163 et n. 39,
166 n. 51, 195 (23 à 26), 302, 304, 305, 306, 312, 314,
323, 326, 329, pl. LIX à LXII.

Haàes J. 222, 228 n. 7.
Hackl R. 175 n. 73, 179 n. 88, 182 n. 101, 185 n. 109.
Hampe R. 157 (20), 175 n. 73, 183 (14), 185 n. 10.
Hanfmann G. M. A. 20 n. 19, 36, 45, n. 11, 46 n. 24,
47 n. 32, 48 n. 37, 82 n. 83 n. 92 et n. 93, 124, 231, 235
n. 17, 236 et n. 20 et n. 24, 277 n. 17.
Hängelocken (type) 269.
Hannestad L. 119 n. 196, 129, 183 (11, 12).
Hänsel B. 313.
Harbottle G. 58.
Hayes J. W. 10 n. 11, 45 n. 12 et n. 13, 46 n. 21 et n. 25,
47 n. 28, n. 29, n. 31 et n. 32, 48 n. 35, 56 et n. 12,
57, 71 n. 1, 73 n. 15, 76 n. 43, 77 et n. 45, 88 n. 7, 99
n. 13, 101 n. 7, 105 n. 5, 114 n. 114, 124, 129, 139 n. 5,
150, 151, 153 n. 8, 160, 165 n. 45 et n. 49, 174 n. 71,
176 (22), 177 n. 76, 200 (180, 181), 203 (233, 234),

Schubart H. 274, 275 n. 5, 276 n. 10 et n. 11, 277 n. 22.
Schumacher K. 168 n. 57.
Scichilone G. 153.
Serra P. B. 146 n. 31.
Sestieri A. M. 196 (48 à 50).
Sestieri P. 217 n. 6.
Settis S. 56 n. 16.
Sgroi P. 331.
Shear T. H. 232 n. 5.
Shefton B. B. 109 n. 26, 224.
Siderova pl. III 9, 10 Alexandrescu.
Sidorova N. I. 57 et n. 20.
Sieveking J. 175 n. 73, 179 n. 88, 182 n. 101, 185 n. 109.
Simon E. 150.
Skudnova V. 52 et n. 1, 56 et n. 11.
Slaska M. 144 n. 24, 213, 226, 310, 318, pl. XCV à CI.
Smith A. H. 46 n. 20, 50 n. 51.
Smithson E. 18 n. 8.
Snell 305.
Solier Y. 10 n. 8, 248 n. 5, 249 n. 12, 250 n. 17.
Sommella P. 155 n. 17, 167 n. 54, pl. I 1 Neutsch.
Sparkes B. A. 129, 166 n. 53, 185 n. 104, 186 n. 116, 274.
Stoop 109 n. 33.
Strøm I. 154 et n. 11, 169 n. 57, 180 n. 93 et n. 94.
Sundwall 154 n. 10.

Täckoln U. 276 n. 12.
Taffanel O. 248 n. 4 et n. 6, 249 n. 12, 257 n. 49, 261 n. 59, 262 n. 64.
Talcott L. 129, 166 n. 53, 185 n. 104, 186 n. 116, 274.
Talocchini A. 161 n. 34, 164 n. 41, 169 n. 57.
Taramelli A. 143 n. 12 et n. 13.
Taylour W. 131 n. 1.
Technau W. 71 n. 1, 74 n. 16, 78 n. 59, 82.
Tendille C. 167 n. 54.
Terrosu Asole A. 145 n. 28.
Thalmann J. P. 43 n. 2.
Théodorescu D. 93 n. 2.
Tocco G. 322.
Tölle-Kastenbein R. 71 n. 2.
Tore G. 142 n. 9, 143 n. 10, 144 n. 24, 145 n. 29, 146 et n. 31 et n. 32, 147, 298, 310, pl. LXXIII à LXXIV.
Torelli M. 15 et n. 20, 142 et n. 4, 147 n. 1, 151 n. 1, 171 n. 61, 190, 194, 215, 283 n. 50, 302, 305, 310, 317, 324, 325, 333, 334, 336, 337, 338.
Torlonia (coll.) 192.
Toti O. 164 n. 40, 181 n. 96, 184 (12).
Trendall A. D. 21 n. 25 et n. 26, 153 n. 8, 162 n. 35, 188 (22), 202 (201, 202), 315.
Trias de Arribas G. 274, 278 n. 26, 281 n. 38 et n. 39.
Tronchetti C. 141, 142, 147, 190 n.128, 298, 310.
Tsakos K. 71 et n. 3, 72 n. 10.
Tubbs H. A. 43, 46 n. 14 et n. 16.
Tusa V. 99, 153 n. 8, 306.
Tyszkiewicz (patera), 168, 169 n. 58.

Uberti M. L. 146 n. 33.
Ugas G. B. 140, 142, 148 n. 8 et n. 9.
Ure 89 n. 12.
Urla (gruppo) 119 n. 196, 326.

Vacano O. von 205 (5), 207 (34 à 36), 208 (58), 210 (73), 211 (90), 212 (104, 106).
Vagnetti L. 159, 160, 168 n. 57.
Vagnonville (coll.) 186 n. 117, 191 et n. 130 et n. 132, (coppa) 220, pl. IX 56 Martelli Cristofani.
Vallet G. 7 et n. 2, 10 n. 11, 13, 32, 41, 46 n. 23, 47, 48, 60 n. 29, 77 et n. 45 et n. 46, 78 n. 53 et n. 56, 79 n. 63 et n. 67, 96 et n. 23, 100 et n. 1, n. 3, n. 4 et n. 5, 101 n. 7, n. 8 et n. 11, 102 n. 12 et n. 15, 105 n. 3, 108 n. 15, n. 16 et n. 20, 114 et n. 115 à 117, 118 n. 180 à 186 et n. 188 à 190, 120 n. 217 à 219, 123, 124, 130, 131 n. 9, 135 et n. 49, 136 et n. 65, 139 n. 5, 141, 163, 166 et n. 53, 170 n. 67, 175 n. 72, 185 n. 108, 204 (244-248), 220, 225 n. 7, 235 n. 17 et n. 18, 236, 237 n. 27, 240 n. 3, 272, 273, 274, 276 n. 16, 277 et n. 19, 298, 299, 300, 304, 317, 332, 338, 339.
Vallet-Villard (tipo A 1) 235, (tipo A 2, tipo B 1, tipo B 2) 236, (tipo B 2) 237, (tipo B 2, tipo B 3) 238.
Van Ingen W. 233 n. 7.
Vergari M. 180 n. 90.
Vermeule C. 170 n. 61, 171 n. 61.
Vickers M. 153 n. 8, 160 n. 32.
Vierneisel K. 71 n. 1, 171 n. 61, 235 n. 18.
Villard F. 7 et n. 2, 9, 10 n. 11, 11, 13, 14, 32, 41, 46 et n. 23, 47, 48, 59 n. 26, 60 n. 29, 74 et n. 45 et n. 46, 78 n. 53 et n. 56, 79 n. 63 et n. 67, 96 et n. 23, 100 et n. 1 et n. 3 à 5, 101 n. 7, n. 8 et n. 11, 102 n. 12 et n. 15, 104 n. 1, 105 n. 3 et n. 6, 123, 124, 135 et n. 49, 139 n. 5, 141, 143, 151, 163 et n. 38, 166 n. 53, 169 n. 58, 173 n. 67, 175 n. 72, 185 n. 108, 193 et n. 148, 204 (244-248), 220 et n. 25, 225 et n. 7 et n. 9, 230 et n. 18 et n. 20, 235 et n. 17 et n. 18, 236, 237 n. 27 et n. 30, 240 n. 3 et n. 4, 248 n. 1, 274, 276 n. 16, 277 et n. 19, 279 n. 32, 283 n. 49 et n. 53, 286 et n. 63, 309, 323, 327, 329, 332, 340.
Voza G. 105 n. 3.

Wallenstein K. 232 n. 3.
Walter H. 8 et n. 4 et n. 5, 9, 11, 19 n. 15, 20 n. 17 et n. 20, 21 et n. 2 et n. 23, 22 et n. 29 à 31, n. 33, n. 36 et n. 37, 24 n. 42 et n. 43, 25 n. 47 et n. 48, 26 n. 49 et n. 50, 34 n. 37, 45 n. 11, 46 n. 15, 71 n. 1, 73, 74 n. 16, 76, 77, 102 n. 13, 107 n. 4, 108 n. 8, n. 16 et n. 17, 151, 158 (2) et n. 20, 171 n. 61, 235 n. 18, 277 n. 17, 320.
Walter-Karydi E. 8 n. 4, 53 n. 4, 54 et n. 6, 55 n. 8, 56 et n. 14, 71 n. 1, 73, 74 n. 16, 76, 77, 80, 83 n. 100, 85, 109 n. 27, n. 29 et n. 32, 110 n. 37 à 39 et n. 42, 111 n. 52, n. 59 et n. 60, 112 n. 85 et n. 90, 113 n. 98 à 100 et n. 103, 114 n. 110 et n. 114, 116 n. 146, 117 n. 163 et n. 166, 119 n. 196, 129, 130, 151, 158 (3, 4) et n. 21 à 23 et n. 25, 159 (5), 160 et n. 32, 165 et n. 44, n. 48

et n. 49, 168, 170 n. 58 et n. 59, 173 n. 67, 176 (22), 177 (27), 181 n. 97 et n. 100, 191 n. 129 et n. 130, 192 et n. 135, n. 138, n. 141 et n. 144, 193 et n. 147 et n. 148, 194 et n. 156, 203 (227-229), 204 (243, 244-248, 251-252), 217 et n. 4, n. 5 et n. 8, 218 et n. 14, 219 et n. 22, 220 n. 28, 222 n. 35, 231, 232 n. 2, 234 n. 16, 240 n. 7, 299, 300, 307, 308, 317, 320, 327, pl. I 2 Alexandrescu.
Walters H. B. 46 n. 20, 50 n. 51, 165 n. 46.
Webster 118 n. 174.
Weickert 34, 35 n. 15.
Weill N. 87 n. 3, 91 n. 19, 92 n. 22.
Whittaker D. 334.
Wiegand Th. 34.
Wiener 237 n. 28.
Will E. 336.

Yon M. 43 n. 2, 51 et n. 57, 298, pl. XIX à XXIII.

Zahn R. 57.
Zahrnt M. 65.
Zancani Montuoro P. 10 et n. 10, 112, 114 et n. 104, 129, 131 n. 8, 171 n. 63.
Zanco O. 166 n. 51, 170 n. 60.
Zannoni A. 188 (20).
Zara A. 148 n. 9.
Zeest I. B. 224, 229 n. 9 et n. 10, 230 et n. 13 et n. 17.
Zevi F. 153, 167 n. 54, 170 n. 60, 298.

IV - NOMS GÉOGRAPHIQUES ET *VARIA*

Abdera 64, 65, pl. I *1* Rhomiopoulou.
Acanthus pl. I *1* et pl. II *2* Rhomiopoulou.
Accesa (lago dell') 164.
Acquarossa 164 n. 40.
Acrae 311.
Acrocorinthe 215.
Adria 121, 130.
Adriae (caput) 121.
Adriatique 121, 172.
Agadès (ateliers) 249, 250 n. 17 et n. 19, 253, 254 et n. 33, 256 n. 42, 257, 259, 260, 262, 266 n. 83 et n. 84, 267 et n. 85, pl. I *1-2* et pl. II *3* Nickels.
Agde (arrière-pays) 249 et n. 11, 250, 254 et n. 34, 255, 258, 266, 267, 268.
Ager Lunensis 199.
Ager Vetuloniensis 164 n. 40.
Ager Volaterranus (Casaglia, Contrada Cerreta) 175 n. 71, 210, (Casaglia, Contrada Cerreta) 210 (86).
Agri (valle) 314, (vallée) 322, (contrada Marcellino) 322, 323.
Agrigente 12, 311.
Agro di Gallicchio 316.
Aineia 65, pl. I *1* et pl. IV *8-9* Rhomiopoulou.
Aix-en-Provence 92 n. 23.
Akanthos 64, 65.
Akontisma 64.

Akra Leuké 277.
Alalia (battaglia) 145 n. 27, 273, 286.
Aléria 12, 145 n. 27, 167 n. 54, 272, 273.
Ales (diocesi) 148 n. 6.
Alfedena (tomba) 166 n. 51.
Alianello 124, 323.
Alicante 277 n. 23, (Musée Archéologique) 278, 286, pl. II *2* Rouillard.
Alisar 20.
Allumiere 164 n. 40, 181 (96), 184 (12).
Al Mina 20 38 n. 46, 46 n. 15, 47 et n. 31 et n. 32, 51, 52, 53, 59, (Poseidion) 66, 70, 153 n. 8, 162, 168 n. 57, 287, 288.
Almuñecar 275, 286.
Alonis 277.
Amathonte 46 n. 20, 50.
Amendolara (Paladino Ovest, necr.) 112 et (Paladino Ovest, scavi) n. 79, 117 et n. 159, 124, 125, 129, 322.
Amphinomos 120.
Amphipolis 64, pl. I *1* Rhomiopoulou.
Ampurdan 284 n. 59.
Ampurias 181 n. 100, 186 n. 120, 250 n. 17, 265 et n. 80, 268, 271, 274, 276, 278, (Palaiopolis) 279, (Neapolis, Palaiopolis) 280, (Neapolis) 281 et n. 37 et n. 40 à n. 42, (Neapolis) 282 et n. 44 à n. 47, 283 n. 51, 284 et n. 54 à n. 56, (Neapolis, Palaiopolis) 285, (Neapolis, Palaiopolis) 286, 316, 335, 337, (Palaiopolis) pl. II *2* Rouillard, (Neapolis) pl. III à XIV *3* à *14* Rouillard. Voir aussi Emporion.
Amsterdam (Rijksmuseum) 181 n. 96.
Anatolie 27, 28, 31, 32, (nord-ouest) 59, 270, 290, 298, 300, 319, 322.
Ancône (Musée National) 129.
Andalousie 275, 276, 285, 286, 316.
Andros 63, 64, pl. I *1* Rhomiopoulou.
Ankara 20.
Antisara 64.
Antissa 56.
Aphytis 65.
Apollonie Pontique 53 n. 4, 64, 121, 165 et n. 48, 301 pl. I *1* Alexandrescu.
Apulie 118.
Archipolis 288.
Argilos 64, pl. I *1* Rhomiopoulou.
Argos 67, 214.
Arménie 67.
Armento 124, (contrada Fiumarella) 125, 134, 170 n. 60, 314.
Arpi 125.
Arquet 243 n. 2.
Ascoli Satriano 125.
Asie Mineure 9, 11, 15, 16, 42, 60, 62, 63, 65, 66, 67, 89, 104, 168 n. 57, 181 n. 97, 244, 245, 247, 286, 290, 296, 303, 319, 322, 325, 328, 329.
Asine 21.
Assyrie 51.
Assyriens 65.

354

355

TABLE DES MATIÈRES

PLANCHES

Fig. 1

Fig. 1a

Fig. 2

Fig. 2a

Fig. 3

Fig. 4

Fig. 5a

Fig. 5b

Fig. 6

Fig. 7

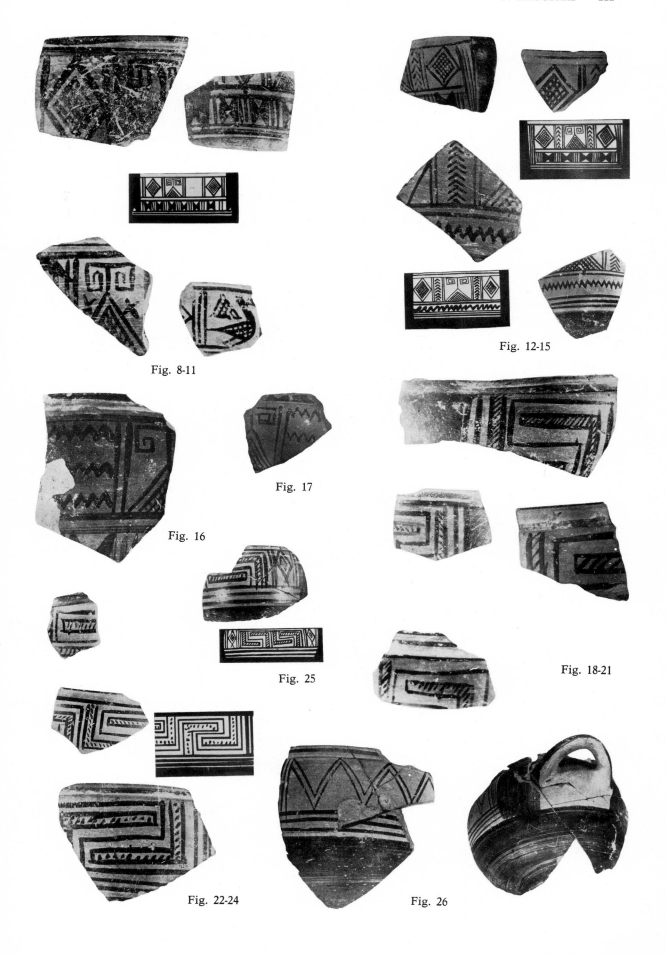

Fig. 8-11

Fig. 12-15

Fig. 16

Fig. 17

Fig. 18-21

Fig. 25

Fig. 22-24

Fig. 26

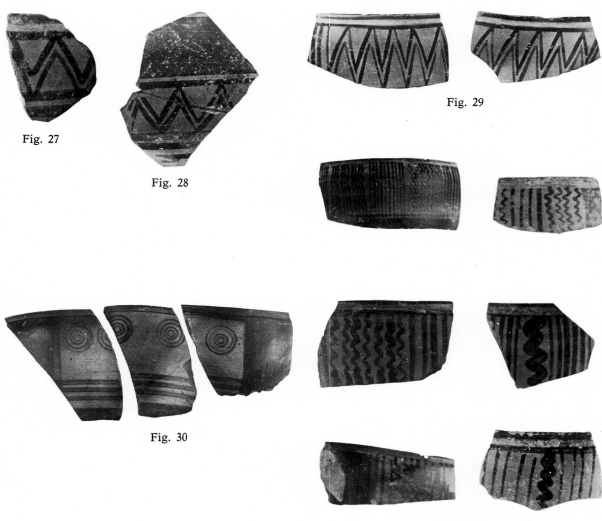

Fig. 27

Fig. 28

Fig. 29

Fig. 30

Fig. 31-36

Fig. 37

Fig. 38

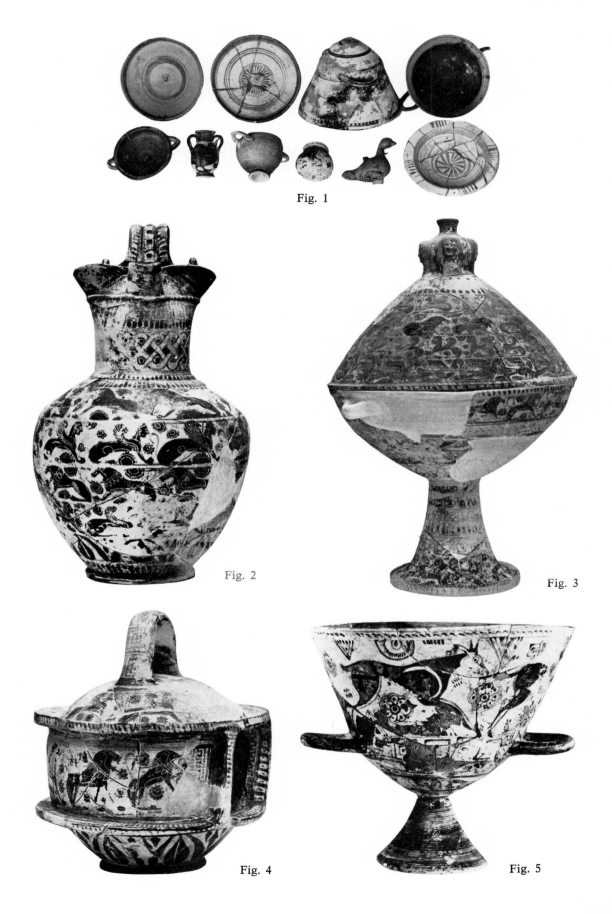

Fig. 1

Fig. 2

Fig. 3

Fig. 4

Fig. 5

C. BAYBURTLUOĞLU — II —

Fig. 6

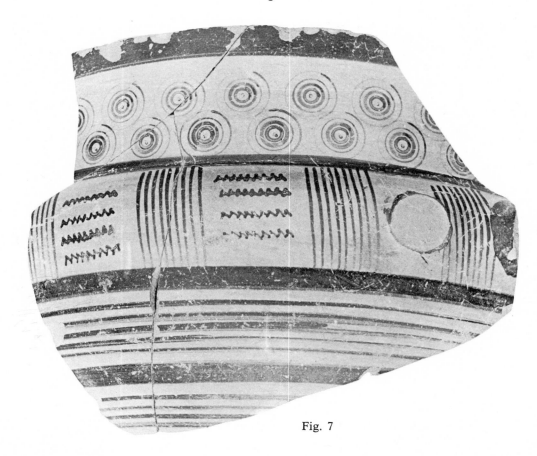

Fig. 7

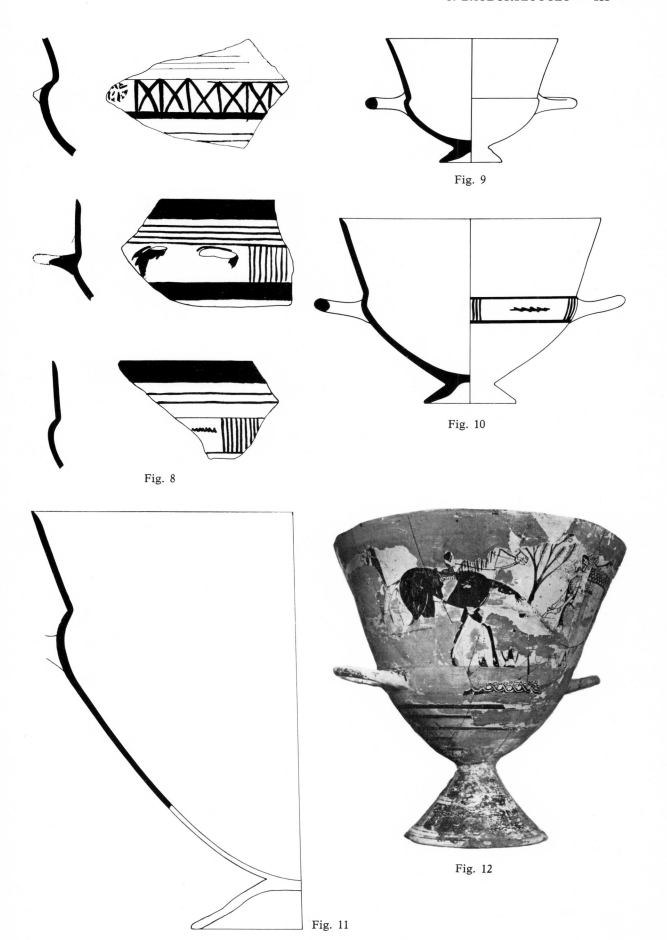

Fig. 9

Fig. 10

Fig. 8

Fig. 11

Fig. 12

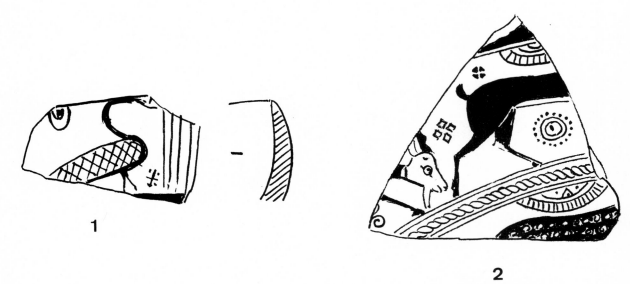

1

2

3

fig.1

Sanctuaire de Labraunda

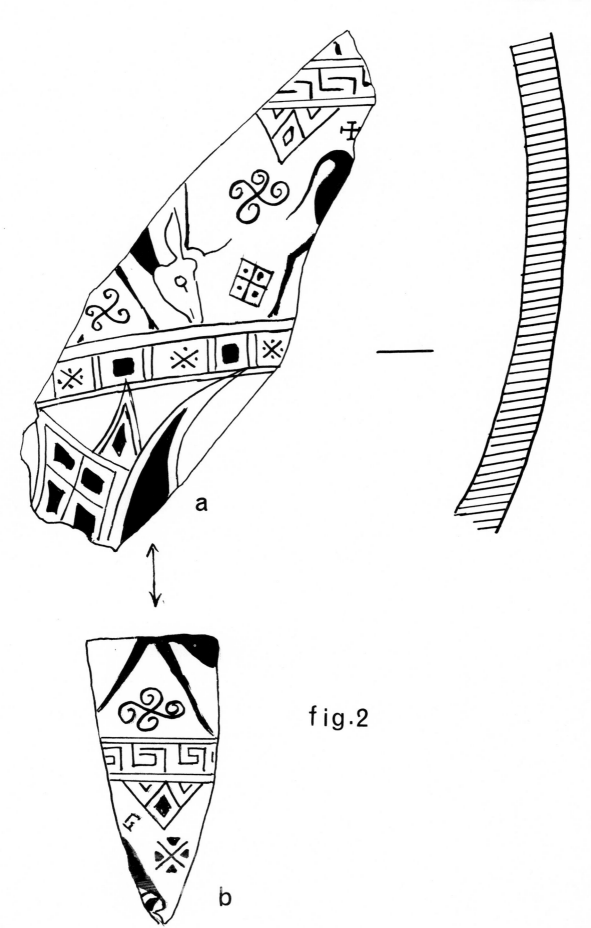

a

fig.2

b

Sanctuaire de Labraunda

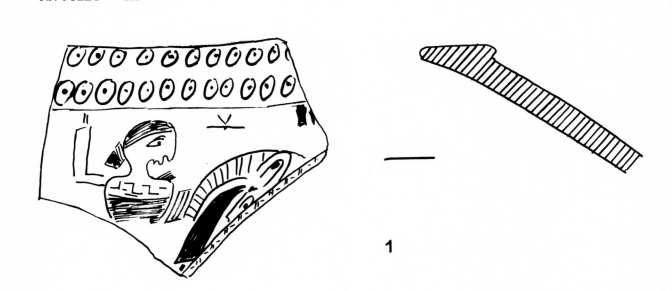

1

2

fig.3

Sanctuaire de Labraunda

bord

Rouge

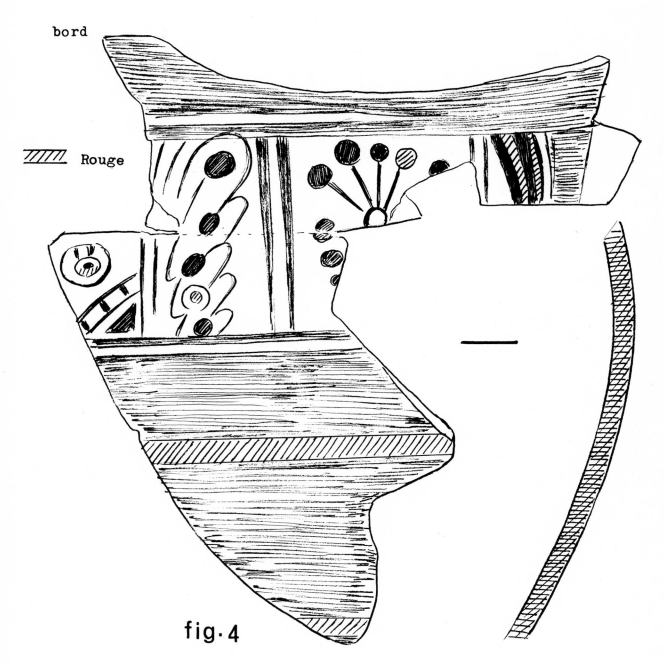

fig. 4

Sanctuaire de Labraunda

V. VON GRAEVE — I —

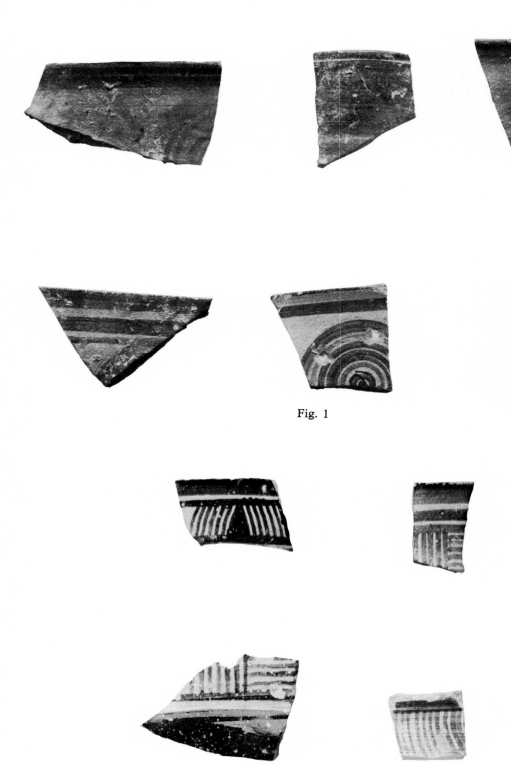

Fig. 1

Fig. 2

Fig. 3

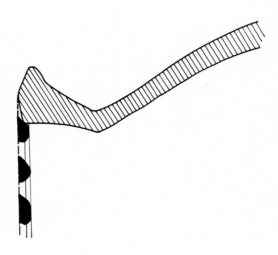

Fig. 4

Fig. 1 - Fragment de skyphos rhodien d'imitation (haut. 3 cm). Fin du VIII s. av. J.-C.

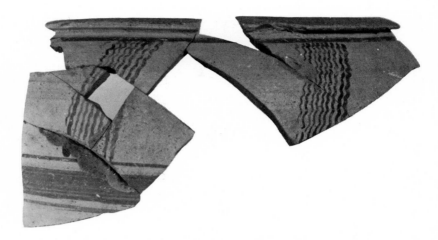

Fig. 2 - Fragment d'un grand dinos subgéométrique (haut. act. 11 cm). Grèce de l'Est, début du VII s. av. J.-C.

Fig. 3 - Coupe rhodienne du type « A 1 » (haut. 6,5 cm). Fin du VII s. av. J.-C.

Fig. 4 - Coupe « ionienne » du type « B 1 » (haut. 5,6 cm). Fin du VII s./ début du VI s. av. J.-C.

P. COURBIN — II —

Fig. 6 - Fragment de « bol à oiseau rhodien » (haut. act. 5 cm). Fin du VII s. av. J.-C.

Fig. 5 - Coupe rhodienne à anses verticales (haut. totale 8,2 cm). Fin du VII s./début du VI s. av. J.-C.

Fig. 7 - Fragments de deux plats rhodiens (diam. 40 cm et, à dr. 30 cm). Fin du VII s. et début du VI s. av. J.-C.

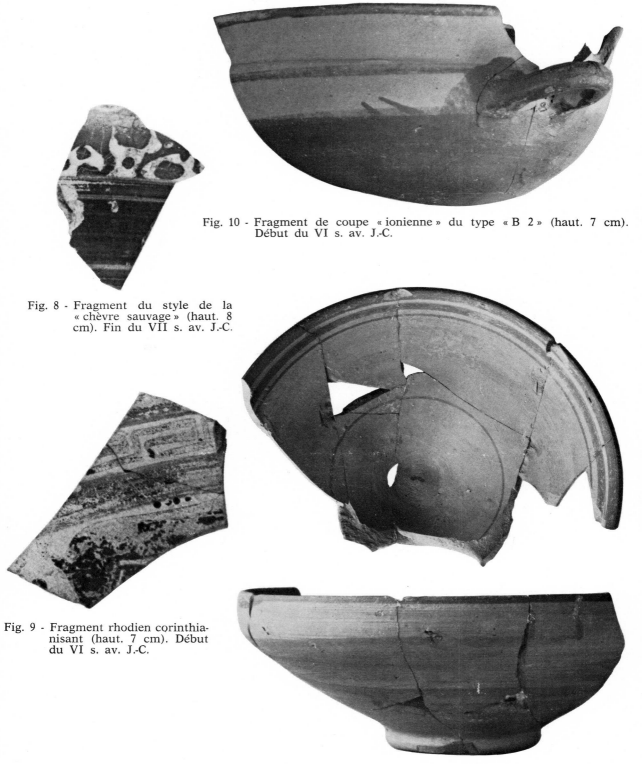

Fig. 10 - Fragment de coupe « ionienne » du type « B 2 » (haut. 7 cm).
Début du VI s. av. J.-C.

Fig. 8 - Fragment du style de la
« chèvre sauvage » (haut. 8
cm). Fin du VII s. av. J.-C.

Fig. 9 - Fragment rhodien corinthia-
nisant (haut. 7 cm). Début
du VI s. av. J.-C.

Fig. 11 - Coupe fragmentaire, intérieur et extérieur (haut. 5,4 cm). Grèce
de l'Est, début du VI s. av. J.-C.

P. COURBIN — IV —

Fig. 12 - Plat rhodien de type « floral », à pied en anneau (haut. 4,5 cm). Début du VI s. av. J.-C.

Fig. 13 - Bol à rosettes rhodien (haut. 6,1 cm). Début du VI s. av. J.-C.

Fig. 14 - Fragment de dinos, bucchero gris « lesbien » (haut. 5,5 cm). VII s./première moitié du VI s. av. J.-C.

Fig. 16 - Fragment d'oenochoé « chiote », file de sphinx (haut. 6 cm). VI s. av. J.-C.

Fig. 15 - Assiette fragmentaire, céramique beige polie (haut. 5 cm). VII/VI s. av. J.-C.

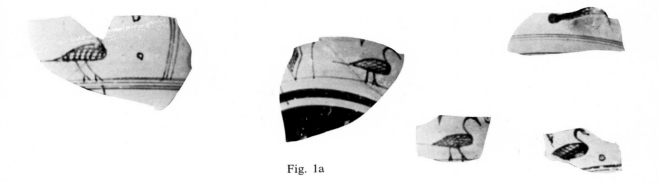

Fig. 1a

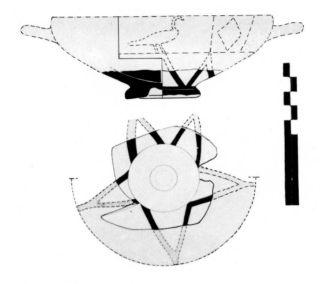

Fig. 1b

Fig. 1c

Fig. 1d

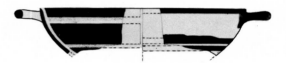

Fig. 1e

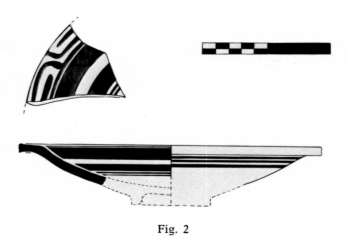

Fig. 2

Fig. 3b

Fig. 3c

Fig. 3a

Y. CALVET - M. YON — IV —

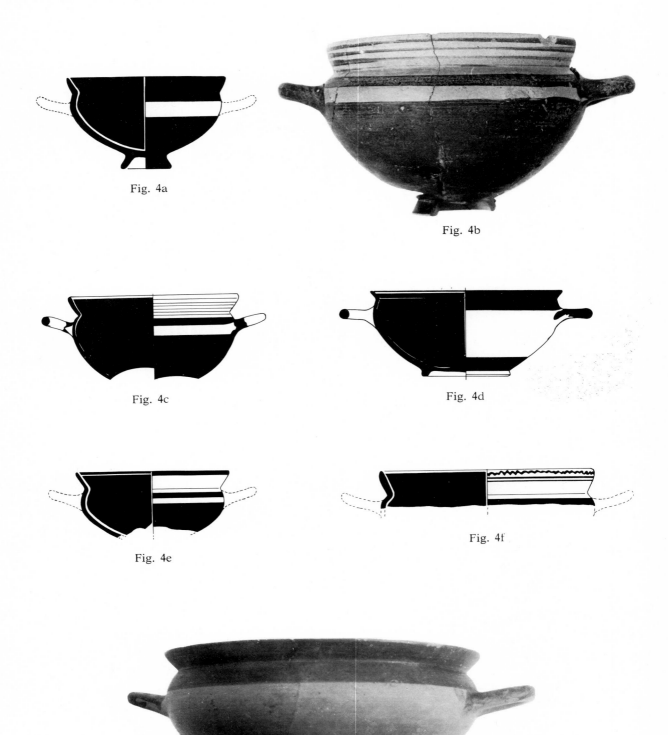

Fig. 4a

Fig. 4b

Fig. 4c

Fig. 4d

Fig. 4e

Fig. 4f

Fig. 4g

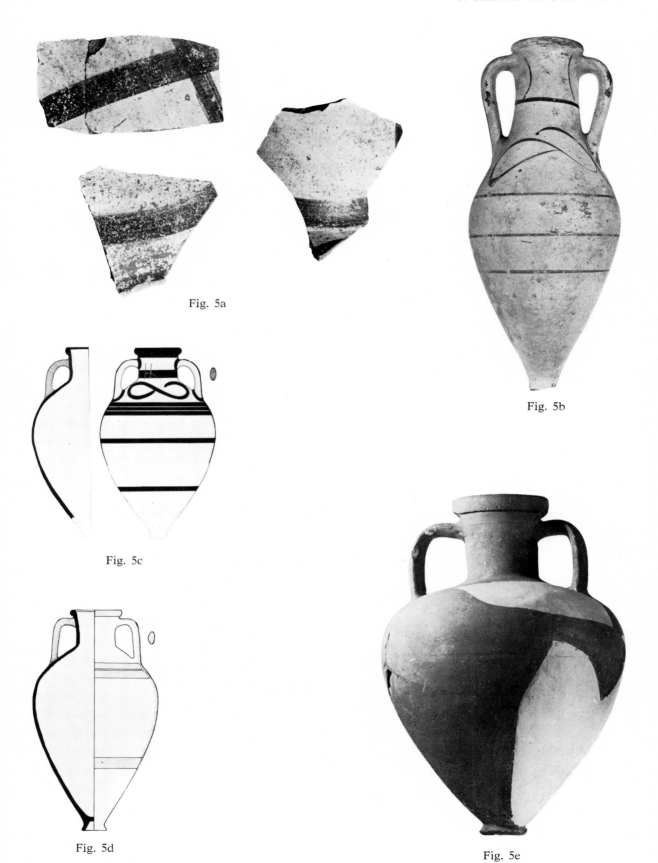

Fig. 5a

Fig. 5b

Fig. 5c

Fig. 5d

Fig. 5e

P. ALEXANDRESCU — I —

Fig. 2 - Berezan. Musée Ermitage, inv. n. Б 4612 (d'après Karydi)

Fig. 1 - Apollonie Pontique. Musée de Sozopol, inv. n. 249 (d'après B. Ivanov)

Fig. 3 - Tocra cat. 580 (d'après J. Boardman et J. Hayes)

Fig. 4 - Berezan. Musée Ermitage (photo aimablement communiquée par M.elle Kopeïkina)

Fig. 6 - Histria. Institut d'archéologie de Bucarest, inv. n. V 19047 (reconstitution graphique de Dinu Constantiniu)

Fig. 5 - Berezan. Musée Ermitage (photo aimablement communiquée par M.elle Kopeïkina)

Fig. 7 - Histria. Musée National d'Histoire

Fig. 8 - Histria. Institut d'archéologie de Bucarest, inv. n. V 5736

Fig. 10 - Panticapée. Musée des Beaux-Arts « Puškine », inv. n. M 999 (photo aimablement communiquée par M.me Siderova)

Fig. 9 - Panticapée. Musée des Beaux-Arts « Puškine », inv. n. M 1001 (photo aimablement communiquée par M.me Siderova)

Fig. 1 - 1 Mesembria; 2 Maroneia; 3 Stryme; 4 Thasos; 5 Abdera; 6 Neapolis; 7 Oesyme; 8 Amphipolis; 9 Argilos; 10 Acanthus; 11 Sane; 12 Torone; 13 Skione; 14 Mende; 15 Sane; 16 Aineia; 17 Chalkis; 18 Eretria; 19 Andros

Fig. 2 - Acanthus

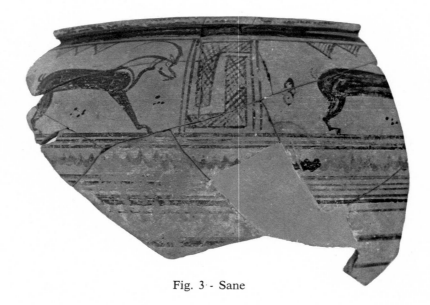

Fig. 3 - Sane

Fig. 4 - Sane

Fig. 5 - Sane

Fig. 6 - Sane

K. RHOMIOPOULOU — IV —

Fig. 7 - Sane

Fig. 8 - Aineia

Fig. 9 - Aineia

Fig. 1

Fig. 2

Fig. 3

Fig. 4

Fig. 5

Fig. 6

Fig. 7

Fig. 8

Fig. 9

Fig. 5 - Coppa ionica tipo a), dal Bothros (da *AM* 74, 1959, Beil. 61, 4)

Fig. 1 - Piatto a piedestallo, Porta Nord cat. 514

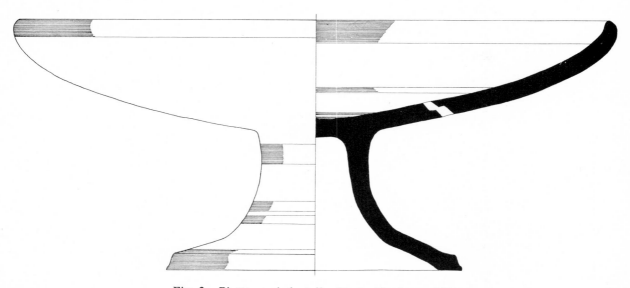

Fig. 2 - Piatto a piedestallo, Porta Nord cat. 515

Fig. 4 - Coppa ionica tipo a), dal pozzo G (da *AM* 74, 1959, Beil. 33, 3)

Fig. 3 - Coppa ionica tipo a), dal pozzo G (da *AM* 74, 1959, Beil. 33, 4)

Figg. 6-7 - Coppa ionica tipo a), Porta Nord cat. 140

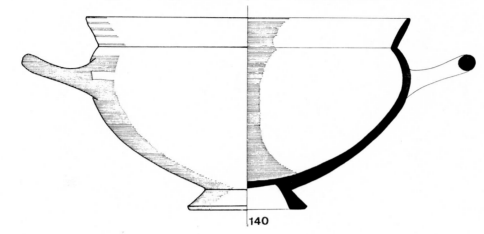

140

Figg. 8-9 - Coppa ionica tipo a), Porta Nord cat. 141

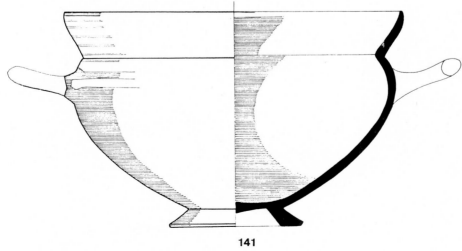

141

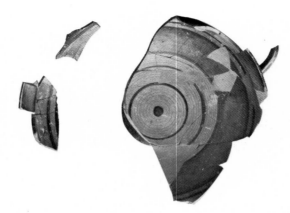

Figg. 10-11 - Coppa ionica, variante a), Porta Nord cat. 529

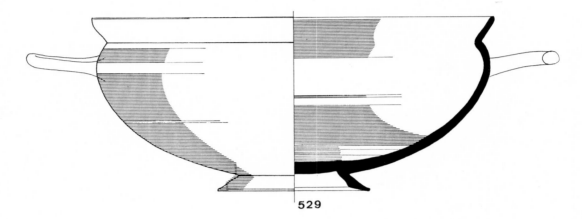

529

Fig. 12 - Coppa ionica tipo b), dal pozzo G (da *AM* 74, 1959, Beil. 3, 3)

Fig. 13 - Coppa ionica tipo b), dal Bothros (da *AM* 74, 1959, Beil. 61, 5)

Fig. 14 - Coppa ionica tipo b), dal Bothros (da *AM* 74, 1959, Beil. 62, 2)

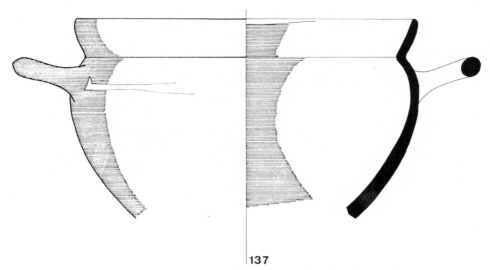

137

Fig. 16 - Coppa ionica tipo b), Porta Nord cat. 137

Fig. 15 - Coppa ionica tipo b), Porta Nord

Fig. 17 - Coppa ionica gigantesca tipo b), Porta Nord cat. 539, con coppa
di dimensione ordinaria

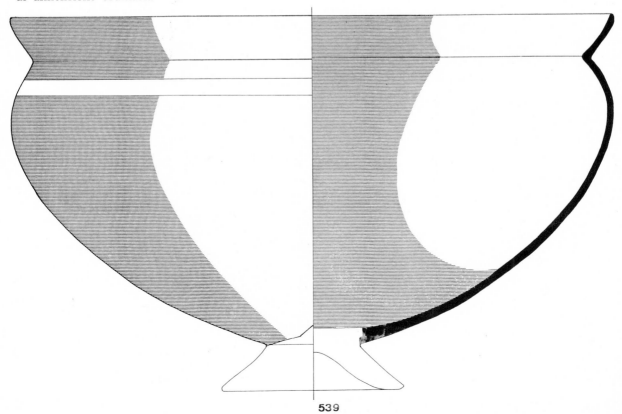

539

Fig. 18 - Coppa ionica gigantesca tipo b), Porta Nord cat. 539

Figg. 19-20 - Coppa ionica tipo c), Porta Nord cat. 552

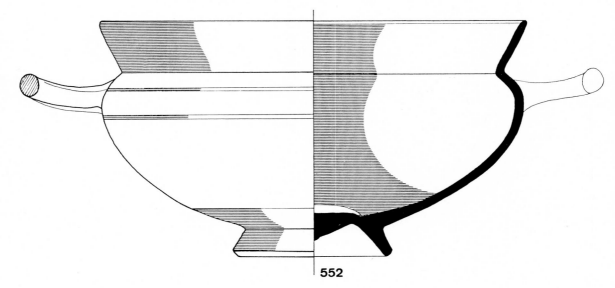

552

Fig. 22 - Coppa ionica tipo d), (foto DAI Athen, SAM 7168)

Fig. 21 - Coppa ionica tipo d), (da *AM* 72, 1957, Beil. 74, 3)

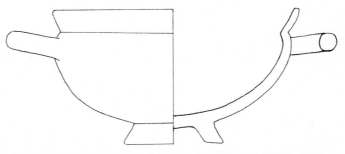

Fig. 23 - Coppa ionica tipo d), come fig. 22 (da *AM* 83, 1968, 277, Abb. 27)

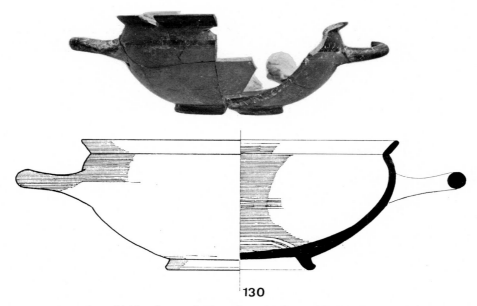

Figg. 24-25 - Coppa ionica tipo e), Porta Nord cat. 130

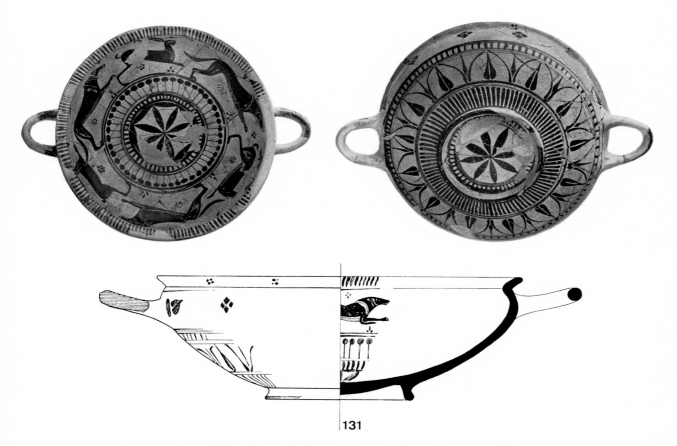

Figg. 26-28 - Coppa ionica, variante e), Porta Nord cat. 131

H.P. ISLER — VII —

Figg. 29-30 - Coppa ionica tipo f), Porta Nord cat. 135

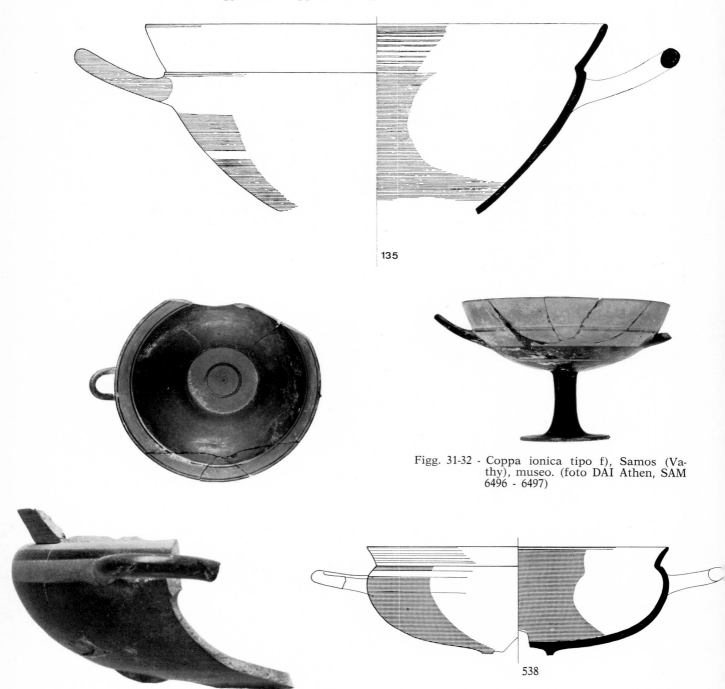

135

Figg. 31-32 - Coppa ionica tipo f), Samos (Vathy), museo. (foto DAI Athen, SAM 6496 - 6497)

538

Figg. 33-34 - Coppa ionica, variante f), Porta Nord cat. 538

Fig. 35 - Tazza, dal pozzo F (foto DAI Athen. SAM 5080)

Fig. 36 - Tazza, dal Bothros (foto DAI Athen, SAM 5223)

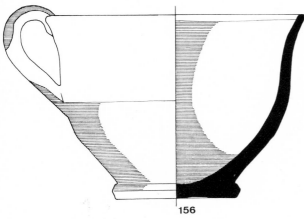

Figg. 37-38 - Tazza, Porta Nord cat. 156

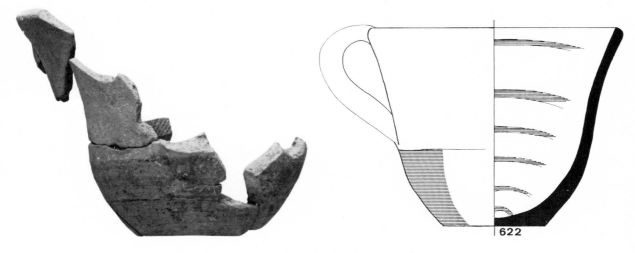

Figg. 39-40 - Tazza, Porta Nord cat. 622

Fig. 41 - Tazza (foto DAI Athen, SAM 716)

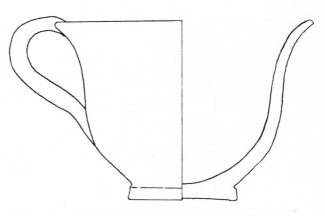

Fig. 42 - Tazza, come fig. 41 (da *AM* 83, 1968, 278, Abb. 28)

Fig. 44 - Idria, dal Bothros (foto DAI Athen, SAM 5192)

Fig. 43 - Idria, dal pozzo G (foto DAI Athen, SAM 5047)

Fig. 45 - Anfora a collo (foto DAI Athen, SAM 7171)

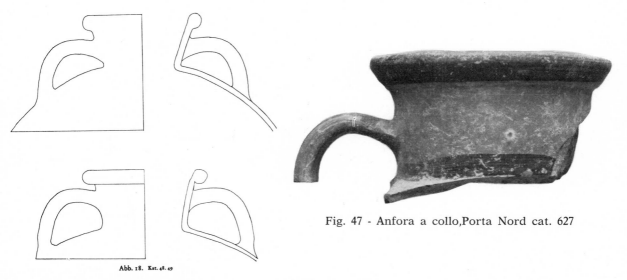

Abb. 18. Kat. 48. 49

Fig. 47 - Anfora a collo,Porta Nord cat. 627

Fig. 46 - Anfora a collo, come fig. 45 (da *AM* 83, 1968, 268, Abb. 18)

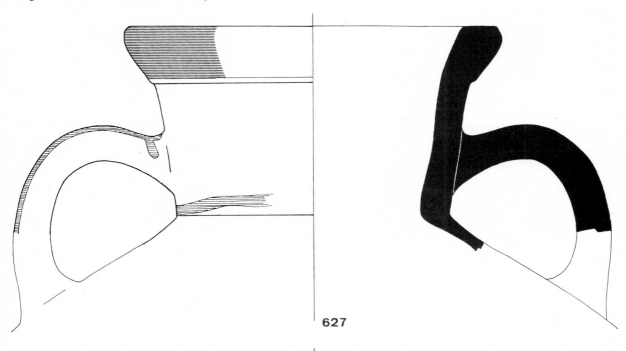

627

Fig. 48 - Anfora a collo, Porta Nord cat. 627

H.P. ISLER — XI —

Fig. 49 - Idria (foto DAI Athen, SAM 7214)

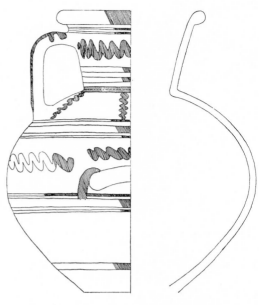

Fig. 50 - Idria, come fig. 49 (da *AM* 83, 1968, 267, Abb. 17)

Fig. 51 - Anfora (foto DAI Athen, SAM 7216)

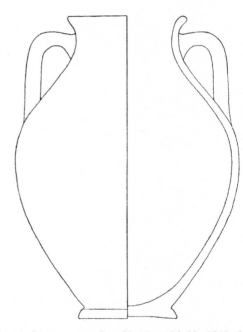

Fig. 52 - Anfora, come fig. 51 (da *AM* 83, 1968, 276, Abb. 25)

Figg. 53-54 - Anfora, dal pozzo G (foto DAI Athen, SAM 5088 e 5089)

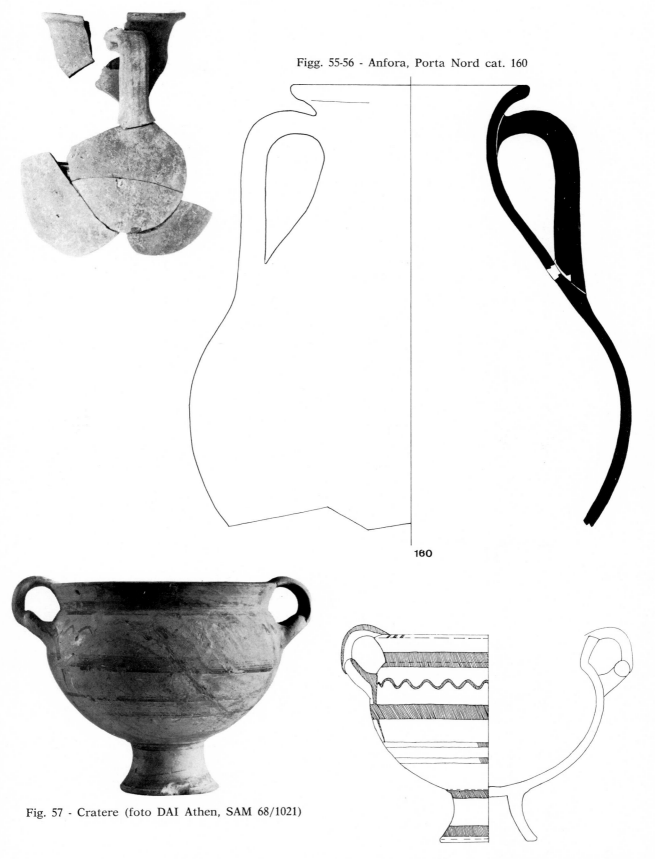

Figg. 55-56 - Anfora, Porta Nord cat. 160

160

Fig. 57 - Cratere (foto DAI Athen, SAM 68/1021)

Fig. 58 - Cratere, come fig. 57 (da *AM* 83, 1968, 265, Abb. 16)

H.P. ISLER — XIII —

Fig. 59 - Cratere (foto DAI Athen, SAM 7196)

Fig. 60 - Cratere, come fig. 59 (da *AM* 83, 1968, 265, Abb

Figg. 61-62 - Cratere, Porta Nord cat. 577

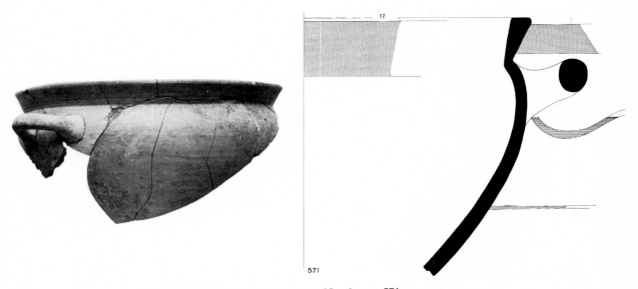

Figg. 63-64 - Cratere, Porta Nord cat. 571

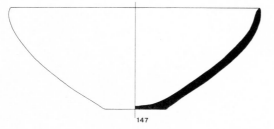

Figg. 65-66 - Ciotola, Porta Nord cat. 147

Fig. 1 - Plat trouvé à l'Artémision de Thasos; style de Fikellura

Fig. 2 - Essai de restitution graphique du plat représenté à la fig. 1 (G. Réveillac)

F. SALVIAT — II —

Fig. 3 - Plat de l'Artémision; décor en figure noire de style chiote

Fig. 4 - Support ou pied de l'Artémision, inv. 2688 et 2689

Fig. 5 - Plat fragmentaire avec griffon, inv. 3997

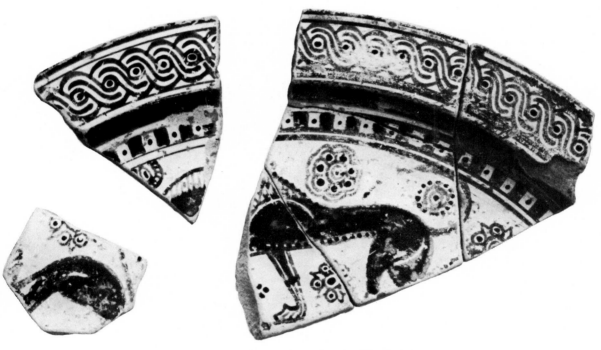

Fig. 6 - Fragments d'un plat de l'Artémision,

Fig. 7 - Bords de lékané, d'après *Etudes thasiennes* VII, pl. XIV, 7 et 8

Figg. 8-8a

Fig. 9 - Lékané fragmentaire, inv. 3993

Fig. 10 - Lékané fragmentaire avec zigzags sur le bord

Fig. 11 - Lékané de l'Artémision, inv. 2141

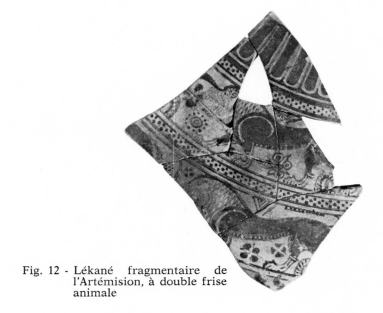

Fig. 12 - Lékané fragmentaire de l'Artémision, à double frise animale

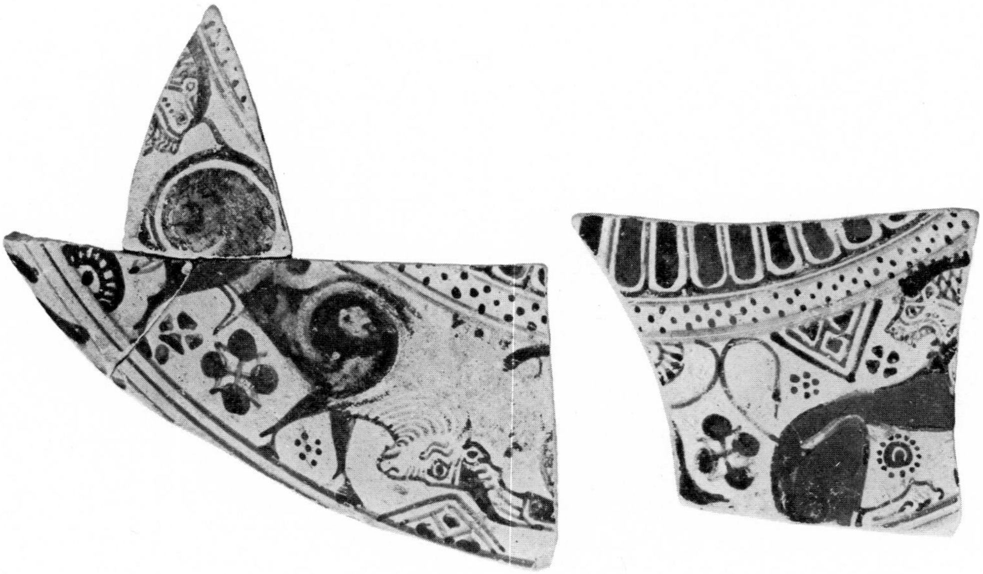

Fig. 13 - Lékané fragmentaire de l'Artémision

Fig. 14 - Lékané fragmentaire de l'Artémision

Fig. 15 - Lékané à double frise animale

Fig. 17 - Bol-cratère fragmentaire, inv. 4020

Fig. 16 - Bol-cratère de l'Acropole avec dédicace
à Athéna, inv. 2056

Fig. 19 - Bol-cratère fragmentaire, inv. 2144

Fig. 18 - Bol-cratère fragmentaire, inv. 2143

Fig. 20 - Cratère à colonnettes de Cavalla, avec chasse de Calydon, inv. 985-6,
d'après D. Lazaridis, *Guide du Musée de Cavalla*, pl. 36

Fig. 1

Fig. 2

Fig. 3

Fig. 4

Fig. 5

Fig. 6

Fig. 7

Fig. 8

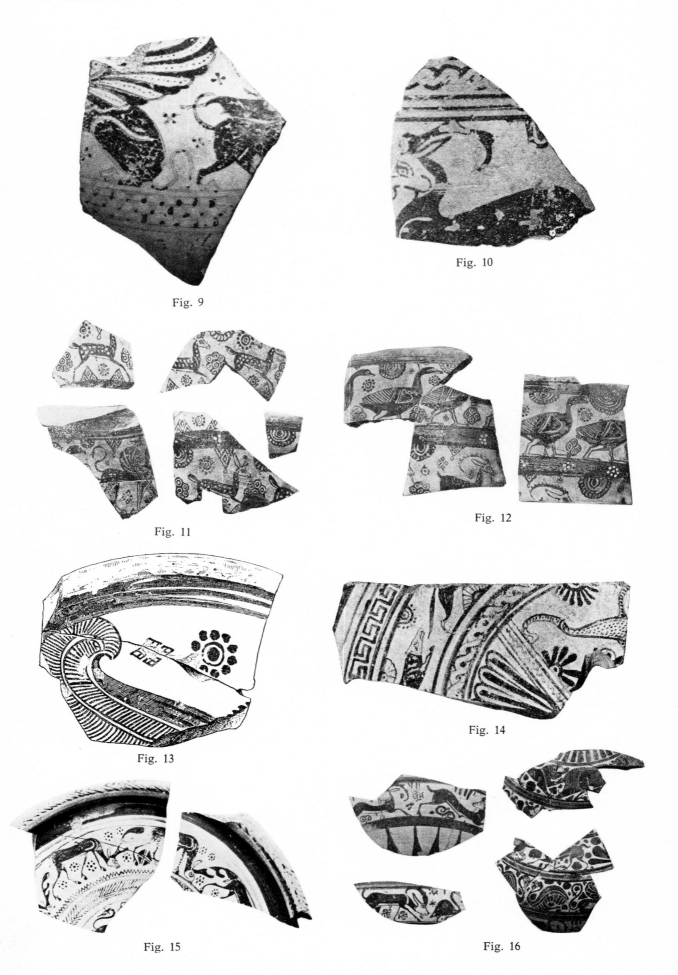

Fig. 9

Fig. 10

Fig. 11

Fig. 12

Fig. 13

Fig. 14

Fig. 15

Fig. 16

Fig. 17

Fig. 18

Fig. 19

Fig. 20

Fig. 21

Fig. 22

Fig. 23

Fig. 24

P. ORLANDINI — IV —

Fig. 25

Fig. 26

Fig. 27

Fig. 28

Fig. 29

Fig. 30

Fig. 31

Fig. 32

Fig. 33

Fig. 34

Fig. 35

Fig. 36

Fig. 37

Fig. 38

Fig. 39

Fig. 40

F. ORLANDINI — VI —

Fig. 41

Fig. 42

Fig. 43

Fig. 46

Fig. 44

Fig. 45

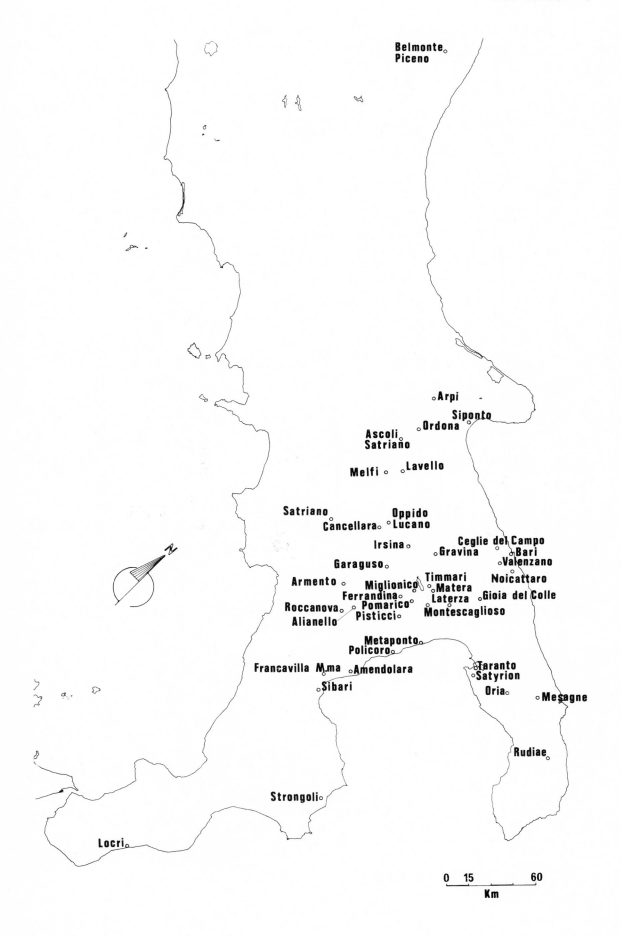

P.G. GUZZO — II —

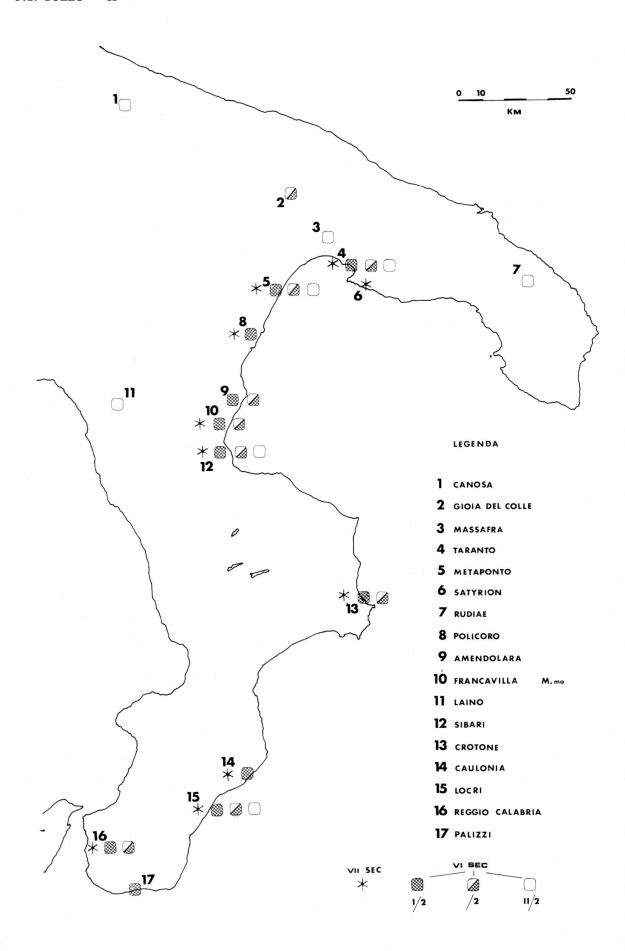

LEGENDA

1 CANOSA

2 GIOIA DEL COLLE

3 MASSAFRA

4 TARANTO

5 METAPONTO

6 SATYRION

7 RUDIAE

8 POLICORO

9 AMENDOLARA

10 FRANCAVILLA M.ma

11 LAINO

12 SIBARI

13 CROTONE

14 CAULONIA

15 LOCRI

16 REGGIO CALABRIA

17 PALIZZI

S. LUCIA di TOLMINO

ADRIA

S. MARTINO di GATTARA
SERVIROLA S. POLO

ZARA

NUMANA

BRAČ

VIS

0 25 50   150
Km

P.G. GUZZO — IV —

Fig. 1

Fig. 2

Fig. 3

Fig. 4

Fig. 5

Fig. 1 - Taranto: Pyxis cretese

Fig. 2 - Taranto: Frammento di vaso cretese

Fig. 3 - Taranto: Corredo di una tomba di via Di Palma

Fig. 4 - Taranto: Corredo di una tomba di via Messapia

Fig. 5 - Taranto: Corredo di una tomba dell'Arsenale

Fig. 6 - Taranto: Vasi di una tomba di via Regina Elena

Fig. 7 - Taranto: Corredo di una tomba di contrada « Vaccarella »

Fig. 9 - Taranto: Corredo di una tomba di contrada
« Vaccarella »

Fig. 8 - Taranto: Balsamario fittile a testa di
Acheloo

Fig. 10 - Taranto: Balsamario a forma di ariete

Fig. 13 - Taranto: Corredo di una tomba di via Di Palma

Fig. 11 - Taranto: Alaba-
stron tipo Afrodite

Fig. 14 - Taranto: Corredo di una tomba di via Principe
Amedeo

Fig. 12 - Taranto: Balsamario
antropomorfo

Fig. 15 - Taranto: Calice chiota

Fig. 17 - Taranto: Statuetta di tipo egizio

Fig. 16 - Taranto: Balsamario di tipo egizio

Fig. 18 - Taranto: Balsamari da una tomba arcaica

Fig. 19 - Taranto: Corredo di una tomba di via Abruzzo

Fig. 20 - Taranto: Corredo di una tomba di via Crispi

Fig. 22 - Taranto: Corredo di una tomba di via Dante

Fig. 23 - Taranto: Corredo di una tomba di contrada « Vaccarella »

Fig. 21 - Taranto: Balsamario rappresentante Afrodite

Fig. 24 - Taranto: Statuetta di demone panciuto

Fig. 1 - Capua, tomba 1132

Fig. 2 - Capua, tomba 1132

Fig. 3 - Capua, tomba 336

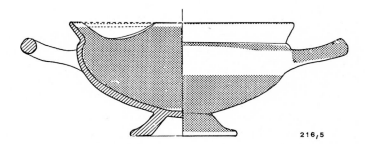

Fig. 4 - Caudium, tomba 216 (Tazza di tipo Eleate)

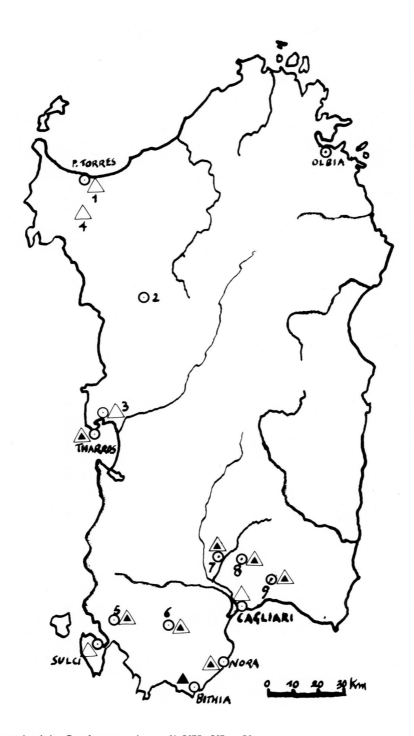

Le importazioni in Sardegna nei secoli VII, VI e V.
⊙ Centri abitati menzionati in testo. △ Importazioni greche.
▲ Importazioni greche ed etrusche. ▲ Importazioni etrusche.
1. Nuraghe Cau (Sorso); 2. Padria (*Ogryle?*); 3. Cuccuru Is Arrius (Cabras); 4. Nuraghe Su Igante (Uri); 5. Monte Sirai (Carbonia); 6. Pani Loriga (Santadi); 7. Monte Olladiri (Monastir); 8. S. Sperate; 9. Cuccuru Nuraxi (Settimo S. Pietro)

Figg. 1-2 - Cagliari - Museo Nazionale: ceramica di importazione; 1. inv. 8356, 2. inv. 8355

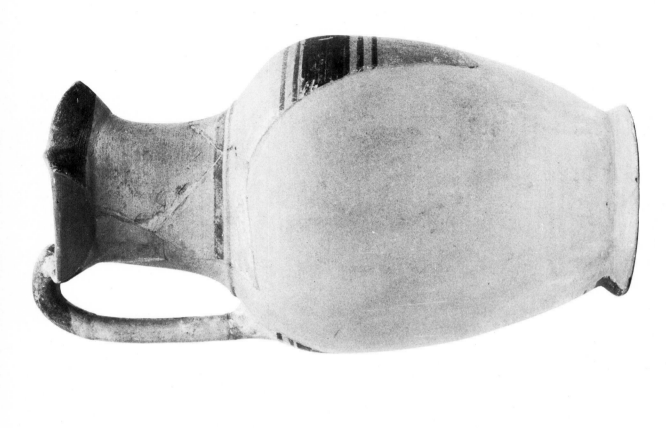

Figg. 1-2 - Barumini, Su Nuraxi (Museo Archeologico Nazionale di Cagliari)

M. MARTELLI CRISTOFANI — I —

Fig. 1 - Cerveteri, Monte Abatone, tomba 90. Roma, Fondazione Lerici

Fig. 4 - Vetulonia, Tomba delle Tre Navicelle. Firenze, Museo Archeologico

Fig. 2 - Vetulonia, Tomba del Duce. Firenze, Museo Archeologico

Fig. 5 - Populonia. Firenze, Museo Archeologico

Fig. 3 - Vetulonia, Tomba del Duce. Firenze, Museo Archeologico

Fig. 6 - Populonia. Firenze, Museo Archeologico

Fig. 7 - Populonia, Tomba dei Flabelli. Firenze, Museo Archeologico

Fig. 8 - Populonia, Tomba dei Flabelli. Firenze, Museo Archeologico

Fig. 9 - Populonia. Firenze, Museo Archeologico

Fig. 10 - Vulci (?). Roma, Museo di Villa Giulia

Fig. 11 - Vetulonia, Tomba delle Tre Navicelle.
Firenze, Museo Archeologico

Fig. 12 - Populonia, San Cerbone, tomba a camera.
Firenze, Museo Archeologico

Fig. 13 - Populonia, San Cerbone, tomba a camera.
Firenze, Museo Archeologico

M. MARTELLI CRISTOFANI — III —

Fig. 14 - Provenienza sconosciuta. Roma, Museo di Villa Giulia

Fig. 15 - Cerveteri, Banditaccia, Tumulo I, tomba 1. Cerveteri, Museo Archeologico

Fig. 16 - Cerveteri. Paris, Musée du Louvre (coll. Campana)

Fig. 18 - Vulci o territorio. Massa Marittima, Antiquarium (raccolta G. Galli)

Fig. 17 - Vulci. München, Staatl. Antikensammlungen (coll. Candelori)

Fig. 19 - Provenienza sconosciuta. Firenze, Museo Archeologico

Fig. 20 - Provenienza sconosciuta. Firenze, Museo Archeologico

Fig. 21 - Cerveteri, Monte Abatone, tomba 352.
Roma, Fondazione Lerici

Fig. 22 - Poggio Pelliccia (Gavorrano, Grosseto),
tomba a tumulo. Firenze, Museo Archeologico

Fig. 23 - Provenienza sconosciuta. Firenze,
Museo Archeologico

Fig. 24 - Vulci, Osteria, tomba 4/1961
(scavi Hercle). Collocazione attuale ignota

Fig. 25, a - Castellina di Ferrone,
tomba IV. Tolfa, Antiquarium

Fig. 26 - Bisenzio, necropoli della
Palazzetta. Firenze, Museo Archeologico

Fig. 25, b - Pian dei Santi, tomba 1.
Tolfa, Antiquarium

Fig. 27 - Talamone.
Livorno, Museo Civico

M. MARTELLI CRISTOFANI — V —

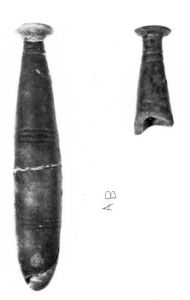
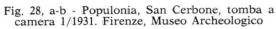

Fig. 28, a-b - Populonia, San Cerbone, tomba a camera 1/1931. Firenze, Museo Archeologico

Fig. 31 - Vetulonia, Tomba « del Figulo ». Firenze, Museo Archeologico

Fig. 33 - Vetulonia, Tomba « del Figulo ». Firenze, Museo Archeologico

Fig. 29 - Populonia, Poggio delle Granate, tomba a camera (scavo 1915). Firenze, Museo Archeologico

Fig. 32 - Vetulonia, Tomba « del Figulo ». Firenze, Museo Archeologico

Fig. 30 - Orvieto, Crocefisso del Tufo, tomba XIX (scavi 1884-85). Orvieto, Museo dell'Opera del Duomo

Fig. 35 - Vetulonia, secondo o terzo Circolo di Franchetta. Firenze, Museo Archeologico

Fig. 34 - Vetulonia, secondo o terzo Circolo di Franchetta. Firenze, Museo Archeologico

Fig. 36 - Poggio Pelliccia (Gavorrano, Grosseto), tomba a tumulo. Firenze,
Museo Archeologico

Fig. 40 - Populonia. Firenze,
Museo Archeologico

Fig. 38 - Populonia. Firenze,
Museo Archeologico

Fig. 39 - Populonia. Firenze,
Museo Archeologico

Fig. 37 - Roselle. Grosseto,
Museo Archeologico

Fig. 41 - Bisenzio, Merellio
S. Magno, tomba 1. Firenze,
Museo Archeologico

Fig. 42 - Bisenzio, Merellio
S. Magno, tomba 1. Firenze,
Museo Archeologico

Fig. 43 - Bisenzio, Merellio S. Magno, tomba 1. Firenze, Museo Archeologico

Fig. 44 - Provenienza sconosciuta.
Firenze, Museo Archeologico

Fig. 45 - Provenienza sconosciuta.
Firenze, Museo Archeologico

Fig. 46 - Provenienza sconosciuta.
Firenze, Museo Archeologico

Fig. 47 - Provenienza sconosciuta.
Firenze, Museo Archeologico

Fig. 48 - Bisenzio, necropoli della Palazzetta. Firenze, Museo Archeologico

Fig. 49 - Provenienza sconosciuta.
Firenze, Museo Archeologico

Fig. 50 - Provenienza sconosciuta.
Firenze, Museo Archeologico

Fig. 51 - Bologna, Certosa, tomba 174.
Bologna, Museo Civico Archeologico

Fig. 52 - Bologna, Certosa, tomba 316.
Bologna, Museo Civico Archeologico

Fig. 53 - Bisenzio, necropoli della
Palazzetta. Firenze, Museo Archeologico

Fig. 54 - Vroulia, tomba 11
(da Kinch)

Fig. 55 - Pitigliano. Grosseto,
Museo Archeologico

M. MARTELLI CRISTOFANI — IX —

Fig. 56 - Chiusi (coll. Vagnonville). Firenze,
Museo Archeologico

Fig. 57 - Cerveteri. Bonn, Akademisches Kunstmuseum

Fig. 58 - Tarquinia. Tarquinia, Museo Archeologico

Fig. 59 - Provenienza sconosciuta (Sicilia?). Würzburg,
Martin von Wagner Museum

Fig. 60 - Larisa sull'Hermos. Perduto
(da Boehlau-Schefold)

Fig. 63 - Dintorni di Karnak (Egitto).
Berlin-Charlottenburg, Staatl. Museen

Fig. 61 - Cerveteri, Roma, Museo di Villa Giulia.

Fig. 62 - Cerveteri. Roma, Museo di Villa Giulia.

M. MARTELLI CRISTOFANI — XI —

Fig. 64 - Pescia Romana. Firenze,
Museo Archeologico

Fig. 65 - Cerveteri (?). Firenze, Museo Archeologico

Fig. 66 - Orbetello. Orbetello, Antiquarium.

Fig. 67 - Saturnia. Firenze, Museo Archeologico

Fig. 69 - Cerveteri (?). Firenze, Museo Archeologico

Fig. 68 - Saturnia. Firenze, Museo Archeologico

Fig. 70 - Orbetello. Orbetello, Antiquarium

Fig. 71 - Orbetello. Orbetello, Antiquarium

Fig. 72 - Saturnia, Pratogrande in Pian di Palma, tomba 3. Firenze, Museo Archeologico

Fig. 73 - Falerii, necropoli di contrada Penna, tomba G. Firenze, Museo Archeologico

Fig. 74 - Vulci. Firenze, Museo Archeologico

Fig. 75 - Pescia Romana. Firenze, Museo Archeologico

Fig. 76 - Pescia Romana. Firenze, Museo Archeologico

Fig. 77 - Orbetello. Orbetello, Antiquarium

Fig. 78 - Chiusi (?). Chiusi, Museo Archeologico (coll. Paolozzi)

Fig. 79 - Cerveteri (?). Firenze, Museo Archeologico

M. MARTELLI CRISTOFANI — XIII —

Fig. 80 - Pescia Romana. Firenze, Museo Archeologico.

Fig. 81 - Orbetello. Orbetello, Antiquarium

Fig. 82 - Bisenzio, necropoli della Palazzetta. Firenze, Museo Archeologico

Fig. 83 - Orvieto. Firenze, Museo Archeologico

Fig. 84, a-b - Chiusi (?). Chiusi, Museo Archeologico

Fig. 85 - Chiusi (?). Chiusi, Museo Archeologico

Fig. 86, a-b - Populonia, tomba « del bronzetto di offerente ». Firenze, Museo Archeologico

Fig. 88, a-b - Provenienza sconosciuta (coll. Campana). Firenze, Museo Archeologico

Fig. 87 - Populonia. Firenze, Museo Archeologico

Fig. 89 - Provenienza sconosciuta (coll. Campana). Firenze, Museo Archeologico

Fig. 90 - Provenienza sconosciuta. Firenze, Museo Archeologico

F. BOITANI VISENTINI — I —

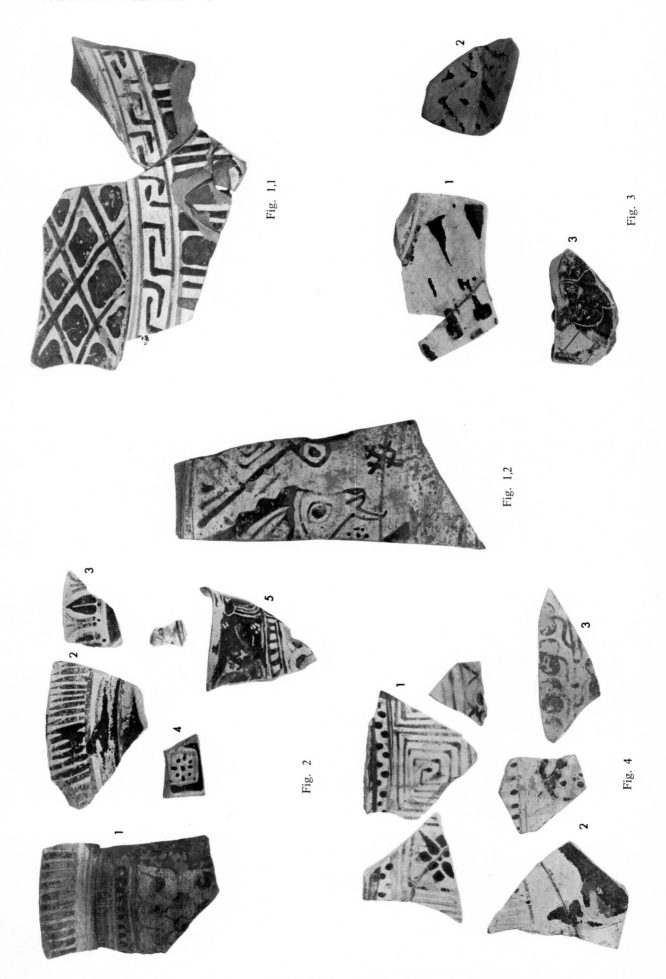

Fig. 1,1

Fig. 3

Fig. 1,2

Fig. 2

Fig. 4

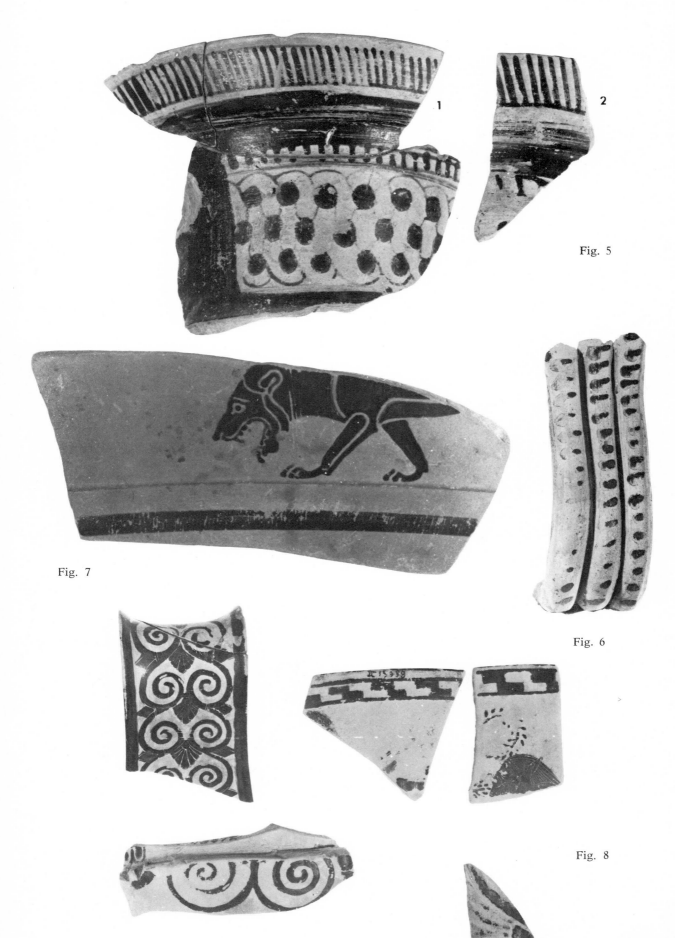

Fig. 5

Fig. 7

Fig. 6

Fig. 8

F. BOITANI VISENTINI — III —

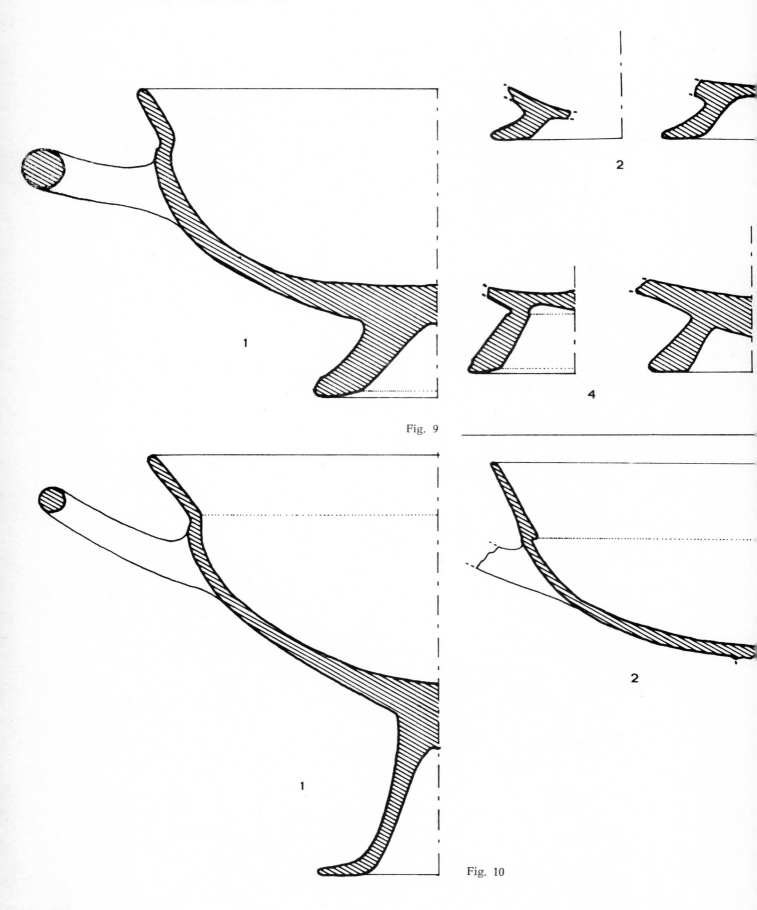

Fig. 9

Fig. 10

Fig. 13

Fig. 12,2

Fig. 12,1

Fig. 11

F. BOITANI VISENTINI — V —

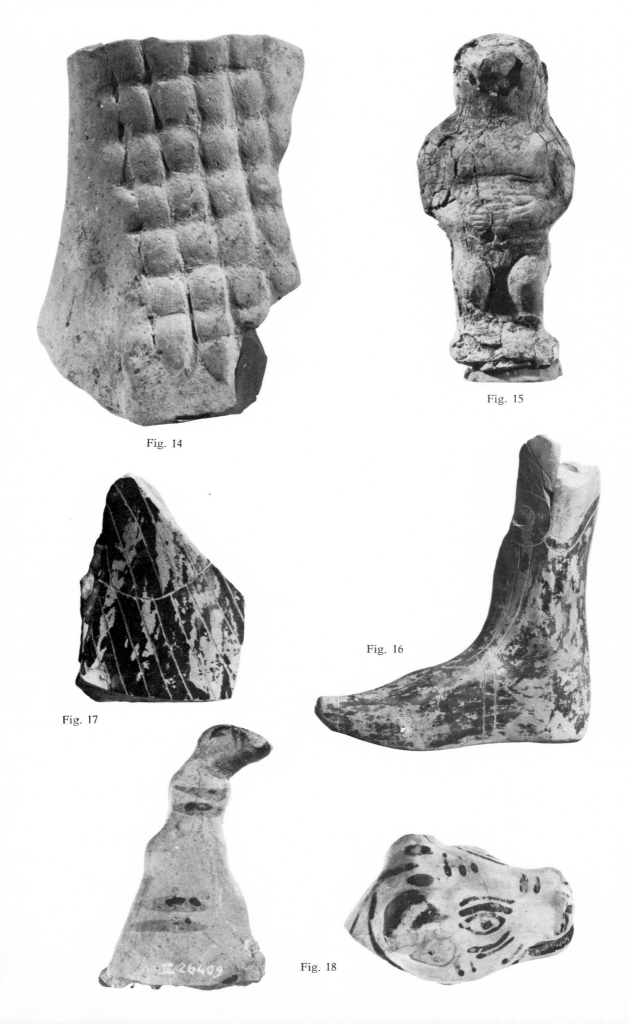

Fig. 14

Fig. 15

Fig. 17

Fig. 16

Fig. 18

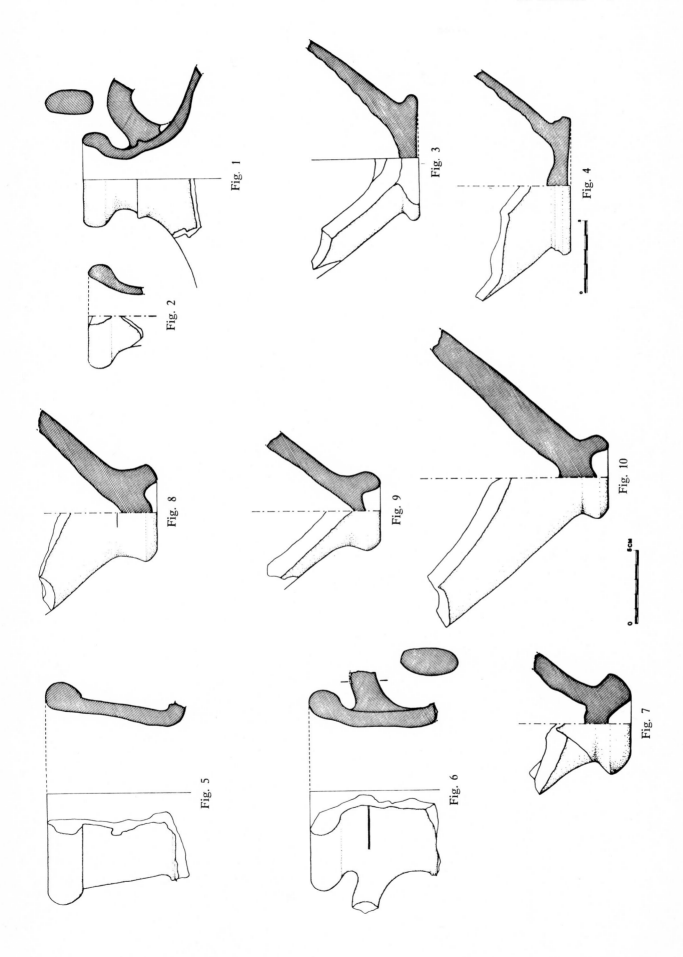

Fig. 1

Fig. 2

Fig. 3

Fig. 4

Fig. 5

Fig. 6

Fig. 7

Fig. 8

Fig. 9

Fig. 10

M. SLASKA — II —

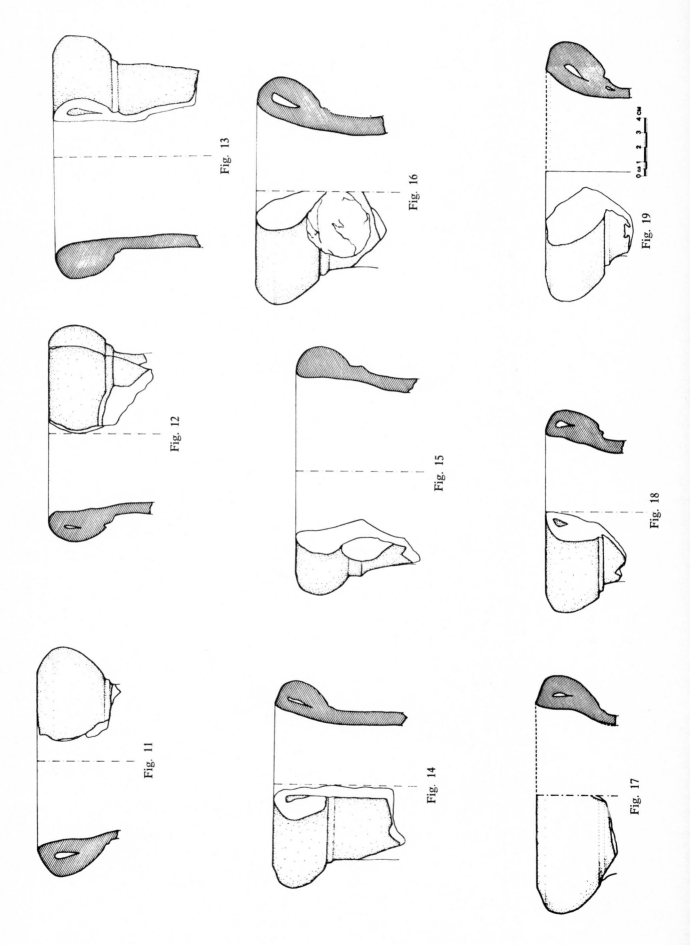

Fig. 13

Fig. 16

Fig. 19

Fig. 12

Fig. 15

Fig. 18

Fig. 11

Fig. 14

Fig. 17

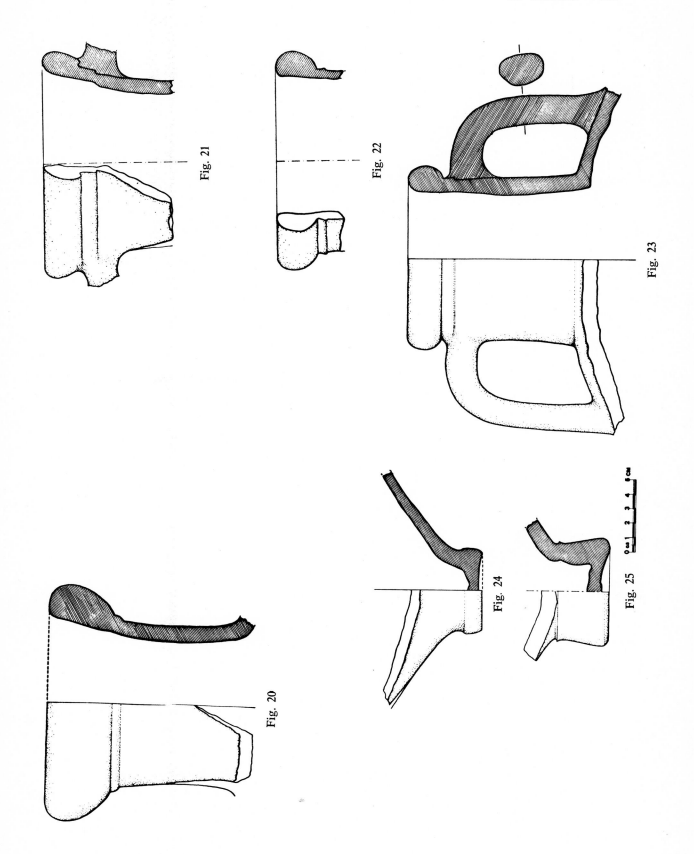

Fig. 20

Fig. 21

Fig. 22

Fig. 23

Fig. 24

Fig. 25

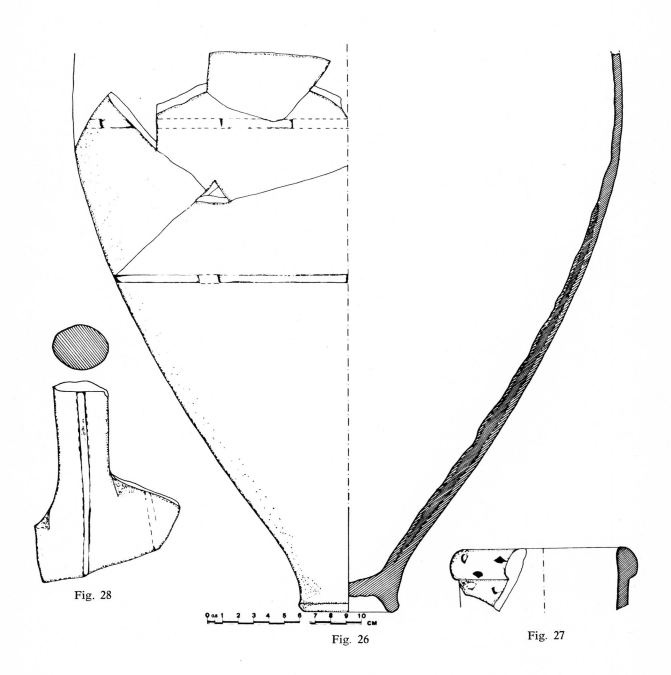

Fig. 28

Fig. 26

Fig. 27

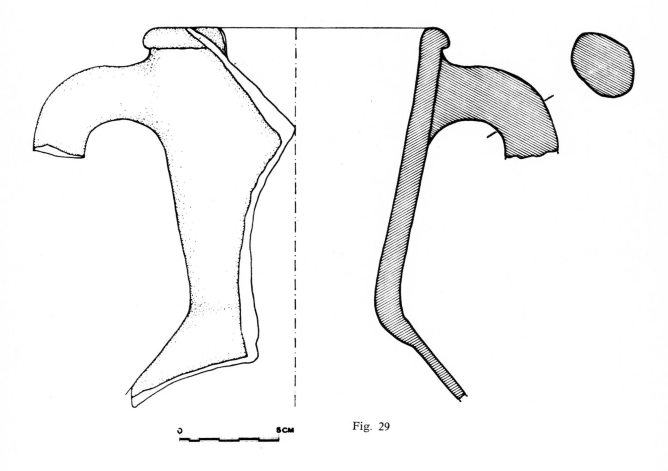

Fig. 29

0   5CM

Tabella n. 1

	Grecia orientale	Corinto	Attica	Marsiglia	Tipo punico	Etruria	Fabbrica incerta
ANFORE	112	24	?	14	23	50	27
LEKYTHOI	22						
LEBETI			35				6
BACILI						223	10
VASI DA CUCINA E TAVOLA, ALTRI	6					563	22

Tabella n. 2

SAMOS	30
CHIOS	18
LESBOS	5
JONIA CONTINENTALE (?)	59

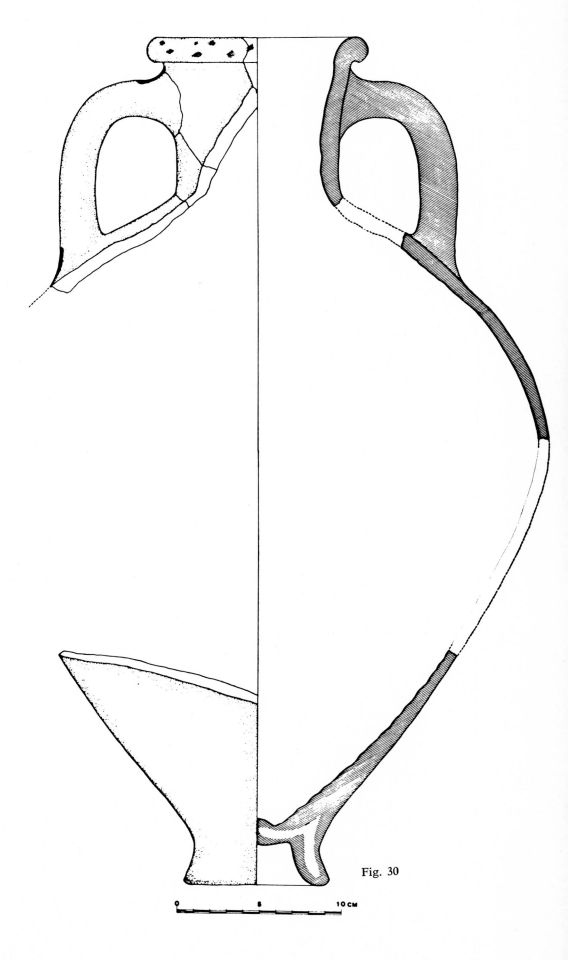

Fig. 30

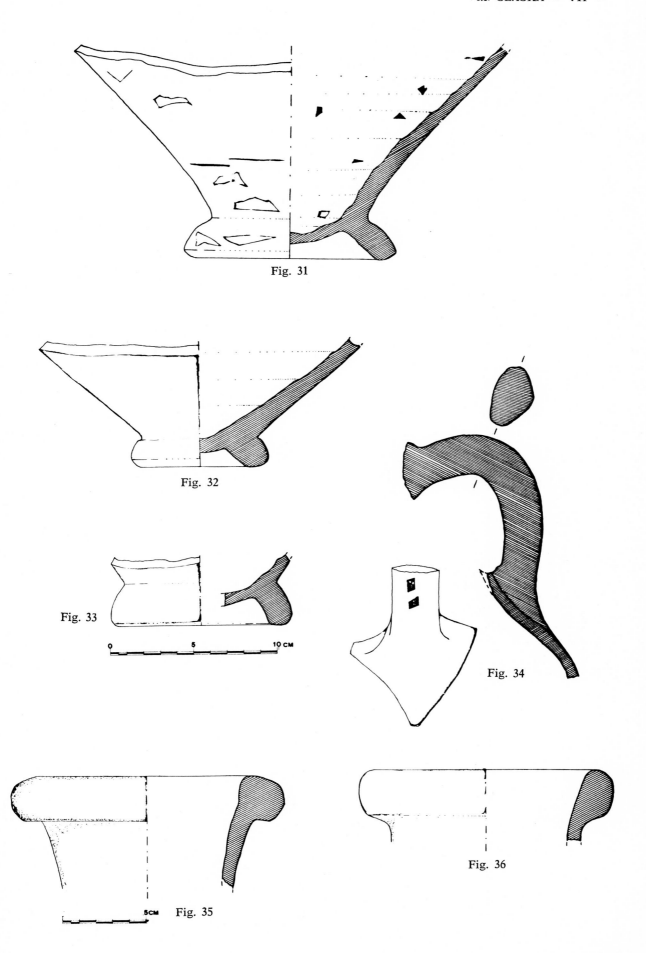

Fig. 31

Fig. 32

Fig. 33

0   5   10 CM

Fig. 34

Fig. 35

5CM

Fig. 36

E. PIERRO — I —

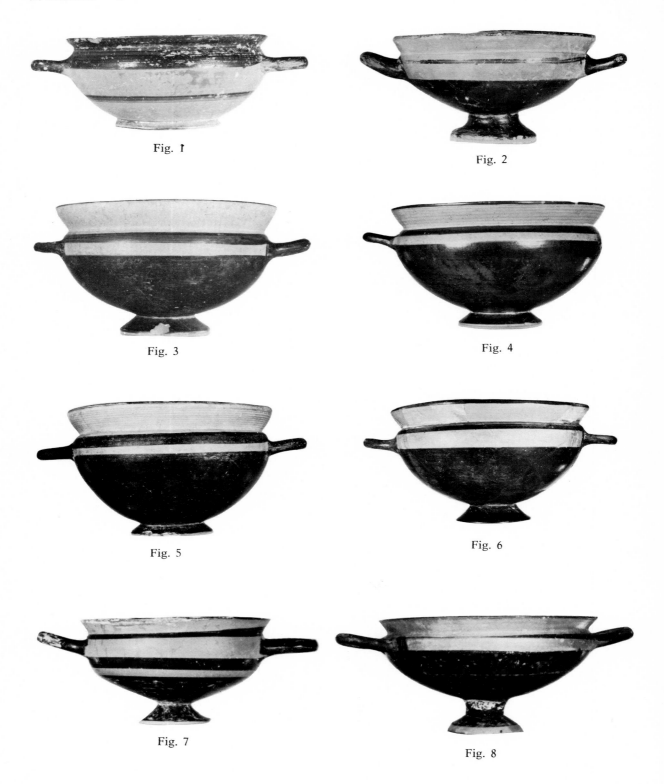

Fig. 1

Fig. 2

Fig. 3

Fig. 4

Fig. 5

Fig. 6

Fig. 7

Fig. 8

Fig. 9

Fig. 10

Fig. 11

Fig. 12

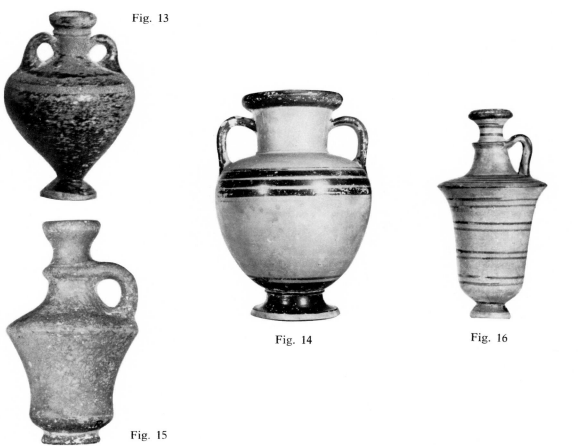

Fig. 13

Fig. 14

Fig. 16

Fig. 15

E. PIERRO — III —

Fig. 17

Fig. 18

Fig. 19

Fig. 20

Fig. 21

Fig. 22

Fig. 23

Fig. 24

Fig. 25

Fig. 26

Fig. 27

E. PIERRO — V —

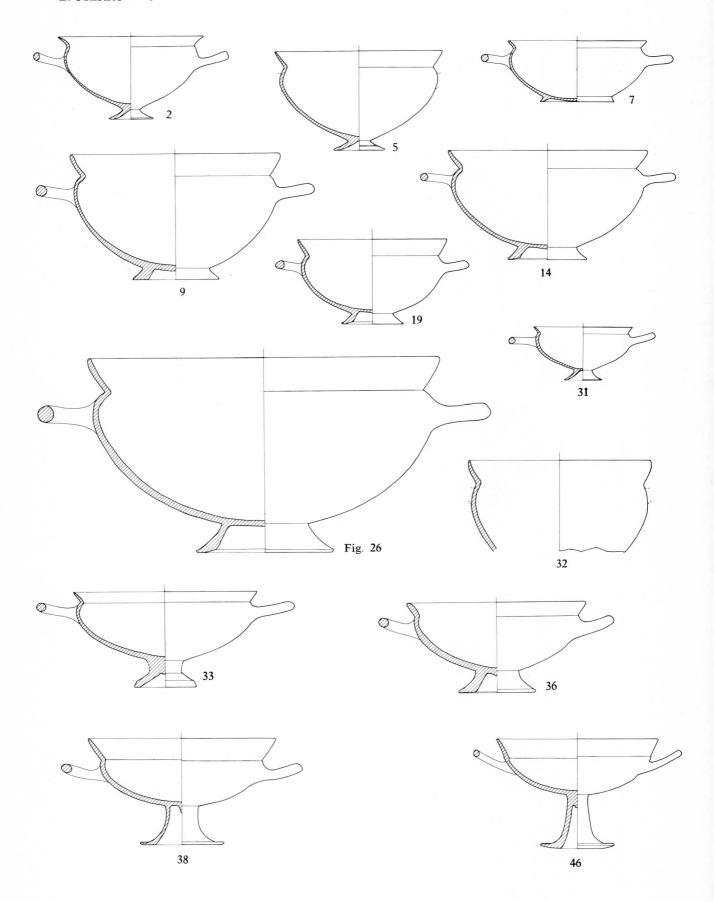

2

5

7

9

19

14

31

Fig. 26

32

33

36

38

46

Fig. 1 - Gela: Museo Archeologico

Fig. 2 - Policoro: Museo Archeologico

Fig. 3 - Metaponto: Museo Archeologico

Fig. 4 - Sibari: Museo Archeologico dall'Acropoli
di Francavilla

Fig. 5 - Taranto: Museo Nazionale

Fig. 6 - Da *Antike Kunst*. Lüzern, IX, 1962, n. 127

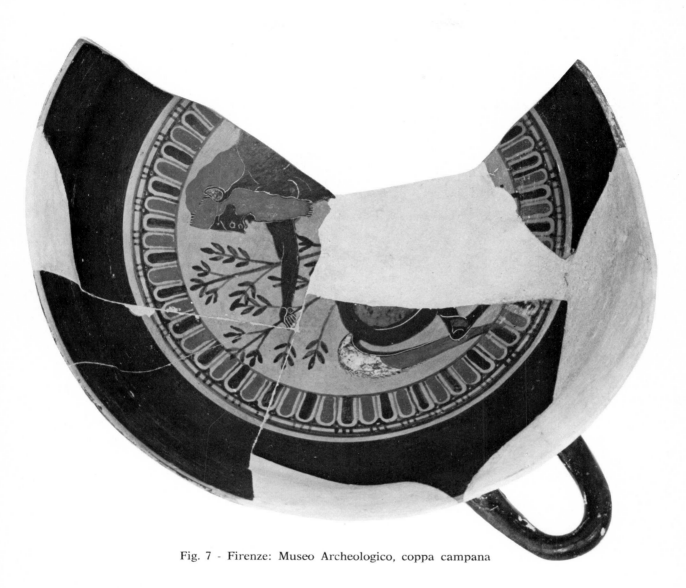

Fig. 7 - Firenze: Museo Archeologico, coppa campana

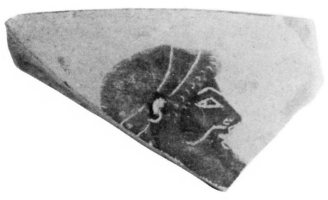

Fig. 8 - Metaponto: Antiquarium, frammento di coppa

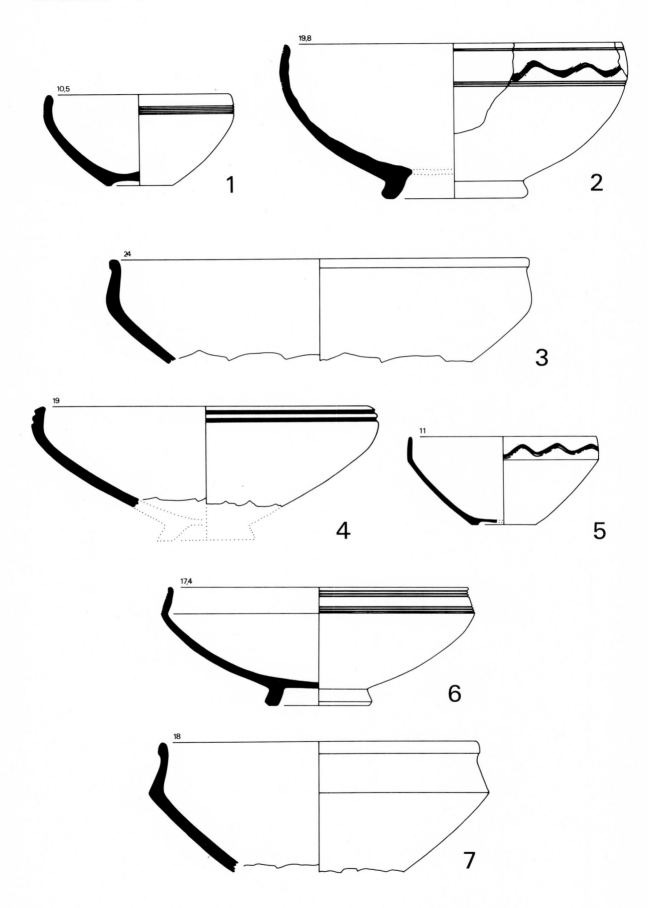

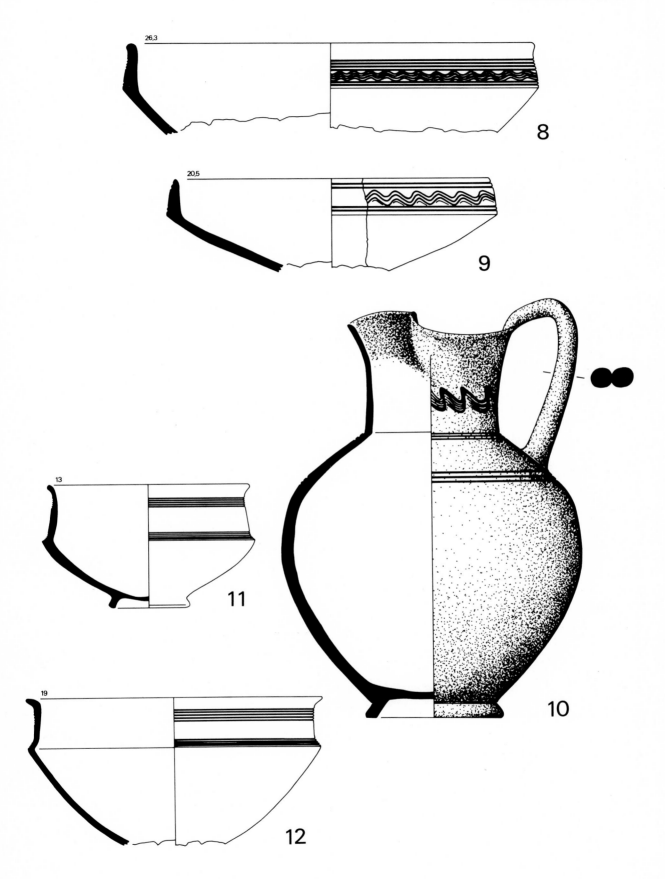

26,3

8

20,5

9

13

11

19

12

10

Ch. ARCELIN — III —

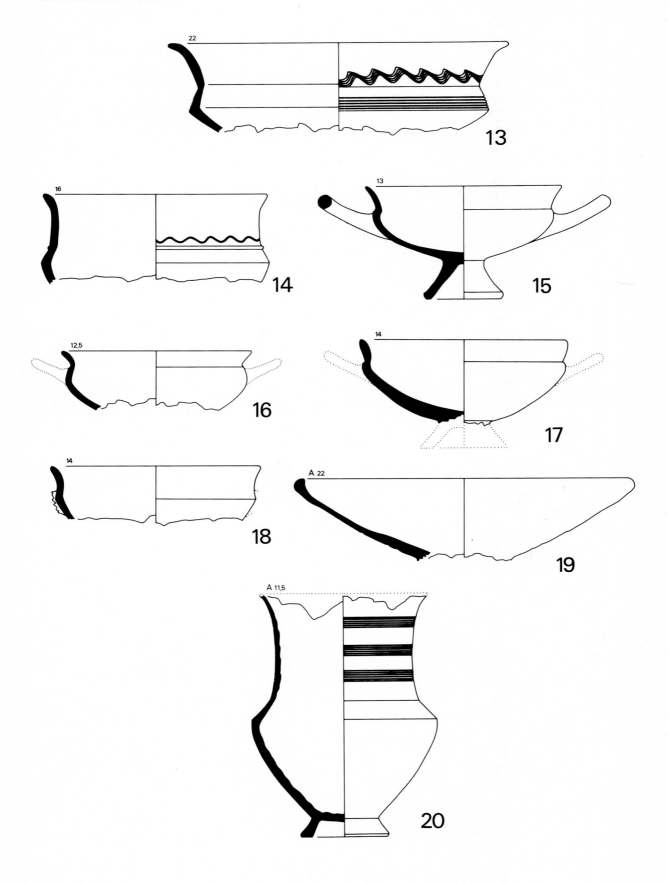

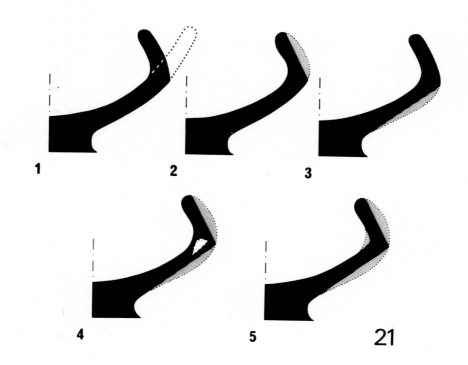

1   2   3

4   5   21

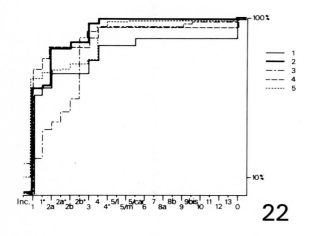

22

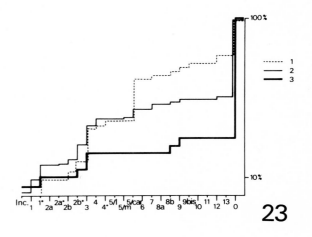

23

A. NICKELS — I —

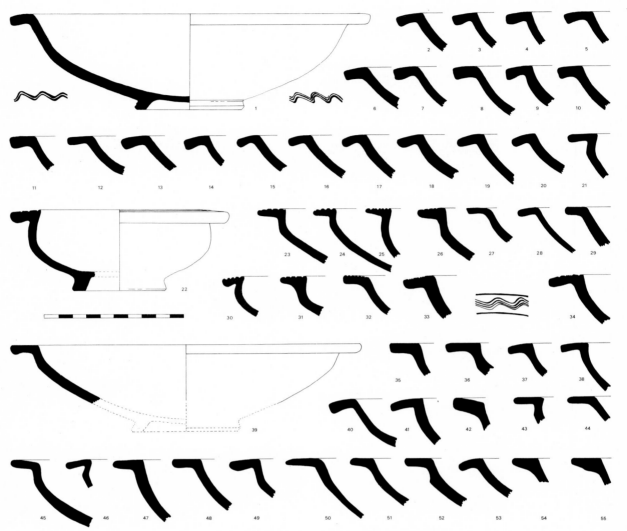

Fig. 1 - Plats et bols du groupe A de l'Agadès

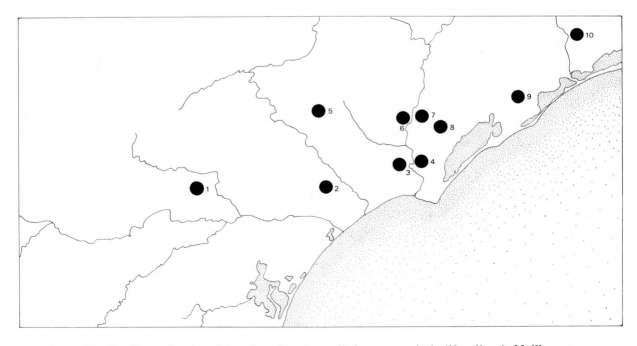

Fig. 2 - Carte de répartition des plats à marli du groupe A de l'Agadès: 1. Mailhac,
2. Ensérune, 3. Bessan, 4. Florensac, 5. Magalas, 6. Pézenas, 7. Aumes, 8.
Montmèze, 9. Frontignan, 10. Castelnau-le-Lez

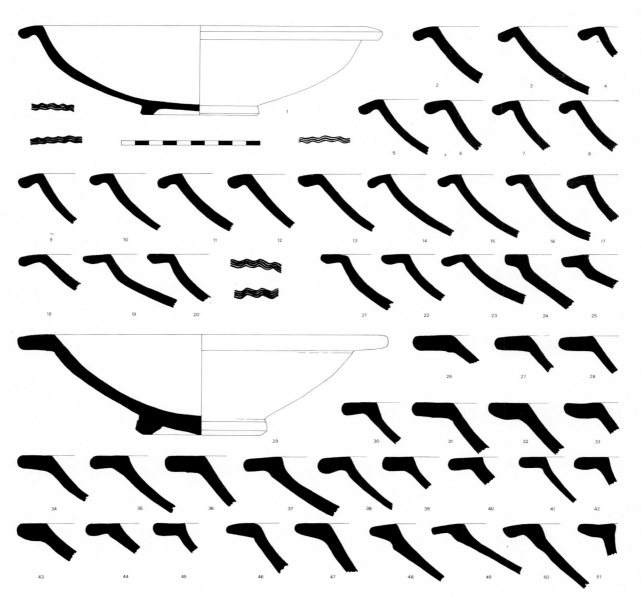

Fig. 3 - Plats des groupes B (n. 1 à 25) et C (n. 26 à 51) de l'Agadès

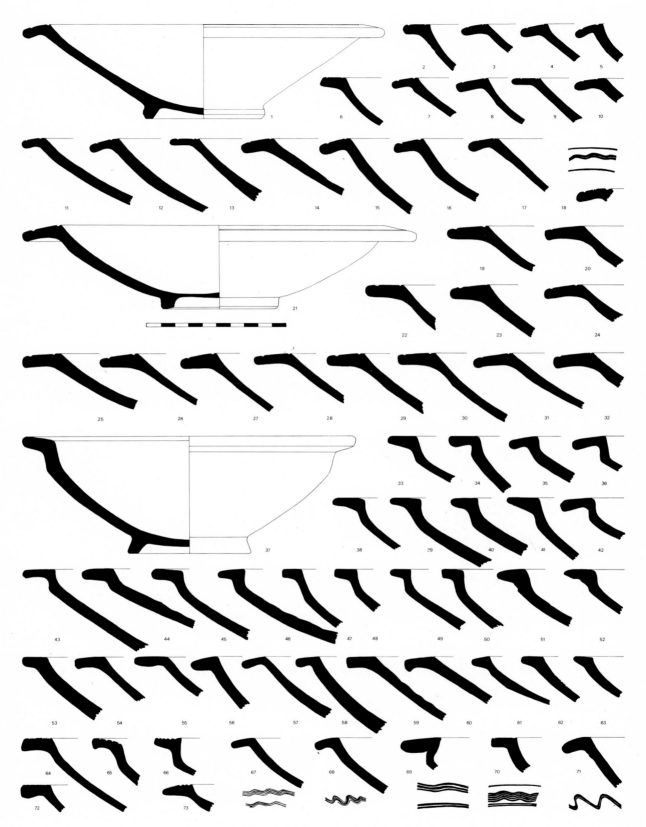

Fig. 4 - Plats à marli des groupes audois

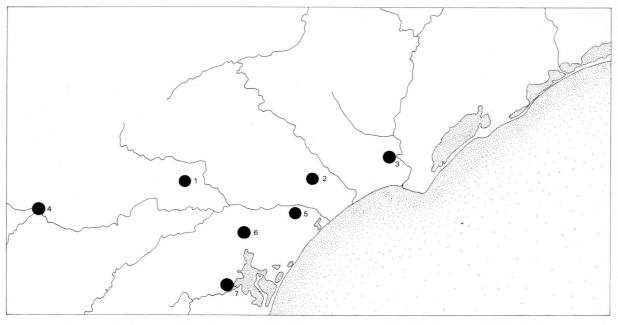

Fig. 5 - Carte de répartition des plats à marli du groupe A audois: 1. Mailhac, 2. Ensérune, 3. Bessan, 4. Carcassonne, 5. Salles-d'Aude, 6. Montlaurès, 7. Sigean

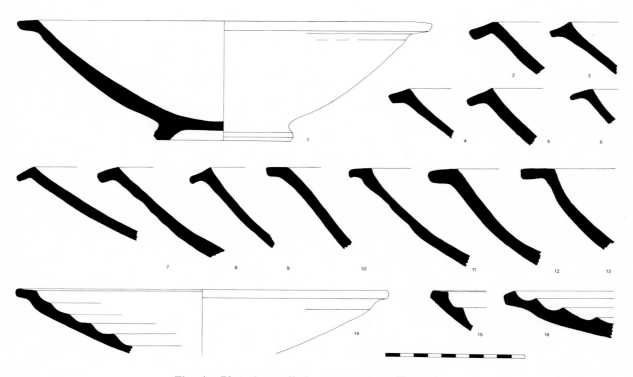

Fig. 6 - Plats à marli du groupe roussillonnais

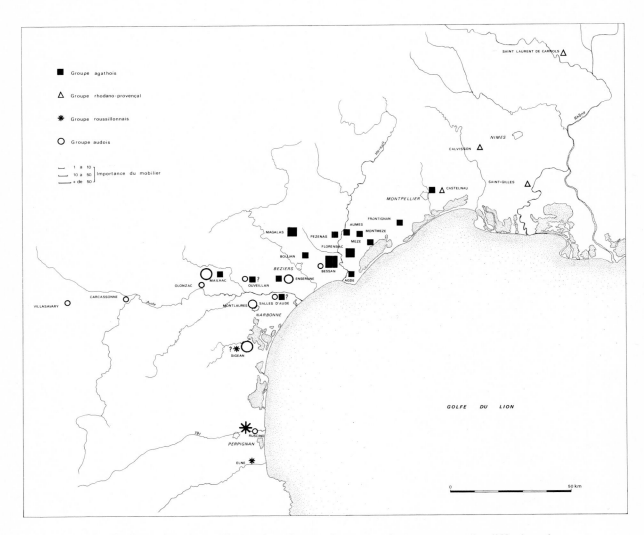

Fig. 7 - Les plats à marli en céramique grise monochrome: carte de diffusion des différents ateliers locaux

Fig. 1 a, b - Nécropole de Saint-Julien à Pézenas (Hérault). Vase stamnoïde en terre monochrome grise de fabrication occidentale. (Imitation d'exemplaires en terrecuite en cuisson oxydante et se trouvant dans la même nécropole)

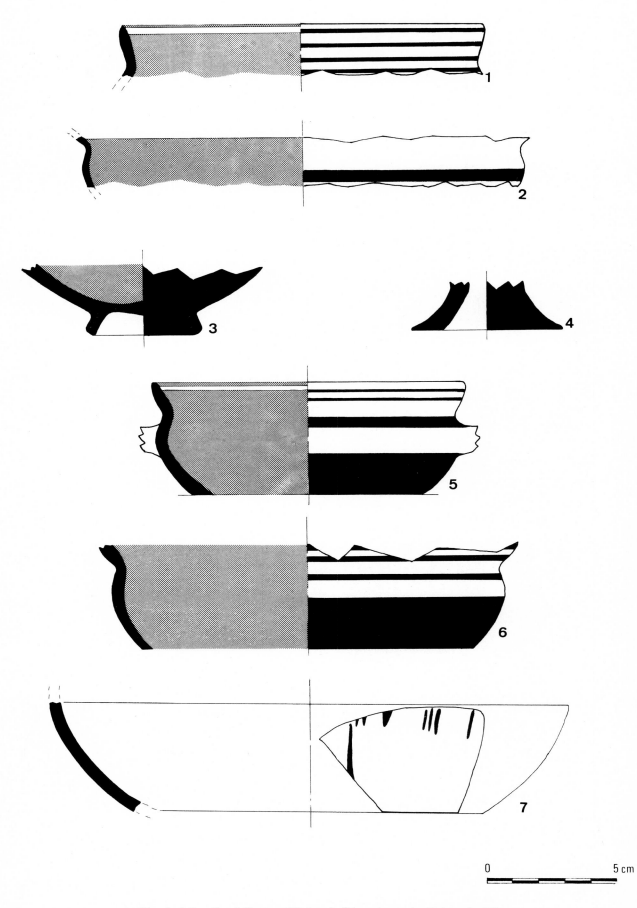

0   5 cm

Fig. 1. 1-7 - Guadalhorce (Malaga). Céramique de Grèce de l'Est

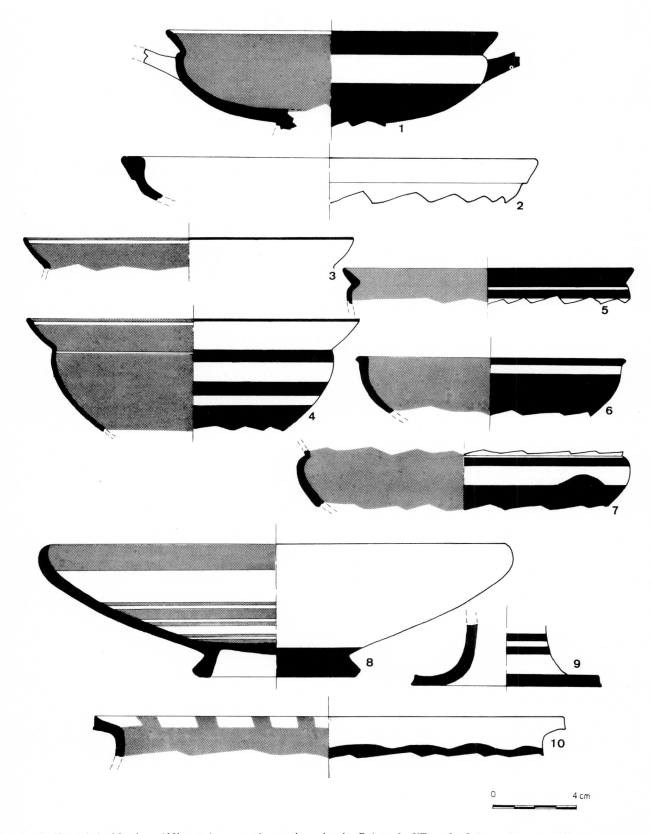

Fig. 2 - 1: Tossal de Manises (Alicante), coupe à vernis noir de Grèce de l'Est; 2: Cabezo Lucero (Alicante), lekanis de fabrication locale; 3-8: Ampurias, Palaiopolis, couche IX, céramique à vernis noir ou brun rouge de Grèce de l'Est; 9-10: Ampurias, Palaiopolis, couche IX, céramique locale (?)

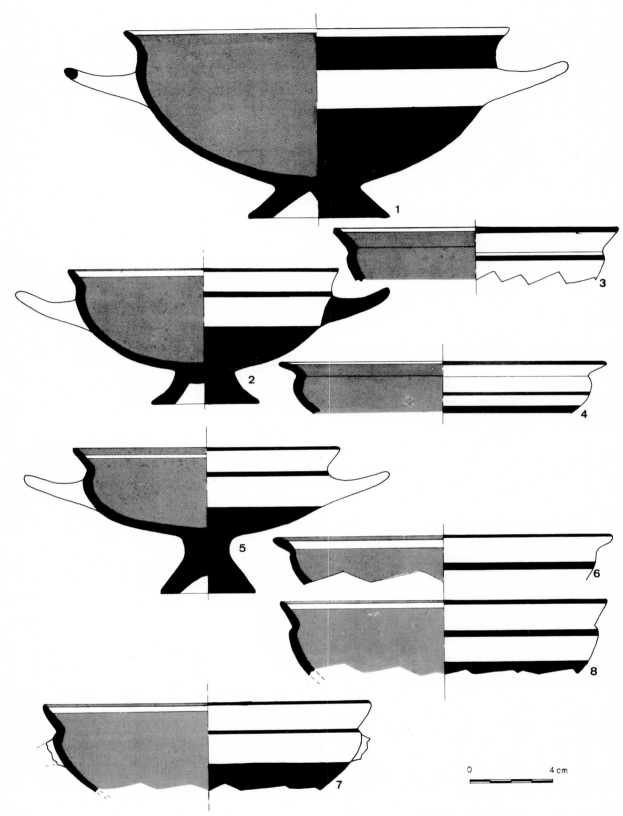

Fig. 3. - 1-8: Ampurias, Neapolis, céramique à vernis noir de Grèce de l'Est

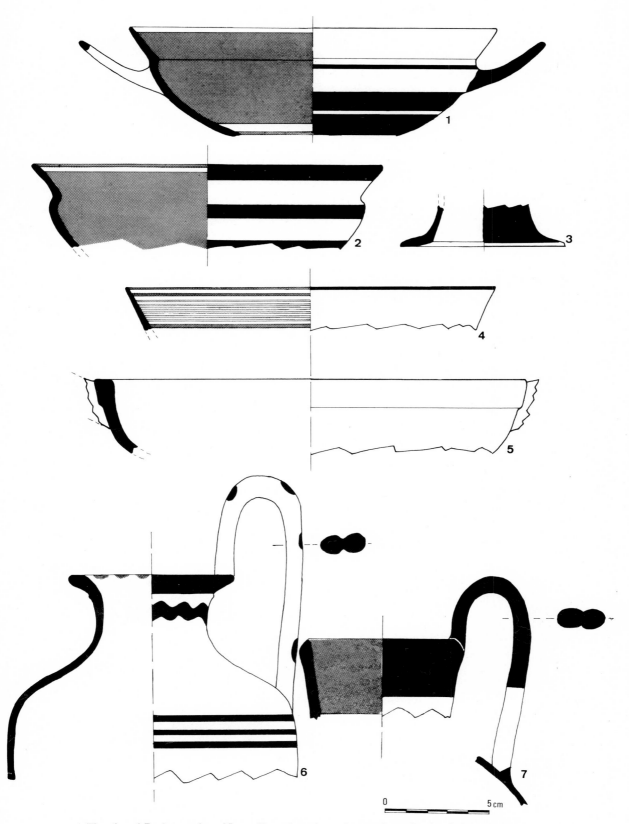

Fig. 4. - 1-7: Ampurias, Neapolis, céramique à vernis noir de Grèce de l'Est

P. ROUILLARD — V —

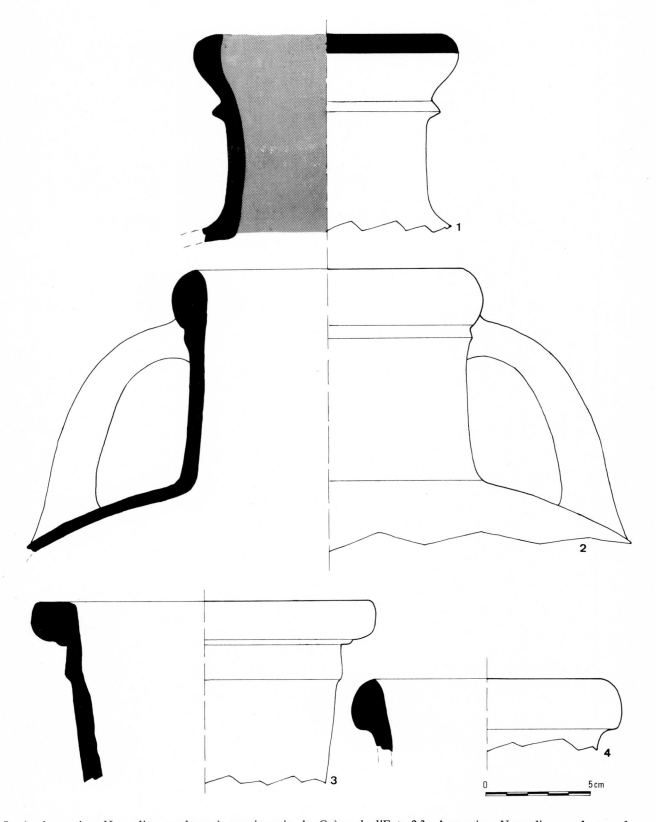

Fig. 5 - 1: Ampurias, Neapolis, amphore à vernis noir de Grèce de l'Est; 2-3: Ampurias, Neapolis, amphore achrome de Grèce de l'Est; 4: Ampurias, Neapolis, amphore à engobe blanchâtre

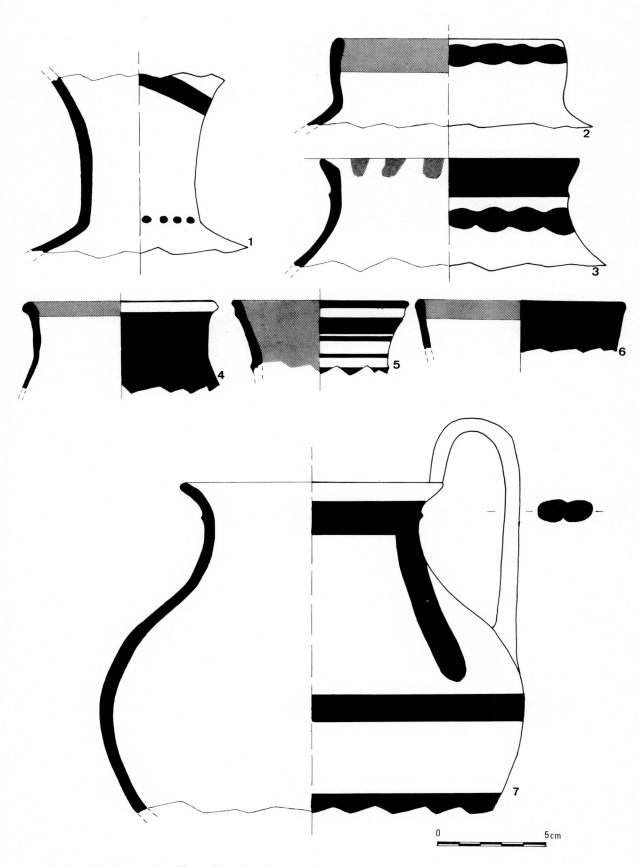

Fig. 6. - 1-7: Ampurias, Neapolis, céramique imitant les productions de Grèce de l'Est, technique 1

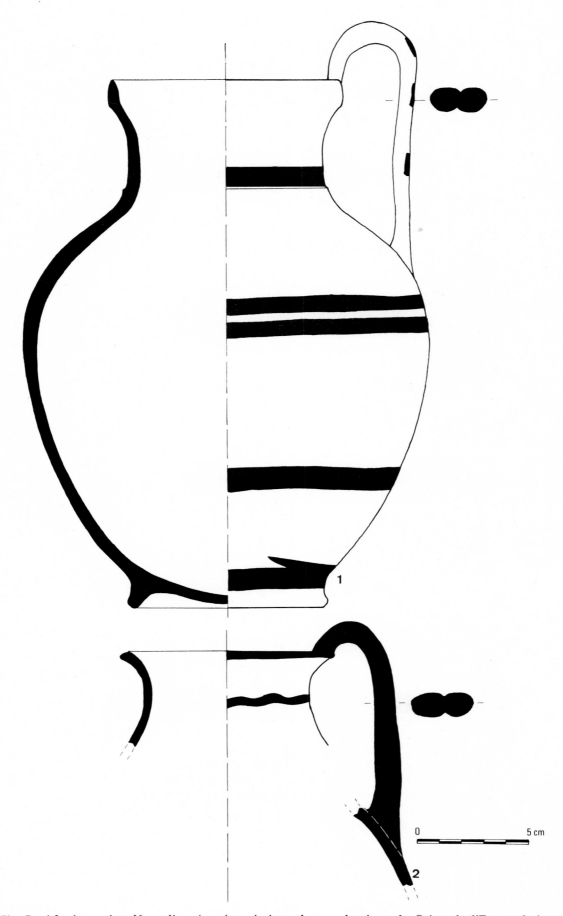

Fig. 7 - 1-2: Ampurias, Neapolis, céramique imitant les productions de Grèce de l'Est, technique 1

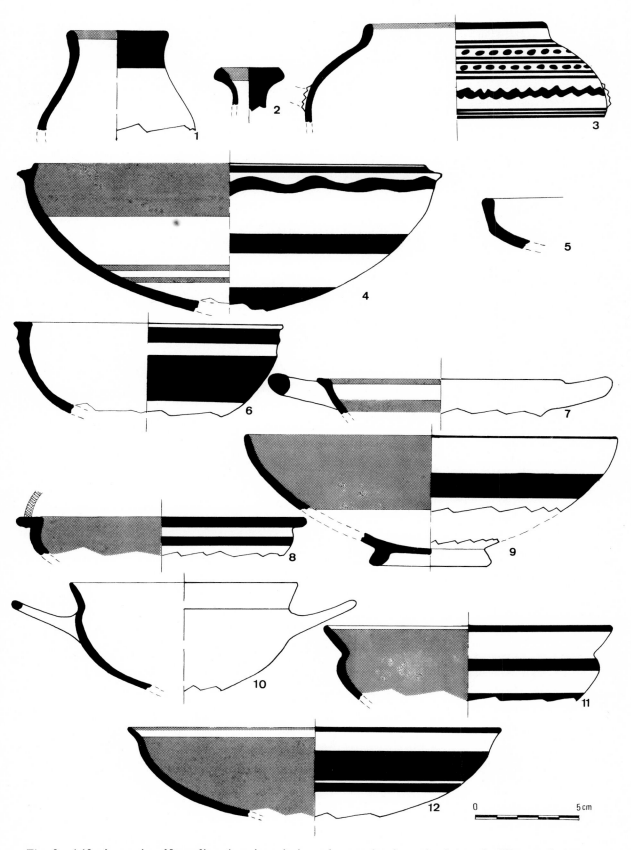

Fig. 8 - 1-12: Ampurias, Neapolis, céramique imitant les productions de Grèce de l'Est, technique 1

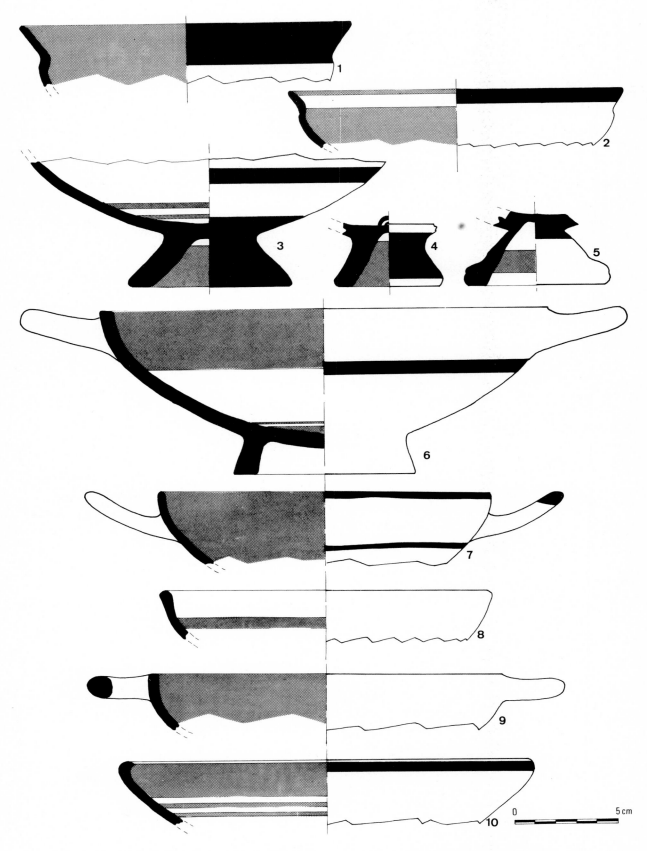

Fig. 9 - 1-10: Ampurias, Neapolis, céramique imitant les productions de Grèce de l'Est, technique 1

Fig. 10 - 1-4: Ampurias, Neapolis, céramique imitant les productions de Grèce de l'Est, technique 1; 5-7: Ampurias, Neapolis, céramique imitant les productions de Grèce de l'Est, technique 2

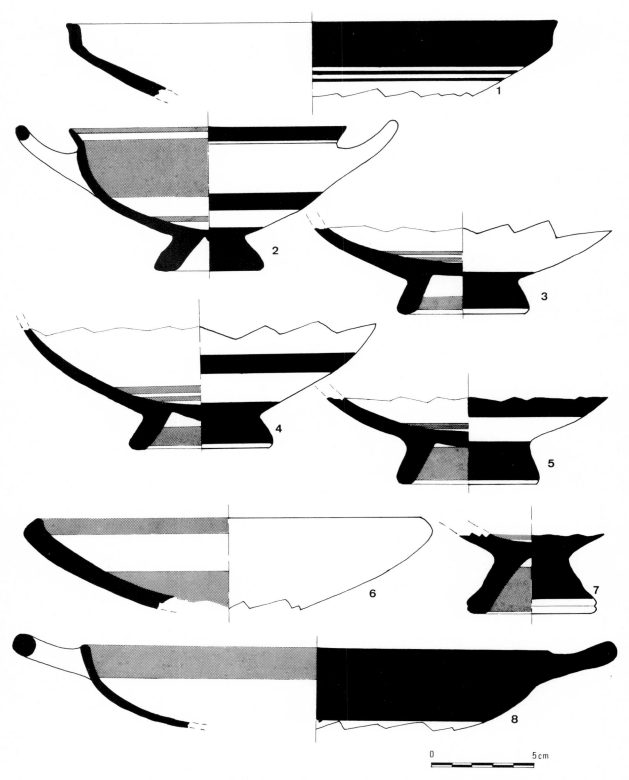

Fig. 11 - 1-8: Ampurias, Neapolis, céramique imitant les productions de Grèce de l'Est, technique 2

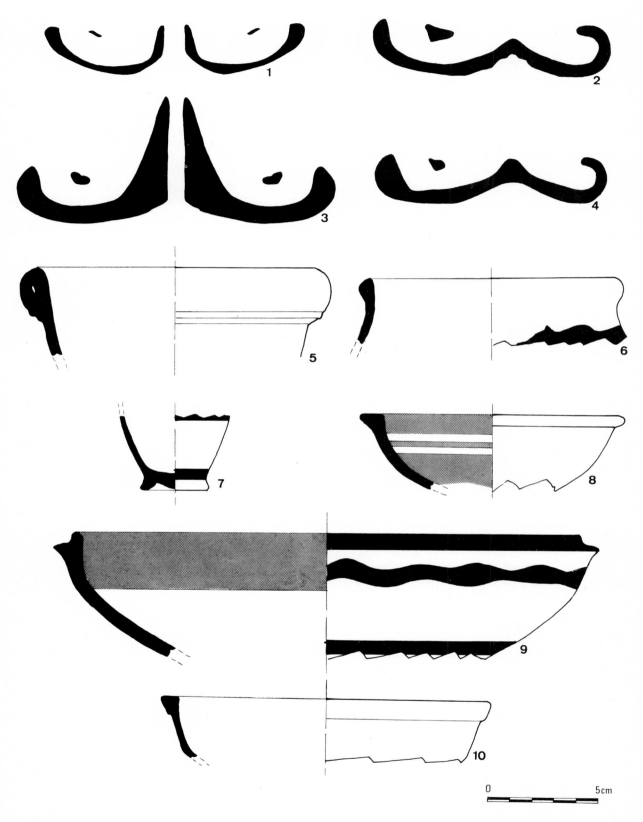

Fig. 12 - 1-5: Ampurias, Neapolis, céramique imitant les productions de Grèce de l'Est, technique 2; 6-10: Ampurias, Neapolis, céramique imitant les productions de Grèce de l'Est, technique 3

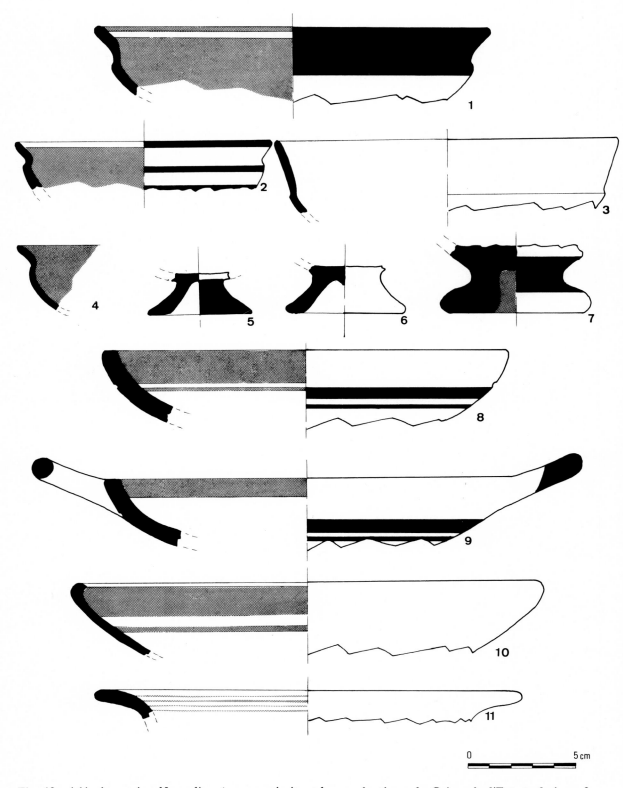

Fig. 13 - 1-11: Ampurias, Neapolis, céramique imitant les productions de Grèce de l'Est, technique 3

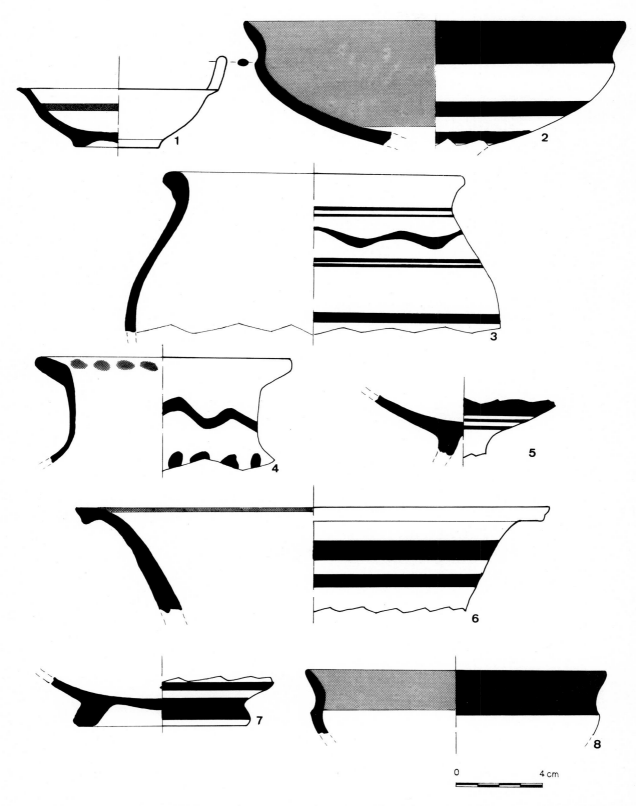

Fig. 14 - 1: Ampurias, Neapolis, céramique imitant les productions de Grèce de l'Est, technique 3; 2: Ullastret, céramique imitant les productions de Grèce de l'Est, technique 3; 3-4: Ullastret, céramique imitant les productions de Grèce de l'Est, technique 4; 5: Ampurias, Neapolis, céramique imitant les productions de Grèce de l'Est, technique 4; 6-7: Ampurias, Neapolis, céramique imitant les productions de Grèce de l'Est, technique 5; 8: Ullastret, céramique imitant les productions de Grèce de l'Est, technique 5

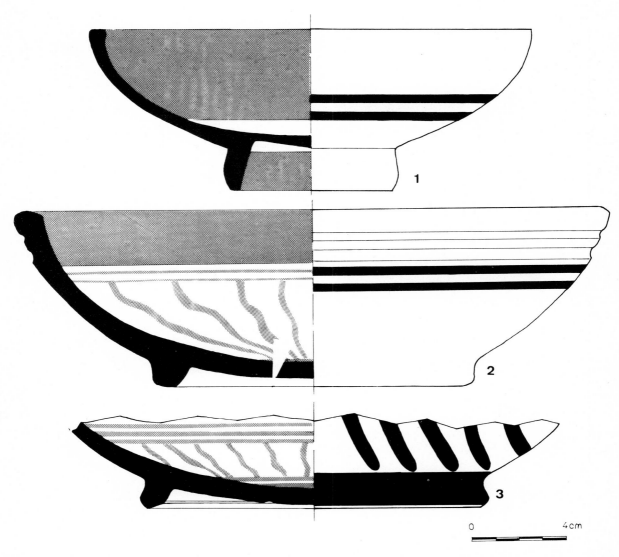

0   4 cm

Fig. 15 - 1: Ullastret, céramique imitant les productions de Grèce de l'Est, technique 5; 2-3: Ullastret, fabrication locale, technique 6

P. DUPONT — I —

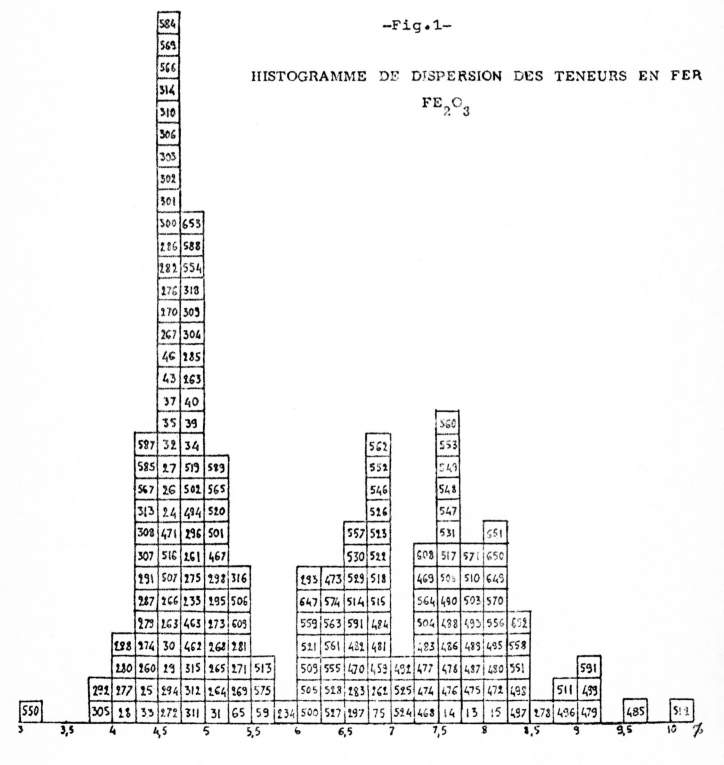

-Fig.1-

HISTOGRAMME DE DISPERSION DES TENEURS EN FER

FE_2O_3

"HISTRIEN"   GRECE DE L'EST

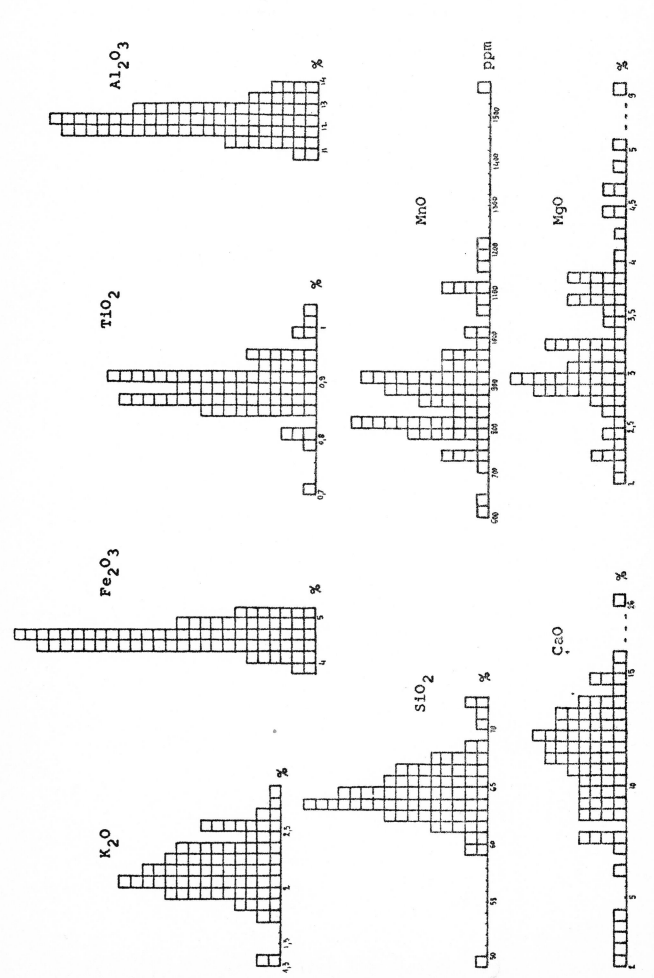

-Fig.2 : Histogrammes de distribution des teneurs pour le lot de référence local d'Istros.

P. DUPONT — III —

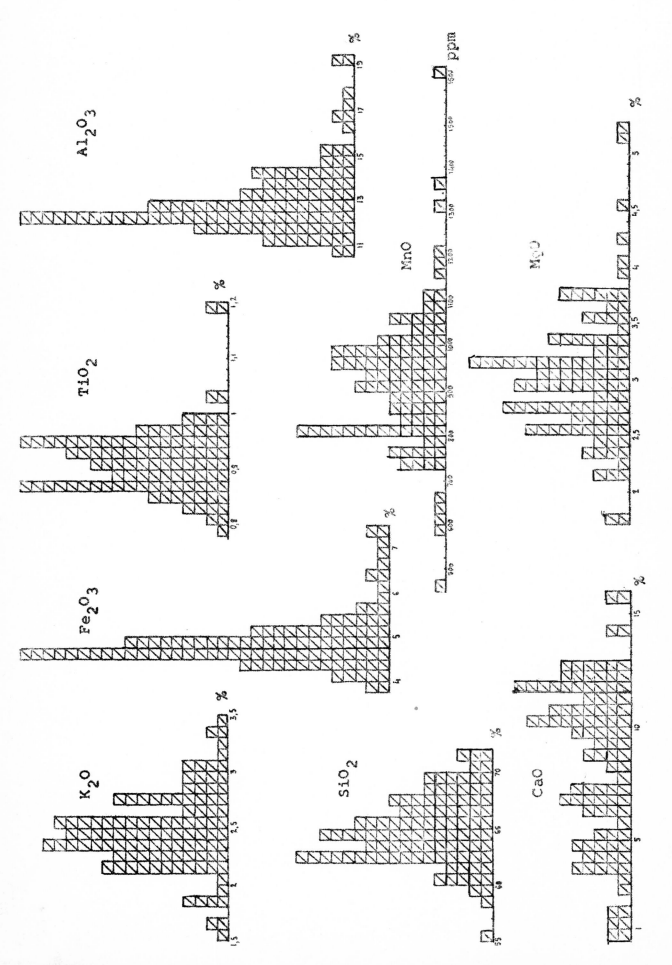

-Fig.3 : Histogrammes de distribution des teneurs pour les céramiques du groupe "histrien".

— Fig. 4 —

ANALYSE EN COMPOSANTES PRINCIPALES
PLAN FACTORIEL F 1 + F 2

ESSAI 19

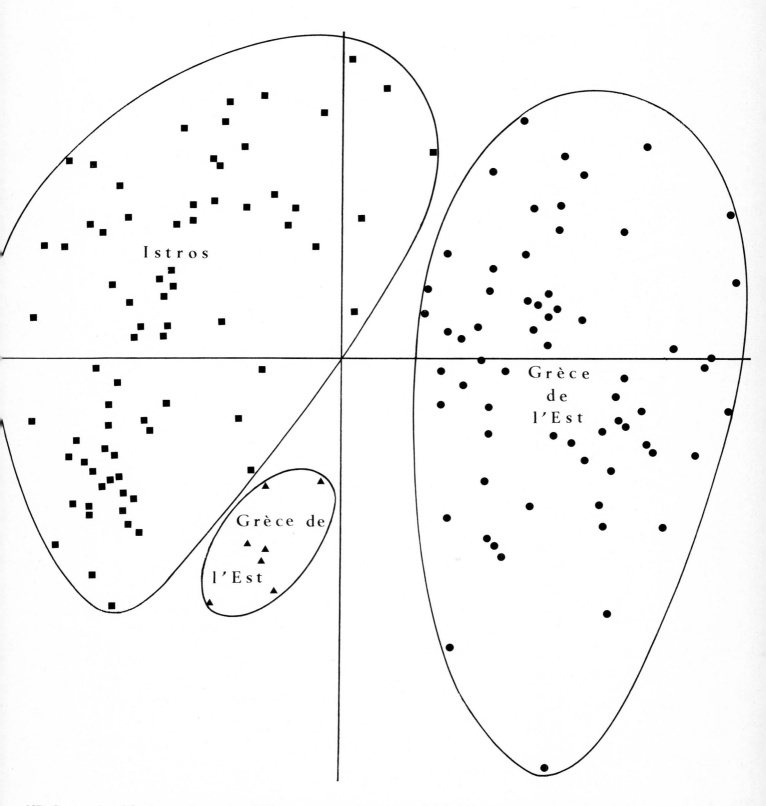

Istros

Grèce de
l'Est

Grèce
de
l'Est

NB: Le tracé précis des contours des différents nuages de points a été établi en tenant compte des résultats recoupés de divers autres essais de tri sur ordinateur, tant en analyse factorielle qu'en classification automatique. Même remarque pour la Fig. 5

P. DUPONT — V —

- Fig.5 -

ANALYSE DES CORRESPONDANCES   ESSAI 19
PLAN FACTORIEL F 1 + F 2

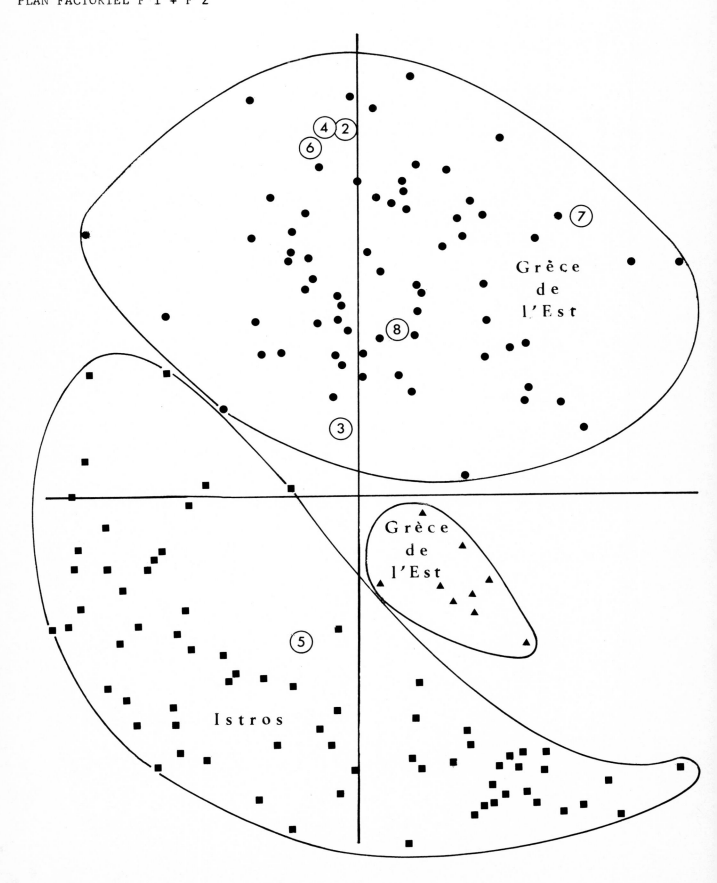

Fig. 1 - Dinos del complesso tombale rinvenuto sulla collina di Policoro

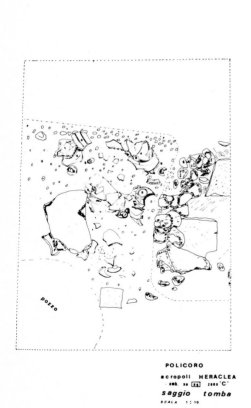

POLICORO
acropoli HERACLEA
amb. 36 [ ] zona 'C'
saggio tomba
SCALA 1 : 10

Fig. 2 - Tomba del dinos, sconvolta

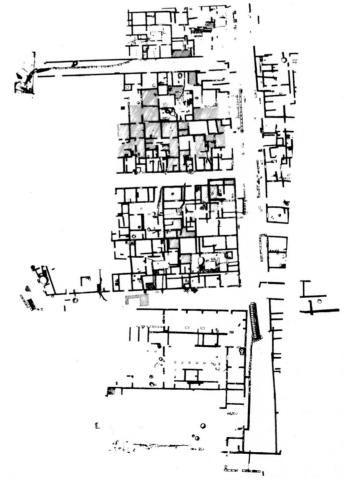

Fig. 3 - Pianta dello scavo delle *insulae* (in tratteggio le aree con ceramica arcaica)

Fig. 4 - Frammento di coppa con bordo filettato di produzione locale

Fig. 5 - Tratto di muro arcaico

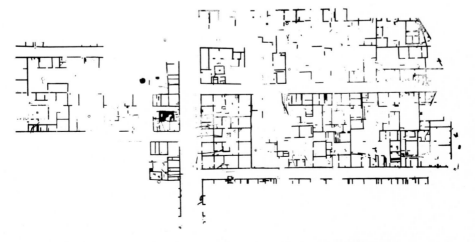

Fig. 6 - Pianta dello scavo sulla parte occidentale della collina

Fig. 7 - Grande coppa di produzione locale. Policoro

Fig. 8 - Incoronata. Parte di un vaso arcaico di produzione locale

Fig. 9 - *Stamnos* con decorazione floreale di produzione locale

Fig. 10 - Termitito. Veduta aerea con la zona dei saggi (Foto Lacapra)

Fig. 11 - Termitito. Veduta parziale dello sbarramento

Fig. 12 - Termitito. Frammenti di coppe ioniche con bordo decorato da filetti

D. ADAMESTEANU — VI —

Fig. 14 - Metaponto. *Skyphos* malcotto

Fig. 13 - Metaponto. Coppe ioniche malcotte

Fig. 15 - S. Biagio. *Thymiaterion* di produzione locale

Fig. 1 - Roccanova: t. 8, t. 3, t. 9

Fig. 2 - t. 8, t. 7

J. DE LA GENIÈRE — II —

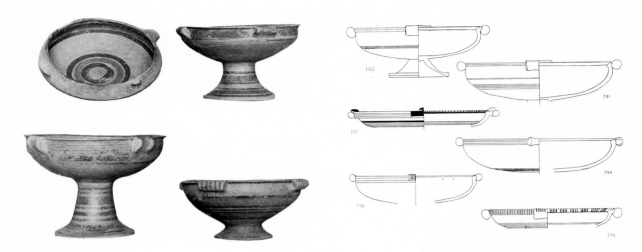

Fig. 3 - t. 3, t. 3, t. 8

Fig. 4

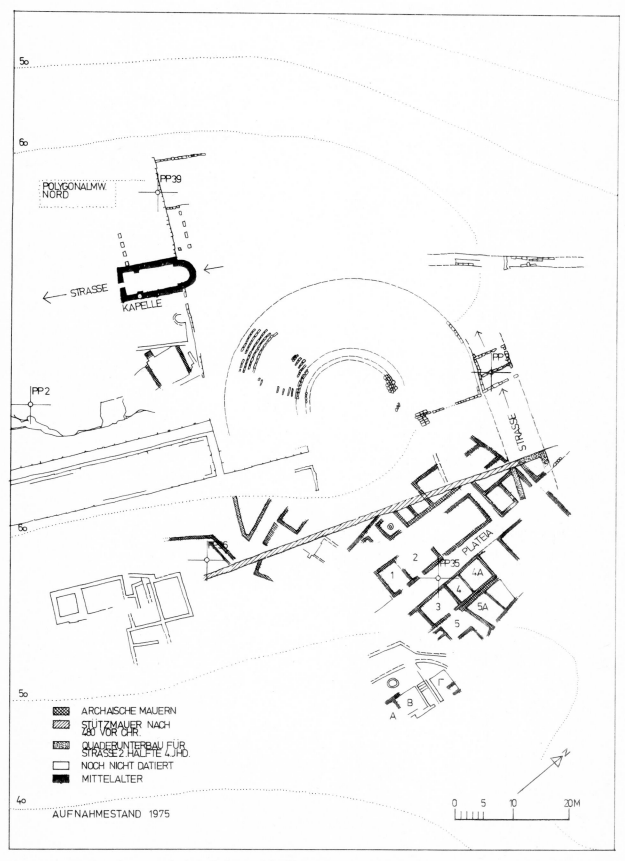

Fig. 1 - Lageplan der archaischen Polygonalsiedlung von Elea. Stand 1975. Vermessung Institut für Bankunst und Bauanfnahmen Innsbruck (Dir. Prof. Daum) Zeichnung cand. arch. H. Sottner

Fig. 2 - Archaische Polygonalsiedlung am Südhang der Akropolis von Elea. Blick nach Westen. Phot. Dr. Krinzinger

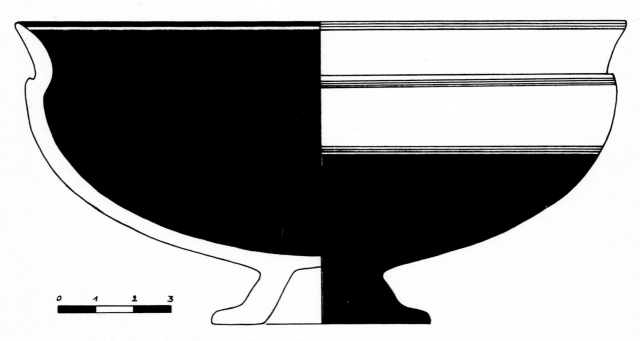

Fig. 3 - Ionische Schale Typ B 2. Rek-Zeichnung aus 3 Fragmenten: Dr. Brinna Otto

Fig. 4 - Shyphosfragment, schwarzfig. aut «intentional red».
Jünglingsköpfchen. Um 500 v. Chr. Höhe der figürl.
Darstellung 1,7 cm

Fig. 5 - Details des Innenbildes einer rotfig. Schale Symposi-
ast. Um 500 v. Chr. Durchmesser des Innenbildes 10,8
cm. Höhenmass Scheitel bis Hand 7,3 cm

tivamente meno esigui numericamente sono i pezzi da Roma, prevalentemente B 3, ove si constata un rapporto quasi pari con le importazioni attiche, mentre talune attestazioni ricorrono in altre località del Lazio (Lavinio, Osteria dell'Osa).

Qualche osservazione aggiuntiva scaturisce dal sondaggio che ho compiuto, pur con tutte le cautele che un'indagine-campione di questa natura impone: da un lato, si può constatare che le percentuali più elevate sono raggiunte dalle coppe dei decenni finali del VII e da quelle della metà circa del VI sec. a.C.; d'altro canto, sembra potersi individuare una linea di tendenza che comporta la massima concentrazione, per i tipi più antichi, nell'Etruria meridionale e nell'agro vulcente, mentre in processo di tempo segnala una più larga diffusione che tocca, benché episodicamente, la zona settentrionale, la quale si rivela dunque tributaria dei centri meridionali e, a mio parere, soprattutto di Vulci.

Un problema piuttosto complesso è costituito dalle imitazioni, che pure si riscontrano in più località, per le quali non si dispone al momento di argomenti documentati che consentano di definire se sono state realizzate in Etruria o nei centri coloniali della Magna Grecia. Ciò che tuttavia si può affermare è che, comunque, non si è avuta in Etruria una produzione di vasta portata di imitazioni in argilla figulina, mentre l'evidenza archeologica nettamente dimostra che, assai precocemente, sono state create delle redazioni in bucchero, le quali hanno rapidamente raggiunto grande popolarità e larga distribuzione areale (42).

In rapporto al problema delle eventuali imitazioni etrusche si può ricordare, d'altro canto, una ridotta serie di kylikes di forma A 2 che, caratterizzate da una elaborata e tecnicamente impegnativa decorazione dipinta, palesemente si distaccano dalla routine di una produzione massiccia; esse sono state riferite dalla Walter-Karydi, ancora una volta, a Samo e da Giuliano invece alla bottega del Pittore delle Rondini. Si tratta di un esemplare da Vulci in collezione privata a Roma (43), di uno di origine incerta al Vaticano (44) e di uno a New York (45), accanto ai quali va inoltre posto, a mio avviso, quello dalla vulcente tomba d'Iside (46). Ancora, nella forma A 2, è da menzionare la coppa doppia da un'altra tomba vulcente, quella della Panatenaica (47), che è uno dei non frequenti esempi di coppe multiple, segnalate a Samo, Sardi, Apollonia Pontica, Naukratis (48).

Altra classe attestata, se pure episodicamente, in Etruria è quella delle kylikes con ramo di mirto sul labbro esterno, riferite a Rodi o a Samo (49): oltre ad una, già nota, nei Musei Capitolini (50), ne segnalo qui una seconda, inedita, dalla tomba 561 di Monte Abatone, con labbro interno filettato, conservata nel Museo di Cerveteri.

---

42) Vedi M. Cristofani Martelli, *Su alcune kylikes in bucchero con iscrizione dedicatoria*, in *Archaeologica, Scritti in onore di Aldo Neppi Modona*, Firenze, 1975, p. 209 e note 13-14, con rifer.

43) Giuliano, *art. cit.*, p. 8, n. III, fig. 16.

44) Albizzati, p. 87, n. 241, tav. 20; Walter-Karydi, pp. 22, 127, n. 341, tav. 41; Giuliano, *art. cit.*, p. 8, n. I.

45) J. Hayes, in *Tocra*, II, p. 55, nota 3, cita, fra le « decorated versions » di A 2, oltre all'ex. dei Musei Vaticani, « a second example in the Metropolitan Museum of Art ».

46) H. B. Walters, *Catalogue of the Greek and Etruscan Vases in the British Museum*, I, 2, London, 1912, p. 256 s., H 229, tav. 21, con bibl. prec.

47) Giuliano, *art. cit.*, p. 8, n. II, con bibl. prec., l'assegna pure alla bottega del Pittore delle Rondini.

48) Per Samo v. *AM*, 72, 1957, p. 48, tav. 70, 2 e 76, 1961, p. 25, tav. 33; per Sardi *BASOR*, 166, 1962, p. 15, fig. 10; per Apollonia Pontica, *BIBulg*, 23, 1960, p. 240, fig. 1, 3; per la celebre coppa di Rhoikos da Naukratis v. più di recente Walter-Karydi, pp. 80, 147, n. 1024, tav. 125, con bibl. prec. Di provenienza sconosciuta invece è l'ex. *CVA*, München, 6, tav. 293, 2, fig. 21.

49) Vedi, rispettivamente, J. Hayes, in *Tocra*, 1, tav. 87, 1292-1297, fig. 57, pp. 114, 124 (type XI) e in *Tocra*, 2, p. 56, n. 2228; Walter-Karydi, tav. 45, nn. 362-376, pp. 26, 128. Per l'area di diffusione, che interessa, oltre a Samo e Tocra, Smirne, Chio, Rodi, Naukratis, Histria, Sukas, nonché l'Etruria v. rifer. di E. Kunze, in *AM*, 59, 1934, p. 90, nota 2 e, più di recente, *Sukas*, 2, pp. 31, 36, tav. 6, nn. 122-123.

50) *CVA*, Musei Capitolini, 2, II D, tav. 2, 3-4.

Conclusivamente, la fortuna che le kylikes « ioniche » hanno incontrato nel mondo etrusco non appare dunque esigua, pur se si deve rilevare una fiorente fabbricazione, soprattutto nell'orientalizzante recente, nell'ambito delle officine dell'Etruria meridionale che lavorano il bucchero, di vasi potorî di questa forma, per i quali non si può tuttavia escludere una dipendenza anche da prototipi metallici, attestati peraltro in Italia centrale (51).

Un tema che merita specifico approfondimento è, d'altronde, quello della consistenza e delle caratteristiche delle imitazioni, così come quello della occorrenza delle coppe nei vari contesti di pertinenza, ove spesso appaiono associate ad altri oggetti greco-orientali.

D'altro canto, i materiali venuti in luce a Gravisca (52) indicano chiaramente come la natura stessa dei trovamenti, essenzialmente in necropoli, incida sensibilmente sulle nostre valutazioni statistiche e quanto sostanziali e rapide modifiche apportino i rinvenimenti di stipi votive in santuari o comunque in contesti urbani, che ovviamente riflettono in modo più adeguato la misura di queste importazioni.

* * *

Il quadro delle importazioni di ceramica greco-orientale che si delinea in Etruria fra la seconda metà del VII e il primo quarto del VI sec. a.C. porta ad individuare fondamentalmente due diverse componenti: da una parte si ha una serie di vasi potorî, quali le coppe ioniche, cui si possono aggiungere vasi da trasporto di merci alimentari pregiate come le anfore « chiote » o, più tardi, i pochi anforoni ionici « à la brosse » (53), la cui esiguità può comprendersi se si tiene conto della contemporanea diffusione, che viene rivelandosi vieppiù ampia, delle anfore vinarie che già altrove ho attribuito a fabbricazione etrusca in tutto il bacino del Tirreno, in Sicilia e nel Mediterraneo settentrionale (54);

51) In bronzo, nella tomba 84 di Campovalano (O. Zanco, *Bronzi arcaici da Campovalano*, Roma, 1974, p. 50, n. 17, tav. 28 b) e nella tomba 124 di Alfedena (Guzzo, *art. cit.*, p. 55, fig. 3, con didascalia errata), in argento a Pitino di S. Severino (*StEtr*, 41, 1973, p. 516, tav. 96 d).

52) Preciso che, tanto per le coppe ioniche quanto per tutte le altre classi di importazione greco-orientale, non ho preso in considerazione in questa occasione i reperti di Gravisca, pur se parzialmente editi, in quanto oggetto, in questa stessa sede, della comunicazione di F. Boitani Visentini.

53) Sui quali Villard, *Marseille*, tavv. 26-28, p. 49 s.; G. Vallet-F. Villard, *Mégara Hyblaea*, 2, Paris, 1964, p. 89, tav. 77, 2. Per le attestazioni in Etruria ricordo due exx. dalla tomba 999 Bufoslareccia nel Museo di Cerveteri e uno dalla tomba 19, cella c, della necropoli del Palazzone nel Museo Archeologico di Perugia (per una notizia preliminare sulle tombe arcaiche scoperte recentemente al Palazzone v. A. E. Feruglio, in *Aspetti e problemi dell'Etruria interna, Atti dell'VIII convegno nazionale di Studi Etruschi ed Italici (Orvieto 1972)*, Firenze, 1974, p. 158), confrontabile, ad es., con *Histria*, II, *cit.*, p. 102, tav. 29, n. 515. L'identificazione del pezzo come « ionico » anziché come formulazione attica del tipo decorato con la tecnica « à la brosse » (sul quale v. da ultimo B. A. Sparkes-L. Talcott, *The Athenian Agora, XII, Black and Plain Pottery of the 6th, 5th and 4th Centuries B. C.*, Princeton, 1970, tav. 64, 1502, pp. 192, 341; W. Gauer, *Olympische Forschungen, VIII, Die Tongefässe aus den Brunnen unter Stadion-Nordwall und im Südost-Gebiet*, Berlin, 1975, tav. 20, 3, p. 128, con rifer.) è avvalorata dal fatto che, nella stessa tomba, è presente un pezzo sicuramente importato dal mondo reco-orientale, con ogni probabilità da Samo, ossia un deinos con bande sul quale mi soffermerò più oltre (v. p. 185).

54) M. Martelli, in *Prospettiva*, 4, 1975, p. 44, figg. 2-3, con proposta di individuarne il centro produttivo primario, per quanto riguarda l'Etruria, a Vulci. Come ho indicato in quella sede, i prototipi da cui dipendono sono riconoscibili nelle anfore correntemente definite « fenicie » ("Canaanite jar" della Grace), di cui molti esempi sono noti, oltre che a Cartagine e a Malta, a Mozia (cfr., ad es., AA.VV., *Mozia - VII*, Roma, 1972, tavv. 33, 2 e 92, 1, 39, 1, 45, 1, 57, 4) e in varie località della Sicilia, quali Mylai (Bernabò Brea-Cavalier, *op. cit.*, tavv. 51, 6, 52, p. 113, con rifer.), Camarina, Megara Hyblaea e Siracusa (v. accenni in *Archeol. Sicilia sud-orient.*, *cit.*, pp. 139, 146 s., n. 436). In funzione della successiva adozione, pur modificata, del tipo in Etruria risulta di estremo interesse il fatto che questi contenitori da trasporto ricorrono a Pithecusa (più di recente cenno di G. Buchner, in *Contribution à l'étude de la société et de la colonisation eubéennes, Cahiers du Centre Jean Bérard*, 2, Naples, 1975, p. 68) e nelle necropoli laziali, specialmente in tombe di eminente ricchezza, a partire dalla fine dell'VIII sec. a.C.: oltre a quello di Osteria dell'Osa (Gabii)

dall'altra parte si ha la ceramica figurata, in particolare i vasi dello stile « della capra selvatica » che, inseriti nel contesto coevo delle ben più massicce importazioni corinzie, assurgono per la qualità e la rarità a beni di prestigio (55). In questo senso la richiesta e l'afflusso di ceramica greco-orientale a decorazione figurata, che, nell'ambito delle botteghe locali avrà, a differenza di quella corinzia, un solo atelier concorrente, quello del Pittore delle Rondini, si configura sullo stesso piano di altri prodotti di lusso di cui si ammette correntemente la manifattura rodia e per molti dei quali, nella stessa Etruria ed in particolare a Vulci, si creano officine di derivazione ed elaborazione imitativa: mi riferisco alle oreficerie, agli alabastra configurati di alabastro (56), alle brocchette plastiche invetriate e alle faïences in generale (57),

che già ho richiamato in *Prospettiva, cit.*, p. 44 e nota 7, altri figurano infatti a Castel di Decima nelle tombe 15 (*NSc*, 1975, p. 274, n. 32, fig. 48 e *Civ. Lazio prim., cit.*, p. 261), 101 (*Civ. Lazio prim., cit.*, p. 288: ivi non identificata; riconosciuta invece da M. CRISTOFANI, in *Prospettiva* 5, aprile 1976, p. 64), 152 (*NSc*, 1975, p. 315, n. 25, figg. 96-97; *Civ. Lazio prim., cit.* p. 272, n. 24; *Naissance de Rome*, Paris, 1977, cat. n. 393, con fig.: a fondo piatto), 153 (*ibidem*, cat. n. 486, genericamente descritta come « grande amphore à vin »), mentre uno recuperato nel 1953, edito senza riconoscimento da S. QUILICI GIGLI, in *NSc*, 1973, p. 284, n. 24, fig. 10, è stato definito da chi scrive, *l.c. supra*; la presenza di altri a Decima, nelle tombe 50, 93, 100, è poi segnalata da F. ZEVI, in *NSc*, 1975, p. 241. Per quanto attiene invece specificamente alle anfore vinarie di produzione etrusca e alla loro distribuzione, che sempre più chiaramente evidenzia una forte destinazione esportativa, ai numerosi riferimenti che ho addotto in *Prospettiva, cit.*, p. 44 e note 1-13 e qui a p. 119, nota 10 posso aggiungere i seguenti altri, appartenenti a più varianti: vari exx. inediti, probabilmente di provenienza locale, nel Magazzino degli scavi di Cerveteri; P. SOMMELLA, *Heroon di Enea a Lavinium. Recenti scavi a Pratica di Mare*, in *RendPontAcc*, 44, 1971-72, p. 61, fig. 12 = IDEM, *Das Heroon des Aeneas und die Topographie des antiken Lavinium*, in *Gymnasium*, 81, 1974, tav. VIII e in *Civ. Lazio prim., cit.*, p. 311, n. 49: dalla tomba a cassone sotto il c.d. heroon di Enea; AA.VV., *Lavinium, II, Le tredici are*, Roma, 1975, pp. 61, 87, n. 242, fig. 64; A. E. FERUGLIO, in *StEtr*, 45, 1977, p. 467, tav. 72, b: coppia di exx. da Orvieto, loc. Mossa del Palio, tomba 5/1974; *NSc*, 1926, p. 193, fig. 2: da Chiusi, tomba a camera sul colle di S. Bartolomeo (ora nei depositi del Museo Arch. di Firenze); Museo Archeologico di Chiusi, *sine inv.*, inedito (Soprintendenza Archeol. Toscana, neg. 31097); Museo Archeologico di Firenze, inv. 4920, inedito, di prov. scon. (tipo a fondo piatto); *Archaeologica, Studi Neppi Modona, cit.*, tav. I, 6-8 a p. 378 e *Archeologia a Genova*, Genova, 1976, p. 23, fig. 25, c: dagli strati preromani dell'« oppido » genuate sul Colle di Castello; Antiquarium di Orbetello, inv. 125, inedito; *Archeologia* 42, 1967, fig. a p. 422: dalla necropoli di Vico Equense; l'ex. con iscrizione etrusca dipinta del Museo Gregoriano che avevo menzionato in *Prospettiva, cit.*, p. 44 è stato poi edito in *StEtr*, 44, 1976, p. 251 s., 65, tav. 47. Per rinvenimenti recenti di anfore della serie in esame nella Francia meridionale v. inoltre M. PY-C. TENDILLE, *Fouille d'une habitation de la deuxième moitié du VIᶜ siècle sur l'oppidum de la Font- du-Coucou, commune de Calvisson (Gard)*, in *RANarb*, 8, 1975, pp. 39, 45, 59.
L'evoluzione morfologica del tipo dall'età arcaica fino a quella ellenistica che avevo già prospettato, additando gli esempi da Aleria, nella sede più volte citata è ora pienamente confermata dall'individuazione recentissima di un relitto di nave imbarcante anfore di questa classe (con orlo teso, molto simili a quelle rinvenute, appunto, ad Aleria) nelle acque di Populonia (per ovvie ragioni di tutela non posso fornirne la localizzazione esatta), che, dai primi materiali recuperati in occasione di un sopralluogo eseguito in collaborazione con il Centro Sperimentale di Archeologia Sottomarina, sembra potersi datare al pieno IV sec. a.C.
Assai significativa, come documento ulteriore — a fianco del vasellame in bucchero e dei piatti ad aironi — dei rapporti fra Etruria e grecità di Sicilia, è poi l'occorrenza di anfore vinarie del tipo etrusco in diverse necropoli siceliote, da Himera (cfr. AA.VV., *Himera*, I, Roma, 1970, tav. E, fig. 3: necropoli di Pestavecchia) a Lipari (cfr. L. BERNABO' BREA-M. CAVALIER, *Meligunìs-Lipára*, II, Palermo, 1965, tav. 41, 5, pp. 128, 200 e nota 12, con rifer.: necropoli di contrada Diana, tomba 355), a Camarina (P. PELAGATTI, in *Magna Grecia*, XII, 1-2, gennaio-febbraio 1977, fig. a p. 1 e p. 4 ne segnala una quindicina dalla necropoli del Rifriscolaro, ove risultano (re)impiegate come sepolture infantili ad enchytrismós per tutto il VI sec. a.C., nonché la presenza nel corso del V sec. a.C. nella necropoli di Passo Marinaro).

55) A. GIULIANO, in *Prospettiva*, 3, 1975, p. 4.
56) Su questi da ultimo M. CRISTOFANI MARTELLI, *CVA*, Gela, 2, commento a tav. 31.
57) F. von BISSING, *Zeit und Herkunft der in Cerveteri gefundenen Gefässe aus ägyptischer Fayence und glasiertem Ton* (Sitzungsberichte der Bayerischen Akademie der Wissenschaften, II, 7, 1941), pp. 3 ss. ne ha localizzato la produzione a Rodi, ad opera di maestranze egiziane; per il VI secolo è stata comunque riconosciuta una produzione anche a Naukratis (BOARDMAN, *Greeks Overseas, cit.*, p. 143 s., con rifer.). Successivamente il ruolo primario di Rodi, quanto meno nella distribuzione, è stato ribadito da T. J. DUNBABIN, *The Western Greeks*, Oxford, 1948, p. 233 s.,

ad opere di toreutica con figurazioni incise (58) — compresa la patera Tyszkiewicz, da Sovana, per la quale la provenienza « eolica » sostenuta con apodittica sicurezza dalla Walter-Karydi (59) appare

mentre la prospettiva di una pluralità di centri di fabbricazione, anche in Asia minore, del materiale « egittizzante » è stata additata da T. H. G. JAMES, in *Perachora*, II, Oxford 1962, p. 477; per il vasellame invetriato a decorazione policroma, in Etruria attestato a Cerveteri e Vulci, E. J. PELTENBURG, *Al Mina glazed pottery and its relations*, in *Levant*, 1, 1969, pp. 73-96 ha postulato un'origine nella Siria settentrionale, mentre COLDSTREAM, *art. cit.*, p. 5, propende a riferirlo a metoikoi fenici attivi a Rodi. Ultimamente poi A. RATHJE, *A Group of « Phoenician » Faience Anthropomorfic Perfume Flasks*, in *Levant*, 8, 1976, pp. 96-106 ha suggerito come sito di fabbricazione dei balsamari a figura umana o di babbuino con vaso davanti — documentati a Leprignano (Capena), Cerveteri, Vulci e nel territorio castronovano — Cartagine o, in alternativa, Rodi, da parte di artigiani fenici immigrati nell'isola; alla Rathje, che ha redatto la lista più aggiornata dei « Frauen-und Affenvasen » (cui è però da aggiungere un esemplare da una tomba di Taranto edito da G. F. Lo PORTO, in *ASAtene*, XXXVII-XXXVIII, 1959-60, (1960), p. 119, n. 4, figg. 94 d, 95), sono sfuggiti tuttavia anche un ex. pubblicato dalla VAGNETTI, *art. cit.*, pp. 363, n. 5, con fig., 365, proveniente da quella stessa tomba 94/1962 della necropoli vulcente dell'Osteria cui appartiene il piatto su piede qui discusso a pp. 159 s., n. 10, uno da una tomba di Palastreto, nell'agro fiorentino (*NSc*, 1903, p. 355, c, fig. 2) e uno da una tomba di Montalto riconoscibile in J. DE WITTE, *Description de la collection d'antiquités de M. Le Vicomte Beugnot*, Paris, 1840, p. 140, n. 424.

Segnalo di seguito, senza pretesa di completezza, vasi in faïence di varia forma, rinvenuti in Etruria, che non figurano nel lavoro di von Bissing (né nelle rassegne da lui curate a più riprese in *StEtr*) e nella letteratura suindicata o scoperti posteriormente all'uscita di esso:

a) alabastra policromi a fondo appuntito: *Nuove scoperte e acquisizioni nell'Etruria meridionale*, Roma 1975, p. 200, n. 7: collezione Pesciotti Cima a Villa Giulia, da loc. imprecisata dell'Etruria meridionale.

b) balsamari plastici: 1) *ibidem*, p. 200, n. 6: prov. c.s. (aryballos a testa di Eracle ricoperta da leonté; nella scheda citata, redatta da G. Bartoloni, il soggetto non è stato riconosciuto e si parla genericamente di testa maschile barbata entro le fauci di un leone). Per una replica v. *CVA*, Copenhagen, 2, tav. 80, 13 a-b: da Egina.
2) Dalla tomba 20 di Monte Abatone, nel Museo di Cerveteri, inedito (porcospino).
3) Museo di Tarquinia, inv. RC 6253 (porcospino).
4) *NSc*, 1930, p. 171, figg. 49-50: da Tarquinia, necropoli dei Monterozzi, tomba 52 (testa di Acheloo). Per il tipo cfr. *Antiken aus dem Akademischen Kunstmuseum Bonn*, Düsseldorf, 1971, p. 146 s., con rifer., tav. 92.
5) *CVA*, Berlin, 4, tav. 170, 4-5, con bibl. prec. cui va aggiunto H. P. ISLER, *Acheloos*, Bern, 1970, p. 145, n. 128: da Tarquinia (testa di Acheloo).
6) *Ibidem*, tav. 169, 10-11: da Tarquinia (leone accovacciato). Per una replica v. METZGER, *op. cit.*, tav. 33, n. 152, p. 83.
7) D. VON BOTHMER, *Ancient Art from New York private Collections*, New York, 1961, p. 51, n. 197, tav. 65 (aryballos gianiforme, « said to be from Tarquinia »).
8) *CVA*, Karlsruhe, 2, tav. 48, 9; ISLER, *op. cit.*, p. 146, n. 137: da Bisenzio, scavi Brenciaglia e Paolozzi 1884-85 (testa di Acheloo). K. SCHUMACHER, in *AA*, 1890, p. 2 s., con fig., n. 2 ne specifica la provenienza « aus einer tomba a fossa ».

c) aryballoi globulari, lisci o con decorazione a reticolato di losanghe, a strigilature, ecc. (la decorazione verrà indicata solo per gli exx. inediti):

Cerveteri e agro:
1) *MonAnt*, 42, 1955, c. 538, n. 5: tomba 106, camera laterale s.;
2) *Ibidem*, c. 1030, n. 34: tomba 434 (ora nel Museo di Cerveteri);
3) *Ibidem*, c. 1074, n. 3: tomba « dell'argilla », camera laterale s.;
4) *MAV*, V, p. 182, n. 9, tav. 3: tomba 194 Laghetto;
5) *Ibidem*, p. 219, n. 25, tav. 48: tomba 330 Laghetto;
6) *Nuove scoperte e acquisizioni*, cit., p. 24, n. 51: da tomba in loc. Cavetta della Pozzolana (scavo 1974), camera laterale s.;
7) Dalla tomba Bufolareccia 43, nel Magazzino degli scavi di Cerveteri; inedito.
8) *StEtr*, 45, 1977, p. 457: framm. da una tomba in voc. Poggio Giulivo (presso Viterbo).

Territorio castronovano:
9) Da Castellina di Ferrone, tomba IV, nel Museo di Tolfa, inv. 60068; inedito (losanghe) (fig. 25, a).

Tarquinia:
10) *CVA*, Tübingen, 1, tav. 11, 3.

168

decisamente forzata —, alle oinochoai bronzee definite appunto « rodie », che in Etruria danno esito ad una fiorente produzione locale, smistata anche nei centri dell'interno, fino a raggiungere il versante

---

11-16) Magazzino del Museo di Tarquinia, inv. 202 (losanghe), 223 (losanghe), 223 A, RC 6249 (strigilature), RC 6250 (losanghe), RC 7915 (con peduccio); inediti. V. anche *NSc*, 1893, p. 516.

Vulci:

17) Un ex. nel Museo di Grosseto, sala di Vulci; inedito (losanghe).

Bisenzio:

18) Museo Archeologico di Firenze, inv. 73354 (losanghe): dalla necropoli della Palazzetta, acq. Brenciaglia e Paolozzi 1887; inedito (fig. 26).
È da tenere presente peraltro che W. HELBIG, in *RM*, 1, 1886, p. 31 segnala la presenza di più aryballoi globulari in faïence, lisci o decorati, nelle tombe a fossa di questo sepolcreto visentino, mentre nessun elemento al riguardo è nel rapporto di *NSc*, 1886, pp. 143-152.

Orvieto:

19) *NSc*, 1880, p. 446: necropoli di Crocifisso del Tufo.
Sono da ricordare anche i due aryballoi globulari, l'uno con losanghe, l'altro strigilato, pubblicati da Mingazzini, I, p. 98, n. 294, tav. 16, 10 e n. 295, che cita una replica, pure della collezione Castellani, conservata a Vienna.
Non ho conoscenza diretta dell'« alabastron di maiolica... » dalla tomba 59 Banditaccia descritto in *MonAnt*, 42, 1955, c. 468, n. 29, né del « gruppo di frammenti di un vaso egizio a copertura verde vitrea » dalla tomba 84 (tumulo XI) Banditaccia, su cui *ibidem*, c. 509, n. 6, né dell'alabastron da Vulci di *Führer Würzburg*, p. 60, H 5030. Inoltre i due balsamari configurati a locusta del Museo di Firenze, citati dalla Maximova, p.104 ed editi da F. VON BISSING, in *StEtr*, 11, 1937, tav. 56, nn. 45-46, p. 418 s. come provenienti da Bomarzo, furono invece rinvenuti a Pescia Romana e corrispondono perfettamente a *NSc*, 1880, p. 250: per la rettifica all'errore di von Bissing e la riedizione dei pezzi v. ora M. CRISTOFANI, in *La civiltà arcaica di Vulci e la sua espansione (Atti del X convegno di Studi Etruschi e Italici)*, Firenze, 1977, p. 238 s., tav. LIII, a-b.
L'aryballos a protome di leone e quello globulare da Bomarzo, Pian della Colonna, già noti a von Bissing, sono stati ultimamente riediti da M. P. BAGLIONE, *Il territorio di Bomarzo*, Roma, 1976, p. 153 s., 1-2, tav. 95, figg. 1-2, 3-4.
Io non posso concordare con la RATHJE, *art. cit.*, p. 96, nota 2 nel ritenere « a locally made copy » il balsamario, in terracotta invetriata, a figura femminile recante un bambino (o scimmia) sul dorso e un quadrupede in grembo, dalla Tomba dei Leoncini d'Argento di Vetulonia (A. TALOCCHINI, in *StEtr*, 31, 1963, pp. 71 s., 84 ss., fig. 3, tavv. 15-16; CAMPOREALE, *Commerci, cit.*, p. 101 s.; STRØM, *op. cit.*, p. 136): gli stretti paralleli da Samo e Rodi, e in particolare quelli dalla stipe votiva dell'Athenaìon di Kamiros, già addotti dal primo editore lo qualificano a pieno titolo come prodotto di importazione (cfr. anche *AM*, 83, 1968, p. 301, 163, tav. 136, 1-2).
La distribuzione di vasi in faïence investe anche il Lazio: ad es., un aryballos globulare a corpo baccellato è presente nella stipe votiva più recente del santuario di Satricum (A. DELLA SETA, *Museo di Villa Giulia*, Roma, 1918, p. 295, inv. 10915), uno con losanghe è noto da Palestrina (*MonAnt*, 15, 1905, c. 613, tav. 17, n. 20), mentre del rinvenimento a Pratica di Mare di « frammenti d'un alabastron di smalto celeste, il cui recipiente è coperto da intaccature simili a quelle d'una pigna » dà notizia W. HELBIG, in *BullInst*, 1885, p. 84, ripreso in *MonAnt, cit.*, c. 402 e da F. CASTAGNOLI, *Lavinium, I, Topografia generale, fonti e storia delle ricerche*, Roma, 1972, p. 23, nota 3.

58) Vedi F. VILLARD, *Vases de bronze grecs dans une tombe étrusque du VIIᵉ siècle*, in *MPiot*, 48, 1956, pp. 25 ss.; *contra*, F. HILLER, *Zwei verkannte Bronzeschalen aus Etrurien*, in *MarbWPr*, 1963 (1964), pp. 27 ss., che ha rivendicato all'Etruria tanto il piatto di bronzo inciso da Tarquinia, loc. Le Saline, illustrato dal Villard quanto la patera Tyszkiewicz. Prodotti metallotecnici di importazione sono stati riconosciuti inoltre in due piccoli bacili bronzei, inornati, con anse ad anello mobili impostate su elementi a rocchetto dalla II tomba delle Migliarine di Vetulonia (CAMPOREALE, *Commerci, cit.*, p. 108 s., tav. 41, 1-2), altrimenti nota anche come Tomba del Figulo per la quantità di balsamari plastici, fra cui parecchi greco-orientali (v. qui pp. 179, 209), che racchiudeva.
Sarei incline a riconoscere manufatti metallici importati dalla Grecia orientale anche in un bacile della tomba d'Iside (G. MICALI, *Monumenti inediti a illustrazione della storia degli antichi popoli italiani*, Firenze, 1844, tav. 8, fig. 2; MONTELIUS, *op. cit.*, tav. 267, 7), che trova validi paralleli in ambito frigio (cfr. ad es. AKURGAL, *op. cit.*, p. 101 s., tav. a colori III a: da Gordion; BOARDMAN, *Greeks Overseas, cit.*, p. 106 s., fig. 28), e in due elementi, pertinenti a bacile o simili, pure scanditi da « rocchetti », dalla tomba populoniese sul Poggio della Porcareccia (*NSc*, 1940, p. 382, fig. 4, nn. 19-20) più volte richiamata perché ricca di importi greco-orientali, quali una coppa a filetti, una lekythos samia, un alabastron in bucchero « ionico », un'olpe a collo verniciato (cfr. pp. 203, n. 239, 173, n. 20, 177, n. 32, 185, 190, n. 2). Non sarà forse superfluo ricordare che phialai con elementi a rocchetto lungo il bordo,

adriatico (60). Né, fra gli importi di pregio, saranno da sottacere le protomi di grifo « samie » (61) eseguite a fusione, pertinenti a lebeti, la cui irradiazione, investendo Tarquinia, Gravisca, Roma, Perugia,

per le quali è stata riconosciuta una dipendenza da modelli frigi (sulla serie da ultimo H. HOFFMANN, in *AA*, 1974, p. 64,
n. 23, fig. 21 a-b), sono documentate a Samo tanto in argilla (cfr. Walter-Karydi, pp. 15 s., 100 nota 28, con rifer.,
124, tav. 34, nn. 257, 258 (= *CVA*, Kassel, 2, tav. 56, 6-7, fig. 13)) quanto in legno (cfr. G. KOPCKE, in *AM*, 82,
1967, p. 121 s., nn. 13-15, tav. 63, 2-4) e che un recipiente del tipo in questione è recato in mano da una statuetta eburnea di « sacerdotessa » rinvenuta ad Efeso (AKURGAL, *op. cit.*, figg. 169-173; BOARDMAN, *op. cit.*, p. 107,
tav. 1, c); inoltre redazioni fittili, in varianti locali, sono state ormai individuate in più centri del mondo greco (v.
BOARDMAN, *Chios*, p. 129 s., con rifer.). In questo quadro andrà inserita anche la fibula frigia della tomba 29 di
Marino-Riserva del Truglio (ultimamente riedita da G. COLONNA, in *Popoli e civiltà dell'Italia antica*, II, Roma,
1974, pp. 313 s., 341, con bibl. prec., tav. 151 a), verosimilmente pervenuta nel Lazio per il tramite greco-orientale.

59) E. WALTER-KARYDI, *Äolische Kunst*, in *Studien zur griechischen Vasenmalerei*, Bern, 1970, fig. 7, p. 16 s. Occorre tenere presente che il motivo delle protomi di grifo disposte a girandola attorno a un ornato fitomorfo centrale non è
di per sé automaticamente assumibile come prova di una manifattura greca o, addirittura, « eolica », dell'oggetto,
in quanto ricorre anche su pezzi di sicura produzione etrusca, quale ad esempio una placchetta discoidale di osso
da Quinto Fiorentino (cfr. *La tomba della Montagnola*, Mostra fotografica a cura della Soprintendenza alle Antichità
d'Etruria, Sesto Fiorentino, 1969, p. 67, con fig.).

60) Dopo quello di Jacobstahl, il più esauriente lavoro d'insieme si deve a O. H. FREY, *Zu den « rhodischen » Bronze-
kannen aus Hallstattgräbern*, in *MarbWPr*, 1963, (1964), pp. 18 ss. Per successive aggiunte v. A. GARCIA y BELLIDO,
Nuevos jarros de bronce tartessios, in *AEsp*, 37, 1964, pp. 54 ss., figg. 6-11; IDEM, *Algunas novedades sobre la ar-
quelogía púnico-tartessia*, *ibidem*, 43, 1970, pp. 31 ss., figg. 32-34, 36-39; CAMPOREALE, *Commerci*, *cit.*, p. 108,
tavv. 40, 41, 1-3; S. BOUCHER, *Vienne, Bronzes antiques*, Paris, 1971, p. 139, n. 258; D. ADAMESTEANU, *Una tomba
arcaica da Armento*, in *AttiMGrecia*, n. s. XI-XII, 1970-71, (1972), p. 89, tav. 35; G. F. LO PORTO, *Tomba messapica di Ugento*, *ibidem*, pp. 108 ss., fig. 8, tav. 45; *Nuove scoperte e acquisizioni*, *cit.*, p. 52 s., nn. 3-4, tavv. 12-13
(da Castro) e p. 187, n. 9 (ivi non riconosciuta; coll. Cima Pesciotti); *StEtr* 45, 1977, p. 459, tav. 69, b (da una tomba
a camera di Vulci); inoltre un ex. inedito dalla tomba Bufolareccia 170 è esposto nel Museo di Cerveteri, mentre
due anse di oinochoai di questo tipo sono nel Museo di Chiusi, inv. 2117-2118 (prov. scon.); per la diffusione nelle
necropoli medioadriatiche ZANCO, *op. cit.*, pp. 29 ss., 75 ss., tavv. 1-9. Di notevole interesse è una versione fittile di
questo tipo di oinochoai rinvenuta nella tomba VII del Circolo delle Fibule di Numana, inedita, esposta nel locale Antiquarium (si tratta di quella descritta come « oinochoe d'imitazione metallica con bocca trilobata e anse a
rotelle » in *Nuove scoperte di antichità picene*, San Severino Marche, 1972, p. 24). D'altra parte, anche sulla produzione vascolare etrusca non mancano suggestioni e influenze greco-orientali, muoventi e dalla metallotecnica e dalla
ceramografia: sia nel bucchero sia nella ceramica etrusco-corinzia, specialmente fra i decenni finali del VII e quelli
iniziali del VI sec. a.C., tali apporti sono riflessi tanto dalla morfologia di taluni documenti o serie di fittili quanto
dall'assimilazione di elementi decorativi peculiari, quali le rosette di forma discoidale o gli « occhioni »: su questo
problema, già toccato negli ultimi anni da E. DE JULIIS, in *AC*, 20, 1968, pp. 45, 53 s., F. ZEVI, *Nuovi vasi del Pittore della Sfinge Barbuta*, in *StEtr*, 37, 1969, p. 48 s. e G. CAMPOREALE, *Buccheri a cilindretto di fabbrica orvietana*,
Firenze, 1972, pp. 20 s., 68, rimando alle osservazioni che ho esposto nel saggio *Per il Pittore di Feoli*, in *Prospettiva*, 11, 1977, pp. 9-10.

61) La raccolta sistematica è di ULF JANTZEN, *Griechische Greifenkessel*, Berlin, 1955: in particolare, per gli exx. da Perugia e da Tarquinia v., rispettivamente, cat. nn. 58-59, tav. 21 e cat. nn. 126-132, tavv. 43, 2, 44, 45, 1-2 (il
n. 126 in seguito riedito da HENCKEN, *op. cit.*, I, p. 410, fig. 407); probabilmente dall'Etruria provengono anche i tre
conservati a Boston, acquistati sul mercato antiquario romano nel 1950, cat. nn. 101-103, tav. 37, poi ripresentati
da M. COMSTOCK-C. VERMEULE, *Greek Etruscan & Roman Bronzes in the Museum of Fine Arts*, Boston, 1971, p. 283,
n. 407 e in *Greek, Etruscan & Roman Art, The Classical Collections of the Museum of Fine Arts*, Boston 1972, fig. 32
a p. 41. Per quanto concerne le protomi da Trestina e da Brolio, esse sono state oggetto di una confusione i cui effetti perdurano tuttora: già M. G. MARUNTI, in *StEtr*, 27, 1959, p. 66, nota 4 ha rettificato l'errore in cui era in-
corso Jantzen che, mutuando da Mühlestein, ha scambiato gli esemplari di Trestina con quelli di Brolio, indican-
doli tutti come provenienti da quest'ultima località; lo studioso tedesco ha in seguito preso atto di questo emenda-
mento, in *AA*, 1966, p. 127 s., nota 4, g, ma è ricaduto di nuovo in errore asserendo « aus Brolio stammt nur eine
kleinere Protome ». In realtà invece le protomi da Trestina sono quattro e corrispondono precisamente a cat. nn. 138-
141, tavv. 47 e 48, 1-3, 49, 3 della monografia di Jantzen; quelle da Brolio sono invece tre: l'una è il cat. n. 133,
tav. 45, 3-4 della suddetta monografia; la seconda è riprodotta in *Dedalo*, 2, 1921-1922, fig. a p. 486; la terza, che
è replica della precedente, è, per quanto mi consta, fotograficamente inedita. Inoltre né Jantzen né la Marunti si sono
accorti che una delle protomi di Trestina è riprodotta graficamente in *BPI*, s. III, XXV, 1899, p. 68, fig. 2 e da

170

Trestina, Brolio, consente di individuare una direttrice di penetrazione anche attraverso la valle del Tevere, con diramazione in val di Chiana, probabilmente tramite Chiusi, ove peraltro sono abbastanza numerose le redazioni fittili del tipo (62).

E) LEKYTHOI « SAMIE »

Una diffusione non molto ampia registrano le lekythoi samie (63), di cui ho potuto raccogliere oltre venti esempi. Esse sono attestate tanto nella forma a bottiglia quanto in quella con spalla a spigolo vivo o in varianti intermedie. In alcuni casi si presentano verniciate in rosso (ad es., 3, 10, 13, 15, 18), in altri sono decorate da fasce dipinte: fra queste se ne segnala in particolare una di Tarquinia [14], che trova due repliche fedelissime a Gela (64). Il nucleo più consistente figura a Cerveteri [1-10], mentre più limitate sono le attestazioni nell'agro castronovano [11-13], a Tarquinia [14-15], a Vulci [16-17]; occorrenze episodiche si hanno poi a Grotte S. Stefano [18], Talamone [19] (fig. 27), Populonia [20] e, nell'interno, a Poggio Civitate [21]. Un esemplare in « red slip » è segnalato anche a Roma [22], mentre dubbia o ipotetica è la provenienza romana di una lekythos, conservata nel Museo Archeologico di Bologna [23] e recante una etichetta con la scritta « Rom 1617 », che, per il corpo espanso ed il fondo alquanto rastremato, risulta prossima ad una da Xanthos (65). Interessante quanto problematica appare infine la presenza di un esemplare di forma A a Numana [24], nella ricca tomba VII del Circolo

MONTELIUS, *op. cit.*, tav. 251, 4. Gli exx. da Roma sono stati editi pure da U. JANTZEN, *Die Greifenprotomen der Sammlung Erbach*, in *AA*, 1966, pp. 123-129 e risultano prossimi a quelli da Perugia a Monaco. Ad un esemplare di recente rinvenimento a Gravisca accenna M. TORELLI, in *StEtr*, 45, 1977, p. 448.
La serie, rispetto ai pezzi raccolti nel lavoro del 1955, si è arricchita di varie unità: molti exx. da Samo sono stati presentati, ancora da U. JANTZEN, *Greifenprotomen von Samos. Ein Nachtrag*, in *AM*, 73, 1958, pp. 26-48, tavv. 28-52, nonché da H. WALTER-K. VIERNEISEL, in *AM*, 74, 1959, p. 30 s., tav. 70, 3-4, e tav. 68, 2 e da G. KOPCKE, in *AM*, 83, 1968, p. 284 s., nn. 99-100, tav. 113, 2-3; per altri da Mileto v. E. AKURGAL, *Die Kunst Anatoliens von Homer bis Alexander*, Berlin, 1961, figg. 145-146 e G. HERES, *Greifenprotomen aus Milet*, in *Klio*, 52, 1970, pp. 149-161; per un nuovo ex. da Efeso v. A. BAMMER, *Die Entwicklung des Opferkultes am Altar der Artemis von Ehesos*, in *IstMitt*, 23-24, 1973-74, p. 62, tav. 4, fig. 4; per un frammento da Chios v. BOARDMAN, *Chios*, p. 224 s., n. 390, tav. 93; di provenienza sconosciuta gli exx. editi da D. G. MITTEN-S. F. DOERINGER, *Master Bronzes from the Classical World*, Mainz, 1967, p. 72 s., nn. 65-67, da COMSTOCK-VERMEULE, *op. cit.*, pp. 282, 284, nn. 406, 408, con bibl. prec. e in *Ancient Art, The Norbert Schimmel Collection*, Mainz, 1974, n. 13. Inoltre, per una protome di grifo in funzione di coronamento di tripode anziché di calderone, che potrebbe provenire da Myrina, v. P. AMANDRY, in *BCH*, 96, 1972, p. 7 ss., fig. 2. Assai pertinenti le osservazioni di carattere generale di O. W. MUSCARELLA, in *Art and Technology*, Cambridge (Mass.), 1970, p. 109 s.

62) A titolo esemplificativo ricordo, oltre ai noti vasi Gualandi e Paolozzi, altri cinerari da loc. Marcianella (R. BIANCHI BANDINELLI, *Clusium*, in *MonAnt*, 30, 1925, figg. 31, 36, cc. 326, nota 1, 445 s.); nella plastica canopica risultano impiegate in funzione di braccia applicate sul contenitore, ad es. nell'inv. 1380 del Museo di Chiusi (lett. raccolta da R. D. GEMPELER, *Die Etruskischen Kanopen*, Einsiedeln, 1974, p. 126 s., n. 117); inoltre, fra i fittili del corredo della tomba della pisside della Pania era compreso « un lebete con sette teste di grifo applicate attorno, movibili » (*MonAnt*, cit., c. 351; v. anche *BullInst*, 1874, p. 207 e M. CRISTOFANI, in *StEtr*, 39, 1971, p. 79). Il motivo delle protomi di grifo ricorre, in ambito chiusino, anche nella produzione in bronzo, giacché viene adottato, in forma schematica, come ansa di vasi (cfr. ad es. *Aspetti e problemi dell'Etruria interna*, Firenze, 1974, p. 105, tav. 34, b; GEMPELER, *op. ci.*, p. 222, nota 264).
Circa la diffusione che, già nell'orientalizzante, hanno le olle d'impasto con protomi di grifo, mobili o no, nel territorio chiusino, in quello ceretano, nell'agro falisco e in Sabina v. miei rifer. in *Civiltà arcaica dei Sabini nella valle del Tevere*, Roma, 1973, p. 90, n. 147 e *ibidem*, III, Roma, 1978 (in stampa).
63) Sulla classe più di recente v. P. ZANCANI MONTUORO, *Lekythoi « samie » e bucchero « eolico »*, in *AC*, 24, 1972, pp. 372-377, tavv. CXI, 1, CXII; *Sukas*, 2, p. 86, tav. 20, n. 396; *CVA*, Gela 2, commento a tav. 39,3, con vari rifer.; *CVA*, Kassel, 2 (1975), tav. 53, 2-3.
64) Cfr. *CVA*, Gela, 2, tav. 40, 1 e *NSc*, 1956, p. 314, 23, fig. 29, i.
65) Cfr. METZGER, *op. cit.*, pp. 52, 57, fig. 5, tav. 19, n. 78.

delle Fibule, per la quale è stata suggerita una connessione diretta con i traffici e la frequentazione greca nell'Adriatico; tuttavia questa prospettiva non è la sola plausibile, potendosi in alternativa imputare la trasmissione del pezzo all'Etruria, tanto più che nella necropoli in questione, come in altre dell'area medio-adriatica, non mancano vasi etrusco-corinzi a decorazione lineare dipinta pervenuti sicuramente da centri etruschi del versante tirrenico (66).

Cerveteri:

1) *MonAnt*, 42, 1955, c. 761, n. 11: dalla tomba 281 Banditaccia.

2) *MAV*, V, p. 112, tav. 31, n. 11: dalla tomba 145 Laghetto. Cfr. Boehlau, tav. VII, n. 7.

3) *Nuove scoperte e acquisizioni, cit.*, p. 19, n. 33: da tomba in loc. Cavetta della Pozzolana (scavo 1974). Il pezzo, non riconosciuto, è stato ivi datato nientemeno che al III sec. a.C.

4) Da Monte Abatone, tomba 120 (associata, fra l'altro, ad un aryballos globulare « ionico » a fasce: v. p. 188, c, 1), nel Museo di Cerveteri. Inedita, ma segnalata in *CVA*, Gela, 2, II D, p. 10, commento a tav. 39, 3.

5-6) Da Monte Abatone, tomba 536, nel Museo di Cerveteri. Inedite, ma segnalate in *CVA*, Gela, 2, *l. c.*

7) Da Monte Abatone, tomba 23, camera principale, nel Magazzino degli scavi di Cerveteri. Inedita.

8) Dalla tomba 999 Bufolareccia, nel Museo di Cerveteri, inv. 67628. Inedita.

9) Dalla tomba 43 Bufolareccia, nel Magazzino degli scavi di Cerveteri. Inedita.

10) Dalla tomba III Maroi, nel Museo di Villa Giulia. Inedita.

Territorio castronovano:

11) Dalla necropoli di Pian de' Santi, tomba 2, nel Museo di Tolfa. Inedita.

12) Da Piano della Conserva, tomba 13, nel Museo di Tolfa. Di imitazione, è decorata da fasce dipinte. Inedita.

13) Da Castellina di Ferrone, tomba 14, nel Museo di Tolfa, inv. 501.

Tarquinia:

14) RC 1128, nel Magazzino del Museo di Tarquinia. Inedita.

15) RC 1736, nel Magazzino del Museo di Tarquinia. Miniaturistica. Inedita.

Vulci:

16-17) *MAV*, II, p. 22, nn. 418 (= *StEtr*, 34, 1966, p. 319, 2, tav. 47 c-d), 419: tomba 137 Osteria. Associate a una coppia di anfore a bande (v. p. 187, nn. 14-15), si confrontano per il tipo con Boehlau, tav. VII, nn. 8. 9.

Grotte S. Stefano:

18) Museo Archeologico di Firenze, s. n.; acq. Riberti 1899. Inedita.

---

66) V. al riguardo P. MARCONI, in *MonAnt*, 35, 1933, c. 353 s. e altri rifer. miei in *Civiltà arc. Sabini, cit.*, III, in stampa.

Talamone:

19) Museo di Livorno, inv. 586; dono L.A. Nizzi. Inedita (fig. 27).

Populonia:

20) *NSc*, 1940, pp. 382, 388, fig. 5, n. 3; MINTO, *Populonia, cit.*, p. 139, tav. 29, 3: dal Poggio della Porcareccia, « piccola tomba con pseudocupola intatta », che ha restituito anche una kylix B 3 a filetti, un alabastron di bucchero « ionico », un'olpe a imboccatura verniciata (v. pp. 203, n. 239, 177, n. 32, 185, 190, n. 2). Per la forma cfr. Boehlau, tav. VII, n. 4.

Poggio Civitate:

21) *Poggio Civitate (Murlo, Siena), The Archaic Etruscan Sanctuary*, Florence, 1970, p. 68, n. 170 (ivi non riconosciuta); segnalata poi da me in *CVA*, Gela, 2, *l. c.*

Roma:

22) *BullCom*, 77, 1959-60, (1962), p. 79, fig. 15, n. 72; GJERSTAD, *op. cit.*, III, p. 422, fig. 261, 72: da S. Omobono (scavo 1959).

Originis incertae:

23) Museo di Bologna, s.n.

Numana:

24) Dalla tomba VII del Circolo delle Fibule, nel Museo di Numana (vetrina 4). Inedita, ma menzionata da G. COLONNA, in *Rivista storica dell'antichità*, IV, 1974, p. 17.

F-G-H) VASI PER UNGUENTI DELLA PRIMA METÀ DEL VI SECOLO A.C.

Tratterò unitariamente in questa sezione dei vari tipi di « Salbgefässe » attestati in Etruria fra la fine del VII e la prima metà del VI sec. a.C., ossia degli alabastra in bucchero « ionico », dei balsamari plastici e dei lydia, in considerazione del fatto che, pur essendo essi riconducibili a siti di fabbricazione diversi, la loro importazione è direttamente legata, oltre che al recipiente, al contenuto di essenze ed unguenti.

Per gli alabastra in bucchero ionico, prodotti a Rodi e nella Ionia meridionale, accanto alla consueta maggiore densità di presenze a Cerveteri e Vulci, si segnala con interesse una discreta percentuale a Populonia, che ha restituito infatti tanto esemplari fusiformi (fig. 28 a-b) quanto due del ben più raro tipo a peduccio (67), noto a Lindos, Jalysos, Samo, Tocra e nelle colonie greche di Sicilia (Sira-

---

67) Per i fusiformi v. *CVA*, Gela 2, commento a tav. 39, 1-2 e i rifer. da me addotti; *AM*, 83, 1968, p. 280, 85, tav. 109, 4 (Samo); *Tocra*, 2, p. 30, tav. 17, 2058; WALTER-KARYDI, pp. 18 s., 124, tav. 35, 268 ss.; *Archeologia nella Sicilia sud-orientale, cit.*, p. 144, n. 426, tav. 46 (Camarina, tomba 441 della necropoli del Rifriscolaro); *CVA*, Kassel, 2, tav. 53, 8 (Samo).
Per quelli con peduccio cfr. *Tocra*, 1, tav. 48, 830, pp. 65, nota 4, 69, con rifer.; *adde* G. VALLET-F. VILLARD, *Mégara Hyblaea*, 2, *La céramique archaïque*, Paris, 1964, p. 91, tav. 79, 5; H. P. ISLER, in *NSc*, 1968, figg. 3, 4, pp. 295, n. 9, 300, con richiamo del tutto privo di pertinenza ad un ex. da Capena (si tratta infatti di un alabastron, desinente a punta, etrusco-corinzio a decorazione lineare): da Selinunte, necropoli di Buffa, tomba 526; AA. VV., *Himera*, I, *cit.*, p. 117, Ac 298, tav. 26, 2; *CVA*, Kassel, 2, tav. 54, 1: da Samo, tomba 45.

cusa, Megara Hyblaea, Selinunte, Himera), e la presenza, finora mai individuata, dei tipi fusiformi e scanalati a Vetulonia. Anche se la quantità è modesta, risulta assai significativo il fatto che Populonia sia fra i pochissimi centri dell'Etruria settentrionale raggiunti da questa mercanzia, in seguito evidentemente alla sua posizione sul mare e alla primaria funzione svolta nello smistamento del minerale ferroso, fattori che consentono di postulare fondatamente una intensa frequentazione e assidui contatti con mercanti greci, se non proprio l'esistenza di un fondaco commerciale, nel corso del VI sec. a.C. (68). Da Populonia, e precisamente da una tomba a camera del Poggio delle Granate (scavo 1915) (69), proviene altresì una pisside lenticolare, finora del tutto sconosciuta (fig. 29), che può considerarsi un'autentica rarità per l'Etruria: è in bucchero grigio scuro con irregolari chiazze brunastre, la cui pasta risulta assolutamente identica a quella degli alabastra discussi in precedenza e, come questi, è decorata da gruppi di solcature (sulla spalla e nella metà inferiore del corpo).

Se è piuttosto agevole riconoscere come importati gli alabastra a corpo scandito da incisioni multiple o da gruppi di solcature, ravvivate in origine da colore rosso, oppure interamente scanalato (70), non altrettanto si può affermare per le decine di esemplari affatto privi di decorazione presenti in vari centri etruschi (71). È certo infatti che in Etruria sono state realizzate imitazioni, ma risulta tuttora

---

68) Su questi problemi e sulla necessità di una più adeguata valutazione storica del ruolo di Populonia nei rapporti fra Etruria e mondo greco rinvio alle osservazioni sviluppate nella relazione su *Il ripostiglio di Volterra*, da me tenuta al V Convegno del Centro Internazionale di Studi Numismatici (Napoli, aprile 1975: v. ora gli Atti relativi, specialmente pp. 103-104).

69) La tomba è quella corrispondente a *NSc*, 1917, pp. 81-87; il pezzo in questione non vi è peraltro specificamente descritto. Per la forma si può richiamare, anche se non puntualmente, *AM*, 83, 1968, p. 280, 82, tav. 109, 1 (con corpo carenato all'attacco con la spalla e labbro più sottile ed espanso) e forse il frammento a p. 280, 86, tav. 109, 5 (Samo).

70) Per il tipo cfr. *Clara Rhodos*, 3, 1929, p. 60, n. 25, fig. 49, p. 74, n. 10, fig. 65, p. 80, 4, fig. 70 (Jalysos, tombe 33, 45, 46); *BSR*, 14, 1938, p. 125, n. 7, tav. 18, B, 2 (Selinunte, tomba 27); *Mél*, 67, 1955, pp. 22, 24, tavv. VIII, fig. B, X, fig. 4 (Megara Hyblaea, tombe 941 e 660); *NSc*, 1956, p. 303, 2, fig. 20 (Gela).

71) Circa le difficoltà oggettive ad operare fondate distinzioni su questo materiale v. da ultimo anche J. HAYES, in *Tocra*, 2, p. 28, nota 1. Ho qui di seguito raccolto, senza presunzione di completezza, un certo numero di questi exx., indicativo della quantità e della diffusione areale:

Cerveteri: MonAnt, 42, 1955, c. 240, 9-10, tav. agg. F, forma 123 (tomba 8 del Tumulo II); *ibidem*, c. 327, 11 (tomba dei Dolii) e c. 1062, 9 (tomba dei Leoni Dipinti); *MAV*, V, tav. 19, n. 95, p. 106 (Laghetto tomba 78, camera centrale) e tav. 45, foto in basso, I da d. (Laghetto, tomba 337); da Monte Abatone, inediti, nel Magazzino degli scavi di Cerveteri: un ex. dalla camera principale della tomba 23, uno in due frammenti dalla tomba 223, sei — di cui uno con tracce di decoraz. dipinta — dalla tomba 234; un ex. dalla tomba 365 Laghetto, camera centrale, nel Museo di Cerveteri, inedito.

S. Giovenale: E. and K. BERGGREN, *S. Giovenale*, 1, 5, Stockholm, 1972, tav. 32, n. 17, p. 66 (Porzarago, tomba 9); P. G. GIEROW, *S. Giovenale*, I, 8, Lund, 1969, p. 37, n. 25, fig. 22 (Valle Vesca, tomba 2).

Tarquinia: NSc, 1930, p. 175, n. 6, fig. 55 (necropoli dei Monterozzi, tomba 57).

Vulci: Gsell, p. 126, n. 24 (tomba LII); *NSc*, 1896, p. 288 (tomba C, acq. Pala 1895, nel Museo A⸱ ᵉⁱeologico di Firenze, inv. 76165); *NSc*, 1921, p. 347, 1; Beazley-Magi, p. 151, n. 88, tav. 46; *MAV*, II, p. 11, n. 189 (tomba 124); *MAV*, III, p. 12, n. 155 (tomba 21); *Vulci, Zona dell'«Osteria», Scavi della «Hercle»*, Roma s.d., p. 29, nn. 15-16 (tomba 11/1962); *CVA*, Mannheim, 1 (1958), tav. 38, 6-7 = *AA*, 1890, p. 151 (tomba a fossa; acq. 1880); *CVA*, Gotha, 1 (1960), tav. 15, 2 a-b (trovati «in einem Kistengrab des 6. Jh. zu Vulci. Gekauft durch Helbig ln Rom 1884»); G. RICCIONI-M. T. FALCONI AMORELLI, *La tomba della Panatenaica di Vulci*, Roma, 1968, p. 60, n. 76, fig. a p. 54; *StEtr*, 39, 1971, p. 200, n. 27, tav. 44, b; dalla necropoli dell'Osteria, tombe 8 (1 ex.), 13 (1 ex.) e 43 (2 exx.), inediti, nel Museo di Vulci.

Pescia Romana: Museo Archeologico di Firenze, inv. 71194, acq. 26-8-1880.

Orvieto: A. COZZA-A. PASQUI, in *NSc*, 1887, p. 352, *r*, tav. 12, fig. 32; = MONTELIUS,, *op. cit.*, c. 1017, tav. 242, 2 (con otto incisioni parallele) = B. KLAKOWICZ, *La necropoli anulare di Orvieto*, I, *Crocifisso del Tufo-Le Conce*, Roma, 1972, p. 33, tav. 7, n. 32 = EADEM, *Il Museo Civico Archeologico di Orvieto*, Roma, 1972, tav. 3, n. 32, p. 240 (tomba 1 di Crocifisso del Tufo, predio della prioria di S. Giovenale, scavi 1884-1885); è dubbio se tutti gli exx. siano

estremamente problematico distinguere empiricamente, « a occhio », le importazioni dalle copie e solo una sistematica serie di analisi chimico-fisiche può consentire di chiarire attendibilmente il problema. Né, d'altronde, è da dimenticare il fatto che esemplari lisci sono documentati anche nei centri coloniali greci (72) e correntemente considerati prodotti importati. Di imitazione etrusca è comunque un gruppo, a corpo fusiforme o a fondo arrotondato, caratterizzato da decorazione a filetti o fascette multiple dipinte in bianco e paonazzo — che riprendono palesemente le incisioni e le solcature del bucchero « ionico » — o a fasce brune alternate ad altre risparmiate (73).

Fra gli alabastra è da ricordare inoltre un tipo, rarissimo in Etruria e non molto comune, benché documentatovi, nemmeno in Sicilia, eseguito però in argilla grezza, con fondo appuntito e collarino alla base dell'imboccatura, verosimilmente di produzione rodia, date le molte attestazioni in vari centri dell'isola (Kamiros, Jalysos, Lindos, Vroulia), nonché a Gela e Siracusa (74). Ne sono noti pochi esemplari: l'uno, probabilmente da Vulci, è nella collezione Guglielmi al Vaticano, l'altro nella collezione Castellani (75), mentre quattro sono concentrati in un complesso ceretano, la « Tomba I a sinistra dopo la via Diroccata », attualmente esposto nel Museo di Cerveteri.

---

di imitazione o meno, in quanto Cozza e Pasqui riferiscono di « cinque alabastra di bucchero, taluno dei quali porta a metà qualche solco tornito ».

Chiusi: NSc, 1938, p. 121, fig. 1, e (da tomba in loc. Le Macchie, propr. Paolozzi); CVA, British Museum, 7, IV Ba, tav. 4, 20 (acq. 1852); G. PELLEGRINI, *Catalogo dei vasi antichi dipinti delle collezioni Palagi ed Universitaria*, Bologna, 1900, p. 14, nn. 107-109 (acq. Mazzetti); CVA, Sèvres, tav. 29, 9 (acq. 1856): anche in questo caso potrebbe trattarsi di un'importazione, in quanto è descritto avere « sur la panse, quelques filets incisés ».

Pienza, loc. Fattoria del Borghetto: StEtr, 33, 1965, p. 451, nn. 262-265, fig. 13 a.

Casaglia (ager volaterranus): NSc, 1934, p. 35, 5 (da tomba a camera in voc. Cerreta).

Quinto Fiorentino: Arte Antica e Moderna, 5, 1962, p. 60, fig. 13 a =*La tomba della Montagnola*, Sesto Fiorentino, 1969, pp. 85 ss., nn. 33-35 =*Aspetti e problemi dell'Etruria interna*, Firenze, 1974, pp. 30, 61, n. 11, tav. 5 a-c (sicuramente di imitazione).

Nepi: Museo di Villa Giulia, inv. 8355 (dalla necropoli di tenuta Penteriani, loc. S. Paolo, tomba a camera 2).

Satrico: CVA, Villa Giulia, 2, IV B 1, tav. 6, 2 (dalla stipe votiva più antica del tempio della « Mater Matuta »).

Originis incertae: Mingazzini, I, p. 65 s., nn. 224-230; Museo di Perugia, inv. 544; CVA, Compiègne, tav. 21, n. 22 (« prov. d'un tombeau étrusque (?) »); CVA, Bruxelles, 2, IV B, tav. 3, nn. 7, 9, con anelli a rilievo sotto l'imboccatura (certamente di imitazione); Finarte, *Asta di oggetti archeologici*, Milano, 1970, tav. 3, n. 13 (l'imboccatura ha subìto un restauro errato).

72) Cito a titolo esemplificativo AJA, 62, 1958, p. 264, tavv. 66, fig. 27, 6-7, 9-10, 67, fig. 26 a e fig. 29, 1-2 (Siracusa, necropoli del Fusco, tombe 440, 488, 495); VALLET-VILLARD, op. cit., p. 91, tav. 79, 6; ASAtene, 37-38, 1959-60, p. 64, 5, fig. 32, e (Taranto); BSR, 14, 1938, p. 124 s., 6, tav. 18, B, 1 (Selinunte, tomba 27); Himera, I, cit., p. 117, tav. 26, 1, 3, 5; Archeologia Sicilia sud-orient., cit., p. 92, tav. 24, 312-314 (Siracusa, tomba 19).

73) *Cerveteri*: dalla tomba 120 di Monte Abatone, nel Museo di Cerveteri, inedito.

Vulci: Vulci, Zona dell'« Osteria », Scavi della « Hercle », Roma s.d., p. 22, n. 19, fig. 6: tomba 10; un ex. fusiforme con ingubbiatura color crema sulla quale sono dipinti filetti in rosso e nero, dalla Tomba del Pittore della Sfinge Barbuta (Osteria, scavo 1968), inedito, nel Museo di Villa Giulia (per la tecnica decorativa cfr. l'ex. Albizzati, n. 260, cit. infra).

Chiusi (?): CVA, Bruxelles, 3, III C b et IV B, tav. 2, 19.

Populonia: NSc, 1934, p. 394, fig. 51: dal Poggio della Porcareccia, tomba a camera 1/1933.

Originis incertae, ma presumibilmente dall'Etruria: Albizzati, p. 90, tav. 25, nn. 259-260.
Per altri di provenienza ignota v. J. SIEVEKING-R. HACKL, *Die Königliche Vasensammlung zu München*, I, München, 1912, p. 55, nn. 551-553, figg. 67-68; HAMPE und MIT., op. cit., p. 39 s., n. 66, tav. 43.

74) Cfr. AJA, 62, 1958, p. 264, tav. 64, fig. 22 (Fusco, tomba 30).

75) Vedi Beazley-Magi, p. 18, tav. 1, 9, con lista; Mingazzini, I, p. 191, n. 429 A, tav. 36, 6. A questi due GJERSTAD, op. cit., III, fig. 237, 20, pp. 366, 374 e IV, p. 565 e nota 21, ha accostato un ex. da Roma (pozzo arcaico vicino al tempio di Vesta).

F) Alabastra in bucchero « ionico »

Cerveteri:

1-2) *MonAnt*, 42, 1955, c. 215, 35-36, tav. agg. F, forma 122; scanalati: tomba 1 del Tumulo I.

3) *Ibidem*, c. 328, n. 30, con gruppi di incisioni: tomba dei Dolii.

4) *Ibidem*, c. 715, 52, con gruppi di solcature impresse: tomba 236.

5) *Ibidem*, c. 770, 18; scanalato: tomba 285.

6) *Ibidem*, c. 1131, 56, con incisioni: tumulo XI, zona « della Tegola Dipinta ».

7) Lerici, *op. cit.*, fig. al centro a p. 360, con solcature (particolare cortesemente precisatomi dalla dr. L. Cavagnaro Vanoni): Monte Abatone, tomba 294.

8) *CVA*, British Museum, 7, IV B a, tav. 24, 10; scanalato: acq. Campanari 1839.

9) Da Monte Abatone, tomba 23, camera laterale s., nel Magazzino degli scavi di Cerveteri; è decorato da gruppi di incisioni. Inedito.

10) Dalla tomba 365 Laghetto, camera centrale, nel Museo di Cerveteri; scanalato. Inedito.

11) Da Monte Abatone, tomba 56, nel Magazzino degli scavi di Cerveteri; presenta gruppi di incisioni. Inedito.

Castel d'Asso:

12) E. Colonna Di Paolo - G. Colonna, *Castel d'Asso*, Roma 1970, p. 67, n. 40, tav. 450; scanalato: da un presumibile complesso tombale sottoposto a sequestro nel 1964.

Tarquinia:

13) A. Furtwängler, *Königliche Museen zu Berlin, Beschreibung der Vasensammlung im Antiquarium*, Berlin 1885, p. 170, n. 1504, con incisioni: coll. Dorow.

Vulci:

14) Gsell, pp. 108, a, 475, tav. suppl. C, forma 190, « avec une série de ressauts circulaires »: tomba XLVIII.

15) Gsell, pp. 116, n. 67, 475, « orné d'une série de ressauts circulaires »: tomba XLIX.

16) Furtwängler, *op. cit.*, p. 170, n. 1503, tav. V, forma 143, con linee incise: dalla necropoli della « Polledrara, tomba a cassone », acq. 1882.

17) *MAV*, III, p. 15, n. 252, con linee incise: tomba 29.

18-19) *Ibidem*, p. 17, n. 304, con solcature, e n. 309, scanalato: tomba 36.

20) *StEtr*, 39, 1971, p. 200, n. 26, tav. 42, a, con gruppi di solcature.

21) Dalla necropoli dell'Osteria, tomba a camera (non meglio specificata), nel Museo di Vulci; scanalato. Inedito.

22) Beazley-Magi, p. 151 s., n. 89, tav. 46, con gruppi di incisioni. Diversamente da J. Hayes, che in *Tocra*, 2, p. 28, nota 1 lo ha inserito fra le « Etruscan versions », io considero questo esemplare di importazione, per l'identità con altri rinvenuti, per es., a Samos (cfr. quelli riprodotti dalla Walter-Karydi, tav. 35, nn. 268-269).

Vignanello (agro falisco):

23) *NSc*, 1924, p. 241, 1, tav. X, a, II da d.; scanalato: dalla necropoli del Molesino, sarcofago A, nel Museo di Villa Giulia, inv. 43653.

Vetulonia:

24) Dalla Tomba del Figulo, nel Museo Archeologico di Firenze, sine inv. (scheda di restauro R/74.16027); scanalato. Ricomposto, lacunoso alla sommità, con bocchello perduto. Inedito.

25-26) Dalla medesima tomba, nel Museo Archeologico di Firenze, sine inv.: si tratta di un gruppo di frammenti pertinenti ad almeno due alabastra fusiformi, scanalati (parzialmente ricomponibili, ma non ancora restaurati al momento della stesura del presente lavoro). Inediti.

27) Dalla medesima tomba, nel Museo Archeologico di Firenze, sine inv. (scheda di restauro R/74.16099). Inedito. Per il tipo cfr. Walter-Karydi, tav. 35, 274-275.
    Sinora completamente sconosciuti, questi quattro esemplari risultano corrispondere a quelli « lavorati a tortiglione con solcature marcate spiraliformi, le quali hanno favorito la rottura di tutti, in modo però, da lasciare speranze di poterli restaurare » cui allude I. FALCHI, in *NSc*, 1894, p. 348.

Populonia:

28) *NSc*, 1934, p. 362, fig. 13, a s., con tre gruppi di triplici solcature: da S. Cerbone, tomba a camera 1/1931 (fig. 28, a).

29) Nella stessa tomba è presente un secondo esemplare fusiforme, conservato solo nella metà superiore, pure decorato da un gruppo di solcature, che però non risulta elencato nel rapporto di scavo succitato. Inedito (fig. 28, b).

30) *NSc*, 1934, p. 362, fig. 13, a d.: tomba c.s. Si tratta di un ex. con peduccio, pure decorato da solcature.

31) Un secondo alabastron con peduccio, sempre con solcature parallele, è altresì associato alla suppellettile della tomba 1/1932 della zona del Felciaieto (S. Cerbone), ma non è stato specificamente menzionato nella relazione di scavo in *NSc*, 1934, pp. 379-386. *Vidi.*

32) *NSc*, 1940, p. 384, fig. 5, n. 21, con gruppi di solcature (= A. MINTO, *Populonia*, Firenze, 1943, p. 139, tav. 29, n. 21): dal Poggio della Porcareccia, « piccola tomba con pseudocupola intatta ».

Castelnuovo Berardenga:

33) P. BOCCI PACINI, in *StEtr*, 41, 1973, p. 134, tav. 50, a-b, d. Probabilmente di imitazione.

Originis incertae, ma verosimilmente dall'Etruria:

34) Mingazzini, I, p. 60, n. 215, tav. 6, 14; scanalato.

35-36) Museo Archeologico di Firenze, inv. 3062 e 3114, entrambi con gruppi di incisioni. Inediti.

Indubbiamente il tipo di contenitore di unguenti che ha incontrato in Etruria il più ampio favore è costituito dai balsamari plastici (per la documentazione relativa rimando all'Appendice II) di produzione rodia, nonché probabilmente anche samia e milesia (76). Nell'importazione di essi in Occidente l'Etruria detiene infatti una posizione di primissimo piano, anzi di primato relativamente a quelli decorati a « couleurs lustrées », e vanta anche la presenza di esemplari fra i più rari e fra i più an-

---

76) Per quest'ultima ipotesi v. in particolare J. HAYES, in *Tocra*, 1, pp. 66, 152 e J. BOARDMAN, in *Tocra*, 2, p. 75.

tichi, che dimostrano una pronta recezione da parte del mercato etrusco fin dagli inizi dell'attività degli ateliers produttori. In questo senso si segnala particolarmente il balsamario in figura di uccello F 1310 di Berlino, da Tarquinia, con decorazione dipinta di tradizione subgeometrica analoga a quella delle « Vogelschalen », databile entro l'ultimo quarto del VII sec. a.C. e certo di fabbrica rodia, come si deduce anche dalla provenienza della più parte delle repliche conosciute (77); una replica di questo stesso tipo, finora sfuggita all'attenzione degli specialisti, benché esposta nel Museo di Villa Giulia, ricorre poi in area laziale, e precisamente nella stipe votiva più antica del tempio di Mater Matuta a Satrico. È da ricordare altresì uno, pure conservato a Berlino, a Gorgoneion gianiforme, collocabile ancora nell'ultimo decennio del VII secolo, cui se ne affianca verosimilmente (ma è purtroppo fotograficamente inedito) uno da Cerveteri.

Il flusso di assorbimento perdura almeno per tutta la prima metà del VI sec. a.C., se pure con maggiore intensità, in specie nei centri etrusco-meridionali, nel primo venticinquennio. Dominano decisamente per numero, in Etruria come altrove del resto, i balsamari configurati a testa elmata — documentati essi pure già dalla fine del VII secolo —, a busto femminile o maschile, a gamba umana, questi ultimi soprattutto a Vulci; in percentuale più ridotta, ma non irrilevante, sono poi rappresentati quelli ad anatra, protome equina, Acheloo, lepre morta, testa d'aquila, nonché gli alabastra desinenti superiormente a busto femminile.

A Cerveteri si conta una ventina di esemplari, fra cui spiccano, oltre a quello già ricordato a doppio Gorgoneion, uno a testa di cinghiale (da rilevare che il solo altro esemplare noto proviene da Vulci), uno piuttosto infrequente a Sileno inginocchiato, uno a protome di leone — associato ad uno ad Acheloo e ad altre importazioni greco-orientali nella inedita tomba 43 Bufolareccia —, uno a Sirena (78). Qualche attestazione si ha anche nel territorio castronovano, di cui la più interessante è costituita da un raro esemplare a rana, mentre un secondo viene da Tarquinia. Quest'ultima annovera una dozzina di pezzi, con ogni verosimiglianza smistativi dal porto di Gravisca, fra i quali quello ben noto a forma di fallo (con iscrizione di possesso in etrusco), uno inedito a busto di babbuino, del gruppo Robertson, e uno a leoncino accovacciato, di cui si conoscono pochissime repliche. A Vulci si concentra, almeno sulla scorta dei dati attualmente disponibili, il nucleo quantitativamente più consistente, ma i tipi prevalenti non sono fra i più interessanti. Come ho già notato a proposito di altre classi di materiale, Vulci deve avere assolto tuttavia ad una funzione redistributiva nei confronti del suo agro (Castro, Pescia Romana, Sovana), ove si hanno alcune presenze occasionali, nonché verosimilmente di Orvieto, che ha restituito, fra l'altro, un non comunissimo esemplare a gamba umana flessa (fig. 30), accostabile ad uno da Samo (79). Nell'Etruria settentrionale il consuntivo appare, come di consueto, più modesto: risultano raggiunte da questi oggetti Rusellae (almeno per ora

---

77) Cfr. infatti K. F. KINCH, *Fouilles de Vroulia*, Berlin, 1914, tav. 34, 1, 3, a-b (tomba 1), c. 60, n. 19 (tomba 2), c. 80, n. 15 (tomba 20) e cc. 46, 56, con rifer. a due altri dall'acropoli di Lindos e a due da Kamiros al Louvre; *CVA*, Copenhagen, 2, tav. 80, 9 (da Rodi); *CVA*, Bibliothèque Nationale, 2, tav. 93, 1, 3. Uno è noto altresì da Tocra (cfr. *Tocra*, 2, p. 154, n. 57, tav. 101) e uno, al British Museum, è di asserita provenienza puteolana (cfr. R. A. HIGGINS, *Catalogue of the Terracottas in the Department of Greek and Roman Antiquities, British Museum*, II, London, 1959, p. 12 s., n. 1604, tav. 2); di prov. scon. è l'ex. in *CVA*, Varsovie, Musée National, 2, tav. 42, 1-2.

78) Benché comuni in altre zone, in Etruria sono infatti pochissimi i vasi a Sirena: oltre a questo (v. Appendice II, p. 206, n. 17), ne conosco uno da Populonia (v. Appendice II, p. 210, n. 79). Si può ricordare poi un ex. framm. da Roma (S. Omobono) edito da GJERSTAD, *op. cit.*, III, pp. 448, 461, fig. 279, 13-19 e IV, fig. 162, a e da E. PARIBENI, in *BullCom*, 77, 1959-60, (1962), p. 111, 3, tav. 1, 3, il quale ha voluto peraltro riconoscervi un tipo corinzio, di produzione forse tarantina. Resta infine da segnalare, come ho fatto in altra sede (*Civiltà arcaica Sabini*, III, *cit.*), la notizia dell'attestazione di « un vasetto che ha forma d'una Sirena col modio sul capo: come già s'è veduto, ma rarissimamente » in zona sabina, ossia a Poggio Sommavilla, fornitaci da A. M. FOSSATI, in *BullInst*, 1837, p. 66, benché l'individuazione esatta del tipo risulti impossibile.

79) Ducat, p. 135, 7, ora ripubblicato in *CVA*, Kassel, 2, tav. 53, 4-5, fig. 7.

con una unità) (fig. 37), Vetulonia — ove sono essenzialmente concentrati nel II Tumulo delle Migliarine (figg. 31-33), cui si affianca però un ex. inedito a protome taurina da me individuato nel Tumulo di Franchetta (figg. 34-35) (Appendice II, p. 209, n. 70) — e il territorio circostante (Poggio Pelliccia) (fig. 36), mentre esigua è la loro distribuzione nei centri della via Tevere-Chiana, a Chiusi e Cortona, dove invece sono percentualmente superiori i vasi attici, «tra i più antichi e più raffinati che possiamo contare in Italia» (80). Senza dubbio più ricco è invece, una volta ancora, il novero di queste importazioni a Populonia, concentrate particolarmente nel secondo quarto del VI secolo a.C.: fra esse emergono tipi rarissimi in generale, quale il cane accovacciato (81), oppure infrequenti o addirittura isolati in Etruria e ricorrenti invece in Italia meridionale e Sicilia, quali quelli a volatile (82), a figura femminile stante su basetta e recante colomba o lepre, a figura maschile in ginocchio, a nano obeso con le mani sul ventre (il c.d. pataikos) (83), a comasta accosciato (figg. 38-40) (Appendice II, p. 210, n. 84). Quest'ultimo in particolare riveste segnalata importanza proprio in funzione delle connessioni con le attestazioni in Sicilia: nella stipe di Piazza S. Francesco a Catania figura infatti un esemplare identico (84), che risulta ottenuto dalla medesima matrice di uno, dalla stessa stipe catanese, caratterizzato da decorazione dipinta (85), il quale trova a sua volta una replica esatta nella stipe votiva del predio Sola a Gela (86).

Complessivamente dunque la rilevante entità dei pezzi documentati (una novantina di sicuro rinvenimento, nonché una trentina di origine incerta, ma assai probabilmente provenienti pure da siti o necropoli etrusche), la larga varietà di tipi da essi riflessa, il prolungato arco temporale in cui si scaglionano connotano l'Etruria come mercato estremamente recettivo e interessato all'acquisto dei balsamari plastici greco-orientali. La popolarità e fortuna che questi prodotti, pur sempre «esotici», anche se verosimilmente non molto costosi, vi incontrarono è altresì indirettamente confermata dal fiorire di imitazioni locali, riproducenti specialmente quelli a lepre morta, porcospino, gamba, Acheloo, anatra, realizzate sia in bucchero sia, soprattutto, in argilla figulina. Fra le prime è degno di nota, per esempio, un esemplare, da Tarquinia, plasmato a gamba, con calzare e dettagli resi a graffito (87); sulle seconde, già individuate e discusse da Higgins e poi da Ducat, non mi dilungherò, salvo soffermarmi brevemente su un gruppo in forma di gamba riunito dalla Maximova e dallo studioso francese (88). Il loro giusto riconoscimento di copie eseguite in Etruria è senz'altro confermato da alcune aggiunte che reco alla lista redatta da Ducat: si tratta precisamente di una, con endromis e con il serpente sulla coscia, motivo che connota quasi tutti i pezzi di questa serie, dalla tomba populoniese 4/1931 di S. Cerbone (89), di

---

80) E. PARIBENI, in *Aspetti e probl. Etruria int.*, cit., p. 131.
81) Ne è noto un solo altro ex., dalla tomba 200 di Jalysos (Ducat, p. 150, 1, con bibl. prec., cui va però aggiunto *CVA*, Rodi, 2, II D o, tav. 2, 5).
82) Sui quali più di recente *CVA* Gela 2, commento a tav. 33, 5-6, con rifer.; METZGER, *op. cit.*, p. 78, tav. 30, n. 137 e p. 80, tav. 32, n. 148.
83) Sul tipo in generale v. *CVA*, Rodi 2, II D o, tav. 1, 3 (t. 93 di Jalysos); *Bd'A*, 45, 1960, fig. 22, 3 (Catania); Ducat, p. 67; *Tocra*, 1, p. 154, tav. 10, 48-49, con rifer.; HIGGINS, *Greek Terracottas*, cit. infra, tav. 14, B, p. 36.
84) *Bd'A*, 45, 1960, fig. 22, n. 12.
85) *Ibidem*, fig. 16 a, fila mediana, I da s.; Ducat, p. 149 lo definisce il «seul exemplaire» in versione dipinta: v. invece l'ex. citato a nota successiva.
86) *MonAnt*, 46, 1963, c. 67 s., tav. 27 a-b (riconosciuto come corinzio dipendente da tipi ionici).
87) Nel Museo Archeologico di Tarquinia, inv. RC 5284. Inedito, ma menzionato da M. PALLOTTINO, in *MonAnt*, 36, 1937, c. 214, nota 6; P. ROMANELLI, *Tarquinia. La necropoli e il Museo*, Roma, 1951, p. 39; G. CAMPOREALE, in *AC*, 25-26, 1973-74, p. 106, nota 6.
88) MAXIMOVA, *op. cit.*, p. 91, nota 3; Ducat, pp. 137 ss., gruppo C. All'elenco di Ducat mi sembra utile apportare le seguenti precisazioni: il n. 2 proviene dalla tomba 80 della necropoli di contrada Penna a Falerii; il n. 4, da lui indicato come «D'Italie (collection Campana)», risulta da POTTIER, *op. cit.*, I, tav. 39, E 333, p. 48, trovato a Cerveteri e entrato al Louvre nel 1863, inv. Campana 351; il n. 5, di cui non è fornita provenienza, apparteneva invece alla collezione Candelori, come si ricava da SIEVEKING-HACKL, *op. cit.*, fig. 86, p. 86, n. 770, e quindi viene da Vulci.
89) *NSc*, 1934, p. 373, fig. 26, 4.

una seconda — inedita — da Roselle (necropoli del Campo della Fonte) (90) e di un'altra, pure con serpente sulla coscia, dalla tomba 1 della necropoli di Merellio S. Magno (Bisenzio) (91), sinora sconosciuta (fig. 41). Aggiungerò che quest'ultima tomba accoglieva un altro balsamario a gamba, pure di manifattura etrusca, caratterizzato da decorazione a punteggio dipinto (fig. 42), e uno a porcospino (fig. 43), uscito certo dalla stessa bottega del precedente, data l'identità di argilla e di tecnica ornamentale. Questo complesso visentino, che ospitava anche un balsamario a cerbiatta (92), può in certo senso, in rapporto al problema che ci interessa, considerarsi emblematico della situazione dell'Etruria interna, ove evidentemente pervenivano piuttosto le riproduzioni locali (a mio avviso, vulcenti) che non le importazioni greco-orientali.

Mi soffermo brevemente infine su due pezzi un po' problematici, oggetto di controverse opinioni: alludo alle due statuette (pseudo-balsamari) della tomba d'Iside (93) riproducenti una figura femminile seduta, le mani posate sulle ginocchia, che S. Haynes (94), fondandosi specialmente sulla pettinatura, vuole necessariamente create in Etruria. Personalmente, benché non abbia il conforto di un esame autoptico, non vedo elementi decisamente probanti per condividere questa affermazione. Se, da un lato, è vero infatti che non hanno repliche puntualissime nel mondo greco-orientale, è altrettanto e ancor più vero che nessun soddisfacente confronto trovano in ambito etrusco. È innegabile invece che i lineamenti del volto (per convincersene basta correlarli con i numerosi balsamari, articolati in più serie, a busto femminile), il tipo di calzare, la stessa realizzazione nella tecnica a colori lustri orientano decisamente in favore di una fabbricazione greco-orientale (95). Né mi sembra che possano considerarsi determinanti, ai fini del riconoscimento della zona di produzione, la presenza della foglia d'oro riportata su alcune parti (95 bis) e l'aspetto di natura funzionale, ossia il fatto che gli esemplari in esame, benché forniti di bocchello alla sommità del capo, non potevano servire come balsamari, data la capillarità del foro di cui sono muniti.

Per quanto concerne i lydia, attestati peraltro specialmente dal secondo quarto del VI ma perduranti anche nella seconda metà di tale secolo, si riscontra una certa varietà di tipi (96). Fra quelli general-

---

90) Nel Museo Archeologico di Grosseto, inv. 24097; rinvenuta fortuitamente nel corso di lavori agricoli, è stata donata da M. Vergari. La sommità è arrotondata e sul bordo del bocchello è allineata una sequenza di punti.

91) *NSc*, 1886, p. 311, n. 26. È conservato nel Museo Archeologico di Firenze, inv. 73370 (scavi Brenciaglia e Paolozzi 1885).

92) *Ibidem*, p. 311, n. 7 (cerbiatto), n. 8 (porcospino), n. 27 (gamba). Gli ultimi due pezzi sono altresì citati dalla MAXIMOVA, *op. cit.*, rispettivamente a p. 102, nota 2 e a p. 91, nota 3, come provenienti « de Vicence ».

93) Più di recente riprodotte dalla STRØM, *op. cit.*, fig. 100, a-b.

94) In *La civiltà arcaica di Vulci...*, *cit.*, tav. VI, d, p. 20 s. Ma v. già EADEM, in *Antike Plastik* IV, 1965, p. 16, nota 27.

95) Come già aveva riconosciuto la MAXIMOVA, *op. cit.*, tav. 29, 109 a-b, pp. 136, 170 e come ha ribadito con altri argomenti chi scrive nell'intervento alla predetta comunicazione della Haynes, nello stesso volume di Atti, pp. 88-89.

95 bis) Quest'altro argomento, invocato dalla Haynes come prova della destinazione votiva o decorativa, piuttosto che funzionale, e della « etruschità » dei pezzi, oltre a essere intrinsecamente fragile e tautologico, è per di più categoricamente smentito dall'evidenza archeologica. Infatti perfino su un alabastron in bucchero « ionico » rinvenuto in Sicilia, dunque in un'area geografica e culturale in cui le velleità di « rivendicazioni » etrusche hanno ancora minore fondamento, è inconfutabilmente documentato un rivestimento in lamina probabilmente argentea, in ogni caso metallica: si veda al riguardo l'esemplare dalla tomba 19, scavo 1968 (nell'area a sud del viale P. Orsi, presso l'Anfiteatro) di Siracusa, presentato da L. BERNABO' BREA, in *Archeol. Sicilia sud-orient.*, *cit.*, p. 91 s., n. 311, tav. 24 (« Alla superficie del vaso dovevano essere state applicate delle sottilissime lamine probabilmente d'argento che formavano motivi geometrici, lasciando risparmiate zone nelle quali restava in vista la superficie bruna dell'impasto »).

96) Come si è già notato per le coppe ioniche, così anche per i lydia non sempre è possibile pervenire ad una classificazione precisa dei pezzi editi né distinguere gli importati dagli imitati, a causa della scarsa leggibilità delle riproduzioni o della sommarietà delle descrizioni. Si vedano, ad es., i segg.: da Cerveteri: *MonAnt*, 42, 1955, c. 761, 8-9, (tomba 281) e c. 836, 34, tav. agg. B, 18; *NSc*, 1955, p. 57, 26, fig. 13 e p. 90, 32-33, fig. 49 (tombe 4 e 14/1951

mente ritenuti di produzione propriamente lidia si impongono in primo luogo gli esemplari marmorizzati (figg. 44-45) (97) — una ventina (v. elenco *infra*) —, con massima concentrazione a Vulci, mentre ben più rari e circoscritti, a quanto mi risulta, a Cerveteri sono quelli a corpo articolato da costolature orizzontali e ravvivato da vernice rossa alternata a fasce bianche e azzurre, uno dei quali, rinvenuto nella Tomba dei Vasi greci, è raccordabile alla serie precedente, in quanto reca sull'orlo e nella parte mediana del corpo una fascia con la caratteristica decorazione a pennellate ondulate (98). Ancora asso-ciabili al tipo comunemente definito lidio, e in ogni caso di importazione greco-orientale, sono pochi altri pezzi con decorazione a vernice bruna o nera distribuita sull'intero corpo dei vasetti o su larga parte di esso (99). Soprattutto a Cerveteri e in quantità più ridotta nell'agro castronovano, a Tarqui-nia e Vulci ricorrono poi i lydia ornati da bande e filetti (100), generalmente a vernice nera brillante (fig. 46), prodotti certo dalle stesse fabbriche, probabilmente sud-ioniche, di altre forme vascolari quali anfore, hydriai, kylikes, askoi, pissidi ecc. della « Reifenware » (v. lista *infra*), a partire dal secondo quarto del VI secolo.

Nel complesso comunque il novero dei lydia importati non risulta considerevole, mentre la diffu-sione sembra limitata essenzialmente all'Etruria meridionale. È tuttavia da tenere presente che anche in Etruria, come del resto in Sicilia, ne sono note imitazioni (101), generalmente con decorazione lineare

Banditaccia); *MAV*, V, tav. 11, 3, p. 20 e p. 34, 6-7 (tt. 83 e 178 Bufolareccia), tav. 1, 6, p. 87, tav. 38, 11, p. 117 e tav. 44, 5-6, p. 217 (tombe 57, 159 e 324, Laghetto); LERICI, *op. cit.*, fig. in alto a p. 361, fila in basso e fig. al centro a p. 356, III da s. (tombe 334 e 102 di Monte Abatone); dal territorio castronovano: O. TOTI, *Allumiere e il suo territorio*, Roma, 1967, p. 38, ipv. 101 = *Hommages à Marcel Renard*, III, Bruxelles, 1969, p. 573 (tomba VII del Colle di Mezzo); *ibidem*, p. 576, tav. 213, fig. 20 (t. 20); *Civitavecchia. Pagine di storia e di archeologia*, Bollettino d'informazioni dell'associazione archeologica « Centumcellae », III, 1961, p. 83 (dromos della t. 20 della necropoli de « La Scaglia »); da Vulci: *MAV*, II, p. 25, 480, tomba 146 Osteria; p. 26, 504-505, tomba 148 Osteria (il corredo di questa tomba, nel frattempo « emigrato » in Olanda, è ultimamente ricomparso in AA.VV., *De Etrusken. Inleiding tot de verzameling Etruskische oudheden in het Rijksmuseum van Oudheden te Leiden*, 's Gravenhage, 1977, p. 30 s., fig. 19); A. MAZZOLAI, *Comune di Grosseto, Museo Civico, Mostra archeologica*, Grosseto 1958, tav. 18, fig. 1, II da s.; da Orvieto: *NSc*, 1880, p. 446, tav. 16, 7 (da una tomba di Crocifisso del Tufo, predio R. Mancini). Imitazioni rea-lizzate in ambito etrusco-meridionale e smistate nella Sabina tiberina sono sicuramente due lydia dalle tombe 1 e 7 della necropoli di Colle del Forno (*Civiltà arcaica Sabini*, I, *cit.*, pp. 45, n. 3, tav. 4 c e 61, n. 70), come ho indi-cato *ibidem*, III, *cit.*

97) Sui quali più di recente v. F. CANCIANI, in *AA*, 1963, c. 669 s., con rifer.; *CVA*, München, 6, tav. 303, 3; C. H. GREENEWALT, *Lydian Vases from Western Asia Minor*, in *CalifStCA*, 1, 1968, p. 148, nota 16. La stessa tecnica de-corativa ricorre su altre forme, quali lekythoi (cfr. G. M. A. RICHTER, *Metropolitan Museum of Art, Handbook of the Greek Collection*, Cambridge (Mass.), 1953, p. 44, tav. 32 a: da Sardi), piatti su piede (cfr. *CVA*, Berlin, 4, tav. 165, 7-8: « angeblich zwischen Smyrna und Sardes gefunden »), oinochoai e kantharoi (GREENEWALT, *art. cit.*, pp. 141, 153, tavv. 1, 3); per un frammento di piatto (?) dall'Heraion di Samos v. inoltre Walter-Karydi, pp. 88, 148, tav. 126, 1041.

98) L'uno, dalla tomba 233 Laghetto, è riprodotto in *MAV*, V, p. 197, tav. 20, 4; per quello della Tomba dei Vasi Greci v. *MonAnt*, 42, 1955, c. 283, 83, fig. 37, 2 e HELBIG, *Führer*4, p. 577, n. 2614.

99) Da Cerveteri: *MonAnt*, *cit.*, c. 591, 1 (tomba 144); *MAV*, V, p. 116, 2-5, tav. 35 e p. 206, 2-3, tav. 30 (tombe 158 e 263 Laghetto); da Orvieto: G. CAMPOREALE, *La collezione Alla Querce*, Firenze, 1970, p. 22, 5, tav. 1, c. Per il tipo cfr. GREENEWALT, *art. cit.*, p. 146, tav. 2, 3; *CVA*, Varsovie, 6, tav. 1, 1.

100) Su questo tipo da ultimo *CVA*, Gela, 2, commento a tav. 37, con vari rifer.; *CVA*, Musée Archeologique de Bar-celone, 1, tav. 1, 10 (Ampurias); *CVA*, Kassel, 2, tav. 55, 8 (Samo); *CVA*, Würzburg, 1, tav. 21, 4-5 (Olbia); Walter-Karydi, pp. 32, 131, tav. 60, 501; *AM*, 91, 1976, p. 40, 7, tav. 7, 2 (Atene, Ceramico).

101) Ad es., da Cerveteri: *MonAnt*, 42, 1955, c. 573, 26-27 (tomba 133); *Nuove scoperte e acquisizioni*, *cit.*, p. 8, n. 6 (tomba a camera della Banditaccia, scavo 1970); 1 ex., inedito, dalla tomba 23 di Monte Abatone, camera princi-pale, nel Magazzino degli scavi di Cerveteri; dal territorio castronovano: 1 ex. dalla tomba 12 di Castellina di Ferrone, nel Museo di Tolfa, inv. 466 e un altro, sporadico, dalla medesima necropoli; da Tarquinia: vari exx. nel Magazzino del Museo; da Vulci: *Vulci, Zona dell'« Osteria », Scavi della « Hercle »*, Roma s.d., p. 11, 3-4 (tomba 1); da Orvieto: 1 ex. nel Museo Faina, inv. 551, citato da CAMPOREALE, *Querce, cit.*, p. 22, n. 4; *StEtr*, 34, 1966, tav. 17, a, p. 67, n. 858: dalla tomba 38 di Crocifisso del Tufo; Museo Archeologico di Firenze, inv. 71034 (acro-

dipinta in rosso o bruno. Come serie di imitazione, localizzabile forse, sulla scorta dei dati statistici e distributivi, a Cerveteri, è poi a mio avviso da riconoscere quella, invero piuttosto numerosa, caratterizzata da « slip » di colore rosso che ne ricopre interamente la superficie (fig. 47), alcuni esemplari della quale raggiungono, benché episodicamente, il Lazio (Roma, Satrico) (102). Analogamente, può considerarsi di imitazione quel gruppo di lekythoi di tipo « samio », in precedenza indicato (v. p. 171 s.), che risulta contraddistinto da vernice della medesima composizione e tonalità cromatica e la cui area di distribuzione è in larga misura coincidente con quella dei lydia in argomento.

H.a) Lydia « marmorizzati »

Cerveteri:

1) *NSc*, 1955, p. 90, fig. 49, 31: Banditaccia, tomba 14/1951.
2) *AA*, 1969, p. 340 s., fig. 23: « angeblich aus Cerveteri ».

Vulci:

3) A. Fairbanks, *Catalogue of the Greek and Etruscan Vases, I, Museum of Fine Arts, Boston*, Cambridge, 1928, pp. 159, 162, n. 446, tav. 44, corrispondente a Gsell, *op. cit.*, p. 117, n. 86 (tomba 49, camera D).
4) Un ex. a Berlino, citato da A. Rumpf, *Lydische Salbgefässe*, in *AM*, 45, 1920, p. 164 e nota 2.
5) *MAV*, III, p. 25, n. 570 (ivi definito « piumato »): recupero V.

---

mo), inedito: da Pescia Romana, acq. 26-7-1880; Museo Arch. di Firenze, inv. 20406 e 20505 (in argilla chiarissima), inediti: da Falerii, acq. Benedetti 1901. Sono verosimilmente riconoscibili come imitazioni anche taluni esemplari formanti una serie morfologicamente distinta (per il tipo cfr. Sieveking-Hackl, *op. cit.*, tav. 19, 544-545; *Antike Kunst aus Privatbesitz Bern- Biel-Solothurn in der Zentralbibliothek Solothurn 21. Oktober bis 3. Dezember 1967*, p. 31, n. 96, tav. 9), caratterizzati da collo più alto, corpo più compresso nella parte superiore e più allungato e sfinato inferiormente, peduccio a disco, ricoperti da vernice rossastra o bruno-nerastra, a volte decorati sulla spalla da tremoli o meandro spezzato: da Cerveteri: *MonAnt*, 42, 1955, c. 461, 24, tav. agg. B, forma 21 e Helbig, *Führer* 4, III, p. 566, 2601 (tomba 58); *NSc*, 1955, p. 75, 5, fig. 36 (tomba 10/1955); *MAV*, V, p. 118, tav. 39, 8 (tomba 160 Laghetto); 1 ex. dalla tomba III Maroi, inedito, nel Museo di Villa Giulia; *Nuove scoperte e acquisizioni, cit.*, p. 26, n. 57 (da una tomba in loc. Cavetta della Pozzolana/ scavo 1974, camera laterale s.); 1 ex. da Piano della Conserva, inedito, nel Museo di Tolfa; 1 ex. da Bisenzio, Palazzetta (acq. Brenciaglia e Paolozzi 1887), nel Museo Archeologico di Firenze, inv. 73344, inedito (fig. 48).

102) *Cerveteri*: *NSc*, 1955, p. 90, 34-35, fig. 49 e p. 94, 7-9, fig. 52 (Banditaccia, tombe 14 e 16/1951); *MonAnt*, 42, 1955, c. 534, 10, tav. agg. B, forma 20 (tomba 105), cc. 591, 5 e 594, 41 (tomba 144), c. 764, 20-22 (sporadici), c. 771, 37 (tomba 285; ex. miniaturistico), c. 1131, 58 (tumulo XI); *MAV*, V, p. 117, 12-13, tav. 38 (t. 159 Laghetto), p. 186, 7, tav. 6 (t. 202), p. 203, 4, tav. 27 (t. 253), p. 206, 4, tav. 30 (t. 263), p. 207, 1 (t. 267), p. 218, 2, tav. 46 (t. 327), p. 218, 2 (t. 328); sette exx. dalla tomba 43 Bufolareccia, nel Magazzino degli scavi di Cerveteri, inediti (alcuni sono parzialmente visibili in una foto d'insieme riprodotta da C. M. Lerici, *Nuove testimonianze dell'arte e della civiltà etrusca*, Milano, 1960, a p. 51); tre exx., inediti, dalla tomba 23 di Monte Abatone, camera principale, nel Magazzino suddetto.

Territorio castronovano: un ex. dalla tomba 1 di Pian dei Santi e uno, miniaturistico, dalla tomba 1 della necropoli del Capannone, inediti, nel Museo di Tolfa.

Vulci: Gsell, pp. 103, 12-14, 161, 9, 479, tav. suppl. A-B, forma 28 (tombe 45 e 69, camera B); *MAV*, II, p. 7, 74-75, tomba 115, p. 16, 292-294, tomba 130, p. 33, 675-676, tomba 180.

Castro: un ex. dalla tomba 67/1967, uno donato da T. Lotti (inv. 72947), due di rinvenimento sporadico (inv. 72761-72761 bis), inediti, nell'Antiquarium di Ischia di Castro.

Originis incertae, ma presumibilmente dall'Etruria: Museo Archeologico di Firenze, inv. 3700, inedito (fig. 47).

Roma: Gjerstad, *op. cit.*, III, p. 149, fig. 99, 2 (dal Quirinale, deposito votivo di S. Maria della Vittoria) e p. 230, fig. 142, 2 (deposito votivo del Comizio).

Satrico: un ex., miniaturistico, dalla stipe del tempio di Mater Matuta, nel Museo di Villa Giulia.

6) Un ex. dalla camera A di una tomba (non meglio indicata) della necropoli dell'Osteria/scavo 1973. nel Museo di Vulci, inv. 75904. Inedito.

7-8) Due exx. dalla tomba 10 dell'Osteria (associati, fra l'altro, ad un'anfora «ionica» a bande: v. p. 188, a, 18), nel Museo di Vulci. Inediti.

9-10) Due exx. dalla tomba a camera 63 dell'Osteria, nel Museo di Vulci. Inediti.

11-12) Due exx. dalla tomba 177 dell'Osteria, nel Museo di Villa Giulia. Inediti; cenno di A. GIULIANO, in *StEtr*, 37, 1969, p. 18, nota 4. Il corredo tombale comprende, fra l'altro, una kylix attica dei Piccoli Maestri e un intero «servizio» di vasi pontici (un'oinochoe del Pittore di Paride, un'oinochoe e un kyathos del Pittore di Anfiarao, due piatti su piede del Pittore di Tityos, tre calici e un kyathos di mani non individuate), ultimamente illustrati da L. HANNESTAD, *The Followers of the Paris Painter*, København, 1976, pp. 81, tavv. 54-57; 55, nn. 10, 6, tavv. 8-9, 4-5; 58, nn. 27, 32, tavv. 14, 16; 71 s., 79, nn. 109-111, 156, tavv. 46, 45, a-b, 48.

Castro:

13) F. DE RUYT, in *RendPontAcc*,37, 1964-65, (1966), p. 75, fig. 11 = IDEM, in *CRAcInscr*, 1967, fig. 1 a p. 161.

Etruria:

14) *AA*, 1963, c. 669 s., 3, fig. 3; *CVA*, Heidelberg, 3, tav. 127, 7; HAMPE und MIT., *op. cit.*, p. 38 s., n. 65, tav. 42 (la prov. dall'Etruria è indicata solo in quest'ultima sede).

Originis incertae, ma presumibilmente dall'Etruria:

15) Albizzati, p. 90, n. 261, fig. 34.

16-18) Beazley-Magi, p. 21, 10-12, tav. 27; l'ultimo ex. presenta peraltro solo una fascia marmorizzata «a metà del corpo, tra due fascette nere».

19-20) Museo Archeologico di Firenze, inv. 3698-3699 (figg. 44-45). Inediti, ma menzionati da RUMPF, *art. cit.*, p. 164.

21) Museo Archeologico di Grosseto, inv. 2291. Inedito.

H.b) LYDIA DI TIPO C.D. GRECO, A BANDE E FILETTI

Cerveteri:

1-2) *NSc*, 1955, p. 56, 21-22, fig. 13: Banditaccia, tomba 4/1951.

3) *MonAnt*, 42, 1955, c. 763, 3: Banditaccia, sporadico.

4) *MAV*, V, p. 117, 10, tav. 38: tomba 159 Laghetto.

5) *ibidem*, p. 197, 3, tav. 20: tomba 233 Laghetto.

6) *ibidem*, p. 199, 2: tomba 239 Laghetto.

7) LERICI, *op. cit.*, fig. in basso a p. 358, al centro: Monte Abatone, tomba 196.

8) Da Monte Abatone, tomba 157, nel Museo di Cerveteri. Inedito.

9) Da Monte Abatone, tomba 363, nel Magazzino degli scavi di Cerveteri. Inedito.

10) Dalla tomba 43 Bufolareccia, nel Magazzino degli scavi di Cerveteri. Inedito.

11) *Muse* (*Annual of the Museum of Art and Archaeology, University of Missouri-Columbia*), 10, 1976, fig. a p. 26: detto provenire da una tomba « near Cerveteri », insieme ad una oinochoe trilobata e ad un aryballos globulare con rosone inciso in bucchero.

Territorio castronovano:

12) Toti, *Allumiere, cit.*, p. 34, tav. 12, fig. 2, n. 6=Idem, in *Hommages Renard, cit.*, p. 571, tav. 212, fig. 18, n. 1: tomba I della necropoli del Colle di Mezzo.

13) Da Pian della Conserva, tomba 13, nel Museo di Tolfa. Inedito.

Tarquinia:

14) Museo di Tarquinia, inv. RC 1979. Inedito, ma citato da me in *CVA*, Gela 2, II D, p. 8, commento a tav. 37, 1.

Vulci:

15) *Führer Würzburg*, p. 81, L 134: già collezione Feoli.

16-17) *CVA*, Berlin, 4, tav. 179, 3-4, con bibl. prec. cui aggiungi Furtwängler, *op. cit.*, p. 463, 2112 (« Warscheinlich Vulci. Gerh(ard) Nachl(ass) ») e 2113 (« Vulci. S(ammlung) Dor(ow) »).

Originis incertae, ma verosimilmente dall'Etruria:

18-19) Albizzati, p. 90 s., 262-263, tav. 25.

20) Beazley-Magi, p. 18, tav. 1, 8.

21-22) *CVA*, Musei Capitolini, 2, tav. 1, 9-10.

23) E. von Mercklin, in *RM*, 38-39, 1923-24, p. 75, 6, fig. 2, a s.

24) Museo di Villa Giulia, Antiquarium, inv. 25016. Inedito.

25) Museo Archeologico di Firenze, inv. 4197. Inedito (fig. 46).

Palestrina (?):

26) *Antiken aus dem Akademischen Kunstmuseum Bonn*, Düsseldorf, 1971, p. 147 s., n. 169, con bibl. prec.: « in Rom erworben, angeblich aus Praeneste ».

I) Ceramica dipinta a fasce

Per chiarezza espositiva riunisco qui tutta la ceramica d'importazione decorata a bande. Oltre ai lydia, trattati in precedenza, le forme attestate in Etruria sono varie. Prevalgono decisamente le anfore (103) (figg. 49-50), distribuite a Cerveteri, Tarquinia e Vulci, nonché a S. Giovenale, mentre per due rinvenute a Bologna (figg. 51-52), nella necropoli della Certosa, non si può escludere che vi siano pervenute dal porto spinetico. Assai meno frequenti, in Etruria come del resto altrove,

---

103) Sulla classe più di recente v. *CVA*, Gela, 2, II D, pp. 4-5, commento a tav. 34, con rifer.; Metzger, *op. cit.*, pp. 47, 54, tav. 51; *CVA*, Varsovie, 6, tav. 1, 6 (prov. scon.).

sono le hydriai, gli askoi (104) e le ollette stamnoidi (105). Gli aryballoi globulari (106) ricorrono poi a Populonia e, soprattutto, a Cerveteri, che ha restituito anche alabastra (107) scanditi da fasce e filetti dipinti. Nel complesso si tratta comunque di non molte unità, scaglionate prevalentemente nella seconda metà del VI sec. a.C.

È da registrare altresì la presenza, pur ridotta e finora del tutto inosservata, a Populonia e, sorprendentemente, in un centro dell'interno quale Bisenzio (fig. 53), delle olpai con imboccatura e ansa verniciate e il resto del corpo risparmiato, che hanno invece ampia diffusione in Sicilia (108) (Megara Hyblaea, Gela, Himera, Solunto, Palermo, Lipari), oltre che, per esempio, a Rodi (109).

Degno di particolare menzione è, d'altra parte, un inedito deinos decorato da bande di vernice nera brillante, venuto in luce pochi anni or sono nella tomba 19 della necropoli perugina del Palazzone (110) (già richiamata a p. 166, nota 53 perché accoglieva anche un'anfora « à la brosse »), che è documento eccezionale per l'Etruria e, segnatamente, per Perugia arcaica, alla quale è certo pervenuto da un centro costiero, forse tramite Orvieto (che ha recepito varie coppe « ioniche », soprattutto B 3, e che, nel corso del VI secolo, elabora una sua tipica produzione vascolare a decorazione lineare, di netta impronta ionizzante) o Chiusi (la quale, come vedremo in seguito, vanta la più forte concentrazione dei kantharoi gianiformi, generalmente attribuiti a Samo). Il pezzo in questione è con ogni probabilità di fabbricazione samia: esso è infatti morfologicamente identico ad uno splendido esemplare (111), purtroppo di provenienza ignota e conservato in collezione privata svizzera, il quale, oltre alla decorazione a fasce concentriche all'interno e sul fondo esterno del bacino, esibisce una sequenza di delfini guizzanti sulla spalla e all'interno dell'orlo e un ramo con foglie di mirto e bacche attorno al collo, elementi tutti che trovano perfetti paralleli nei prodotti vascolari ascritti a Samo, quali ad esempio le coppe dei Piccoli Maestri « ionici » e i kantharoi gianiformi. Dalla stessa Samo proviene, del resto, un altro bacile di questo tipo che, benché più antico, rientra certo nella medesima serie con « Reifendekoration » (112).

---

104) Per quelli ad anello cfr. *Histria, II, cit.*, tav. 74, I, 1, p. 172 s., con rifer.; *CVA*, München, 6, tav. 303, 6, con altri cfr.; SPARKES-TALCOTT, *op. cit.*, pp. 210, 358, tav. 80, 1725; *CVA*, Varsovie, 6, tav. 1, 2. Per il tipo a corpo emisferico cfr. Boehlau, tav. 8, 18; *CVA*, Oxford, 2, II D, tav. 1, 23; BERNABO' BREA-CAVALIER, *op. cit.*, I, Palermo, 1960, p. 137, 6; *NSc*, 1968, p. 270, fig. 34 (Palermo, sarcofago 75 a).

105) BERNABO' BREA-CAVALIER, *op. cit.*, II, p. 215, tavv. 55, fig. 1, I da s. e 58, fig. 10, b (tomba 265); Boehlau, tav. 6, 3; *Clara Rhodos*, 4, 1931, p. 135, 1, fig. 131; *CVA*, Gela, 2, tav. 38, 3, con rifer.

106) Sulla serie, già ritenuta laconica e successivamente, anche in base alla zona di irradiazione (Kamiros, Samo, Delos, Xanthos, Sardi, Egina, Siracusa, Gela, Cuma, Marsiglia, oltre che l'Etruria), riconosciuta come greco-orientale v. Boehlau, tav. 6, 9 (= *CVA*, Kassel, 2, tav. 55, 4); *Perachora*, II, *cit.*, pp. 383, nota 1, *in fine*, 539 s.; *Tocra*, 1, pp. 46, 57, con rifer., tav. 39, 766-768; METZGER, *op. cit.*, pp. 33, 38 s., tav. 5, 37-38.

107) Sul tipo cfr. Boehlau, pp. 41, 143, tav. 7, 2 (= *CVA*, Kassel, 2, tav. 55, 9): da Samo, tomba 28: *Perachora*, II, *cit.*, p. 375, tav. 156, 4062; HAMPE und MIT., *op. cit.*, p. 40 s., tav. 43, 67 (prov. scon.). Un ex. inedito, nel Museo di Torcello, è menzionato da A. GIULIANO, in *NSc*, 1955, p. 98, sub n. 6. Per una variante a fondo appuntito, da Tebe, v. pure *CVA*, Gotha, 1, tav. 5, 3 (già coll. A. Margaritis, poi comprato da H. Helbing nel 1897).

108) Cfr. VALLET-VILLARD, *op. cit.*, tav. 204, 9, p. 183 (prod. loc.) e nota 5, con rifer. sul tipo in generale; *MonAnt*, 17, 1906, c. 448, fig. 320 (tomba 7 del predio Romano in contrada Palazzi-Capo Soprano); BERNABO' BREA-CAVALIER, *op. cit.*, I, p. 138, 11, tav. 36, fig. 2 e II, pp. 89, 141 (tomba 405), 215, tavv. 55, fig. 1, I da d. = 58, fig. 10, a (tomba 265), 51, fig. 3, d (tomba 400); AA. VV., *Himera*, I, *cit.*, p. 329, H 63. 8401, tav. 77, fig. 3 (tomba NS-B); *Kokalos*, 18-19, 1972-73, tav. 12, fig. 3; *NSc*, 1968, p. 258, fig. 21 e 1969, pp. 291, g, fig. 20, f, 293, o, fig. 21, g-h, 310, c, fig. 6, a, 313, b, fig. 15, e (= *Kokalos, cit.*, tavv. 110, fig. 2 b, 111, figg. 1, 2 b, 112, fig. 3).

109) Cfr. KINCH, *op. cit.*, c. 154, tav. 26, 1, 5; *Clara Rhodos*, 3, 1929, pp. 164, fig. 156, 193, 8, fig. 186 e 246, 2, tav. 3; *ibidem*, 4, 1931, pp. 149, 4, fig. 149, 272, 1, fig. 302.
   Di prov. scon. è l'ex. SIEVEKING-HACKL, *op. cit.*, p. 49, tav. 19, 478.

110) Gli scavi sono stati diretti dalla dott. A. E. Feruglio, Soprintendente all'Archeologia dell'Umbria, che ringrazio vivamente per avermi consentito di esaminare da vicino questo importante reperto.

111) Cfr. *Das Tier in der Antike, cit.*, p. 34, tav. 32, 197 a-b.

112) *AM*, 83, 1968, p. 262 s., n. 36, fig. 12, tav. 100, 1-2.

Nel ristrettissimo novero di attestazioni di questa forma vascolare presenti in Etruria va altresì inserito un esemplare della collezione Castellani (113), recante pure, su spalla e orlo interno, una teoria di delfini e, entro un medaglione sul fondo, una figura maschile in corsa verso s., che mi pare sia stato piuttosto trascurato dagli studi sull'argomento e che invece, alla luce dei nuovi apporti documentari che vanno emergendo, può ricevere una più precisa definizione. Mingazzini, su suggerimento di Langlotz, lo disse a suo tempo « probabilmente etrusco », ma a me pare invece che tanto la forma — la quale, in ambito etrusco, è decisamente fuori norma — quanto il repertorio decorativo (in particolare il motivo dei delfini, oltre alle fasce che scandiscono la restante superficie) quanto infine il generale rendimento del corpo del personaggio maschile denuncino strette le rispondenze con i prodotti vascolari del tipo che andiamo discutendo, sì che sembra plausibile riconoscervi un'opera importata o, quanto meno, realizzata in Etruria da un artigiano immigrato.

Veramente esigua e marginale la presenza di prodotti di questo genere in area laziale: si può ricordare che da Pratica di Mare proviene una decina di frammenti pertinenti ad una brocchetta a fasce parallele in vernice bruna, impropriamente confrontata (114) con esemplari di Capua e Milazzo di una serie (115) che, oltre ad avere morfologia e sintassi decorativa ben diverse, risulta databile fra la fine dell'VIII e la seconda metà del VII sec. a.C.; il pezzo lavinate, certo importato e non di imitazione, come l'editore propende a ritenere, è invece più recente e assimilabile alle olpai « East Greek » (ioniche, samie, rodie, chiote) a profilo continuo, in uso dalla fine del VII agli inizi del V sec. a.C., di cui si conoscono anche versioni attiche (116).

La ceramica a bande ha avuto peraltro in Etruria imitazioni evidenti (117), che perdurano piuttosto a lungo, fino ad età classica e anche oltre. D'altronde, la linearità e semplicità sia morfologica sia ornamentale ben si prestavano ad essere riprese e facilmente riprodotte. Ho accennato in precedenza alla caratteristica produzione orvietana di età arcaica, fortemente permeata di influenze « ioniche »: nell'ambito di essa è stata enucleata una serie di brocchette (118), sulla quale credo utile soffermarmi brevemente. Innanzitutto va nettamente ribadito (119), ad onta dei vaghi termini di confronto invocati da Camporeale, che i prototipi di esse sono ben individuabili nel mondo greco-orientale (120), come confermano varie attestazioni a Rodi, Gordion, Histria, Emporion e altrove. In secondo luogo, proprio ac-

---

113) Mingazzini, I, p. 165 s., n. 408, tav. 34, 1-3.

114) E. Paribeni, in *Lavinium*, II, *cit.*, p. 394, G 40, fig. 485.

115) Oltre ai cfr. ivi addotti, v. specialmente B. D'Agostino, in *NSc*, 1968, pp. 101 ss., fig. 18 e F. Canciani, *CVA*, Tarquinia, 3, testo a tav. 26, 5-8, 10, ai quali si deve l'esame più esauriente di questo tipo di bottiglie; adde *Archaeological Reports for 1976-77*, fig. 28 a p. 62 (da Gioia Tauro) e un inedito esemplare da Striano (valle del Sarno) nel Museo Archeologico di Firenze, inv. 84253.

116) Cfr. più recentemente Boardman, *Emporio*, p. 144 s., 592-596, fig. 93, tav. 51, con rifer.; *Tocra*, 1, tav. 49, 848-852, pp. 66 s., 70, con altri rifer. e *Tocra*, 2, pp. 29, 33 s., 2074-75, fig. 13, tav. 18; *Sukas*, 2, p. 70 s., 320-321, tav. 16; *CVA*, Mainz, Röm.-Germ. Zentralmuseum, 1, tav. 26, 4.
Per le redazioni attiche del tipo cfr. Sparkes-Talcott, *op. cit.*, pp. 78, 254, nn. 255 ss., tav. 12, fig. 3; *CVA*, Varsovie, 6, tav. 1, nn. 3, 5; *CVA*, Mainz, *cit.*, tav. 36, 8, con rifer.

117) Per le anfore, ad es., v. *MAV*, V, p. 220, tav. 50, 1: Cerveteri, tomba 350 Laghetto; *MAV*, II, p. 6, n. 36, tomba 112 (Vulci, Osteria); sei exx. nel Magazzino del Museo di Tarquinia; Museo Archeologico di Firenze, inv. 77551: da Orvieto, Crocifisso del Tufo, acq. Mancini 1897-98; Museo Archeologico di Firenze, collezione Vagnonville, n. 564.

118) G. Camporeale, *Un gruppo orvietano di lekythoi globulari e ovaleggianti*, in *AC*, 21, 1969, pp. 262-269.

119) Vi aveva già accennato M. Bizzarri, in *StEtr*, 30, 1962, p. 68; lo ha affermato in termini più precisi F. Canciani, *CVA*, Tarquinia, 3, p. 36, testo a tav. 27, 2.

120) Cfr., ad es., *Clara Rhodos*, 4, 1931, p. 305, 3, fig. 342 (Macrì Langoni, t. 176); *CVA*, Copenhagen, 2, tav. 79, 5 (Rodi); G. Körte-A. Körte, *Gordion*, Berlin, 1904, p. 118, fig. 97, b; *AEsp*, 34, 1961, pp. 35 ss., figg. 2, n. 4, 5, n. 3 (Ullastret); *CVA*, Musée Archéologique de Barcelone, 1, tav. 1, 7 (Ampurias); *Histria*, II, *cit.*, p. 230, tav. 83, *m* 2, 1 e p. 232, tav. 84, b; *Tocra*, 1, pp. 66, 70, 839-842, tav. 48.

cettando l'argomento principale, quello distributivo, da lui addotto per fondare l'ipotesi di localizzarne la produzione a Orvieto, si arriva a concludere invece che questa città non fu l'unico centro di fabbricazione delle brocchette in esame: infatti, la presenza di esemplari della serie, a lui sconosciuti, oltre che a Bisenzio e a Vulci, nel territorio castronovano, a Tarquinia e, specialmente, nella stipe votiva del tempio di Satrico (121), nonchè in Campania (122), è assai difficilmente imputabile, almeno in base ai dati per ora disponibili, ad uno smistamento orvietano (123) e più plausibilmente ricollegabile invece a qualche centro dell'Etruria meridionale costiera. Ma si può forse dire di più, ossia che, dei due tipi distinti dallo studioso, il secondo, comprendente le lekythoi da lui definite « ovaleggianti », più che dipendere da modelli greco-orientali sembra riconoscibile come di importazione: oltremodo indicativo in proposito risulta il semplice accostamento, che evidenzia coincidenze puntualissime, di un esemplare da Vroulia (fig. 54), come del resto di altri da Kamiros e Megara Hyblaea (124), con il n. 16 della lista Camporeale, proveniente da Pitigliano (fig. 55).

a) Anfore

Cerveteri:

1) *MonAnt*, 42, 1955, c. 455, 1: erratica, dall'area circostante il Tumulo dei Capitelli.
2-3) *MAV*, V, p. 198, tav. 21, 5-6: tomba 237 Laghetto.
4-5) Due exx. nel Museo di Cerveteri, indicati come « Recupero 1961 »; inediti.
6) Dalla tomba 474 di Monte Abatone, nel Magazzino degli scavi di Cerveteri; inedita.

S. Giovenale:

7) BERGGREN, *op. cit.*, p. 126, tav. 54, 13: tomba 2 di Montevangone, camera s.

Tarquinia:

8-13) Sei exx. nel Magazzino del Museo di Tarquinia; inediti.
Ad alcuni di essi allude M. PALLOTTINO, in *MonAnt*, 36, 1937, cc. 277, nn. 1 ss., 279. Per tre, recanti sigle mercantili (RC 1145, RC 1860, RC 3440), v. inoltre A. JOHNSTON, *Rhodian Readings*, in *BSA*, 70, 1975, p. 151 e nota 15, fig. 2, B e G.

Vulci:

14-15) *MAV*, II, p. 22, 416-417, tomba 137 Osteria (che accoglieva anche due lekythoi samie: v. pp. 171 s., nn. 16-17). La prima di esse, fornita di contrassegno graffito, è stata riedita in *StEtr*, 34, 1966, p. 318 s., 1, tav. 47 a-b e riesaminata da JOHNSTON, *art. cit.*, pp. 151, nota 15, 152.

---

121) Per Bisenzio v. G. COLONNA, in *StEtr*, 42, 1974, p. 20, tav. I, a (da loc. Olmo Bello). Per Vulci v. un ex. inedito dalla camera B della «tomba a camera Osteria, 1973» (così indicata nella didascalia esposta) nel Museo di Vulci, inv. 75905. Per il territorio castronovano v. exx. inediti nel Museo di Tolfa: l'uno dalla tomba 9 di Piano della Conserva, l'altro dalla tomba 2 della necropoli di Pian de' Santi. Per Tarquinia v. *CVA*, Tarquinia, 3, tav. 27, 2, 3, 4; è altresì da tener presente che i nn. 12-13 dell'elenco Camporeale provengono da Tuscania. Per Satricum v. ex. inedito nel Museo di Villa Giulia.

122) Da Teano risulta provenire infatti l'ex. edito da E. LANGLOTZ, *Martin von Wagner Museum der Universität Würzburg, Griechische Vasen*, München, 1932, p. 132, tav. 224, 731 = *Führer Würzburg*, p. 262, L 731.

123) Ad esso sono invece da connettere altri exx., sfuggiti a Camporeale, da Chiusi (uno pubblicato da Albizzati, p. 9, tav. 3, n. 32 (dono Paolozzi), un altro inedito nel Museo di Chiusi, inv. P(aolozzi) 539), da Colfiorito (ex. inedito nel Magazzino del Museo di Perugia, cortesemente mostratomi dalla dr. Anna E. Feruglio), da S. Martino in Gattara (*AttiMemBologna*, 20, 1969, p. 92, fig. 2: tomba 15). Ha invece prov. scon. un ex. inedito nel Museo Gregoriano Etrusco, inv. 16306.

124) Vedi KINCH, *op. cit.*, c. 72, tav. 39, 11, 6; *Clara Rhodos*, 6-7, 1932-33, p. 21, 5, fig. 12 (tomba 3 di Papatislures); *NSc*, 1954, p. 98, 6, fig. 23, 1 (Megara H., tomba H).

16-17) Dalla tomba 145 Osteria, nel Museo di Villa Giulia; inedite.

Non appare superfluo rilevare che, in più contesti, le anfore di questo tipo sono presenti in coppia.

18) Dalla tomba 10 Osteria (associata, fra l'altro, a due lydia marmorizzati: v. p. 183, nn. 7-8), nel Museo di Vulci; inedita.

19) Ex. sporadico, s. n., nel Magazzino del Museo di Vulci; inedito.

Bologna:

20) A. ZANNONI, *Gli scavi della Certosa di Bologna*, Bologna, 1876, p. 246, tav. 68, 4 (disegno); G. PELLEGRINI, *Catalogo dei vasi greci dipinti delle necropoli felsinee*, Bologna, 1912, p. 20, n. 46 bis (fig. 51): dalla tomba 174, dei primi decenni del V sec. a.C., in quanto comprende, fra l'altro, una kelebe a f.r. prossima al Pittore di Harrow (BEAZLEY, *ARV*², p. 277, 2) e un mastoide a f.n. della maniera del Pittore di Haimon (BEAZLEY, *ABV*, p. 557, n. 464).

21) ZANNONI, *op. cit.*, p. 360, tav. 104, 6 (disegno); PELLEGRINI, *op. cit.*, p. 20, n. 46 (fig. 52): dalla tomba 316.

Etruria:

22) A. D. TRENDALL, *Handbook to the Nicholson Museum*, Sydney, 1948 ², p. 257, fig. 55.

Originis incertae, ma presumibilmente dall'Etruria:

23) Albizzati, p. 89, tav. 25, 249.

24) Museo Archeologico di Firenze, inv. 4179. Inedita, ma citata da me in *CVA*, Gela, 2, commento a tav. 34, 3 (fig. 49).

25) Museo Archeologico di Firenze, inv. 97599: da sequestro effettuato a Grosseto nel 1973. H. cm. 17; diam. bocca cm. 7,2. Inedita (fig. 50).

b) H y d r i a i

Tarquinia:

1-2) Nel Magazzino del Museo di Tarquinia; inedite.

Originis incertae, ma verosimilmente dall'Etruria:

3) Mingazzini, I, p. 179 s., n. 418, tav. 37, 3; JOHNSTON, *art. cit.*, pp. 151, nota 15, 152.

c) A r y b a l l o i   g l o b u l a r i .

Cerveteri:

1) Da Monte Abatone, tomba 120 (associato, fra l'altro, a una lekythos samia: v. p. 172, n. 4), nel Museo di Cerveteri; inedito.

2) Da Monte Abatone, tomba 157, nel Museo di Cerveteri; inedito.

3) Da Monte Abatone, tomba 143, nel Magazzino degli scavi di Cerveteri; inedito.

4-5) Da Monte Abatone, tomba 192, nel Magazzino suddetto; inediti.

6) Dalla tomba 43 Bufolareccia, nel Magazzino suddetto; inedito.

Populonia:

7) *NSc*, 1961, p. 82, fig. 20, n. 9 (ivi inserito fra gli « italo-corinzi »): necropoli del Casone, tomba 27/1960 o dei Colatoi.

Originis incertae, ma verosimilmente dall'Etruria:

8) Albizzati, p. 39, tav. 8, 107.

9-11) *Finarte, Asta di oggetti archeologici*, Milano, 1970 p. 8, nn. 7-9, tav. 2: già collezione Pesciotti Cima. Nel catalogo sono erroneamente presentati come « imitazione italica di .esemplari laconici»

d) A l a b a s t r a

Cerveteri:

1) *NSc*, 1955, p. 98, n. 6, figg. 56, 60: dalla tomba a fossa N-L/sc. 1951 della Banditaccia.

2) *MAV*, V, p. 206, tav. 30, 5: tomba 263 Laghetto.

3) Da Monte Abatone, tomba 248, a Roma, Fondazione Lerici (cortese segnalazione della dr. L. Cavagnaro Vanoni).

Originis incertae, ma presumibilmente dall'Etruria:

4) *CVA*, Musei Capitolini, 2, II D, tav. 1, 8.

5) *CVA*, Oxford 2, II D, tav. 1, 27: « bought in Rome ».

e) A s k o i

α) a c o r p o e m i s f e r i c o

Tarquinia:

1) HENCKEN, *op. cit.*, I, p. 320, fig. 317, f: è associato al corredo della tomba 198 di Selciatello di Sopra, ma è una palese intrusione.

β) a d a n e l l o

Originis incertae, ma presumibilmente dall'Etruria:

2) Albizzati, p. 90, tav. 25, 258.

3-5) *CVA*, Robinson Collection, 1, tav. 16, 2-4: comprati a Roma.

f) O l l e t t e - p i s s i d i s t a m n o i d i .

Originis incertae, ma presumibilmente dall'Etruria:

1-2) Albizzati, p. 90, n. 256, fig. 33 e n. 257, tav. 25.

g) O l p a i   a d   i m b o c c a t u r a   v e r n i c i a t a

Bisenzio:

1) Museo Archeologico di Firenze, inv. 73343: dalla necropoli della Palazzetta, acq. Brenciaglia e Paolozzi 1887. Inedita (fig. 53).

Populonia:

2) *NSc*, 1940, p. 382, fig. 5, 1; MINTO, *Populonia, cit.*, tav. 29, 1: dal Poggio della Porcareccia, « piccola tomba con pseudocupola intatta ».

* * *

Prima di affrontare la problematica inerente la ceramica a figure nere si può cercare di interpretare la presenza delle importazioni sin qui presentate e discusse, che si collocano in età arcaica, successivamente cioè all'orientalizzante recente.

Nel secondo quarto del VI sec. a.C. la curva di frequenza delle importazioni corinzie riprende notevolmente quota nel mercato etrusco (125), ove fiorisce, specialmente a Vulci, una forte industria ceramistica concorrenziale. Al contempo, i vasi attici incontrano notevole successo, connotandosi in vari casi come beni privilegiati (si pensi non solo a un pezzo prestigioso come il cratere François, ma anche alle anfore « tirreniche »). Le importazioni greco-orientali non superano di norma il carattere di ceramica d'uso corrente, benché non sia affatto agevole valutare fino a che punto possano essere considerati oggetti di lusso i balsamari plastici o le altre varietà di contenitori di unguenti. Nelle imitazioni realizzate in Etruria l'influenza greco-orientale, riflessa attorno al 580-570 a.C. anche dall'artigiano, invero abbastanza isolato, che decora l'hydria della Polledrara, si limita in genere a elementi morfologici e ornamentali secondari nella produzione etrusco-corinzia (126). Tuttavia, fondandosi sui dati in precedenza raccolti, nel complesso meno labili e sfuggenti di quanto comunemente si ritenga appaiono le relazioni fra l'Etruria e il mondo greco-orientale, soprattutto con l'ambiente rodio-samio e ionico meridionale in genere, mentre per quanto concerne la presenza « focese » io non posso che sottoscrivere i dubbi già avanzati da Torelli (127), il quale ha giustamente sottolineato l'assenza di quel tipo di ceramica grigia che ne è considerata di solito il segno tangibile. Occorrerà, se mai, indagare più approfonditamente sulla consistenza di rotte commerciali propriamente tirreniche, che avrebbero come punto di partenza Reggio e come tappa d'arrivo Marsiglia, avendo cura di considerare tutti gli elementi che concorrono a delineare il quadro delle importazioni, senza privilegiare esclusivamente la ceramica attica (128). In questo senso il materiale di Gravisca può fornire certo indicazioni utilissime.

Nel venticinquennio successivo i rapporti fra Etruria e mondo greco-orientale si impostano in modo del tutto diverso, come ci attesta in particolare la ceramica a figure nere.

---

125) G. COLONNA, in *AC*, 13, 1961, p. 18 s.
126) IDEM, in *StEtr*, 29, 1961, p. 52 s.; ma v. anche qui p. 170, nota 60.
127) *Art. cit.*, p. 64.
128) Come ha fatto invece recentemente C. TRONCHETTI, *Contributo al problema delle rotte commerciali arcaiche*, in *Dialoghi di Archeologia*, 7, 1973, pp. 5 ss.

190

L) Ceramica a figure nere

Dopo la metà del VI secolo, assieme alla classe decorata a bande, si devono considerare anche le importazioni di vasi a f.n. che, pur non numerose, si prestano tuttavia, per la loro provenienza e per il contesto storico che sottendono, a una serie di significative considerazioni.

Le coppe figurate dei Piccoli Maestri samî rinvenute in Etruria (129) sono pochissime (ma nuovi documenti ha restituito Gravisca) e fra esse primeggia la finissima F 68 al Louvre, già della coll. Campana, che riproduce, in un festoso ed esuberante intrico arboreo, la celeberrima figura maschile a caccia di nidi. Alla produzione di queste kylikes sono stati associati i kantharoi gianiformi, di cui l'Etruria vanta la maggiore concentrazione di attestazioni: su nove finora pubblicati, uno proviene da Vulci e ben tre da Chiusi, mentre due sono stati rinvenuti a Samo, uno a Naukratis e due altri sono di origine ignota (130). È un dato statistico di non trascurabile importanza, tanto più per il fatto che coinvolge due centri etruschi di un ambito territoriale abbastanza ristretto e i cui rapporti sono da tempo indagati e ammessi: naturalmente sarà da postulare una recezione secondaria di questo raffinato tipo di vasi da parte di Chiusi, dai cui dintorni proviene anche — sarà bene ricordarlo — un pezzo eccezionale quale il cratere François, a comprovare il carattere decisamente elitario della richiesta e l'acquisizione di prodotti ceramici certo non correnti in questo distretto dell'Etruria.

Ultimamente è stata oggetto di dibattito una coppa a vasca profonda della collezione Vagnonville, dunque di provenienza verosimilmente chiusina, recante dipinto il nome del vasaio, Euarchos, e palesemente esemplata, per quanto concerne la morfologia, su modelli « ionici »: considerata dall'editore (131), per motivi stilistici interni, opera attica, viene ora inserita da E. Paribeni nel gruppo delle kylikes samie (132). Non credo tuttavia, per una pluralità di motivi, che si possa accogliere questa suggestione: in primo luogo, non mancano nella produzione attica altri esempi di coppe a bacino profondo (133) (del resto è ben noto che l'Attica non fu certo immune da influenze « ioniche »); in seconda istanza, non vi è alcuna oggettiva possibilità di confronto e nessuna puntuale affinità fra il gorgoneion che decora il fondo della coppa Vagnonville e quello, citato da Paribeni, su una kylix da Gravisca (che ho potuto vedere a Napoli, esposto al Centro J. Bérard, nei giorni del Convegno e che è ora riprodotto in *StEtr*, 45, 1977, tav. 63, b); infine si può addurre un argomento paleografico, che è pure da considerare per la definizione del pezzo: il sigma a tre tratti che compare nella firma del vasaio riporta infatti all'ambiente attico o, nell'area microasiatica, a Efeso e Smirne (134) (a Samo è invece diffuso più tardi), centri ai quali risulta davvero difficile, almeno per le conoscenze attuali, ascrivere una produzione ceramistica del genere.

In Etruria sono altresì documentati, se pure in novero ridotto, i vasi del tipo Fikellura, distribuiti nei principali centri della zona meridionale, ossia Cerveteri, Tarquinia e Vulci. Da Cere risultano

---

129) E. Kunze, *Jonische Kleinmeister*, in *AM*, 59, 1934, pp. 81 ss., specialmente 101 ss., fig. 8, 1-2; Walter-Karydi, pp. 24, 128, nn. 419, 447, tavv. 13, 46, 52.

130) Beazley, *ARV²*, pp. 1529, 1697 e Idem, *Paralipomena*, Oxford, 1971, p. 501; Walter-Karydi, pp. 30 s., 130 s., nn. 478-486, tavv. 55-57.
   Dei tre da Chiusi, quello già collezione Vagnonville 26, del Museo Archeologico di Firenze (fig. 56), è stato recentemente sottoposto ad un restauro che lo ha liberato di varie aggiunte non pertinenti e dei ritocchi eseguiti dai restauratori chiusini ottocenteschi, di cui è ormai ben documentata la manipolazione sistematica delle opere di rinvenimento locale. Gli altri due, ossia Berlino F 4012 e 4013, scoperti nel 1846 nel corso di scavi di A. François (v. al riguardo Furtwängler, *op. cit.*, p. 1017, 4012-4013), risultano, anche dalle fotografie pubblicate dalla Walter-Karydi, tav. 57, 482-483, avere pure subìto ampie reintegrazioni arbitrarie (ivi compreso lo stesso tipo di piede, non pertinente, su cui era montato l'ex. Vagnonville) che ne alterano sensibilmente l'aspetto e ne hanno fatto dei « pastiches ».

131) M. G. Costagli Marzi, in *Prospettiva*, 3, 1975, pp. 45-48, figg. 1-7.

132) In *Prospettiva*, 5, pp. 52-53; alle figg. 2-3 è riprodotto il kantharos Vagnonville 26 prima e dopo il restauro.

133) Cfr., ad es., *AA*, 1974, p. 217, fig. 29.

134) M. Guarducci, *Epigrafia greca*, I, Roma, 1967, p. 259.

provenire due frammenti, conservati a Monaco e a Bonn (fig. 57) (135), decorati da fiori di loto e. rosette, che Robert Cook ha incluso nel suo gruppo R (« Plain Body Group ») e collocato poco prima o intorno alla metà del VI sec. a.C. Di rinvenimento tarquiniese è poi un'anfora a collo distinto, (fig. 58), con sfingi in schema araldico ai lati di un trofeo vegetale e grifi, cerbiatto, cane sulla spalla (136), databile al 540-530 a.C., assunta dal Cook come pezzo eponimo del « Tarquinia Group » (137) e rivendicata ora a Mileto dalla Walter-Karydi (138).

Vulci ha, dal canto suo, restituito due opere, purtroppo non controllabili: un'anfora, inedita ma descritta ancora da Cook (139), con figure zoomorfe su spalla e corpo, appartenente alla collezione Torlonia e un amphoriskos con la caratteristica decorazione a reticolato, del terzo quarto del VI sec. a.C., noto da un disegno del *Rapporto intorno i vasi volcenti* di O. GERHARD (140). Segnalo infine un piccolo frammento, inedito, con figura maschile recante lancia nella d. (ne resta solo la metà superiore), esposto al Museo di Grosseto (inv. 2448), nella sala di Castro.

Anche ai fini di quanto avrò occasione di dire in seguito, mi sembra interessante notare come la distribuzione di tutte e tre le serie vascolari testè esaminate in rapporto alla loro presenza in Etruria investa anche Naukratis.

Nel settore della ceramica nordionica si è giunti, più di recente, a considerare le classi fabbricate in Etruria come prodotti di ceramografi provenienti da Clazomene o da Focea. La questione, estremamente complessa, esige tuttora la massima cautela, inducendo a prospettare solo delle ipotesi.

Il gruppo delle quattro anfore Northampton (141) può reputarsi, dopo l'intervento di R. Cook (142), opera di un pittore « clazomenio » attivo in Etruria intorno al 540 a.C. A questo gruppo sono stati poi avvicinati, indipendentemente, dal Boardman un'anfora comprata a Luxor e detta provenire da Karnak e da John Cook alcuni frammenti da Bayrakli (143). Da parte sua, il Langlotz ha accostato al gruppo l'hydria 2674 di Bonn (144), che R. Cook ed Hemelrijk avevano invece attribuito al

135) R. M. COOK, *Fikellura pottery*, in *BSA*, 34, 1933-34, p. 37, 4 e IDEM, *CVA*, British Museum, 8, p. 3, R 4. Per il frammento di Bonn v. anche A. GREIFENHAGEN, in *AA*, 1936, c. 380 s., n. 30, fig. 31 (con la precisazione che non appartiene allo stesso vaso di quello di Monaco, benché la decorazione sia simile) e Walter-Karydi, pp. 2, 115, tav. 2, 17 (che lo inserisce fra le « Kannen », mentre Cook e Greifenhagen lo reputano pertinente ad un'anfora).

136) MONTELIUS, *op. cit.*, tav. 299, 1 a-b; M. PALLOTTINO, *Un'anfora del tipo di Fikellura nel Museo Tarquiniese*, in *Bd'A*, 1932-33, pp. 504-508, con altra bibl. e IDEM, in *MonAnt*, 36, 1937, c. 267; *Enciclopedia dell'arte antica, classica e orientale*, III, Roma, 1960, fig. 817 a p. 666.

137) *Art. cit.*, p. 9 s., D 1, fig. 16, 2 e *CVA*, Br. Mus., *cit.*, p. 1, D 1.

138) Walter-Karydi, pp. 58, 135, fig. 60, tav. 85, 624, che la dice impropriamente « wohl aus Italien », mentre la provenienza da Tarquinia è da ritenersi certa, come ha indicato PALLOTTINO, *art. cit.*, p. 508, nota 1.

139) *CVA*, Br. Mus., *cit.*, p. 1, C 9.

140) In *Annali dell'Instituto di Corrispondenza Archeologica*, 1831, pp. 16 e nota 31 a p. 121, 239 s.; inoltre *MonInst*, I, 1829-33, tav. 27, 17; Boehlau, p. 58, n. 29; COOK, *art. cit.*, p. 49, Y 20.

141) Per il pezzo eponimo, comprato a Roma e in possesso del Duca di Northampton a Castle Ashby, v. J. D. BEAZLEY, in *BSR*, 11, 1929, pp. 1 s., tavv. I, 1, 3, II, 4 e, da ultimi, Walter-Karydi, pp. 79, 144, tav. 129, 932 e LANGLOTZ, *Studien*, *cit.*, p. 190, tav. 66, 2.
Per le due a Monaco, provenienti da Vulci in quanto già coll. Candelori, v. più recentemente *CVA*, München, 6, tavv. 297-298 (inv. 586), 299-300 (inv. 585), figg. 30-31, con bibl. prec.; LANGLOTZ, *Studien*, *cit.*, p. 190 s., tav. 66, 1 (inv. 585), 3-4 (inv. 586). Per quella, di prov. scon. (donata nel 1926 dal dr. Ludowici, già in proprietà del dr. E. Lieben a Vienna), conservata a Würzburg v. LANGLOTZ, *op. cit.* a nota 122, p. 17 s., 131, tavv. 16-17 e, ultimamente, Walter-Karydi, pp. 79, 144, tav. 129, 933 e *Führer Würzburg*, p. 80 s., L 131, tav. 15.

142) *A List of Clazomenian Pottery*, in *BSA*, 47, 1952, pp. 149 s.

143) J. BOARDMAN, *A Greek Vase from Egypt*, in *JHS*, 78, 1958, pp. 4-12, tav. 1; J. M. COOK, *Old Smyrna: Ionic Black Figure and other Sixth-Century Figured Wares*, in *BSA*, 60, 1965, p. 121, 35-36, tav. 33.

144) E. LANGLOTZ, in *Antiken aus Akad. Kunstmus. Bonn*, *cit.*, p. 145 s., n. 167, tavv. 85-86 (« Kunsthandel Schweiz »); IDEM, *Studien*, *cit.*, p. 191; v. anche Walter-Karydi, pp. 146, tav. 127, 977 (« wohl aus Italien »).

« Ribbon Painter » (145), la prima mano che opera nell'ambito del gruppo Campana. Pubblicando un nuovo dinos Campana conservato a Würzburg (fig. 59) (146) F. Hölscher ha invece separato dal gruppo una delle anfore di Monaco — la 585 —, che ascrive al maestro dei dinoi Campana, mentre vi ha inserito un frammento da Larisa (fig. 60) (147) che Langlotz e la Walter-Karydi avevano già connesso al gruppo Northampton.

Si verrebbe pertanto ad enucleare una personalità le cui prime opere si riconoscono a Smirne e a Larisa e che si sarebbe quindi trasferita in Etruria, forse a Vulci, da dove provengono due delle quattro anfore del gruppo. Di un certo rilievo potrebbe anche considerarsi la possibilità di un suo passaggio in Egitto, dato il carattere dei soggetti, di tipo appunto egizio, ricorrenti sia sull'anfora eponima sia su quella di Karnak.

Il gruppo dei dinoi Campana (148), dopo la prima proposta di Villard di localizzarne la fabbricazione a Rodi, è ormai univocamente considerato nell'ambito della ceramografia « nordionica » ed accostato al gruppo Northampton, con il quale per alcuni studiosi, come si è detto, viene a fondersi.

La prima personalità in esso individuata, il c.d. Ribbon Painter, fondandosi sulla provenienza delle opere attribuitegli, dipinge esclusivamente per una clientela etrusca: due dinoi ascritti alla sua mano sono stati rinvenuti a Cerveteri in tombe associati a hydrie ceretane (149); al corpus delle sue opere è ora aggiunto il già citato dinos di Würzburg (fig. 59), detto provenire — non so quanto attendibilmente, dato che è stato smistato dal commercio antiquario — dalla Sicilia. Cook ed Hemelrijk hanno riferito alla sua attività l'hydria di Bonn, che Langlotz giudica lavoro « eolico » da inserire nel gruppo Northampton, e l'hydria Ricci (figg. 61-62) (150), che Langlotz, a mio avviso giustamente, reputa di altra mano, più etruschizzante. L'ambiente nel quale si muove e gravita questo pittore è quello della serie di vasi clazomenii che R. M. Cook ha riunito nella sua Enmann Class (151), che peraltro risulta poco omogenea e nella quale è difficile distinguere mani specifiche, ma che dipende da una tradizione figurativa i cui prodotti risultano distribuiti lungo le coste della Ionia, sul Mar Nero, in Egitto e in Italia. Il sostegno, di forma assai rara, V. I. 3220 di Berlino (152), se, come pensano Cook ed Hemelrijk, non può essere inserito nel gruppo Campana, risulterebbe pertanto l'unico pezzo « clazomenio » importato in Etruria.

Il secondo maestro distinto in seno a questo gruppo dovrebbe aver dipinto, secondo Villard, R. Cook ed Hemelrijk, anche l'anfora V.I. 5844 di Berlino detta provenire da Karnak (fig. 63), per la quale appaiono stringenti i confronti additati da J. Cook con i vasi rinvenuti a Bayrakli e attribuiti al c.d. Maestro del Cammello (153).

145) R. M. COOK-J. M. HEMELRIJK, *A hydria of the Campana Group in Bonn*, in *JbBerlMus*, 5, 1963, pp. 107-120.

146) *CVA*, Würzburg, 1, tavv. 26-28, figg. 17-18 (« Aus dem Kunsthandel. FO. angebl. in Sizilien ») e *Führer Würzburg*, p. 79 s., H 5352, tav. 16.

147) J. BOEHLAU-K. SCHEFOLD, *Larisa am Hermos*, III, *Die Kleinfunde*, Berlin, 1942, p. 172, tav. 58, 1; LANGLOTZ, *Studien, cit.*, p. 190, tav. 63, 4; *CVA*, München, 6, p. 42 (E. WALTER-KARYDI).

148) F. VILLARD, *Deux dinoi d'un peintre ionien au Louvre*, in *MonPiot*, 43, 1949, pp. 33-57; R. M. COOK, in *BSA*, 47, 1952, pp. 150 s.; COOK-HEMELRIJK, *art. cit.*, p. 13; Walter-Karydi, pp. 79, 145, tav. 128, 954-955; *CVA*, Würzburg, 1, p. 35 s., testo a tavv. 26-28; LANGLOTZ, *Studien, cit.*, p. 191.

149) COOK-HEMELRIJK, *art. cit.*, p. 114, nn. 3, 5 (quest'ultimo associato alla hydria edita da J. K. ANDERSON, *A Caeretan Hydria in Dunedin*, in *JHS*, 75, 1955, pp. 1-6 e da V. CALLIPOLITIS, *Une nouvelle hydrie de Caeré*, in *MonPiot*, 49, 1955, pp. 55-62, tav. VI).

150) V. però già BOARDMAN, *art. cit.*, p. 11, tav. 2 a. Su questo vaso G. RICCI, in *ASAtene*, 24-26, 1946-48, pp. 47 ss.; HELBIG, *Führer* 4, III, pp. 554 ss., n. 2589, con bibl. prec.

151) In *BSA*, 47, 1952, pp. 134 ss., 147 s.

152) COOK-HEMELRIJK, *art. cit.*, p. 117, figg. 12-15; da ultimo *CVA*, Berlin, 4, tav. 176, 1-4, fig. 20. La provenienza di questo pezzo dall'Etruria non è certa, ma solo presumibile, in quanto esso risulta « in Rom erworben ».

153) Sull'anfora più di recente *CVA*, Berlin, 4, tavv. 174, 4, 175, 1-4, fig. 19, con bibl. prec. Per i pezzi da Smirne J. M. COOK, in *BSA*, 60, 1965, pp. 123 ss.

Per quanto concerne infine le hydriai ceretane, la lista redatta una ventina di anni or sono da Hemelrijk e Callipolitis (154) si è poi arricchita di altri sette esemplari (155). Quanto alla provenienza del Maestro delle hydriai, ultimamente sia la Walter-Karydi sia il Langlotz hanno ancor più posto l'accento sul carattere « eolico » della sua formazione (156), sulla base di confronti con opere di coroplastica, riconoscendo poi il Langlotz una delle sue prime opere nell'hydria 87.7-25.30 del British Museum e sottolineandone gli stretti legami con il gruppo Northampton. Su un totale di trentasette pezzi formanti ora il gruppo, delle sedici di cui è nota la provenienza tredici risultano trovate a Cerveteri, due a Vulci e una a Naukratis.

Il panorama delle attestazioni in Etruria di ceramica greco-orientale a figure nere, nella seconda metà del VI sec. a.C., che abbiamo rapidamente delineato risulta dunque scarso di importazioni dirette e ricco invece di prodotti eseguiti localmente, da una sola generazione di ceramografi emigrati, a seguito dell'invasione persiana, dalla Ionia settentrionale in Etruria e quivi operanti contemporaneamente.

Intorno e immediatamente dopo la metà del secolo risultano significative le importazioni samie, mentre dopo il 540 a.C., terminus post quem fissato dai livelli di Bayrakli (157) per l'attività di questi artigiani in Etruria, si constata la fioritura di questa notevole produzione nordionica stanziale.

Interessante appare la presenza nella zona del Delta di un'anfora molto vicina al gruppo Northampton, di un'anfora del secondo pittore del gruppo Campana e di un'hydria ceretana: i dati di provenienza che, in certo senso, disturbavano alcuni degli studiosi che si sono occupati delle singole classi vascolari (158), una volta considerati invece unitariamente e inseriti nel quadro di distribuzione di altri prodotti ceramici greco-orientali, quali le coppe samie, i vasi di Fikellura, i kantharoi gianiformi, documentati anch'essi nel Delta, giustificano e riflettono invece una evidente rete di scambi che muove dalla Grecia orientale e tocca sia la zona del Delta sia l'Etruria. Anche nel Delta (159), come in Etruria, si stanziano ateliers di ceramisti ed emblematici risultano i pochi pezzi rinvenuti a Karnak e a Naukratis associabili all'attività delle botteghe nordioniche impiantate in Etruria. Se può essere seducente pensare, per il pittore del gruppo Northampton, a un artigiano che fugge i Persiani prima da Smirne e poi dall'Egitto, mi sembra più fondato, in questa sede, pur senza anticipare quanto verrà detto da altri, postulare scambi che si sviluppano fra aree di colonie ed emporii anteriormente al 525 a.C. (160). Nel quadro dell'analoga funzione che svolgono in questo momento, in qualità di « ports of trade », Naukratis e Graviska, funzione ampiamente delineata da Torelli (161), la produzione di ceramica nordionica in Etruria viene connotandosi come fatto di prim'ordine, tale da far ipotizzare un ruolo di questo tipo anche per i porti di Caere e Vulci, città nelle quali si stanziano, secondo quanto va emergendo, officine di ceramisti.

MARINA MARTELLI CRISTOFANI

154) Vedi V. CALLIPOLITIS, Les hydries de Caeré. Essai de classification, in AntCl, 24, 1955, pp. 386-389 (30 exx.); J. M. HEMELRIJK, De Caeretaanse Hydriae, Rotterdam, 1956.

155) 1) MonAnt, 42, 1955, c. 790, 31 (in frammenti): dal dromos della tomba 304 Banditaccia; 2) K. FRIIS JOHANSEN, Eine neue Caeretaner Hydria, in OpRom, 4, 1962, pp. 61-81, tavv. 1-4; 3) BMetrMus, october 1964, fig. a p. 72; 4) ClJ, 64, 2, 1968, pp. 61 ss.; 5) K. SCHAUENBURG, Eine Caeretaner Hydria, in AntK, 12, 1969, pp. 98-101; 6) M. MORETTI, in EAA, Supplemento, Roma, 1970, p. 207, s.v. Cerveteri e IDEM, Cerveteri, Novara, 1977, fig. 79, p. 16: dalla tomba 546 di Monte Abatone; 7) StEtr, 41, 1973, tav. 116 a-b = Nuove scoperte e acquisizioni, cit., p. 207, n. 19: già collezione Pesciotti Cima.
Il frammento 893 di Monaco = HEMELRIJK, op. cit., p. 115, n. 30 è stato riedito in CVA, München, 6, tav. 296, 4 (« aus Rom »).

156) WALTER-KARYDI, art. cit. a nota 59, p. 13; LANGLOTZ, Studien, cit., p. 191.

157) J. M. COOK, in BSA, 60, 1965, p. 114.

158) Così, ad es., P. DEVAMBEZ, Deux nouvelles hydries de Caeré au Louvre, in MonPiot, 41, 1946, p. 59; FRIIS JOHANSEN, art. cit., p. 79; COOK-HEMELRIJK, art. cit., p. 118.

159) Ad es. il Pittore di Petrie: cfr. R. M. COOK, in BSA, 47, 1952, pp. 128 ss. e CVA, British Museum, 8, II D, pp. 14 ss., ma v. anche J. M. COOK, in BSA, 60, 1965, p. 128.

160) BOARDMAN, art. cit., p. 12.

161) art. cit., p. 62 s.

194

APPENDICE I: KYLIKES « IONICHE » (D)

F o r m a   A 1

Cerveteri:

1-4) *NSc*, 1955, pp. 60, n. 12, 66, n. 13, 69, n. 32, 79, n. 36, fig. 39: Banditaccia, tombe 5, 7, 8, 11/1951.

5-11) *MonAnt*, 42, 1955, c. 214, 14 (tomba 1 del tumulo I), cc. 239, 6, tav. agg. G, forma 146 e 241, 2 (tomba 8 del tumulo II), c. 573, 22 (detta di imitazione; tomba 133), c. 576, 10-11 (tomba 134, camera principale), c. 769, 8 (tomba 285).

12) *StEtr*, 40, 1972, p. 514: da Monte Abatone, tomba 144.

13) Dalla tomba 365 Laghetto, lato s., nel Museo di Cerveteri; inedita, ma segnalata da M. Cristofani Martelli, *CVA*, Gela, 2, II D, p. 5, testo a tav. 35, 1-2.

14-15) Da Monte Abatone, tomba 117, nel Museo di Cerveteri; inedite, ma segnalate in *CVA*, Gela, 2, *l.c.*

16) Da Monte Abatone, tomba 203, nel Magazzino degli scavi di Cerveteri; inedita.

17) Da Monte Abatone, tomba 146, nel Magazzino degli scavi di Cerveteri; inedita.

18) Da Casalone di Ceri, tomba 7, nel Museo di Cerveteri; inedita.

Da località imprecisate del territorio viterbese:

19-21) A. Emiliozzi, *La collezione Rossi Danielli nel Museo Civico di Viterbo*, Roma, 1974, p. 149 s., nn. 190-192, tav. 95; M. Martelli, in *Prospettiva*, 4, 1975, p. 45.

Tarquinia:

22) Museo di Tarquinia, sala IV, inv. 883; inedita, ma segnalata in *CVA*, Gela, 2, *l.c.*

23-26) Magazzino del Museo di Tarquinia; inedite, ma menzionate da Guzzo, *art. cit.*, p. 61, nota 1; in particolare, l'ex. inv. RC. 3318 è citato da Beazley-Magi, p. 17, *sub* n. 4.

27) *CVA*, Frankfurt am Main, 1, tav. 11, 1: « In Tarquinia 1955 erworben ».

Territorio castronovano:

28) *StEtr*, 11, 1937, p. 458, c, tav. 57, fig. 4, e: dalla necropoli di loc. Volpelle, tomba 4, II camera.

29) Da Castellina di Ferrone, sporadica, nel Museo di Tolfa; inedita.

Vulci:

30) *Vulci, Zona dell'« Osteria », Scavi della « Hercle »*, Roma s.d., p. 69, n. 32, fig. 22: tomba 39, II camera.

31-35) *Nuovi tesori dell'antica Tuscia*, Viterbo, 1970, p. 37, n. 23: cinque exx. dalla Tomba del Pittore della Sfinge Barbuta (necropoli dell'Osteria).

36-38) *MAV*, II, p. 5, n. 4, tomba 112 (Osteria): frammenti pertinenti a tre exx.

39) Dalla tomba 13 della necropoli dell'Osteria, nel Museo di Vulci; inedita.

40) Beazley-Magi, p. 17, n. 4, tav. 1.

Pescia Romana:

41) Museo Archeologico di Firenze, inv. 71030, acq. 26-7-1880; inedita (fig. 64).

Marsiliana d'Albegna:

42) M. CRISTOFANI, in *StEtr*, 37, 1969, p. 283 s., fig. 2; M. MARTELLI, in *Restauri archeologici*, Firenze, 1969, p. 82, n. 48: dal circolo di Perazzeta.

Pitigliano:

43) *Mostra del restauro archeologico, Etruria grossetana*, Grosseto, 1970, p. 81, n. 153 (ivi non classificata).

Narce:

44) *MonAnt*, 4, 1894, cc. 273, fig. 131, 482, n. 5; MONTELIUS, *op. cit.*, tav. 323, 1: dalla tomba 3 del Quarto Sepolcreto a sud di Pizzo Piede, già richiamata a proposito delle coppe a uccelli (v. supra pp. 153 s., 156, n. 9).

Roma:

45) G. BONI, in *NSc*, 1900, p. 332, fig. 35; E. PARIBENI, in *BullCom*, 76, 1956-58, (1959), p. 4, n. 2, tav. 1,2; GJERSTAD, *op. cit.*, III, p. 218, fig. 138, n. 17 = IV, p. 288, fig. 159, 1: dal Comizio.

46) *Ibidem*, IV, p. 288, fig. 159, 3: dai pressi del tempio di Antonino e Faustina.

47) *Ibidem*, p. 288, fig. 159, 2 = *Early Rome*, III, p. 57, fig. 27 B, n. 82: da un'abitazione arcaica sul Palatino, presso le Scalae Caci.

Osteria dell'Osa (Gabii):

48-50) Da una tomba a camera, cella Est, scavata nel 1976 dalla Soprintendenza alla Preistoria e all'Etnografia: un ex., con filetti suddipinti attorno al labbro, ho visto esposto ad una piccola mostra documentaria sulle recenti scoperte nel Lazio svoltasi a Roma, presso il Museo Nazionale Romano, nel giugno 1977. Alla cortesia della dott. A. M. Sestieri debbo la notizia che la tomba ospitava due altri exx. dello stesso tipo.

F o r m a   A 2 (162)

Cerveteri:

51) *MonAnt*, 1955, c. 284, n. 85, tav. agg. G, forma 147: dalla Tomba dei Vasi Greci.

52) PARETI, *op. cit.*, p. 342, n. 380 *, tav. 49: dalla nicchia d. della tomba Regolini Galassi, necropoli del Sorbo.

53) *NSc*, 1955, p. 66, n. 12 *, fig. 23: Banditaccia, tomba 7/1951.

54-55) C. M. LERICI, *Alla scoperta delle civiltà sepolte: i nuovi metodi di prospezione archeologica*, Milano, 1960, fig. in alto a p. 354, I da s., e fig. in basso a p. 358: da Monte Abatone, rispettivamente tombe 32 e 196.

---

162) Sono state qui inserite, contrassegnate da asterisco, anche alcune kylikes che generalmente vengono assimilate alla forma A 2, pur differendone leggermente per la morfologia complessiva e per la presenza di filetti a vernice diluita sull'orlo; si tratta, con ogni verosimiglianza, di esemplari di fabbricazione samia, giacché trovano i paralleli più immediati nei prodotti, appunto, di Samo (cfr., ad es., *AM*, 72, 1957, tav. 72, 2 e 83, 1968, tav. 95, 4, 6).

56) *NSc*, 1964, p. 37, fig. 3, n. 26: dalla camera centrale di una tomba di Monte Abatone (scavo 1964), ubicata « nelle immediate vicinanze di quelle indicate coi nn. 99 e 80 dalla Fondazione Lerici, che le ha esplorate » (*ibidem*, p. 29).

57) Museo Archeologico di Firenze, inv. 96506: da sequestro (22-8-1961) di materiale di probabile provenienza ceretana; inedita (fig. 65).

58) Dalla tomba 365 Laghetto, camera centrale, nel Museo di Cerveteri; inedita.

59-60) Da Monte Abatone, tombe 157 e 170, nel Museo di Cerveteri; inedite.

Tarquinia:

61) *NSc*, 1930, p. 144, n. 4*, fig. 27, d: dalla necropoli dei Monterozzi, tomba 26.

62-63) Museo di Tarquinia, s.n. e inv. 3468; inedite.

64-78) Magazzino del Museo di Tarquinia; inedite.

Territorio castronovano:

79) *NSc*, 1967, p. 60, n. 7, figg. 5, n. 6, 10, n. 5: da S. Marinella, abitato in loc. La Castellina.

80) Da Pian della Conserva, tomba 11, nel Museo di Tolfa; inedita.

81) Da Castellina di Ferrone, tomba 11, nel Museo di Tolfa; inedita.

82) Da Castellina di Ferrone, sporadica, nel Museo di Tolfa; inedita. Di imitazione.

83) Dalla necropoli del Marangone, nel Museo di Civitavecchia; inedita.

Vulci:

84) *MAV*, II, p. 5, n. 5, tomba 112.

85-87) *MAV*, III, p. 8, nn. 55-57, tomba 11.

88-89) *Ibidem*, p. 9, nn. 73-74, tomba 12.

90) *Ibidem*, p. 11, n. 150, tomba 21.

91-92) *Ibidem*, p. 17, nn. 290-291, tomba 36.

93) *Ibidem*, p. 19, n. 358, tomba 39.

94-96) *Ibidem*, p. 20, nn. 403-405, tomba 41 bis.

97) *Ibidem*, p. 24, n. 553, tomba 50.

98) *Vulci, Zona dell'« Osteria », Scavi della « Hercle »*, Roma s.d., p. 69, n. 33*, fig. 22: tomba 39, II camera.

99) RICCIONI-FALCONI AMORELLI, *op. cit.*, p. 16, 2, fig. 2.

100-106) Gsell, p. 495, tav. suppl. C, forma 159: dalle tombe VI (2 exx.), XVII, LIII (2 exx.), LXVI, LXXX.

107) Necropoli dell'Osteria, tomba a camera A (senza altre indicazioni), nel Museo di Vulci; inedita.

108-109) Necropoli dell'Osteria, tomba a camera (non ulteriormente specificata), nel Museo di Vulci; inedite.

110) Necropoli dell'Osteria, tomba 8/scavi Hercle (18-12-1961), nel Magazzino del Museo di Vulci; inedita.

111) Museo Archeologico di Grosseto, sala di Vulci, inv. 2001; inedita.

Castro:

112) Dal predio Sterbini, tomba « dell'anello » (23-12-1959), nell'Antiquarium di Ischia di Castro, inv. 73013; inedita.

113) Dalla tomba XVI degli scavi belgi, nell'Antiquarium di Ischia di Castro, n. provv. 163; inedita.

114) Dalla tomba XXIII [9] degli scavi belgi (21/22-8-1966), nell'Antiquarium di Ischia di Castro, n. provv. 256; inedita.

Un cenno generico agli exx. dalla necropoli di Castro è stato ripetuto per ben tre volte, praticamente negli stessi termini, da F. DE RUYT, in *RendPontAcc*, 39, 1966-67, p. 9 = *CrAcInscr*, 1967, p. 158 = *Atti del convegno di studi sulla città etrusca e italica preromana*, Imola, 1970, p. 180, con la singolare quanto infondata tesi che si tratti di prodotti corinzî.

115) Museo Archeologico di Grosseto, sala di Castro, inv. 2507; inedita.

Orbetello:

116) Antiquarium di Orbetello, inv. 733; inedita (fig. 66). Si tratta di una variante, riferibile forse ad ambito samio, con orlo piuttosto alto, filettato e un insolito piede trombiforme che farebbe pensare, in prima istanza, ad un restauro arbitrario; ma, non avendo potuto eseguire il controllo autoptico del pezzo, non sono al momento in grado di darne conferma.

Saturnia:

117-118) Museo Archeologico di Firenze, inv. 20939-20940, acq. Mancinelli 1907, sporadiche; ricomposte da frammenti e lacunose; inedite (figg. 67-68).

Pitigliano:

119) Museo Archeologico di Grosseto, sala di Pitigliano, inv. 2208; inedita.

Poggio Buco:

120-122) G. BARTOLONI, *La tombe da Poggio Buco nel Museo Archeologico di Firenze*, Firenze, 1972, p. 107 s., nn. 1-2, fig. 53, tav. 62, a-b (tomba VIII) e p. 156, n. 2, fig. 77, tav. 102, d (dal podere Sadun, acq. Mancinelli 1895, sporadica).

123) Museo Archeologico di Grosseto, sala di Poggio Buco, inv. 2859; inedita.

Orvieto:

124) G. CAMPOREALE, *La collezione Alla Querce, Materiali archeologici orvietani*, Firenze, 1970, p. 21, n. 4, fig. 1, tav. 3.

125) IDEM, *Buccheri a cilindretto di fabbrica orvietana*, Firenze, 1972, p. 27, tav. 39, c: dalla necropoli della Cannicella, tomba 2, acq. Mancini 1895, nel Museo Archeologico di Firenze, inv. 76482. Di imitazione.

Chiusi (?)

126) Museo Guarnacci di Volterra, acq. 1884 a Serre di Rapolano; inedita.

Poggio Civitate:

127) *AJA*, 75, 1971, p. 258, tav. 58, figg. 1-3.
128-131) *AJA*, 78, 1974, pp. 268 ss., figg. 3-6, tavv. 55, 6-7, 56, 4-5.

Castelnuovo Berardenga:

132) *StEtr*, 41, 1973, pp. 131, 134, fig. 5: vi è segnalato un gruppo di frammenti, senza la precisazione se essi sono pertinenti a uno o più exx.

198

Poggio Pelliccia (Gavorrano, Grosseto):

133) Da tomba a tumulo, nel Museo Archeologico di Firenze, inv. 29459; miniaturistica. H. cm. 5; diam. cm. 9, 1; inedita.

Ager lunensis:

134) M. CRISTOFANI, *Osservazioni preliminari sull'insediamento etrusco di Massarosa (Lucca)*, in *Archaeologica, Scritti in onore di Aldo Neppi Modona*, Firenze, 1975, p. 198, fig. 11; IDEM, in *Aspetti e problemi dell'Etruria interna, Atti dell'VIII convegno nazionale di Studi Etruschi e Italici*, Firenze, 1974, p. 68, tav. 26, b. Di imitazione.

Etruria:

135) *Klassieke Kunst vit particulier Bezit*, Leiden, 1975, n. 476.

Originis incertae, ma presumibilmente dall'Etruria:

136) Albizzati, p. 88, n. 242, tav. 20.

137) *CVA*, Musée Scheurleer, 2, II D et III C, tav. 2, 10: « Rome, commerce, 1923 ».

138-142) *CVA*, Musée du Louvre 9, II D, tav. 1, nn. 1, 2 e 5, 3, 8, 9: dalla collezione Campana. Alcuni exx. si possono considerare intermedi fra A 2 e B 2.

Pratica di Mare:

143) *Lavinium*, II, *cit.*, p. 371, G 4, fig. 441. L'identificazione come A 2 non è del tutto sicura, dal momento che il pezzo è largamente reintegrato e la ripresa fotografica alquanto sfuggente.

Forma B 1

Cerveteri:

144) Dalla tomba 18 s. di via del Manganello, nel Museo di Villa Giulia; inedita.

145) *NSc*, 1955, p. 66, n. 11: Banditaccia, tomba 7/1951.

146) Museo Archeologico di Firenze, inv. 96505: da sequestro (22-8-1961) di materiali di probabile provenienza ceretana; inedita (fig. 69).

Tarquinia:

147-149) Magazzino del Museo di Tarquinia; inedite.

Orbetello:

150-151) Antiquarium di Orbetello, inv. 742-743; inedite (figg. 70-71). La seconda è forse di imitazione; la prima trova invece un valido confronto in un esemplare esportato a Tocra (*Tocra*, 2, p. 56, n. 2208, tav. 31).

Saturnia:

152) *MonAnt*, 30, 1925, c. 670, fig. 40, I da s.: dalla tomba 3 del Pratogrande in Pian di Palma, nel Museo Archeologico di Firenze, inv. 80553, acq. 1902 (fig. 72).

Poggio Buco:

153) Museo Archeologico di Grosseto, sala di Poggio Buco; inedita.

Falerii:

154) Museo Archeologico di Firenze, inv. 74472: dalla necropoli di contrada Penna, tomba G, acq. ministeriale 1892; inedita (fig. 73).
L'indicazione del sepolcreto, che non risulta dal registro d'inventario, è stata da me rintracciata in un documento dell'archivio della Soprintendenza archeologica della Toscana; il complesso G non è peraltro descritto nel rapporto di scavo di A. Cozza - A. Pasqui, in *NSc*, 1887, pp. 170 ss., 262 ss.

Forma B2

Cerveteri:

155-157) Lerici, *op. cit.*, fig. al centro a p. 357: da Monte Abatone, tomba 154.

158) *MonAnt*, 42, 1955, c. 521, n. 45, tav. agg. G, forma 148: tomba 99.

159) *Nuove scoperte e acquisizioni*, cit., p. 21, n. 41: da una tomba in loc. Cavetta della Pozzolana (scavo 1974), camera principale.

160) Da Monte Abatone, tomba 170, nel Museo di Cerveteri; miniaturistica; inedita.

S. Giovenale:

161) Berggren, *op. cit.*, p. 50, n. 92, tav. 25 (indicata come « Etruscan Black Figured kylix »): da Porzarago, tomba 6.

Tarquinia:

162-170) Magazzino del Museo di Tarquinia; inedite.

Vulci:

171) *MAV*, III, p. 12, n. 166, tomba 23.

172) *ibidem*, p. 16, n. 267, tomba 31.

173-179) Gsell, p. 495, tav. suppl. C, forma 160: dalle tombe VIII, XLIV, LIX, LXVI (3 exx.), LXVII.

180-181) Beazley-Magi, p. 17 s., nn. 5-6, tav. 1; la prima è stata inserita da J. Hayes, in *Tocra*, 1, p. 111, nota 3 fra le « Italian copies of Rhodian ».

182) *NSc*, 1896, p. 287; *Restauri archeologici*, Firenze, 1969, tav. 28 (in basso, II da d.): dalla tomba B, acq. Pala 1885, nel Museo Archeologico di Firenze, inv. 76141 (fig. 74).

Pescia Romana:

183-184) Museo Archeologico di Firenze, inv. 71010-71011, acq. 26-7-1880; inedite (figg. 75-76). Probabilmente di imitazione. Non risultano specificamente individuabili nei sommarî rapporti di scavo in *NSc*, 1879, p. 330 e 1880, pp. 249-251, 377 s., 449.

Orbetello:

185) Antiquarium di Orbetello, inv. 732; inedita (fig. 77). Vi ha accennato, per il fatto che presenta un restauro antico, M. SANTANGELO, *L'Antiquarium di Orbetello*, Roma, 1954, p. 20.

Poggio Buco:

186) BARTOLONI, *op. cit.*, p. 156, n. 3, fig. 77, tav. 102, c: dal podere Sadun, acq. Mancinelli 1895, sporadica.

Orvieto (163):

187) *CVA*, Orvieto, 1, II D, tav. 1, 7; B. KLAKOWICZ, *La necropoli anulare di Orvieto, I, Crocifisso del Tufo-Le Conce*, Roma, 1972, p. 138, a, 2: dalla necropoli di Crocifisso del Tufo, predio Mancini, scavi 1874-75.

Chiusi (?):

188) Museo Archeologico di Chiusi, inv. P(aolozzi) 574; inedita (fig. 78).

Pòggio Civitate:

189-193) *StEtr*, 39, 1971, pp. 415 ss., nn. 9-13, figg. 5-9, tav. 85 = *Poggio Civitate* (*Murlo, Siena*), *The Archaic Etruscan Sanctuary*, Florence, 1970, p. 67, nn. 155-159.
194) *AJA*, 75, 1971, p. 258, tav. 58, 5.

Castelnuovo Berardenga:

195) *StEtr*, 41, 1973, pp. 131, 134, fig. 5.

Poggio Pelliccia (Gavorrano, Grosseto):

196-197) Da tomba a tumulo, nel Museo Archeologico di Firenze, inv. 29457. Di imitazione e di forma intermedia fra B 2 e B 3. H. cm. 7,8 e diam. cm. 14,5; h. cm. 9 e diam. cm. 14,5. Inedite.

---

163) Non ho inserito invece l'ex., con ogni verosimiglianza di imitazione, *CVA*, Orvieto, 1, tavv. 1, 6 e 2, 5, ivi indicato come proveniente dalle necropoli orvietane, in quanto esso, per affermazione della KLAKOWICZ, *op. cit.*, p. 160, nota 155, appartiene al fondo Mauro Faina ed è quindi di provenienza incerta.

Originis incertae, ma verosimilmente dall'Etruria:

198) Albizzati, p. 99, n. 296, tav. 26.
199) *CVA*, Louvre, 9, II D, tav. 1, 7: coll. Campana.
200) Museo Archeologico di Perugia, inv. 147 (Bellucci 135); tipo intermedio tra A 2 e B 2; inedita.
201-202) A. D. Trendall, *Handbook to the Nicholson Museum*, Sydney, 1948 ², p. 257, fig. 55.

Pratica di Mare:

203) *Lavinium*, II, *cit.*, p. 371, G 3, fig. 440.
  Forse ad una B 2 era inoltre pertinente il piede *ibidem*, p. 372, G 7, fig. 444.

Forma B 3

Cerveteri:

204) *Nuove scoperte e acquisizioni, cit.*, p. 8 s., n. 7 (miniaturistica): Banditaccia, tomba a camera/scavo 1970.
205) Dalla tomba 999 Bufolareccia, nel Museo di Cerveteri; inedita.
206) Dalla tomba 43 Bufolareccia, nel Magazzino degli scavi di Cerveteri; inedita.
207-208) Da Monte Abatone, tomba 192, nel Magazzino degli scavi di Cerveteri; in frammenti; inedite.
209) Museo Archeologico di Firenze, inv. 96507: da sequestro (22-8-1961) di materiali di probabile provenienza ceretana; inedita (fig. 79).

Tarquinia:

210) Museo di Tarquinia, inv. RC 1907; inedita.
211-218) Magazzino del Museo di Tarquinia; inedite.

Territorio castronovano:

219) Da Piano della Conserva, tomba 4, nel Museo di Tolfa, inv. 61314; inedita.

Vulci:

220) Langlotz, *op. cit.* a nota 122, p. 19, n. 140, tav. 18: collezione Feoli.
221) *MAV*, III, p. 7, n. 1, tomba 5.
222) Beazley-Magi, p. 18, n. 7, tav. 22.
223) Museo Archeologico di Grosseto, sala di Vulci, inv. 688; inedita.

Pescia Romana:

224) Museo Archeologico di Firenze, inv. 71012, acq. 26-7-1880; inedita (fig. 80). Verosimilmente di imitazione, è classificabile come forma di transizione al B 3. Non è individuabile nelle relazioni di scavo citate ai nn. 183-184.

Orbetello:

225) Antiquarium di Orbetello, inv. 269; inedita (fig. 81). Probabilmente di imitazione, si può annoverare fra gli esempi di transizione al B 3.

Bisenzio:

226) Museo Archeologico di Firenze, inv. 73342, acq. Brenciaglia e Paolozzi: dalla necropoli della Palazzetta, sporadica; inedita (fig. 82). Sicuramente di imitazione, anche questo ex. si può includere fra i pezzi di transizione al B 3. Non risulta individuabile nel rapporto di A. Pasqui, in *NSc*, 1886, pp. 143-152.

Orvieto:

227-229) *CVA*, Orvieto,1, tavv. 1, n. 1 e 2, n. 1; 1, n. 2 e 2, n. 2; 1, n. 5 e 2, n. 4 (= Walter-Karydi, pp. 22 s., 129, nn. 428, 431, 434); per la provenienza da Orvieto, e più in particolare dalla necropoli di Crocifisso del Tufo, predio R. Mancini, scavi 1874-75, v. Klakowicz, *op. cit.*, p. 138, a, 1, 3-4.

230) *BullInst*, 1878, p. 50, n. 17; *MonInst, Supplemento*, 1891, tav. X, n. 33; *ArchCl*, 25-26, 1973-1974, p. 112, tav. 28, 1: da Crocifisso del Tufo (predio Bracardi, scavi R. Mancini gennaio-marzo 1878), tomba a camera XVII (nella numerazione del Museo dell'Opera del Duomo).

231) Museo Archeologico di Firenze, inv. 22192, sporadica; inedita (fig. 83). Sul labbro interno, filetti a vernice diluita.

232) *NSc*, 1887, p. 357, *dd*), tav. 13, fig. 63, con filetti all'interno; Klakowicz, *op. cit.*, tav. 8, n. 66, p. 36; Eadem, *Il Museo Civico Archeologico di Orvieto (La sua origine e le sue vicende)*, Roma, 1972, tav. 4, n. 66, p. 242; G. Colonna, in *BullCom*, 77, 1959-60, (1962), p. 139, nota 27; Camporeale, *Bucch. a cil., cit.*, p. 44: da Crocifisso del Tufo (fondo della prioria di S. Giovenale, scavi 1884-85), tomba VI (o VII: v. Klakowicz, *ll.cc.*).

233-234) *NSc*, 1887, p. 365: da Crocifisso del Tufo, predio e scavi c.s., tombe XX-XXV (non distinte per corredo). J. Hayes, in *Tocra*, 1, p. 119, nota 4 propende peraltro a ritenerle attiche, inseribili nel suo « type III ».

235) *NSc*, 1886, p. 288; B. Klakowicz, *La necropoli anulare di Orvieto, II, Cannicella e terreni limitrofi*, Roma, 1974, p. 166: da una tomba a camera della necropoli della Cannicella, predio L. Felici, scavo 1886. Sono verosimilmente riconoscibili come pertinenti a una B 3 con filetti i « frammenti di una tazzina attica, con giri concentrici rossastri nella parte interna dell'orlo » menzionati nelle *opp. citt.*

Chiusi (?):

236-237) Museo Archeologico di Chiusi, inv. 3486, con bande e filetti entro la vasca, e inv. 3488; sporadiche; inedite (figg. 84 a-b, 85).

Castelnuovo Berardenga:

238) *StEtr*, 41, 1973, p. 131 (sembra identificabile come B 3 il tipo ivi descritto come rientrante « nelle imitazioni ioniche delle coppe dei Miniaturisti attici »).

Populonia:

239) *NSc*, 1940, p. 385, fig. 5, n. 24; A. Minto, *Populonia*, Firenze, 1943, p. 139, tav. 29, n. 24: dalla « piccola tomba con pseudocupola intatta » (scavo 1940) sul Poggio della Porcareccia, la quale accoglieva, fra l'altro, un alabastron di bucchero « ionico », un'olpe a imboccatura verniciata e una lekythos samia (cfr. pp. 177, n. 32, 185, 190, n. 2, 173, n. 20).

240) *StEtr*, 26, 1958, p. 33, n. 13; *NSc*, 1961, p. 70, n. 48, con bacino interno filettato (figg. 86 a-b): dalla necropoli del Casone, tomba a edicola detta « del bronzetto di offerente ».

241) Frammento (ricomposto da due minori) di labbro, con filetti all'interno, nel Museo Archeologico di Firenze, s.n.; inedito (fig. 87). Lungh. cm. 9,6.

L'ho rinvenuto, nei depositi istituiti dopo l'alluvione del 1966, insieme al corredo della tomba di S. Cerbone presentata da A. MINTO, in *NSc*, 1925, pp. 357-362 e *Populonia, cit.*, p. 129 s. (tomba qui già richiamata alle note 15, p. 155 e 18, p. 157), ove però non è in alcun modo descritto, sì che la sua pertinenza al complesso non è del tutto sicura.

Bologna:

242) G. PELLEGRINI, *Catalogo dei vasi greci dipinti delle necropoli felsinee*, Bologna, 1912, p. 33, n. 101, fig. 18: dal predio Arnoaldi.

Originis incertae, ma presumibilmente dall'Etruria:

243) Albizzati, p. 88, n. 243, tav. 25 (= Walter-Karydi, pp. 22, 129, n. 435).

244-248) *CVA*, Louvre, 9, II D, tav. 1, nn. 4 e 11, 10 e 16 (= Walter-Karydi, p. 129, n. 436), 12 e 15 (= Walter-Karydi, n. 430), 13, 14 e 17 (= Walter-Karydi, n. 437): coll. Campana. Non so se corrispondano a questi i cinque exx. di B 3 nella collezione Campana al Louvre ai quali alludono VALLET-VILLARD, *art. cit.*, p. 32, nota 3.

249) Museo Archeologico di Firenze, inv. 3907, con filetti sul labbro interno; inedita (figg. 88 a-b): coll. Campana.

250) Museo Archeologico di Firenze, inv. 3908; inedita (fig. 89): coll. Campana. Forse di imitazione, può essere inserita fra gli esempi di transizione al B 3.

251-252) *CVA*, Musei Capitolini, 2, II D, tav. 2, n. 5 (= Walter-Karydi, p. 129, n. 438), con filetti, e n. 6.

Roma:

253) GJERSTAD, *op. cit.*, III, pp. 230, 253, nota 4, fig. 143, 1 = IV, fig. 160, 13-14 (due frammenti pertinenti ad un'unica coppa): dal Comizio, stipe votiva.

254) IDEM, in *BullCom*, 77, 1959-60, (1962), p. 82, n. 108, fig. 17 = IDEM, *op. cit.*, III, p. 423, fig. 263, n. 108 = IV, fig. 160, n. 12: da S. Omobono (scavo 1959).

255-257) E. PARIBENI, in *BullCom*, 81, 1968-69, (1972), p. 11 s., nn. 14-16, tav. V: da S. Omobono.

258) (164) IDEM, in *BullCom*, 77, 1959-60, (1962), pp. 109 s., 113-115, nn. 10-32, tavv. 3-5 e *art. cit. supra*, p. 7, n. 27, tav. II = GJERSTAD, *op. cit.*, III, p. 440 s., figg. 276, 9, 277, 3-4 = IV, figg. 160, 2-11, 161 = VI, fig. 36, 3-4: da S. Omobono (scavo 1938).

Pratica di Mare:

259) *Lavinium*, II, *cit.*, p. 371, G 5, fig. 442: curiosa ed infrequente variante di B 3 su basso piede trombiforme, con bacino assai simile a quello delle « lip-cups » attiche.

260) *ibidem*, p. 371 s., G 6, fig. 443. Il riconoscimento dell'ex. come B 3, fondato essenzialmente sulla presenza dei filetti sulla parte interna del labbro, non è del tutto perspicuo, giacché l'editore non lo ha classificato e la fotografia riproduce esclusivamente, dall'alto, l'interno del bacino.

M. M. C.

---

164) Ho qui indicato con un solo numero i vari frammenti, naturalmente pertinenti a più kylikes, venuti in luce nell'area sacra del Foro Boario, in quanto dalle edizioni succitate non risulta del tutto chiaro il numero di exx. da essi ricavabile (circa una ventina, comunque) né è possibile precisarlo, ovviamente, in base alle riproduzioni fotografiche, senza poter verificare spessore delle pareti, caratteristiche tecniche di lavorazione, colore di argilla e vernice, ecc.

APPENDICE II: BALSAMARI PLASTICI (G)

Satricum:

1) Museo di Villa Giulia, inv. 10455, dalla stipe votiva più antica del tempio di Mater Matuta. Inedito, ma sommariamente descritto da A. DELLA SETA, *Museo di Villa Giulia*, Roma 1918, p. 286. Uccello di tipo subgeometrico.

Cerveteri:

2) *MonAnt*, 42, 1955, c. 1084 s., n. 2: tomba I del tumulo III (zona della « tegola dipinta »), camera laterale destra. Testa elmata.

3) *Ibidem*, c. 1088, n. 21: tomba c.s. Gorgoneion gianiforme. Stando alla descrizione, sembra ben corrispondere tipologicamente ai pochissimi esempi di balsamari a doppia testa di Gorgone sinora noti, in particolare a quello di Berlino (v. infra n. 91), che, fra l'altro, proviene « ahgeblich aus Etrurien ».

4 a-b) *Ibidem*, cc. 584, n. 3, 586, n. 39: tomba 142, camera principale. Busti femminili.

5) Ducat, p. 35, C c 27, tav. 5, 4-5 e fig. 15 a p. 178; *CVA*, Berlin, 4, tav. 166, 7-8, figg. 10-11; O. von VACANO, *Zur Chronologie der rhodischen Büstenvasen,* in *BJb*, 176, 1976, p. 40. Busto femminile.

6) *MAV*, V, p. 112, tav. 31, 10: tomba 145 Laghetto. Busto femminile, inseribile nella serie « Rhodienne II » di Ducat, in quanto replica del suo tipo p. 75, 1-5, tav. 10, 5, datato attorno al 560 a.C.

7) G. Körte, in *Annali dell'Instituto di Corrispondenza Archeologica*, 1877, p. 152 s.; IDEM, in *Archäologisches Zeitung*, 35, 1877, p. 117 e nota 32; A. FURTWÄNGLER, *Königliche Museen zu Berlin, Beschreibung der Vasensammlung im Antiquarium*, Berlin, 1885, p. 149, n. 1294; M. I. MAXIMOVA, *Les vases plastiques dans l'Antiquité*, Paris, 1927, p. 128, nota 4: rinvenuto forse nei pressi del teatro romano, fu acquistato dal Körte a Cerveteri. Alabastron con parte superiore configurata a busto femminile recante colomba.

8) Ducat, p. 149, 2; *Das Tier in der Antike*, Zürich, 1974, p. 46, n. 281, tav. 47. Testa di cinghiale.

9) Ducat, p. 92, C 2; *Das Tier in der Antike, cit.*, p. 46, n. 282, tav. 47. Anatra.

10) *MonAnt*, 42, 1955, c. 716, n. 63: tomba 236. Benché ivi definito « colombo », credo si tratti invece di un'anatra accovacciata, in atto di dormire con il capo sul dorso, verosimilmente del gruppo Robertson (cfr. Ducat, p. 92, C 5).

11) Ducat, p. 128, B 1. Lepre morta.

12) Ducat, p. 97, D 1, tav. 13, 5. La provenienza da Cerveteri non è peraltro del tutto certa, come indica Ducat, in quanto in *CVA*, Bruxelles, 3, III C et III G b, tav. 8, 9 risulta « près de Cervetri (?) ». Protome di ariete.

13) Dalla tomba Bufolareccia 43, nel Magazzino degli scavi di Cerveteri. Acheloo. Inedito (è parzialmente visibile in una fotografia d'insieme riprodotta da LERICI, *Nuove testimonianze, cit.*, a p. 51).

14) Dalla tomba Bufolareccia 43, nel Magazzino degli scavi di Cerveteri. Protome di leone. Inedito (è ancora meno leggibile nella fotografia *cit. supra*).

15) FURTWÄNGLER, *op. cit.*, p. 154, 1332 (« Caere, 1876 »); MAXIMOVA, *op. cit.*, tav. 42, 158 (conside-

rato corinzio); H. PAYNE, *Necrocorinthia*, Oxford, 1931, p. 180; HIGGINS, *op. cit.*, I, p. 55, sub n. 84, e nota 2 (« surely not corinthian . . ., but Rhodian »). Sileno inginocchiato.

16) Ducat, pp. 136, A 2, variante b, 165 s., 177, figg. 3, 5, 178, fig. 9, 179, fig. 18: tomba 1 del tumulo I. Gamba s. con sandalo.

17) *MonAnt*, 42, 1955, c. 1120, n. 30, fig. 16; *Enciclopedia dell'arte antica, classica e orientale, Supplemento*, Roma, 1973, fig. 223 a p. 206 (nella didascalia la prov. è confusa con l'ex. prec.): camera laterale s. del tumulo VIII (zona « della tegola dipinta »). Gamba s. con endromis, da aggiungere al gruppo A, serie 1 di Ducat, p. 134 s.

18) Ducat, p. 68, serie « samienne I », n. 3. Sirena.

Territorio castronovano:

19) Dalla tomba 1 di Pian dei Santi, nel Museo di Tolfa. Protome taurina. Inedito (fig. 25, b).

20) Da una tomba di Pian della Conserva, nel Museo di Tolfa. Protome equina. Inedito.

21) Dalla necropoli dei Pisciarelli, nel Museo di Civitavecchia. Rana. Inedito.

Tarquinia (165):

22) FURTWÄNGLER, *op. cit.*, p. 151 s., 1310; MAXIMOVA, *op. cit.*, p. 87, tav. 11, n. 46: già collezione Dorow. Uccello di tipo subgeometrico.

23) Ducat, p. 8, B 7 (rettificare il n. inv. da 954 a RC 2954). Testa elmata.

24) Magazzino del Museo di Tarquinia, inv. 452. Testa elmata. Inedito, ma menzionato, insieme al precedente, da R. PARIBENI, in *MonAnt*, 14, 1904, c. 273 (« Corneto. Due senza dubbio dalla necropoli tarquiniese uno nel Museo Civico, l'altro nel Museo Bruschi ») e dalla MAXIMOVA, *op. cit.*, p. 156, nota 2 (« Corneto, Musée, deux exemplaires »).

25) Ducat, p. 19 = FURTWÄNGLER, *op. cit.*, p. 150, 1304: già coll. Dorow. Testa elmata.

26) MAXIMOVA, *op. cit.*, p. 156, nota 2. Testa elmata (a New York).
È verosimile che uno di questi esemplari corrisponda a quello rinvenuto in una tomba a fossa della necropoli tarquiniese, di cui riferisce W. HELBIG, in *NSc*, 1896, p. 183, 9.

27) Ducat, p. 147, B 1, tav. 22, 3, che però ne ignora la provenienza, cita una sola referenza bibliografica e allude a « une inscription vraisemblablement étrusque ». In realtà, proprio grazie all'iscrizione (senza alcun dubbio) etrusca graffita nel lato posteriore è possibile stabilire che il pezzo, corrispondendo perfettamente a quello descritto da O. BENNDORF, in *Bullettino dell'Instituto di Corrispondenza Archeologica*, 1866, p. 233, fu trovato a Tarquinia, presso la c.d. Ara della Regina; v. anche M. PALLOTTINO, in *MonAnt*, 36, 1937, c. 232 s. (« corinzio ») e riproduzione fotografica in HENCKEN, *op. cit.*, I, fig. 448 a p. 422. L'iscrizione, sulla quale v. M. PALLOTTINO, *Testimonia linguae etruscae*, Firenze 1968 ², n. 154, con altra bibl., dichiara il possesso dell'oggetto da parte di una donna di nome *larθa śarsinai* o, secondo una nuova, più convincente lettura proposta da M. CRISTOFANI, in *Atti del colloquio sul tema « L'etrusco arcaico »*, Firenze, 1976, p. 108, n. 43, *larθa arsinai*. Fallo.

---

165) Ho escluso dalla mia raccolta il balsamario a testa di Acheloo F 1293 di Berlino che Ducat, p. 56, A 2, basandosi sulla MAXIMOVA, *op. cit.*, p. 162, nota 5, indica come proveniente da Tarquinia, in quanto da FURTWÄNGLER, *op. cit.*, p. 149, 1293, risulta invece « aus Athen erw., 1875 ».

28) Magazzino del Museo di Tarquinia. Gamba con endromis (lacunosa). Inedito.

29) Magazzino del Museo di Tarquinia, inv. RC 1975. Busto di babbuino, inseribile nel gruppo C del Ducat, p. 122, tav. 17, 8 (gruppo Robertson). Inedito.

30) Magazzino del Museo di Tarquinia, inv. RC 6221. Babbuino seduto (combusto). Inedito.

31) *CVA*, Berlin, 4, tav. 179, 6-8, con bibl. prec. cui va aggiunto PALLOTTINO, in *MonAnt, cit.*, c. 274, XIV, 3 (« attico »): già coll. Dorow. Rana.
L'esemplare simile di provenienza siciliana cui allude N. KUNISCH, in *CVA, cit.*, p. 48 s., può, a mio parere, anziché far postulare una fabbricazione coloniale siceliota dell'oggetto, convalidare la sua identificazione come importazione greco-orientale.

32) MAXIMOVA, *op. cit.*, p. 111, nota 2; U. LIEPMANN, *Bildkataloge des Kestner-Museums Hannover, XII, Griechische Terrakotten Bronzen Skulpturen*, Hannover, 1975, p. 38, T 6: già coll. A. Kestner. Leone accovacciato, la zampa anteriore s. appoggiata sulla d.

33) MAXIMOVA, *op. cit.*, p. 102, nota 1; LIEPMANN, *op. cit.*, p. 38, T 7: già coll. A. Kestner. Porcospino, da inserire nel tipo A di Ducat, p. 125 s., tav. 18, 2.

Vulci:

34) Ducat, p. 33, C, 1, 4; VON VACANO, *art. cit.*, p. 39: già coll. Millingen, acq. 1847. Busto femminile.

35) Ducat, p. 37, C 2, 1, tav. 6, 3; VON VACANO, *art. cit.*, p. 40: già coll. Millingen, acq. 1847. Busto maschile.
Per questi due exx. la provenienza da Vulci non è del tutto certa.

36) Ducat, p. 40, D 1, tav. 6, 5; R. A. HIGGINS, *Greek Terracottas*, London, 1967, p. 31, tav. 12, c; VON VACANO, *art. cit.*, pag. 41: già coll. Durand, acq. 1836. Busto femminile.

37) LIEPMANN, *op. cit.*, p. 38, T 8: già coll. August Kestner. Busto femminile, simile a quello dalla tomba 145 Laghetto (Cerveteri) qui elencato al n. 6 e, come esso, da includere nella « série Rhodienne II » di Ducat, p. 75, tav. 10, 5.

38) Ducat, p. 52, B 1, tav. 7, 5: già coll. Durand, acq. 1836. Gorgoneion.

39) RICCIONI-FALCONI, *op. cit.*, p. 17, fig. 4. Anatra, del gruppo Robertson (tipo C di Ducat, p. 92).

40) Ducat, p. 92, C 3; *Führer Würzburg*, p. 75 s., L 148, tav. 10, 2: già coll. Feoli. Anatra.

41) Ducat, p. 97, C' 1: dal dromos della tomba 60/1962 Osteria, scavi Hercle. Protome di ariete.

42) Ducat, p. 20; LIEPMANN, *op. cit.*, p. 37, T 5: già coll. A. Kestner. Testa elmata, inseribile nella serie E di Ducat, pp. 11 ss.

43) Ducat, p. 108, D 1; *CVA*, München, 6, tav. 279, 1,5: già coll. Candelori. Protome equina.

44) Ducat, p. 110, G 1, tav. 15, 5, che ricava la prov. da Vulci dalla Maximova; ma questo dato è prima ancora fornito da FURTWÄNGLER, *op. cit.*, p. 155, 1337. Protome equina.

45) Ducat, p. 114, B' 1, tav. 16, 1; *CVA*, Berlin, 4, tav. 168, 1-2, fig. 12 a p. 29, con bibl. prec. cui va aggiunto FURTWÄNGLER, *op. cit.*, p. 150, 1303, il quale precisa « Vulci. S(ammlung) Durand ». Testa d'aquila.

46) Ducat, p. 129, B 4; *CVA*, Berlin, 4, tav. 168, 5: già coll. Pourtalès. Lepre morta.

47) Ducat. p. 129, B 6. Lepre morta.

48) Ducat, p. 149, 1, tav. 22, 6, senza indicaz. di prov.; *Führer Würzburg*, p. 75, L 150: già coll. Feoli. Testa di cinghiale.

49) Ducat, p. 134, A, 1, 5: già coll. Feoli. Gamba s. con endromis.

50) Ducat, p. 135, A, 2, 2, tav. 20, 3, che non conosce la prov.; *CVA*, Berlin, 4, tav. 168, 8-9: già coll. Pourtalès e prima ancora coll. Canino. Gamba s. con sandalo.

51) Ducat, p. 136, A, 2, variante a: già coll. Feoli, acq. 1842. Gamba, frammentaria, in origine flessa al ginocchio.

52) *MAV*, III, p. 21, n. 455, tomba 42 Osteria. Gamba con cnemide.

53) Riccioni-Falconi, *op. cit.*, p. 16, fig. 3 a-b. Gamba d. con cnemide e sandalo, inseribile nel gruppo A, serie 2 di Ducat, p. 135, tav. 20, 3.

54) G. Micali, *Monumenti per servire alla storia degli antichi popoli italiani*, III, Firenze, 1832, tav. 101, 6, p. 183: « nel Museo del Pr. di Canino ». Gamba s. con endromis, rosone sul polpaccio e meandro sottolineato da serie di fiori a corolla punteggiata alla sommità (per questo motivo cfr. Ducat, p. 177, n. 5, su un altro balsamario a gamba, da Caere); va aggiunta al gruppo A, serie 1 di Ducat, p. 134.

55) Micali, *op. cit.*, p. 183, 4, tav. 101, 4: « nel Museo del Pr. di Canino ». « Balsamario a base rotonda in terra cotta dipinto a colori, e in foggia di una testa feminea, che ha lunghe ciocche di capelli legati con piccole vitte o fettucce. Le sembianze della donna, o dea che siasi, sentono molto del tipo fisico egizio ».

La provenienza da Vulci, per questo come per il precedente, si deduce dalla appartenenza alla collezione del Principe di Canino. Noto solo dal disegno riprodotto nell'opera del Micali, l'esemplare in questione è di classificazione problematica: si può forse accostare ai rarissimi esempi di tradizione dedalica, pure a testa umana, provenienti da Kamiros e ascritti a produzione rodia (cfr. Ducat, p. 155, tav. 23, 1, 2), per i quali termini di confronto prossimi si possono individuare anche in ambito cretese (v. il noto ex. in lamina bronzea dall'antro Ideo, su cui J. Boardman, *Cretan Collection in Oxford*, Oxford 1961, pp. 80-84, 87, n. 378, fig. 35, tavv. 28-29). Nel qual caso il nostro balsamario, rimontando al terzo o all'ultimo quarto del VII sec. a.C., risulterebbe fra i più antichi pervenuti in Etruria, confermando quella precocità di assorbimento di questo tipo di mercanzia da parte dei centri etrusco-meridionali che abbiamo in precedenza (v. p. 177 s.) indicato.

Montalto:

56) Ducat, p. 20: già coll. Beugnot. Testa elmata.

Pescia Romana:

57) *NSc*, 1880, p. 449: « un vasetto a forma di gamba col piede munito di calzare ». Data la genericità della descrizione non è possibile individuarne il tipo né stabilire se è di importazione o se rientra fra le imitazioni del tipo C Ducat, p. 137, discusse in precedenza (cfr. p. 179 s.).

Poggio Buco:

58) Ducat, p. 38, C, 2, 4; von Vacano, *art. cit.*, p. 40: da tomba a camera del podere Insuglietti, scavi Mancinelli 1896-97. Busto maschile.

Sovana:

59) Ducat, p. 10, D 5, con bibl. prec. cui va però aggiunto R. Bianchi Bandinelli, *Sovana*, Firenze, 1929, tav. 40 a, p. 129, nota 43 (« attico »); K. H. Edrich, *Der ionische Helm*, Göttingen, 1969, p. 6, K 6: dalla tomba III della Cava di S. Sebastiano. Testa elmata.

Orvieto:

60) Ducat, p. 15, H 6, tav. 2, 3. Testa elmata.

61) Ducat, p. 73, serie « chypriote », 2, con bibl. prec. cui sono però da aggiungere G. KÖRTE, in *Annali dell'Instituto di Corrispondenza Archeologica*, 49, 1877, p. 152 s.; D. CARDELLA, *Museo Etrusco Faina*, Orvieto, 1888, p. 18, n. 414; MONTELIUS, *op. cit.*, c. 1021, tav. 247, 3; inoltre KLAKOWICZ, *Necropoli anulare, I, cit.*, p. 143 s., VI, 1 e nota 193 a p. 162: dalla necropoli del Crocefisso del Tufo, predio R. Mancini, scavi 1874-75. Alabastron con sommità configurata a busto femminile recante colomba nella mano d.

62) *NSc*, 1887, p. 363, *c*; MONTELIUS, *op. cit.*, c. 1017, tav. 242, 1; MAXIMOVA, *op. cit.*, p. 93 (che lo indica al « Musée d'Orvieto, n. 542 »); KLAKOWICZ, *Necropoli anulare, I, cit.*, p. 43, tav. X (disegno) = EADEM, *Museo Civ. Arch. Orvieto, cit.*, p. 246: dalla tomba XIX del Crocefisso del Tufo, predio della prioria di S. Giovenale, scavi 1884-85. Gamba flessa con endromis e testa di pantera dipinta sul ginocchio (fig. 30), assimilabile alla variante a del gruppo A di Ducat, p. 135. È conservato nel Museo dell'Opera del Duomo, vetrina V, inv. Bizzarri 1528.

Vetulonia:

63) Ducat, p. 16, I, 2; CAMPOREALE, *Commerci, cit.*, p. 107, tav. 39, 8; EDRICH, *op. cit.*, p. 13, K 48: dalla Tomba del Figulo. Testa elmata (fig. 31).

64) Ducat, p. 109, D 3; CAMPOREALE, *op. cit.*, p. 106, tav. 39, 5: tomba c.s. Protome equina (fig. 32).

65) A tutti quanti si sono occupati dei balsamari plastici della Tomba del Figulo (v. Ducat e Camporeale e lett. da essi cit.) è sfuggito che I. FALCHI, in *NSc*, 1894, p. 346, dopo avere descritto e riprodotto graficamente l'esemplare a testa di cavallo qui elencato al numero precedente, segnala la presenza di un'« altra testa simile più grande, ma assai trascurata e mancante di finimenti ».

66) Ducat, p. 134, A, 1, 4; CAMPOREALE, *op. cit.*, p. 107, tav. 39, 2: tomba c.s. Gamba s. con endromis.

67) Ducat, p. 137, B 3; CAMPOREALE, *op. cit.*, p. 107: tomba c.s. Gamba.

68) Ducat, p. 147, B 2; CAMPOREALE, *op. cit.*, p. 107, tav. 39, 7: tomba c.s. Fallo (fig. 33).

69) Museo Archeologico di Firenze, sine inv. (scheda di restauro R. 74.16094): tomba c.s. Melagrana, con baccellature incise e dipinte nella metà superiore. Non risulta espressamente menzionato nel rapporto di scavo di I. FALCHI, in *NSc*, 1894, pp. 344 ss. Inedito.

70) Museo Archeologico di Firenze, inv. 27423: dal secondo o terzo Circolo di Franchetta, scavi Falchi 1893. Non risulta però menzionato nel rapporto di scavo di I. FALCHI, in *NSc*, 1894, pp. 350 ss., ripreso da MONTELIUS, *op. cit.*, cc. 892 ss. Protome taurina; il fondo è decorato da quattro spirali disposte a croce, alternate a foglie cuspidate. Lacunoso. Inedito (figg. 34-35).

Poggio Pelliccia (Gavorrano, Grosseto):

71) Museo Archeologico di Firenze, inv. 29476. Testa d'aquila, molto vicina agli exx. al Vaticano e al Louvre Ducat, p. 113, A 1 e A 3, tav. 15, 6. Ne restano solo il becco e la placchetta posteriore con il bocchello, decorato da guilloche. Inedito (fig. 36).

Roselle:

72) Museo Archeologico di Grosseto, sala V, inv. 23417: « dalla zona tra la valle e la collina Sud ». Busto maschile (fig. 37), inseribile nelle « séries normales » di Ducat, pp. 33 ss.

Populonia:

73) Ducat, p. 40, D 3, con bibl. prec. cui va aggiunto A. MINTO, *Populonia*, Firenze, 1943, p. 155, tav. 39, 4; VON VACANO, *art. cit.*, p. 41: dal Poggio della Porcareccia, Tomba dei Flabelli. Busto femminile.

74) *NSc*, 1934, p. 373: da S. Cerbone, tomba a camera 4/1931. Anatra accovacciata.

75) Ducat, p. 58, B' 1, con bibl. prec. cui è da aggiungere MINTO, *op. cit.*, p. 133, tav. 27, 2; inoltre H. P. ISLER, *Acheloos*, Bern, 1970, pp. 44 ss., 80 s., 103, 141, n. 99: da S. Cerbone, tomba a camera 1/1931. Acheloo.

76) *NSc*, 1961, p. 90, 3, fig. 28; A. DE AGOSTINO, *Populonia. La zona archeologica e il Museo*, Roma, 1963, pp. 23, 77, fig. 33 = IDEM, *Populonia. La città e la necropoli*, Roma, 1965, fig. 16; EDRICH, *op. cit.*, p. 6, K 7: da S. Cerbone, tomba 30/scavi 1958. Testa elmata.

77) Ducat, p. 150, 2, con bibl. prec. cui va aggiunto MINTO, *op. cit.*, tav. 27, 4: da S. Cerbone, tomba a camera 1/1931. Cane accovacciato.

78) Ducat, p. 123, 3, con bibl. prec. cui va aggiunto MINTO, *op. cit.*, p. 133: da S. Cerbone, tomba a camera 1/1931. Scimmia seduta.

79) *NSc*, 1934, p. 364; MINTO, *op. cit.*, p. 133: da S. Cerbone, tomba a camera 1/1931. Minto la definisce «colomba», mentre in effetti si tratta di una sirena. *Vidi.*

80) Ducat, p. 154, sub n. 4), I: da tomba a camera del Poggio delle Granate/scavi 1915. Volatile con coda bifida.

81) *MonAnt*, 34, 1932, c. 391, fig. 53; MINTO, *op. cit.*, p. 177, tav. 27, 3: da tomba a edicola de « La Sughera della Capra » (S. Cerbone). Figura femminile stante, con colomba nella s.; essendo lacunosa, non è possibile stabilire se si tratti di balsamario o di statuetta, anche se la prima ipotesi sembra più probabile; è da inserire nella « série samienne I, Korès en vêtement " rhodien " » di Ducat, p. 63 s., tav. 9, 4-5.

82) Ducat, p. 78, « série " Rhodienne III ", Hommes agenouillés, *a*) non barbus », n. 5, con bibl. prec. cui aggiungi MINTO, *op. cit.*, p. 133, tav. 27, 5: da S. Cerbone, tomba a camera 1/1931. Figura maschile in ginocchio.

83) Ducat, p. 81, « série " Rhodienne V ", Korès debout (vases) », n. 2, con bibl. prec. cui va aggiunto MINTO, *op. cit.*, p. 133, tav. 27, 1: da S. Cerbone, tomba a camera 1/1931. Figura femminile stante su basetta quadrangolare, con leprotto nella d.

84) *NSc*, 1961, p. 72, n. 76, fig. 15; DE AGOSTINO, *Populonia. La zona arch.*, *cit.*, p. 103, 1, fig. 56 = IDEM, *Populonia. La città*, *cit.*, p. 33, fig. 23: dal podere Casone, sporadico. Nano obeso, con le mani sul ventre.

85) Museo Archeologico di Firenze, inv. 75826: da Populonia, acq. Gemignani 1894. Figura maschile obesa seduta con mani serrate sul ventre, i pollici sollevati. Menzionato dalla MAXIMOVA, *op. cit.*, p. 141, nota 4, ma inedito (figg. 38-40).

Ager Volaterranus:

86) *NSc*, 1934, p. 35, 3, fig. 12; HIGGINS, *op. cit.*, p. 27, sub n. 1642: da tomba a camera di Casaglia, contrada Cerreta. Porcospino, del tipo B di Ducat, p. 126.

Chiusi:

87) La MAXIMOVA, *op. cit.*, p. 119 s., dalla quale dipendono M. ROBERTSON, in *JHS*, 58, 1938, p. 41, 3 e Ducat, p. 98 (« type inédit »), descrive un balsamario a testa di ariete trovato a Chiusi e conservato al Museo Archeologico di Firenze. *Non vidi.*

Cortona:

88) MAXIMOVA, *op. cit.*, p. 90, ripresa da Ducat, p. 148; ma v. anche *Dell'ipogeo di Camuscia, Dichiarazione di Melchior Missirini socio dell'archeologia romana*, Siena, 1843, tav. 7, n. 3 b ed E. FRANCHINI, in *StEtr*, 20, 1948-49, p. 41: dal c.d. Melone di Camucia, nel Museo Archeologico di Firenze, acq. 1881, inv. 9703. Fallo (lacunoso). L'argilla, molto chiara, e la decorazione punteggiata, conservata in un piccolo tratto, del tutto simile a quella di un balsamario a cerbiatta rinvenuto nella stessa tomba inducono a ravvisarvi piuttosto un'imitazione etrusca dei tipi greco-orientali o corinzi.
89) MISSIRINI, *op. cit.*, tav. 7, n. 3 a; FRANCHINI, *art. cit.*, p. 41: tomba c.s. Nel Museo Archeologico di Firenze, inv. 9706. Piede pertinente ad un balsamario a gamba.

Come imitazione etrusca è stato giustamente riconosciuto il balsamario a testa d'aquila Ducat, p. 115, D 2, dalla tomba del Sodo.

Etruria:

90) Ducat, p. 33, C, 1, 8; VON VACANO, *art. cit.*, p. 39. Busto maschile.
91) Ducat, p. 51, A 1, tav. 7, 4; *CVA*, Berlin, 4, tav. 167, 3-6: « angeblich aus Etrurien ». Gorgoneion gianiforme.
92) Ducat, p. 138, D 1, con bibl. prec. cui va aggiunto FURTWÄNGLER, *op. cit.*, p. 151, n. 1308: « Etrur. Gerh(ard) »; U. GEHRIG-A. GREIFENHAGEN-N. KUNISCH, *Führer durch die Antikenabteilung*, Berlin, 1968, p. 45, F 1308. Gamba flessa.

Originis incertae, ma presumibilmente dall'Etruria:

93) Ducat, p. 7, A 1, tav. 1, 1: acquistato nel 1929 a Roma da Benedetti. Testa elmata.
94) Ducat, p. 11, E 7: acquistato nel 1929 a Firenze dall'antiquario Riccardi. Testa elmata.
95) Ducat, p. 14, Hc 5; EDRICH, *op. cit.*, p. 18, K 72: a Villa Giulia, inv. 25017, già nel Museo Kircheriano. Testa elmata.
96) Ducat, p. 15, H 8: comprato a Roma. Testa elmata.
97) Mingazzini, I, p. 179, n. 417, tav. 36, 4. Uccello con coda verticale, da aggiungere agli exx. raccolti da Ducat, p. 153 s., tipo 2.
98) EDRICH, *op. cit.*, p. 14, K 52: a Villa Giulia (senza indicazione di numero e provenienza). Testa elmata.
99) Mingazzini, I, p. 178, n. 416, tav. 36, 7-8. Braccio s., con dita della mano serrate, eccetto il pollice.
100) Ducat, p. 73, serie « chypriote », 6, che lo dice di prov. sconosciuta; HIGGINS, *op. cit.*, tav. 9, 48, p. 45 e nota 5 lo ritiene invece proveniente presumibilmente dall'Etruria, in quanto acquistato nel 1852 insieme ad altri oggetti « credibly said to come from Etruria ». Alabastron desinente superiormente a busto femminile con colomba nella s. (166).
101) *CVA*, Musei Capitolini 2, tav. 1, 5. Balsamario con sommità desinente a busto femminile con colomba nella s.
102) *Ibidem*, tav. 1, 7. Alabastron c.s., con colomba nella s.
103) *Ibidem*, tav. 1, 6. Alabastron c.s., con alabastron nella s.

---

166) Ho escluso invece dalla mia raccolta l'analogo esemplare Ducat, p. 73, serie « chypriote », n. 4, tav. 11, 1, da lui ritenuto proveniente dall'Etruria, in quanto POTTIER, *op. cit.*, p. 41, D 161, tav. 35, annota invece « Fonds Campana, sans n. d'inv. Pas de provenance exacte connue ».

211

104) Ducat, p. 34, C 14 (= Albizzati, tav. 9, 112); VON VACANO, *art. cit.*, p. 36. Busto femminile.

105) Ducat, p. 34, C 15: nel Museo di Villa Giulia, inv. 25111. Busto femminile.

106) Ducat, p. 32, B 1 (= Albizzati, tav. 9, 111); VON VACANO, *art. cit.*, p. 40. Busto femminile.

107) Ducat, p. 56, A 1, tav. 8, 5-6; ISLER, *op. cit.*, pp. 44, 143, n. 116, che lo ritiene invece una « italische Nachamung des ionischen Typus »: nel Museo di Villa Giulia, già nel Kircheriano. Acheloo.

108) Ducat, p. 57, B 4; ISLER, *op. cit.*, pp. 45, 80 s., 103, 141 s., n. 103: nei Musei Capitolini. Acheloo.

109) Ducat, p. 57, B 8; HELBIG, *Führer* [4], III, p. 636, n. 2700, B: nel Museo di Villa Giulia, inv. 25112. Acheloo.

110) *CVA*, Musei Capitolini, 2, tav. 1, 1 (167). Gamba.

111) *CVA*, Musei Capitolini, 2, tav. 1, 2. Gamba con cnemide e sandalo, inseribile nel gruppo A, serie 2 di Ducat, p. 135 s.

112) Ducat, p. 52, D 3, con bibl. prec. cui va aggiunto *CVA*, Musei Capitolini, 2, tav. 1, 3. Gorgoneion.

113) Ducat, p. 145, 2, cui aggiungi B. D'AGOSTINO, *Un aryballos plastico del Museo Campano*, in *AC*, 14, 1962, p. 72, n. 2 e *CVA*, Musei Capitolini, 2, tav. 1, 4. Gruppo di melagrane circondate da serpente.

114) Ducat, p. 145, 3, con bibl. prec. cui aggiungi FURTWÄNGLER, *op. cit.*, p. 155, 1338, il quale precisa « in Rom erw. durch Gerh. », e D'AGOSTINO, *art. cit.*, p. 72, n. 3. Gruppo di melagrane circondate da serpente.

Ho inserito questi due esemplari perché, con Ducat e contrariamente a D'AGOSTINO, *art. cit.*, pp. 73 ss., ritengo che questo tipo di balsamario sia di produzione greco-orientale.

115) Ducat, p. 143, B 5; HIGGINS, *op. cit.*, p. 31, tav. 19, 1653 (« From Italy; bought 1839 Campanari »). È assai probabile che, trattandosi di pezzo venduto dai Campanari, provenga appunto dall'Etruria. Melagrana.

116) Museo di Villa Giulia. Melagrana, da aggiungere a Ducat, p. 14. Inedita.

117) Ducat, p. 149, 1; ROBERTSON, *art. cit.*, p. 41, 1, il quale precisa « From Italy, probably the northern part; purchased with objects from Chiusi, Siena and Elba » nel 1847. Testa di antilope.

118) Ducat, p. 92, C 5 (= Albizzati, tav. 9, 120). Anatra accovacciata, la testa sul dorso.

119) Ducat, p. 113, A 1 (= Albizzati, tav. 9, 113). Testa d'aquila.

120) Ducat, p. 113, A 2 (= Albizzati, tav. 9, 114). Testa d'aquila.

121) Ducat, p. 129, B 2: acquistato a Roma. Lepre morta.

122) Museo Archeologico di Firenze, inv. 4205. Conchiglia bivalve, framm., da aggiungere a Ducat, p. 140 s. Inedita (fig. 90).

123) Ducat, pp. 37, b, 48 s., 162; HIGGINS, *Greek Terracottas*, *cit.*, pp. XXII, 31 s., tav. 12, d. Statuetta o balsamario (il dubbio dipende da una lacuna che interessa la testa) a figura femminile stante, databile fra la fine del VII e gli inizi del VI sec. a.C.

M. M. C.

---

167) Non so se corrisponda a questo, che reca il n. inv. 308, l'ex. che Ducat, p. 134, A 1, 2 indica come inedito al « Musée des Conservateurs 19 ».

LA CERAMICA IONICA IN ETRURIA: IL CASO DI GRAVISCA

Lo scavo del santuario di emporio di Gravisca ci fornisce un quadro abbastanza privilegiato delle correnti di frequentazione, greca in generale ed ionica in particolare, lungo le coste dell'Etruria Marittima. La cospicua messe di materiale raccolta nelle sette campagne di scavo della Soprintendenza alle Antichità dell'Etruria Meridionale consente di delineare, almeno in parte, un quadro assai complesso della storia e dello sviluppo di queste correnti, fornendo dati utili alla valutazione dell'origine sia dei flussi che dei materiali stessi.

In questa sede, a titolo di anticipazione della pubblicazione definitiva che avremmo in animo di consegnare entro la fine dell'anno, le colleghe Boitani Visentini e Slaska presenteranno, in una forma ancora largamente provvisoria (che appunto attende ampi contributi dalla discussione di oggi), i risultati del loro lavoro di studio e di classificazione dei materiali ionici raccolti nei depositi rinvenuti sotto i due edifici α e β di IV sec. a.C. oggetto della pubblicazione, cui si aggiungerà una sommaria presentazione, da parte della dott.ssa F. Boitani Visentini, del deposito arcaico del più antico sacello del santuario (rinvenuto sotto l'edificio γ e dunque escluso dalla prima pubblicazione cui si sta lavorando), sacello dedicato ad Afrodite intorno al 590-80 a.C. e vissuto fino al 530 a.C. circa.

Va detto innanzi tutto che i materiali illustrati dalle colleghe (cui si aggiungerà, a titolo di completamento ed istruttivo confronto, l'esame delle ceramiche ioniche provenienti dalla metropoli di Gravisca, Tarquinia, dovuto alla dott.ssa E. Pierro), rappresentano circa un terzo di tutto il complesso scavato. I due depositi, inoltre, pur essendo largamente rappresentativi, appaiono diversi sotto l'aspetto sia qualitativo che quantitativo: il deposito dell'edificio α risulta infatti più ricco ed antico (il suo inizio è all'incirca contemporaneo alla fondazione del *naiskos* di Afrodite) di quello dell'edificio β, diverso anche come composizione, con una netta prevalenza di tarde ceramiche attiche a figure nere, soprattutto *skyphoi*. La zona ove è sorto l'edificio β, a differenza di quanto si riscontra nella zona dell'edificio γ, è altresì interessata da un vasto e ricco scarico di V sec. con bei materiali attici a figure rosse; la spiegazione del fatto va ricercata nella diversa storia edilizia delle due zone nella ristrutturazione del santuario avvenuta a partire dal 470 a.C., in concomitanza con la fine della frequentazione greca.

Per la presente discussione, non sarà necessario riassumere che pochi dati relativi alla storia edilizia e religiosa del complesso (1). Il primo sacello, quello di Afrodite, sorge *in vacuo* in una vasta depressione sabbiosa non lontano dal mare, intorno al 590-80 circa: attorno a questa depressione che contiene due pozzi, si dispongono capanne e piccole palizzate sepolte dallo scarico del secondo venticinquennio del V sec. Il *naiskos*, vissuto fino al 530 circa, ha restituito una notevole massa di doni votivi, principalmente contenitori di unguenti ed oggetti del *mundus muliebris*; ad esso si sostituisce un secondo sacello con diverso orientamento, inserito poi nella grande ristrutturazione dell'area del 470. Per tutto il VI sec. il culto si è svolto in una vasta zona non recinta, con altari di terra e *bothroi*

---

1) Per una più vasta documentazione sulla storia del santuario, v. quanto ho esposto in *PdP*, 1977, p. 398 ss.

di varia grandezza contenenti scarichi sacrificali e/o anfore conficcate nella terra o coricate. I doni votivi, a parte il contenuto delle anfore (presumibilmente vino), comprendono soprattutto coppe e vasi da libagione, un discreto numero di balsamari e di crateri, e, in connessione con l'altro grande culto femminile di Demetra, lucerne. Le oltre cinquanta dediche graffite sui vasi testimoniano, accanto al culto di Afrodite (concentrato tutto, a quanto sembra, nel *naiskos* e nella zona circostante), i culti di Hera, con una crescente devozione tra il 550 e il 520, e di Demetra; tutte queste dediche sono in alfabeto e dialetto ionici, che, tranne un sol caso, escludono dai frequentatori — o almeno da quelli che hanno lasciato dediche — genti sia dell'area eolica sia dell'esapoli dorica (2). Due iscrizioni eginetiche, assieme ad una greco-orientale, attestano la presenza di un culto di Apollo.

L'onomastica dei dedicanti fornisce dati utili per individuare l'eventuale origine dei frequentatori greco-orientali. Il nome lidio *Paktyes*, attestato attorno al 540, ci riporta (non senza suggestione) al celebre tesoriere di Creso; il nome *Eudemos* trova ottimi confronti nella Mileto del VI sec.; un *Letha{i}os* potrebbe ricondurci a Magnesia sul Meandro; il nome *Ombrikos* potrebbe avere relazione con l'epiteto di Dioniso ad Alicarnasso; di qualche interesse, per possibili relazioni mediate con la Sicilia, il nome *Yblesios*, scritto però sempre in dialetto e alfabeto della dodecapoli ionica. L'unica iscrizione che potrebbe riferirsi all'esapoli dorica è quella su di un fondo di coppa attica tardo-arcaica con il nome di un *Themistagoras*.

Gli altri nomi attestati per intero o quasi (*Alexandros, Deliades, Erxeno[r], Zoilos, Ibiog[enes], Symacho[s]*, oltre agli egineti *Euarchos* o *Sostratos*) non hanno caratteristiche così indicative, ma, assieme ai precedenti, appartengono in buona parte ad un tipo di onomastica « aristocratica » o comunque di ceto tutt'altro che basso. A questa constatazione si può aggiungere un'altra testimonianza epigrafica, purtroppo frammentaria, ma — se l'interpretazione che se ne propone è esatta — abbastanza eloquente. Si tratta dell'orlo di una *band-cup* ove è inciso il seguente testo: πατ [- - -] οδολοκαταξαντος.

Il testo differisce notevolmente da tutti gli altri di Gravisca, che presentano formule assai semplici, il solo nome della divinità al genitivo o al dativo, oppure il nome della divinità al genitivo o al dativo seguito dal nome del dedicante con o senza il verbo ἀνέθηκε oppure ancora il solo nome del dedicante. Penserei di interpretare il testo ora presentato come dedica di un Πατ [- - -] (Πάτ[ροκλος] *aut sim.*), seguito forse dal nome della divinità nella lacuna e quindi dalla frase in genitivo assoluto [τ]ὸ δōλō κατα‹τά›ξαντος.

Non è questa la sede per risollevare fantasmi modernizzanti alla maniera di Eduard Meyer (cui peraltro non sono neanche disposto a credere): vorrei soltanto presentare l'eventualità che parte almeno di questi traffici facesse capo a gruppi di aristocratici, i quali, come ci ha ricordato recentemente B. Bravo a proposito dell'interessantissima lettera su piombo di Berezan (3), « utilisaient une partie de l'excédent du produit de leurs terres pour faire du commerce maritime par l'intermédiaire de gens à leur dépendance, esclaves ou " clients "». A questa prospettiva non mancherei di aggiungere la componente data da talune motivazioni politiche, presenti in molti famosi *anathemata* del VI sec. in santuari greci, come quelli di Necho e di Amasis.

Anche i culti costituiscono un elemento da considerare per precisare origini e forme della frequentazione greco-orientale. Il culto di Afrodite, con alcune caratteristiche specifiche della devozione, ci riconduce senz'altro all'ambiente cipriota ed orientale in genere, soprattutto nelle sue estensioni in area greca e coloniale interessata dai grandi traffici, Corinto, Argo, Citera, Atene da un lato, Taranto, Locri (per non menzionare, contigua alla zona coloniale, Erice) dall'altro; ma qui soprattutto interessa sottolineare le forti somiglianze con la situazione di Naucrati, ove troviamo, separato dall'area dei grandi santuari dei Samii, dei Milesii, degli Egineti, il *naiskos* di Afrodite, che la tradizione storica locale asseriva

---

2) Cfr. L. JEFFREY, *Local Scripts of Archaic Greece*, Oxford, 1961, p. 345 ss.
3) B. BRAVO, in *Dialogues d'Histoire Ancienne*, 1, 1974, p. 111 ss. (partic. p. 151-4).

214

fondato nella 23ª olimpiade da un tal Erostrato διὰ εὐπλοϊαν e nel quale si venerava una statua di culto giunta da Cipro (4). Non meno interessante è il fatto che la pianta del sacello naucratite abbia stretta somiglianza con il *naiskos* graviscano.

Il culto di Afrodite precede di poco e sembra lentamente confondersi con quello di Hera, che fa la parte del leone nelle dediche greche. Il fatto trova forse spiegazione, oltre che nelle esigenze psicosociali della comunità interessata localmente al culto, sia nel crescente prestigio della dea della Samo policratea e dei grandi santuari coloniali di Crotone e di Posidonia, sia nel carattere ambiguo del culto di Hera a Samo stessa, nonché a Cipro ed a Sparta, ove Hera e Afrodite si identificano; d'altro canto la medesima ambivalenza si riscontra nella vicina Pyrgi, ove la fenicia *Ishtar* si identifica con la Hera-*Uni* etrusca. Soprattutto significativa mi sembra la precoce introduzione a Gravisca del culto di Demetra (identificata con la etrusca *Vei*), che collega strettamente la situazione del culto dell'emporio a quella dell'Acrocorinto, ove troviamo contigui i santuari di Demetra e Core e dell'Afrodite Urania-Moira, situazione ricca di confronti in ambito dorico, a Sparta e a Locri, e forse riprodotta, in forme parziali o adattate, nei sobborghi dell'Ilisso ad Atene e dell'Aventino a Roma. Il culto di Apollo, come si è detto, oltre ad una sporadica attestazione ionica (milesia?), è dovuto ad Egineti, un *Euarchos* e l'ormai famoso *Sostratos:* tuttavia, mentre la devozione per le tre dee si presenta fondamentalmente continua, anche oltre la fine della frequentazione greca, Apollo sembra ignorato nelle fasi successive del santuario.

Per riassumere, dunque, la tipologia dei culti si presenta notevolmente interessante per l'individuazione delle correnti di frequentazione.

La presenza di Afrodite si collega ai grandi centri fenici di Cipro e di Erice presumibilmente attraverso la mediazione peloponnesiaca di Citera, di Sparta e soprattutto di Corinto, cui ci conducono anche l'associazione con la dea eleusina (nella versione però non attica) e la sovrapposizione tra Hera e Afrodite: tuttavia i portatori di siffatta ideologia religiosa appaiono indiscutibilmente Greci dell'Est, gli stessi cui si deve la «protofondazione» naucratite del santuario di Afrodite, intermediarii privilegiati con l'Occidente, dove, a Taranto e a Locri (ma, sia pur in minor grado, anche a Metaponto, a Crotone, a Siracusa, a Posidonia), a Roma e a Pyrgi hanno lasciato tracce evidenti della loro presenza in questa sfera di forme ideologiche. Possiamo indicare più precisamente quali Greci dell'Est, fra tutti quelli che popolavano le coste anatoliche e le isole adiacenti, sono stati protagonisti, almeno per Gravisca, di questo flusso di frequentazione? Rimanendo alle sole testimonianze onomastiche e storico-religiose, ed allo scopo di contribuire alla definizione delle provenienze del materiale archeologico greco-orientale, si può indicare con una certa approssimazione l'epicentro di questa frequentazione nell'area tra Samo, Mileto ed Efeso, con punte estreme a Magnesia, Sardi e Alicarnasso, e l'apparente esclusione (o ridottissima partecipazione) di Rodi e della zona asiatica di lingua dorica. Da quest'area centrale, che non a caso coincide con l'area occupata dalle città di più alto sviluppo economico, sociale e culturale della Ionia, sembrano essersi dipartiti, in direzione di Gravisca, i traffici e, probabilmente anche flussi migratori della cui consistenza però nulla sappiamo: la presenza eginetica in questo quadro risulta subalterna, o meglio sostitutiva, presentandosi attiva soprattutto in concomitanza con il declino della frequentazione ionica.

MARIO TORELLI

---

4) Polycharmos di Naucrati *ap. Athen.*, XV, 675 F.

LE CERAMICHE DECORATE DI IMPORTAZIONE
GRECO-ORIENTALE DI GRAVISCA
(Pl. XC–XCIV)

Lo studio dei materiali ceramici rinvenuti nell'area sacra di Gravisca è limitato per il momento all'esame dei contesti archeologici dei primi due edifici α e β messi in luce nella zona. Poiché lo studio è in corso di elaborazione, i dati che finora siamo in grado di fornire non possono essere completi né definitivi. In particolare lo studio delle ceramiche decorate di produzione greco-orientale, per alcuni esemplari problematico data la frammentarietà in cui essi sono pervenuti, presenta incertezze e lacune circa l'identificazione dei diversi centri di produzione. Nella presentazione dei materiali si seguono perciò le classificazioni stilistiche generalmente accettate per questa produzione, evidenziando all'interno di esse le caratteristiche tecniche riscontrate. Alle ceramiche decorate vanno aggiunti i vasi plastici e le statuette in terracotta, suddivisi in gruppi secondo le diversità tecniche, e le lucerne (1).

Il materiale sarà presentato secondo i depositi rinvenuti sotto gli edifici, facendo precedere α a β. La documentazione dei materiali greco-orientali, che si riferiscono alla fase arcaica del culto (580-470 a.C.) attestato nell'area occupata successivamente (intorno alla fine del V sec. a.C.) dall'edificio α, comprende: un esemplare del tardo *Wild Goat Style*; 15 esemplari dello stile di Fikellura; 4 esemplari nella tecnica a figure nere, di cui due della produzione dei « piccoli maestri ionici »; una quantità cospicua di ceramica con decorazione a fasce in vernice nera, qualitativamente più o meno fine, di cui 145 esemplari sono riferibili a « coppe ioniche » (2); 23 esemplari pertinenti a vasi plastici e statuette in terracotta; infine un numero cospicuo di lucerne (v. nota 1).

Associate a questi prodotti di fabbrica greco-orientale, nel deposito di α si sono rinvenute, tra le altre ceramiche di importazione, ceramica tardo-corinzia: 60 es.; ceramica laconica: 25 es., di cui 13 coppe, 2 *lakanai*, 10 crateri; ceramica calcidese: 2 o 3 es.; e una cospicua quantità di ceramica attica a figure nere, per la quale si possono fornire solo alcuni dati parziali: coppe figurate dei piccoli maestri: 200 es.; coppe ad occhioni: 150 es.; coppe tipo Cassel: 35 es.; coppe floreali: 25 es.; un centinaio di altre forme tra cui un'*olpe* della cerchia di Amasis e un *kantharos* vicino ad Exechias.

Al tardo *Wild Goat Style* si riferiscono due frammenti, pertinenti ad un unico *deinos* (fig. 1, 1 e 2), che conservano l'uno parte della bocca con labbro e attacco della spalla, l'altro parte della zona inferiore del corpo, come indica la leggera curvatura della parete. Tecnicamente si caratterizzano per una argilla fine, tenera, assai debolmente micacea, di colore nocciola-rossiccio; per una densa ingubbiatura avorio; per una vernice bruno-rossastra con qualche ritocco in rosso; per l'uso esclusivo della *silhouette* e della linea di contorno. Il primo frammento presenta sulla superficie piana del labbro parte di una decorazione a reticolo con losanghe piene inscritte, frequente nel repertorio decorativo dello stile, ma

---

1) Per la classificazione tipologica delle circa 500 lucerne rinvenute in una parte del deposito sottostante l'edificio α, di cui circa un quarto riferibili a tipi greco-orientali, si veda *NotSc*, 1971, pp. 262 ss. Ultimato lo scavo del deposito, il numero degli esemplari è salito a più di 1500: alcuni nuovi tipi vanno aggiunti alla classificazione proposta, invariato sembra il rapporto tra tipi di produzione greco-orientale e tipi di altre produzioni.

2) Per un'esemplificazione parziale di questa classe di ceramiche, complessivamente non ancora esaminata ad eccezione delle « coppe ioniche », si veda ancora *NotSc, cit.*, pp. 254-261.

non comune nella ornamentazione dei labbri dei *deinoi*, e sulla spalla la consueta serie di meandri spezzati, seguita da baccellature entro contorni che ne ripetono la sagoma, rese alternativamente in rosso porpora e in vernice bruna. Il secondo frammento conserva parte del fregio inferiore con animali, di cui resta il muso di un capride pascente dalle corna nodose, sul quale incombe la fascia in vernice bruna che delimita in alto il fregio: l'animale è oppresso da riempitivi disposti in modo piuttosto disordinato (croce gammata, rosetta puntinata, triangolo con pendente a goccia), resi con tratti pesanti e sommari. I due frammenti, da ricondurre all'ambito stilistico dell'*atelier del deinos* di Londra di Chr. Kardara (3), si datano entro i primi anni del VI sec. a.C. Sono inoltre confrontabili per la decorazione e per lo stile — ma non per il tipo di argilla — con il *deinos* di Basilea, che E. Walter-Karydi ha recentemente attribuito alla Ionia settentrionale (4), riconoscendo in esso come nei prodotti dell'*atelier del deinos*, riferito dalla Kardara a Rodi, una componente stilistica eolica (5).

Lo stile di Fikellura è rappresentato da frammenti pertinenti a 15 esemplari, che costituiscono una presenza quantitativamente rilevante non solo nell'ambito tirrenico ma anche in quello dell'intera penisola, ove la diffusione di questa ceramica è limitata a pochi esemplari (6). Dal punto di vista tecnico i frammenti presentano caratteristiche simili a quelle che R.M. Cook riferisce a questa classe (7): argilla non molto dura, fortemente micacea con altre minuscole inclusioni, di colore variabile dal nocciola-rosato/nocciola-arancio al nocciola-grigio; ingubbiatura sottile, debolmente micacea di colore variabile dal giallo al crema; vernice nera o bruno-rossastra o aranciata; tecnica a *silhouette* nell'unico frammento con resti di decorazione figurata; uso del bianco sovraddipinto per la resa dell'occhio e delle rosette sul labbro verniciato di una delle *oinochoai*, che presenta anche un terzo elemento graffito; assenti i ritocchi in rosso che si riscontrano, sia pur raramente, nella resa dei dettagli decorativi. Oltre che ad alcune *oinochoai*, forma attestata con maggiore frequenza nello stile iniziale di Fikellura, i frammenti di Gravisca sono riconducibili alla forma più comune di questa classe, l'anfora con labbro ad echino e collo che appena si restringe verso la base; manca l'*amphoriskos*, comune nella fase tarda dello stile. Quanto alla sintassi decorativa, riconducibile per ogni frammento nell'ambito del comune repertorio, essa fornisce, in base ai confronti istituiti, una datazione dei frammenti compresa, secondo la cronologia fissata dal Cook per questa ceramica, entro i due decenni a cavallo della metà del VI sec. a.C. Incerta resta l'indicazione del o dei centri di produzione, nell'ambito dei quali (Samo, Mileto, Rodi) sembra verisimile proporre, in base alle analogie stilistiche di seguito avanzate, i centri dell'area ionica centrale, esclusa quindi l'isola di Rodi.

A tre *oinochoai* sono pertinenti rispettivamente:

— un frammento di imboccatura trilobata con attacco del collo sottolineato da un piccolo anello appena rilevato (fig. 2,5). Sul labbro verniciato sono sovraddipinti in bianco un occhio di forma « naturale » (8) e due rosette puntinate, mentre reso a graffito è un terzo elemento di incerta lettura, forse un altro occhio. Sul collo resta una porzione del motivo a treccia chiusa del tipo Cook fig. 11,4, delimitato in alto dalla fascia a trattini verticali e paralleli compresi tra doppie linee, motivo divisorio tra due zone canonico di questo stile (9).

3) C. KARDARA, 'Ροδιακὴ Ἀγγειογραφία, 1963, pp. 271-276.

4) E. WALTER-KARYDI, *Antike Kunst*, Beiheft VII, 1970, p. 3 ss., Taf. 1-3.

5) Alla Ionia settentrionale si riferisce uno dei rari esempi del tardo *Wild Goat Style* rinvenuti in Etruria: l'*oinochoe* della « Tomba dei Letti e dei Sarcofagi » di Caere, datata nel primo quarto del VI sec. a.C. (cfr. E. WALTER-KARYDI, *Samos* VI, 1, 1973, n. 878, di seguito citato: Walter-Karydi).

6) Cfr. P. SESTIERI, in *ArCl*, 1950, 2, p. 2, tav. I, che aggiunge due esemplari alla lista di R. M. COOK, in *ABSA*, XXXIV, 1933-34, p. 97.

7) R. M. COOK, *cit.*, p. 53 ss.

8) Cfr. l'*oinochoe* da Camiro (Cook, S 1 del Louvre Group), attribuita dalla Walter-Karydi a Samo.

9) Cfr. COOK, *cit.*, p. 71, fig. 10,5.

— tre frammenti di collo a pareti verticali con attacco della spalla (fig. 3,1). Sul collo è dipinta una serie di meandri e quadrati distaccati con motivo stellare al centro di questi ultimi (10), delimitata in alto da una fascia divisoria a punti contrapposti, meno comune di quella del frammento precedente (11). Sulla spalla resta una breve porzione del motivo a treccia chiusa;

— un frammento di spalla con attacco del collo, sottolineato dal caratteristico piccolo anello rilevato (fig. 4,1). Sulla spalla parte di una decorazione a barre in diagonale alternativamente verniciate e risparmiate, che formano, negli esemplari interi, diverse fasce disposte sul ventre del vaso a partire da una banda verticale (12).

A sei anfore si riferiscono rispettivamente:

— un frammento di labbro ad echino con breve porzione del collo (fig. 2,3). Il labbro è decorato da una serie di fiori di loto a tre petali alternati a boccioli distaccati e ciascuno con punto centrale sottostante. Il motivo, del tipo Cook fig. 13,7, si riscontra generalmente nella decorazione di spalle o parti inferiori di forme chiuse mentre solo raramente è presente sui labbri (13). L'interno, come in tutti i frammenti appartenenti ad anfore, è decorato da due fasce in nero: una sul labbro e l'altra all'inizio del collo;

— un frammento con parte del labbro ad echino e del collo (fig. 2,1), decorati rispettivamente, secondo uno schema consueto alle anfore nella fase iniziale dello stile, da una fitta serie di tratti appena inclinati a sinistra e da una tripla treccia chiusa inserita in campo metopale (14), delimitato in alto dalla stessa fascia a trattini presente nell'*oinochoe* della fig. 2,5;

— tre frammenti, appartenenti ad altrettanti esemplari, che conservano in porzioni minori le stesse parti del frammento precedente e sono decorati in modo analogo (figg. 2,2; 5,1 e 2);

— un frammento di ansa trifida (fig. 6,1), decorato sulla costa esterna da una serie di piccoli tratti e verniciato su quella interna, analogamente a quanto si riscontra, salvo poche eccezioni, sulle anse nelle forme chiuse di questo stile (15).

All'una o all'altra delle forme sopra elencate si riferiscono:

— un frammento di spalla piana (fig. 3,2), decorata sotto l'attacco del collo da una serie di linguette sottili chiuse tra due linee, del tipo Cook fig. 12,2, e da una figura di felino volto a sinistra, forse una pantera, di cui restano la parte posteriore del muso con una delle orecchie, il collo, il torace, parte della zampa destra e del dorso, al di sopra del quale è appena visibile un riempitivo del tipo Cook fig. 9,8. L'animale è reso nella tecnica a *silhouette* con dettagli (linea sul torace) a risparmio (16);

— un frammento di ventre (fig. 2,4), appena sotto la spalla, decorato con resti di una fascia orizzontale di quadrati alternati e contrapposti con motivo stellare stilizzato al centro di ognuno di essi, del tipo Karydi, abb. 42 (17);

— un frammento di ventre (?) (fig. 3,3), decorato con resti di un tralcio di foglie d'edera distaccantesi da un ramo orizzontale, motivo assai comune anche in questo stile dopo la metà del VI sec. a.C.;

10) Cfr. Cook, *cit.*, p. 70, fig. 9, 32.
11) Cfr. Cook, *cit.*, p. 71, fig. 10,6.
12) Cfr. ad es. ancora l'*oinochoe* da Camiro, di cui alla nota 8, e l'*oinochoe* da Naukratis a Boston (Cook, *cit.*, pl. 17 g).
13) Cfr. l'anfora da Naukratis della metà del VI sec. a.C. (Cook, Z 12, p. 53) e l'*olpe* da Corinto (Cook, B 16, pl. 4 b = Walter-Karydi, n. 642, Taf. 88), attribuita a fabbrica milesia. Per il colore nocciola dell'argilla e la vernice nera senza toni brunastri P. Hommel mi ha suggerito per il frammento di Graviscia una probabile attribuzione milesia.
14) Cfr. Cook, p. 56, e gli esemplari: anfora da Tell Defenneh (Cook B 2 del Lion Group = Walter-Karydi n. 606), anfora da Egina (Cook J 1 del Altenburg Group), anfora a Tarquinia, di provenienza incerta (Cook D 1, gruppo omonimo = Walter-Karydi, n. 624), anfora da Histria (Walter-Karydi n. 609) di fabbrica milesia.
15) Cfr. Cook, p. 56, nota 5.
16) Per la pantera cfr. ad es. l'anfora da Tell Defenneh, di cui alla nota 14.
17) Cfr. l'*oinochoe* da Cipro (Cook, B 1 a, fig. 19 = Walter-Karydi n. 616) e l'anfora a Tarquinia di cui alla nota 14, entrambe attribuite dalla Karydi a fabbrica milesia.

218

— un frammento di ventre (fig. 6,2) con resti del nucleo centrale di una palmetta, forse riferibile ad una decorazione a volute nella zona delle anse. Incerta infine l'attribuzione a questo stile di un frammento riferibile ad una forma chiusa di piccole dimensioni, non meglio identificabile, che esibisce una breve porzione di labbro (o di collo, essendo l'orlo consunto) con attacco della spalla (fig. 4,2). La decorazione — zigzag con riempitivo a T sul labbro e serie di crescenti sulla spalla — rientra nel repertorio di Fikellura, anche se il primo dei motivi è più comune in esemplari più antichi riferibili al tardo « rodio » A, secondo la classificazione del Cook (18). L'argilla invece, non micacea e piuttosto fine e compatta, è diversa da quella del gruppo ora preso in esame.

Alla produzione degli *ionische Kleinmeister*, localizzata dal Kunze a Samo (19), si riferisce un frammento di coppa, del tipo parallelo alle *lip-cups* attiche, che conserva parte del labbro con attacco della vasca evidenziato all'interno dalla consueta risega e all'esterno da una sottile fascia nera (fig. 7). L'argilla è molto fine, assai debolmente micacea, colore nocciola; la vernice nera e particolarmente lucida. Sul labbro è raffigurato un leone con fauci spalancate, volto a sinistra, reso con estrema accuratezza nella tecnica a *silhouette* con dettagli interni a risparmio, tecnica che avvicina questa coppa alla ceramica dello stile di Fikellura alla quale riporta anche il tipo del leone presente in alcune anfore del gruppo più antico di questo stile (20). Nell'ambito della produzione degli *ionische Kleinmeister* un confronto preciso è dato da una delle cinque coppe provenienti dall'Heraion di Samo, che presenta analoga raffigurazione ed è datata dal Kunze alla metà del VI sec. (21). Ancora a questa produzione vanno riferiti quattro frammenti forse di un *kantharos* o *kyathos* che conservano parte di un'ansa a nastro sopraelevata decorata da una *herzvolute*, parte della vasca con breve tratto della carenatura ornata a punte di diamante e resti di due volute contrapposte nella zona di imposta inferiore dell'ansa, e infine due porzioni delle pareti verticali della vasca con resti di una decorazione figurata di cui sono visibili parte di un profilo umano volto a destra e la testa di un centauro di profilo a sinistra con barba e lunga capigliatura tra le orecchie equine (fig. 8). L'argilla è molto fine, quasi impercettibilmente micacea, di colore nocciola-rosato carico; la vernice è nera, lucida; un graffito minuto e lievissimo, di effetto quasi pittorico, caratterizza la resa dei particolari interni delle figure. Su base stilistica credo possibile attribuire questo esemplare alla cerchia del samio « Pittore degli arieti », recentemente riconosciuto dalla Walter-Karydi, che così lo ha denominato da una coppa con questo soggetto proveniente dall'Heraion di Samo e ne ha fissato l'attività nel terzo venticinquennio del VI sec. a.C. (22). In particolare la capigliatura a piccoli riccioli — resi mediante graffito come minuscoli punti interrogativi rovesciati e continui — e l'occhio risparmiato con iride in nero del profilo umano trovano un preciso confronto nella resa stilistica del pelame e degli occhi degli arieti nella coppa samia ora ricordata; lo stesso *Herzvolutenornament* dell'ansa, solo meno compresso, decora un frammento di ansa a nastro proveniente ancora dall'Heraion e attribuita allo stesso pittore; la testa di centauro infine è vicina a quella dipinta su una coppa da Naukratis attribuita dalla Walter-Karydi ad una mano molto vicina a quella del Pittore degli arieti (23).

Tra le importazioni ioniche a figure nere ricordiamo il fondo di una coppa con piede di tipo calcidese (23 bis), decorato da un gorgoneion dalle forme molto semplificate, nel quale gli elementi esteriori di orrore sono ormai scomparsi: si notino i capelli resi a semplici bande incurvate a partire dalla fronte, la bocca, di dimensioni ridotte, con le zanne appena accennate e confuse tra i denti, sommersa da una

18) Cfr. Cook, *cit.*, p. 79, nota 4.
19) E. Kunze, in *AthMitt*, LIX, 1934, pp. 81 ss.
20) Per il leone, del tipo Tell Defenneh, e gli esemplari di anfore di Fikellura, ove esso compare, si veda Cook, *cit.*, p. 61.
21) Kunze, *cit.*, p. 83, Taf. VI, 1.
22) Walter-Karydi, n. 441, Taf. 49.
23) Id., n. 498, Taf. 61 per il motivo dell'ansa, e Kunze, *cit.*, Taf. VII, 1, per la coppa da Naukratis.
23 bis) Per la foto si veda *StEtr*, 1977, tav. LXIII, b.

barba foltissima che investe le guance e forma una massa indifferenziata con i baffi. Il fluire della barba è reso con un graffito fitto, ma non così lieve e accurato come quello riscontrato nel vaso precedente. Come ha rilevato il Paribeni in una recentissima nota sulla coppa Vagnonville di Firenze, da lui riferita all'ambiente ionico (in *Prospettiva*, 5, 1976, p. 52), il tema del gorgoneion su fondi di coppe è molto raro nel mondo greco-orientale. Tra gli esempi che il Paribeni ricorda e ai quali possiamo aggiungere un piccolo frammento da Naukratis con parte di un serpente, riferito dal Kunze ad un gorgoneion (24), l'esemplare graviscano è il più recente, databile comunque non oltre il 520 a.C., come indica anche il tipo di piede documentato in ambiente ionico, a mia conoscenza, soltanto da due frammenti a Marsiglia, datati dal Villard non oltre il terzo quarto del VI sec. a.C. (25).

Un altro esemplare nella tecnica a figure nere è un frammento di pancia, forse di *oinochoe*, con parte della figura di un satiro (fig. 4,3). L'argilla è fine, non micacea, di colore nocciola-rosato; l'ingubbiatura sottile è color avorio; la vernice nera opaca accompagnata da un graffito profondo e poco accurato.

La classe delle « coppe ioniche » è rappresentata, come si è detto da un numero considerevole di esemplari (145), che per un terzo circa del totale sono da riferire al tipo B 2 della classificazione di Villard-Vallet, con possibile suddivisione in diverse varianti, e per i restanti due terzi al tipo B 3 nelle varianti *a* e *b*. Sono presenti inoltre alcuni frammenti di labbro con attacco della vasca, riferibili con qualche incertezza, data l'esiguità dei pezzi, al tipo B 1 e al tipo Panionion.

Gli esemplari riconducibili al tipo B 2 (fig. 9), le cui varianti comportano differenziazioni morfologiche nell'altezza del labbro, variabile tra cm. 1,3 e cm. 1,8, nella vasca più o meno profonda e nell'altezza del piede tronco-conico, presentano tutti una uguale decorazione, comunemente documentata dal tipo (26): esternamente una sottile fascia nera sottolinea l'orlo e la congiunzione del labbro con la vasca; la parte inferiore della vasca, a partire dall'imposta delle anse, è completamente verniciata come anche le anse e il piede; l'interno è verniciato ad eccezione di una sottile fascia sull'orlo. L'argilla è fine, non dura, finemente micacea, con bollicine d'aria, color nocciola-aranciato; la vernice è nera con riflessi metallici, spesso molto diluita e facilmente scrostabile, con sfumature bruno-rossastre. Per la datazione del tipo, il cui termine inferiore è stato recentemente abbassato alla fine del VI sec., i dati di Gravisca non forniscono alcuna precisazione utile. Il centro o i centri di produzione restano per il momento da stabilire, tenendo presente che per alcuni esemplari di fattura meno accurata non può escludersi una fabbricazione greco-coloniale o locale.

Degli esemplari riferibili al tipo B 3 suddiviso nelle varianti « Siana » (fig. 10) e « Kleinmeister » le cui caratteristiche morfologiche e decorative appare superfluo ricordare in questa sede in quanto del tutto corrispondenti al tipo (27), va in primo luogo sottolineata la enorme quantità rappresentata nel deposito in relazione agli altri tipi e ne vanno inoltre rilevate le strettissime affinità con gli analoghi esemplari sami, come basta il confronto tra la coppa di cui alla fig. 10,1 e la coppa Samo n. 377, e la coppa di cui alla fig. 10,2 e la coppa Samo n. 381 (28).

Per quanto riguarda i vasi plastici e le statuette in terracotta sono rappresentati i seguenti tipi (29), suddivisi in gruppi con queste caratteristiche tecniche:

Gruppo a) — Argilla fine, piuttosto tenera, con abbondanti particelle micacee più o meno minute, altre piccole inclusioni brunastre e minuscole bollicine d'aria, colore nocciola o nocciola-rossic-

---

24) KUNZE, *cit.*, pp. 93-94, Beilage, VII, 3.

25) F. VILLARD, *La céramique grecque de Marseille*, 1960, p. 42, pl. 19, 11 e 12.

26) Cfr. da ultimo M. CRISTOFANI MARTELLI, *CVA* Gela, fasc. LIII, 2, 1973, p. 5, tav. 35, 3-4.

27) Cfr. *CVA* Monaco, 6, 1968 n. 511 (Taf. 293, 6 e 294, 4) e n. 8751 (Taf. 293, 7 e 294, 5).

28) WALTER-KARYDI, Taf. 43.

29) Salvo due eccezioni cui si fa cenno, essi rientrano in una tipologia nota e ampiamente documentata in tutta l'area interessata dalla presenza greca, sia da contesti a carattere sacro sia funerario; i riferimenti si limitano al repertorio dello HIGGINS, *Cat. of the Terracottas in the British Museum*, I e II, (con bibliografia).

cio, spesso grigio in frattura; ingubbiatura nocciola molto diluita e tracce di vernice rossa solo su alcuni esemplari. I tipi rappresentati sono:

— figura femminile (fig. 11) stante vestita di chitone e himation, con volatile o altro elemento nella mano sinistra e braccio destro disteso con la mano in atto di trattenere il chitone sul fianco (cfr. Higgins, I, n. 57), e due sue varianti: l'una (fig. 12, 1 e 2) con braccio destro disteso, il sinistro piegato in atto di trattenere con la mano un oggetto e chitone con *paryphè* al centro della figura, l'altra con posizione inversa delle braccia rispetto alla prima (cfr. Higgins, I, n. 48);

— figura femminile (fig. 13) seduta su sedia con bassa spalliera, con alto polos e ampio mantello trattenuto sulle ginocchia, nella variante più comune del tipo (cfr. Higgins, I, n. 68);

— sirena, di grosse proporzioni (fig. 14), rappresentata da un frammento con parte della capigliatura posteriore suddivisa in grosse trecce perliformi. Il frammento potrebbe riferirsi anche ad un busto femminile;

— demone o comasta panciuto e accosciato, documentato da due varianti: l'una piuttosto comune, simile a Higgins, I, n. 43; l'altra (fig. 15), con volto aguzzo dai tratti animaleschi, per la quale manca un confronto preciso.

Questa stessa argilla, ma con una sorta di ingubbiatura incolore brillante e una vernice bruno-rossastra, accompagnata da incisioni nella resa dei dettagli, si riscontra in un esemplare frammentario, riferibile al tipo della gamba calzata da un alto stivale di forma appuntita (fig. 16), con elaborata linguetta completata superiormente da due volute contrapposte e con bordi ornati da un meandro spezzato inciso. (Cfr. Higgins, II, n. 1650, attribuito a Rodi, da cui differisce tuttavia per l'argilla).

Gruppo b) — Argilla fine tenera, non micacea, colore biancastro-giallino; vernice nera con sfumature brunastre, accompagnata da incisioni. È rappresentato un solo tipo:

— sirena (fig. 17), di cui si conserva soltanto parte del corpo piumato, reso con accurate incisioni parallele (cfr. Higgins, II, n. 1629, attribuito a fabbrica rodia con uguale argilla e vernice).

Gruppo c) — Argilla fine, molto omogenea, assai finemente micacea, colore nocciola-rosato scuro; ingubbiatura incolore brillante; vernice nera brillante e ritocchi in rosso granata. I tipi rappresentati sono:

— piede calzato da sandalo, con spessa suola punteggiata in nero e intreccio di cinghie rese plasticamente e dipinte in rosso (cfr. Higgins, II, n. 1656);

— testa di Acheloo o protome bovina: l'incertezza è dovuta alla esiguità del frammento che conserva soltanto un piccolo orecchio bovino.

Gruppo d) — Argilla fine, dura, priva di mica o altre inclusioni; nocciola (in frattura nocciola-grigiastra); ingubbiatura diluita crema-nocciola; vernice opaca bruno-rossastra con la quale sono indicati i particolari anatomici. È rappresentato da un solo esemplare, probabilmente una statuetta, di bove (fig. 18), di cui restano la testa, senza alcuna traccia del bocchello, e il quarto posteriore sinistro (30).

La datazione di questi esemplari è compresa tra il II e il III quarto del VI sec. a.C. in modo conforme a quanto i contesti datati di Taranto, Tocra, Corinto, Thera, da ultimo ricordati dallo Hayes (31), forniscono per la diffusione di questi tipi. Una cronologia che scenda nell'ultimo quarto del VI, come indicata da Higgins per alcuni tipi (32) e altrove documentata, sembra si possa escludere

---

30) Balsamari e statuette in forma di toro sono molto rari in epoca arcaica (cfr. MAXIMOVA, *Les vases plastiques dans l'antiquité*, 1927, p. 107); vicino al nostro sono gli esemplari in bucchero grigio, anch'essi frammentari, provenienti da Gela (ORSI, *MonAl*, XVII, 1906, col. 171, fig. 129) e da Delo (DUGAS, *Délos*, XVII, p. 76, 9, tav. LII, c).

31) J. HAYES, *Excavations at Tocra*, 1963-65, *The Archaic Deposits*, I, 1966, p. 65.

32) Cfr. HIGGINS, I, nn. 57 e 68.

per gli esemplari graviscani in base all'associazione dei materiali del più antico sacello di Afrodite (590-540 a.C.), ove un numero all'incirca triplo di balsamari, formanti il grosso delle importazioni greco-orientali, è stato rinvenuto essenzialmente con ceramica meso e tardo-corinzia, e pochi frammenti di ceramica attica a figure nere dei piccoli maestri.

Per quanto riguarda i centri di produzione, ai tipi di cui ai gruppi *a*) e *b*) si attribuisce generalmente un'origine rodia, sebbene sia stata indicata anche un'origine samia che numerosi rinvenimenti sembrano confermare (cfr. E. DIEHL, *AA*, 1964, p. 513), e recentemente ne sia stata proposta un'origine da qualche altro centro della Ionia meridionale (cfr. HAYES, *cit.*, p. 65). Il tipo del piede calzato da sandalo, di cui al gruppo *c*), è generalmente considerato di fabbrica greco-orientale, esclusa Rodi, per la scarsezza degli esemplari rinvenuti nell'isola (33); ne è stata proposta anche una produzione attica (cfr. HAYES, *cit.*, p. 153). Incerta resta la fabbrica dell'esemplare di cui al gruppo *d*).

Un brevissimo accenno al deposito sotto l'edificio β, ove sono presenti le seguenti classi: un frammento di ceramica nella tecnica a figure nere con ampio ritocco in bianco suddipinto, almeno nella piccola porzione conservata che esibisce parte di un profilo maschile; 40 coppe ioniche con analoghi rapporti percentuali tra i vari tipi; altri vasi a vernice nera con decorazione a fasce, in abbondante quantità. Mancano le ceramiche figurate del *Wild Goat Style* e dello stile di Fikellura e i balsamari.

Il quadro delle importazioni greco-orientali a Gravisca si arricchisce ulteriormente se teniamo conto dei materiali provenienti dal sacello arcaico di Afrodite (590-540 a.C.), ove con una associazione senza dubbio diversa da quella riscontrata nei due depositi precedenti, sono stati rinvenuti, insieme a ceramica meso e tardo-corinzia (in rapporto circa di 1:1,50 con quella greco-orientale), ad una modesta percentuale di prodotti attici a figure nere, ad una discreta quantità di bucchero etrusco e alcuni esemplari di calici pontici, a due statuette in bronzo raffiguranti una divinità femminile elmata, ad alcune faïence, questi materiali greco-orientali:

— tre frammenti di coppe del tipo rodio a rosette della prima metà del VI sec. a.C.;

— frammenti di due calici chioti non figurati, almeno nella parte conservata, del tipo III (?) della classificazione del Boardman (34);

— sei o sette *alabastra* in bucchero ionico con solcature orizzontali (35) e un *aryballos* sempre in bucchero ionico;

— alcuni frammenti con resti di motivi decorativi del *Wild Goat style*;

— una serie tipologicamente molto più ricca di balsamari e statuette in terracotta;

— numerose ceramiche con decorazione a fasce in vernice nera, tra cui alcune coppe ioniche di tipo A 2/B 2 con vasca profonda e filetti sull'esterno del labbro, non documentate negli altri depositi.

FRANCESCA BOITANI VISENTINI

---

33) Cfr. F. LO PORTO, in *BollArte*, 1962, p. 155.

34) J. BOARDMAN, *Excavations in Chios*, 1952-1955. *Greek Emporio*, 1967, p. 156.

35) Cfr. ad es. WALTER-KARYDI, *Samos*, VI, taf. 71. nn. 273 e 274, Taf. 35.

GRAVISCA. LE CERAMICHE COMUNI DI PRODUZIONE GRECO-ORIENTALE

(Pl. XCV–CI)

Il primo esame delle argille delle ceramiche grezze ha individuato alcuni gruppi che non sono di produzione locale (1). Un numero assai cospicuo di queste ceramiche importate possiamo attribuirle alle fabbriche greco-orientali.

Devo sottolineare innanzitutto che sia nella tipologia sia nell'attribuzione ho incontrato molte difficoltà dovute maggiormente alla frammentarietà dei materiali: non è stato possibile, per le classi di produzione greco-orientale, ricostruire nessuna sagoma intera; raramente i fondi sono attribuibili a determinati orli, spesso è incerta l'altezza dei colli delle anfore (che è un dato importante per la loro classificazione tipologica), non sempre si può stabilire l'eventuale presenza della decorazione dipinta.

In queste condizioni, l'indizio principale per l'attribuzione di queste ceramiche rimane l'esame degli impasti e il loro confronto con le fabbriche interessate; tale attribuzione ha sempre un certo margine di dubbio, data la relatività e spesso insufficienza delle descrizioni delle argille nelle pubblicazioni, e data la mancanza di materiali di confronto facilmente accessibili.

1. — Il primo gruppo delle ceramiche considerate greco-orientali ha un impasto marrone chiaro-rossiccio (che può assumere i toni più chiari — nocciola rosato o rosa, oppure più scuri — rosso terracotta) con nucleo a volte grigiastro; l'impasto è molto fine, morbido, fortemente micaceo, pastoso e « grasso » nell'aspetto, con inclusi di sabbia incolore a granelli minutissimi (2) e piuttosto rari e con singoli granuli bianchi visibili in superficie che raggiungono a volte la grossezza di alcuni millimetri; la mica è finissima, di colore giallo o bianco; la superficie è molto farinosa e soltanto di rado presenta le tracce di una sottile ingubbiatura incolore o crema, in alcuni casi invece conserva i resti — appena visibili — della vernice (o pittura) rossiccia.

Nell'ambito di questo gruppo si può distinguere un certo numero di esemplari con argilla leggermente differente: più dura e « secca » nel suo aspetto, di colore rosa-nocciola o rosa, senza assumere i toni più « bruciati »; è difficile dire se questa differenza dipenda da diversità di fabbrica o, più semplicemente, da un diverso esito della cottura.

L'argilla di questo gruppo (nella sua versione più tenera e scura) assomiglia molto alla pasta di alcuni balsamari e delle statuine ioniche rinvenute a Gravisca (2a).

Con questo impasto sono documentate principalmente due forme:

a) *Le lekythoi « samie »*

Si sono rinvenuti solo pochi frammenti di orli [7], di cui uno conservante il collo con la spalla e l'ansa (fig. 1), circa 22 fondi frammentari attribuibili a questo tipo di vaso, e pochi frammenti delle

---

1) Gli impasti di sicura produzione locale non sono micacei (anche se contengono a volte poche scaglie di mica), hanno invece numerosi cristalli neri e lucenti di augite.

2) Gli inclusi presenti nella sabbia usata come sgrassante negli impasti di Gravisca sono stati divisi per la grossezza in tre gruppi: piccoli (fino a 1 mm), medi (da 1 mm a 2 mm), grandi (più grossi di 2 mm); gli inclusi presenti nell'impasto sopra trattato si possono considerare « piccoli » nella loro taglia più fine.

2a) Cfr. la relazione di F. Boitani.

pance. Si tratta di una *lekythos* piuttosto grande (purtroppo l'altezza non è ricostruibile), con la bocca (diam. all'orlo 5,4-6 cm) a labbro svasato (fig. 2), oppure verticale slargato, ingrossato esternamente, a sagoma continua con il collo stretto, al centro del quale c'è un cordoncino circolare rilevato, al di sotto del quale il collo si allarga a tromba e passa senz'interruzione nella spalla larga e obliqua tendente all'orizzontale, con la carena smussata nell'attacco alla pancia verticale e leggermente obliqua (3). Forse non tutti gli esemplari hanno la forma ora descritta, probabilmente c'erano alcune varianti. I fondi attribuibili a queste *lekythoi* hanno il piede largo a basso disco di diam. ca. 8,5-9,5 cm, con la costa arrotondata o sagomata (fig. 3-4). L'ansa verticale a nastro ingrossato è impostata sul collo all'altezza del cordoncino rilevato e sulla spalla.

Nell'ambito delle *lekythoi* c.d. « samie » largamente diffuse in Grecia Orientale, Italia Meridionale ed Etruria, i confronti più vicini per la forma con il tipo presente a Gravisca si trovano nei sepolcreti arcaici datati intorno alla metà del VI sec. a.C.: a Samos (J. BOEHLAU, *Aus ionischen und italischen Nekropolen*, tav. VII, 9) e a Gela (P. ORSI, *Gela*, in *Mon.Ant.Linc.*, 17, 1906, fig. 37). Non è escluso che alcuni tra gli esemplari di Gravisca appartengano allo stesso tipo di *lekythos* rappresentato in una tomba arcaica di Selinunte pubblicata dalla Kerényi (*NSc*, 1966, pp. 298-301, fig. 6) e presente anche a Samos (BOEHLAU, *op. cit.*, tav. VII, 8) e a Rhodos (A. MAIURI, *Jalisos*, in *ASAtene*, 6-7, 1923-24, fig. 162) (4). Un confronto molto affine per l'argilla abbiamo in una *lekythos* da Perachora (T. J. DUNBABIN-B. B. SHEFTON, *Perachora*, II, Oxford, 1962, p. 375, n. 4057) datata probabilmente alla prima metà del VI sec. a.C.; un altro nella *lekythos* già citata, da Jalisos a Rhodos (5).

b) *Le anfore da trasporto*

Se ne è rinvenuto un numero piuttosto cospicuo [30]. Si tratta di un tipo di anfora con il collo cilindrico a volte superiormente appena svasato (alto ca. 6 cm), con il labbro (diam. all'orlo 12-13 cm) ingrossato a cordone a sezione a mandorla o bombato, con una piccola risega alla base del collo, con anse verticali a nastro ingrossato a sezione ovale impostate sotto il labbro e sulla spalla piuttosto ampia e obliqua (fig. 5-6); alcune anse recano i semplici segni incisi a crudo oppure impressi a dito nell'attacco inferiore. A queste anfore sono attribuibili 2 tipi di fondi: uno troncoconico con il piede a bottone allargato verso la base e con una carena smussata sulla costa e sul piano d'appoggio, cavo internamente (diam. mass. 5,5-6,8) (fig. 7-10), e un altro, meno frequente, largo, con il piede ad alto anello a sezione rettilinea svasato verso la base e carenato sulla costa (diam. all'orlo ca. 10-11 cm.). Non si possono purtroppo stabilire le proporzioni del corpo, ma dai dati esistenti possiamo dedurre che i frammenti appartengono ad esemplari panciuti con il collo piuttosto tozzo, forse simili ad un'anfora proveniente dall'Agora di Atene (V. GRACE, *Samian Amphoras*, in *Hesperia*, 1971, p. 93, pl. 15, 3; fig. 2,4) datata intorno al 500 a.C., dalla quale però sono differenti in alcuni particolari (non hanno la risega sotto il labbro e il loro piede è diverso). Altro confronto presenta un'anfora proveniente da Ninfea, datata alla fine del VI sec. a.C. (I. B. ZEEST, *Keramiceskaja tara Bospora*, in *Materialy i Issliedovania po Arheologii SSSR*, 83, 1960, tav. I, 3); secondo la Zeest, queste anfore sono più frequenti nella seconda metà del VI e agli inizi del V sec. a.C. (6).

---

3) Il modo con cui la spalla s'innesta nella parete del corpo è stato ricostruito in base a pochi frammenti di spalla che però non attaccano a nessun collo.

4) Data la frammentarietà dei materiali, e specialmente la mancanza delle pance conservate, non si può categoricamente escludere che alcuni frammenti appartengano al tipo di *lekythos* a forma di una campana rovesciata, cioè al tipo B della tipologia del Lo Porto (F. G. Lo PORTO, *Ceramica arcaica della necropoli di Taranto*, in *ASAtene*, 37-38, 1959-60).

5) Il vaso di Jalisos ha il colore grigio cinereo dovuto però alla combustione.

6) È stata rinvenuta a Gravisca un'anfora di produzione greco-orientale (non trattata nel testo perché non proveniente dall'area degli edifici Alfa e Beta) con l'iscrizione graffita sulla spalla, nel dialetto ionico: ὑδρίη μετρίη,

224

Della stessa argilla delle *lekythoi* e delle anfore « samie », si sono rinvenuti inoltre pochi frammenti appartenenti forse a piccoli *lydia* [3] dalle pareti molto spesse, un piccolo frammento di ciotola e un frammento di orlo di piccola olpe.

2. — Il secondo gruppo di ceramiche di provenienza probabilmente greco-orientale ha un impasto chiaro il cui colore varia dal crema al crema-rosato e rosa pallido fino al rosa chiaro e rosa nocciola, uguale in frattura e spesso più chiaro in superficie; è un impasto molto sabbioso, abbastanza duro, a grana piuttosto fine, con inclusi prevalentemente piccoli, minutissimi e medi, costituiti da sabbia, con alcuni granelli bianchi e mica gialla e bianca fine, più o meno frequente ma sempre presente. La superficie a volte è coperta da una scialbatura della stessa argilla diluita, data a spazzola, che lascia trasparire la fattura sabbiosa con piccole bolle d'aria; più spesso l'aspetto originale della superficie non è stato mantenuto e in questi casi la superficie è farinosa.

Questo tipo di impasto ha le sue varianti: in alcuni casi i frammenti appaiono più duri e meno micacei, altri presentano invece nella frattura gli inclusi più rari ma più grandi (tra questi granelli bianchi e rossi) e nella superficie piccole scaglie di mica bianca.

Con questa argilla è documentata una sola forma: l'anfora da trasporto. Questa presenta il collo cilindrico, labbro grosso ripiegato ed ingrossato esternamente: a mandorla, a cordone bombato (fig. 21-23), oppure più frequentemente a fascia svasata e allargata verso l'alto e, a volte, appiattita superiormente (fig. 11-20), nella frattura del labbro spesso è presente una fessura verticale a « goccia », segno del ripiegamento dell'orlo durante la lavorazione. L'interno della bocca è a volte rigido, a volte invece slargato in corrispondenza con il labbro, oppure arrotondato morbidamente; all'esterno è presente sempre una piccola risega più o meno pronunciata, posta sul collo immediatamente sotto il labbro, oppure modellata direttamente sulla parte bassa del labbro. Le anse sono a nastro piuttosto ingrossato, impostate sul collo nel punto dell'attacco del labbro e sulla spalla. I fondi attribuibili a queste anfore, ancora una volta sulla base dell'impasto, hanno il piede con la base piana leggermente arcuata, esternamente non diviso dalle pareti fortemente svasate a linea concava, oppure diviso da esse mediante una lieve carena (fig. 24).

Queste anfore che sono piuttosto numerose a Gravisca (almeno 25) si trovano con frequenza a Marsiglia, Velia, Megara Hyblaea, Messina e sono datate generalmente nel VI sec. a.C. (7). Confronti puntuali si trovano anche a Vaunage e Villevieille (8).

Il luogo di produzione di questo gruppo di anfore non è accertato, comunque — come suggerisce Villard — la loro particolare diffusione nella zona occidentale del Mediterraneo e relativamente scarsa presenza nella zona orientale fa pensare ad un centro della Jonia continentale, da dove sarebbero state diffuse tramite i Focesi (9).

3. — Un altro gruppo di ceramiche importate di probabile fabbrica greco-orientale è rappresentato da pochissimi pezzi (solo le anse e frammenti di pareti) riferibili ad almeno 3 vasi, di impasto di colore

la cui forma (l'anfora conserva solo la parte superiore con la spalla, collo, anse ed orlo) è affine a quella delle anfore « samie », e specialmente all'anfora di Atene presentata dalla Grace; l'impasto dell'anfora iscritta di Gravisca è differente dall'impasto « samio » qui presente: è rosa, con gli inclusi piccoli ma più numerosi, anche micaceo, con una leggera ingubbiatura crema esterna ed interna.

7) Per Marsiglia: F. VILLARD, *La céramique grecque de Marseille*, Paris, 1960, fig. 51, 3 e 4. Per Velia: F. VILLARD, *Céramique ionienne et phocéenne en Occident*, in *PdP*, 1970, fig. 3, 4; J. P. MOREL, *La céramique archaïque de Velia*, in *Simposio de Colonisaciones*, 1971, fig. VI, 10-13, 14-18. Per Megara Hyblaea: VALLET et VILLARD, *MEFR*, 1954; G. V. GENTILI, *Megara Hyblaea*, in *NSc*, 1954, p. 98, fig. 21, 1. Per Messina: G. VALLET, *NSA*, 1954.

8) F. e M. PY, *Les amphores étrusques de Vaunage et de Villevieille*, in *MEFRA*, 1974, pp. 141-254, fig. 4, 10; fig. 7, 9 e 10.

9) F. VILLARD, *Céramique ionienne*, art. cit., p. 111.

grigio scuro, omogeneo in frattura e sulla superficie, con inclusi di sabbia piuttosto fini e non troppo frequenti ma visibili, contenenti molta mica bianca a scaglie fine.

Le anse conservate hanno una forma a bastone verticale piuttosto robusto ed appartengono ad anfore con il collo verticale; esse presentano una caratteristica particolare: una lieve ma evidente costolatura modellata esternamente alla base dell'ansa che va sfumandosi sulla parete formando una specie di « coda ».

Per questo particolare, oltre che per il caratteristico impasto grigio, questi frammenti si potrebbero attribuire a fabbrica lesbia. Un confronto è fornito dalla Grace che presenta un frammento analogo proveniente dall'Agora di Atene (in *Amphoras* . . ., nr. 53); un altro, anch'esso frammentario, proveniente da Kofina Ridge a Chios, è dato dall'Anderson (in *BSA*, 1954, nn. 52 e 53).

Purtroppo i frammenti documentati a Gravisca non permettono di stabilire il loro posto nella tipologia delle anfore c.d. « lesbie », e, perciò, neanche la datazione; le anfore « lesbie » con il loro impasto grigio e con la caratteristica ansa sono documentate già dalla seconda metà del VII sec. a.C. e si sviluppano nel VI e nel V sec. a.C. (10).

Ci sono a Gravisca ancora 2 anse di forma analoga, ma in un impasto di colore diverso, che esternamente presentano uno strato bruno nocciola intorno ad uno spesso nucleo grigio; forse si tratta di una variante del tipo interamente grigio ma differente a causa della cottura.

Oltre ai tre gruppi di impasti di cui si è parlato, sono documentate a Gravisca anche le anfore chiote con ingubbiatura bianca e decorazione sovraddipinta in rosso scuro e bruno, e le anfore decorate « à la brosse »; per questi due gruppi non è stato ancora terminato il lavoro della catalogazione, perciò non è possibile fornire dei dati tipologici né statistici; lo stesso problema sussiste per le anfore chiote con il collo bombato anch'esse presenti a Gravisca (11).

Per giudicare l'importanza delle ceramiche greco-orientali grezze documentate a Gravisca sarà utile dare un rapporto statistico con i vasi grezzi d'importazione da altri centri e di produzione locale (Tabella 1). Va precisato che i rapporti statistici ora presentati hanno un valore approssimativo dato che lo studio dei materiali non è stato ancora terminato.

Inoltre si può stabilire un rapporto statistico tra la produzione dei diversi centri greco-orientali documentati a Gravisca: è un confronto tra gruppi di impasti differenti piuttosto che tra centri di sicura attribuzione, che deve essere considerato con largo margine di approssimazione (Tabella 2).

MALGORZATA ŚLASKA

---

10) Un esemplare datato al terzo quarto del VII sec. a.C. è documentato all'Agora di Atene (E. BRANN, *Protoattic Well Group*, in *Hesperia*, 1961, fig. 80); esempi datati nel V sec. a.C. fornisce Boulter (*Pottery of the Mid-fifth century*, in *Hesperia*, 1953).

11) Alla fabbrica chiota potrebbero inoltre appartenere i frammenti di 9 anfore di impasto rosso marrone con inclusi medi abbastanza numerosi.

APPENDICE

Nel periodo successivo al Convegno lo studio dei materiali è proseguito, permettendoci di formulare alcune considerazioni sulle classi di ceramica precedentemente solo menzionate, di mettere in evidenza alcuni problemi già prima esposti e, a volte, di chiarire i dubbi: ci sono anche dei punti, nella relazione presentata al Convegno, che, alla luce delle successive ricerche, debbono essere modificati oppure ampliati.

I) LE ANFORE SAMIE

Un buon confronto, specialmente per la forma del piede (1) proviene dall'Heraion di Samos, dove sono state rinvenute anfore frammentarie in uno scarico datato intorno alla metà del VI sec. a.C. (ringrazio H. P. Isler di questa informazione gentilmente fornitami nel corso del colloquio). Non è perciò da escludere che i frammenti graviscani si possano collocare in un ambito cronologico più antico rispetto alle anfore di Ninfea e di Atene. Possiamo seguire solo parzialmente l'evoluzione tipologica delle anfore « samie », con lacune specialmente nel corso del VI sec. a.C. (la Grace presenta un esemplare datato agli inizi del VI sec. a.C., mancante però della parte inferiore); forse il tipo di fondo presente a Gravisca e riscontrato anche a Samo potrebbe costituire una fase più arcaica (dalla metà del VI sec. a.C.) della forma confermatasi intorno al 500 a.C.

II) ANFORE DI IMPASTO CHIARO, CON LABBRO RIPIEGATO SOTTOLINEATO DA UNA RISEGA

Come si è visto, in questo gruppo di anfore, distinto come il secondo nella nostra relazione, si sono notate molte varianti sia per l'impasto sia per la forma del labbro; un esame più accurato ha rilevato che alcuni esemplari, in un primo tempo considerati insieme, perché d'impasto molto affine e con la forma del labbro dello stesso tipo, appartengono, in realtà, ad un gruppo distinto di anfore, insieme ad una ventina di esemplari non presi in considerazione nella prima relazione e calcolati tra le anfore di fabbrica incerta. Quelle che precedentemente sono state considerate varianti nell'ambito di un gruppo, caratterizzano ora due gruppi ben distinti, anche se, tipologicamente piuttosto vicini.

Il primo gruppo, con impasto piuttosto micaceo, caratterizzato da un labbro ripiegato a grossa fascia rigonfia (alta ca 3,5-4,5 cm) con risega modellata inferiormente, è attestato da ca 27 esemplari frammentari (fig. 11-20).

---

1) Il confronto si riferisce al primo tipo di fondo trattato nella relazione, chiamato a bottone cavo; il secondo tipo ivi menzionato è stato attribuito erroneamente a queste anfore.

Nel secondo gruppo, quasi altrettanto numeroso (ca 23 esemplari frammentari), l'impasto presenta poche scaglie di mica a volte del tutto mancanti; le differenze morfologiche si notano essenzialmente nelle proporzioni dei particolari: il labbro è notevolmente più corto (ca 2-2,5 cm), a sezione ovale o bombata, la risega ha la forma di un listello piuttosto piatto, alto circa cm. 0,8-1, situato sul collo immediatamente sotto il labbro. Le anse pertinenti alle anfore di questo secondo gruppo sono a bastone appiattito (fig. 21-23). (8 bis).

Per quanto riguarda il piede, oltre alla forma già descritta nella relazione, ne sono state rinvenute altre due d'impasto simile: una, cilindrica con base leggermente concava, distinta dalle pareti (fig. 25), l'altra a bottone pieno, a volte con una piccola cavità alla base. È molto difficile attribuire con certezza questi fondi all'uno o all'altro gruppo di anfore ora prese in esame, visto che ambedue i gruppi hanno l'impasto relativamente simile, ed eventuali differenze possono essere notate anche nell'ambito dello stesso gruppo oppure nel singolo vaso. Non è facile nemmeno far riferimento ai confronti, i quali notoriamente mancano nelle pubblicazioni interessate; è da sottolineare, che non si è trovato a Gravisca nessun fondo del tipo « en bobine creusé », attribuito generalmente alle anfore ioniche a labbro ripiegato, rigonfio, con risega (cfr. Morel, *La céramique archaïque de Velia*, p. 152, fig. VI, 19).

III) Anfore chiote

Alle anfore di probabile produzione chiota (solo marginalmente trattate nella relazione) sono riferibili i seguenti tipi:

a) *Con ingubbiatura bianca* (« white slip »)

Il tipo, rappresentato almeno da due esemplari (fig. 26-28), presenta un piede esternamente non distinto, a linea continua con la curvatura concava delle pareti, e internamente con bassa (1 cm) e larga cavità; la parte inferiore del corpo è di forma ovoide piuttosto allungata; la spalla, non ricostruibile però dagli esemplari graviscani, è spiovente, anse a bastoncello a sezione ovale, il collo verticale con labbro esternamente ingrossato a cordone.

L'impasto è rosa con nucleo a volte grigio, molto duro e compatto, piuttosto fine, con pochi inclusi di sabbia. Tutta la superficie esterna è coperta da una ingubbiatura bianca opaca molto spessa e resistente, sulla quale rimangono tracce della decorazione dipinta in rosso scuro, che consiste in fasce orizzontali larghe circa 0,6 cm poste sulla pancia, in una fascia verticale, di uguale spessore, sulla costa dell'ansa, in un'altra circolare intorno all'attacco dell'ansa, e infine, in motivi ad « S » rovesciata, disposti orizzontalmente sulla spalla del vaso.

Si tratta di un tipo arcaico di anfora chiota, datato tra la metà del VII e gli inizi del VI sec. a.C. ed attestato, oltre che a Chios (2), in tutto il Mediterraneo e nei siti della costa del Mar Nero: esemplari simili ai frammenti graviscani si trovano a Smyrna (3), Histria (4), Atene (5), e inoltre a Cipro (6), Tocra (7) e Naucratis (8).

2) J. K. Anderson, in *BSA*, 1954, p. 136, fig. 7 a, 9 b.
3) J. M. Cook, in *BSA*, 1958-1959, p. 16, fig. 4.
4) M. Lambrino, *Les vases archaïques d'Histria*, Bucuresti 1938, p. 100, figg. 62, 63, 65.
5) E. Brann, *The Athenian Agora, VIII*, Princetown 1962, p. 57, n° 225, plate 13, 42.
6) V. Karageorghis, *Chronique des Fouilles à Chypre en* 1961, in *BCH*, 86 (1962), p. 336, fig. 11.
7) J. Bordman, J. Hayes, *Tocra I*, pp. 137, 139; nn. 1414-1415. *Tocra II*, p. 61, n. 2258, fig. 25, pl. 32.
8) F. Petrie, *Naucratis*, I, pl. 16, n° 4.
8 bis). Non è sicura l'attribuzione di questo secondo gruppo di anfore con la risega alla fabbrica greco-orientale; infatti, esse mostrano anche alcune caratteristiche proprie alle anfore corinzie, e, precisamente al tipo B della Koehler.

b) *Con il collo alto e svasato*

Il tipo, rappresentato da un solo esemplare parzialmente conservato (fig. 29), ha il collo (alt. ca 13 cm) rigido, un piccolissimo labbro ingrossato esternamente a cordone, la spalla fortemente spiovente, le anse a bastone impostate superiormente sotto il labbro (fig. 29). L'impasto è rossastro, molto duro e compatto, con inclusi piccoli di sabbia. La decorazione consiste in fasce dipinte in rosso scuro sul labbro e lungo la costa dell'ansa. Il nostro esemplare trova forse un confronto in un'anfora di Olbia, datata alla seconda metà del VII sec. a.C. (9).

c) *Con il collo rigonfio*

Vi appartengono i frammenti di 8 anfore, per lo più labbri con la parte superiore del collo e, a volte l'attacco dell'ansa: il collo verticale è leggermente rigonfio, il labbro a cordone appena ingrossato esternamente, l'ansa a bastone appiattito. L'impasto è rossastro, granuloso, con inclusi di sabbia piccoli, contenenti poca mica finissima ed alcuni granelli biancastri di calcare ben visibili. La decorazione, dipinta in rosso o bruno, presenta una fascia orizzontale sul labbro, un'altra verticale sulla costa dell'ansa e, in un caso, un cerchietto dipinto sul collo sotto il labbro. I dati, insufficienti per definire la forma, non permettono di stabilire più precisamente il tipo e la datazione dei frammenti graviscani (10), per i quali si confrontino gli esemplari di Chios (11) e di Histria (12). Con il medesimo impasto e lo stesso tipo di decorazione sono documentati a Graviscac altri due frammenti di anfore che, almeno nella parte alta del collo, non presentano il caratteristico rigonfiamento sopra notato.

d) *A fasce larghe*

Il tipo è rappresentato da 5 esemplari frammentari di cui uno abbastanza ben conservato (fig. 30).

Il collo è cilindrico appena svasato, con il labbro ingrossato a cordone e con le spalle oblique; le anse a bastone appiattito sono impostate sotto il labbro e sulla spalla; la pancia è piuttosto ampia, con diametro massimo di cm 35,4 ad un'altezza di cm 27,5. La parte inferiore del corpo ha le pareti svasate che si congiungono a linea continua concava con il piede esternamente non distinto; sotto il piede è presente una cavità larga e alta cm 2,5 con le pareti allargantesi verso l'esterno e arrotondate. L'altezza (ricostruibile) del vaso è di ca cm 53.

L'impasto è rosso scuro, compatto ma farinoso in superficie, con inclusi di sabbia a granelli fini e medi, ricchi di quarzo e con alcuni granuli bianchi; le pareti più spesse presentano in sezione un nucleo grigio.

Sulla superficie dell'anfora rimangono deboli tracce della decorazione dipinta in rosso: sul labbro, sulla costa delle anse dove è presente una fascia verticale piuttosto stretta, e sui frammenti della pancia originariamente ornata da larghe fasce orizzontali.

---

9) I. B. ZEEST, *op. cit.*, p. 76, tav. III, 10 b. L'anfora di Olbia presentata dalla Zeest illustra il tipo di anfore chiote denominate da essa « a imbuto ». Forse si tratta dello stesso tipo che la Lambrino ha distinto come A 1 (*op. cit.*, fig. 71 e 72) nel quale troviamo le affinità di forma e di proporzioni della parte superiore del vaso.

10) Il tipo appare nella seconda metà del VI sec. a.C. e perdura nel V sec. a.C. subendo lo sviluppo della forma (vedi la tipologia data da ANDERSON, *op. cit.*, p. 169 e dalla ZEEST, *op. cit.*, pp. 74-78), specialmente nel collo, e delle dimensioni; avendo a disposizione solo frammenti, per lo più di labbri con una piccola parte del collo, non è possibile collocare le nostre anfore in un ambito cronologico più preciso.

11) J. K. ANDERSON, *op. cit.*, fig. 8, 51; J. BOARDMAN, *Greek Emporio-Excavations in Chios* 1952-1955, The British School of Archaeology at Athens, Thames and Hudson, 1967, p. 179, n. 953, pl. 67.

12) M. LAMBRINO, *op. cit.*, tipo A 1 e A 2; S. DIMITRIU, *op. cit.*, p. 484, pl. 52.

L'impasto, la forma e la decorazione dell'anfora corrispondono nella descrizione alle caratteristiche del tipo distinto dalla Zeest come anfora « a fasce larghe », datato nella seconda metà del VI sec. a.C., e, precisamente, trova confronto in un'anfora di Olbia (13). Fondi simili che conservano sulle pareti resti della decorazione dipinta a larghe fasce sono stati trovati anche a Chios (14) ed a Histria (15). È possibile infine che queste anfore a fasce larghe siano identificabili con il tipo B distinto dalla Lambrino a Histria (16).

L'attribuzione delle nostre anfore alla fabbrica chiota non è certa: se è giusta la loro identificazione con il gruppo della Zeest (l'unica, per altro, che ha distinto esplicitamente questo tipo), esse dovrebbero avere una provenienza diversa (17). È comunque innegabile, che queste anfore tipologicamente rimangono legate a Chios.

IV) Anfore « a la brosse »

Sono rappresentate da frammenti di almeno 9 esemplari che non appartengono però ad un gruppo omogeneo, né per l'impasto né per la forma, il che fa pensare che le anfore provengano da vari centri di produzione, nella maggior parte dei casi, greco-orientali.

L'impasto di solito è rosa chiaro o crema rosato, molto fine e fortemente depurato, con pochi inclusi di sabbia a grana fine, con piccolissime scaglie di mica; la superficie esterna è coperta da una decorazione dipinta con vernice rossiccia a volte tendente al bruno scuro data a spazzola sulla pancia del vaso e sul labbro; il collo probabilmente era risparmiato, le anse invece erano dipinte sulla costa; in alcuni casi era verniciata anche la superficie interna del vaso.

La forma di queste anfore, purtroppo molto frammentarie, presenta le seguenti caratteristiche: labbro ingrossato esternamente a cordone piuttosto robusto (fig. 35), oppure a sezione a mandorla (fig. 36), collo verticale leggermente ingrossato, fondo convesso con un piede basso, a grosso anello rilevato verso l'esterno (fig. 31-33); ansa a nastro ingrossato (fig. 34).

Esemplari simili sia per la forma del labbro che del piede si trovano a Marsiglia (18). Il centro di produzione di queste anfore, databili alla prima metà del VI sec. a.C., rimane discutibile, comunque, si tratterebbe di uno dei siti della Jonia continentale, forse Mileto (19), secondo l'ipotesi avanzata dalla Lambrino e condivisa anche dal Villard (20).

Naturalmente, queste ulteriori considerazioni hanno permesso di correggere alcuni dati statistici presentati nella prima redazione. Nelle tabelle 1 e 2 riportiamo i risultati attuali, apparsi dopo le ultime modifiche.

M. S.

---

13) I. B. Zeest, *op. cit.*, p. 71-72, pl. II, 6 b.

14) J. K. Anderson, *op. cit.*, p. 137, n. 48; p. 169, fig. 9, c-d. I frammenti sono datati alla prima metà del VI sec. a.C.

15) S. Dimitriu, *op. cit.*, p. 54, nn. 849 e 850.

16) M. Lambrino, *op. cit.*, fig. 76-78.

17) La Zeest ha distinto due gruppi di anfore « a fasce larghe » databili nel corso del VI sec. a.C.; ha attribuito a fabbrica chiota il primo gruppo più antico (prima metà del VI sec. a.C.) e ad un — non identificato meglio — centro dorico il gruppo più recente, sulla base, a mio giudizio troppo tenue, di una lettera in alfabeto megaro-corinzio dipinta dopo la cottura su un'anfora di Panticapeo della seconda metà del VI sec. a.C. Sembra che i frammenti di Gravisca si riferiscano, a giudicare almeno dai dati ricavabili dalla pubblicazione della Zeest, al secondo gruppo, la cui attribuzione rimane però da accertare, non escludendo, a mio avviso, una possibile fabbrica chiota.

18) F. Villard, *La céramique grecque de Marseille*, pl. 26, 3; 26, 5 e 49, 7.

19) M. Lambrino, *op. cit.*, p. 134-135.

20) F. Villard, *op. cit.*, p. 49-50.

CERAMICHE GRECO-ORIENTALI DI TARQUINIA

(Pl. CII–CVI)

I pezzi presentati in questa relazione provengono dalla necropoli di Tarquinia, tranne pochissimi, sono inediti e, purtroppo, non ne conosciamo l'anno ed il contesto del ritrovamento; la maggior parte di essi è conservata nel magazzino Bruschi-Falgari del Museo mentre solo otto esemplari sono esposti al pubblico nella Sala IV del medesimo, cinque sono poi attualmente in Musei stranieri.

Riguardo i materiali non figurati il presente testo riassume i punti più salienti di un più ampio lavoro di catalogo da me portato a termine nel dicembre 1974 e che spero di imminente pubblicazione.

Sono ben 108 vasi così suddivisi:

- 1 coppetta « ad uccelli »
- 1 anfora dello stile di Fikellura
- 18 balsamari configurati
- 29 lydia
- 3 anforisci
- 2 lekythoi
- 1 hydria
- 6 anfore
- 47 coppe

Le abbreviazioni delle riviste sono quelle dell'*American Journal of Archaeology*.

J. BOEHLAU, *Nekropolen*.   J. BOEHLAU, *Aus ionischen und italischen Nekropolen*, Leipzig, 1898.

E. T. H. BRANN, *Agora*, VIII.   E. T. H. BRANN, *The Athenian Agora*, vol. VIII: *Late Geometric and Protoattic Pottery mid 8th to late 7th Century B.C.*, Princeton, 1962.

J. DE LA GENIÈRE, *Sala Consilina*.   J. DE LA GENIÈRE, *Recherches sur l'âge du fer en Italie Méridionale, Sala Consilina*, Napoli, 1968.

G. M. A. HANFMANN, *Tarsus*.   G. M. A. HANFMANN, *One some Eastern Greek Wares found at Tarsus*, in *The Aegean and the Near East, Studies presented to Hetty Goldman*, New York, 1956, pp. 165-184.

J. HAYES, *Tocra*, I.   J. BOARDMAN-J. HAYES, *Excavations at Tocra, 1963-1965, The Archaic Deposits* I, Oxford, 1966.

J. HAYES, *Tocra*, II.   J. BOARDMAN-J. HAYES, *Excavations at Tocra, 1963-1965, The Archaic Deposits II and Later Deposits*, Oxford, 1973.

E. WALTER-KARYDI, *Samos*, VI, 1.   E. WALTER-KARYDI, *Samos VI, 1: Samische Gefässe des 6 Jahrunderts v. Chr.*, Bonn, 1973.

Il pezzo più antico tra quelli figurati è rappresentato dalla coppetta « ad uccelli » di tipo rodio (n. 3182) della seconda metà del VII sec. a.C. (1).

L'anfora dello stile di « Fikellura » (n. 530) è nota per essere già stata oggetto di studio e di pubblicazione (2): è a fasce di decorazione vegetale stilizzata ed ha sulla spalla due sfingi alate contrapposte e separate da una grande palmetta intrecciata a fiori di loto.

Dei diciotto balsamari quattordici sono a Tarquinia e quattro in Musei stranieri, nell'ordine: Tarquinia: due *aryballoi* configurati a testa di guerriero (R.C. 2954 e n. 452), due *aryballoi* di faïence a forma di porcospino (R.C. 6253) e globulare con motivo a reticolato inciso (S.N.), un balsamario a forma di ariete accosciato (R.C. 6255) ed altri quattro simili ma mancanti della testa (R.C. 5682, R.C. 6222, S.N., R.C. 5627), un balsamario a forma di papera (R.C. 1 . . .), un altro a forma di gamba con gambale (S.N.), un balsamario a forma di riccio (R.C. 6256), due riproducenti una scimmia accucciata (R.C. 6221) e la parte superiore del corpo del medesimo animale (R.C. 1975).

Tübingen: un *aryballos* globulare di faïence con motivo a reticolato inciso. Berlino: un *aryballos* di faïence a testa di Acheloo, un balsamario configurato a rana ed un altro a forma di leone accucciato (3). Riguardo l'ambito cronologico i pezzi sono tutti inquadrabili nel VI sec. ed appartengono a tipi piuttosto frequenti fatta eccezione per il balsamario a forma di rana.

La classificazione dei *lydia*, presenti in quantità rilevante, data la mancanza di uno studio approfondito relativo a questa classe di materiali, ha comportato una certa difficoltà riguardo un preciso inquadramento tipologico e cronologico dei singoli pezzi. Ho cercato di risolvere il primo problema, quello tipologico, attuando dei raggruppamenti prima in base alle forme e poi in base alle caratteristiche delle argille e delle vernici.

Le forme sono riconducibili ai due tipi fondamentali « greco » e « lidio » riconosciuti dal Rumpf ed a quello « intermedio » recentemente riconosciuto dalla Kerényi (4).

Al primo appartengono 7 *lydia* con corpo a profilo globulare (es.: n. cat. 48 - R.C. 1979), schiacciato (es. n. cat. 53 - R.C. 5561), o cuoriforme (es.: n. cat. 52 - R.C. 5298); l'argilla è per tutti di colore arancio e con modesto contenuto di mica finissima; da notare che un solo esemplare (n. cat. 54 R.C. 1038) ha un'argilla più chiara ed una vernice opaca, mentre negli altri quest'ultima è molto brillante con riflessi metallici più o meno intensi.

Il numero più consistente è rappresentato da una serie di unguentari che solo approssimativamente potremmo definire di tipo « lidio »: in realtà i pezzi che trovano precisi confronti con pezzi greco-orientali sono solamente tre (sottogruppo « a ») (es.: n. cat. 56 - R.C. 5286), tra loro simili e caratterizzati da un'argilla di tonalità arancio meno decise che nel gruppo precedente ma sempre « colorita » e contenente mica fine in quantità maggiore dei *lydia* di tipo « greco » (5).

La parte restante è caratterizzata da argille chiare dove la mica è quasi assente, ma sempre di qualità assai fine.

Se ne distingue un gruppo di 5 esemplari (sottogruppo « b ») con argilla chiara rosata aventi in comune una forte ingubbiatura lucida di colore rosso-arancio; le forme sembrano condurre a tipi di

---

1) Per un confronto si veda l'esemplare in: G. Jacopi, *C.V.A. Rodi*, 2, 1934, II Dc, tav. 6:5 anche se di esecuzione meno fine.

2) Tra gli altri: O. Montelius, *Civilisation primitive en Italie, Italie Centrale*, Stockholm, 1910, tav. 299; R.M. Cook, in *BSA*, XXXIV, 1933-1934, fig. 16:2 e pag. 9; E. Walter-Karydi, *Samos*, VI, 1, tav. 85:624 e pag. 135.

3) Nell'ordine: K. Wallenstein, *C.V.A. Tübingen*, 1, 1973, tav. 11:3 e pag. 26; N. Kunisch, *C.V.A.*, *Berlin*, 4, 1971 tav. 169:10-11 e pag. 33, tav. 170:4-5 e pag. 34, tav. 179:6-8 e pag. 48.

4) Per i primi due: A. Rumpf, in *AM*, XXXXV, 1920, pp. 163-170; per il terzo: C. Kerényi, in *NSc*, 1966, pag. 304 a proposito dell'es. 2 b.

5) Per tali confronti si veda tra gli altri: T. H. Shear, in *AJA*, XXVI, 1922, tav. VI, pag. 399, Sardi; J. Boehlau, *Nekropolen*, tav. VIII:5 e pag. 53:3, Samos; E. Akurgal, *Die Kunst Anatoliens*, Berlin, 1961, fig. 106 e pag. 155, Alt-Smirna.

fabbricazione italiana dato che due esemplari (es.: n. cat. 66 - S.N.) trovano confronti in ambiente etrusco (6). Appartiene a questo gruppo anche un *lydion* privo del collo, con piede tronco-conico e corpo schiacciato decorato sulla spalla da scanalature.

Quattro *lydia* (sottogruppo « c ») hanno un'argilla chiara avorio-giallina, due di essi (es.: n. cat. 67 - n. 2756) sono di forma simile e decorati da fascette bruno-giallastre e rosse o brune e rosse. Un altro pezzo di questo stesso gruppo (n. cat. 72 - n. 2062) trova confronto con uno da Cuma di argilla definita arancio-pallido che potrebbe corrispondere a quella dell'esemplare di Tarquinia (7).

Due esemplari di tipo « lidio » scanalati (es. n. cat. 62 - S.N.) (sottogruppo D) hanno argille differenti: nocciola-scuro ed arancio-chiaro, ambedue con mica quasi assente.

Il gruppo dei *lydia* « intermedi » appartiene quasi totalmente a quello delle argille chiare e mica quasi assente già descritto, nella tonalità avorio-giallina. Uno solo di essi (n. cat. 68 - R.C. 7966) trova confronti con prodotti definiti greco-orientali ed anche l'argilla sembra darne conferma data l'analogia con quella dei tre pezzi di tipo « lidio » che fanno capo all'es. n. cat. 56 di cui si è detto (8).

Gli altri *lydia* di questo tipo sono invece assai omogenei tra di loro: uno ha una forma che lo avvicina all'esemplare « greco » n. cat. 53 a corpo schiacciato di cui già si è detto mentre gli altri quattro, tra loro simili (es.: n. cat. 70 - S.N.), trovano uno stretto confronto con esemplari attribuiti a fabbriche italiane (9).

Riguardo alla vernice è poi importante notare che mentre nell'esemplare n. cat. 68 è lucida, negli altri è opaca e ruvida.

Come osservazione di carattere generale si può notare, riassumendo quanto sopra, che le argille « colorite » identificano pezzi con strettissimi legami con esemplari greco-orientali, mentre diversi pezzi appartenenti al gruppo delle argille « chiare » trovano confronti con esemplari riferiti a fabbriche locali: i due raggruppamenti sono molto netti e costituiscono un utile punto di riferimento nonché di partenza per uno studio più approfondito che desidero svolgere in futuro e che sarebbe andato troppo oltre i limiti imposti da questa presentazione.

Il secondo problema, quello cronologico, è complicato dalla tendenza di questa classe di materiali a conservare a lungo le caratteristiche acquisite nei vari stadi della loro evoluzione; ho cercato in questo caso di trarre qualche indicazione dall'analisi di alcuni contesti funerari italiani di notevole interesse (10).

Si tratta più che altro di un saggio di attribuzione cronologica che ha tenuto conto quasi esclusivamente della forma ed i cui risultati non vanno pertanto al di là di un valore puramente indicativo e generico.

---

6) U. Scerrato, in *NSc*, 1955, fig. 49:33, pag. 90, Caere; R. Mengarelli, in *MonAnt*, XLII, 1955, tav. d'aggiunta B:20.

7) W. Van Ingen, *C.V.A. University of Michigan*, 1, 1933, tav. XLIII:11, pag. 67, da Cuma.

8) Si veda tra gli altri il confronto con l'esemplare da Sardi: H. C. Butler, in *AJA*, XVIII, 1914, fig. 6, e pag. 434, Sardi, anche se la forma è leggermente diversa.

9) Si veda ad es. il *lydion*: E. Price, *C.V.A.*, Oxford, 2, 1931, II D, tav. 1:26 e pag. 77, acquistato a Napoli e definito una probabile imitazione italiana di unguentario lidio, di argilla chiara.

10) Per la *Sicilia:*

Megara Hyblaea, tomba C (G. V. Gentili, in *NSc*, 1954, fig. 8 e pag. 88).
Megara Hyblaea, tomba D (G. V. Gentili, in *NSc*, 1954, fig. 11 e pag. 90).
Siracusa, tomba 1 (G. V. Gentili, in *NSc*, 1956, fig. 4:4 e pag. 145).
Gela, tomba 3 (P. Orlandini, in *NSc*, 1956, fig. 1 e pag. 321).
Selinunte, tomba arcaica (C. Kerényi, in *NSc*, 1966, figg. 3, 7 e pagg. 301 e segg.).
Per l'*Etruria:*
Caere, tomba 14 (U. Scerrato, in *NSc*, 1955, fig. 49 e pag. 85).
Caere tomba 4 (B. L. Fasani-C. Laviosa, in *NSc*, 1955, fig. 13 e pagg. 56-57).

Per il tipo « greco » mi è parso di cogliere una tendenza al progressivo irrigidimento delle forme che passano da profili curvilinei a profili rigidi, angolosi, mentre il corpo diviene spesso schiacciato e la spalla appiattita; lo possiamo rilevare dal confronto tra gli esemplari: Caere, tomba 4:21 e Megara Hyblaea, tomba C: 4, 7 ed ancor più chiaramente nell'evoluzione subita dalla forma a cuore nei *lydia*: Siracusa, tomba I:4 e Megara Hyblaea, tomba C:2. Le forme arrotondate continuano in effetti ad essere prodotte durante tutto il secolo in questione denunciando quella persistenza di cui già si è detto, si veda tra gli altri l'esemplare: Megara Hyblaea, tomba D:1, ma le forme rigide, metalliche, a loro volta, non sembrano risalire oltre la metà del VI sec.

Si aggiunga poi alle precedenti l'osservazione che l'associarsi tra di loro dei vari tipi di collo (cilindrico, convesso, a tromba), di corpo (globulare, ovoide, cuoriforme) e di piede (più o meno concavo o a tromba) non sembra seguire schemi rigidi e costanti.

Per gli esemplari di tipo « lidio » sembra confermata quella tendenza generale ad un innalzamento del piede già notata da alcuni studiosi (11): forme con piede ancora basso o non troppo alto sono presenti in complessi la cui datazione non scende oltre la metà del VI sec. (Caere, tombe 4:26 e 14:31; Taranto, tomba 46:7) (12), mentre a partire da questa data si trovano esemplari a piede più sviluppato (Selinunte: es. A) (13).

I tre tipi « greco », « lidio » ed « intermedio » sono presenti intorno alla seconda metà del VI sec. come risulta dalla loro associazione nella tomba di Selinunte già presa in esame.

I tre *anforisci* (es.: n. cat. 78 - R.C. 2627) sono di argille diverse: nocciola, nocciola-rosato ed arancio-scuro; le vernici hanno riflessi metallici e presentano un gran numero di bollicine; in un esemplare l'argilla tende a sfaldarsi in grosse lenti. Sarei d'accordo nel proporre per questi pezzi una fabbricazione greco-orientale, in ogni caso non attica, analogamente a quanto sostenuto da P. Isler per alcuni esemplari di questa classe di materiali (14).

Le due *lekythoi* sono del tipo A Lo Porto (VI sec. a.C.) (15); una di esse (n. cat. 75 - R.C. 1128) ha una sagoma ben articolata ed una decorazione di sottili linee a vernice nocciola, l'argilla color camoscio è quasi priva di mica. L'altra è priva di decorazione, di un tipo molto diffuso, molto più rozza della precedente, l'argilla è arancio-scuro con scarso contenuto di mica (es. n. cat. 74 - R.C. 1736).

Cinque delle *anfore* presenti a Tarquinia hanno come caratteristica un piede a tromba con alto bordo che ne rende scarsi i confronti con esemplari analoghi (16); sono del tipo a collo e la decorazione è a fasce di vernice nera sotto la spalla; quattro di esse hanno un corpo ovoide espanso (es.: n. cat. 80 - R.C. 5541), mentre nel quinto esemplare esso è più allungato e stretto e mancano le fasce di vernice. Una sola delle prime quattro ha un'argilla rosata-chiara (come l'*hydria* di cui più avanti), mentre le altre hanno un'argilla arancio; la mica è ovunque presente in grande quantità ed in cristalli finissimi. Un sesto esemplare, mancante delle fasce di decorazione, ha un breve piede ad anello ed un corpo molto stretto ed allungato, è sempre del tipo a collo ma di lavorazione meno accurata degli

---

11) A. Rumpf, in *AM*, XXXXV, 1920, pagg. 166-167; F. G. Lo Porto, in *BdA*, XLVI, 1961, pag. 273.

12) F. G. Lo Porto, in *ASAtene*, XXI-XXII, 1959-1960, fig. 65:f, pag. 91:7, tomba 73, Taranto.

13) Possiamo prendere in considerazione a questo proposito anche alcuni esemplari definiti locali dagli autori (es.: Megara Hyblaea, tomba C:1,5; Caere, tomba 14:32-34) in quanto ci permettono di cogliere, data l'influenza cui sono soggetti da parte di quelli greco-orientali, lo sviluppo di questi ultimi.

14) P. Isler, in *NSc*, 1958, pagg. 301-302.

15) F. G. Lo Porto, in *ASAtene*, XXI-XXII, 1959-1960, pag. 126.

16) Per esemplari analoghi: E. Walter-Karydi, *C.V.A.*, München, 6, 1968, tav. 304:1, 2, pag. 49.

esemplari precedenti; l'argilla è nocciola con molta mica fine e la vernice, a differenza degli altri pezzi in cui è brillante con riflessi metallici, è opaca e deperita.

Da notare la presenza di graffiti: n. cat. 79 - R.C. 1860, con piede a tromba e corpo ovoide espanso, sul fondo del piede (fig. 1); n. cat. 82 - R.C. 1145, con piede a tromba e corpo allungato, sul collo (fig. 2); n. cat. 83 - 3440, con piede ad anello e corpo stretto ed allungato, sulla spalla (fig. 3).

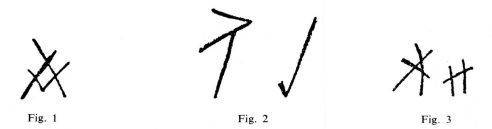

Fig. 1   Fig. 2   Fig. 3

La datazione di questi pezzi, sopratutto per quelli con piede a tromba, dovrebbe essere quella della seconda metà del VI sec. a.C.

L'unica *hydria* presente tra i materiali del Museo ripete il tipo di decorazione a vernice nera con fasce sotto la spalla che abbiamo riscontrato nelle anfore; quanto alla forma, il collo è cilindrico, il labbro ingrossato, la spalla appiattita, il corpo a profilo rigido fortemente rastremato, il piede è basso ed a tronco di cono. Una caratteristica importante è la decorazione del collo che è marmorizzata e l'unica di questo tipo tra i materiali di Tarquinia e che, unitamente alla forma, dovrebbe condurre ad una datazione più alta di quella delle anfore.

Le *coppe* sono l'ultimo argomento di questa relazione e credo il più complesso dato il notevole interesse suscitato da questa classe di materiali per i numerosi problemi relativi alla tipologia, alla cronologia ed ai luoghi di produzione (17).

Ho tentato qui una ripartizione in quattro gruppi principali distinti in base a caratteristiche comuni della forma; uno studio delle argille analogo a quello svolto per i *lydia* ha dato in questo caso risultati meno evidenti dato che, tranne pochissimi esemplari, si nota una notevole omogeneità sia nelle colorazioni delle argille che nelle tonalità delle vernici che corrisponde più in generale ad una costante buona qualità dei pezzi; ho potuto effettuare tuttavia qualche raggruppamento, di cui sarà detto di volta in volta e che comprende esemplari tipologicamente affini, con qualche risultato incoraggiante.

I) Un primo gruppo di 6 pezzi è formato da coppe di tipo « A 1 » Vallet-Villard presenti sia nella versione a filetti bianchi e rossi (es.: n. cat. 2 - R.C. 545) sia in quella a semplice banda risparmiata esterna tra le anse (n. cat. 5 - R.C. 3318). La presenza di ambedue le varianti è documentata nella seconda metà del VII sec. e non sembra scendere oltre questa data (18). Appartengono alla prima variante 5 coppe delle quali una nel Museo di Francoforte (19), mentre una sola appartiene alla seconda che pare in genere meno diffusa.

17) Per le tipologie nel testo si fa riferimento ai seguenti lavori: F. Villard-G. Vallet, in *MEFR*, 1955, pagg. 15-34; G. M. A. Hanfmann, *Tarsus*, pagg. 165-184; J. Hayes, *Tocra*, I, pagg. 101 e segg.
18) Per la prima variante: F. Villard-G. Vallet, in *MEFR*, 1955, pagg. 15 e segg.; J. Hayes, *Tocra*, I, fig. 55: n. 1194, pagg. 120 e 112; idem, *Tocra*, II, fig. 23: n. 2207, pag. 56.
Per la seconda variante: J. Hayes, *Tocra*, I, fig. 55: n. 1192, pagg. 112 e 120, fig. 55: n. 1198, pagg. 115 e 134; H. Walter-K. Vierneisel, in *AM*, LXXIIII, 1959, fig. 62:2 e pag. 28, Samos, da *bothros*, datato 625-600 a.C.; H. Walter, in *AM*, LXXII, 1957, fig. 72:4, pag. 49, Samos, datazione analoga alla precedente.
19) K. Deppert, *C.V.A.*, *Frankfurt am Main*, 1, 1964, tav. 11:1 e pag. 15.

II) Un secondo gruppo di 3 pezzi è formato da coppe di tipo « B 1 » Vallet-Villard legate al gusto decorativo delle precedenti a filetti ma tipologicamente a sé stanti, con stretti legami con esemplari molto antichi e con un tipo di forma molto diffuso nella ceramica corinzia (20). I loro limiti cronologici trovano valido riferimento nei Depositi di Tocra (21) che da un lato confermano la data iniziale proposta da Vallet e Villard (620 a.C.) e dall'altro spostano il limite inferiore al 565 circa avvicinandosi a quello del 550 circa proposto da G.M.A. Hanfmann. Due coppe (es.: n. cat. 7 - R.C. 6989) sono identiche sia per la forma e la decorazione che per l'argilla in ambedue di colore nocciola-rosato a scarso contenuto di mica molto fine; la vernice bruno-nerastra è metallizzata e la superficie risulta lisciata.

III) È il gruppo più consistente: 28 pezzi, comprende esemplari legati ai tipi « A 2 » e « B 2 » Vallet-Villard. La straordinaria omogeneità dei reperti offre la possibilità di riconoscere una linea di sviluppo continua in base al susseguirsi dei dati cronologici ad essere relativi, tanto da indurre a riconoscere una vera e propria evoluzione tra i due tipi.

Sono legate al tipo « A 2 » Vallet-Villard coppe con vasca generalmente profonda e piede basso o leggermente conico ma sempre non mai troppo alto. Come caratteristiche generali sono da notare l'ottima qualità degli impasti sempre ben depurati, leggermente micacei, di tonalità dal nocciola all'arancio, delle vernici compatte anche se non brillanti e l'esecuzione accurata; le forme sono ben articolate e mai rigide: mancano infatti forme del tipo delle coppe di Vroulia (22) o simili; quanto alla decorazione poi, mancano coppe con orlo esterno a filetti neri: quando una simile decorazione è presente, è caratterizzata invece da sottili linee rossicce a vernice molto diluita. Se ne possono distinguere alcuni sottogruppi corrispondenti ad altrettante fasi, per ognuno di essi sarà presentato un esemplare campione.

a) 4 pezzi, con vasca profonda e panciuta, labbro sviluppato decorato esternamente da filettature rossicce, piede basso e largo nel punto d'unione alla vasca (es.: n. cat. 9 - R.C. 5498). È una forma molto vicina ad esemplari da Samo della metà del VII sec. e sembra contenuta cronologicamente entro la fine dello stesso secolo; a tale proposito ho potuto osservare tuttavia che, se da un lato Naukratis (data della frequentazione greca dal 615 circa a.C.) sembra avere restituito coppe simili ma a vasca meno profonda (23), le coppe « A 2 » Vallet-Villard che corrispondono a queste ultime sono datate dal contesto funerario, 620-600 a.C.; credo pertanto (senza per questo volerlo affermare in maniera categorica), che le quattro coppe di Tarquinia siano databili ante 620 e, data l'articolazione della forma, tra il 640 e tale data.

b) 10 pezzi sono caratterizzati da una vasca un po' meno profonda e di essi 3 (es.: n. cat. 14 -R.C. 3039) hanno un piede ad attaccatura ancora larga e sono databili, in base all'osservazione di cui sopra (sottogruppo a), tra il 620 circa ed il 600, mentre 7 (es.: n. cat. 19 - R.C. 1-7) con piede più stretto nel punto d'unione alla vasca e di forma tronco-conica leggermente più alto, manifestano quella tendenza verso forme con piede più sviluppato che prende il via nella parte finale del VII sec. e la cui permanenza è attestata a tutto il primo quarto del VI sec. tra l'altro a Tocra, Tarso e Taranto in ben precisi contesti stratigrafici e funerari (24).

---

20) Si veda in proposito: G. M. A. HANFMANN, *Tarsus*, pagg. 169 e segg.; E. T. H. BRANN, *Agora*, VIII, pag. 49: n. 148.
21) J. HAYES, *Tocra*, I, fig. 55:n. 1197, pagg. 112 e 120; idem, *Tocra*, II, fig. 23:n. 2208, tav. 31, pag. 56.
22) Per questo tipo: J. HAYES, *Tocra*, I, fig. 55:n. 1202, pagg. 113, 114, 120.
23) W. M. FLINDERS PETRIE ed Altri Autori, *Naukratis*, I, 1884-1885, London, 1866, tav. X:4, 5, 6.
24) J. HAYES, *Tocra*, I, fig. 55:n. 1218, pagg. 113 e 120; G. M. A. HANFMANN, *Tarsus*, fig. 11, pag. 172, datata nel primo quarto del VI sec.; F. G. Lo Porto, in *ASAtene*, XXI-XXII, 1959-1960, fig. 79:b, pag. 103:3, tomba 50, datata non oltre il 580 a.C.

c) 3 pezzi con vasca abbastanza profonda e piede ancora più sviluppato in altezza (es.: n. cat. 26 - R.C. 3426) che trovano corrispondenti, anche se con piede più alto, in alcuni esemplari dei tipi VIII e IX di Tocra (Depositi I e II: 590-520 circa a.C.) (25); Sala Consilina ha restituito molte coppe di questo tipo in contesti funerari e spesso in associazione a coppe a banda attiche (26). In genere queste coppe vengono definite di tipo « B 2 » Vallet-Villard ma ciò non mi sembra esatto dato che tali coppe, a giudicare almeno dalla descrizione dei due studiosi sono « a vasca poco profonda il cui diametro è circa il doppio dell'altezza » ed hanno il « piede conico piuttosto sviluppato in rapporto alla vasca », come nell'esemplare da Megara Hyblaea n. 12018 portato a modello (27). Due delle coppe di Tarquinia hanno dimensioni inconsuete: 24 e 28 cm. di diametro ed una di esse è decorata internamente da fasce a vernice; l'ambito cronologico per tutte e tre dovrebbe essere, in base alle caratteristiche descritte, il primo quarto del VI sec.

Quanto alle caratteristiche tecniche relative ai pezzi dei tre sottogruppi descritti si possono fare le seguenti osservazioni: un'argilla nocciola-chiaro con molti inclusi micacei molto fini e le pareti di medio spessore, oltre alla forma quasi identica, fanno ritenere che due coppe del sottogruppo « a » (tra le quali la n. cat. 9) siano pertinenti ad una stessa fabbrica; analogo discorso può essere fatto per un altro gruppo di sei coppe aventi come caratteristica una argilla color nocciola-arancio quasi priva di inclusi micacei con piccole bollicine scoppiate su tutta la superficie e distinte nettamente per la fattura molto accurata e la maggiore « leggerezza » rispetto alle altre: due sono pertinenti ai sottogruppi « a » e « b » con piede ad attaccatura larga, ed hanno una vernice molto metallizzata, altre quattro sono invece tutte del sottogruppo « b » a piede più sviluppato.

Il frammento n. cat. 32 è di particolare interesse perché la ricostruzione grafica, unitamente al tipo di decorazione, sembra identificarla come una coppa del tipo Panionion II (28); l'argilla è camoscio-chiaro con radi inclusi micacei più grossi del solito, la superficie ha una ingubbiatura nocciola-giallino, la vernice è bruno-rossiccia opaca e striata.

d) 5 pezzi, di tipo « B 2 » Vallet-Villard. Queste coppe sembrano presentare l'ultima fase dell'evoluzione sin qui seguita: strettamente legate alle precedenti anche per il tipo di decorazione a vernice esse hanno una vasca aperta ed un piede piuttosto sviluppato; Tocra ne ha restituiti diversi esemplari che chiariscono, ancor più dei pochi pezzi di Tarquinia, i legami con le forme sin ora descritte, nel caso specifico con quelle del sottogruppo « d », e pertinenti ai tipi VIII e IX Hayes (29).

Due coppe appartengono al tipo più fine ed antico (es.: n. cat. 33 - R.C. 3256, il piede è in parte di restauro) mentre le altre sono di un tipo più corrente che spesso viene attribuito a fabbriche locali e che scende cronologicamente sino alla fine del VI sec. ed in taluni casi al primo quarto del V sec. a.C. (30) (es.: n. cat. 36 - R.C. 7315).

Ci troviamo, in questo caso, di fronte a materiali non più omogenei; i pezzi più scadenti sono caratterizzati da argille diverse per colore e contenuto micaceo, anche se in generale un po' più chiare di quelle sinora descritte, inoltre le vernici denotano una cottura imperfetta e le forme non presentano una articolazione omogenea nei vari esemplari.

C'è infine un gruppo di 4 coppe che sembra inserirsi solo marginalmente nelle serie sino ad ora esaminate: la maggiore finezza, la varietà delle sagome, la caratteristica banda esterna risparmiata sul bacino ne denotano l'influenza di prodotti di fabbriche diverse; tre di esse sono simili per forma alle

---

25) J. HAYES, *Tocra*, I, pagg. 113-114, 120, 124, in particolare il n. 1226.
26) J. DE LA GENIÈRE, *Sala Consilina*, pag. 195 e tavv. relative.
27) G. VALLET-F. VILLARD, *MEFR*, 1955, pp. 21 e segg. e p. 29; l'es. n. 12018 è alla fig. 5.
28) KLINER-HOMMEL-MÜLLER-WIENER, in *JdErg* 23, 1967, pp. 149 e segg.
29) J. HAYES, *Tocra*, I, fig. 56, pp. 113-114 e 120-124.
30) F. VILLARD, in *PdP*, XXV, 1970, p. 126 e nota 3; idem, *Marseille*, p. 43.

« B 2 » Vallet-Villard, una ha la forma del tipo « comasti » (n. cat. 31 - R.C. 3319), una quarta infine, a piede basso, è decorata internamente da fasce di vernice. Le caratteristiche dell'argilla e della vernice sembrano legare queste coppe all'ambiente « ionico » delle precedenti.

IV) 9 pezzi; appartengono a questo gruppo sei coppe che si possono definire di preparazione al tipo dei « Piccoli Maestri » qui presenti con tre esemplari a labbro (« B 3 » Vallet-Villard). I caratteri tipologici già nettamente definiti delle prime le distinguono decisamente dalle coppe del tipo « B 2 » Vallet-Villard che sembrano essersi fermate ad uno stadio più antico: in che rapporto siano esse tra di loro (se tale rapporto esista realmente, e, nell'ipotesi di uno sviluppo delle une dalle altre, quali ne siano gli anelli di raccordo) è certamente un problema che meriterebbe uno studio approfondito. Quanto alle datazioni, le prime sei coppe (es. n. cat. 38 - R.C. 7959) possono essere comprese nel secondo quarto del VI sec. a.C., mentre le tre lip-cups (es.: n. cat. 46 - R.C. 1907), per analogia con le corrispondenti di fabbricazione attica, tra il 565 ed il 540 a.C. Nella decorazione dell'interno si hanno le seguenti varianti: per i primi sei esemplari, filetti rossicci sul labbro (2 es.), filetti rossicci sulla vasca (1 es.), fascette rossicce sul labbro e nel tondo centrale (1 es.), tondo risparmiato con anello e punto di vernice nera (1 es.), fasce risparmiate sul labbro (1 es.); mentre per gli altri tre esemplari: filetti rossicci sul labbro (2 es.), con sola linea risparmiata in prossimità del bordo (1 es.).

ELENA PIERRO

CENTRI DI PRODUZIONE CERAMICA
DI ETÀ ORIENTALIZZANTE IN MAGNA GRECIA

Se la presenza di ceramica dell'est in tutti i principali centri della Magna Grecia e della Sicilia può permettere un certo numero di deduzioni su contatti commerciali, occasionali o continuati, sulle vie di comunicazione e di scambio, sugli schieramenti politici e anche sugli orientamenti culturali in generale, è d'altra parte indubbio che il fenomeno del sorgere e dello svilupparsi di industrie locali di carattere imitativo è un fatto di ben altra importanza. Si tratta in questo caso dell'accettazione consapevole di un complesso di formule artistiche e quindi di una sorta di infeudamento o per lo meno di un orientamento preciso di tutto un mondo culturale verso un lontano faro di luce creativa. Nel tentare un riassunto sulle linee di sviluppo di tali industrie locali chi scrive si propone unicamente di riproporre fatti per lo più già noti, tenendo presente che in questo campo le rivelazioni continue che vengono registrate in tutti i centri esplorati possono modificare profondamente le osservazioni che è possibile presentare.

Sulla base di quella premessa iniziale che è da porre per tutti i centri antichi, vale a dire l'esistenza di una produzione umile e senza ambizioni intesa a provvedere ai bisogni immediati del centro abitato, è indubbio che per molte delle grandi città elleniche della Magna Grecia e della Sicilia è stato possibile riconoscere una produzione ceramica di ben altro impegno e di decise intenzioni artistiche. È appunto in base alla netta separazione di questi due campi di attività che mi sentirei di escludere da queste considerazioni alcune forme fondamentali, quali le imitazioni di coppe protocorinzie o delle coppe ioniche che per la loro enorme diffusione direi debbano rappresentare piuttosto l'attestazione di una particolare adeguatezza di queste forme a generali esigenze di vita e di culto, piuttosto che una cosciente, selettiva adesione a un centro primario di creazione.

Allo stesso modo, nel campo della produzione imitativa credo sia necessario distinguere tra quelle che possono dirsi imitazioni letterali o addirittura copie di prodotti importati. Questi fatti è stato possibile rilevare con molta chiarezza specialmente in età geometrica e subgeometrica a Cuma, a Pithekousa e in qualche esempio a Metaponto: e che, in queste circostanze saranno da collegare alla presenza di ceramisti immigrati che avranno continuato a operare nella nuova patria secondo gli schemi e le tradizioni correnti del paese di origine.

Con queste riserve ci si propone di compiere un brevissimo esame della produzione orientalizzante di Gela, Siracusa, Megara Hyblaea, Metaponto-Sibari, Siris e Taranto.

Il caso di Gela è pacifico: il materiale dipinto di produzione locale non è particolarmente vario o ambizioso. Mentre le sue associazioni con il mondo greco-orientale — in particolare nel caso del cratere con un capro corrente (1) — non fanno che documentare la presenza e forse la predominanza di quella forte componente rodia attestata dalle fonti nella fondazione della città, anche nella temperie artistica di essa.

L'apporto di Siracusa (2) in questo campo è rappresentato dai crateri del Fusco, un gruppo assai

---

1) D. ADAMESTEANU, *AC*, 1953, tav. CVIII, 2.
2) P. E. ARIAS, *BCH*, 1936, 144 ss.

singolare e nello stesso tempo singolarmente ineguale nella qualità dei suoi prodotti. In esso, ancora più che in altre produzioni consimili, sembra di poter vedere l'opera di un artista raffinato e ricco di vivida fantasia immediatamente sopraffatto da imitazioni sempre più stanche. Il gruppo è stato avvicinato per l'assonanza della struttura generale a centri di produzione argivi o insulari. Mentre la stessa incertezza di opinioni appare non priva di significato, sembra importante rilevare come anche Siracusa, colonia di Corinto, che ci ha restituito una massa incomparabile per quantità e qualità di ceramica corinzia, nella sua produzione autonoma ha cercato la sua ispirazione in terreni più aperti e più decisamente protesi verso l'Est.

Il caso di Megara (3) è di gran lunga più considerevole e anche, per nostra fortuna, quello più compiutamente esplorato. Si può anche dire a confronto degli altri centri, che qui non si può in alcun caso parlare di produzione imitativa, almeno nei casi migliori, ma piuttosto di un'affermazione di grande indipendenza e originalità creativa. Nei prodotti più raffinati sono state rilevate ambiziose intenzioni pittoriche con grandi campi di colore unito e piano circoscritti da linee di contorno oscuro. Ed è spesso presente il desiderio e la capacità di evocare grandi storie mitiche in un variopinto contesto di grandi animali araldici e di complessi sistemi floreali. Non soltanto, ma è anche possibile rilevare una sorta di sviluppo interno dal più antico dinos con una possibile figurazione di Achille e Troilo, ancora pieno di rudi contrasti e di ineguaglianze, alle forme e ai modi infinitamente più tersi e scorrevoli dei prodotti più maturi. Così il dinos dei guerrieri, il frammento con un combattimento di galli, il pithos del Louvre con « le nozze dei Centauri » e innanzi tutto il frammento con una schiera di eroi che traggono una spessa gomena (4), opere tutte che in maniera varia e allo stesso modo intimamente consistente rivelano un dominio delle possibilità formali che non ha nulla da invidiare alle più grandi produzioni della Grecia propria.

E se un legame con il mondo insulare è già da assumere per il fatto che un noto frammento di pithos da Selinunte con una incompleta firma di artista (5), un tempo ritenuto melio, è stato ora accostato alla produzione di Megara, altri elementi richiamano al mondo orientale. Così certe analogie tra i Centauri della produzione megarese e il centauro di un frammento di Lindos (6): così la passione per il colorismo spiegato e i profili nitidi di certa matura ceramografia chiotica, in special modo il grande cratere di Kavala con la caccia calidonia (7). Mentre per coloro che ancora insistono ad assegnare solo all'occidente, al mondo attico e corinzio, un vero interesse per la narrazione, per le rappresentazioni ampie e drammatiche, si ricordi il frammento da Mileto con un eroe arciere e un grande serpente — Herakles e l'Hydra? — che per la struttura delle figure e l'interesse coloristico è da porre sullo stesso piano della produzione megarese. E se è verissimo che il carattere primario delle figure megaresi, si vedano i guerrieri in lotta, gli eroi che traggono la fune, può riassumersi in quella qualità che i Greci chiamavano διάρθρωσις, vale a dire l'importanza delle articolazioni, le giunture nitide e ritmicamente accentate in confronto al gusto per le linee fluenti e poco costruttive del linguaggio ionico, è da ricordare che questa opposizione è sostanzialmente valida per tutto il secolo VI a.C. ma non per il VII. Che anzi l'accettazione delle formule dedaliche nel mondo insulare e ionico, e in particolare i documenti più alti tra le terrecotte dell'Heraion di Samo e il Giovinetto inginocchiato in avorio, forse braccio di un'arpa, ci indicano quali effetti gli artisti ionici sapevano trarre da forme nitidamente accentate, ricche di cesure, di opposizioni di volumi, di scansioni nette e vigorose.

Tra le città achee del golfo di Taranto, Metaponto (8) è quella che ha conservato con più chia-

3) F. VILLARD-G. VALLET, *Mégara Hyblaea*, II, 137 ss.
4) F. VILLARD, *Kokalos*, X-XI, 1964-65, 603, fig. 7.
5) *MA*, XXXII, tav. LXXIX.
6) BLINCKENBERG, *Lindos*, I, tav. 102.
7) E. WALTER-KARYDI, *Samos*, VI, 2, n. 202.
8) D. ADAMESTEANU, *La Basilicata antica*, 1974, 70.

240

rezza documenti di una produzione ceramica continuativa ricca e varia di aspetti e di ispirazioni. Mentre frammenti che è possibile assegnare ad un « orientalizzante » locale che s'incontrano con una certa frequenza a Sibari e a Policoro (Siris) sembrano rientrare in questo fronte comune delle città achee del Golfo. Per modo che, allo stato presente delle nostre conoscenze, si potrebbe parlare di sviluppo parallelo di centri appartenenti allo stesso orizzonte artistico oppure addirittura di una produzione unica diffusa da uno di questi centri anche negli altri. Chi scrive è di coloro che accettano, anche contro le riserve del prof. D. Adamesteanu a cui si deve la grande scoperta e di altri direttamente interessati, una continuità di aspetti tra i depositi dell'Incoronata e gli strati più profondi di Metaponto stessa. Di conseguenza la produzione dei monumentali crateri subgeometrici di tecnica raffinatissima e i frammenti orientalizzanti rinvenuti nello stesso deposito mi sembrano sufficienti a confermare una continuità di sviluppo che abbraccia almeno tutto il VII sec. a.C. Mentre la similarità tematica tra il frammento di un dinos della stessa provenienza e ora nel Museo di Potenza (9), e un dinos di Policoro può confermare questa unità di orizzonti artistici che abbiamo postulato. Anche nel caso di Metaponto come di Sibari e di Policoro abbiamo attestate chiare dipendenze dal mondo orientale — dipendenze rese perspicue ad esempio dalla presenza tra i materiali dell'Incoronata di un raffinatissimo dinos samio. Se per i grandi crateri subgeometrici non saprei suggerire che una certa assonanza con le c.d. « urne » delle necropoli di Thera, in altri documenti orientalizzanti più frammentari l'influsso dell'Est è assai più chiaro. Così il frammento di un dinos con una pantera e una nave può sembrare una traduzione semplificata e imborghesita di motivi samii. Così il dinos di Policoro con due cavalli affrontati dinanzi a un tripode appare di indubbia tradizione orientale. Significativo è anche lo sviluppo dal gusto per le forme attenuatissime tormentate dal graffito del dinos di Potenza alla definizione a linee di contorno tenere e scorrevoli dell'analogo dinos di Policoro. E a quest'ultimo avvicinerei un frammento di grande vaso chiuso da Sibari con due grandi capri in posizione araldica che per la testa riservata a silhouette e il corpo scorrevole a vernice bruna (10) sembrano fratelli dei teneri cavallini di Policoro.

Taranto con le sue tradizioni decisamente doriche possiede per tutto il VII e VI secolo una fisionomia artistica a parte. Mentre già a partire dalla seconda metà del V secolo diviene l'unica voce, l'unica guida artistica delle regioni vicine creando una koiné in cui le sue formule vengono meccanicamente accettate e sviluppate. A Taranto (11) è attestata una produzione a figure nere di una certa consistenza e di notevole qualità. Poiché d'altra parte un'analoga produzione sembra mancare per il VII secolo, sarei d'opinione di vedere un aspetto di questa fase orientalizzante tarantina in un gruppo di vasi che sono stati considerati senza nessuna valida ragione cretesi (12). Nessuna analogia esiste in realtà con materiali cretesi, mentre certa scabra e non premeditata freschezza nelle forme ci appare come una qualità distintiva di un esperimento, una sorta di improvvisazione. Per di più le curiose pyxides vedrei un poco come dei modelli delle comunissime pyxides globulari a spessi cerchi concentrici tipiche della regione. Mentre la curiosa lekythos così orientale per forma può ricordare per curioso profilo virile dalla barba appuntita una nota anfora di Samo.

Il fatto più singolare peraltro rimane che anche la grande città dorica che ci appare nutrita di tradizioni peloponnesiache, quando si viene a cimentare in una produzione indipendente cerca la sua ispirazione negli schemi più liberi e ritmi più cedevoli e rilassati dell'Est.

In definitiva un certo numero di conclusioni abbastanza singolari vengono ad emergere anche da un così frettoloso esame. Ad esempio il fatto che la ceramica corinzia che domina incontrastata pene-

9) D. ADAMESTEANU, *La Basilicata antica*, 1974, 73. Ringrazio il prof. Adamesteanu per avermi concesso con la sua ben nota liberalità di riprodurre il materiale recentissimo di Metaponto.
10) *NSc*, S. VIII, 1972, Suppl. p. 94.
11) E. PARIBENI, *Immagini di vasi apuli*, 196.
12) F. G. LO PORTO, *Ann. Sc. d'Atene*, vol. XXXVII-XXXVIII, 1959-60, p. 32, 91.

trando in tutte le coste del Mediterraneo e che in termini artistici sembra debba venire a costituire una sorta di lingua franca generalmente accettata, rimane in realtà curiosamente estranea agli sviluppi di produzioni ceramiche autonome nell'Italia greca. Mentre una massiccia produzione di imitazione corinzia è presente e anzi dominante nell'Italia centrale etrusca a partire dall'ultimo scorcio del VII secolo. È probabile che i ceramisti della Magna Grecia e della Sicilia si siano trovati ad evitare o a rifiutare la lezione dell'arte corinzia perché questa comportava un ossequio troppo rigoroso a minuziosi effetti ritmici, a forme essenziali e minutissime. Mentre le forme ampie e imprecise mediate dall'oriente ellenico dovevano prestarsi a più libere e facili trasposizioni.

D'altra parte se per il VII secolo l'unica voce di tendenze orientalizzanti in Italia centrale è rappresentata dal misterioso Pittore delle Rondini, per il VI secolo anche in Etruria le produzioni locali ispirate all'oriente divengono norma fissa. Si pensi alle tante famiglie per cui è stato coniato il termine di vasi ionici-italici, quali le hydriai Caere-Bonn, i deinoi Campana, il gruppo di Northampton, il gruppo pontico.

Mentre anche in Italia meridionale la produzione a figure nere rimane singolarmente aperta a influenze orientali. Numerose sono infatti le imitazioni di coppe dei Kleinmeister di Samo. Mi sia concesso chiudere il caso con una singolare corrispondenza tra le pitture di un sostegno da Larisa (13) nel Louvre e un frammento di coppa da Metaponto. Il frammento di Metaponto direi locale per la qualità della vernice e perché rientra in una serie di chiari tentativi sperimentali comuni nella regione. Mentre è anche da rilevare come siano frequenti nel territorio di Metaponto le forme abbastanza rare di Thymiateria dipinti o con appliques a rilievo, con sostegno a cariatidi o a semplice piede tronco conico.

ENRICO PARIBENI

13) E. LANGLOTZ, *Studien zur nordostgriechischen Kunst*, 1975, tav. 68.

RECHERCHES SUR LA CÉRAMIQUE GRISE MONOCHROME
DE PROVENCE

(Pl. CX–CXIII)

La céramique grise monochrome de la Provence vient de faire l'objet d'une enquête minutieuse (1). La présente note se propose d'exposer les données du problème, les principes de la méthode de travail suivie, et de résumer les principaux résultats.

I) LES DONNÉES DU PROBLÈME

1) *Le cadre géographique et les données des fouilles*

Le cadre géographique de l'étude a été limité arbitrairement à la région qui s'étend du Rhône à la frontière italienne, et de la côte méditerranéenne à une ligne idéale passant par le site protohistorique du Pègue (Drôme), au-delà de laquelle cette céramique devient beaucoup plus rare. Au début de 1974 — moment où a été arrêtée l'analyse du matériel — 74 sites de cette région avaient livré de la céramique grise. Les plus nombreux se trouvent dans la vallée du Rhône et sur la côte ou à proximité. Il s'agit dans chaque cas d'habitat ou de trouvailles en relation avec un habitat, aucune nécropole contemporaine de la céramique grise n'ayant été jusqu'ici découverte en Provence; de ce fait, le matériel est extrêmement fragmentaire. De plus, les gisements n'ont pas tous été repérés de la même manière: certains ont fait l'objet de fouilles suivies ou de sondages, d'autres ne sont connus que par des trouvailles fortuites. Enfin, la quantité connue de tessons de céramique grise sur chaque site est très variable. L'ensemble du matériel concerne 8000 tessons, représentant 3806 vases différents (comptage effectué sur les bords, après recollage minutieux).

Malgré le nombre de sites provençaux ayant fait l'objet de fouilles, une centaine de tessons seulement proviennent d'horizons stratigraphiques convenablement reconnus et utilisables. Par rapport à la masse du matériel, cette proportion est, on le voit, très faible, ce qui rend actuellement toute considération chronologique, même relative, passablement illusoire, et c'est pourquoi nous avons été obligée de considérer globalement toute cette production, bien qu'elle ait été en usage en Provence pendant une durée de plus d'un siècle (2).

---

1) CH. ARCELIN, *La céramique grise archaïque en Provence*, Doctorat 3° cycle, Aix-en-Provence, 1975, dactylog., 650 p., 38 fig. et cartes, 135 Pl., à paraître. Les documents qui illustrent cette note sont extraits de ce travail.

2) A ce jour, il est impossible de prouver l'existence de la céramique grise en Provence pendant le 1er quart du VI° s. av. J.-C. Les repères chronologiques les plus nombreux, donnés par la céramique attique, sont ceux de la fin du VI° s. Quoique, pour le V° s., aucune connexion ne soit directement utilisable en chronologie absolue, les observations en stratigraphie relative montrent que la céramique grise est utilisée après la fin du VI° s. Son absence constatée à l'Arquet (Bouches-du-Rhône) dans les couches du 1er quart du VI° s. et de la fin du V° s., est le type d'observation importante mais encore trop ponctuelle, qu'il est impossible d'étendre à toute une région, tant que des recoupements ne peuvent être faits avec d'autres sites.

2) *Les formes*

Dresser l'inventaire de toutes les formes rencontrées en technique grise ne suffit pas; encore faut-il indiquer pour chacune d'elles quelle proportion elle représente par rapport à l'ensemble du matériel gris connu. C'est qu'il faut éviter que l'illustration d'une forme exceptionnelle amène à considérer cette forme comme caractéristique d'une région, ce qui fausserait totalement l'intelligence du problème. En se rappelant que cette étude a été conduite à partir des fragments de 3806 vases au moins, on voudra bien considérer que les types de vases représentés par plus de 2% des fragments ne sont qu'au nombre de cinq, et que l'un d'entre eux rassemble 61% des pièces.

La forme principale comporte deux variantes, l'une non carénée (type IIIa (3), fig. 1 à 4), l'autre carénée (type III b, fig. 5 à 9), la dernière représentant à elle seule plus de la moitié du matériel provençal. Les potiers ont façonné des vases de petite taille (10 à 12 cm à l'ouverture) avec un petit fond (fig. 5) et des vases plus grands (20 à 25 cm) avec un pied bas (fig. 2 et 6). Quoique ce type paraisse exister dans la céramique grise monochrome d'Asie Mineure, il est bien connu aussi dans la céramique modelée provençale provenant de couches antérieures à la céramique grise (4). C'est ce qui peut expliquer le formidable succès de cette forme dans la région qui nous intéresse. A mesure que l'on s'en éloigne (vers le Languedoc et la Catalogne, ou vers la Sicile), sa représentativité diminue très rapidement, au point qu'on peut la présenter, dans sa variante carénée surtout, comme typique de la région provençale et rhodanienne.

Trois autres formes sont à peu près également fréquentes (4,8; 4,4 et 4,2%): l'oenochoè à embouchure trilobée (type VIII, fig. 10); une forme issue du répertoire indigène où l'on rencontre les mêmes variantes dans le profil (type VI, fig. 11 à 14); enfin, une imitation de la coupe grecque, soit de la B 2 des coupes ioniennes, soit, plus rarement, des coupes à vernis noir attique, de type C surtout (types V et V a, fig. 15 à 18). Ces trois types de vases sont répandus dans l'ensemble de la région considérée ici. Il n'en va pas de même pour la forme de type I (fig. 19) qui, si elle représente 3,6% du matériel, n'est connue en grand nombre qu'à Marseille et autour de l'Etang de Berre.

Toutes les autres formes, soit 16 types de vases différents (certains avec variantes), rassemblent chacune moins de 2% du total des pièces, et 12 d'entre elles sont tout à fait exceptionnelles (moins de 10 pièces de chaque). Quelques remarques nous paraissent importantes. Le plat à marli, si courant dans le Languedoc (5) est rare à l'Est du Rhône (18 pièces). L'olpè, bien connue de la céramique peinte à Marseille, est rare en technique grise (19 pièces). Les lampes, de type annulaire, sont exceptionnelles (3 pièces). Par contre, on remarquera une forme inconnue dans la céramique « pseudo-ionienne » de la région, répandue le long du Rhône et sur le littoral jusqu'à Marseille (type VII, fig. 20), ces vases peuvent atteindre 40 cm de haut. Il faut signaler aussi une imitation de canthare étrusque que l'on rencontre au Nord de la Durance.

Tels sont les traits dominants du répertoire typologique de la céramique grise monochrome en Provence.

3) *Les décors*

Les formes de type I et V (fig. 15 à 19) n'ont jamais reçu de décor, de même que les rares exemplaires de lampes, d'olpès, de canthares. Le décor incisé à l'aide d'un peigne, ondé ou non, est, on le sait,

---

3) La numération des types est celle de notre étude (voir note 1).
4) P. Arcelin, *La céramique indigène modelée de Saint-Blaise, Niveaux protohistoriques VII et VI*, Paris, 1971; dans la couche VII, caractérisée par l'absence de céramique grise, 171 vases de cette forme sur un total de 471, voir pl. 73.
5) Voir la communication de Monsieur A. Nickels.

244

caractéristique de cette céramique; il est présent partout, sur toutes les formes usuellement décorées. Une autre technique décorative est courante dans certains groupes: des filets horizontaux en relief, dégagés au tournassage par enlèvement de matière (par ex., fig. 14, sous l'onde incisée). L'ajout de matière (rouelle de part et d'autre d'une anse, ou boutons coniques) est exceptionnel (2 cas), ce qui constitue une notable différence avec ce que l'on peut savoir des techniques décoratives appliquées à la céramique monochrome d'Asie Mineure. Le décor peint, enfin, est également très rare (7 cas).

II) Méthode d'étude

La méthode d'étude appliquée à la céramique grise de Provence a été inspirée des remarques faites auprès de potiers professionnels lors de notre apprentissage personnel du tournage. Des impératifs de rentabilité obligent le potier à adopter une manière de tourner qui, en accord avec son habileté personnelle, lui permet de façonner une forme donnée le plus rapidement possible, et avec le moindre risque d'accident. Ainsi naissent des tours de main, sensibles aux détails du profil (bord, carène, etc....) et même dans les dimensions préférentielles des pièces, sensibles aussi dans la manière d'exécuter le décor, dans sa composition et dans le choix de son emplacement. Or, la céramique monochrome est justement une production de série, sans recherche esthétique, d'une monotonie qui a maintes fois été soulignée. Aussi l'idée nous est-elle venue de rechercher des styles d'ordre technologique dans le matériel étudié.

La démarche a consisté à repérer et à consigner tous les éléments qui composent le vase — détails de la forme et du décor — en étudiant non seulement le résultat morphologique ou esthétique, mais aussi et surtout le mode d'élaboration, à mesurer toutes les dimensions des vases (diamètres, hauteurs, parfois même, des angles), à examiner la composition du décor à partir des éléments simples qui le constituent (onde incisée, filet en relief, etc....), à noter le type d'instrument utilisé pour le décor et les manières de l'appliquer sur le vase (nombre de dents des peignes, rythme du battement de la main dans le cas d'une onde, etc....). Pour chaque problème posé, une vérification expérimentale a été exécutée.

Deux exemples illustreront cette analyse. Le schéma de la fig. 21 indique comment on peut obtenir une carène. Dans le cas n° 1, dès l'ébauchage, le potier rabat la paroi en créant une arête qui ne sera pas reprise: l'épaisseur de la paroi demeure constante de part et d'autre de cette carène; c'est ainsi qu'ont été obtenues les carènes des vases fig. 5 et 6. Dans les autres cas de la fig. 21, le potier tourne d'abord un vase non caréné ou peu caréné; après un temps de séchage, il remet l'ébauche sur le tour et, à l'aide d'un outil tranchant, enlève de la matière: c'est le tournassage. L'arête peut naître de trois manières: par enlèvement au-dessus de la carène (cas n° 2), au-dessous de celle-ci (cas n° 3), à la fois au-dessus et au-dessous (cas n° 4); le cas n° 5 indique qu'il peut aussi reprendre l'intérieur. On notera que ces diverses techniques sont repérables aux différences d'épaisseur de la paroi; c'est ainsi qu'ont été obtenues les carènes des vases fig. 7 à 9.

Les courbes cumulatives des fig. 22 et 23 traduisent l'étude du choix de la composition du décor sur deux groupes de vases de type III b (par exemple, fig. 5 et 7), chaque courbe représentant les vases d'un même site; les diverses compositions du décor ont été codées. L'aspect des courbes obtenues montre deux ensembles différents qui, ici, ont été représentés séparément afin de rendre la lecture plus claire. Sur la fig. 22, c'est le décor de type 1 qui prévaut; sur la fig. 23, le décor de type O (en fait, l'absence de décor); en outre, le premier ensemble est plus cohérent que le second, et traduit moins de fantaisie, une plus grande standardisation. Ces figures ne constituent que l'exemple de l'étude d'une donnée sur un des types de formes. Il serait fastidieux, ici, d'en examiner d'autres.

A l'issue de l'analyse, on dispose donc d'éléments concernant la caractérisation du façonnage du vase et de son décor. A l'analyse typologique et technologique sont ajoutés alors les résultats de l'observation de la pâte (effectuée systématiquement sur tous les tessons), des traitements de surface (mode d'engobage, polissage, etc. . . .) et ceux de l'analyse de la pâte (laboratoire de M. Picon, Lyon). La synthèse consiste à rechercher le mode d'association de tous ces éléments, en d'autres termes, à effectuer des sériations. Nous avons obtenu sept groupes.

Par « groupe » nous entendons donc « ensemble de vases qui se distingue d'un autre ensemble par des habitudes de travail différentes »: dans l'ordre, façonnage des formes, technique du décor, traitement des surfaces, choix des formes et des décors préférentiels, dimensions des vases, types de pâte employés, certaines propriétés physiques de la pâte, la dureté et la couleur venant en dernier lieu. Ces groupes de vases peuvent recouvrir soit la production d'un seul potier, soit celle de plusieurs ateliers travaillant de façon voisine.

Une fois le groupe déterminé, une analyse de sa cohérence interne est nécessaire. Chaque élément qui compose un groupe est en effet susceptible de varier dans une certaine mesure; c'est l'ampleur de ces variations qui doit être examinée et interprétée. Plus la variation est faible, plus le groupe est cohérent; mais il faut prendre garde à certains traits trompeurs; si, par exemple, on constate une très grande variation dans les pentes et les hauteurs relatives d'un même type de pied à l'intérieur d'un groupe, cela peut traduire simplement le manque de soin d'un travail hâtif, ou bien, au contraire, un manque de métier. Il faut donc mettre cette constatation en relation avec d'autres observations pour conclure dans un sens ou dans l'autre, parfois, il est nécessaire de rechercher un autre niveau d'analyse pour résoudre la difficulté . . . On comprend aisément qu'il nous est impossible, ici, d'énumérer tous les stades du raisonnement qui nous ont conduit de l'analyse des vases aux groupes, puis de l'analyse des groupes aux conclusions que nous allons résumer.

III) LES RÉSULTATS

Après un résumé très succinct de ce que représentent les sept groupes de vases et des inconnues qui subsistent, nous nous efforcerons d'indiquer quels autres aspects du problème nous avons pu atteindre dans ce travail sur la céramique grise.

1) *Les groupes*

Le groupe 1 est le type même d'une production de série issue d'un seul atelier: formes peu diversifiées (4 principales), façonnage visant à l'économie des gestes nécessaires, signes évidents d'un travail rapide joints au souci de soigner l'aspect externe des vases (polissage d'une surface non engobée), constance remarquable dans le choix de la pâte employée, dans celui des décors utilisés, dans la couleur obtenue à la cuisson. Le souci principal est le rendement. Les vases sont diffusés tout le long de la côte, très probablement par cabotage, et ont atteint aussi le littoral languedocien et catalan. On connaît actuellement, en Provence, un minimum de 779 vases appartenant à ce groupe, dont 99% ont été retrouvés à moins de 10 Km de la côte.

Le groupe 2 est, au contraire, celui pour lequel les conclusions que l'on peut formuler aujourd'hui sont les moins nettes, et il regroupe sans doute les productions de plusieurs ateliers sans que l'on puisse encore définir leur contemporanéité ou leur succession. Quatre aspects principaux ont été discernés, légèrement différents par le choix des formes et des décors préférentiels, mais semblables par le façonnage qui vise à obtenir le profil essentiellement dès l'ébauchage, par la recherche d'une surface noire, aussi. La répartition géographique des 1331 pièces connues est un peu semblable à celle du groupe 1; elle montre cependant une nette concentration autour de Marseille, ce qui ne paraît pas dû à des circonstances fortuites.

246

Les vases du groupe 3 sont inconnus à l'Est de l'Etang de Berre, à Marseille en particulier. Un des lieux de production est à rechercher dans le Vaucluse, au Nord d'Avignon (région de Carpentras ou du confluent de l'Ouvèze et du Rhône). Le trait dominant du façonnage est le travail du profil par enlèvement de matière au tournassage. La surface, engobée, n'est jamais polie. 1330 vases sont actuellement recensés du côté provençal de la Basse Vallée du Rhône.

Le groupe 4 n'est connu que dans la région de Saint-Rémy (Glanum) et il a produit surtout des imitations de coupe ionienne (52 pièces connues).

Le groupe 5, inconnu sur le littoral et dans la vallée du Rhône, est à situer dans l'arrière-pays varois (région de Draguignan?). Beaucoup d'incertitudes demeurent cependant quant à son aire de répartition réelle. Il est, en tout cas, inconnu dans la région marseillaise (96 pièces recensées).

Le groupe 6 peut être interprété comme la tentative d'un potier connaissant bien son métier, de fabriquer de la céramique grise à Saint-Blaise (Bouches-du-Rhône); apparemment, les essais ont été infructueux et très vite arrêtés (24 pièces sur les 1610 du site de Saint-Blaise), peut-être à cause de la mauvaise qualité de l'argile utilisée.

Le groupe 7, enfin, est constitué par la production d'un potier travaillant lui aussi à Saint-Blaise, très probablement, mais qui, d'évidence, ne possédait pas le « métier » de son confrère. Les maladresses du façonnage traduisent les tâtonnements, les irrégularités des couleurs, une mauvaise maîtrise de la cuisson; enfin, l'argile utilisée est fort médiocre (par méconnaissance, ou par nécessité locale?). Toutefois, il semble qu'il ait essayé de transposer en incisions les bandes peintes de la céramique ionienne, ce qui constitue son originalité. L'état actuel de la stratigraphie relative de Saint-Blaise ne permet pas de savoir si les artisans des groupes 6 et 7 étaient contemporains.

2) *Autres aspects abordés*

Comme on peut le voir, l'analyse des composantes des divers groupes nous a amenée à des considérations touchant l'organisation des ateliers et des systèmes de diffusion des produits. Notre étude a également débouché sur la notion de concept de forme, montrant que chaque potier, ou groupe de potiers, a une manière bien à lui de traduire un type de vase proposé à sa création. D'autre part, une sériation, effectuée cette fois au niveau des groupes, nous a conduite à les classer en deux grandes écoles technologiques. Enfin, nous nous sommes interrogée sur le concept même de céramique grise monochrome, et nous avons abouti à une définition rationnelle, à trois niveaux de lecture, de l'idée que potiers et utilisateurs se faisaient de ce matériau au moment où il fut en usage.

On s'étonnera sans doute de ne pas voir évoqués plus tôt les problèmes de l'origine de ces vases et de leur chronologie, par lesquels on commence d'habitude. Les lacunes dans la connaissance de la céramique monochrome d'Asie Mineure n'autorisent pas la comparaison pièce à pièce qui est absolument nécessaire à la logique du problème posé. Toutefois, la présence de prototypes indigènes dans la céramique grise de Provence laisse peu de place pour conclure à des importations massives. Seuls, une trentaine de vases qui ne répondent pas aux critères des groupes définis plus haut, nous semblent avoir de bonnes chances d'être importés; il serait intéressant de savoir si la forme de la coupe B 2 existe dans la céramique grise archaïque d'Asie Mineure, puisqu'elle figure précisément parmi ces tessons.

Quant à la chronologie de la céramique grise en Provence, les données actuelles des fouilles, évoquées plus haut, ne permettent pas encore de la cerner avec sûreté. Toutefois, l'archéologie locale ne restant pas inactive, des résultats plus précis peuvent être espérés dans un délai court. A ce moment-là, il sera bien évidemment nécessaire de moduler et de compléter les conclusions de cette étude.

CHARLETTE ARCELIN

247

CONTRIBUTION A L'ÉTUDE DE LA CÉRAMIQUE GRÏSE ARCHAIQUE EN LANGUEDOC-ROUSSILLON

(Pl. CXIV–CXVIII)

Au cours des dix dernières années, les recherches concernant la céramique grise monochrome, dite phocéenne, se sont progressivement trouvées au centre des débats sur la colonisation grecque en Gaule méridionale (1). Grâce en particulier à F. Benoit (2), les questions posées par son origine — locale ou importée — par sa répartition et par l'existence de deux faciès régionaux bien individualisés en Langue-doc et en Provence ont pu trouver leurs premiers éléments de réponse. Si, à la suite de cette première impulsion, les séries du domaine rhodanien ont fait récemment l'objet de travaux importants (3), aucune étude de même nature (4) n'a encore vu le jour en Languedoc occidental ou en Roussillon (5).

La découverte, à l'occasion de fouilles d'urgence menées dans la basse vallée de l'Hérault, d'impor-tantes quantités de mobilier de ce type dans des contextes stratigraphiques sûrs, rend désormais un tel travail plus abordable. L'objet de cet article est cependant beaucoup plus limité — il ne porte que sur une seule forme — mais non moins ambitieux: il doit, en effet, permettre, grâce à une classification typologique et chronologique de toutes les productions de ce type, d'opérer une distinction rigoureuse des divers ateliers et de leurs aires de diffusion.

La forme retenue est celle du plat à marli (6). Les raisons de ce choix sont multiples:

— il fallait, en premier lieu, disposer d'un important échantillonnage statistique que seul un type de vase abondamment représenté sur tous les gisements archaïques pouvait fournir (7);

— la forme choisie devait également présenter un minimum de difficultés techniques dans son élaboration, de façon à trahir plus facilement les coups de main et les habitudes techniques qui, seuls, permettent d'isoler des séries attribuables à un même artisan ou à un même groupe d'artisans (8). Le

---

1) Sur les problèmes généraux concernant les céramiques ioniennes et phocéennes, voir F. VILLARD, *Céramique ionienne et céramique phocéenne en Occident*, La Parola del Passato, 25, 1970, pp. 108-129.

2) F. BENOIT, *Recherches sur l'hellénisation du Midi de la Gaule*, Aix-en-Provence, 1965, pp. 153-163.

3) Pour la Provence, l'ouvrage de référence est désormais l'importante thèse de IIIᵉ cycle de CHARLETTE ARCELIN, *La céramique grise archaïque en Provence*, Aix-en-Provence, 1975 (exemplaire dactylographié). Pour le Languedoc oriental, voir M. PY, *Les fouilles de Vaunage et les influences grecques en Gaule méridionale*, R.E. Lig., XXXIV, 1968 (Hommage à F. Benoit, II), pp. 57-106 et *Problèmes de la céramique grecque d'Occident en Languedoc oriental durant la période archaïque*, Simposio de Colonizaciones, Barcelona-Ampurias, 1971, Barcelone, 1974, pp. 159-182.

4) Le seul travail d'ensemble est celui de O. TAFFANEL, *Les poteries grises du Cayla II à Mailhac (Aude)*, R.E. Lig., XXXIII, 1967, (Hommage à F. Benoit, I), pp. 245-276.

5) On peut toutefois mentionner un certain nombre de travaux de détail consacrés à des catégories particulières de mobi-lier, ainsi J. J. JULLY et Y. SOLIER, *Les gobelets gris carénés, faits au tour, à l'Age du Fer languedocien*, dans R.E. Lig., XXXIII, 1967 (Hommage à F. Benoit, I), pp. 217-244 et A. NICKELS, *Les plats à marli en céramique grise monochrome de type roussillonnais*, à paraître dans les Actes du colloque *Ruscino et le Roussillon antique*, supplément à la *Revue Archéologique de Narbonnaise*.

6) Forme 12 de l'inventaire de F. BENOIT, *Recherches sur l'hellénisation...*, op. cit., p. 161 et forme 1 de l'inventaire de O. TAFFANEL, *Les poteries grises du Cayla II...*, loc. cit., p. 248.

7) A l'heure actuelle 27 gisements ont fourni du mobilier de ce type en Languedoc-Roussillon.

8) Sur ces problèmes voir les remarques de CH. ARCELIN, *La céramique grise...*, op. cit.

plat à marli, dont le rebord horizontal peut être dégagé de diverses manières (9), répond parfaitement à cette exigence;

— le fait que ce type de récipient soit fréquemment décoré d'une onde incisée accroît évidemment encore les possibilités de distinction;

— cette forme grecque (10), qui ne doit rien au répertoire indigène traditionnel, est également l'une de celles qui devraient permettre de saisir le plus facilement les diverses évolutions locales que ce type de récipient a pu connaître en tel ou tel endroit;

— grâce enfin aux fouilles récentes de l'arrière-pays d'Agde, de nombreux plats peuvent désormais être bien datés (11).

L'approche d'une telle quantité de matériel — au total plus d'un millier de vases — dispersé dans de nombreux dépôts ou collections (12) posait évidemment des problèmes particuliers qui pouvaient être abordés de différentes manières. Pour notre part, il nous a semblé indispensable d'accorder un soin tout particulier à l'exécution de la documentation graphique (13); tous les fragments disponibles ont ainsi été très soigneusement dessinés, beaucoup seront reproduits ici (14). Un tel parti, s'il peut surprendre, offre cependant le double avantage de simplifier la démonstration et de laisser ouverte la possibilité de reprendre, à tout moment, ce travail, lorsque ce mobilier se sera de nouveau accru dans des proportions notables.

Cette abondante documentation, après étude, peut se répartir en quatre grands ensembles — ateliers ou groupes d'ateliers — localisés dans la région d'Agde, dans la basse vallée de l'Aude, dans le domaine rhodano-provençal et en Roussillon.

LES ATELIERS DE L'AGADÈS (fig. 1, 2 et 3) (15)

L'attribution d'un certain nombre de productions de céramique grise monochrome à la région d'Agde est un des principaux résultats des fouilles menées dans la basse vallée de l'Hérault par le per-

---

9) *Ibidem*, pp. 117-119 (exemplaire dactylographié).

10) Ce type de plat est en effet très courant en Grèce de l'Est, qu'il s'agisse des séries peintes à pâte claire de type rhodien, de dimensions plus modestes mais de forme identique, ou des séries à pâte grise. Pour ces dernières, voir les exemplaires en provenance d'Histria, *Histria II*, Bucarest, 1966, p. 491, n. 476 et 477, et ceux, bien connus, de Larissa sur l'Hermos publiés par J. BOEHLAU et K. SCHEFOLD, *Larissa am Hermos*, III, 1942, p. 116, fig. 40 et p. 141, fig. 57. Des plats de ce type ont été également trouvés en grande abondance à Bayrakli (renseignement Bayburtluoğlu et C. Özgünel). En Sicile des exemplaires en céramique grise monochrome sont connus à Syracuse et à Mégara.

11) Sur ces fouilles dans la basse vallée de l'Hérault, voir A. NICKELS et P.-Y. GENTY, *Une fosse à offrandes du VIe siècle avant notre ère à La Monédière, Bessan (Hérault)*, R.A.N., VII, 1974, pp. 25-57; A. NICKELS, *Un calice de Chios dans l'arrière-pays d'Agde à Bessan, Hérault*, R.A., 1975, I, pp. 13-18 et *Les maisons à abside d'époque grecque archaïque de La Monédière à Bessan, Hérault*, Gallia, 1976, I, pp. 95-128.

12) Ce travail n'aurait, bien sûr, pu être réalisé sans l'aide de tous les archéologues de la région, trop nombreux pour qu'il soit possible de les citer tous, qui ont mis à ma disposition le matériel provenant de leurs prospections de surface ou de leurs fouilles et à qui je tiens à exprimer ici toute ma reconnaissance. Mes plus vifs remerciements vont en particulier à M.lle O. Taffanel et à Y. Solier qui, très généreusement, m'ont permis d'étudier l'abondant mobilier, souvent inédit, des sites du Cayla de Mailhac et de Pech-Maho à Sigean.

13) Tous les dessins, à l'exception de quelques fragments de *Ruscino*, dessinés par G. Marchand et J.-C. Roux, ont été effectués par l'auteur.

14) Le nombre de fragments de chaque série reproduits ici correspond, à l'intérieur de chaque groupe, à la répartition statistique réelle de ce mobilier. A quelques exceptions près, notamment le groupe C audois, les planches traduisent donc non seulement les différences typologiques, mais également l'importance numérique des diverses séries les unes par rapport aux autres.

15) Pour ces ateliers, tous les calculs statistiques seront établis à partir du mobilier livré par les fouilles de Bessan où l'échantillonnage disponible est particulièrement abondant (près de 480 fragments).

249

sonnel de la Direction régionale des Antiquités au cours de ces dernières années. Si l'originalité du faciès de la céramique grise archaïque du Languedoc occidental avait pu être rapidement dégagée (16), la localisation même des centres de fabrication demeurait très incertaine. De nombreux chercheurs, à la suite sans doute des abondantes découvertes des sites audois, furent ainsi, peu à peu, amenés à attribuer à la basse vallée de l'Aude l'essentiel, sinon la totalité, des productions de céramique grise archaïque du Languedoc occidental (17). La comparaison détaillée du mobilier en provenance des sites des deux régions révèle qu'une telle façon de voir ne peut plus, désormais, être acceptée et que quatre séries de productions au moins doivent être restituées à la région d'Agde.

I) Le groupe A, à enduit noir (fig. 1)

A) *Caractéristiques techniques:*

Elles sont remarquablement constantes. La pâte est en général tendre et présente régulièrement de grandes vacuoles allongées; elle est abondamment et finement micacée et incorpore des éléments calcaires blancs, très certainement des fragments de coquillages broyés. Sa couleur est une nuance de gris assez sombre; l'épiderme étant souvent plus sombre que l'intérieur de la paroi. Lorsque cette céramique est bien conservée (18), elle porte un enduit noir profond, épais (19), également réparti sur toute la surface du vase, mais très fragile. Dans quelques rares cas, on rencontre une variante de pâte différente, la variante b, qui est dure, non vacuolée, uniformément grise et recouverte d'un enduit toujours épais et régulier, mais de nuance brun sombre noirâtre.

B) *Formes et décors:*

a) *Les vases ornés* (fig. 1, n° 1 à 34)

C'est dans ce groupe qu'ils sont les plus nombreux (20). Le décor affecte exclusivement le marli et est formé soit d'une onde incisée au peigne — c'est le cas de loin le plus fréquent —, soit de cannelures concentriques, soit encore d'une combinaison des deux; le décor peint y est inconnu.

---

16) Voir à ce sujet M. Py, *Les fouilles de Vaunage et les influences grecques...*, loc. cit., pp. 77-79.

17) Ainsi par exemple M. Py, *Problèmes de la céramique grecque d'Occident*, loc. cit., p. 180. J. J. Jully et Y. Solier dans leur étude consacrée aux gobelets carénés, *Les gobelets gris carénés...*, loc. cit., p. 243, ont mis les différences de faciès relevées dans les basses vallées de l'Hérault et de l'Aude sur le compte des influences de Marseille et d'Ampurias. L'hypothèse de la localisation de certains ateliers de fabrication de céramique grise monochrome dans l'Agadès a été présentée et développée par mes soins dès mai 1975 au colloque sur « Le Languedoc au Premier Age du Fer », organisé à Sète par la Fédération Archéologique de l'Hérault. Elle a été reprise depuis par J. J. Jully dans ses travaux les plus récents.

18) Il n'est sans doute pas inutile de rappeler ici les précautions qu'il convient de prendre dans le traitement de la céramique grise monochrome. Ce mobilier est, en effet, extrêmement fragile et un brossage intempestif au moment du lavage a souvent pour conséquence de faire disparaître ses caractéristiques techniques les plus remarquables. Dans des cas extrêmes, où la céramique a déjà été mise à mal par la nature chimique du sol, il peut ainsi être préférable de ne pas la laver. Cette mauvaise conservation explique que dans certains cas, une partie du mobilier n'a pu être attribuée à un groupe précis (13,5 % dans le cas de Bessan et 3,5 % dans le cas de Mailhac).

19) L'aspect épais et uniforme de cet enduit le distingue très nettement des autres productions de l'Agadès ainsi que des séries audoises où l'enduit est toujours moins épais et appliqué de façon beaucoup plus irrégulière.

20) Ils représentent plus de 62 % du total des plats de ce groupe A.

— *Les plats à marli ondé* (fig. 1, nᵒ 1 à 21):

Ils forment une série bien homogène, aisément identifiable:

Le diamètre est assez variable d'un vase à l'autre; on rencontre ainsi des plats de petit module, de l'ordre de 20 à 24 cm, qui en général possèdent un marli étroit, d'une largeur constante d'environ 15 mm (nᵒ 27 à 29). Les plats de grands diamètres, de 25 à 28 cm, sont cependant les plus fréquents; la largeur de leur marli, là encore, ne connaît que des variations infimes (21).

Si la taille des vases est variable la technique de façonnage, en revanche, est très uniforme. Les parois sont fines, leur épaisseur n'excédant qu'exceptionnellement 5 à 6 mm. Le marli, légèrement incliné vers l'extérieur, est très fin et présente un profil anguleux caractéristique qui résulte d'une reprise soignée du rebord par l'application du tournassin sur les parties supérieures, inférieures et externes du marli. Lorsque ce dernier a la largeur souhaitée dès l'ébauche — ce n'est pas le cas le plus fréquent — il n'est pas repris sur la tranche et conserve alors un profil externe arrondi (fig. 1, nᵒ 15 à 21). Si l'on en juge par l'angle formé par le flanc du vase et l'horizontale, la vasque de ces vases devait être bombée, comme le confirment d'ailleurs les deux seuls plats complets de ce groupe que nous possédons. Les marlis sont toujours percés de deux trous de suspension.

La décoration de ces vases laisse également peu de place à la fantaisie. L'onde est toujours exécutée à l'aide d'un peigne à 3, 4 ou 5 dents, le cas de loin le plus fréquent étant le peigne à 4 dents (22). Le recours à peu près exclusif à un type d'onde asymétrique — la partie droite étant plus longue que la partie gauche — est très caractéristique et permet d'identifier aisément ce groupe; le décor symétrique y est en effet très rare.

La datation de cette série est relativement aisée. Les plats à décor ondé, à peu près absents des niveaux antérieurs à 550, sont, en effet, extrêmement abondants dans les couches de la deuxième moitié du VIᵉ siècle. Leur date de disparition est plus difficile à préciser; une disparition assez précoce, vers la fin du VIᵉ siècle, n'est pas à exclure.

Répartition du matériel (fig. 2): Ensérune, Bessan, Florensac, Magalas, Montmèze.

— *Les plats et bols à marli cannelé* (fig. 1, nᵒ 22 à 26 et 30 à 32):

Ils représentent 23,2% des récipients décorés du groupe A. Il s'agit le plus souvent de bols de petite taille, dont le diamètre est compris entre 16 et 21 cm. Un seul exemplaire est complet (23); il possède une vasque à profil très bombé qui a tendance à se refermer vers le haut. On rencontre plus rarement des vases de plus grand diamètre et à marli plus large (24). Le décor est exécuté à l'aide d'un peigne de 4 à 6 dents appliqué verticalement sur le marli de façon à déterminer un nombre équivalent de sillons concentriques plus ou moins profonds. On peut noter que, d'un point de vue technique, ce type de vase se rencontre fréquemment dans la variante de pâte b (25).

A Bessan, ces exemplaires cannelés figurent souvent dans les niveaux antérieurs au milieu du VIᵉ siècle parmi les premières productions de céramique grise monochrome; un vase de ce type a égale-

---

21) Elle s'établit, dans presque tous les cas, autour de 18 ou 19 mm.

22) Les exemples isolés d'ondes à deux dents doivent peut-être être mis sur le compte d'une application incomplète de l'outil sur le vase.

23) Il provient de la fosse à offrandes de Bessan, cf. A. NICKELS et P.-Y. GENTY, *Une fosse à offrandes . . .*, *loc. cit.*, pp. 49-50.

24) Le marli atteint là 20 à 24 mm. alors qu'il ne dépasse pas 16 à 18 mm. dans le cas des bols.

25) On peut remarquer que cette variante, qui se retrouve fréquemment dans les bols à marli cannelé (40% des vases), plus rarement dans les plats non décorés, n'est jamais utilisée pour les plats à marli ondé. Cette inégale distribution confirme que la variante b ne correspond pas simplement à des accidents de cuisson. Il s'agit d'une technique différente, utilisée peut-être aux débuts de la production, comme semble l'indiquer sa présence régulière à Bessan dans les niveaux les plus anciens.

ment été découvert dans la fosse à offrandes, bien datée des années 540-520 (26). Un autre plat provient enfin d'un tombe de la nécropole de Pézenas malheureusement dépourvue de contexte datable (27); il ne peut cependant être placé plus bas que le troisième quart du VIᵉ siècle (28). Ces quelques repères chronologiques invitent donc à dater cette série assez précisément dans le deuxième et le troisième quarts du VIᵉ siècle.

Répartition du matériel (fig. 2) (29): Mailhac (0,8%), Castelnau, Bessan, Frontignan, Magalas, Pézenas.

— *Les plats à marli cannelé et ondé* (fig. 1, nº 33 et 34):

A côté de ces deux grands types de décors, on peut encore signaler quelques fragments — une dizaine au plus — associant sur un même marli l'onde incisée et les cannelures disposées de part et d'autre. Ces vases sont trop peu nombreux pour qu'une étude globale puisse en être tentée; leur datation, pour la même raison, demeure incertaine (30).

Répartition du matériel: Bessan, Pézenas.

— *Les plats à marli à décor plastique:*

Il convient enfin de signaler deux fragments isolés à décor plastique dont l'un est orné sur le marli d'un mamelon et l'autre de ce qui semble bien être le départ d'une anse verticale (31).

b) *Les vases non décorés* (fig. 1, nº 35 à 55).

Ils se subdivisent en deux grandes séries:

— *à marli mince* (nº 35 à 53):

Cette série rassemble la très grande majorité, plus de 88%, des plats non décorés du groupe à engobe noir. Si leur façonnage trahit de notables différences, on remarquera toutefois qu'il s'agit toujours de vases à parois très fines, rarement plus de 6 mm, parfois beaucoup moins. Les marlis ont, en général, une épaisseur constante, égale à celle du haut de la vasque. A la différence des fragments décorés, le rebord externe conserve ici le plus souvent sa forme arrondie d'origine, les reprises sur la tranche n'étant effectuées que lorsque la largeur du marli obtenue à l'ébauche était trop importante. Si son inclinai-

---

26) A. NICKELS et P.-Y. GENTY, *Une fosse à offrandes...*, loc. cit., p. 55.

27) C. LLINAS et A. ROBERT, *La nécropole de Saint Julien à Pézenas, Fouilles de 1969 et 1970*, R.A.N., IV, 1971, pp. 1-33, fig. 32.

28) La nécropole de Pézenas ne renferme, en effet, que très peu de tombes intactes qui appartiennent à la fin du VIᵉ siècle. On relèvera à ce sujet la rareté des coupes attiques de type C, si fréquentes dans les sites de la basse vallée de l'Hérault à partir du dernier quart du VIᵉ siècle.

29) Les pourcentages qui figurent entre parenthèses à la suite de certains sites dans la liste de répartition du mobilier expriment la proportion de mobilier du type considéré par rapport à l'ensemble des plats livrés par ce site.

30) Si ce type de décor est relativement rare en Languedoc, il est en revanche bien représenté en Catalogne, en particulier à Ullastret. Sa fréquence élevée au-delà des Pyrénées est l'un des premiers indices sûrs de l'existence, évidemment prévisible, d'un atelier de fabrication de céramique grise monochrome en Catalogne. Il ne s'agit là cependant que d'une remarque générale et nous laisserons à nos collègues espagnols le soin de dégager les caractéristiques de cet atelier et d'en préciser, le cas échéant, la diffusion en Gaule méridionale.

31) Ces deux fragments, dont l'un provient de Florensac (collection D. Rouquette) et l'autre de Bessan, sont très proches des séries grises de Grèce de l'Est où décors plastiques et anses verticales sont fréquents. Voir à ce sujet J. BOEHLAU et K. SCHEFOLD, *Larissa am Hermos*, III, 1942, pl. 45.

son n'est guère régulière, sa largeur demeure constante et s'établit autour de 16 à 18 mm pour les petits exemplaires et 20 à 22 mm pour les grands.

Le diamètre de ces plats peut également varier sensiblement; on observe cependant à nouveau l'existence de deux modules préférentiels, 20 à 23 cm pour les petits diamètres et 25 à 27 pour les grands.

La datation de ces plats est la même que celle des exemplaires décorés.

Répartition du mobilier (fig. 2): Ensérune, Bessan, Frontignan, Florensac, Magalas, Montmèze, Pézenas.

— à marli triangulaire épais (n° 54 et 55):

Il s'agit là d'une série très limitée qui s'individualise par un façonnage très sommaire du marli dégagé grâce à un simple coup de tournassin sur la partie supérieure de l'ébauche. On obtient ainsi un marli massif et horizontal de section triangulaire très caractéristique. Le fait que cette série appartienne en grande partie à la deuxième variante de pâte renforce encore son homogénéité. Compte-tenu de la fragmentation de ce mobilier, la forme générale de ces plats ne nous est pas connue; à peine peut-on, en raison de l'angle ouvert formé par le marli et la vasque, supposer une forme très profonde. Leur diamètre devait s'établir autour de 26 cm.

D'un point de vue stratigraphique, il est particulièrement intéressant de noter qu'à Bessan les fragments de ce type qui appartiennent à la variante b et qui ont un contexte proviennent souvent des niveaux les plus anciens; ils sont plus rares dans les couches de la deuxième moitié du VIᵉ siècle, ce qui permet de dater ce mobilier dans le deuxième et peut-être les débuts du troisième quart du VIᵉ siècle.

Cette analyse détaillée des diverses productions rassemblées au sein du groupe A de l'Agadès montre que nous sommes là en présence d'un ensemble bien individualisé, aisément identifiable. Les nuances de façonnage que nous avons pu déceler indiquent cependant que l'on a affaire à d'assez nombreux potiers ou encore à des artisans qui ne maîtrisent pas totalement leur technique et dont les productions n'offrent pas encore l'étonnante uniformité des groupes suivants.

La datation précise qui résulte du contexte stratigraphique de ces vases permet de faire deux remarques:

— La première touche à la précocité de cette production, qui démarre dès le deuxième quart du VIᵉ siècle. On notera à ce sujet que la technique de l'enduit noir, si caractéristique de cet ensemble, est également celle de l'un des groupes les plus anciens de la céramique grise de Provence (32). Cette parenté technique, en regard d'un répertoire des formes très différent, n'est pas sans intérêt; elle correspond, en effet, au fond technique commun à tous les Phocéens installés sur les bords du golfe du Lion et dont les fabrications, pour des raisons que nous ignorons encore, se sont pourtant très vite différenciées.

— La seconde remarque concerne la durée d'activité de cet atelier qui semble s'étendre jusque vers la fin du VIᵉ siècle et peut-être les débuts du Vᵉ siècle; il s'agit donc d'une production abondante et de longue durée.

La répartition de ce mobilier est également significative (fig. 2). Elle révèle en effet que ce groupe A a été diffusé très loin puisque l'on en rencontre des fragments en des points aussi éloignés que Mailhac et Castelnau-le-Lez. On notera la part prise dans cette diffusion par la série des marlis cannelés dont nous avons souligné la datation haute.

Il reste enfin à envisager le problème le plus délicat, celui de la localisation de cet atelier. Un simple examen de la zone de répartition permet de régler cette question: on constate, en effet, que l'essentiel du matériel provient de la basse vallée de l'Hérault et que les trouvailles de mobilier de ce type se raréfient au fur et à mesure que l'on s'éloigne de cette région. Ainsi, à Mailhac, la céramique du groupe

32) Renseignement Ch. Arcelin.

A de l'Agadès ne représente que 0,8% de la totalité des céramiques grises archaïques de ce site alors que sur les sites de la basse vallée de l'Hérault elle correspond à la quasi-totalité des trouvailles. Une telle répartition ne saurait être fortuite et incite à rechercher l'atelier qui produit ces plats du groupe A dans la région d'Agde, sinon à Agde même. Si nous rapprochons le fait que nous sommes là en présence d'une production de type grec, dont les prototypes se trouvent en Grèce de l'Est (33), de la certitude — acquise au cours de ces dernières années — que des Grecs étaient bien établis à demeure dans l'Agadès dès le milieu du VIe siècle (34), on est en droit de se demander s'il ne s'agit pas là des premiers ateliers établis par les Phocéens au moment de leur installation dans la région d'Agde. L'excellente qualité de ces productions, qui les démarque nettement des autres séries grises archaïques du Languedoc, tend à renforcer encore cette impression.

II) Le groupe B à enduit brun clair (fig. 3, n° 1 à 25)

Il rassemble trois séries de vases, qui correspondent aux productions de deux ou trois potiers bien individualisés. Elles ont été réunies au sein d'un même groupe en raison de l'utilisation régulière d'un enduit brun clair de préférence à l'enduit noir profond qui était l'un des traits originaux du groupe A.

1. *Le potier* B 1 (fig. 3, n° 1 à 17):

La production de cet artisan est une des plus homogènes que nous ayons rencontrées au cours de ce travail. Les vases qui lui ont été attribués présentent tous des caractéristiques absolument identiques qui permettent de les isoler très facilement.

A) *Caractéristiques techniques:*

La pâte est en général assez dure, homogène, avec de petites vacuoles isolées. Elle incorpore un abondant et très fin dégraissant de mica ainsi que des inclusions blanches — sans doute à nouveau des fragments de coquillages broyés — qui sont cependant ici plus rares et plus petites que dans le groupe A. Ces vases, soigneusement polis à l'intérieur et à l'extérieur, ne conservent que rarement des traces de tournassage.

Tous sont recouverts d'un enduit peu épais et adhérent dont la couleur peut varier entre le gris brun clair et le brun jaunâtre orangé, très exceptionnellement le gris clair ou le gris noirâtre. La pâte est de couleur uniformément gris clair de nuance gris jaune lorsque l'enduit est brun jaunâtre. La fréquence de la nuance jaunâtre — plus de 80% des vases — révèle qu'il ne s'agit pas là d'un accident de cuisson, ou d'une recuisson accidentelle dans un feu secondaire, mais bien d'une caractéristique constante qui fait de ce détail un excellent critère d'identification.

B) *Formes et décors:*

Le diamètre externe de ces vases peut varier entre 24 et 27 cm, mais dans plus de 50% des cas il ne s'écarte pas de 26 ou 26,5 cm. Le façonnage du marli, toujours incliné vers l'extérieur, est un des

---

33) Il convient en effet d'insister sur le fait que tous les décors rencontrés dans l'Agadès, ondé, cannelé, mixte ou décor plastique, sont connus en Grèce de l'Est et en particulier à Bayrakli (renseignement Bayburtluoğlu).

34) Voir à ce sujet A. NICKELS, *Les maisons à abside* ..., *loc. cit.*, p. 119-128 et *Contribution des fouilles de l'arrière-pays d'Agde à l'étude du problème des rapports entre Grecs et indigènes en Languedoc (VIe et Ve siècles), M.E.F.R.A.*, 1976, 1, pp. 141-157.

éléments les plus remarquables; soigneusement dégagée, sa partie supérieure est légèrement bombée alors que sa partie inférieure présente un profil courbe; il n'est que rarement repris sur la tranche par un coup de tournassin; sa largeur n'est jamais inférieure à 17 mm ni supérieure à 20 mm (35). Il est toujours percé de deux trous de suspension assez rapprochés (36).

Grâce aux trois récipients complets que nous possédons, la forme générale de ces vases nous est bien connue. Ils possèdent une vasque assez profonde avec des parois fines dont l'épaisseur n'excède pas 7 mm; leur hauteur totale est de 6,5 ou 7 cm. Les exemplaires complets sont munis d'un pied annulaire très bas d'un diamètre de 8 à 8,5 cm.

Tous les vases de cette série portent un décor ondé exécuté à l'aide d'un peigne à trois dents (37). L'ondulation est toujours régulière, symétrique et de très faible amplitude (38). Ce décor, d'une surprenante monotonie, est sans doute l'élément le plus sûr pour isoler ce mobilier.

C) *Datation:*

La datation de cette série est aisée. Absente à Bessan des niveaux antérieurs au milieu du VIe siècle, elle est, en revanche, extrêmement abondante dans les couches de la deuxième moitié du VIe siècle et demeure peut-être en usage au début du Ve siècle. Deux vases de ce type ont été découverts écrasés en place sur le sol de l'une des maisons grecques de Bessan; un autre provient d'une couche de la fin du VIe siècle associé à du mobilier de type ibérique.
Répartition du mobilier: Agde, Bessan.

Un examen approfondi de la figure 3, qui rassemble un certain nombre de vases de ce type, confirme que l'on a bien ici un ensemble extrêmement homogène, véritable production de série, fabriquée avec beaucoup de soin mais avec une grande économie de gestes, qui est vraisemblablement l'oeuvre d'un seul artisan. Sa diffusion limitée à Bessan et peut-être à Agde permet d'envisager une fabrication à Bessan même.

2. *Le potier* B 2 (fig. 3, n° 18 à 23):

Là encore il s'agit d'une série très bien individualisée, qui ne diffère cependant de la précédente que par des nuances de détail.

A) *Caractéristiques techniques:*

Elles sont identiques à celles de la série B 1; seul l'enduit est ici différent, d'une nuance plus nettement brun orangé ou même brun rougeâtre que dans le cas précédent. Des exemplaires isolés à enduit gris clair fin sont connus.

B) *Formes et décors:*

Le diamètre est toujours compris entre 24 et 26 cm. Le façonnage du marli est, à nouveau, l'élément distinctif le plus sûr: il est ici en règle générale moins incliné vers l'extérieur et parfois même hori-

---

35) Elle est de 18 ou 19 mm dans 70% des cas.
36) Tous les plats à marli, quel que soit leur type, sont équipés de trous de suspension. Dans ce cas leur écartement varie entre 11 et 17 mm.
37) Des exemples de décors sont donnés à la figure 3.
38) L'onde asymétrique est tout à fait exceptionnelle mais conserve, là encore, une très faible amplitude qui permet d'identifier ces vases sans difficulté.

zontal, plus anguleux à sa partie inférieure et légèrement plus large (39). Aucun vase complet de cette série ne nous est parvenu.

Le décor ondé diffère sensiblement de celui de la série précédente (40). Il est obtenu à l'aide d'un peigne à quatre dents; l'incision est toujours très profonde. Si l'ondulation conserve une faible amplitude, elle est en revanche presque toujours asymétrique (41).

C) *Datation:*

La chronologie de cette série demeure incertaine; en raison des grandes similitudes avec la précédente, elle doit sans doute également être datée dans la deuxième moitié du VIe siècle.
Répartition du mobilier: Mailhac (2,4%), Bessan.

Les rapports entre les séries B 1 et B 2, à certains égards très proches, demeurent obscurs. Il est difficile, en effet, de savoir si cette production doit être attribuée au même potier que la précédente ou s'il s'agit de l'oeuvre d'un autre artisan. Une solution séduisante pour l'esprit, mais qui demeure une simple hypothèse dans l'attente de la découverte de nouveaux lots de matériel, consisterait à voir dans ces deux ensembles l'oeuvre d'un même artisan à deux moments différents de son activité.

3. *La série* B 3 (fig. 3, n° 24 et 25):

Elle correspond à une série limitée, au total une dizaine de vases, qui semblent tous sortis d'une même main (42). Cinq d'entre eux, dont plusieurs exemplaires complets, ont été découverts à Bessan à proximité de la maison A (43). Ils se caractérisent par leur forme lourde et leur marli massif qui porte souvent un décor ondé. Leur exécution est assez maladroite, les parois étant le plus souvent épaisses, parfois irrégulières. Seul leur enduit brun jaunâtre ou orangé les a fait rattacher au groupe B (44).

III) Le groupe C à enduit gris bleuté fin et adhérent (fig. 3, n° 26 à 51)

A) *Caractéristiques techniques:*

La pâte est dure ou mi-dure, dense, non vacuolée et d'une couleur uniformément gris très clair; mal conservée elle a tendance à devenir pulvérulente et à laisser des traces au toucher. Elle comprend toujours un abondant dégraissant de mica très fin, parfois à peine visible, ainsi que de fines inclusions brunâtres; les fragments de coquillage si nombreux dans les pièces appartenant au groupe A sont ici absents. Ces vases sont recouverts d'un enduit très fin, gris bleuté, très adhérent, qui fait corps avec la pâte dont il se distingue souvent fort mal; il présente fréquemment des zones plus ou moins claires qui trahissent une application à la brosse peu soignée.

---

39) 19 à 22 mm dans ce cas.
40) Comparer à ce sujet les décors n° 20/21 avec les décors du n° 1 du la figure 3.
41) Avec, comme toujours, une partie droite plus longue que la partie gauche.
42) Si ces fragments appartiennent indiscutablement à un groupe de l'Agadès, une appartenance au groupe A plutôt qu'au groupe B 2 ne peut être totalement exclue.
43) Voir A. NICKELS, *Les maisons à abside . . ., loc. cit.,* p. 114 et fig. 15.
44) Les vases de ce type proviennent tous de Bessan.

B) *Formes et décors:*

Si l'on met à part deux exemplaires décorés, tout à fait isolés, ce groupe ne comprend que des plats non ornés qui se caractérisent par leur aspect lourd et leur marli massif. La forme générale nous est bien connue grâce à la dizaine de récipients complets que nous possédons; la vasque est peu profonde et a un profil assez conique; le pied annulaire est d'un diamètre constant, de l'ordre de 8,5 à 9 cm; il est souvent très sommairement dégagé et conserve d'abondantes traces de tournassage. Les parois sont épaisses, souvent plus de 1 cm au niveau du pied, et d'épaisseur irrégulière. L'élément le plus original est à nouveau le marli qui est ici très peu soigné. On peut y distinguer deux grandes variétés de façonnage: la première, variété C 1, correspond à une série homogène de marlis épais, massifs, d'une largeur comprise entre 25 et 29 mm (45). Leur épaisseur est toujours de beaucoup supérieure à celle des parois mêmes du vase. Leur partie inférieure n'est pas reprise et conserve d'abondantes traces de tournassage. La partie supérieure, en revanche, est toujours horizontale et parfaitement plate. Le rebord extérieur du récipient est arrondi et n'est jamais repris au tournassin. La variété de façonnage C 2 (fig. 3, n° 38 à 47) est moins homogène, mais présente cependant le même aspect lourd et massif avec des marlis d'une largeur comprise entre 18 et 24 mm (46). On peut enfin signaler quelques séries limitées qui correspondent à des façonnages particuliers (48 à 51).

— *Répartition du mobilier:* Castelnau-le-Lez, Mailhac (1,6%), Olonzac, Salles-d'Aude, Florensac, Bessan, Aumes, Mèze, Pézenas.

La brève description du mobilier attribué à ce groupe a fait ressortir à plusieurs reprises le manque de soin apporté à la réalisation de ces vases. Nous sommes là en présence d'une production routinière, médiocre, qui n'est pratiquement plus jamais décorée. Sa datation est là encore aisée. Elle est surtout représentée à Bessan dans les niveaux récents de la fin du VIᵉ ou des débuts du Vᵉ siècle. Si l'on peut se contenter de noter simplement au passage son absence dans la maison A (47), on insistera davantage sur les 7 plats qui figurent dans le mobilier de la fosse à offrandes à côté de quelques exemplaires plus anciens (48). Si une analyse serrée de ce lot de matériel permet de placer l'apparition des vases de ce groupe dans le dernier tiers ou même le dernier quart du VIᵉ siècle, rien ne permet encore de dater avec précision leur disparition. A peine peut-on indiquer qu'elle ne saurait se situer à une date postérieure au milieu du Vᵉ siècle, époque à laquelle la production des céramiques grises semble avoir cessé dans l'Agadès.

L'absence de décors au sein de ce groupe, qui semble être l'un des plus récents de cette aire de production, n'est pas sans intérêt: elle pourrait en effet indiquer que la vogue de l'onde incisée — très répandue au cours du troisième quart du VIᵉ siècle — a connu un déclin rapide à la fin du VIᵉ siècle. Comme beaucoup d'autres séries, la céramique grise monochrome semble ainsi connaître une fin sans éclat, marquée par la multiplication des fabrications locales de médiocre qualité.

LES ATELIERS AUDOIS (49) (fig. 4 et 5)

A la différence de l'Agadès, la basse vallée de l'Aude a souvent été considérée comme l'une des principales zones de fabrication de la céramique grise monochrome en Languedoc. L'individualisation d'un

---

45) Dans plus de 75% des cas elle est même comprise entre 26 et 28 mm. Cette constance des dimensions confirme, si besoin était, la grande uniformité et l'aspect routinier de certaines de ces productions de céramique grise.
46) 22 et 24 mm dans plus de 60% des cas.
47) Voir à ce sujet A. NICKELS, *Les maisons à abside...*, *loc. cit.*, pp. 109-119.
48) A. NICKELS et P.-Y. GENTY, *Une fosse à offrandes...*, *loc. cit.*, pp. 47-51.
49) Pour les autres formes produites par ces ateliers voir O. TAFFANEL, *Les poteries grises*, *loc. cit.*

certain nombre de séries originaires de la région d'Agde d'une part et du Roussillon d'autre part, permet désormais de bien isoler les productions de ces ateliers et de mieux apprécier leur importance relative, trop souvent surestimée par rapport aux autres centres de fabrication.

En l'état actuel de la recherche, trois grands ensembles peuvent être rattachés avec certitude aux ateliers audois:

I) Groupe A, à cannelures périphériques (fig. 4, n° 1 à 32):

Ce groupe, aisément identifiable en raison de la présence de deux cannelures isolées qui ornent la partie supérieure du marli, se subdivise lui-même en deux séries bien individualisées:

1. *Série A 1 à marli fin et étroit* (n° 1 à 18):

A) *Caractéristiques techniques:*

La dureté de la pâte est variable; elle est cependant le plus souvent dure ou même très dure avec des cassures nettes. Elle est toujours dense, non vacuolée et présente régulièrement un abondant dégraissant de mica extrêmement fin, parfois à peine visible ou même invisible. Au toucher elle est souvent rugueuse en raison de la présence d'un dégraissant de fines particules noires; les éléments calcaires broyés sont en revanche ici absents.

La couleur de la pâte peut varier entre le gris clair et le gris sombre, de nuance parfois jaunâtre. L'enduit est très adhérent et se distingue mal de la pâte; il est rarement uniforme et présente souvent des zones plus ou moins sombres. Sa couleur est un gris brun terne, parfois orangé, rarement gris clair.

B) *Formes et décors:*

— *Les vases à décor simple:*

Tous les récipients de ce groupe possèdent un marli fin et étroit, jamais repris à l'extérieur, d'une largeur en général comprise entre 19 et 25 mm. Ce marli peut être horizontal mais est le plus souvent incliné vers l'extérieur. Il est toujours décoré sur sa partie supérieure par les deux cannelures parallèles qui caractérisent ce groupe (50); leur écartement varie d'un plat à l'autre mais reste compris entre 10 et 13 mm (51).

Le diamètre de ces plats s'établit le plus souvent autour de 25 ou 26 cm (52). Les parois sont fines et l'exécution d'ensemble soignée; de nombreux exemplaires conservent cependant des stries de tournassage à l'extérieur. Là encore deux vases complets, provenant tous deux de Mailhac, nous renseignent sur la forme complète des plats de cette série; la vasque est peu profonde et présente un profil nettement conique. Le fond annulaire bas a un diamètre compris entre 8 et 9 cm.

— *Les vases à décor mixte* (n° 18):

A côté des récipients dont les cannelures périphériques constituent le seul décor on rencontre trois exemplaires isolés qui associent le décor ondé aux cannelures.

---

50) Dans quelques cas isolés on note la présence de trois cannelures. Le sillon supplémentaire se place cependant toujours à la périphérie du marli.
51) La constance de cet écartement sur un même vase implique sans doute l'utilisation d'un instrument à deux dents.
52) Il reste toujours compris entre 22.5 et 26 cm.

Répartition du mobilier (fig. 5): Mailhac (25,1%), Sigean (11,9%), Montlaurès (14,3%), Carcassonne, Salles d'Aude, Ensérune (17,4%), Bessan (0,4%).

2) *Série A 2 à marli large* (fig. 4, n° 19 à 32):

A) *Caractéristiques techniques:*

A cet égard la série A 2 diffère sensiblement de la précédente. La pâte est ici moins dure, plus fine et non vacuolée; elle ne présente pas de mica visible à l'oeil nu à l'exception de quelques rares grains isolés. La pâte peut être soit beige jaunâtre, soit gris très clair de nuance blanchâtre. L'enduit est gris bleuté lorsque la pâte est grise et gris brun ou brun orangé lorsqu'elle est jaunâtre. La proportion élevée de vases jaunâtres (53) permet, comme dans l'Agadès, de se demander si nous sommes là en présence d'une technique de cuisson mal maîtrisée ou, au contraire, d'une production dont l'aspect jaunâtre était souhaité au départ.

B) *Formes et décors:*

— *Les vases à décor cannelé:*

Si cette série possède les deux cannelures concentriques qui sont l'une des marques distinctives du groupe A, la forme du marli est ici différente; il est plus large — entre 26 et 29 cm — et nettement plus épais; son façonnage est très sommaire, le potier se contentant le plus souvent d'un simple coup de tournassin sur le dessus du marli qui, de ce fait, est toujours plat. Le passage à la vasque est ainsi très adouci, à la différence de la série A 1 (54). Les marlis ne sont repris à l'extérieur par un coup de tournassin appliqué sur la tranche que dans le cas où le rebord obtenu à l'ébauche était trop large (55) (n° 20 et 30). Les cannelures sont là encore disposées à la périphérie et ont un écartement d'environ 18 mm.

Le diamètre de ces récipients est plus important que celui des plats de la série précédente; il dépasse toujours 27 cm et atteint 29 ou 30 cm dans quelques cas isolés. Les exemplaires complets que nous possédons révèlent que ces vases ont une vasque très peu profonde, leur hauteur n'excédant que rarement 6 à 7 cm. Les pieds annulaires sont bas et assez étroits.

— *Les vases à décor peint:*

Dans cette série très homogène il convient de ranger enfin un fragment isolé qui, à la place des cannelures, présente un décor ondé offrant la particularité d'être peint et non pas incisé. La technique et le façonnage le rattachent cependant indiscutablement aux céramiques grises monochromes et non pas aux céramiques à pâte claire, dites pseudo-ioniennes, auxquelles il emprunte cependant son décor peint.

Répartition du mobilier: Mailhac (31,7%), Olonzac.

Sa décoration originale fait de ce groupe A une production aisément identifiable. Si la très grande dispersion de la série A 1 (fig. 5) ne permet pas de localiser son atelier d'origine avec précision elle indique cependant clairement qu'il s'agit d'une production purement audoise, issue d'un atelier unique,

---

53) Les vases à enduit jaunâtre représentent, en effet, près de 60% des plats de cette série.
54) A cet égard comparer les n° 26 et 12 de la figure 4.
55) Le fait que les marlis repris à l'extérieur soient toujours légèrement plus étroits que la norme en est la meilleure preuve.

important, diffusant dans toute la vallée de l'Aude et dont le développement a limité l'expansion des séries agathoises vers le sud-ouest.

La datation de ce mobilier reste encore assez vague et nous devons, pour le moment, nous contenter de le placer dans la deuxième moitié du VIe ou la première moitié du Ve siècle. Seules des fouilles étendues dans les niveaux archaïques des *oppida* audois permettront de préciser ces quelques indications.

Le problème posé par le sous-groupe A 2 est différent. S'il présente en effet une très grande parenté avec la série précédente son aire de dispersion reste limitée au seul secteur Mailhac-Olonzac. Il s'agit de la production d'un atelier particulier — peut-être même d'un seul potier — qui a oeuvré dans la région de Mailhac. La poursuite de l'exploration des niveaux archaïques du Cayla de Mailhac devrait permettre de régler cette question.

II) Groupe B à enduit brun noirâtre terne (fig. 4, n° 33 à 63)

Ce groupe est bien moins homogène que le précédent au niveau du façonnage mais offre cependant une très grande uniformité des caractéristiques techniques qui permet, là encore, de l'isoler aisément des fabrications de l'Agadès.

A) *Caractéristiques techniques:*

La pâte est dure ou très dure, très rarement tendre, dense, non vacuolée et offre à la cassure un aspect irrégulier assez typique. Elle incorpore un abondant dégraissant de mica de petite taille, souvent même invisible à l'oeil nu; dans de nombreux cas on rencontre également des inclusions calcaires blanches. Cette pâte, d'une couleur uniformément gris bleuté plus ou moins sombre, est recouverte d'un enduit très adhérent, d'épaisseur variable, souvent appliqué de façon irrégulière; son aspect est terne et sa couleur brune, brun noirâtre ou noirâtre, exceptionnellement gris clair.

B) *Formes et décors:*

Au niveau de la forme on peut distinguer deux variantes B 1 et B 2, très proches, qui ne diffèrent en fait que par la présence ou l'absence de carène immédiatement sous le marli (56).

a) *Variante B 1 à vasque carénée* (n° 33 à 52):

La présence de la carène qui individualise ce sous-groupe est due à la technique de façonnage du marli dégagé par une application du tournassin sous le rebord très épais formé à l'ébauche. Cette opération, qui s'accompagne fréquemment d'un enlèvement de matière, provoque également l'inclinaison du marli vers l'intérieur (57). La faveur que connaît ce type de façonnage dans les ateliers audois est un des éléments les plus sûrs pour distinguer ces productions de celles de l'Agadès où cette technique n'est que rarement utilisée. La forme de marli qui en résulte est assez variable, les profils triangulaires très lourds sont les plus fréquents. La présence de nombreuses petites séries au façonnage identique et localisées à chaque fois sur un seul site pourrait être l'indice de l'existence de nombreux noyaux de fabrication dispersés.

---

56) On ne prendra pas en compte ici l'exemplaire d'Ensérune qui est équipé d'un pied haut et creux et qui appartient au même groupe. Cette forme hybride doit sans doute être considérée comme une concession au goût indigène.

57) A ce sujet voir les intéressantes remarques de Ch. ARCELIN sur le façonnage de ce type de vase, *La céramique grise archaïque, op. cit.*, pp. 117-119 (exemplaire dactylographié).

L'étroitesse des marlis est une autre caractéristique de ce groupe. On distingue à cet égard deux ensembles bien individualisés, l'un regroupant des marlis très étroits (nᵒ 47 à 50), très souvent repris à l'extérieur, d'une largeur comprise entre 14 et 17 mm et l'autre, des exemplaires légèrement plus larges de l'ordre de 20 à 23 mm. La série des petits marlis, très homogène, est particulièrement bien représentée au sud de l'Aude, notamment à Sigean et à Montlaurès où il faut peut-être chercher le lieu d'origine de ces productions (58).

Si le diamètre des plats à petit marli est remarquablement constant — il s'établit autour de 23 cm —, celui des grands plats est plus variable. Les parois sont en général épaisses et la vasque profonde.

Ces vases ne sont pratiquement jamais décorés. On ne peut guère signaler que quelques exemplaires isolés qui portent un sillon unique sur la périphérie interne de la partie supérieure du marli. Un seul exemplaire porte un décor de languettes rayonnantes peint en blanc sur le marli (59).

b) *Variante* B 2 *à vasque non carénée* (nᵒ 53 à 63):

A la différence de la précédente, la variante B 2 ne présente pas de carène. Dans un certain nombre de cas, en particulier sur de nombreux fragments en provenance du sud de l'Aude, la partie inférieure du marli n'est pas reprise et ce dernier conserve un profil nettement triangulaire où le passage à la vasque se fait par une légère incurvation, souvent à peine marquée (nᵒ 54 et 59). Ces vases doivent provenir du même atelier que la série carénée à petit marli.

D'autres, en revanche, à peu près exclusivement représentés au nord de l'Aude, correspondent à des plats à marli régulier, obtenu par simple reploiement à partir d'une ébauche dont les parois avaient dès le départ une épaisseur constante (nᵒ 57 à 58). L'inégale distribution de ces deux types de façonnage (60) confirme l'existence, déjà relevée à propos du groupe A, de plusieurs ateliers différents situés les uns au sud et les autres au nord de l'Aude. Tous les vases de ce sous-groupe B 2, quelle qu'en soit l'origine, ont en commun leurs dimensions modestes avec des diamètres compris entre 20 et 25 cm. Les marlis sont là encore étroits. Comme précédemment, il est possible d'individualiser une série à petit marli (61 à 63).

Répartition du mobilier (61): Mailhac (31,7%), Sigean (67,2%), Montlaurès (71,4%), Olonzac, Villasavary, Ensérune (52,2%), Salles-d'Aude.

III) Le groupe C à décor ondé ou cannelé (fig. 4, nᵒ 64 à 73):

Les fragments réunis ici ne forment pas, à proprement parler, un groupe et seul le souci de simplifier l'exposé a présidé à leur rassemblement (62). Ce mobilier est, de toutes façons, trop peu abondant

---

58) Les plats à petit marli sont en effet proportionnellement plus nombreux au sud de l'Aude, à Sigean (33 % du groupe B), à Montlaurès (70 %) qu'à Mailhac (15,7 %).

59) Ce fragment provient de Mailhac, cf. O. TAFFANEL, *Les poteries grises...*, *loc. cit.*, p. 250, fig. 5, nᵒ 2.

60) La variante 1 à vasque carénée qui représente par rapport à la totalité du groupe B/84,4 % à Sigean ne représente plus que 50 % à Montlaurès et à peine 42 % à Mailhac.

61) Variante 1 et 2 confondues.

62) On notera cependant que même dans ce mobilier disparate le décor est régulièrement disposé à la périphérie du marli en laissant libre la partie centrale. Cette tendance au décor périphérique, qui était déjà une des marques du groupe A peut donc être considérée comme une des caractéristiques des plats décorés de l'aire audoise.

pour permettre un quelconque classement typologique général et nous nous bornerons à une simple présentation site par site. Son hétérogénéité est d'ailleurs encore accrue par les incertitudes qui pèsent sur son origine; si certaines séries appartiennent, en effet, indiscutablement aux ateliers audois, d'autres demeurent douteuses:

— Le site de Pech Maho à Sigean a ainsi livré un lot très homogène quoique peu abondant — 7 exemplaires au total (63) — de récipients à marli ondé issus sans doute des mains d'un même potier (n° 67 et 68). La pâte est dure, non micacée, souvent bicolore, avec un épiderme brun rougeâtre et une partie interne grise; l'enduit est brun noirâtre ou noir. Le façonnage est remarquablement uniforme mais souvent maladroit. Ces plats sont décorés d'une onde incisée à trois ou quatre sillons.

Quatre d'entre eux portent un double groupe d'ondes séparé par une plage lisse, particularité qui ne se rencontre nulle part ailleurs qu'à Pech Maho. Cette observation, ajoutée à celles qui ont été faites à propos du groupe B à marli étroit, semble donc confirmer l'existence d'un atelier à Pech Maho ou dans ses environs immédiats. A côté de ces quelques plats à décor ondé on peut signaler un exemplaire à décor cannelé, là encore très original à la fois par sa pâte et par son double groupe de cinq cannelures très fines (n° 72).

— A Mailhac, à côté des fragments attribuables à l'Agadès, on signalera trois autres tessons décorés, dont deux à décor ondé d'une technique très proche du type audois et un fragment très exceptionnel (n° 65) (64) associant les cannelures concentriques à un décor de languettes peintes, l'intérieur de la vasque étant lui-même orné d'une rosette de points peinte. L'origine de ce tesson ne peut être précisée. Il peut s'agir soit d'une production audoise, soit — hypothèse la plus vraisemblable — d'une importation.

— D'Ensérune proviennent quatre tessons à décor ondé, dont un bordé de cannelures, dont il est impossible de dire s'ils appartiennent aux ateliers audois ou agathois (n° 70 et 71). Il convient de signaler en outre un plat dont le marli porte un double groupe de cannelures très fines (n° 64) (65).

— L'*oppidum* de Montlaurès à Narbonne a livré trois fragments à décor de cannelures concentriques qui techniquement appartiennent tous au groupe B de l'Aude (n° 66 et 73). On peut mentionner en outre un tesson isolé portant une onde incisée bordée de cannelures et dont l'origine demeure indéterminée.

— Les deux sites de Taillesant et de Chambart à Ouveilhan ont fourni quatre fragments associant le décor ondé aux cannelures (n° 69). La technique de ces plats, à pâte gris clair, tendre, très fortement micacée, est proche du groupe C de l'Agadès, mais une origine proprement audoise ne peut être totalement exclue.

L'étude de ces plats décorés appelle deux remarques. La première concerne la rareté de l'onde incisée qui ne se rencontre que sur une part infime des plats en provenance des sites audois. A Pech Maho ils représentent à peine 11% et à Mailhac moins de 6,4%. Cette rareté, que l'on doit rapprocher de l'extraordinaire faveur que connaît ce type de décor dans l'Agadès (66), est un autre trait d'originalité de l'aire audoise qui a parfois fait dire, à tort, que le décor ondé était rare en Languedoc occidental. En réalité, il convient de bien distinguer désormais l'aire audoise, où il est effectivement rare, et la zone agathoise où il est, au contraire, abondant.

On notera, en revanche, que le décor à cannelures multiples est bien représenté dans les groupes audois.

---

63) Soit à peine 11% de la totalité du mobilier de ce site.
64) Sur ce fragment voir O. Taffanel, *Les poteries grises...*, *loc. cit.*, pp. 250-251, fig. 5, n° 1 et fig. 6, n° 2.
65) Ce tesson est identique par son décor et sa technique à celui de Pech-Maho. L'origine de ces deux fragments qui ne s'inscrivent dans aucune des séries audoises ou agathoises connues ne peut être précisée. Ils peuvent donc prendre rang parmi les rares exemplaires pour lesquels une importation de Grèce de l'Est est possible.
66) Plus de 45,3% de la totalité du mobilier recueilli à Bessan.

La thèse de Ch. Arcelin sur les céramiques grises monochromes de Provence et l'étude que j'ai moi-même consacrée aux plats à marli de type roussillonnais de *Ruscino* nous dispenseront de nous appesantir sur ces domaines. Nous nous contenterons donc, dans les deux cas, d'un bref rappel des résultats concernant le problème qui nous occupe ici.

I) Le domaine rhodano-provençal (67):

Le fait le plus frappant est l'extrême rareté des plats à marli à l'est du Rhône où 18 exemplaires seulement ont pu être dénombrés, soit à peine 0,4% de l'ensemble du mobilier considéré, alors que le Languedoc-Roussillon a livré plus d'un millier de vases de ce type. Ces deux chiffres illustrent à eux seuls, si besoin était, les différences considérables qui existent entre le faciès de la céramique grise monochrome de Provence et celle du Languedoc. En Provence deux ateliers seulement, sur les sept qui y ont été individualisés, fabriquent ce type de plat. Il s'agit des ateliers qui correspondent au groupe 2, que Ch. Arcelin situe dans la région de Marseille/St-Blaise (5 exemplaires à marli lisse et cannelures périphériques) et des ateliers qui correspondent au groupe 3, localisés essentiellement au nord de la Durance autour de Carpentras (11 vases à décor ondé souvent bordé de cannelures périphériques). Il convient enfin de signaler un fragment de plat du Castellan d'Istres qui, par sa pâte et son décor de cannelures multiples, se distingue très nettement des autres productions provençales (68). S'il est certain que ce vase n'a pas été fabriqué en Provence, son origine ne peut être à l'heure actuelle précisée; il peut en effet s'agir soit d'une véritable importation de Grèce de l'Est soit d'un vase provenant du Languedoc occidental, où ce type de décor est particulièrement fréquent.

La situation en Languedoc oriental correspond en tous points à celle de la Provence. Entre la région de Montpellier et le Rhône on ne peut en effet signaler qu'une dizaine de fragments de vases de ce type provenant de Castelnau-le-Lez (69), de La Liquière à Calvisson (70), de St-Gilles (71) et de St-Laurent-de-Carnols (72).

Cette rareté du mobilier rend son attribution difficile et seules des analyses chimico-physiques permettront de dire à quel groupe, languedocien ou provençal, il convient de rattacher les fragments de cette zone de contact (73).

II) Le Roussillon (fig. 6)

A ce jour, seuls deux sites de cette région, Elne/*Illiberis* et Château-Roussillon/*Ruscino*, ont livré des plats à marli en céramique grise monochrome d'époque archaïque. Dans le cas de *Ruscino*, il s'agit

67) Pour l'ensemble des problèmes du domaine rhodano-provençal nous renvoyons, bien sûr, à Ch. Arcelin, *La céramique grise archaïque en Provence*, Aix-en-Provence, 1975 (exemplaire dactylographié).

68) Ce fragment a déjà été signalé par F. Benoit, *Recherches sur l'hellénisation...*, *op. cit.*, p. 161 et pl. 34, n° 6.

69) Mobilier conservé à la Direction régionale des Antiquités. Renseignement J. C. M. Richard. Quelques plats ont été signalés par M. Py, *Problèmes de la céramique grecque d'Occident...*, pp. 170-171.

70) *Ibidem*, p. 173.

71) Fouilles inédites réalisées par M. Py et G. Sauzade.

72) Renseignement J. Charmasson.

73) Pour notre part nous nous bornerons à signaler ce mobilier en laissant à Ch. Arcelin le soin de l'étudier de façon plus complète.

d'un lot de plusieurs centaines de fragments qui a déjà fait l'objet d'une étude particulière dans le cadre d'un travail collectif consacré à ce site (74). A Elne, le mobilier dont nous pouvons disposer est bien moins abondant en raison de l'exiguïté des secteurs qui ont pu être fouillés. Dans les deux cas il s'agit cependant d'une même production aux caractéristiques identiques et originales.

A) *Caractéristiques techniques:*

La pâte, toujours dense, très dure, contient un abondant dégraissant de mica fin ou très fin; l'épiderme est de couleur gris sombre de nuance parfois brunâtre; la tranche a un aspect feuilleté, souvent bicolore, gris brunâtre ou gris clair. L'intérieur de la vasque et le marli sont polis, l'extérieur conservant d'abondantes traces de tournassage. Ce polissage donne à l'épiderme une couleur plus sombre qu'il ne faut cependant pas confondre avec la véritable couverte des productions du Languedoc occidental dont les séries roussillonnaises sont dépourvues.

B) *Formes et décors:*

Au niveau de la forme, les plats à marli des sites roussillonnais se répartissent en deux grandes séries:

a) *Les plats à vasque lisse* (fig. 6, nᵒ 1 à 13):

Ce sont les plus abondants. La forme est remarquablement constante avec des variations de dimensions réduites; il s'agit de récipients de grand diamètre, compris entre 26 et 31 cm dans près de 80% des cas. Les marlis sont en général étroits — entre 17 et 18 mm — et assez nettement inclinés vers l'extérieur; les marlis horizontaux sont plus rares. Tous sont percés de deux trous de suspension très rapprochés. Les parois sont souvent épaisses et irrégulières. Ces plats semblent en général équipés d'un pied annulaire massif, d'exécution médiocre, qui conserve d'abondantes stries de tournassage (75); leur diamètre varie peu et est compris entre 8,5 et 9,5 cm. La hauteur de ces vases est d'environ 8,5 cm. On notera avec intérêt l'absence, dans ce groupe, de tout marli décoré, qu'il s'agisse d'ondes ou de cannelures (76).

b) *Les plats à vasque cannelée* (fig. 6, nᵒ 14 à 16):

D'un point de vue technique ces plats appartiennent au même groupe que ceux de la série précédente; on y retrouve notamment la pâte bicolore brune et grise si caractéristique de ces productions. Au niveau de la forme ils s'en distinguent en revanche nettement par les cannelures concentriques qui ornent l'intérieur de la vasque et l'absence de pied annulaire. Ces cannelures sont toujours bien marquées et ne peuvent en aucun cas être confondues avec des traces de tournassage (77). La vasque est en

---

74) A. NICKELS, *Les plats à marli en céramique grise monochrome de type roussillonnais*, à paraître dans les Actes du colloque *Ruscino et le Roussillon antique*, supplément à la *R.A.N.*

75) Bien que les vases complets dont nous disposons soient très rares, l'étude d'ensemble du mobilier de *Ruscino* révèle que ces plats étaient le plus souvent équipés de pieds annulaires. Il convient toutefois de signaler que l'un des exemplaires conservés possède un fond plat et étroit.

76) Dans tout le Roussillon on ne peut guère signaler que deux fragments, décorés, l'un d'une onde unique et l'autre de cannelures. Leur lieu de provenance, basse vallée de l'Aude ou Catalogne espagnole, ne peut être précisée. Sur ces fragments, voir G. CLAUSTRES, *Stratigraphie de Ruscino, Etudes roussillonnaises*, 1951, fasc. 2, pp. 135-195.

77) F. BENOIT, *Recherches sur l'hellénisation...*, *op. cit.*, p. 288 et pl. 34, signale un plat à cannelures internes provenant de Mailhac. En fait il s'agit là de stries de tournassage liées à une maladresse d'exécution et non pas de véritables cannelures internes comme c'est le cas à *Ruscino*.

général plate, nettement moins hémisphérique que dans la série précédente. Les marlis sont plus étroits, souvent à peine dégagés. Là encore seul l'intérieur du vase est poli. De même, comme précédemment, on relève l'absence de toute couverte, la couleur plus sombre de l'épiderme étant à mettre sur le compte du seul polissage.

En l'absence de fouilles stratigraphiques précises, la chronologie de ces deux séries demeure incertaine. La datation dans le VIᵉ siècle qui a été proposée (78) s'accorde dans l'ensemble avec ce que nous savons de la chronologie de ce type de mobilier dans les autres zones de productions mais pourra certainement être précisée à l'occasion de nouvelles fouilles.

Répartition du mobilier: Château-Roussillon/*Ruscino* (99%), Elne (100%), Sigean.

Les plats à marli des sites roussillonnais sont intéressants à plus d'un titre. En premier lieu ils forment un groupe très original dont la diffusion semble à peu près limitée au seul Roussillon (79). Il n'est donc pas douteux que nous ayons bien affaire là à un atelier différent de ceux du Languedoc occidental. En l'absence d'une étude détaillée des séries de vases livrées par les sites de Catalogne espagnole, ses rapports avec les ateliers d'Ampurias ne peuvent être précisés (80). Le peu de mobilier qui est à notre disposition indique cependant clairement que nous sommes là en présence d'une production différente (81) dont l'origine doit très vraisemblablement être cherchée en Roussillon même.

La présence d'une série à cannelures internes, très proche des séries locales non tournées du Premier Age du Fer, soulève, quant à elle, le problème de la part des influences indigènes dans les productions du groupe roussillonnais. Il s'agit là d'une question délicate qui est loin d'être résolue. La grande rareté des formes purement grecques — oenochoè ou coupe de type B 2 —, la présence de plats à vasque cannelée, où l'influence indigène est indiscutable, l'absence de décoration du marli et la médiocre qualité des plats à vasque lisse indiquent cependant que ce groupe est sans doute l'un de ceux où l'influence indigène est la plus forte.

* * *

Grâce à l'abondance du mobilier dont nous avons pu disposer les objectifs que je me suis fixés pour ce travail ont pu être, dans l'ensemble, atteints. Il est en effet désormais possible de bien distinguer les ateliers ou groupes d'ateliers dont sont issus les plats à marli en céramique grise monochrome que l'on rencontre en si grande abondance sur les *oppida* archaïques du Languedoc-Roussillon (82). Cette recherche devra, bien sûr, être complétée par une étude détaillée de tout l'éventail des productions de chaque atelier. Les résultats acquis à partir de l'étude d'une seule forme, la plus représentée il est vrai, permettent cependant dès maintenant de disposer de quelques certitudes non négligeables. On peut en

78) G. CLAUSTRES, *Stratigraphie de Ruscino, loc. cit.*, pp. 140-168.

79) A l'extérieur de cette zone on ne peut guère signaler que quelques fragments isolés de Pech-Maho à Sigean mais dont l'attribution au groupe roussillonnais demeure incertaine.

80) Les quelques fragments isolés publiés par M. ALMAGRO, *Cerámica griega gris de los siglos VI y V a. de J.C. en Ampurias, R.E. Lig.*, 1949, 1-2, pp. 62-122 et fig. 44 et 48, ne sont pas suffisants pour se faire une idée des productions des sites de Catalogne espagnole.

81) Le mobilier exposé au musée d'Ullastret, formé dans sa très grande majorité de plats à décor mixte associant les cannelures au décor ondé, est différent des séries roussillonnaises et audoises et doit correspondre à la production d'un atelier local.

82) Un certain nombre de difficultés d'attribution subsistent toutefois dans le cas de site de contact entre deux groupes différents lorsque le matériel disponible est peu abondant.

effet considérer désormais comme définitivement acquise l'existence en Languedoc occidental et en Roussillon de trois grandes aires de production et de diffusion de la céramique grise monochrome (fig. 7): la première correspond au Roussillon, les deux autres, beaucoup plus importantes, aux basses vallées de l'Aude et de l'Hérault (83). Le développement de ces trois foyers bien individualisés pose quelques problèmes d'intérêt général qu'il convient d'aborder maintenant.

Le premier concerne l'origine même de cette céramique. La coexistence de faciès très différents confirme en effet indirectement, si besoin était, que l'ensemble de cette production est bien d'origine locale. On concevrait en effet mal l'existence d'importations qui auraient un caractère très spécifique dans chaque zone considérée. Il est, bien sûr, beaucoup plus logique de songer à des fabrications locales qui ont subi une évolution différente selon les régions et qui possèdent leur dynamisme propre.

Dans ces conditions, la part réelle prise par les importations dans la masse des céramiques grises du Languedoc ne peut être que très réduite. S'il fallait chercher à tout prix des importations, c'est donc dans le fond commun à tous les groupes qu'il conviendrait de les isoler. Ce fond commun est peu abondant mais comprend en particulier les plats à cannelures multiples et les plats à décor mixte associant les cannelures aux ondes. Si de surcroît l'on prend en compte les caractéristiques techniques et la position stratigraphique du mobilier, l'on s'aperçoit que seuls quelques tessons, moins d'une dizaine sur un millier de vases, sont susceptibles d'avoir été importés.

L'existence, désormais bien assurée, d'une abondante production locale, différente selon les zones considérées, est d'un grand intérêt. Elle peut en effet fournir de très précieux témoins des relations économiques régionales au cours de l'époque archaïque (84). Un examen de la répartition des divers groupes ou sous-groupes est à cet égard significatif. Dans la plupart des cas leur aire de diffusion est en effet modeste et l'impression générale est celle d'une prolifération de petits ateliers, destinés essentiellement à couvrir les besoins d'une clientèle locale. Seuls deux d'entre eux, qui correspondent au groupe A de l'Agadès et au groupe A de l'Aude, font l'objet d'un commerce à grande distance (fig. 2 et 5). Il s'agit là d'ateliers importants autour desquels gravitent des potiers sans doute assez nombreux qui travaillent cependant tous selon des techniques très voisines. Cette inégale diffusion est très vraisemblablement directement liée à la chronologie relative de ces divers centres de production.

Ce problème est l'un des plus délicats à aborder car nous ne disposons d'indications précises que pour l'Agadès où l'exploration de sites occupés exclusivement au premier Age du Fer — et donc peu remaniés à une époque récente — a permis de bien dater les diverses séries de plats. Dans cette ré-

---

83) Si, comme nous l'avons vu tout au long de ce travail, l'identification de la plupart des grands groupes — notamment tous ceux de l'Agadès —, ne pose plus aucun problème, certaines difficultés, mineures il est vrai, demeurent en ce qui concerne l'aire audoise. La première concerne la possibilité de l'existence au nord de l'Aude, dans la région d'Ensérune ou de Béziers, d'un atelier dont les productions seraient voisines de celles du groupe C de l'Agadès et auquel il conviendrait de rattacher les quelques fragments typologiquement proches de ce groupe, qui ont été recensés sur certains sites audois comme Olonzac, Ensérune, Salles d'Aude et Ouveilhan. Seul un accroissement considérable du mobilier disponible dans cette zone, à l'heure actuelle trop réduit, permettrait de régler cette question. En tout état de cause, compte-tenu de la répartition statistique du matériel, il ne pourrait s'agir que d'un atelier modeste. La deuxième difficulté concerne le groupe B audois qui semble rassembler un grand nombre de production ayant toutes un air de famille qui permet de les distinguer nettement des séries voisines de l'Agadès ou du Roussillon, mais qui sont issues d'unités de fabrications dispersées qui ne peuvent être bien individualisées. Là encore seul un accroissement considérable de mobilier disponible permettrait de régler ce problème et de mieux distinguer les diverses séries et leur diffusion.

84) Grâce à l'étude détaillée de la répartition de toutes les productions — et non seulement des plats — du groupe A de l'Agadès, il sera en particulier possible de mieux apprécier les rapports économiques qui lient l'établissement phocéen d'Agde à son arrière-pays. C'est à ce type de travail que nous nous proposons de nous consacrer désormais dans le cadre d'une recherche plus vaste portant sur l'ensemble des problèmes d'Agde et de son arrière-pays à l'époque archaïque.

gion on constate que l'atelier le plus ancien, celui qui correspond au groupe A, est celui qui exporte ses productions au plus loin. Inversement on note que les séries qui ne semblent connaître qu'une diffusion très locale sont souvent les plus récentes. Il semble donc que l'on retrouve là un schéma classique dans lequel, à partir d'un foyer d'origine commun, se développent de nombreux noyaux de productions différents, très dispersés, mais dont l'impact économique reste local (85). Pour les ateliers audois l'absence de données chronologiques précises, liée à une intense réoccupation tardive des sites, ne permet pas encore de bien cerner ces problèmes. Une évolution analogue à celle de l'Agadès est toutefois vraisemblable, comme semble d'ailleurs le confirmer l'étude de la répartition des sous-groupes A 1 et A 2. On peut en effet supposer que la série A 2 — techniquement la plus médiocre — n'est qu'une évolution locale récente ou parallèle du sous-groupe A 1. Il ne s'agit là, pour l'heure, que d'une hypothèse que l'exploration des niveaux archaïques des *oppida* audois devra confirmer.

Il conviendra enfin de préciser la chronologie des trois grandes aires de production, les unes par rapport aux autres. Si l'on connaît assez précisément la date de début des fabrications agathoises — deuxième quart du VIe siècle comme à Marseille —, celle des séries audoises et roussillonnaises reste à déterminer. Il serait en effet capital pour l'ensemble de l'étude de la colonisation grecque en Languedoc de savoir s'il y a, ou non, antériorité de certaines productions agathoises par rapport aux autres séries locales. La large diffusion et la très grande qualité d'ensemble des plats les plus anciens du groupe A de l'Agadès peuvent cependant, dès maintenant, être considérées comme un argument non négligeable en faveur de l'hypothèse d'une implantation des premiers ateliers du Languedoc occidental dans la région d'Agde.

ANDRÉ NICKELS

---

85) Des observations analogues ont été faites en Languedoc oriental, voir à ce sujet M. PY, *Problèmes de la céramique grecque d'Occident en Languedoc oriental...*, *loc. cit.*, pp. 175-180. Les fouilles de l'Agadès, dans l'ensemble très récentes et qui n'avaient donc pu être prises en considération dans ce travail, obligent à nuancer quelque peu les indications présentées pour le Languedoc occidental.

NOTE SUR LA NÉCROPOLE LANGUEDOCIENNE DE ST. JULIEN, PÉZENAS (HÉRAULT) ET SUR UN VASE OSSUAIRE, STAMNOÏDE, DE LA PREMIÈRE MOITIÉ DU VIe S. DE CETTE NÉCROPOLE

(Pl. CXIX)

La basse vallée de l'Hérault au VIe s. était caractérisée non seulement par la présence des premiers navigateurs grecs d'Agde (cf. J. J. JULLY, *Les importations attiques dans la Néapolis d'Ampurias du VIe s. au IVe s.*, *Revue belge de philologie et d'histoire*, LIV, 1976, 1, p. 25-51, notamment p. 25 pour Agde et la basse vallée de l'Hérault) mais aussi par des habitats indigènes. Agde, troisième cité phocéenne du bassin occidental de la Méditerranée et située à mi-chemin de Marseille et d'Emporion-Ampurias, contribuait à diffuser des céramiques tournées sur les habitats indigènes qui s'échelonnaient entre les embouchures deltaïques de l'Hérault et les coteaux de l'arrière-pays jusqu'à l'actuelle ville de Pézenas.

L'un d'entre eux était la place d'échanges de La Monédière à Bessan, à 6 km de ce qui était l'île d'Agde (cf. ID., *La céramique attique de La Monédière, Bessan, Hérault* (...), coll. Latomus, vol. 124, 1973, notamment p. 29 sq. et p. 282 sq.: sondages). A Pézenas, outre l'habitat de hauteur de St. Siméon, une nécropole à incinération est connue depuis 1963 (cf. J. GIRY, *La nécropole pré-romaine de Saint-Julien* (Cne de Pézenas, Hérault, RE Lig, XXXI (1-2) janvier-juin 1965 (1970), p. 117-235). Dans cette nécropole de la fin du premier âge du Fer languedocien les céramiques tournées sont abondantes mais voisinent souvent avec des poteries non tournées. Si l'on tente d'apprécier les proportions des diverses séries de céramiques tournées, qui sont représentées à St. Julien, on obtient, dans un ordre d'importance décroissante, le classement suivant:

1) céramiques grecques d'Occident, c'est-à-dire exemplaires imitant *à la fois* la technique, la forme et aussi, dans de nombreux cas, le décor des céramiques de la Méditerranée orientale: 290 exemplaires comprenant 181 exemplaires en terre qui n'est pas grise et 110 exemplaires en terre « monochrome grise »;

2) céramique commune étrusque d'époque archaïque: 108 exemplaires qui se répartissent ainsi: 73 amphores et 34 canthares (28 en *bucchero nero* et 6 en *bucchero* gris);

3) céramiques de la Grèce de l'Est: 53 exemplaires de technique fine cuits en cuisson oxydante (terre qui n'est pas grise);

4) céramique attique à figures noires: 34 exemplaires (1).

Parmi les formes gréco-orientales de technique fine il en est une qui, en Méditerranée occidentale, est exceptionnelle: c'est celle du vase stamnoïde à anses dressées sur l'épaule du type que certains auteurs de langue allemande appellent *amphoriskos mit Schulterhenkel*. Sept de ces vases ayant servi d'os-

---

1) Le nombre des exemplaires des diverses séries de céramiques correspond à l'état d'avancement de l'inventaire à la date où cette note a été rédigée.

uaire sont complets; deux autres sont fragmentaires. Pour ce qui est des vases complets nous avons affaire à cinq types formels et à quatre types décoratifs. De plus quatre de ces vases peuvent être groupés deux par deux à la fois pour ce qui se rapporte à la forme et au décor bien que de légères variantes, principalement ornementales, puissent être signalées dans chacune des deux paires. De plus, en ce qui concerne les caractéristiques techniques, chacun des vases considérés présente des particularités qui lui sont propres.

Si l'on se limite aux principales différences de forme et de décor, il est possible de proposer le groupement suivant:

1) caractéristiques formelles principales: 5 types:

a) 1 vase à col cylindroïde de diamètre assez faible et à corps ovoïde;

b) 2 vases à col cylindroïde de moyen diamètre et à corps sphéroïde;

c) 2 vases à col cylindroïde de grand diamètre et à corps sphéroïde;

d) e) 2 vases à col tronconique (diamètre plus grand à la partie inférieure qu'à la partie supérieure) et à corps sphéroïde mais l'un de ces vases présente un bord en collerette qui le met à part;

2) caractéristiques décoratives: 4 types:

a) 1 vase avec, sur l'épaule, un « losange » ponctué en position médiane par rapport à une double « moustache » ou parenthèse et avec une grande croix sous une anse;

b) 2 vases avec, sur l'épaule, une stylisation plus ou moins schématisée d'un décor floral — fleur de lotus (?), qui, dans un cas, est devenue « arc ogif »;

c) 2 vases avec une ligne ondée régulière sur le col et une boucle ovale autour de l'attache des anses;

d) 1 vase avec, sur l'épaule, un groupe de trois traits verticaux en position médiane et délimitant, par rapport aux anses, un double espace métopal puis montrant, au-dessus et de part et d'autre des anses, une large moustache du type *Hängelocken*.

Les différences de technique entre ces vases stamnoïdes ne consistent pas seulement en une différence de couleur à la cassure bien que les variations de couleur en question aillent du gris très pâle ou blanc gris au brun rose ou bien du brun pâle au jaune très pâle. Quatre de ces vases ont une terre dure, trois autres une terre assez tendre. Tous présentent du mica mais trois d'entre eux en ont peu. Celui qui est dépourvu de décor est caractérisé par un dégraissant blanchâtre. Les variations de nuance de la peinture sont moins importantes puisqu'elles ont dépendu de circonstances de cuisson parfois accidentelles; toutefois il faut remarquer que la teinte du décor de chacun des vases considérés est à chaque fois différente et varie du brun rouge vif au brun gris noir mat. Le vase stamnoïde dépourvu de décor et en terre brun rouge est caractérisé par une forme imitée d'un prototype métallique et par une surface externe recouverte d'un enduit uniforme gris olive foncé; les méplats de son corps témoignent d'un façonnage à l'estèque. (2)

A ces exemplaires en technique fine il faut ajouter un exemplaire en terre « monochrome grise » à corps ovoïde et qui possède des caractéristiques attribuables à une imitation « locale »: fig. 1, *a, b* (J. GIRY, *op. cit.*, p. 120, fig. 3).

La manière la moins inexacte d'apprécier l'importance de la présence de ces vases-ossuaires de forme stamnoïde en Méditerranée occidentale dans une nécropole indigène voisine des rives du Golfe

---

2) Sur ces vases stamnoïdes voir notre récente étude dans les *Monuments Piot*, 61. 1977, p. 1 sq.

du Lion est peut-être de mentionner les associations de documents qui peuvent contribuer à jeter quelque lumière sur la datation des débuts du commerce de troc des navigateurs dans cette région du Languedoc méditerranéen.

En effet certaines céramiques et certains objets en métal qui vont de pair avec six de ces ossuaires offrent de précieuses indications: quatre vases stamnoïdes sur six se trouvaient associés à des armes — 2 «.fers de lance» par sépulture et, dans un seul cas, une longue épée en fer à antennes anguleuses, garde enveloppant la lame et mesurant 96 cm, type, semble-t-il, de fabrication régionale; ou bien à des éléments d'armure — dans quatre sépultures fragments de cnémide ou bien de tôle de bronze ayant pu appartenir à une cuirasse de parade. Dans une sépulture il y avait une râpe de bronze de type étrusque (cf. *Etruskernas Konst och Kultur*, Stockholm, 17 janvier-5 mars 1967, p. 40, no 79). Le *simpulum*, fréquent en Etrurie, (cf. G. M. A. RICHTER, *Greek, Etruscan and Roman Bronzes*, 1915, p. 234 et *Ny Carlsberg Glyptothek, Bildertafeln des Etruskischen Museums*, 1928, p. 87, 88 puis exemplaire no 24.610 à Rome, au Musée de la Villa Giulia) se trouve dans la sépulture du vase stamnoïde à espace métopal et dans une des deux sépultures à vase stamnoïde avec ligne ondée, en contexte, dans ce dernier cas, avec une agrafe de ceinturon en bronze. Le vase stamnoïde orné d'une double moustache était associé à un *kalathiskos* en terre brun très pâle, très tendre et micacée avec un décor brun rouge; or cette forme est proche de celle du *kalathos* protocorinthien (cf. *Perachora*, II, 1962, pl. 35/780, 781, 796) et analogue à celle d'exemplaires non corinthiens du début du VIe s. ou de la première moitié de ce siècle (cf., par exemple, J. BOARDMAN, *Greek Emporio*, 1967, p. 163, fig. 110/774, 777). L'ossuaire dépourvu de décor était en association non seulement avec une oenochoè à embouchure trilobée et décor de rosettes de points sur l'épaule mais aussi avec un canthare étrusque en *bucchero nero* présentant un décor surajouté — peint (?) — de chevrons sur la vasque à l'extérieur puis, sur la face interne des anses, un long filet à l'extrémité duquel pendait un triangle isocèle, pointe en bas. Le vase stamnoïde avec l'ornement à espace métopal était également associé à un canthare étrusque en *bucchero nero*.

Pour ce qui est de la forme du vase stamnoïde tel qu'il est représenté dans la nécropole languedocienne de St. Julien les rapprochements possibles avec des formes entières en Méditerranée orientale ne sont pas — semble-t-il — nombreux: en effet les vases stamnoïdes — connus — en provenance de gisements d'Anatolie occidentale — Myrina (cf. E. POTTIER, *Vases antiques du Louvre*, I, 1897, p. 27, no B 561), Pitané/Çandarli (cf. H. METZGER, *Anatolie II*, 1969, pl. 61, 62) — appartiennent à un type différent, à col évasé; deux vases cependant en provenance d'Eolide et de Larisa/Hermos (cf. J. BOEHLAU, K. SCHEFOLD, *Larisa-am-Hermos*, III, 1942, p. 125, fig. 50/1 et p. 158, fig. 66/3) ne sont pas très différents des exemplaires de St. Julien. Toutefois les comparaisons les moins insatisfaisantes nous paraissent être à Chypre (cf. *SCE*, IV/2, fig. XXXI/9) et à Gela (cf. *Mon. Antichi Lincei*, 17, 1906, colonne 196, fig. 151, Borgo, sépulture). Il faut ajouter que des fragments de large col à ligne ondée appartenant à cette forme de vase existent en Macédoine (aimable renseignement de Mme K. Rhomiopoulou).

Les rapprochements significatifs pour le décor sont également peu nombreux: on trouve la double moustache à Istros dans les niveaux archaïques (cf. *Histria*, II, 1966, p. 467, fig. 35/638, 639) et dans le sud de la Russie à Nymphaeum près de Panticapée (cf. *Archaeological Reports for* 1962-1963, p. 48, fig. 33 rang supérieur à droite); ce type de décor paraît ne pas pouvoir être plus récent que le premier tiers du VIe s.; quant à la ligne ondée régulière sur le col de deux exemplaires il s'agit d'un type qui est antérieur au 2ème quart du VIe s. (J. M. Cook).

Enfin il n'est peut-être pas sans intérêt de rappeler que dans deux sépultures les vases non tournés étaient nombreux (7 dans un cas, 9 dans l'autre).

Les remarques qui viennent d'être faites semblent permettre de proposer à la fois des limites chronologiques et des hypothèses sinon d'origine des vases du moins des hypothèses concernant les navigateurs qui ont apporté en Méditerranée occidentale ces vases ou bien qui, dans une cité grecque d'Occident, ont su en recréer parfaitement la forme. D'une part les vases stamnoïdes en question sont data-

270

bles de la première moitié du VIᵉ s. et même, dans deux cas au moins, du 1er quart de ce siècle, d'autre part les associations de documents, dans d'assez nombreux cas, laissent supposer un commerce étrusque encore actif. Cependant en concurrence avec les navigateurs étrusques initiateurs, en Languedoc méditerranéen, du commerce du vin avec des barbares à société hiérarchisée, guerrière, d'autres navigateurs — Grecs ceux-là — sont responsables d'apports nouveaux.

Que la plupart de ces Grecs aient été, comme à Marseille et à Ampurias, des Phocéens, cela n'est pas douteux. Mais ne peut-on pas penser aussi que la forme et les décors des vases stamnoïdes de la nécropole de St. Julien — forme et décors de type archaïsant — sont en faveur d'une attribution sinon à des ateliers « périphériques », à des ateliers des îles grecques, du moins aux premières sorties de four de céramistes émigrés en Occident et qui provenaient justement de ces îles ?

J. J. JULLY

LES DERNIÈRES LEÇONS DE LA CORSE

Pour sa petite part, la Corse justifierait pleinement ce colloque, car elle pose tous les problèmes dénombrés par Georges Vallet, sur les importations en Occident des céramiques orientales, sur les agents de diffusion, sur les imitations et tous les problèmes de chronologie, avec d'autant plus d'acuité que c'est une île, encore plus que la Sardaigne, ouverte à tous les courants grecs et aux courants étrusques et puniques. Aussi est-ce à une complexité de plus en plus grande que nous nous heurtons aujourd'hui lorsque nous proposons de faire le point sur les sites, sur les habitants, sur les courants culturels et la tradition historique.

Le site d'Aléria est bien connu désormais: une acropole dominant l'estuaire du Rhotanos (Tavignano) et une vaste baie aujourd'hui ensablée se découpant en deux ports. A l'ouest de cette acropole étirée en trois lobes du nord au sud s'étend la plaine orientale, propre aux cultures intensives et ouvrant sur la montagne intérieure traditionnellement riche en bois et en mines de cuivre, de fer et d'argent. Malheureusement le site d'Aléria n'est pas fourni en pierres de taille et l'on n'a mis au jour aucun appareil archaïque, sinon un rempart de briques crues sur la butte méridionale. Mais la Corse ne se ramène pas à la seule Aléria, qui au IIIᵉ siècle n'en est que « la ville la plus puissante » d'après Zonaras. « Riche en bons ports », selon Diodore, ce paradis des pirates au coeur des communications antiques fait aujourd'hui l'objet de recherches systématiques et fournit déjà sur tout son pourtour des perles porcelainiques et un mobilier de bronze et de fer du premier Age du Fer, à défaut de céramiques importées.

Selon une triple tradition, les indigènes ont une origine ibère (Sénèque), ligure (Salluste, Solin, Isidore), libyenne (Pausanias). Callimaque est seul à appeler Kurnos « la Phénicienne ». En tout cas, grâce aux Puniques dont on retrouve la verroterie par toute l'île, grâce aux Etrusques qui ont apporté le bronze (fibules à *navicella* du Cap Corse et de Sagone sur la côte occidentale), grâce aux Grecs (Cumains? Phocéens?), ces indigènes à la fois pasteurs, chasseurs, cultivateurs, à la fois nomades et sédentaires, dont Diodore vante l'étonnant « esprit de justice », semblent, dès le début du VIᵉ siècle au moins, posséder la maîtrise du fer et du bronze (fibule à pied en spatule de bronze et de fer dite « corse », éléments de casques). L'Age du Fer qui se présentait surtout comme une perduration de l'Age du Bronze connait sûrement alors — et peut-être comme en Sardaigne dès le début du VIIᵉ siècle — une transformation profonde qui doit être un écho du premier courant de colonisation grecque.

Telle semble l'origine des légendes rattachant étroitement Kurnos au monde oriental, et vivantes jusque chez un antiquaire comme Callimaque dans ses Hymnes à Artémis et à Délos. On distingue un courant crétois (chypriote? rhodien?) qu'illustre Rhadamante d'après Diodore; un courant phocéen avec Ulysse et Enée; un courant gréco-étrusque, avec Artémis; un courant gréco-phénicien, avec Héraklès. Nous insistons davantage aujourd'hui sur un passage de Diodore présentant Alexandre en nouvel Héraklès désireux après sa victoire sur l'Espagne punique de consacrer « en Kurnos » un grand temple à Athéna. Et les Romains au cours de la difficile conquête de la Corse au IIᵉ siècle élèveront un temple à Juno Moneta en signe de reconnaissance; était-ce une divinité insulaire analogue à une Tanit oraculaire?

272

N'insistons pas sur les ambiguïtés de la tradition historique: les Etrusques, « au temps de leur thalassocratie et de leur main-mise sur les îles (Elbe ?...), imposent aux Corses le tribut de résineux, de bois, de cire, de miel (et d'esclaves) que réclameront à leur suite les Romains; et Antiochos fait conduire par Creontiadès les Phocéens à Alalia avant de fonder Marseille. Mais la relecture d'Hérodote et du fameux passage sur « la victoire à la Cadméenne » (I, 166) invite à distinguer trois états successifs. D'abord un simple comptoir, directement en liaison, et en liaison pacifique, avec les indigènes. Or les récentes découvertes ont permis de repérer sur l'acropole même un habitat dense depuis le néolithique ancien, perdurant à l'Age du Bronze et au premier Age du Fer. Nous avons en particulier, au centre du rebord occidental de l'acropole, un habitat de l'Age du Fer antérieur aux importations, et ce sont ces indigènes, — très probablement les *Korsoi* en leur langue, et les *Kurnioi* pour les Grecs —, avec lesquels les Phocéens entreront « pendant vingt ans » en contacts suivis. Quel était le fruit de ces contacts? Assurément la liaison avec l'intérieur de l'île, l'utilisation de ses mines, de ses bois, une certaine agriculture, la viande, à quoi s'ajoutaient les pêcheries et salaisons, saumures. Vient alors le second temps, celui de l'arrivée en masse de « près de la moitié » des Phocéens. L'assiette politico-sociale en est radicalement changée; les indigènes, qui ne sont plus une menace potentielle par l'inégalité numérique, doivent être évincés, spoliés, sans doute asservis; la plaine s'ouvre aux cultures intensives et l'équilibre insulaire traditionnel de transhumance, installant bêtes et gens l'hiver à la « plage », au printemps dans « les bourgs » à 400/800 m d'altitude, en été aux alpages, est désormais rompu. D'où une réaction insulaire latente, qui probablement éclate après « la victoire à la Cadméenne ». Et cette réaction nous semble avoir été plus déterminante que la coalition étrusco-punique pour le départ des Phocéens. Notons qu'à Vélia leur premier souci sera d'élever un imposant rempart face à l'intérieur des terres, alors que le site était déjà naturellement bien mieux défendu que celui d'Aléria.

Reste enfin le troisième temps. Après le départ de « la Métropole », est-il resté un simple comptoir phocéen? Les Etrusques ont-ils fondé alors, selon le dire de Diodore, leur ville de *Nikaia* sur le même territoire? Faut-il croire à une installation punique? Enfin les indigènes éveillés depuis au moins 25 ans à des techniques nouvelles, une culture beaucoup plus large, n'ont-ils pas récupéré pour leur compte une position aussi favorable?

L'apport archéologique de ces dernières années ne permet aucune réponse catégorique. La nécropole phocéenne du VIᵉ siècle n'a pas encore été retrouvée et la nécropole préromaine aujourd'hui riche de 170 tombes ne commence qu'en 490-480 av. J.-C. D'autre part l'habitat archaïque est mal connu. L'on sait seulement que les constructions étaient en briques crues. Les premiers sondages ont dans ces conditions révélé essentiellement de la vaisselle courante: céramique grise de Larissa sans décor (assiettes et bols surtout), céramique à bandes rouges peintes de Milet, amphores ioniennes, dont une amphore à la brosse, quelques fragments de céramique fine: style de « Vroulia », attique, rares fragments de coupes ioniennes, exceptionnellement du corinthien. Bref aucune belle pièce. Une stratigraphie menée à l'est du Forum romain a confirmé ces données en comblant le vide entre l'époque 560-540 et 480. Mais ici encore les renseignements quoique prometteurs nous laissent sur notre faim: les importations semblent plus fines: céramique attique notamment (coupes des Petits Maîtres). En revanche la céramique ordinaire, bien tournée, est certainement locale. Chose curieuse, on ne possède qu'un seul et minuscule fragment de bucchero (canthare à décor en éventail), cependant qu'une céramique grise olivâtre (plats à marli convexe), assez proche des céramiques d'Espagne, semble plutôt de caractère punique.

Ainsi peut-on provisoirement conclure sur une certaine originalité. Nous ignorons tout des importateurs au VIᵉ siècle, mais la thèse de G. Vallet sur les cités chalcidiennes nous paraît toujours solide, si l'on y ajoute un certain relais étrusque et probablement punique. Reste une cité florissante, ouverte à tous les courants, mais bien ancrée dans l'île, dont on espère cerner davantage la personnalité.

JEAN JEHASSE

LES CÉRAMIQUES PEINTES DE LA GRÈCE DE L'EST ET LEURS IMITATIONS DANS LA PÉNINSULE IBÉRIQUE: RECHERCHES PRÉLIMINAIRES

(Pl. CXX–CXXXV)

Selon les sources littéraires, les navigateurs grecs auraient connu très tôt les côtes de la Péninsule Ibérique. Peu nombreuses, souvent contradictoires et difficiles à interpréter, elles font état d'un commerce rhodien qui se situerait au IXème siècle, de voyages de Phocéens et de Samiens (l'ordre n'est pas établi) et finalement de l'établissement de colonies dont deux seulement ont pu être localisées.

Bien que les découvertes de documents archéologiques antérieurs au VIème siècle augmentent chaque année, ils restent peu nombreux. Les céramiques grecques ne sont vraiment abondantes qu'à par-

---

Agora XII.	B. A. SPARKES-L. TALCOTT, *The Athenian Agora XII, Black and plain pottery,* 1970.
A.M.	*Athenische Mitteilungen.*
Amp.	*Ampurias.*
A.E. Arq.	*Archivo Español de Arqueología.*
J. P. MOREL, *B.C.H.*, 99.	J. P. MOREL, *L'expansion phocéenne en Occident: dix années de recherches* (1966-1975), *Bulletin de Correspondance Hellénique,* 99, 1975, p. 853-896.
E.A.E.	*Excavaciones Arqueológicas en España.*
Ist. M.	*Istambuler Mitteilungen.*
M.M.	*Madrider Mitteilungen.*
F. VILLARD, *Marseille.*	F. VILLARD, *La céramique grecque de Marseille. Essai d'histoire économique,* Paris, 1960.
Mégara, 2.	G. VALLET et F. VILLARD, *Mégara Hyblaea, 2. La céramique archaïque,* Paris, 1964.
N.S.A.	*Notizie degli Scavi di Antichità.*
P..LA.V.	*Papeles del laboratorio de Arqueología de Valencia.*
P.P.	*La Parola del Passato.*
R.A. Narb.	*Revue Archéologique de Narbonnaise.*
R.S.L.	*Rivista di Studi Liguri.*
R.I.E.A.	*Revista del Instituto de Estudios Alicantinos.*
Symp. Col.	*Symposio de Colonizaciones, Barcelona-Ampurias,* 1971 (1974).
Sukas, II.	G. PLOUG, *Sukas, II, The Aegean, Corinthian and Eastern Greek Pottery and Terracottas,* Copenhague, 1973.
Tarsus, III.	H. GOLDMANN, *Excavations at Güzlükule, Tarsus,* t. III, *The Iron Age,* Princeton, 1963.
Tocra, I et II.	J. BOARDMAN, J. HAYES, *Excavations at Tocra,* I et II, London, 1966-73.
Trias.	GLORIA TRIAS DE ARRIBAS, *Cerámicas griegas de la Peninsula Ibérica,* Valencia,
Vallet-Villard, 1955.	G. VALLET, F. VILLARD, *Lampes du VIIème siècle et chronologie des coupes ioniennes,* M.E.F.R., 1955.

Nous tenons ici à remercier toutes les personnes qui nous ont permis de réunir cette documentation: A. Arribas Palau (Grenade), E. Llobregat (Alicante), M. Llongueras (Barcelone), A. Martin (Gérone), H. G. Niemeyer (Cologne), E. Ripoll Perello (Barcelone), E. Sanmarti (Barcelone), H. Schubart (Madrid).

274

tir du VIème siècle et parmi elles, les céramiques de Grèce de l'Est occupent une place importante surtout en Catalogne, mais ne sont absentes ni en Andalousie, ni sur la côte du Levant. Dans l'état actuel de nos recherches, ces dernières ne semblent avoir été l'objet d'imitations qu'en Catalogne. Leur étude s'avère indispensable pour tenter de décrypter les maigres sources dont nous disposons, sans pour autant permettre de trouver une solution au délicat problème de la localisation des colonies phocéennes du Levant et d'Andalousie.

I) LES IMPORTATIONS GRECQUES ANTÉRIEURES AU VIÈME SIÈCLE: LES DERNIÈRES DÉCOUVERTES

En Andalousie a été mis au jour un certain nombre d'objets grecs du VIIIème et du VIIème siècle. La plupart ont été trouvés dans un contexte phénicien. Nous ne présentons ici que les objets antérieurs au VIème siècle (1).

A Huelva un fragment de cratère attique de style Géométrique Moyen (2) et un fragment d'aryballe de style Corinthien Moyen (3) découverts ces dernières années s'ajoutent aux fragments d'amphores « SOS » et à l'oenochoè de « type » rhodien provenant de la nécropole de La Joya (4).

A Toscanos, chaque campagne de fouille livre quelques nouveaux objets grecs: fragments d'amphores « SOS », d'amphores ioniennes, fragments de bols rhodiens à oiseaux, fragments de skyphos protocorinthiens. (5). Les deux skyphos protocorinthiens d'Almuñecar sont déjà bien connus (6). De la factorie phénicienne de l'embouchure du Rio Guadalhorce provient aussi un fragment d'amphore « SOS » (7).

Au VIIème siècle, outre les coupes étudiées dans le chapitre II, les importations de céramiques de Grèce de l'Est sont rares dans cette zone: seulement des amphores (8) et les bols rhodiens. De plus, aucune importation grecque n'a, semble-t-il, donné lieu à des imitations. Qui transportait ces objets, quel était l'itinéraire suivi, qui en faisait le commerce? Nous ne disposons d'aucun élément pour préciser si le transporteur était rhodien, samien ou phocéen, d'aucun argument pour dire si le commerce se faisait directement ou non (9).

Cependant, un *consensus* s'est établi aujourd'hui parmi les archéologues travaillant sur la Péninsule Ibérique pour affirmer que le commerce d'objets grecs était indirect; cette attitude s'appuie sur l'abondance des objets d'origine phénicienne trouvés dans des comptoirs établis dès la fin du VIIIème

---

1) Plusieurs travaux permettent de connaître les découvertes anciennes: A. GARCIA Y BELLIDO, *Hispania Graeca*, Barcelona, 1948; J. P. MOREL, *Les Phocéens en Occident: Certitudes et hypothèses*, P.P., 1966, en particulier pages 382-395; voir aussi J. P. MOREL, *B.C.H.*, 99, en particulier pages 885-892.

2) Voir P. ROUILLARD, *Fragmentos griegos de estilo geométrico y de estilo arcáico en Huelva*, in *Huelva Arqueológica*, III (sous presse).

3) *Ibidem*. Fragment découvert dans le port de Huelva. Photographie publiée dans *Huelva, Prehistoria y Antiguedad*, 1975, Pl. 204.

4) J. P. GARRIDO ROIZ, *Excavaciones en la Necrópolis de « La Joya »*, Huelva, E.A.E., 71, 1970, p. 23 et suivantes.

5) Des abondants travaux publiés par l'Institut Archéologique de Madrid, retenons: H. G. NIEMEYER, H. SCHUBART, *Toscanos*, 1964, *Madrider Forschungen*, 6, 1, 1969. H. G. NIEMEYER, *Zwei ostgriechischen Schalen von Toscanos*, A.E. Arq. 44, 1971, p. 152-156. J. DE HOZ BRAVO, *Un grafito griego de Toscanos y la exportación de aceite Ateniense en el siglo VII*, M.M., 11, 1970, p. 102-109.

6) M. PELLICER CATALAN, *Ein altpunisches Gräberfeld bei Almuñecar*, M.M., 4, 1963, Pl. 2 et 3.

7) A. ARRIBAS Y O. ARTEAGA, *El yacimiento fenicio de la desembocadura del Rio Guadalhorce (Malaga)*, Un. de Granada, 1975, p. 86 et note 6, p. 91 (*infra* désigné *Arribas-Arteaga*).

8) Publication en cours par l'Institut Archéologique Allemand de Madrid.

9) Le seul graffite trouvé sur un vase grec est grec: cf. J. DE HOZ BRAVO, *op. cit.*

siècle (10), si profondément marqués par le monde phénicien qu'on peut parler de comptoirs « phéniciens de l'Ouest » (11).

Aussi, quand, évoquant le voyage de Colaios, Hérodote parle (IV, 152) à propos de Tartessos, d'emporion ἀκήρατον, ignore-t-il ces comptoirs phéniciens dont l'artisanat était si florissant que des peignes d'ivoire de la Basse Andalousie ont été découverts à Samos (12). Dans le Levant et en Catalogne aucun objet grec antérieur au VIème siècle n'a été découvert à ce jour.

II) LES CÉRAMIQUES PEINTES DE LA GRÈCE DE L'EST ET LEURS IMITATIONS À PARTIR DU VIÈME SIÈCLE

L'étude de ces céramiques se heurte, en ce qui concerne la Péninsule Ibérique, à un certain nombre de difficultés: tout d'abord nous disposons d'un nombre insuffisant de fouilles stratigraphiques, et, le plus souvent, les fragments ont été trouvés hors stratigraphie (c'est le cas de la plupart des fragments du Guadalhorce, de Toscanos, de Tossal de Manises, de Cabezo Lucero et de certains d'Ampurias).

De plus, distinguer produits importés (d'où précisément) et produits coloniaux présente des difficultés bien connues de tous.

Dans ces conditions, dater les produits coloniaux devient dans bien des cas une gageure. Aussi l'essentiel de notre tâche consistera-t-il à proposer des descriptions précises de ces produits.

Trois zones ont été touchées — à des degrés très différents — par les importations de céramique de la Grèce de l'Est: la côte Sud de l'Espagne, le Levant, la Catalogne.

Les céramiques importées de la Grèce de l'Est sont presque uniquement de type à vernis noir et à bandes. Les céramiques orientalisantes ou à figures noires (13) sont à peu près absentes.

Les imitations de céramiques peintes de la Grèce de l'Est ne se rencontrent qu'en Catalogne.

Les abondantes céramiques grises importées et (ou) coloniales ne sont pas étudiées ici (14).

A) ANDALOUSIE

En Andalousie des céramiques de Grèce de l'Est ont été mises au jour dans la factorie phénicienne du Rio Guadalhorce et dans celle de Toscanos. Il s'agit essentiellement de coupes à vernis noir.

1) *Rio Guadalhorce* (15):

Les fragments de coupes à vernis noir appartiennent à divers groupes.

Coupes de type A 2 (16)

— Fragment de bord (fig. 1, 1): pâte brun beige, claire, fine, finement micacée; filets noirs sur

10) M. E. AUBET, G. MAAS-LINDEMANN, H. SCHUBART, *Chorreras*, M.M., 16, 19,5, p. 137-178.
11) G. LINDEMANN, H. G. NIEMEYER, H. SCHUBART, *Toscanos Jardin und Alarcon*, M.M., 13, 1972, p. 125, note 3.
12) B. FREYER SCHAUENBURG, *Kolaios und die Westphönizischen Elfenbeine*, M.M., 7, 1966, p. 89-108. Sur cette question, il faut rappeler le scepticisme de U. TÄCKOLN, *Neue Studien zum Tarsis-Tartessos Problem*, O. R., X, 3, p. 41-57.
13) Vases à figures noires: bols rhodiens de Toscanos (H. G. NIEMEYER, *op. cit.*, note 5) et du Rio Guadalhorce.
14) La céramique grise trouvée en Andalousie doit être plutôt rattachée au monde phénicien (pour les formes).
15) Sur ce site, voir le livre d'A. Arribas et O. Arteaga, cité note 7.
16) Nous utiliserons dans la plupart des cas le classement établi par *Vallet et Villard*, 1955, complété par *Mégara*, 2, *Sukas*, II, et *Tocra*, I et II.

la lèvre externe; intérieur noir, sauf filet au haut de la lèvre. Ce fragment pourrait être d'origine sa-mienne (17); 620-600 avt. J.-C.

— Fragment de haut de panse (fig. 1, 2): mêmes caractéristiques que le vase précédent (18).

Coupes de type B 1

— Pied (fig. 1, 3): bas, large, conique; pâte brun clair, fine, dure, avec quelques vacuoles, fi-nement micacée, dégraissant blanc; vernis brun (19).

Coupes de type B 2

— Plusieurs fragments de pied (fig. 1, 4) et de bords (fig. 1, 5 et 6): pâte beige clair, légèrement rosée, fine, dure, compacte; vernis brun noir (20).

Bol rhodien

— Fragment de panse (Fig. 1, 7): pâte fine, dure, beige clair, dégraissant brun clair; surface lis-sée; à l'intérieur, vernis brun orangé pâle; à l'extérieur, quelques traits verticaux. Ce fragment ap-partient à un bol du type III défini par Vallet et Villard (21).

Tous ces fragments, sauf le pied (fig. 1, 4), ont été trouvés hors stratigraphie. Ces importations se situent entre 625 et 550-540.

2) *Toscanos:*

De Toscanos, hors stratigraphie, provient un fragment de coupe dont le type est impossible à pré-ciser (22). L'usure du fragment ne permet pas de savoir s'il y avait une lèvre ou non.

B) LE LEVANT

Jusqu'à ce jour, la côte du Levant, où les textes antiques situent les fondations phocéennes de Hémé-roskopeion, Alonis et Akra Leuké, n'avait jamais livré de fragments grecs archaïques (23). Or j'ai trouvé récemment quelques fragments archaïques, ioniens et attiques, dans cette région.

1) *Tossal de Manises:*

De ce site indigène provient un fragment de coupe à vernis noir de type B 2 (fig. 2, 1). Ce frag-ment a brûlé et la pâte dure est devenue gris beige; vernis noir à reflets métalliques; réservés: filet au haut de la lèvre interne, et bande à la hauteur des anses.

---

17) *Arribas-Arteaga* n° 26, Pl. VIII, p. 85. Voir *Tocra*, I, p. 121 et 124, fig. 55, n° 1299; M. A. HANFMANN, *On some eastern greek wares found at Tarsus*, *Studies presented to Hetty Goldman*, 1956, fig. 12; *Mégara*, 2, pl. 75, 5, p. 88; Walter, *A.M.*, 72, 1957, p. 54, 4.

18) *Arribas-Arteaga*, n° 25; Pl. VIII, p. 85.

19) *Arribas-Arteaga*, n° 29, Pl. VIII, p. 85. Voir *Sukas*, II, type 9, n° 131; *Vallet-Villard*, 1955, fig. 4; *Tarsus*, III, n° 1396, fig. 144.

20) *Arribas-Arteaga*, n° 110, Pl. LXXI, p. 86; n° 28, Pl. VIII, p. 85; n° 30, Pl. VIII, p. 85.

21) *Arribas-Arteaga*, n° 32, Pl. VIII, p. 85-86. Voir *Mégara*, 2, p. 78, Pl. 63, 2.

22) NIEMEYER-SCHUBART, *M.M.*, 9, 1968, p. 92, fig. 9. Pâte fine, dure, rose orangé, finement micacée, fin dégraissant blanc. Vernis brun rougeâtre à l'intérieur et à l'extérieur, sauf une bande réservée au milieu de la panse.

23) Sur les questions relatives à la colonisation phocéenne dans cette région, nous ne citerons que les travaux les plus ré-cents: G. MARTIN, *La supuesta colonia griega de Hemeroskopeion: estudio arqueológico de la zona Denia Javea*, *P.L.A.V.*, 3, 1968. E. LLOBREGAT, *Hacia una demitificación de la Historia antigua de Alicante*, *R.I.E.A.*, 1, 1969 (en particulier, p. 42). J. P. MOREL, *B.C.H.*, 99, p. 886-888 et notes 124 et 125.

2) *Cabezo Lucero:*

Lors d'une prospection effectuée en compagnie d'E. Llobregat, Directeur du Musée Archéologique d'Alicante, sur cet habitat indigène situé sur la rive droite du Segura, a été trouvé un fragment de lékanis (fig. 2, 2) identique à des exemplaires de Velia (24) ou d'Ampurias (25). Nous ignorons si ce fragment est ou non importé: pâte fine, dure, beige rosé, finement micacée, avec un fin dégraissant blanc; la superficie est légèrement rugueuse; il n'y a pas de trace de vernis ou de peinture.

De ce même site proviennent des fragments de coupes attiques à vernis noir et à bord concave (500-450), un fragment de coupe à figures noires de type indéterminé.

De la nécropole indigène d'El Molar vient une coupe à lèvre à figures noires (550-525) et d'Elche une coupe attique à vernis noir et à bord concave (500-450) (26).

Ces quelques découvertes modifient très sensiblement le panorama des importations grecques dans cette région. Sans doute le débat sur les colonies grecques du Levant ou du moins sur le début des importations grecques dans cette région est-il relancé. Cependant, il ne pourra se poursuivre que si de nouvelles fouilles ou prospections sont effectuées.

C) La Catalogne

Cette région où Ampurias occupe une place essentielle a connu la plus forte présence grecque. C'est là que les découvertes de céramiques de Grèce de l'Est sont les plus nombreuses et qu'elles ont été l'objet d'imitations multiples et variées. Nous distinguerons produits importés, produits coloniaux et produits indigènes.

Les céramiques importées se caractérisent toutes par une pâte très dure, compacte, homogène; un vernis solide, adhérent, à reflets métalliques. Elles sont essentiellement à vernis noir et à bandes, leur profil est soigné.

Les céramiques coloniales sont de divers types: nous avons distingué 5 techniques auxquelles nous ajoutons une technique (technique 6) qui semble n'avoir été utilisée que sur le site indigène d'Ullastret.

Ces techniques définies à partir de la pâte (voir plus bas) sont très différentes de celles des produits importés. Les formes de ces produits sont plus ou moins éloignées de celles des « modèles » importés. Les produits de la technique 6 sont influencés par les produits coloniaux. Les produits utilisant les techniques 1 à 5 se trouvent représentées en nombre très variable à Ampurias. Certaines techniques sont certainement ampuritaines, d'autres semblent étrangères à la colonie d'Ampurias.

Techniques coloniales:

Technique 1: pâte fine, tendre, pâle, blanchâtre, nuancée de rose, de jaune ou de brun (27); peu vacuolaire; surface pulvérulente, se raie facilement; mica très fin et dégraissant fin peu abondant. Le décor brun rouge ou brun orangé, fin, mat, s'efface et s'écaille facilement.

Technique 2: pâte moins fine que la précédente, dure, rougeâtre (28); tranche et surface rugueuses;

---

24) J. P. Morel, *La céramique archaïque de Velia et quelques problèmes connexes, Symp. Col.*, fig. V, 4.

25) Voir plus bas, fig. 4, 5 et 12, 10.

26) Sur ce sujet, Pierre Rouillard, *Fragmentos griegos arcáicos en la antigua Contestania*, in *R.I.E.A.*, 18, p. 7-16. Il faut ajouter un fragment de skyphos attique à figures noires de style tardif: *Trias*, p. 364, 1, pl. CLXXII, 1 (Tossal de Manises).

27) Table de Munsell (ed. 1975): 5YR. 7/4, 2. 5Y. 8/2, 10YR. 8/3, 7. 5YR. 8/2.

28) M.S.C.: 10R. 4/6, 5YR. 6/8. 5YR. 7/8.

mica fin peu abondant; dégraissant brun ou blanc très nettement visible; vacuoles assez grosses. Le décor brun rouge foncé, mat, s'écaille peu.

Technique 3: pâte assez fine, moyennement dure, rouge clair ou plus souvent jaune rougeâtre (29); surface lisse, se raie légèrement; mica fin peu abondant; dégraissant brun assez abondant; vacuoles assez importantes. Le décor est brun rouge ou rouge orangé terne, fin, écaillé.

Technique 4: pâte assez fine, dure, ne se raie pas à l'ongle, rosée (30); surface lisse; mica très fin; dégraissant brun fin; fines vacuoles. Le décor est brun rouge ou brun orangé.

Technique 5: pâte fine, dure, ne se raie pas à l'ongle, blanchâtre, nuancée de brun ou de rose (31); très fin mica; très fin dégraissant brun; vacuoles très rares; surface lisse. Le décor est brun clair, fin, mat, écaillé.

Technique indigène:

Technique 6: pâte assez grossière, peu dure, se raie à l'ongle, ocre orangé; dégraissant blanc abondant; mica assez abondant; vacuoles nettement visibles; surface lissée, polie. Le décor est brun orangé, terne, écaillé.

Les vases façonnés dans la technique 1 sont les plus nombreux. Cette technique est à rapprocher de la technique 1 de Marseille (32) et il est vraisemblable que ces produits ont une même origine, peut-être massaliote. Les techniques 2-3-4-5 sont relativement moins représentées à Ampurias. La localisation du ou des centres de production est dans l'état actuel de nos connaissances difficile à préciser. Cependant, étant donné l'homogénéité et le nombre des vases façonnés dans les techniques 2 et 3 trouvé à Ampurias, nous pourrions proposer une origine ampuritaine pour ces produits.

Quant aux vases façonnés dans la technique 6 qu'on ne trouve que sur l'*oppidum* indigène d'Ullastret, il faudrait situer leurs ateliers de fabrication à Ullastret même.

1) *Ampurias:*

a) *Palaiopolis*

CÉRAMIQUES IMPORTÉES

Nous étudions ici seulement les fragments de la couche IX (la plus ancienne): les couches postérieures contiennent un matériel mêlé (33).

Céramique à vernis noir

Coupes de type A 2

— Fragment de bord (fig. 2, 3): pâte blanc rosé (M.S.C. 7.5YR.8/2), fine, dure, non vacuolaire; mica très fin; décor brun foncé, peu brillant, fin, solide.

— Fragment de bord (fig. 2, 4): pâte rose (M.S.C. 7.5.YR. 7/4), fine, dure, peu vacuolaire; mica très fin; décor brun noir, peu brillant, solide (34).

---

29) M.S.C.: 5YR. 7/6 ou 7/8, 2. 5YR. 6/8, 7. 5YR. 7/6.

30) M.S.C.: 5YR. 8/4.

31) M.S.C.: 10YR. 8/2, 7. 5YR. 8/4, 10YR. 8/3.

32) F. VILLARD, *Marseille*, p. 58; Villard, *P.P.*, XXV, 1970, p. 114; M. PY, *Problèmes de la céramique grecque d'Occident en Languedoc oriental durant la période archaïque, Symp. Col.*, p. 165-166.

33) Ce matériel est déjà publié par M. ALMAGRO, *Excavaciones en la Palaiopolis de Ampurias, E.A.E.*, 27, 1964, p. 71-85. Voir aussi M. PY, *La céramique grecque de Vaunage (Gard) et sa signification, Cahiers Ligures de Préhistoire et d'Archéologie*, 20, 1971, p. 134-135, note 1.

34) ALMAGRO, *idem*, fig. 31, 2 (pied fantaisiste).

Coupe de type B 1

— Fragment de bord (fig. 2, 5): pâte rose (M.S.C. 5YR. 7/4), fine, dure, non vacuolaire; mica très fin; dégraissant brun et blanc fin; intérieur: brun verdâtre; extérieur: deux bandes en brun verdâtre encadrent un filet brun rouge.

Coupe de type B 1/B 2

— Fragment de panse (fig. 2, 7): pâte jaune rougeâtre (M.S.C. 5YR.7/6), fine, dure; fines vacuoles; fin dégraissant blanc et beige; intérieur: brun orangé, fin, solide; extérieur: surface lissée, bandes en brun orangé, fin, solide.

Lékanis

— Fragment de bord (fig. 2, 6): vasque au bord droit; lèvre à rebord en saillie vers l'extérieur; pâte rose (M.S.C. 7. 5YR. 8/4), fine, dure; non vacuolaire; très fin mica; fin dégraissant brun; décor brun noir, fin, écaillé.

C é r a m i q u e   à   p e i n t u r e   b r u n   r o u g e

Coupe à bord rentrant

— Coupe entière (fig. 2, 8): pâte rose, (M.S.C. 5YR. 8/4), fine, dure; rares vacuoles très fines; fin dégraissant brun ou beige; très fin mica; surface de pose et intérieur du pied réservés; le reste est couvert d'un très fin « engobe » (traces de pinceau visibles) beige ocre; bandes brun rouge peu brillant (35).

Oenochoès

— Fragments de cols de 4 oenochoès: pâte rose (M.S.C. 7. 5YR.8/4) ou gris clair (M.S.C. 10YR. 7/2) ou blanche (M.S.C₀ 10YR. 8/2), fine, dure, sans vacuoles; très fin mica; pas d'engobe; décor brun orangé, mat, écaillé.

CÉRAMIQUE IMITANT LES PRODUCTIONS DE GRÈCE DE L'EST

C é r a m i q u e   à   p e i n t u r e   b r u n   n o i r

— Pied de coupe (fig. 2, 9): pâte gris clair (M.S.C. 10YR. 7/2), fine, dure; sans vacuoles; fin dégraissant brun; mica blanc; décor brun noir, fin, mat, non écaillé.

— Grand vase à bord déjeté (fig. 2, 10): pâte blanc rosé (M.S.C. 7. 5YR. 8/2), fine, dure; nombreuses vacuoles fines; dégraissant brun et blanc très visible; fin mica peu abondant; décor en brun noir, mat, fin (36).

La céramique grise, non étudiée ici, constitue l'essentiel des imitations de produits de Grèce de l'Est. Les imitations de céramique de Grèce de l'Est de la Neapolis (voir ci-dessous) ne se retrouvent pas dans la couche la plus ancienne (couche IX) de la Palaiopolis.

---

35) *Ibidem*, fig. 31, 1; *Sukas*, II, p. 40-41.

36) Forme identique à Gênes: F. T. BERTOCCHI, *Ceramiche importate dell'Abitato Preromano di Genova, Archaeologia*, 9, 1975, pl. II, 7 et 8.

b) *Neapolis*

Le matériel présenté ici vient soit des fouilles de Gandia, soit de sondages effectués par Martin Almagro (37).

Céramique à vernis noir

Coupes de type B 2

— Coupe complète, inv. M. Arch. Barcelone 726 (fig. 3, 1) (38): pâte fine, dure, beige rosé; vernis brun noir, assez épais, brillant: intérieur sauf filet au haut du bord, extérieur sauf filet au haut du bord et bande au niveau des anses; pied « en trompette », cône à l'intérieur.

— Les autres coupes (fig. 3, 2-7) (39) ont un système décoratif identique: filet réservé au haut du bord interne; bandes réservées sur la lèvre et au niveau des anses. Dans tous les cas, la pâte est fine, dure, beige rosé, finement micacée. La coupe inv. M. Arch. Barcelone 748 (fig. 3, 5) présente un pied conique « en trompette » surmonté d'une tige plus haute que dans la plupart des cas (40).

Coupes de type B 3

— Fragment de bord (fig. 4, 2): pâte fine, rose (M.S.C. 5YR. 8/4), dure; vacuoles fines et rares; très fin mica peu abondant; décor brun noir.

— Fragment de pied (fig. 4, 3): pâte fine, rose (M.S.C. 5YR. 7/4), dure, compacte; fin dégraissant brun; mica non visible à l'oeil nu; vernis brun noir, épais; réservé: bord externe et intérieur du pied (41).

— Fragment de lèvre (fig. 4, 4): pâte fine, jaune rougeâtre (M.S.C. 7. 5YR. 7/6), assez dure (mais se raye à l'ongle); fin dégraissant blanc; très fin mica; décor brun dont la tonalité varie: foncé à l'extérieur (haut de la lèvre) et à l'intérieur (haut et bas de la lèvre), clair à l'intérieur (filets au milieu de la lèvre) (42).

— Coupe fragmentaire (fig. 4, 1): pâte fine, beige rosé, dure; quelques vacuoles sur la surface; vernis noir verdâtre, brillant; réservé: à l'intérieur, filet au haut de la lèvre, bande au fond de la vasque; à l'extérieur, lèvre, bande à la hauteur des anses et au milieu de la vasque (43).

Lékanis

— Fragment de bord (fig. 4, 5): pâte jaune rougeâtre (M.S.C. 5YR. 7/8), fine, dure; fines vacuoles; fin dégraissant brun; mica non visible à l'oeil nu; vernis noir épais, brillant. Anses à appendices latéraux; bord épaissi et biseauté.

Olpè

— Fragment de col et anse (fig. 4, 7): pâte brun rouge, pâle, fine, dure; fines vacuoles; fin mica. La surface externe est couverte d'un très fin « engobe » de la couleur de la pâte; fin vernis noir écaillé

37) Sondage Neapolis 1947 (*R.S.L.*, 1949, p. 91-106), Corte 32 (*R.S.L.*, 1949, p. 80-82).

38) *Trias*, p. 39, 24, Pl. V, 1.

39) *Trias*, p. 39, 25, Pl. V, 2 et p. 39, 27, Pl. V, 4.

40) Autres exemplaires: Coupe, fig. 3, 8: Sondage Neapolis, 1947, couche VIII; fig. 3, 7, Sondage Neapolis, 1947, couche VII.

41) Sondage Neapolis, couche VII.

42) Sondage Neapolis, couche VII.

43) Ce fragment proche de *Agora*, XII, n° 384 (Pl. 18, p. 262), pourrait être attique (Class of Athens 1104).

à l'intérieur du col et à l'extérieur: large bande au haut du col, sur la partie supérieure de l'anse; bande au niveau de l'attache de l'anse.

Amphore

— Col d'amphore (fig. 5, 1): pâte gris clair (M.S.C. 2. 5Y. 7/2), intérieur rosé, dure; quelques vacuoles; gros dégraissant blanc et brun; mica très fin; superficie rugueuse; surface lissée à l'extérieur; vernis brun noir peu épais, écaillé à l'intérieur du col et sur la lèvre externe (44).

C é r a m i q u e   à   p e i n t u r e   b r u n   r o u g e

Oenochoè

— Col et anse d'une oenochoè à embouchure circulaire et à bord éversé (fig. 4, 6): pâte brun rouge, fine, dure; quelques vacuoles; fin mica; dégraissant non visible à l'oeil nu. A l'intérieur, fin « engobe » beige jaunâtre; à l'extérieur, fin « engobe » brun rouge pâle; peinture brun rouge: languettes sur le bord, large bande sur la lèvre, ligne ondée sur le col, trois bandes au haut de la panse, bandes sur l'anse.

— Plusieurs fragments atypiques: pâte jaune rougeâtre (M.S.C. 5YR. 7/6), fine, dure; quelques vacuoles; finement micacée; peinture brun rouge résistante (45).

A m p h o r e s   « à   l a   b r o s s e »

— Nombreux fragments de panse d'amphores « à la brosse » (46): pâte rose (M.S.C. 5YR. 7/4 ou 8/4), fine, dure; quelques vacuoles; dégraissant brun ou blanc; très fin mica. Sur la surface externe vernis brun variant du foncé au clair, peu épais.

A m p h o r e s   a c h r o m e s

— Fragment de col (fig. 5, 2): lèvre à bourrelet arrondi et listel; pâte beige jaunâtre (M.S.C. 2. 5Y. 8/2), rugueuse, dure, vacuolaire; peu micacée; abondant dégraissant brun ou beige clair (47).

— Fragment de col (fig. 5, 3): lèvre à bourrelet au profil anguleux et listel épais; même pâte que pour l'amphore précédente (48).

CÉRAMIQUES IMITANT LES PRODUCTIONS DE GRÈCE DE L'EST

Nous ne donnons ici que l'inventaire des formes. Ces fragments ont été trouvés dans toutes les couches des divers sondages de la Neapolis et pour l'instant, il n'est pas possible de préciser une chronologie. Dans l'état actuel de nos connaissances, il semble qu'il y ait contemporanéité dans l'usage des différentes techniques. Ces imitations apparaissent dans les niveaux les plus profonds actuellement connus de la Neapolis et l'on peut seulement proposer un *terminus post quem* vague: 550. Les formes sont variées et le « modèle » paraît parfois assez éloigné. Sauf indication contraire, les vases sont décorés de bandes ou de lignes ondées.

---

44) Sondage Neapolis 1947, couche VII. De cette même couche, vient une autre amphore identique à celle-ci.
45) Sondage Neapolis, 1947, couche VIII.
46) Sondage Neapolis 1947, couches VIII et VII. Corte 32, couche V. Voir *Mégara*, 2, pl. 77, 3.
47) Sondage Neapolis 1947, couche VII. Voir *Mégara*, 2, pl. 77, 3.
48) *Ibidem*.

Technique 1

— Fragments d'amphores: bord droit (fig. 6, 2); bord éversé (fig. 6, 1 et 3) (49).

— Fragments de col d'hydries (fig. 6, 4, 5 et 6): col éversé.

— Fragments d'oenochoès (fig. 6, 7 et 7, 1): embouchure circulaire.

— Fragments d'oenochoès (fig. 7, 2): embouchure trilobée.

— Fragments de cols d'olpè (fig. 8, 1).

— Fragment d'embouchure de lécythe aryballisque (fig. 8, 2).

— Fragment de pyxis (fig. 8, 3): ornée de bandes, de files de points et d'une ligne ondulée.

— Fragments de lékanis: panse à courbure continue et bord à degrés (fig. 8, 4); panse carénée (flg. 8, 5); bord mouluré (fig. 8, 6); bord avec bourrelet externe (fig. 8, 7); large bord plat (fig. 8, 8).

— Bol fragmentaire (fig. 8, 9): courbure continue, pied annulaire.

— Fragments de coupes inspirées des coupes ioniennes à vernis noir du type B 2 (fig. 8, 10, 11 et 12; fig. 9, 1 et 2); fragments de pieds en trompette (fig. 9, 3 et 4), souvent moulurés (fig. 9, 5).

— Fragments de coupes à courbure continue, bord souvent plat (fig. 9, 6, 7, 8 et 9).

— Fragments de coupes à courbure continue, bord rentrant (fig. 10, 9).

— Fragments de bassins à rebord épaissi en amande, orné de bandes noires (fig. 10, 1) ou achromes.

— Lampes achromes à deux becs et à bombement conique central (fig. 10, 3) ou à un bec et à bombement conique central (fig. 10, 2) (50).

— Amphores achromes à lèvre à bourrelet (fig. 10, 4).

Technique 2

Les grands vases sont très peu nombreux. Nous n'avons — à ce jour — trouvé que des fragments atypiques pouvant appartenir à cette catégorie.

— Olpè (fig. 10, 5).

— Lécythe (51).

— Fragments de lékanis: bord en degrès (fig. 10, 7); panse carénée (fig. 11, 1).

— Coupes inspirées des coupes ioniennes à vernis noir du type B 2 (fig. 11, 2); pieds coniques (fig. 11, 7) ou à attache plus large (fig. 11, 3, 4 et 5).

— Fragments de coupes à courbure continue et à bord rentrant (fig. 11, 6).

— Fragments de coupes à courbure continue et à bord presque plat (fig. 11, 8).

— Lampes achromes à deux becs et à tube central (fig. 12, 1 et 3) (52) ou à un bec et à bombement conique central (fig. 12, 2 et 4) (53).

— Fragment d'amphore achrome avec lèvre à bourrelet (fig. 5, 4 et 12, 5).

---

49) Voir par exemple Milet (*Ist. Mitt.*, 25, 1975, p. 41), Didyme (*Ist. Mitt.*, 21, 1971, p. 65, nº 51), *Marseille* (Villard, pl. 47, 10), Bessan (*R.A.N.*, VII, 1974, p. 32, fig. 5, 6).

50) M. TORELLI, F. BOITANI, G. LILLIU, *Gravisca, Campagna* 1969-1970, *N.S.A.*, 1971, p. 275, nº 3350, fig. 83 et 87.

51) ALMAGRO, *Necropolis Ampurias*, I, Inhumación Bonjoan, 67, p. 201, fig. 171, 2.

52) Voir par exemple les lampes de Thasos: *B.C.H.*, 1958, p. 814, fig. 17.

53) Voir par exemple: *Marseille* (VILLARD, p. 45, pl. 24, 6 et 47, 1), Gravisca (*N.S.A.*, 1971, p. 280-281, nº 787 et 1825, fig. 84 et 89), Corinthe (BRANNER, *Corinth*, IV, 2, début du Type IV, p. 39, fig. 14, 17).

T e c h n i q u e 3

— Fragment d'amphore à bord éversé (fig. 12, 6) (54).
— Fragment d'hydrie à bord droit et mouluré.
— Fragment d'oenochoè à bec trilobé.
— Fragment d'olpè (fig. 12, 7).
— Fragments de lékanis à bord en degrés (fig. 12, 9); à bord avec bourrelet arrondi (fig. 12,8); à bord épaissi et biseauté (fig. 12, 10).
— Fragments de coupes inspirées des coupes ioniennes de type B 2 (fig. 13, 1, 2 et 4).
— Fragment de coupe achrome inspirée des coupes ioniennes de type B 3 (fig. 13, 3).
— Pieds en trompette (fig. 13, 5 et 6).
— Pied imitant un pied attique (fig. 13, 7).
— Fragments de coupes à courbure continue, à bord plat et avec incisions au haut de la vasque (fig. 13, 8 et 9).
— Fragment de coupe à courbure continue et à bord rentrant (fig. 13, 10).
— Coupelles à anse surélevée (fig. 14, 1).
— Fragment de plat à bord éversé (fig. 13, 11).

T e c h n i q u e 4

— Fragment de fond de coupe ou de couvercle, orné de bandes brun rouge (fig. 14, 5).

T e c h n i q u e 5

— Fragment de col d'amphore, bord éversé (fig. 14, 6).
— Lécythe aryballisque (55).

C é r a m i q u e   à   e n g o b e   b l a n c h â t r e

— Olpè (56).

2) *Ullastret et la Illa d'en Reixac* (57):

Céramiques importées. — Elles ne se trouvent que sur la site de la Illa d'en Reixac (58) et en petite quantité. Signalons une amphore achrome comparable à celle mise au jour à Ampurias (fig. 5, 2) divers fragments de coupes à vernis noir de type B 2 et B 3.

Céramiques imitant les produits de Grèce de l'Est. Les quelques fragments présentés ici viennent tous du site d'Ullastret (59). Ils sont façonnés dans les techniques 3, 4 et 5. Ceux façonnés dans la technique 6 peuvent être attribués à un atelier indigène (situé à Ullastret) qui a imité les produits coloniaux.

---

54) Autre exemplaires dans la Muraille N-E, ALMAGRO, *Necropolis Ampurias*, II, Incineración, nº 17, p. 397, fig. 363, 10. Dans cette même tombe ont été trouvées aussi une coupe importée de type B 2 et une imitation de cette forme (Technique, 3, voir fig. 13, 4). Amphore comparable à Larisa, *Larisa am Hermos*, III, pl. 54, 13.
55) ALMAGRO, *Necropolis Ampurias*, I, Inhumación Marti, 91, p. 91, fig. 66, 1.
56) ALMAGRO, *Necropolis Ampurias*, I, Inhumación Marti, 83, p. 86, fig. 59, 1.
57) Notre travail se fonde sur un échantillonage réduit. La fouille se poursuit sur le site de la Illa d'en Reixac, sous la direction d'A. Martin.
58) Sur ce site, voir la note rapide de M. OLIVA PRAT, *La Illa d'en Reixac*, Revista de Gerona, 54, 1971.
59) Sur ce site, voir les articles de M. Oliva Prat publiés dans la *Revista del Instituto de Estudios Gerundenses*, entre 1955 et 1963. Une étude complète par A. Martin est en cours de préparation. Voir aussi J. J. JULLY, *Trois vases d'époque archaïque en provenance de l'Ampurdan*, XIII Congreso Nacional de Arqueología, p. 819-824.

Technique 3

— Coupe fragmentaire imitant les coupes ioniennes à vernis noir de type B 2 (fig. 14, 2).

Technique 4

— Fragment d'amphore à col éversé (fig. 14, 4).
— Fragment d'olpè (fig. 14, 3).

Technique 5

— Coupe fragmentaire imitant les coupes ioniennes à vernis noir de type B 2 (fig. 14, 8).
— Coupe à courbure continue et à bord plat (fig. 15, 1).

Technique 6

— Deux coupes fragmentaires (fig. 15, 2 et 3).

3) *Penya del Moro* (San Just Desvern - Barcelona):

Dans le *poblado* ibérique, en cours de fouille a été découvert un fragment de coupe à vernis noir de type B 2 (60).

4) *La Palma* (Mass de Mussols - Tarragona):

Dans la tombe 4 de cette nécropole a été mis au jour un pied appartenant à une coupe à vernis noir de type B 2 (61).

Quelques conclusions. — Cette recherche préliminaire a permis de combler quelques lacunes dans notre information. Même si la Catalogne est la région la plus marquée par le commerce phocéen, aujourd'hui, l'Andalousie et le Levant livrent aussi des fragments ioniens.

Ampurias et la Catalogne restent encore les secteurs les mieux connus (62). La diffusion des produits d'importation et des produits coloniaux y est réduite à l'époque archaïque (ce point de vue serait peut-être modifié par une étude des céramiques grises). L'étude des céramiques des couches les plus anciennes de la Palaiopolis et de la Neapolis permettent sans doute d'éclairer un des aspects les plus délicats de l'histoire d'Ampurias. Dans la Neapolis nous trouvons seulement des coupes de type B 2 et une très grande quantité de céramiques utilisant la Technique 1, peut-être massaliote. Si tel est le

---

60) Enrique Sanmarti-Grego, *Materiales griegos y etruscos de época arcáica en las comarcas meridionales de Cataluña*, *Amp.*, 35, 1973, p. 233-234. Jose Barbera Farras et Enrique Sanmarti-Grego, *Primeros resultados de las excavaciones en el poblado de la Penya del Moro en Sant Just Desvern* (Barcelona), *XIV Congreso Nacional de Arqueología*, p. 743-756.

61) *Ibidem.*

62) Les fouilles de Rosas n'ont pas atteint les niveaux archaïques, le niveau le plus ancien mis au jour date du VIème siècle avant J.-C.

cas, l'hypothèse de F. Villard (63) qui consiste à dire que, après Alalia, Ampurias, colonie fondée par les Phocéens d'Asie Mineure, serait tombée sous la domination marseillaise, serait validée. Dans les niveaux les plus anciens de la Palaiopolis, il n'y a aucune trace d'importation de produits massaliotes alors qu'ils abondent dans la Neapolis. Mais rien n'autorise à dire que les Marseillais aient imposé ou fait le transfert de l'îlot à la terre ferme. D'autre part, ce transfert est peut-être à situer avant Alalia. Il a dû se faire très rapidement, l'îlot étant difficilement habitable. Le laps de temps écoulé entre l'arrivée sur l'îlot de San Martin (la Palaiopolis) et l'installation sur la terre ferme n'a pas dû atteindre une génération. Au cours de cette seconde phase, Ampurias connaîtra un grand développement, surtout à partir du Vème siècle. A l'époque archaïque, la diffusion des produits grecs et coloniaux ne semble pas s'être étendue au-delà des sites indigènes proches de la côte.

Pour l'Andalousie, l'identification de l'agent commercial reste une préoccupation essentielle bien que la tendance actuelle consiste à faire assumer ce rôle aux seuls Phéniciens. Les délicats problèmes liés à l'existence et à la localisation de Mainaké ne sont pas réglés. Pourtant, les importations de produits de Grèce de l'Est ont commencé dès la fin VIIème siècle et leur absence de diffusion dans des habitats indigènes, d'ailleurs assez bien connus, ne peut être un argument pour nier l'existence d'une colonie ou d'un comptoir grec dans le Sud de l'Espagne; en effet la diffusion de ces produits de la colonie phocéenne d'Ampurias semble très restreinte.

Ce même argument ne doit pas davantage être utilisé pour le Levant. Les importations archaïques grecques, inconnues récemment encore, sont désormais prouvées. Même s'il ne faut pas attribuer aux fragments étudiés ici une importance exagérée, ils sont cependant un élément à verser au dossier, ouvert depuis des générations, de la colonisation grecque du Levant. Rien ne peut encore être dit sur la localisation de ces colonies ou de ces points d'accostage à l'époque archaïque dans la région d'Alicante, mais, d'ores et déjà, l'attitude qui consiste à qualifier de mensongères les sources littéraires (Strabon III, 4, 6-8 et 10; Avienus, vers 472-482; Etienne de Byzance) devra être au moins nuancée (64).

PIERRE ROUILLARD

63) F. VILLARD, *Marseille*, p. 114-115.
64) Voir note 23.

Addendum:

Depuis la rédaction de cet article (Juin 1976), des éléments nouveaux ont été portés à notre connaissance, ou ont été découverts.

1. — A Almuñecar, un fragment de coupe ionienne (d'importation), voir: *Noticiario Arqueológico Hispánico*, VI, 1962, p. 349, fig. 33.

2. — Au Cerro del Prado, San Roque (Cadix), site Phénicien de l'Ouest, j'ai identifié une coupe imitant la forme et le décor de bandes des coupes ioniennes; ce serait la première imitation de céramique de Grèce de l'Est trouvée en Andalousie. Je prépare (en collaboration avec M. Pellicer et L. Menanteau) une étude sur l'ensemble du matériel de ce site (à paraître dans la revue *Habis*, 8, Séville); voir également dans le tome 19 des *Madrider Mitteilungen*: P. ROUILLARD, *Brève note sur le Cerro del Prado, site phénicien de l'Ouest, à l'embouchure du Rio Guadarranque (San Roque, Cadix)*.

THE PROBLEMS OF ANALIYSS OF CLAYS
AND SOME GENERAL OBSERVATIONS ON POSSIBLE RESULTS

The Oxford Research Laboratory for Archaeology and the History of Art has worked for many years on the analysis of ancient clay vases by optical emission spectroscopy. Advances in the study have been not so much technical (although new techniques are being explored all the time, most recently those by atomic absorption spectrometry) as by means of interpretation, of understanding what is possible, of realising that for many years still we may have to deal mainly with negative identifications rather than positive ones. The principle (see, conveniently, *BSA*, lviii, 94 ff.) is to determine the chemical composition of the clay from small samples drilled from the vase or sherd. Experience has suggested that nine elements are the most suggestive of similarities and differences in major groups, and the charts of patterns produced by the plotting of the proportions of these elements are used as ready visual aids for comparisons.

Research has generally proceeded from the analysis of large numbers of samples of pottery from excavated sites within which composition groups are distinguished which, it is hoped, can be related to the composition of local or imported clays. The method can be regarded as the classic one for such research and is basically that still in use in Oxford, in the sister laboratory at the British School at Athens, and, for instance, for the results reported here by M. Dupont in Lyons. Where definition of significant groups has failed this generally seems to have been through insufficient attention to the choice of material, since restudy generally shows that groups which are closely definable stylistically or archaeologically are also closely definable by analysis, and this gives confidence in the whole process. In the light of this observation I have promoted a complementary series of analyses which depend not on the statistical study of what is inevitably somewhat anonymous material, but on the analysis of vases or sherds whose archaeological identity is clear; in other words, to start from the known, rather than the unknown, to define the composition of archaeologically recognisable classes, to discover which are alike, which unlike. The problem of location must then rely on the identification of classes whose home is absolutely certain (Athenian black figure by major artists, for example), or by the identification of the composition of local clays from samples taken from clay beds. The latter method has proved successful in several instances, thought it need not prove successful for every centre, and it requires much prospecting.

Work now proceeds in collaboration with the Athens laboratory, in trying to establish a « clay map » of the Classical world, through analysis of raw clay samples, analysis of archaeologically definable classes of pottery, and through analysis of assemblages of sherds from individual sites. It will clearly take a very long time and may involve many disappointments, and it clearly will rely very much on the cooperation and good will of excavators and museum curators. At present all results can only be regarded as provisional. Some, resulting from my investigation of already definable classes, have been published in *BSA*, lxviii, 267 ff.

For East Greek pottery little progress has so far been made but some of the definable classes of pottery from Al Mina and Naucratis have been tested as well as a number of individual pieces in British collections. What follows is a series of *extremely tentative* observations based on the few tests so far conducted. I recognise that the number of samples taken for some groups is very small indeed so far, but there is some confidence to be won from the fact that, where a class is closely definable stylistically the analyses have also been found to correspond closely. A good example is the work of the Tocra Painter, whose work is definable purely on grounds of style and has been found only at Tocra where we can be sure that the vases were *not* made. The similarity of analyses of the three pieces tested (BOARDMAN and HAYES, *Tocra*, ii, 74) is most striking and reassuring for this technique both of analysis and of interpretation.

1. Chios. Samples from four different clay beds give a clear pattern within a fair range. Groups of « Chian » pottery from Naucratis, including the polychrome, are remarkably consistent and fall within this range, but pottery from Emporio, also within the range, is slightly different from the Naucratis classes, which suggests that the latter are not from the south of the island but, we might well imagine, rather from the centre and Chios town itself. If any of the Naucratis pottery was produced locally (*BSA*, li, 55 ff.) it seems not to have been from local clay.   The clay of the Tocra Painter vases is decidedly not Chian (the vases were attributed to Chios in *Samos*, vi. 1, nos. 838-842).

2. Dr Doumas kindly provided me with clay samples from Rhodes.   One sample, from Archangelos, is similar in analysis to several Wild Goat style dinoi from Al Mina (as *JHS*, lx, 15, fig. 7k and pl. 2k) and to sixth-century figurines from Rhodes (Oxford G4, G9, 1948.311, 1974.313). The type is also that of a group of Bronze Age pottery analysed from Ialysos (Ialysos Type II; Catling, *BSA*, lviii, 104 ff.).

3. Fikellura examples tested (including *CVA*, Oxford ii, pl. 6.1, 3), with one exception (see below), were of a uniform analysis.   The same is found in several dish, bowl and jug fragments from Al Mina; and in the plastic terracottas first discussed in detail by Robertson (as *BMC Terracottas*, nos. 1659-62).   Two plates of the « School of Nisyros » (*CVA*, Oxford, ii, pl. 3.4, 5) are only slightly different.

4. The deviant Fikellura sample was from a late amphoriskos (Oxford, 1939.3, less micaceous than most of this class) and is matched by clay from Archipolis in Rhodes.

5. Several bird bowls and a bird jug (the type as *JHS*, lx, 15, fig. 7a-e) from Al Mina and Naucratis are of a consistent fabric, similar to (2), above, but:

6. Other examples are of a different composition, and we shall see other suggestions that bird bowls were made in different centres and cannot be automatically regarded as « Rhodian » as yet.

7. Rhodian Late Geometric vases (*CVA*, Oxford, ii, pl. 1.1-3) match black figure situla fragments from Daphnae, fifth-century figurines from Camirus and the Bronze Age Ialysos Type I (see above).

8. Wild Goat fragments from Naucratis, including several of the black figure style generally now attributed to North Ionia are of a uniform composition (*CVA*, Oxford, ii, pl. 4.2, 10, 11, 21, 32, 39 et al., and the jug, pl. 2.5, 6).   This is closely similar to that of Clazomenian black figure, some other unassigned black figure (including *Samos*, vi. 1, no. 254) and some kylikes with lip wreathes from Naucratis.   A serious gap in our tests so far has been the lack of satisfactory control material from Miletus and Samos.

9. There appears to be an overall similarity in clay types from the East Greek area so far analysed.   The Northampton vase is seriously dissimilar from this range.

10. Cups with dipinto dedications to Hera in Naucratis are of uniform fabric (Samian?) unlike others studied here, but closest to:

11. The distinctive Ephesian style, studied by Greenewalt in *California Studies* vi, 91 ff. Moreover, bird bowls also from Ephesus are of the same composition, suggesting local production though they are stylistically not distinguishable from the familiar series.

12. Gorgoneion Group plastic vases (the helmeted heads, *CVA*, Oxford, ii, pl. 8. 1-3, and Reading) are unlike (2) and (3) above, but of a consistent composition closest to (11).

All these groupings are at present quite tentative although some decided negative results can be claimed and a fair indication of important groups which can be recognised both stylistically and by analysis has been achieved. Experience has told that judgement of fabric by eye can hold most of the time but can never be decisive for an individual piece, and in the East Greek area the visual differences of fabric, even on the same site in different periods, are not such as to lend great confidence to identification by eye alone.

Stylistic judgements serve well only for the very distinctive wares but in the varieties of Wild Goat decoration, and certainly with the plainer wares where shapes are not distinctive, other criteria have to be sought if origins are to be seriously determined. We are still very far from achieving any sort of control over even the major East Greek centres but, with the cooperation of excavators, museum staff and students in the field, we may hope that later generations of archaeologists may have more secure grounds for assigning East Greek wares found outside the East Greek area than we have today.

JOHN BOARDMAN

289

UNE APPROCHE EN LABORATOIRE
DES PROBLÈMES DE LA CÉRAMIQUE DE GRÈCE DE L'EST
(Pl. CXXXVI–CXL)

Depuis 1973, le Laboratoire de Céramologie de Lyon (actuellement U.R.A. n° 3 du C.N.R.S.) a entrepris, à l'invitation de l'Institut d'Archéologie de Bucarest, des recherches sur les céramiques grecques d'Istros, l'une des colonies milésiennes des bouches du Danube.

Plus précisément, il nous a été demandé d'étudier le matériel de ce site par les méthodes de laboratoire, en vue de l'identification des productions locales d'imitation grecque.

S'agissant d'un établissement lié à la « koiné » grecque orientale, les problèmes soulevés par la céramique d'Istros concernent, comme en Méditerranée occidentale, la diffusion des productions de la Grèce d'Asie et aussi leur éventuelle imitation sur place.

Toutefois, les centres de fabrication de l'Anatolie égéenne et des îles côtières se laissent encore difficilement saisir, la notion de provenance demeurant trop tributaire de celle de style figuré: les critères stylistiques piétinent devant la relative homogénéité artistique de la vaisselle de luxe, d'ailleurs faiblement représentée par rapport aux séries courantes, grises ou claires, d'une désespérante uniformité.

En telle occurrence, les méthodes de laboratoire constituent un recours intéressant: elles s'appliquent à la détermination des provenances en utilisant cette fois-ci les caractéristiques chimiques et minéralogiques de n'importe quel matériel à base d'argile: vases de toutes catégories, briques et tuiles . . .

Nous avons choisi d'exposer brièvement ici les principaux résultats obtenus par ces techniques sur le matériel de type grec oriental à Istros, à savoir: la mise en évidence des productions locales et une première approche des groupes d'importation.

Nous en tirerons ensuite la leçon pour justifier l'orientation que nous pensons donner maintenant à des recherches plus spécialement axées sur les séries proprement micrasiatiques.

* * *

Istros est un site colonial dont le matériel reflète clairement les origines: le gros des trouvailles est constitué par des séries de type grec oriental. Ce faciès résolument « ionien », Istros le doit d'abord à sa métropole: entendons par là non seulement Milet mais, plus largement, la Grèce d'Asie. A vrai dire, la diversité des pâtes ne laisse aucun doute là-dessus dès l'époque archaïque.

Cependant, malgré l'anonymat dont s'entourent encore les centres de fabrication d'Asie Mineure (encore que certaines publications récentes puissent faire illusion en la matière), les fouilleurs d'Istros ont pu cerner récemment des groupes n'entrant pas dans les catégories connues en Grèce orientale, mais leur étant apparentés dans leur facture.

Les groupes supposés d'imitation ont paru correspondre à de la vaisselle de table simple, grise ou claire, dans des formes grecques orientales, ou parfois attiques, mais toujours traitées extérieurement dans le style de la Grèce d'Asie.

290

Les deux groupes discernés l'ont été par leurs caractéristiques de pâte (1): « argile à coquillages » et « argile blanchâtre ».

En outre, les fouilles des dernières années, qui ont mis au jour une série de fours de potiers mais aucun mobilier d'accompagnement exploitable (ratés de cuisson notamment), ont confirmé parallèlement les soupçons sans les préciser.

* * *

En possession des indices précédents, nous pouvions évidemment songer à concentrer nos investigations en laboratoire sur la confrontation des groupes céramiques « suspects » avec un noyau de référence authentiquement local (argiles ou vases indigènes). Mais c'était s'exposer à plusieurs dangers: d'abord ces groupes risquaient d'englober une partie seulement des éventuelles céramiques locales; ensuite, ils pouvaient très bien se rapprocher chimiquement de l'une ou l'autre des catégories d'importation; et enfin, il n'était pas sûr au départ qu'on puisse arriver à constituer un lot de référence indubitablement local.

Toutes ces réserves nous ont conduit à écarter cette voie par trop simpliste de référence exclusive aux argiles (par ailleurs non généralisable) et à envisager plutôt dans son ensemble le matériel de type grec oriental d'Istros (tant les importations que leurs éventuelles imitations): il nous a semblé plus judicieux en effet d'étudier d'abord la partition globale de celui-ci, pour espérer vraiment rattacher ensuite à un échantillonnage local de référence toutes les catégories qui le mériteraient. Autrement dit, on s'est proposé de passer en revue l'ensemble des catégories représentées à Istros, avant de prétendre déterminer celles d'origine locale.

Dans la pratique, on s'est plutôt intéressé aux vases archaïques, car ils devaient correspondre à un moment où les officines locales du reste de la Mer Noire couvraient les seuls besoins de chaque colonie et de son hinterland immédiat. On sait notamment quelle extension ont pu prendre les ateliers du Pont septentrional à partir de l'époque hellénistique et cela nous a incité à beaucoup de prudence dans le choix chronologique des échantillons. En clair, nous avons voulu éviter de mêler au cas d'Istros celui d'autres colonies, nord-pontiques essentiellement, et limiter vraiment notre étude à une différenciation des fabrications histriennes au sein du matériel grec oriental.

Du point de vue des effectifs engagés dans les échantillonnages, il était clair dès le départ qu'ils devaient être assez étoffés pour espérer représenter valablement toutes les catégories céramiques sous-jacentes. Dans le cas d'Istros, les analyses ont porté sur plusieurs centaines d'échantillons, pour donner une valeur suffisamment significative aux résultats.

Précisons aussi, pour finir, que les échantillonnages ont été sans cesse remodelés au fur et à mesure de l'apparition des divers groupes de composition, de manière à obtenir un relatif équilibre entre ceux-ci.

* * *

Parallèlement à la mise au point de ces questions d'échantillonnages, il a fallu analyser les spécimens graduellement sélectionnés pour en dégager les caractéristiques de composition chimique.

Les dosages ont été effectués par spectrométrie de fluorescence X sur les constituants majeurs des composés argileux: calcium, fer, titane, potassium, silicium, aluminium, magnésium et manganèse, exprimés sous formes d'oxydes: CaO, Fe_2O_3, TiO_2, K_2O, SiO_2, Al_2O_3, MgO et MnO. Les résultats des

---

1) P. ALEXANDRESCU, *Un groupe de céramique fabriquée à Istros*, in *Dacia*, XVI (1972), pp. 113-131.

analyses consistent en données chiffrées (pourcentages ou parties par million) aisément maniables par les procédés d'exploitation statistique simples (diagrammes) ou automatisés (sur ordinateur).

* * *

Un premier pas dans l'exploitation des données d'analyse brutes consiste à établir, pour chaque constituant dosé, un histogramme de dispersion des teneurs de la série d'échantillons.

Dans notre cas, l'histogramme des teneurs en fer Fe_2O_3 (fig. 1) a révélé d'emblée une scission assez nette des effectifs en deux grands blocs. Le premier (à gauche sur le diagramme), très homogène, renferme essentiellement des céramiques affiliées aux groupes « histriens » de P. Alexandrescu (*op. cit.*), ainsi que d'autres a priori seulement « ioniennes ». Dans le second (à droite sur le diagramme), qui paraît plus hétérogène (dispersion plus grande; deux ou trois « pics » séparés), on ne trouve que de la vaisselle « ionienne » courante, associée à des vases des styles figuratifs de la Grèce de l'Est (« Rhodien », « Fikellura »...).

Pour le même effectif d'échantillons, les histogrammes des autres éléments chimiques, quoique un peu moins nets, confirment néanmoins une dichotomie entre céramiques de type supposé « histrien » et matériel grec oriental proprement dit. De plus, ce groupe « histrien » demeure toujours homogène, contrairement au reste des échantillons, beaucoup plus dispersés, comme devant appartenir à plusieurs groupes différents: notamment, sur l'histogramme des teneurs en aluminium, un petit lot de tessons grecs orientaux se sépare de ses congénères; il rassemble essentiellement des amphores « ioniennes » archaïques, engobées ou non, et à décor de bandes peintes (Chios ?).

En outre, l'étude des histogrammes du fer et de l'aluminium a permis de déceler, pour le groupe « histrien » une corrélation des teneurs de ces deux éléments, corrélation qui ne paraît pas affecter la Grèce de l'Est, à l'exception du petit lot d'amphores « ioniennes » précédemment signalé.

Cette partition générale étant effectuée, la démarche suivante a consisté à rattacher la catégorie céramique supposée « histrienne » aux matériaux argileux locaux.

Là, les histogrammes de comparaison se sont avérés très concluants et ont établi une parenté évidente entre céramiques de type « histrien » et lot de référence local (fig. 2, 3). Une petite différence est toutefois à noter sur l'histogramme de l'aluminium: par rapport aux argiles de nos prélèvements, les céramiques du groupe « histrien » sont plutôt caractérisées par de fortes teneurs. Mais il s'agit d'un détail, indiquant que les potiers antiques savaient sans doute mieux reconnaître que nous les bancs les plus argileux...

Autre point digne d'intérêt, les céramiques « histriennes » semblent bien refléter, sur l'histogramme du calcium, certaines des caractéristiques géologiques de la contrée d'Istros et comprendre:

— une variante peu calcaire, devant correspondre au matériau des couches superficielles du loess local, décalcifiées par les eaux d'infiltration;

— une variante assez calcaire, dont le matériau doit correspondre à celui des couches profondes du même loess.

Cette distinction, inspirée par la structure géologique du terrain, s'est répercutée au niveau archéologique: les céramiques à faible concentration en chaux appartiennent très souvent aux variétés grises d'époque archaïque, qui pouvaient aisément se satisfaire du loess des couches de surface; tandis que celles riches en chaux correspondent essentiellement aux variétés à décor peint sur fond clair, l'obtention de ce dernier requérant de préférence un matériau calcaire que les potiers d'Istros ont trouvé plus en profondeur.

Les histogrammes permettent donc déjà de conclure que la cité d'Istros a dû produire des céramiques, pratiquement, dès les premiers temps de son existence: essentiellement de la vaisselle de table, grise et claire, et peut-être aussi des exemplaires plus élaborés en cours d'étude (deux fragments de terres cuites architectoniques, un tesson du style de Fikellura, ainsi qu'un autre, « ionien », de belle facture, à décor de lancettes, présentent des caractéristiques chimiques toutes « histriennes »). En regard, les importations grecques orientales ont toujours formé une part importante du matériel en usage sur le site : elles témoignent certainement de multiples origines et leur différenciation en deux groupes (amphores « ioniennes » d'une part, reste des importations d'autre part) ne correspond qu'à une exploitation volontairement limitée des histogrammes. En fait, ces derniers sont porteurs de plus d'informations, mais l'extraction de celles-ci demanderait un dépouillement systématique et fastidieux, proportionnel au nombre des données à manier, et surtout à leur structure.

Dans le cas d'Istros, on a certes pu utiliser la corrélation fer-aluminium du groupe « histrien » pour synthétiser dans un diagramme binaire ces premiers résultats tirés des histogrammes, mais sans pouvoir les affiner sensiblement.

Il fallait donc aller plus loin, notamment arriver à mieux situer les échantillons d'attribution incertaine, intermédiaires entre l'« histrien » et la Grèce de l'Est (et aussi les catégories voisines de l'« histrien » : poterie indigène modelée, vaisselle à feu de type grec et céramiques des comptoirs ruraux d'Istros, que nous passerons ici sous silence pour simplifier).

Il fallait aussi prévoir l'extension éventuelle des recherches tant sur les autres productions régionales possibles (par exemple, celles de Tomis et de Callatis, respectivement à 60 et à 100 km au sud d'Istros) que sur les importations grecques orientales, encore trop peu différenciées.

Nous avons donc jugé nécessaire de recourir à un système de tri plus efficace, capable à la fois de tenir compte globalement de toutes les données décrivant les échantillons et d'en traiter de vastes ensembles. Cela impliquait l'emploi de méthodes statistiques élaborées, que seul l'ordinateur permettait de mettre en oeuvre aisément.

L'option informatique a consisté pour nous à tester plusieurs procédés de description fine des données, dérivés de l'analyse factorielle : l'*analyse en composantes principales* et l'*analyse des correspondances*, qui visent toutes deux à résumer les données brutes avec le minimum de perte d'information. On a de plus doublé ces procédés avec d'autres, apparentés, de classification automatique : *méthode hiérarchique ascendante* (ou analyse des grappes) et *méthode non hiérarchique descendante*, la première effectuant des regroupements d'échantillons de proche en proche, la seconde décomposant au contraire l'ensemble inconnu en petits groupes au gré des affinités entre individus.

Naturellement, le passage de nos données sur ordinateur a préalablement impliqué l'établissement d'un plan de travail : chaque méthode de calcul a fait l'objet d'un certain nombre d'essais particuliers destinés, soit à tester des hypothèses d'ensemble ou de détail sur des effectifs adéquats, rectifiés empiriquement (analyse factorielle), soit à opérer le tri de séries importantes, dans un but de pure classification (classification automatique).

Nous ne donnerons ici qu'un aperçu des principaux résultats tirés de ces essais de tri sur ordinateur.

* * *

On a mené tout d'abord une série d'essais destinés à établir les relations entre les diverses catégories de matériel en jeu. Le but de cette série d'approche a été essentiellement descriptif et on a donc utilisé les méthodes de l'analyse factorielle.

Nous reproduisons ci-après deux graphiques correspondant au traitement d'effectifs identiques par des procédés différents : analyse en composantes principales (fig. 4) et analyse des correspondances (fig. 5).

293

Dans les deux cas, on aboutit au même clivage des échantillons en trois lots distincts:

— l'un forme un ensemble dense, de caractère nettement histrien: il renferme pêle-mêle des échantillons d'argiles locales et des céramiques présupposées histriennes pour une part (ainsi que la vaisselle à feu et la poterie indigène). Le nuage de points s'étire en fonction des teneurs en calcium;

— un autre comprend des éléments d'importation grecque orientale, riches à la fois en fer et en calcium: surtout ces amphores « ioniennes » qui apparaissaient déjà groupées sur l'histogramme de l'aluminium et sur le diagramme de corrélation fer-aluminium;

— enfin, le reste de la Grèce de l'Est, assez dispersé mais très peu différencié, les groupes sous-jacents étant sans doute mal représentés dans l'échantillonnage disponible.

Un petit nombre d'échantillons, d'attribution moins évidente, occupent encore l'espace séparant ces trois lots. Il ne faut pas s'en étonner outre-mesure, car il peut s'agir d'exemplaires appartenant à des groupes mal représentés, mais également de compositions marginales, que les méthodes employées ne permettent pas d'attribuer avec certitude à l'un ou à l'autre des groupes principaux.

Il faut remarquer en effet que ces méthodes d'analyse factorielle n'utilisent pas en totalité les informations contenues dans les données initiales, mais la majeure partie seulement (environ 70% ici). Seules les techniques d'attribution proprement dites (analyse discriminante quadratique) pourront lever l'incertitude qui demeure à propos de ces quelques spécimens en position intermédiaire.

Nous avons effectué en même temps des essais complémentaires avec différentes méthodes de classification automatique, dont plusieurs types d'analyse des grappes et une d'analyse non hiérarchique descendante. Mais la nature du procédé utilisé, si elle a influé sur la clarté des résultats, n'en a jamais modifié les conclusions. Cela tend bien à prouver au moins la validité de la séparation en trois grands groupes, réalisée précédemment. D'autre part, ces méthodes de classification automatique ont permis d'apprécier le contour des sous-groupes au sein des trois groupes principaux.

Pour ce qui est du groupe des productions locales d'Istros, les résultats de classification automatique sont (en ce qui concerne l'approche des sous-groupes) très compréhensibles: les céramiques viennent se grouper avec les deux principales catégories de loess argileux, l'une calcaire, l'autre beaucoup moins.

La situation est beaucoup moins claire avec les deux groupes de céramiques grecques orientales dont les sous-groupes demeurent encore énigmatiques à ce stade. Seul le groupement d'amphores « ioniennes », déjà connu par les essais antérieurs, réapparaît toujours intact: il doit donc bien correspondre à une entité archéologique précise.

* * *

Le bilan de cette première étape, marquée par la mise en évidence des productions céramiques d'Istros, apparaît donc comme très positif:

— les calculs ont bien confirmé, pour le site, une dichotomie du matériel de type grec oriental, dont une partie recouvre les caractéristiques du matériau argileux local, et l'autre s'en écarte assez nettement, se dispersant largement sur les graphiques;

— les méthodes statistiques de classification, même si elles ne peuvent prétendre résoudre tous les problèmes d'attribution au niveau individuel, ont apporté toutes sortes d'indications précieuses: sur le choix des argiles (la poterie locale ne coïncide pas avec la totalité des argiles d'Istros), les débuts de l'artisanat histrien (les plus anciens exemplaires identifiés remontent à la première moitié du VIᵉ s.), l'éventail de ses productions (vaisselle « ionienne » courante, imitations des styles figuratifs, statuettes, lampes, terres cuites architectoniques, briques, tuiles...), les techniques (les deux groupes d'argiles

294

distingués par P. Alexandrescu n'en forment qu'un en réalité, correspondant à une variété calcaire donnant des teintes rosées ou blanchâtres selon la température de cuisson) (d'autre part, on a plutôt utilisé es argiles peu calcaires à l'époque archaïque pour la confection de la vaisselle grise, tandis qu'aux périodes suivantes l'obtention d'un fond clair pour le décor peint a requis des argiles plus calcaires);

— la validité du tri automatisé d'échantillons décrits par leur composition chimique s'avère, en fin de compte, très satisfaisante: la reproductibilité des mêmes classifications par plusieurs méthodes statistiques différentes ne peut être le fruit de coïncidences fortuites.

Un contrôle a d'ailleurs été opéré, grâce à une étude minéralogique qui a bien établi une concordance de structure entre argiles et céramiques locales (présence spécifique de schistes verts et granulométrie particulière du matériau loessique) et une discordance avec les matériels d'importation.

* * *

D'autres méthodes statistiques devront maintenant prendre la relève, afin de permettre les attributions d'échantillons isolés: ce sera notamment le rôle de l'analyse discriminante quadratique qui, pour un spécimen donné, fixe la probabilité d'appartenance à des groupes de caractéristiques préalablement établies. Les essais systématiques menés à Lyon sur les productions de quelque quatre-vingts ateliers gallo-romains ont témoigné de la remarquable efficacité de cette méthode de classement.

L'analyse discriminante devrait aider à clore le problème des céramiques locales d'Istros, parallèlement à la poursuite d'autres travaux de laboratoire, tant sur les éventuelles productions de colonies voisines (Tomis et Callatis notamment) que sur les importations de Grèce d'Asie.

* * *

Pour ce qui est, à présent, des importations grecques orientales proprement dites, il est évident que les premiers essais de classification tentés sur le matériel d'Istros ne nous apportent pas encore d'informations archéologiques, faute de références extérieures. On pourrait bien sûr arriver à une partition encore plus détaillée, mais cela conduirait à grossir sensiblement les séries d'analyse (avec une inévitable perte de «rendement», liée au tri préalable: «Histrien» Grèce de l'Est), sans résoudre pour autant les problèmes fondamentaux de provenance.

Aussi nous paraît-il plus judicieux actuellement d'envisager une étude, site par site, des centres de fabrication ayant le plus probablement exporté vers Istros (directement ou indirectement): essentiellement Milet, Samos, ainsi que les ateliers de Chios, de Rhodes et de l'Ionie du Nord. Les investigations viseraient à en caractériser les productions les plus typiques, selon les procédés employés à Istros pour la mise en évidence des céramiques locales. On pourrait disposer ainsi de renseignements d'une valeur générale, plus du tout limités au seul cadre de notre colonie milésienne, mais applicables au contraire à une grande partie des sites à mobilier grec oriental.

Cette opinion se fonde déjà, dans la pratique, sur une expérience d'identification des séries milésiennes d'Istros.

Celle-ci a consisté dans un premier temps à épurer, par exploitation graphique simple (histogrammes et diagrammes de corrélation des éléments chimiques dosés), un échantillonnage de référence provenant de Milet et fort de 52 unités, jusqu'à le rendre cohérent; puis, nous en avons incorporé les spécimens sélectionnés aux effectifs des importations grecques orientales d'Istros, dans le cadre d'essais de classification automatique, par la méthode non hiérarchique descendante déjà citée.

Rappelons que cette méthode statistique procède par scissions successives d'un ensemble inconnu en un nombre croissant de classes (en pratique jusqu'à vingt), avec une partition mathématiquement optimale à chaque étape de division.

Les résultats se sont avérés probants: les échantillons de référence milésiens se sont répartis uniquement dans deux des groupes de composition déterminés sur les importations d'Istros (groupes dont la partition ne correspond sans doute à aucune réalité archéologique, mais uniquement à la dispersion considérable des compositions de Milet). Et il ne peut guère s'agir là d'une coïncidence, car ces deux groupes « mixtes », individualisés dès le niveau de partition n° 5, franchissent intacts les divisions taxinomiques suivantes (comme d'ailleurs le groupe d'amphores « ioniennes » mentionné plus haut). D'ailleurs, une étude minéralogique en cours apporte une confirmation supplémentaire de la parenté des échantillons « milésiens » d'Istros avec ceux issus directement de Milet.

En clair, cela signifie que, *pour Istros, on est capable maintenant de cerner de très près (en tout cas infiniment mieux qu'avec les procédés traditionnels) l'élément milésien au sein des importations grecques orientales.*

Naturellement, ces résultats de classification sont actuellement plus exploitables au niveau du groupe qu'à celui de l'échantillon isolé. Mais nul doute qu'en renforçant notre lot de référence de Milet (partie avec des céramiques, partie avec des argiles) et en multipliant ce type d'opération sur un assez grand nombre de sites de Grèce de l'Est, on ne parvienne à identifier avec une grande certitude les diverses origines des céramiques importées à Istros. On pourra alors envisager de recourir à des techniques statistiques plus rigoureuses, comme celles de l'analyse discriminante quadratique, pour les attributions individuelles.

L'approche des céramiques de type grec oriental par les procédés de laboratoire s'annonce donc comme complexe et longue. Cependant, les premiers résultats obtenus sont très prometteurs et, surtout, s'avèrent beaucoup plus fiables qu'avec les critères traditionnels.

D'abord, on vient de voir que les méthodes de laboratoire sont particulièrement aptes à la mise en évidence des productions locales d'un site donné: de toutes ses productions, et non pas seulement des séries les plus médiocres, seules jugées « locales » par les fouilleurs des sites coloniaux.

En effet, il apparaît maintenant comme très vraisemblable que la notion de style n'est pas d'un grand secours pour la stricte détermination de provenance des céramiques micrasiatiques: même les colonies reculées ont pu imiter parfois les styles figuratifs en vogue dans leurs métropoles respectives, avec un succès peut-être sous-estimé par les archéologues. Ainsi, on a probablement copié à Istros des récipients du style de Fikellura, des calices de Chios, des terres cuites architectoniques milésiennes... et importé concurremment les séries originales. Mais il faudrait, pour en être absolument certain, pouvoir faire une étude assez complète de ces séries de luxe, et non se limiter à quelques prélèvements isolés, accordés parcimonieusement...

* * *

Par contre, on peut penser raisonnablement cerner dans les prochaines années les productions des principales zones de fabrication (Samos, Chios, Rhodes, Ionie du Nord, Milet et sa contrée...). On notera toutefois que si la détermination des caractéristiques liées à tel ou tel centre peut être assez facilement réalisable (cas de Milet probablement), il sera plutôt vain au contraire d'escompter résoudre les problèmes archéologiques, en cherchant à définir a priori des traits géochimiques régionaux, permettant de subdiviser la façade occidentale de l'Asie Mineure en un certain nombre de domaines.

L'identification des grands centres de fabrication ne pourra donc s'opérer que graduellement; elle passera obligatoirement par le tri préalable des céramiques exhumées sur chacun d'eux, avant de viser au rattachement des groupes de composition obtenus au milieu local, par l'intermédiaire des argiles (affleurements actuels ou matériaux antiques plus ou moins bruts, mais sûrement locaux) des zones proches de ces centres.

Du point de vue des modalités techniques de cette approche, on peut faire les observations suivantes:

a) Les résultats concrets obtenus par les procédés de laboratoire ne sauraient être valables que s'ils résultent de l'*étude de gros échantillonnages*, seuls représentatifs des groupements sous-jacents au sein d'un matériel inconnu.

b) Le fait de ne vouloir rattacher d'abord les céramiques qu'aux zones de production les plus notoires va présenter aussi certains inconvénients. En particulier, on va constituer des groupes de composition pouvant évidemment renfermer aussi des spécimens issus de centres complètement inconnus. C'est pourquoi, on aura toujours avantage à diversifier les méthodes de classification et, bien entendu, à augmenter le nombre des échantillons analysés (les exemplaires isolés étant toujours plus difficiles à reconnaître que les séries, même petites).

c) Une approche directe des grandes catégories céramiques de Grèce d'Asie par les argiles nous paraît assez illusoire. Elle demanderait un colossal travail de prélèvements, assorti d'études géologiques approfondies et systématiques, pour avoir quelque chance de retrouver les variétés d'argiles retenues par les potiers antiques (et pas nécessairement mises en oeuvre brutes). Préalablement à l'utilisation des argiles pour les comparaisons, un tri des céramiques au niveau de chaque grand centre, nous paraît plus urgent et plus apte à fournir des résultats significatifs et rapidement utilisables.

d) Ce n'est qu'après avoir dégrossi la partition générale des productions de la plupart des grands centres de Grèce orientale et résolu les problèmes majeurs de provenance par l'étude conjointe des argiles qu'on pourra espérer raisonnablement, selon nous, faire des attributions d'origine à l'échelon individuel. Il faudra pour cela faire appel à des techniques d'attribution plus élaborées, telle que l'analyse discriminante quadratique, inapplicables avant la résolution des principaux problèmes taxinomiques.

Telles semblent être à l'heure actuelle les perspectives offertes par les méthodes de laboratoire pour la détermination de provenance des céramiques de Grèce de l'Est. Les réalisations à venir en ce domaine ne devraient plus dépendre désormais que du désir de collaboration des fouilleurs et des facilités de sortie (douanières) de prélèvements sans valeur, aux fins d'analyse, toutes conditions qui se sont trouvées remplies en Roumanie et ont permis une pareille efficacité des recherches.

PIERRE DUPONT

DISCUSSION ET CHRONIQUE DES TRAVAUX *
(par Mireille Cébeillac-Gervasoni)
(Pl. CXLI–CXLVIII)

Les rapports qui composent ce volume ont été présentés lors du Colloque International du Centre National de la Recherche Scientifique, organisé par le Centre Jean Bérard et qui s'est déroulé à Naples du 6 au 9 juillet 1976. Dans la mesure du possible, nous avons inséré intégralement les interventions corrigées par les auteurs; dans quelques cas, il n'est proposé qu'un résumé que nous espérons aussi fidèle que possible. Un certain nombre d'interventions ont été insérées dans le texte parmi les rapports mêmes: elles représentent des apports à notre connaissance du matériel de Grèce de l'Est dans des régions auxquelles aucune communication n'avait été dédiée. Il était donc logique de mettre ces textes à leur place géographique, à côté des autres, puisqu'ils comblent des lacunes (il s'agit des interventions de M. GRAS, *La question des canthares en bucchero dit « ionien »*, infra p. 104-106; C. TRONCHETTI, *Problematica della Sardegna*, infra p. 140-141; G. TORE, *Nota sulle importazioni in Sardegna in età arcaica*, infra p. 142-146; V. SANTONI, *Nota di protostoria nuragica*, infra p. 147-149; CH. ARCELIN, *Recherches sur la céramique grise monochrome de Provence*, infra p. 243-247; A. NICKELS, *Contribution à l'étude de la céramique grise archaïque en Languedoc-Roussillon*, infra p. 248-267; J.-J. JULLY, *Note sur la nécropole languedocienne de St. Julien, Pézenas (Hérault) et sur un vase ossuaire, stamnoïde, de la première moitié du VI*[e] *s. de cette nécropole*, infra p. 268-271 et *Les céramiques archaïques du sanctuaire carien de Labraunda. Vue d'ensemble*, infra p. 31-33; J. JEHASSE, *Les dernières leçons de la Corse*, infra p. 272-273).

Nous rappelons qu'une exposition, dans une douzaine de vitrines, a illustré de manière concrète toutes ces communications; ceci explique qu'à plusieurs reprises il est fait allusion à du matériel exposé; malheureusement cette chronique ne peut rendre compte de toutes les discussions qui se sont déroulées par groupes plus restreints autour d'objets ou de tessons.

1. — 6 *Juillet*

La première journée, après le rapport de présentation du colloque fait par Georges VALLET (p. 7-16), est consacrée aux problèmes qui concernent la Grèce de l'Est et la Mer Noire (cf. *supra* C. ÖZGÜNEL, *Spaetgeometrische Keramik in Bayrakli (Alt-Smyrna)*, p. 17-26; C. BAYBURTLUOĞLU, *Les céramiques chiotes d'Anatolie*, p. 27-30; J.-J. JULLY, *Les céramiques archaïques du sanctuaire carien de Labraunda. Vue d'ensemble*, p. 31-33; V. VON GRAEVE, *Zur milesischen Keramik im 8. und 7. Jh.v.Chr.*, p. 34-39; P. HOMMEL, *Archaisch-milesischer Keramik des 6. Jahrh.v.Chr.*, p. 40; P. COURBIN, *La céramique de Grèce de l'Est du VII*[e] *et VI*[e] *s. à Ras el Bassit en Syrie*, p. 41-42; Y. CALVET-M. YON, *Salamine de Chypre et le commerce ionien*, p. 43-51; P. ALEXANDRESCU, *La céramique de Grèce de l'Est dans les sites de la Mer Noire*, p. 52-61). Le texte du rapport présenté par E. AKURGAL ne nous est malheureusement pas parvenu. Il devrait être publié, courant 1979, dans les *Cahiers du Centre Jean Bérard*.

---

* Je remercie MM. Georges Vallet et Fausto Zevi qui ont bien voulu relire ce manuscrit. Je profite de cette occasion pour exprimer à Mlle Maria Francesca Buonaiuto ma reconnaissance car sa compétence et son zèle m'ont été une aide indispensable pour la préparation du colloque et pour l'élaboration de cet ouvrage.

A la fin de la journée, à la demande du président de séance, **Juliette de La Genière** a dressé un premier bilan des problèmes; nous en publions ci-dessous le texte.

« Il faut l'optimisme bien connu de Monsieur R. Martin pour penser qu'au terme d'une journée aussi longue que dense, il me serait possible d'esquisser une synthèse de ce qui a été dit. Tout au plus puis-je faire avec vous une sorte de bilan pour tenter d'évaluer dans quelle mesure les rapports que nous avons entendus répondent aux suggestions faites ce matin par G. Vallet dans son exposé introductif.

Rappelons brièvement les principales orientations qu'il nous a proposées:

I. — a) Il nous faut éliminer autant que possible les ambiguïtés de vocabulaire pour la désignation des catégories des céramiques de Grèce de l'Est.

b) Au-delà des simples problèmes de vocabulaire, nous devons tenter de préciser les groupes et les séries.

c) Il faut souligner les cas où il est dès maintenant possible de passer de la constitution des groupes à leur localisation géographique;

d) éventuellement désigner les agents de production.

II. — La question chronologique doit être abordée sur deux plans:

a) Il nous faut faire l'inventaire des éléments dont on dispose déjà pour établir une chronologie relative.

b) Rappeler les points fixes qui permettent une chronologie absolue.

III. — Nous devrions ensuite tenter d'expliquer la présence de cette céramique et examiner si elle est due:

a) à la présence de colons demandant la céramique à laquelle ils sont habitués,

b) ou bien à des courants d'échanges indépendants d'une présence coloniale,

c) ou bien à ces deux éléments réunis, c'est-à-dire à des colons qui sont à la fois consommateurs et intermédiaires.

IV. — Il faudrait enfin examiner qui étaient les agents de transmission et comment s'organisait leur activité.

* * *

I. a) — Par rapport au point I. a, c'est-à-dire aux ambiguïtés du vocabulaire désignant le matériel de Grèce de l'Est, nous ne sommes évidemment pas sortis des difficultés bien connues, et aujourd'hui même nous avons entendu la même série de vases désignée par les uns comme le « style de Camiros », par d'autres comme du style « Wild Goat » ou « Tierfriesstil » tandis que, si nous ouvrons le livre de Mme Walter-Karydi, nous les trouvons catalogués comme samiens. Nous continuons à appeler « vases de Fikellura » des vases dont la plupart ne sont probablement pas rhodiens; certains pour notre collègue Hommel pourraient être milésiens; d'autres, d'après E. Walter-Karydi, seraient samiens. Evidemment il faudra d'autres rencontres et de nombreux travaux pour que tombent les uns après les autres ces termes qui pour beaucoup sont purement conventionnels.

I. b) et I. c) — En revanche, par rapport aux points I. b et I. c, i.e. la constitution des groupes et leur localisation géographique, il me semble que la journée d'aujourd'hui a beaucoup apporté.

Le rapport de C. Özgünel nous a présenté une vision claire de ce que furent les styles du Géométrique Moyen et du Géométrique Récent dans l'antique Smyrne. Je soulignerai deux aspects de ce rapport qui peuvent intéresser particulièrement les historiens: d'abord la prépondérance des influences attiques au début des séries géométriques dans un centre qui, à cette époque, n'était pas encore ionien (Hér. I, 149): ensuite l'intensification des influences attiques au cours du Géométrique mûr, c'est-à-dire dans le 3e quart du VIIIe siècle, et les liens toujours plus étroits qui existent alors avec la céramique de Samos. Sont-ils en rapport avec l'intégration forcée de l'antique Smyrne dans la koinè des cités ioniennes? Le rapport de C. Özgünel inciterait à placer cet événement sensiblement plus tard que ne l'avait proposé Roebuck pour lequel Smyrne était déjà ionienne vers 800.

Nota: On pourrait mettre ces observations en rapport avec celles que suggère L. Jeffery, *BSA* 1964, p. 39-49, *Inscriptions on sherds a. small objects*, lorsqu'elle montre que l'écriture arrivant à Smyrne à la fin du VIIIe siècle est un alphabet ionien de l'est; l'intégration de Smyrne dans la koinè ionienne aurait été réalisée avant le dernier quart du VIIIe siècle.

Beaucoup d'éléments positifs en rapport avec les points I. *b* et I. *c* ont été apportés par le rapport d'E. Akurgal qui s'inscrit chronologiquement à la suite de celui de C. Özgünel. Il a en effet répondu à plusieurs des interrogatives de G. Vallet, constituant des groupements de vases en séries pour lesquelles il propose parfois des localisations géographiques.

Ainsi plusieurs vases ont été groupés sous la rubrique du style éphésien, très lié du reste au style milésien, et en cela E. Akurgal a marqué son accord avec E. Walter-Karydi. Quant à la localisation à Ephèse même des ateliers producteurs de ces séries céramiques, il ne semble pas partager les doutes exprimés par C. H. Greenewalt (*CSCA*, vol. 6, 1973, p. 91-122, *Ephesian ware*).

Un groupe smyrniote a été proposé qui n'est pas sans rapport avec le groupe Vlastos de Schiering; un groupe de Çandarli autour du dinos de Bâle. Le groupe éolien acquiert des contours plus nets grâce aux nouvelles découvertes de Çandarli (Pitane).

En revanche les observations faites par E. Akurgal à propos de la grande olpè aux lions plastiques de Syracuse, pour laquelle il pense à des contacts chypriotes, à propos d'une olpè de Rhodes et d'une autre de Çandarli montrent que, s'il est sensible aux analogies existant entre ces vases, il n'est pas pour autant d'accord avec E. Walter-Karydi pour les attribuer à une aire géographique commune qui serait le Nord de l'Ionie. P. Isler et P. Alexandrescu au contraire seraient prêts à souscrire aussi bien au regroupement stylistique qu'à la localisation géographique proposée pour ces vases par E. Walter-Karydi.

Enfin E. Akurgal estime qu'il est encore prématuré de vouloir définir l'origine du style « Wild Goat ». En tout cas l'attribution à Samos de la paternité de ce style (E. Walter-Karydi) ne lui paraît pas vraisemblable. Rhodes serait également exclue, à moins que l'on ne suppose que des artisans ioniens ne s'y soient installés.

De la belle communication de C. Bayburtluoğlu sur les céramiques dites de Chio, je retiendrai quelques aspects essentiels à nos préoccupations de groupement et de localisation.

Les abondantes trouvailles faites dans les dépôts du temple d'Athéna d'Erythrai (plus d'un millier de fragments) permettent de grouper les vases d'Erythrai dans une série continue du Géométrique au 3e quart du VIe siècle; série dans laquelle s'inscrivent des bols en style « de Chio » analogues par le style et par l'argile (contrôlée en laboratoire) aux bols trouvés dans la nécropole de Pitane-Çandarli et dans plusieurs autres sites d'Anatolie.

Pour ces bols « de Chio » on peut distinguer une période ancienne (fin VIIe siècle) marquée par l'emploi de la technique au trait (ou réserve-silhouette), tandis qu'avec le tournant du VIe siècle la technique au trait, la technique en silhouette avec rehauts rouges sur un fond dépourvu, ou à peu près, d'éléments de remplissage, la technique de la figure noire avec rehauts blancs et rouges (polychrome) sont employées en même temps.

Toutes ces observations ont conduit C. Bayburtluoğlu à placer à Erythrai l'un des grands centres de fabrication des bols dits « de Chio ».

300

Des séries sûrement milésiennes ont été définies par von Graeve, notamment celles des skyphoi à lèvre décorée de cercles concentriques qui naissent de décors protogéométriques et se prolongent à Milet ljusque dans le milieu du VIIe siècle. Avec lui Milet revendique également, au même titre que Samos, les exemplaires les plus anciens, donc la paternité des coupes ioniennes qui naissent des formes du Géométrique moyen imitées des modèles attiques. On y voit naître, comme à Samos et à Rhodes, et se développer le « Tierfriesstil » ou style du « Wild Goat ».

Qu'il s'agisse des vases à dessin au trait ou, comme le montre ensuite Hommel, des vases à figures noires de Milet, on dispose maintenant, grâce à ces deux savants, de points de références précis pour les études à venir.

II. a) — Si cette première journée a beaucoup apporté pour l'élaboration des groupes et des séries, elle a fourni des éléments décisifs pour l'établissement des chronologies.

Milet est désormais, au même titre et peut-être plus encore que Samos, un lieu privilégié pour la chronologie relative des séries. Deux strates de destruction superposées, comme nous l'a exposé von Graeve, permettent de mieux situer, par rapport à ces deux horizons (fin du VIIIe s. = Reifgeometrisch; milieu du VIIe s.), le matériel des couches voisines. En outre il ressort du rapport de P. Hommel qu'une série de puits assez bien datés permettent, par le jeu des associations d'objets, de resserrer l'éventail chronologique pour le matériel du VIe siècle.

II. b) — Pour la chronologie absolue, rappelons ce qu'a souligné P. Alexandrescu, i.e. la fourchette très étroite qu'il y a entre la fondation d'Apollonie (610) et l'abandon de Meshad Hashawahu en 608; cette remarque précise encore les jalons fixés par R.M. Cook en 1969 (*BSA*, p. 13-15) et permet de mieux dater les premières séries de l'un et les dernières de l'autre site. Peu après se situe la destruction de Smyrne pour laquelle la chronologie est, quoiqu'on en ait dit, relativement bien fixée.

Enfin des éléments précieux ont été fournis par les associations très sûres dans les tombes de Pitane (Çandarli) où dans la première moitié du VIe siècle des vases du style de Chio sont associés à des vases attiques bien datés, comme nous l'ont exposé E. Akurgal et C. Bayburtluoğlu.

III. — La question des échanges sera traitée tout particulièrement lors des conférences consacrées à la Grèce et à la Méditerranée occidentale. Dès aujourd'hui cependant l'étude de ces courants a été abordée par P. Alexandrescu à propos de la mer Noire.

Histria était-elle, comme Tell Defenneh, un lieu d'aboutissement où les céramiques étaient demandées par les colons pour leur propre usage? Etait-elle, comme Naucratis, un comptoir sur une voie commerciale, et les céramiques de luxe qu'on y trouve qualifieraient-elles la nature de ces navigations?

En fait Histria n'a reçu de la Grèce orientale des vases de luxe qu'à partir du style Moyen II du « Wild Goat », en même temps que Berezan et Naucratis, alors que des pièces plus anciennes étaient déjà parvenues en Russie méridionale (oenochoè de Temir Gora). Les villes grecques de la mer Noire reçoivent au VIe siècle, comme Naucratis en Egypte, des vases de provenance variée, venus aussi bien du Nord (Chio, Clazomènes, etc. ...) que du Sud de l'Ionie (Fikellura). En revanche la céramique d'usage courant importée, qui est à l'origine des fabriques histriennes, semble avoir surtout son origine en Eolide, peut-être autour de Phocée. Il y a là une diversité extrême qui incite P. Alexandrescu à attribuer la distribution des céramiques d'époque archaïque à des petits commerçants.

Ces observations de P. Alexandrescu abordent le point IV de notre enquête, pour l'étude duquel nous espérons être mieux documentés lorsque nous aurons entendu les rapports concernant les autres régions méditerranéennes.

C'est pourquoi je vous propose de clore ce bilan provisoire, bilan qui s'avère largement positif, surtout en ce qui concerne notre connaissance des séries céramiques (I. b et I. c) et aussi l'approche des problèmes chronologiques (II. a et II. b) ».

Grèce et Grande-Grèce sont les protagonistes de la journée du 7 juillet (cf. *supra*, K. RHOMIOPOU-LOU, *Pottery evidence from the North Aegean (8th-6th century)*, p. 62-65; CHR. KARDARA, *Oriental Influences on Rhodian Vases*, p. 66-70; H. P. ISLER, *Samos: la ceramica arcaica*, p. 71-84; J. BOARD-MAN, *The less familiar Chian Wares*, p. 85-86; F. SALVIAT, *La céramique de style chiote à Thasos*, p. 87-92; P. ORLANDINI, *Ceramica di Grecia dell'Est a Gela*, p. 93-98; A. RALLO, *Ceramiche di Grecia dell'Est negli scavi recenti di Selinunte*, p. 99-103; M. GRAS, *La question des canthares en bucchero dit « ionien »*, p. 104-106; P. G. GUZZO, *Importazioni fittili greco-orientali sulla costa ionica d'Italia*. p. 107-130; F. G. LO PORTO, *Le importazioni della Grecia dell'Est nelle Puglie*, p. 131-136; W. JOHANNOWSKY, *Il materiale greco-orientale in Campania*, p. 137-139).

La discussion se concentre d'abord sur la communication de H. P. Isler (*supra*, p. 71-84); **J. de La Genière** demande à H. P. Isler des précisions sur la chronologie dont il fait usage pour le corinthien. **H. P. Isler** répond:

« Al momento della costruzione del primo grande tempio di Hera, si svolse un programma di costruzione e di attività molto ampio e questo programma ci dà tanti indizi per una minuta cronologia relativa che si basa su osservazioni di materiale stilistico, osservazioni della tecnica di costruzione, ecc. Nel datare questi miei risultati dello scavo della Porta Nord ho perciò potuto proporre delle datazioni al decennio. Partendo da questa cronologia relativa minuta che abbiamo a Samos, ci pare difficile arrivare con la fine del corinzio medio ad una data intorno al 575. È per questo che ognuno che ha lavorato a Samos sente il bisogno di abbassare questa data. Se io per esempio adoperassi la cronologia tradizionale, dovrei datare la prima fase della Porta Nord, non prima del 560, ma prima del 575. Questo però non sarebbe un fatto isolato, perché fa parte del programma di costruzione di tutto il Santuario. Se io cioè alzo questa data, alzo tutta Samos, alzo Efeso, alzo Policrate, e spostiamo così le difficoltà cronologiche, dato che il regno di Policrate è datato nelle fonti scritte. Il problema, per noi a Samos, è un problema relativo che cerchiamo di risolvere adoperando queste datazioni più basse, che ci sembrano necessarie, anche se non provate in senso assoluto, necessitate dalla situazione dello scavo stesso. Non so se mi sono spiegato. L'importante è che adoperando la cronologia tradizionale, dovremmo alzare tutto il periodo della costruzione del Santuario di 15 anni, il che porterebbe ad altre difficoltà in relazione con la tradizione letteraria. Bene, sono cose che sono aperte alla discussione, ma forse sono cose che non c'entrano tanto nel soggetto di questo Convegno ».

Cette réponse ne satisfait pas complètement **M. Torelli** qui souhaite d'autres précisions sur la chronologie des coupes dites « ioniennes » A. **H. P. Isler** reprend alors la parole:

« Quanto alla forma fine, quella con i filetti rossi, l'ho fatta finire intorno al 600. Siamo d'accordo, e questo 600 invece di 620 proviene dalla differenza nelle cronologie assolute adoperate, perché l'« allungamento » della cronologia a Samos ha luogo, semmai, tra il corinzio e la fine del proto-corinzio. Quanto all'altro punto, cioè quelle coppe con orlo a decorazione a strisce di vernice diluita orizzontali, tutti i materiali che ho fatto vedere (che rappresentano una scelta) sono stati trovati da me. A Samos si usavano i resti dei materiali ceramici rotti tra l'altro per riempire le fondamenta di nuove costruzioni, ecc. Siamo quindi sempre davanti a depositi chiusi, ma che rimangono aperti verso l'alto, possono contenere materiali più antichi. In queste situazioni ci sono due criteri che mi paiono importanti; l'uno è il rango della ceramica. I pezzi di ceramica comune non circolavano certamente per un periodo troppo lungo. L'altro è un problema di statistica. E ora questi depositi, quelli della 1ª fase, sono largamente formati appunto da queste coppe ioniche ed io non posso immaginarmi che tra il momento della chiusura di questi depositi e la fine di queste coppe ci sarebbe un intervallo di 30-40 anni. Quindi dal punto di vista archeologico io devo partire dalla nozione che queste coppe arrivano fin là, il che del resto è stato controllato in altri complessi stratigrafici, e cioè in uno strato che era stato chiuso nel 570 a.C. circa. E poi c'è il fatto che i depositi sono molto ricchi, in un caso 50 casse di materiale da un settore limitatissimo. Ora

302

tutto quel materiale che appartiene al secondo periodo della Porta Nord è senza vernice. Perciò s'impone questa separazione netta intorno al 550. Prima le coppe tradizionali a vernice, dopo le coppe e la ceramica comune senza vernice, con la sola eccezione delle coppe a piede alto di quel gruppo di ceramica anche figurata ».

D'autres problèmes sont soulevés, en particulier par **C. Franciosi**, à propos de la série de vases avec l'inscription ΔH; Franciosi regrette que ces deux premières journées du colloque ne lui aient pas apporté les éclaircissements qu'il espérait sur les fabriques d'Asie Mineure.

Isler répond brièvement à ces deux points:

« Cerco di rispondere brevemente. Punto 1°: iscrizione ΔH. Se non mi sbaglio ho detto che non volevo entrare nel soggetto; è chiaro che anche noi pensiamo una cosa come ΔHMOΣIA, anzi ci sono delle teorie che si possono formulare. Fatto sta che le forme della ceramica comune rappresentate all'Heraion in un determinato momento si trovano anche con queste iscrizioni ΔH. Non credo che siano iscrizioni votive, dato che sono dipinte. Ritengo comunque non molto importante questo punto in questa sede. Il secondo punto è quello che il dott. Franciosi ha detto a proposito della nebbia che è diventata più densa dopo questo convegno. Questa è un'esperienza che io, già dall'inizio, avevo prevista per tutti quelli che partono dal materiale trovato in Occidente che appunto è materiale scelto e importato. Per me ci sono due gruppi di materiali, materiali scelti per il commercio ed in certi casi oggetti che qualcuno viaggiando si è portato dietro dall'Est. All'Est tante città hanno, penso, prodotto ceramica, almeno le serie più comuni. Per le ceramiche ci sono quindi diversi centri d'origine. Anche per la ceramica fine penso che, dopo quello che ho sentito anche stamattina, siamo tutti d'accordo: dobbiamo capire che questi cosiddetti « stili » non sono stili, ma modi di decorazione, cioè ci sono diversi centri che hanno lavorato nella stessa maniera. Rimane tanto lavoro da fare, ci sono tanti centri ignoti o quasi ignoti in Asia Minore e nelle isole greche; ci sono d'altro lato centri che sono noti per motivi che non hanno niente a che fare con la loro produzione ceramica. Il materiale di Samos per esempio è noto perché lì c'era il famoso santuario, del quale una colonna è rimasta sempre in piedi ed ha presto attratto gli archeologi. Per questo il materiale che si conosce è assai numeroso. Altri centri invece, per motivi che non hanno niente da fare con i problemi ceramografici, sono rimasti poco noti, per esempio Focea, Efeso, ecc. Per questo siamo ancora lontani dal conoscere tutte le classi ceramografiche e le diverse botteghe che esistono nella zona di origine. E quindi non possiamo aspettarci di poter classificare e cioè attribuire ad un centro di produzione sia orientale sia coloniale tutti i rinvenimenti d'occidente ».

J. Boardman intervient ensuite sur les problèmes de chronologie:

« We are in some danger of confusion between absolute and relative chronology. Not only do we lack sufficiently precise indications of absolute chronology for East Greek wares, but there is no one series which is so well known that it can provide any sort of detailed criterion of relative chronology. For the seventh century Payne's chronology for Corinth continues to serve very well. In the sixth century there is a tendency, perhaps correct, to downdate his Corinthian series, but since the detailed development of this series is in itself not too clear there is the possibility of considerable confusion. We might do better to use the better mapped Attic series as our yardstick from 600, where the development of shapes and decoration has been far more clearly worked out. This provides a strong framework for relative chronology, though for absolute dates we still rely to some extent on synchronisms with Corinth. The Attic vases are well distributed in east and west, especially in the western grave groups which are likely to prove most informative. Moreover, there is increasing influence from Attic on the East Greek styles, and for the second half of the century we have only the Attic decorated pottery to serve us, since the Corinthian figured series dries up. I have sometimes wondered whether the apparent gap between the end of the Wild Goat style proper on vases and its re-entry on the sarcophagi does not owe much to the fact that the earlier event has been dated by reference to Corinthian vases, the later by reference to Attic.

For absolute chronology M. Vallet wisely reminded us of the importance of the evidence of the western Greek sites, and indicated that we could leave out of account, if we wished, controversial dates like that of Selinus. We should not, however, imagine that where a site has only *one* testimonium for its foundation or destruction this must be the right one! Generally, the greater the number of sources, the less the agreement between them, and we should always admit a notable possible margin of error. This is particularly important when we are called upon by the historian for a precise date, or when historians turn to our conventional dates and treat them too literally.

In *Greek Emporio* I had observed that the developed Wild Goat style had not reached Chios till at least the last third of the seventh century, and I suspected a lower date for its creation than many have suggested. The evidence of contexts with Corinthian is still not very clear on this point. If the style is fully developed by 650 one is bound to ask what happened in the second half of the century, and why the stylistic development is so very slow. And if the Ripe Corinthian series is dated lower the stretch is even more extreme. How long does it take for the style to develop from the mainly silhouette animals of some pieces from Samos and Miletus to what we regard as the fully developed Wild Goat style? Thirty years? Ten years? Six months? If it really took a long time why is there not even more clear differentiation of local styles? ».

B. Neutsch donne ensuite quelques indications complémentaires au sujet du fragment rhodien trouvé à Policoro et dont a parlé Guzzo (cf. *supra* p. 107); il n'est pas sûr qu'il s'agisse d'un produit original car il le trouve un peu maladroit, aussi voudrait-il que E. Akurgal examine ce tesson qui est exposé dans une des vitrines et donne son avis.

A. Mele prend ensuite la parole pour discuter les thèses présentées par P. Alexandrescu:
« Vorrei discutere una delle conclusioni cui è arrivato il prof. Alexandrescu. Nella parte finale della sua comunicazione Alexandrescu ha ripreso un'idea, già da lui avanzata in un articolo apparso nel 1973 sulla *Revue Archéologique*, relativo al commercio pontico: l'idea cioè di un commercio pontico in età arcaica come commercio in cui tanto i produttori quanto i commercianti-intermediarii si pongono al livello del *demos*. In particolare viene richiamato un famoso passo della Politica di Aristotele (*Pol.* 1291, b 23), dove, discutendo le varie forme di democrazia e il loro rapporto con vari tipi di *demos*, si parla tra l'altro di un *demos* chrematistico-emporico e si citano due delle località che sono state al centro dell'attenzione in questo convegno: Egina e Chio. Proprio su questo passo vorrei fare qualche precisazione, necessaria per evitare rischi di modernizzazione e di anacronismi.

Il luogo di Aristotele non contiene precisazioni cronologiche: la cronologia dei fenomeni citati deve quindi essere dedotta da tutto l'insieme del contesto aristotelico e si tratta, mi pare, di un contesto difficilmente riferibile all'età arcaica. Tutta la discussione verte sulle varie forme di democrazia e sulle basi economiche e sociali delle stesse: si tratta cioè sempre di governi in cui il *demos* possiede una sua autonomia politica. E questo vale anche per il *demo* chrematistico-emporico cui si richiama il prof. Alexandrescu. Difficilmente quindi questa testimonianza di Aristotele può essere riferita al VI secolo.

Aggiungo una seconda constatazione più generale. Il commercio pontico si svolge su base non monetaria (E. SCHOENERT-GEISS, *Klio*, LIII, 1971, 105 ss.). Questo elemento, in particolare in età arcaica, è un altro elemento contrario all'ipotesi di un commercio opera di un *demo* inteso alla maniera di Aristotele. Al baratto fanno capo relazioni di tipo personale e clientelare, ma non un *demo* autonomo, capace di forme democratiche di vita.

Contro l'ipotesi di Alexandrescu sta del resto un documento specifico sul commercio pontico arcaico: la lettera di piombo di Berezan. La lettera va datata alla fine del VI o al primo venticinquennio del V e va utilizzata nella corretta lettura e interpretazione datale da B. Bravo (*Dialogues d'Histoire Ancienne*, 1974, 111 ss.). Nella lettera abbiamo un quadro che non è certamente quello di un commercio a livello di *demos*. Da una parte colui che materialmente commercia non è il padrone della nave, v'è cioè distinzione tra *emporia* e *naukleria:* dall'altro il carico appartiene ad un certo Anassagora, ricco personaggio di Olbia, con case, schiavi, beni etc., mentre colui che trasporta il carico ed effettua così la *phortegesis* è un dipendente di questo Anassagora o, secondo la tesi dell'avversario di costui, addirittura un suo schiavo. Abbiamo quindi un commercio alle cui spalle c'è un *gnorimos* e chi esercita il commercio è un cliente o uno schiavo. Si potrebbe parlare di *demos* a questo proposito, ma solo in senso sociologico: cioè non nel senso politico in cui ne parla Aristotele. Qualche altro elemento può essere addotto allargando il quadro. Alexandrescu stesso mette in rilievo i paralleli esistenti con il commercio naucratite. Partendo da un'analisi recente di questo commercio, quella di Austin (*Greece and Egypt in the Archaic Age*, in *Proc. Cambridge Phil. Soc.*, Suppl. 2, 1970) alcuni caratteri generali emergono. Il commercio naucratite prevede importazioni di vino e di olio: prodotti di tipo particolare che rimandano a produzioni specializzate e a particolari forme di *surplus*. Quando poi le fonti citano qualche nome di commerciante straniero a Naucratis, il nome che ricorre è quello di Carasso fratello di Saffo: un aristocratico che può esportare vino, fare lauti guadagni, acquistare a caro prezzo una bella etera. Dunque non si tratta di commercio al livello di *demos*.

Per ciò che riguarda le esportazioni il discorso non è diverso: c'è il lino, il papiro, il grano. Le prime due merci rimandano anch'esse a produzioni specializzate e quindi ad importatori egualmente specializzati. Quanto al grano il livello a cui si poneva il commercio del grano con l'Egitto ci è noto attraverso la testimonianza di Bacchilide (fr. 20 B Snell), da un carme dedicato ad Alessandro di Aminta. Qui un ubbriaco immagina di essere un *monarchos* che da una parte possiede case ricche di avorio e di oro e dall'altra navi granarie che dall'Egitto gli portano *megiston plouton*. Dunque ancora una volta non commercio di *demos* ma commercio di tiranni o re o qualcosa del genere.

Altri elementi nello stesso senso fornisce la testimonianza di Solone. Solone stesso fu un *emporos* (Plut., *Sol*. 2), ma Solone ci dice anche dell'altro poiché allude alla *emporia* nell'Elegia alle Muse (vv. 43-46). Qui si ricorda un tale che, allontanandosi dalla patria, erra sulle navi in cerca di un guadagno: ma la menzione di questo tale si inserisce tra quella del povero, che afflitto dalla povertà spera comunque di arricchirsi, e quella del teta salariato agricolo che serve per un anno un padrone di campi. Si tratta dunque di un personaggio molto vicino all'Achillodoro di Berezan semplice *phortegos* come si vide.

Il discorso potrebbe ancora ampliarsi: Torelli tornerà tra poco su Sostrato di Egina, un *gnorimos* anche lui; e *gnorimos* è anche Protis fondatore di Massalia, citato come *emporos* da Plutarco (*Sol*., 2, 7), accanto a Solone. Ma non è necessario dilungarsi ulteriormente. Basterà pensare alla Ionia di VI secolo, con le tirannidi e le oligarchie, con le aristocrazie lidizzanti e medizzanti; basterà pensare alle strutture politiche e sociali che sono dietro al commercio foceo (E. Lepore, *PP*, CXXX-CXXXIII, 1970, 19 ss.) o a quello chiota di vino e schiavi barbari, per intendere come sia difficile accettare le conclusioni dell'Alexandrescu. E se tali conclusioni sembrano all'Alexandrescu giustificate dall'interpretazione dei dati archeologici, evidentemente sono i modelli di intepretazione di tali dati che vanno rimessi in discussione alla luce dell'intero complesso di informazioni sul commercio greco arcaico e sulla evoluzione e storia della Ionia nel VI secolo ».

P. Orlandini prend la parole à propos des communications de Paribeni (*supra*, p. 239-242) et de Guzzo (*supra*, p. 107-130):

« Vorrei anzitutto associarmi all'opinione « eretica » di Paribeni per quanto riguarda l'oinochoe « rodia » di Siracusa. Anch'io ritengo che questo vaso in tecnica mista, come quello di Gela di cui ho parlato nella mia relazione (cfr. pg. 95, fig. 16), non siano prodotti importati ma di produzione coloniale, un'ottima imitazione locale del Wild Goat style. In particolare l'argilla e la vernice del vaso di Gela sono molto diverse da quelle dei vasi greco-orientali di importazione.

Anche per quanto riguarda il dinos di Policoro, commentato da Paribeni, posso portare un nuovo elemento a favore dell'accostamento tra il centro arcaico di Policoro (Siris?) e l'insediamento dell'Incoronata. Nell'ultima campagna di scavi all'Incoronata, infatti, si è trovato, nell'area di una delle abitazioni distrutte, un piccolo ma prezioso frammento di dinos orientalizzante, con una testa di cavallo accanto all'orlo di un tripode, frammento già pubblicato nel mio recente rapporto di scavo (1). Questo frammento doveva appartenere a un dinos uguale a quello di Policoro, con il motivo dei due cavalli rivolti verso il tripode, e si tratta di un documento più evidente del frammento del Museo di Potenza, sia per la sicura provenienza, sia per lo stile che è veramente identico a quello delle teste dei cavalli del dinos di Policoro. È questo uno degli elementi per cui, almeno finora, il centro dell'Incoronata sembra più legato a Siri che non a Metaponto.

I risultati dello scavo dell'Incoronata mi inducono infine a una precisazione per quanto riguarda il bellissimo frammento di vaso « rodio » citato dal dott. Guzzo nella sua rassegna (cfr. pg. 107). È stato rinvenuto nei primi saggi dell'Incoronata dall'amico Adamesteanu che lo ha già presentato più volte in recenti pubblicazioni (2), e non vi è dubbio che si tratta del miglior esempio del genere finora rinvenuto in Magna Grecia.

Per questo vaso gli scavi dell'Incoronata offrono un importante elemento di cronologia assoluta dato che questo centro, sorto verso il 700 a.C. fu distrutto e definitivamente abbandonato verso la metà del VII sec. a.C. Nell'area delle abitazioni distrutte o nelle fosse di scarico si hanno infatti, come termine cronologico più basso, alcune coppe piatte del tardo-protocorinzio iniziale, con piede decorato a raggi e non vi è alcuna traccia, in tutto lo scavo, di vasi protocorinzi transizionali o del corinzio antico (3).

Il frammento « rodio » dell'Incoronata appartiene a questo contesto stratigrafico e ciò va tenuto presente qualora, sulla base di una classificazione puramente tipologica o di evoluzione stilistica, si volesse abbassarne troppo la datazione nel corso del terzo quarto del VII sec. Alla luce dei risultati dell'Incoronata direi che questo frammento dovrebbe datarsi, in ogni caso, non più giù del 650/40 a.C.»

Isler apporte une autre précision:

« Vorrei aggiungere brevemente un'osservazione a proposito di questa oinochoe di Siracusa, che qualcuno può ritenere importata mentre altri parlano di imitazione locale. Ora questo termine d'imitazione locale è un termine non preciso e questo vorrei sottolineare in questo punto; cioè ci sono due possibilità praticamente: o è un'imitazione fatta da un'officina sul posto sopra un modello importato oppure è un artista o un ceramista emigrato dal centro d'origine. A me sembra impensabile che questa oinochoe di Siracusa sia un'imitazione locale, ma forse sarà un'opera di un ceramista immigrato; questo problema è solo da risolvere in base ai criteri tecnici dell'argilla e del materiale ».

Alexandrescu intervient dans le même sens et ne pense pas qu'il puisse s'agir d'une imitation italiote.

J. de La Genière prend la parole pour présenter quelques réflexions en liaison avec le rapport d'A. Rallo et pour répondre à l'invitation de V. Tusa qui, depuis 1973, a confié à R. Martin et à elle-même la responsabilité des fouilles sur l'Acropole de Sélinonte:

« Jusqu'à présent nous avons mené une série de sondages qui avaient pour objectif l'étude du développement urbanistique sur l'acropole. Il ne s'agit donc pas de fouilles extensives, ce qui explique que notre matériel soit très limité en quantité: l'ordre de grandeur serait de 5 à 10 pour 100 par rapport à la masse du matériel traité par A. Rallo sur la Manuzza pour la période antérieure au milieu du VIᵉ siècle. Si peu abondant qu'il soit ce matériel devrait, en qualité, correspondre à celui que livre la Manuzza.

Or si je souscris totalement à l'ensemble des points de vue exprimés dans sa conférence par A. Rallo, et si, au-delà des aspects qu'elle a examinés aujourd'hui, nos observations s'accordent sur le problème chronologique à Sélinonte, en revanche deux points m'ont étonnée aujourd'hui: la question de la fabrication de la céramique à Sélinonte, la proportion des vases de Grèce de l'Est qu'elle a indiquée.

---

1) Cfr. P. ORLANDINI, *Scavi archeologici in località Incoronata presso Metaponto*, in *ACME*, XXIX, 1, 1976, pg. 29-39, tav. VIII, 3.

2) D. ADAMESTEANU, *Metaponto*, Napoli 1973, pg. 68, fig. 30; ID., *La Basilicata antica*, Cava dei Tirreni, 1974, fig. pg. 72.

3) P. ORLANDINI, *l.c.*, pg. 30-31, tav. V, 1, 3, 4.

1. — La question de la fabrication de la céramique à Sélinonte.

Personnellement j'ai eu l'impression que les colons, dès la première génération, avaient fabriqué sur place une partie de leurs vases d'usage quotidien. On trouve en effet des fragments de vases sûrement sélinontins dans les strates profondes, au contact du terrain vierge, sur l'acropole. Peut-on penser qu'il y a un décalage chronologique entre l'occupation civile sur l'acropole et la zone explorée de Manuzza, c'est-à-dire doit-on penser que les colons ne se sont établis sur l'acropole qu'en un second temps? Notre matériel est certes trop peu abondant pour répondre à cette question. Cependant des fragments de skyphoi à chiens courants trouvés dans les strates profondes de l'acropole vont à l'encontre de cette hypothèse. En outre l'existence d'un fragment de coupe à décor subgéométrique recuit et vitrifié sur l'acropole prouve que ce type de vase, qui paraît lié aux débuts de Sélinonte, était fabriqué sur place.

2. — La proportion du matériel de Grèce de l'Est.

La conviction qu'une forte proportion des vases d'usage courant étaient fabriqués à Sélinonte m'a incitée à exclure provisoirement des comptes des vases de Grèce de l'Est trouvés sur l'acropole les coupes de type ionien (forme B 1) à filets rouges, nombreuses dans les premiers temps de Sélinonte et dont la nécropole de Galera-Bagliazzo présente plusieurs imitations sélinontines sûres. De même j'hésiterais à attribuer à des fabriques de Grèce de l'Est une forte proportion des vases à bandes dont beaucoup me paraissent fabriqués sur place.

Limitant donc notre examen aux catégories de luxe, pour la fin du VIIe et la première moitié du VIe siècle — et il faudra ensuite établir des distinctions chronologiques plus précises —, le matériel importé sur l'acropole donne l'impression d'une nette dominante corinthienne, surtout pour les vases à boire qui, du reste, provoquent très tôt de nombreuses imitations locales.

Nous n'avons que très peu de vases du « Wild Goat » sur l'acropole et les fragments sont trop petits pour être rattachés avec certitude à des groupes, trop peu nombreux en outre pour que l'on puisse établir leur proportion par rapport à l'ensemble des vases corinthiens présents dans les mêmes strates.

Si l'on se tourne vers le sanctuaire de la Malophoros, on s'étonne que K. Schefold ait souligné l'extrême rareté du « Wild Goat » à Sélinonte (*JdI*, 57, 1942, *Knidische Vasen und Verwandtes*, p. 124) alors que cette céramique représente environ 10% de la masse du matériel corinthien. Les formes les plus courantes sont les grands récipients (oenochoès, cratères) et des plats avec ou sans pied. Ils appartiennent à plusieurs groupes différents; certains peuvent être rangés parmi ceux du groupe rhodien tel que l'a défini E. Walter-Karydi; quelques fragments appartiennent à des calices de Chio; la plupart se rangent cependant dans le groupe d'Euphorbe localisé en Doride de l'Est et peut-être à Kos par E. Walter-Karydi, et dans le groupe des vases de technique mixte, « strongly infected by Corinthian » (R. M. Cook) que le même auteur (Karydi) attribue au nord de l'Ionie. Outre les vases du style « Wild Goat », Gabrici a trouvé dans le sanctuaire de la Malophoros quelques plats et des alabastres en céramique monochrome grise provenant de la Grèce orientale. Sur l'acropole quelques fragments appartiennent apparemment à des plats exécutés dans la même technique.

Comme on le voit, si l'on prend en examen les seules séries dont il est sûr qu'elles constituent des importations de la Grèce de l'Est, on constate qu'elles sont relativement fréquentes, sur l'acropole comme à la Malophoros, mais toujours largement minoritaires par rapport aux séries corinthiennes.

En revanche, si l'on se tourne vers les nécropoles de Sélinonte, le tableau est sensiblement différent. Et c'est pourquoi il me paraît important de souligner le caractère exceptionnel de la tombe qu'a présentée ici A. Rallo.

Elle est déjà remarquable par sa position, puisqu'elle se trouvait entre Manuzza et l'acropole alors que la plupart des tombes de cette phase qui correspond au Corinthien Ancien sont réunies dans la nécropole de Buffa. Elle se signale en outre par la présence d'une splendide olpè de Grèce de l'Est. Or il n'existe, à ma connaissance, aucun cas d'une association de ce genre dans la nécropole de Buffa; aucun vase de prix du style « Wild Goat » n'a été déposé dans l'une de ces tombes alors qu'ils constituent, nous l'avons vu, une offrande courante dans le sanctuaire voisin. La masse des vases importés, petits vases à parfum surtout, est corinthienne.

Le panorama change brusquement dans les premières décennies du VIᵉ siècle lorsqu'apparaissent, dans quelques tombes de la nécropole de Buffa, mais surtout, et en grande abondance, dans celles de Galera-Bagliazzo, une série de petits vases importés de Grèce de l'Est: alabastres en céramique mono-chrome, lydions d'argile ou de bucchero, lécythes « samiens », alabastres d'albâtre de fabrication chy-priote (?); on rencontre souvent dans les mêmes tombes des canthares étrusques. Le matériel corinthien accompagnant ces vases appartient aux styles Moyen et Récent. Il semble actuellement que l'introduction à Sélinonte de ces vases à parfum de la Grèce de l'Est se serait produite avec un léger décalage par rapport à la Sicile Orientale où certains d'entre eux sont associés dans plusieurs tombes à des vases du Co-rinthien Ancien (Mégara 262, 848; Syracuse, Giardino Spagna 7; Géla, Predio Ruggeri 91).

Sélinonte apparaît comme un lieu privilégié pour comprendre les différences dans le choix du ma-tériel utilisé pour les habitations ou destiné à des sanctuaires ou à des nécropoles. On y saisit mieux qu'ailleurs la césure très nette entre plusieurs catégories de céramique. Si on se limite aux seules séries de Grèce de l'Est ou à leur imitation sur place, on remarque que:

— dans l'habitat, outre les vases de grande taille ou plats, dont un bon nombre en bucchero, le rapport d'A. Rallo fait apparaître les amphores à vin, les vases à décor à bandes et autres vases d'usage courant dont les coupes;

— au sanctuaire de la Malophoros les fouilles ont mis au jour des vases à libation, des plats à offrande, des vases plastiques et quelques alabastres en bucchero;

— dans la nécropole les grands vases à vin sont exclus, sauf pour les *enchytrismoi*; au sein des mobiliers funéraires, les vases importés sont surtout des vases à parfum et des coupes ou skyphoi, en minorité par rapport aux vases à boire corinthiens.

En terminant je voudrais souligner l'importance relative des importations de Grèce de l'Est sur la côte sud de la Sicile, surtout si on la met en balance avec la pauvreté quasi totale de la côte nord (Himère). Même si, à mes yeux, ce matériel est numériquement très inférieur au matériel corinthien, il constitue cependant le second groupe consistant de céramiques d'importation aux VIIᵉ et VIᵉ siècles.

Pour les séries du « Wild Goat » on remarque que les catégories présentes sont à peu près les mêmes à Sélinonte, Géla, Syracuse. Dans les sanctuaires de Syracuse en effet, à part quelques fragments proba-blement attribuables à Milet et au nord de l'Ionie, d'autres à Chio, on note l'abondance des vases de la série en technique mixte (Nord Ionien de E. Walter-Karydi) et de la série Euphorbe (ou Nord-Doris du même auteur), c'est-à-dire des catégories bien représentées à Géla comme l'a montré Orlandini. On peut donc penser à un même courant commercial qui fournissait ces catégories céramiques aux prin-cipales cités de la Sicile méridionale.

Pour l'autre série importante des vases de Grèce de l'Est, celle qui se résume autour des vases à parfum, seule une étude stylistique très précise pourrait prouver s'il s'agit d'un matériel homogène ré-parti entre les différents centres. Apparemment ces vases à parfum, introduits vers la fin du VIIᵉ siècle en Sicile orientale, sont très demandés à Sélinonte à partir du début du Corinthien Moyen. Il semble qu'ils y soient alors relativement plus fréquents qu'à Syracuse ou Géla.

La vente de cette céramique, destinée à des colons, paraît sans rapport avec les échanges de vases de Grèce de l'Est qui se situent dans le contexte de la grande voie commerciale jalonnant les principaux centres depuis Samos ou Chio, avec un port d'accueil à Naucratis, à Egine, et finalement à Gravisca ».

A. Rallo apporte d'autres précisions à sa relation sur Sélinonte:

« Desidero dare qualche schiarimento su quanto detto su Selinunte. Innanzitutto ringrazio M.me de La Genière per i dati che ci ha fornito a proposito dei materiali della Malophoros e delle necropoli.

Tuttavia desidero sottolineare che il materiale da lei trattato è materiale « scelto », a carattere cultuale o funerario in quanto destinato a un santuario o a necropoli, mentre il materiale, frammentario, da me studiato proviene dall'abitato ed è relativo alla vita domestica.

Premesso che i circa quattromila frammenti da me classificati, disegnati, fotografati, relativi al periodo arcaico, provengono da saggi in profondità eseguiti su un'area di m. 50 circa per 20, insisto nell'affermare l'equivalenza del materiale greco orientale rispetto a quello corinzio.

I frammenti del *wild goat style* sono pochi, ma sono attestati: due frammenti di coppe ioniche A 1 sicuramente d'importazione: una dello spessore di circa 2 mm, vernice rosso-lucida, impasto micaceo grigiastro, senza filetti; l'altra con filetti bianchi e paonazzi e linea ondulata bianca, di grandi dimensioni e spessore proporzionali, vernice nera lucida, impasto rossastro micaceo. Un frammento di coppa ionica A 2; massiccia importazione, mi dispiace per M. Villard, di coppe ioniche B 1 a filetti paonazzi, sicuramente ascrivibili all'area greco-orientale per spessore (0,3 mm circa), vernice lucida e compatta, argilla rossastra micacea talora più sul bruno talora più sul rosa. Quasi inesistenti le coppe B 2 importate, mentre si trova una grande quantità di imitazione riconoscibile per lo spessore maggiore delle pareti (da 0,4 a 0,5 mm), l'argilla chiara e porosa, la vernice opaca e brunastra.

A questo materiale va aggiunto numerosa ceramica a bande importata riconoscibile per l'argilla e il colore, anfore da trasporto del tipo di Gravisca, anfore à la brosse, e non ultima la ceramica grigia, monocroma, orientale, di cui sono esposti alcuni specimen.

Il fatto che nel santuario della Malophoros e nella necropoli vi sia una maggioranza di ceramica corinzia rispetto a quella greco-orientale non mi stupisce e mi conferma che il materiale corinzio era imitato largamente per l'uso domestico poiché ritenuto più importante. Peraltro, anche nella stipe scavata dalla Dott.ssa Pagliardi alla collina orientale, la situazione è analoga a quella della Malophoros come la Dott.ssa Pagliardi può confermare.

Ma voglio sottolineare il pericolo di valutare un centro antico solo dalla analisi di un complesso. Per esempio se si dovesse giudicare solo dall'abitato gli *alabastra* di ceramica grigia marrone orientale, ben rappresentati nelle necropoli, sarebbero assai poco conosciuti (in tutto lo scavo ho incontrato, finora, due frammenti di un solo *alabastron*); analogamente avverrebbe per il bucchero etrusco, presente in quantità abbastanza cospicua nelle necropoli, e in assai piccolo numero nelle città.

Le variazioni di rapporti in età arcaica tra i materiali presenti nei nuclei santuario-necropoli da una parte, abitato dall'altra, cioè di ceramica di lusso da un lato e ceramica più comune dall'altro, non deve stupire.

Infatti nel VI e V secolo avviene un fenomeno analogo per la ceramica attica. Nell'abitato si sono trovati pochissimi frammenti di ceramica attica a fig. nere e a fig. rosa, largamente diffuse invece nel santuario della Malophoros, nella stipe della collina orientale (come può confermare la Dott.ssa Pagliardi, con la quale abbiamo trattato questo problema) e nelle necropoli, mentre vi è presente ceramica attica a vernice nera e sue imitazioni non reperibili nel nucleo santuario-necropoli.

Aggiungo brevissimamente altre due cose: 1) la necropoli da me scavata ha dato finora solo sei tombe quindi troppo poche per un discorso valido. 2) Voglio mettere in guardia sui risultati che si possono ottenere, da un punto di vista statistico, dai materiali Gabrici della Malophoros, poiché gli scarichi dei suoi scavi sono stati una ricca massa di materiali per i clandestini per lungo tempo (al punto di rendersi necessario un intervento diretto della Soprintendenza), in quanto il Gabrici, vuoi per stanchezza vuoi per eccesso dei reperti, ha lasciato perdere gran parte dei materiali frammentari.

Ancora un'aggiunta: voglio sottolineare la necessità, sempre più forte, di studiare i centri coloniali del Mediterraneo occidentale da un punto di vista globale (santuari, necropoli, città) per evitare di trarre risultati parziali e di fare ipotesi non aderenti alla realtà archeologica, commerciale e storica dell'antichità, nei centri presi in esame ».

309

La matinée et une partie de l'après-midi de cette troisième journée du Colloque sont consacrées à la Sardaigne (cf. *supra* C. TRONCHETTI, *Problematica della Sardegna*, p. 140-141; G. TORE, *Nota sulle importazioni in Sardegna in età arcaica*, p. 142-146; V. SANTONI, *Nota di protostoria nuragica*, p. 147-149, à l'Italie Centrale (cf. *supra* M. MARTELLI CRISTOFANI, *Il materiale greco-orientale nell-l'Etruria*, p. 150-212; M. TORELLI, *La ceramica ionica in Etruria: il caso di Gravisca*, p. 213-215; F. BOITANI-VISENTINI, *Le ceramiche decorate di importazione greco-orientale di Gravisca* p. 216-222; M. SLASKA, *Le ceramiche comuni non decorate di produzione greco-orientale*, p. 223-230; E. PIERRO, *Le ceramiche greco-orientali di Tarquinia*, p. 231-238); à des problèmes d'esthétique à propos de la céramique de la Grande Grèce (cf. *supra*, E. PARIBENI, *Centri di produzione ceramica di età orientalizzante in Magna Grecia*, p. 239-242), et au bassin nord-occidental de la Méditerranée (cf. *supra* CH. ARCELIN, *Recherches sur la céramique grise monochrome de Provence*, p. 243-247; A. NICKELS, *Contribution à l'étude de la céramique grise archaïque en Languedoc-Roussillon*, p. 248-267; J.-J. JULLY, *Note sur la nécropole languedocienne de St. Julien, Pézenas (Hérault) et sur un vase ossuaire, stamnoïde, de la première moitié du VIe s. de cette nécropole*, p. 268-271; J. JEHASSE, *Les dernières leçons de la Corse*, p. 272-273; P. ROUILLARD, *Les céramiques peintes de la Grèce de l'Est et leurs imitations dans la Péninsule Ibérique: recherches préliminaires*, p. 274-286).

J. Boardman (*The problem of analysis and some general observations on possible results*, *supra* p. 287-289) et **P. Dupont** (*Une approche en laboratoire des problèmes de la céramique de Grèce de l'Est*, *supra* p. 290-297) abordent ensuite les problèmes d'analyse scientifique du matériel céramique.

R. Martin dans une intervention dont nous reproduisons ci-dessous le texte, démontre que l'influence de la Grèce de l'Est en Occident ne s'est pas limitée au domaine des céramiques, mais qu'elle existe aussi dans le domaine de l'architecture et de la sculpture:

« Après une série de rapports et d'interventions si précises, apportant tous les éléments d'un tableau d'ensemble de la pénétration et de la diffusion des céramiques de la Grèce de l'Est en Occident, mon propos a toute chance de paraître prétentieux, inutile et mal adapté au thème du colloque.

Et cependant, j'ai accepté le pari, dans la pensée que l'intervention d'un élément étranger dans un amalgame où peut-être des interventions risquaient de se juxtaposer sans fusionner pouvait provoquer un phénomène de cristallisation et contribuer à mieux définir certains processus de transmission et à mieux dégager les modalités de certains courants d'influences.

Il n'est donc pas question de dresser un tableau d'ensemble de ces influences, dans le domaine de l'architecture et de la sculpture; il serait trop général, trop imprécis et sans profit.

Il m'a paru plus utile de tenter, en regroupant ces remarques autour de trouvailles récentes, de définir et cerner certains courants, de rechercher les formes et les modalités de ces courants, les supports et les agents de ces influences. Je pouvais ainsi avoir l'espoir de rejoindre les préoccupations des principaux rapporteurs.

Je me propose donc de développer les points suivants:

I) *Définition et contenu des courants d'influences.*

1-1) Le courant éolien:

— les éléments architecturaux fournis par certaines trouvailles de Megara Hyblaea, Syracuse, certains chapiteaux ioniques de Marseille, Poseidonia;

— les motifs décoratifs en architecture: Mégara, Acrae, Syracuse;

— les terres cuites architecturales de Sélinonte, Locres et leurs références aux plaques de Larissa, ou de Phrygie;

— sculptures archaïques du Musée de Syracuse, de l'Athénaion.

1-2) Le courant cyclado-milésien, plus nettement Ionien (Samos, Chios, Milet):

— les sculptures de Sélinonte;

— les couroi de Lentini, de Mégara;

— les terres cuites de Sélinonte, de Géla;

— les éléments ioniques (chapiteaux et bases) de Syracuse;

— les chapiteaux ioniques de Sélinonte.

On ajoutera ici les influences religieuses (évolution du culte d'Apollon à Sélinonte) et leurs conséquences sur l'architecture religieuse (temple G de Sélinonte).

Culte d'Artémis éphésienne (Sélinonte, Marseille) et l'importance des « passages » eubéens.

1-3) Le courant de l'Egée méridionale (Rhodes, Chypre, Crète):

— les chapiteaux ioniques de Sélinonte;

— les terres cuites et sculptures de Géla, de Sélinonte, d'Agrigente;

— ici encore influence des traditions religieuses (cultes de Zeus et d'Athéna).

1-4) Les « passages » péloponnésiens, en particulier lacédémoniens:

— les sculptures, bronzes et terres-cuites de Tarente;

— les bronzes de Poseidonia;

— les terres cuites architecturales de Tarente, Métaponte, Poseidonia;

— les chapiteaux ioniques de Métaponte;

— les formes architecturales de Sybaris, Métaponte, Poseidonia;

— les frises de Sybaris;

— les chapiteaux à sofa.

constituent avec les influences cultuelles (Héra-Héraclès) un passage très important dans la transmission des influences ioniennes.

II) *Formes et modalités des transmissions.*

Quelques éléments sont importants:

2-1) Si certains courants sont liés évidemment aux migrations coloniales, à l'apport et à l'arrivée de nouveaux contingents (migrations phocéennes), cette association est loin d'être aussi générale qu'on l'a soutenu; il y a des croisements dans les courants. Et ici il faut faire intervenir une autre notion, celle des « transporteurs » (rôle spécifique des Phocéens, des Rhodiens, indépendamment de l'implantation des contingents).

2-2) Importance des rivalités entre cités, des luttes d'influences, des migrations de population, des « sous-colonies ».

2-3) Les échanges d'artistes et de techniciens, rôle de Bathyclès de Magnésie et de ses équipes, rôle de Corcyre, etc. ...

2-4) Importance des relations religieuses, et des « routes de pèlerinage », rôle d'Olympie dans les échanges Est-Ouest, dans les deux sens ».

4. — 9 *Juillet*

Le dernier jour a été réservé aux discussions sur l'ensemble des communications; aussi les pages qui suivent concernent-elles les relations des trois journées, sans qu'un ordre logique ait été respecté.

J. de La Genière intervient à propos de la communication de R. Martin:

« Monsieur Martin se demandait hier si les problèmes qu'il traitait se rencontraient vraiment avec ceux que posent les échanges de céramique.

Je citerai un exemple de ces rencontres possibles qui me semble assez saisissant, même s'il se rapporte à des faits qui peuvent paraître anecdotiques. R. Martin a souligné l'extrême rareté en Grèce continentale de certains décors architecturaux, nés peut-être en Eolide entre Smyrne et Phocée et répandus ensuite en Sicile orientale dans la deuxième motié du VIe siècle. L'unique exemple qu'il a trouvé à Athènes est tellement exceptionnel qu'il a proposé de l'attribuer à quelque Eolien qui y aurait été surpris par la mort.

L'hypothèse ne me paraît pas invraisemblable et le cas pourrait n'être pas unique. En effet on pourrait interpréter de la même manière la tombe du Céramique d'Athènes contenant une κλίνη incrustée d'ivoire et d'ambre et une série de 10 lécythes « samiens » et lydion datables vers 550-540, alors qu'aucun vase corinthien ni attique n'y figure (Aρχ. Δελτίον 19, 1964, XPONIKA, p. 44). Si l'on remarque cette tombe c'est précisément en raison du choix que l'on a fait pour le mort de matériel provenant exclusivement de Grèce de l'Est à une époque où ces céramiques sont très peu connues à Athènes et en Grèce continentale alors qu'elles sont largement diffusées en Grèce d'Occident. La lacune que présente l'éventail des importations en Attique apparaît plus évidente à la lecture de ce mobilier exceptionnel, qui se rapporte vraisemblablement à un personnage originaire de Grèce de l'Est ».

D. Adamesteanu prend la parole pour apporter des précisions qui complètent ou corrigent les affirmations de ceux qui ont mentionné des sites de sa circonscription: essentiellement de Policoro, Métaponte et Siris:

« Mi dispiace moltissimo non aver avuto la possibilità di partecipare già dall'inizio alla esposizione di tanti problemi e specialmente alle discussioni nate in seno a questo Colloquio. Avrei potuto completare in tempo qualche parte dell'esposizione del Dott. Guzzo specialmente per ciò che concerne la presenza della ceramica di tipo orientale, in generale, nella zona di Siris, ed avrei potuto, con l'aiuto delle diapositive, insistere sulla produzione locale arcaica d'ispirazione orientale tanto sulla collina di Policoro e nei dintorni quanto a Metaponto. Il quadro tracciato dal Guzzo avrebbe potuto essere, a mio avviso, molto più ricco, tanto più che le porte dei Musei e dei magazzini della mia giurisdizione sono stati sempre aperti a tutti; direi quasi troppo aperti.

Vorrei aggiungere qualcosa sulla scoperta di fornaci arcaiche nell'area di Siris e Metaponto e la loro rispettiva produzione, che si collega benissimo con il tema di questo colloquio. Vorrei insistere sul fatto che proprio questa produzione locale potrebbe essere un argomento da trattare in una seduta speciale, formando esso la base di ciò che gli stessi coloni venuti dalla Grecia orientale potevano realizzare sul posto.

Mi piacerebbe iniziare con il dinos rinvenuto sotto lo strato ellenistico romano dei quartieri sorti sulla parte occidentale della collina di Policoro (Fig. 1) ma ciò sarà fatto, con più competenza, dal Prof. E. Paribeni. Preciso soltanto che si tratta di una tomba un po' sconvolta dall'impianto ellenisticoromano (Fig. 2), il che indicherebbe che su questa parte occidentale della collina ci si trovi di fronte ad una necropoli dispersa come disperse erano anche le abitazioni arcaiche. Almeno così risulta per ora la situazione su questa parte della allungata collina, proprio come l'aveva indicata il compianto Mario Napoli. Si è quindi di fronte ad una situazione completamente diversa da quella che B. Hänsel ha constatato sulla punta orientale della stessa collina, alle spalle del Castello del Barone. Mentre su questa punta è accertato ormai un insediamento greco compatto, le cui radici risalgono, con le stesse caratteristiche d'impostazione della Grecia dell'Est, fin all'ultimo decennio dell'VIII secolo a.C., il resto della collina, per quanto ci è stato dato di verificare finora, presenta una serie di abitazioni, quasi fossero fattorie arcaiche, dislocate irregolarmente su una vasta estensione ma a quanto pare, solo sul lato meridionale della stessa collina.

Com'è noto, la prima area di scavo nell'abitato della colonia di Heraclea è basata su un asse principale E-O (una *plateia*) e su una serie di *stenopoi* che si attestano sul lato meridionale della stessa *plateia*; non esiste traccia di *stenopos* sul lato settentrionale (Fig. 3).

Le tracce di abitazioni arcaiche in questo quartiere, che chiamerei il kerameikos di Heraclea, proprio per la presenza delle numerose fornaci, sono ben delimitate dalla *plateia* e dal bordo meridionale della collina stessa; nessun frammento arcaico è venuto finora in luce a N della *plateia*. Ed anche su questo lato meridionale non si tratta di continuità di tracce; queste sono disseminate per larghe distanze che variano tra m. 20 e m. 30. Non v'è, almeno alla luce delle nostre conoscenze basate sugli scavi condotti finora e che hanno messo in luce i tre quartieri — *insulae* — e parte della IV *insula*, delimitati dalla *plateia* e dai tre *stenopoi*, alcuna continuità.

Proprio per verificare l'origine di questo tipo di ceramica arcaica, formata in gran parte da frammenti di coppe di tipo ionico, decisi, nel 1968, di fare un saggio sul primo *stenopos* messo in luce e precisamente sul lato meridionale di esso. Ad una profondità di m. 1,20-1,30 apparvero numerosi frammenti di pareti di fornace ben bruciati, con quelle venature verdastre che sono caratteristiche nelle strutture delle fornaci. In seguito venne alla luce anche il fondo della fornace con un diametro di m. 0,80. Ai lati, oltre alle pareti ben bruciate, vennero messi in luce numerosi frammenti di vasi arcaici, in prevalenza appartenenti a grandi recipienti ed anche, in minor misura, a vasi più piccoli (Fig. 4). Se vi sono dei dubbi sulla produzione dei grandi vasi sul posto, non avrei alcun dubbio di assegnare a questa fornace la produzione dei piccoli vasi, come la coppa e lo skyphos con linee tratteggiate in color seppia sul bordo e decorati con una vernice verdastra sulla superficie esterna e rossastra nell'interno. La numerosa presenza di questi frammenti vicino alla fornace mi fa pensare che a questo tipo di produzione appartenevano diversi vasi interi, malcotti nella fornace stessa e quindi gettati nello scarico, simili ad altri frammenti pubblicati dallo Hänsel.

Con la scoperta di questa fornace si aveva la prima prova di una sicura produzione locale della fase di Siris sulla collina di Policoro. Ma proprio per questa presenza si rendeva necessario procedere ad altre ricerche nella stessa area, ricerche che dovevano essere fatte sotto l'impianto di Heraclea.

Durante lo scavo della II insula, alla sua estremità meridionale e più precisamente nell'ultimo ambiente, sono apparse numerose tracce di ceramica arcaica, in maggioranza coppe ioniche tipo B 2, molte di esse visibilmente facenti parte di uno scarico in cui era confluito tutto ciò che era malcotto. Dopo una minuta ripulitura, sono apparsi anche i frammenti di pareti di fornace ed infine i resti veri e propri di una fornace sotto il piano di una abitazione. La forma della fornace è ben riconoscibile specialmente per il suo pilastro tronco-conico centrale ed il " praefurnium " disposto verso il lato meridionale. Con la nuova scoperta si aveva la seconda prova di fornaci vascolari arcaiche sulla stessa collina, con la possibilità di rintracciare anche qualche abitazione, com'è avvenuto nella stessa insula (Fig. 5). Ciò che rimane certo è che quest'ultima fornace produceva un tipo di vasi — le coppe B 2 — posteriori a quelli della produzione della prima fornace.

Se d'una parte, quindi, si aveva la prova sicura che sulla collina di Policoro esistevano fornaci che producevano una serie di vasi di imitazione del mondo micrasiatico ed insulare, v'era poi la certezza che su questa parte centrale della stessa collina si trovavano anche tracce sparse di abitazioni arcaiche.

Diversa è la situazione sull'estrema punta occidentale della collina dove sono stati effettuati altri scavi (Fig. 6). Come ha chiaramente dimostrato Liliana Giardino, questo quartiere è sorto in età ellenistico-romana in un'epoca quindi posteriore al primo quartiere scavato. Anche questo quartiere però, come il primo, è basato, urbanisticamente, sull'asse maggiore che attraversa tutta la collina (Fig. 6) essendo caratterizzato da un'alternanza di *stenopoi* sui due lati di questa.

Ma ciò che colpisce in questo nuovo quartiere è la presenza di numerose fosse e qualche sepoltura, come la grande tomba con il *dinos* (Fig. 2), di età arcaica. Molte fosse, identiche a quelle rinvenute sulla collina Incoronata, erano piene di materiale fittile greco-arcaico di evidente produzione locale ed evidente derivazione della Grecia orientale. Basta pensare ai frammenti di grandi vasi con la stessa fascia ondulata sulle spalle (Fig. 7) del tipo rinvenuto già all'Incoronata (Fig. 8) o altri con decorazione floreale (Fig. 9) che richiama lo stesso ambiente orientale. Anche i frammenti delle profonde coppe con il bordo filettato ci riportano allo stesso mondo ed alla stessa datazione nel VII secolo a.C. e risultano manifestamente una produzione locale, come quelle altre rinvenute nelle fosse greche dell'Incoronata. Ma ciò che più stupisce, a conferma di una produzione orientalizzante sulla stessa collina di Policoro, è la presenza, nello stesso contesto delle fosse, di una serie di frammenti di *dinoi* con la raffigurazione delle teste dei cavalli che si abbeverano, come nel *dinos* rinvenuto nella grande tomba sullo stesso posto o simili al frammento rinvenuto all'Incoronata. Si tratta quindi di una produzione locale molto diffusa non solo sulla collina ma anche più lontano, in quei punti ben difesi per natura in cui i Siriti si sono stabiliti già dalla prima metà del VII secolo a.C.

Con ciò si era arrivati a rintracciare sulla collina di Policoro non solo la produzione locale di quel tipo di coppe che entrano a far parte del gruppo B 1 e su cui ha insistito anche Guzzo ma anche una produzione figurata. Le coppe di questo tipo le abbiamo spesso incontrate inoltre anche in quell'area di influenza sirite che abbiamo chiamato *proschoros*, vale a dire nella valle dell'Agri, come per esempio ad Armento. È certo che anche queste provengono dall'area sirite della costa ed ora ne abbiamo una ricca documentazione sulla collina di Policoro. Com'è noto, le nostre ricerche negli strati più profondi di Heraclea debbono iniziare da un momento all'altro e nutro una grande speranza in questi lavori tanto per il problema della produzione locale di questo tipo di vasi quanto, e specialmente, per tutto il complicato problema dell'ubicazione di Siris.

Più volte ho accennato all'Incoronata, collina ben difendibile per natura, sita sulla destra del Basento, a circa Km. 7 da Metaponto.

Prima di fermarmi su questa località, oramai ben nota agli studiosi, vorrei accennare, anche se di sfuggita, ad un'altra scoperta collegata con la produzione locale delle coppe ioniche del gruppo B 1 e B 2.

Si tratta della località Termitito situata sulla destra del fiume Cavone e su uno dei tratturi preistorici e protostorici che collegano l'area sirite a quella metapontina e su cui si è molto insistito recentemente.

Anche qui ci si trova di fronte ad una collina ben difesa per natura (Fig. 10) e sulla quale erano già stabiliti gli Enotri dell'età del Ferro e poi i Greci, assai probabilmente provenienti da Siris. Questi due strati si sovrappongono in successione diretta e ad una di queste fasi si può attribuire anche uno sbarramento che isola la parte orientale della collina da tutto il resto (Fig. 11). Con la fine del VI sec. a.C. la vita sulla collina finisce, per riprendere in un secondo tempo e con maggiore vigoria, nella tarda fase repubblicana, fase, questa, che si prolunga fino alla fine dell'Impero.

Negli strati più profondi di Termitito, collegati al mondo greco, si è rintracciata la stessa ceramica arcaica rinvenuta finora sulla collina di Policoro e all'Incoronata; Termitito si presenta, in conclusione, come un altro caposaldo della penetrazione sirite lungo la costa, in direzione del Metapontino. In diversi punti della collina, dentro e fuori dello sbarramento menzionato, si notano tracce di fornaci an-

314

tiche ma specialmente di una di queste si è rinvenuto lo scarico pieno di frammenti di coppe ioniche malcotte. Si tratta di uno scarico di coppe ioniche, facenti parte del gruppo B 1 (Fig. 12). Se teniamo conto della piccola estensione di questo insediamento arcaico, la scoperta di una fornace appare molto interessante: come nel caso di molte fattorie antiche metapontine, anche questa volta possiamo dire che quasi ogni insediamento greco o non greco, piccolo o grande, ha la sua produzione propria. Come mi pare finora, non c'è bisogno di immaginare fornaci soltanto per i grandi centri; anche i piccoli insediamenti possono avere le loro fornaci, come anche una o più fattorie, come nel caso delle fattorie menzionate o come nel caso recentissimo, constatato a Pizzica, nel Metapontino. E tanto qui a Termitito quanto nel Metapontino si tratta anche di fornaci arcaiche.

In definitiva anche per la produzione greca dell'Incoronata dobbiamo pensare ad una produzione locale; pensare che tutto provenga dalla Grecia o dalla zona di Policoro mi pare un po' strano. Come nel caso di Gela, queste produzioni iniziano già nei primi momenti di vita della colonia e continuano, come nel caso di Siris fino alla caduta della città. E questa produzione non si restringe soltanto ai vasi di uso comune ma anche agli altri con decorazioni di maggiore impegno, qualche volta non soltanto floreali o geometriche, ma anche a figure del mondo della fase orientalizzante.

Questa, mi pare, è la situazione in molte colonie greche, come a Megara Hyblaea, a Gela o a Ischia. E così deve essersi verificato anche ad Incoronata: tutta la produzione che si collega a quella dell'area di Siris va considerata, in gran parte, produzione delle fornaci che verranno certamente scoperte sulla stessa collina.

Per quanto riguarda la produzione locale di coppe ioniche a Metaponto, la prova più lampante ci è venuta da quell'area la quale, come a Heraclea, verrà denominata il *Kerameikos* di Metaponto.

Questo quartiere industriale è stato identificato sul lato Ovest del santuario, delimitato da due grandi *plateai* con orientamento N-S, dalla grande *plateia* che separa anche il santuario dalla città, e dalla fortificazione ed il *fossatum*.

Già dal 1969 avevamo postulato per quest'area il termine di zona industriale di Metaponto; in nessun'altra parte della colonia si trovano tante scorie di fornaci e frammenti di vasi malcotti come in questo rettangolo. Da un primo saggio, oltre a numerosissimi frammenti malcotti di ceramica comune databile alla fine del V, inizio del IV secolo a.C., è venuto anche un frammento del Pittore di Amykos, ora già menzionato dal Trendall. Ma il lavoro di scavo più impegnativo è stato quello portato avanti nel 1972 e 1973 con quei risultati che oramai sono conosciuti da tutti gli studiosi. Quasi addossate alla fortificazione settentrionale sono venute alla luce numerose tracce di abitazioni, con aspetto assai misero, nelle quali o vicino alle quali sono apparse anche le numerose fornaci con i loro ricchi scarichi di frammenti malcotti che sono stati già studiati e presentati per la pubblicazione dal D'Andria.

Ma oltre alle officine dei Pittori di Creusa, di Dolone, del Pittore di Anabates sono apparsi, negli strati più profondi delle stesse fornaci o accanto, altre fornaci già abbandonate molto prima della fine del V o inizio del IV secolo a.C. È chiaro che spesso sotto queste fornaci recenti si trovano le altre più antiche. Da queste ultime sono apparse le più lampanti prove dell'esistenza in questo quartiere di fornaci arcaiche che producevano coppe ioniche del tipo B 2 e un tipo di *skyphoi*, databili, questi ultimi, finora, all'inizio del V secolo a.C. ma che ora possono essere rialzati fino all'ultimo quarto del VI secolo a.C. In diversi casi, tanto le coppe ioniche che gli *skyphoi* apparivano fusi tra loro da non poterli più distaccare (Figg. 13-14). Si aveva così la prova che molti di questi vasi erano prodotti a Metaponto e quindi non possono essere considerati come beni d'importazione.

Le tre località menzionate: Policoro, Termitito e Metaponto hanno rivelato, in maniera molto precisa, che anche nelle colonie greche d'Occidente, e già dai primi momenti della loro fondazione, esisteva una produzione locale in cui erano imitati i prodotti della madrepatria o, in generale, dell'ambiente di provenienza dei coloni. Se questo è vero per i primi decenni è molto più vero che la stessa produzione locale diventi un fatto normale nei successivi secoli. Si pensi ai thymiateria (Fig. 15) — numerosi — del sántuario di S. Biagio nel Metapontino o alla produzione di anfore a figure nere della stessa località e si pensi nuovamente a quanto detto sulle officine dei Pittori di Amykos, Dolone e Creusa a Metaponto. Qualche volta, la stessa attività è stata rintracciata anche più all'interno, in zone mai pensate fino a qualche anno addietro, come a Madea, nell'agro di S. Martino d'Agri, o nell'Agro di Gallicchio: ogni insediamento aveva le sue fornaci e quindi la sua produzione propria.

Ma ciò che interessava questa volta erano le produzioni locali assicurate dalla presenza di fornaci arcaiche sul posto, d'imitazione greco-orientale. Ed il contributo dei nostri lavori mi pare non sia stato di poco interesse ».

C. **Aranegui** intervient pour compléter le rapport de P. Rouillard.

« Quisiera puntualizar algún aspecto de la situación de la Península Ibérica y de las Islas Baleares en la etapa correspondiente al período cronológico que aquí se está considerando para completar, aunque sea de manera esquemática, la imagen que pudiera haberse formado a través de la ponencia de P. Rouillard, que es, sin duda, perfectamente correcta en cuanto a su enunciado.

Las rutas que unen los dos extremos del Mediterráneo en la época de las colonizaciones históricas infuyen en España estando catalizadas por dos focos de atención: el Nordeste peninsular, de carácter prioritariamente griego, y la zona meridional, de carácter prioritariamente fenicio. Los contactos a través de la ruta de las islas y su repercusión en las Baleares ofrecen una lectura arqueológica que está todavía poco desarrollada para esta etapa en cuestión.

Dadas a conocer las novedades más notables en cuanto a los hallazgos cerámicos, su distribución geográfica y su cronología, convendría resaltar el hecho de que se encuentran en contextos culturales muy diversos, definidos por distintas facies indígenas, sobre los que a partir del 750 — en los casos de mayor antigüedad — comienzan a aparecer elementos que denotan la paulatina inserción de la periferia peninsular en la dinámica de las relaciones mediterráneas. La opinión más generalizada atribuye a las navegaciones fenicias el papel fundamental respecto a los contactos mediterráneos a lo largo de todo el siglo VII a.d.C., navegaciones que, como demuestra una documentación creciente, no se limitan a actuar sobre las provincias andaluzas sino que remontan de sur a norte la costa mediterránea de la Península Ibérica y su hinterland (Los Saladares en Orihuela, Vinarragell en Burriana, con niveles estratigráficos precisos, y hallazgos en Cataluña y el Bajo Aragón (4), en ambientes arqueológicos técnicamente menos concretos). A partir del siglo VI a.d.C. el papel de las colonizaciones de la Grecia del Este y la fundación de Ampurias parecen ejercer un cambio de orientación que deberá ser analizado en un futuro próximo.

Otro punto que, creo, puede resultar poco claro para los investigadores de fuera de la Península se refiere a una cuestión terminológica: al sentido que pueda darse a la palabra " Orientalizante " que los arqueólogos españoles usan para significar la aproximación artística o tipológica de un objeto al área fenicio-chipriota cuyas influencias se prolongan en el Sur de la Península Ibérica durante una parte considerable del período arcaico. Por otra parte hay que decir que este " Período Orientalizante " que afecta, en términos generales, a Andalucía, puede ser definido arqueológicamente aunque faltan estudios sistemáticos de series cerámicas, etc., que permitan ir vislumbrando su complejidad ».

J. **Boardman** intervient à propos de la possibilité d'identification des styles locaux:

« A common principle for the identification of local finds has been to be guided by the character of local finds. This helped to the identification of Chian wares, but Dr. Bayburtluoğlu has suggested that Erythrai may have had a share in this production, in the light of the finds made on the acropolis there, and we might ask ourselves whether, if Chios had not been excavated, we might on the strength of this have declared the pottery Erythraean. We would have had at least one factor to help us to

---

4) E. Sanmarti-Grego, *Las cerámicas finas de importación de los poblados prerromanos del Bajo Aragón (Comarca de Matarranya)*, Cuadernos de Prehist. y Arq. Castellonense, Castellòn, 1976, 87-132.

a more correct solution, and this is the evidence of ancient writers who have much to say of Chios as a major trading centre and participant in the emporion of Naucratis, and virtually nothing to say of Erythrai. This might at least have made us think twice about Erythrai's claims to such a well-distributed ware. For a final judgement of her role we shall, of course, need to be able to judge the whole range of sixth-century pottery from the site, not just the " Chian ", since it seems that it was not the exclusive style of the sixth century (as it was in Chios).

Elsewhere the identification of the local styles, especially of the finer wares, is not so easy. It is notable that, in attempts to make close stylistic groups, examples are often taken from several different sites. If the groups are not misleading this might mean either that the painters themselves were on the move or that there was far more interchange of local wares in the East Greek world than there was, for instance, in Central Greece. We do well to remember just how very few vases we have still from what is in fact a very large area. Also that this area contains not only many major cities but also many minor settlements any of which might have owed some part of its prosperity to the production and export of fine pottery. The time span too is a long one, something like a century for the Wild Goat style, so we should not be too optimistic about quick results in identification ».

M. Torelli relève d'autres implications du même problème:

« Ringrazio il prof. Boardman per avermi dato la facoltà di parlare, facendo anche cenno ad argomenti estranei alle linee del primo punto di discussione. La richiesta è motivata dalla mia convinzione che non è possibile fare distinzioni molto nette fra i varii temi trattati, e viste anche le forti interconnessioni tra i punti fissati dal Presidente della seduta odierna.

Naturalmente non intendo fare bilanci di sorta, che non rientrano fra i miei compiti, ma piuttosto tentare di dare qualche risposta agli interrogativi posti ai convenuti dal prof. Vallet all'inizio di questo colloquio, sia pur da un'ottica etrusca e in particolare graviscana.

Da quanto delle ceramiche di Focea ci ha fatto vedere il prof. Akurgal, dalle osservazioni del prof. Alexandrescu a proposito degli ambiti focei del Ponto, dalle precisazioni della dott.ssa Rhomiopoulou, credo si possa concludere che, in grandi linee, l'epicentro di quella corrente « eolica », dell'*äolische Kunst*, definita dalla Walter-Karydi nell'omonimo importante articolo di « Antike Kunst », sia collocato a Focea: ciò mi sembra concordi abbastanza con il « courant éolien » rintracciato nel più vasto ambito formale dal prof. Martin. Se questa ricostruzione è esatta, Gravisca appare essere il primo centro d'Etruria donde proviene un pezzo di assai probabile origine focea, l'unico frammento di Wild Goat Style figurato restituito dal santuario di quell'emporio, anche se (qui mi permetto di discordare un poco dall'amico Morel) non mi sembra di poter riconoscere altri materiali sicuramente focei nel contesto graviscano.

Un altro problema è quello costituito dallo stile clazomenio e da quello nord-ionico, sui quali sarebbe forse necessario un momento di riflessione e di approfondimento. Ho ascoltato con vivo interesse ed attenzione la relazione della dott.ssa Martelli, la cui ricostruzione mi sembra largamente persuasiva, malgrado alcune perplessità di dettagli, quale ad esempio la collocazione dell'Idria Ricci, difficilmente — a mio avviso — un prodotto locale. In questo contesto, sarebbe di grande importanza conoscere la funzione di Naucratis dopo Cambise, cosa che purtroppo, come ci ha informato il prof. Boardman, non potremo sapere prima di dieci anni.

Lasciando da parte questa perplessità e passando al problema più generale delle imitazioni ioniche in Etruria, dobbiamo, credo, porci nell'ottica più concreta delle migrazioni di artigiani tra la fine della tirannide policratea e la rivolta ionica. Quanto ci ha illustrato la dott.ssa Martelli al riguardo, con il precedente assai rilevante della ceramica pontica, mette in risalto la funzione avuta da Vulci e da Cerveteri come centri di queste migrazioni. La situazione tarquiniese risulta in buona parte diversa, quella cioè di un centro interessato da correnti prevalentemente di frequentazione: gran parte delle tombe dipinte di Tarquinia fino agli inizi del V sec. è attribuibile a mani di artigiani greco-orientali. Alcuni

317

di loro sono già stanziati in Etruria ed operano come ceramisti, come l'autore della tomba dei Tori; altri sono forse artigiani migranti, con esperienze assai complesse ionico-centrali, come l'autore della tomba degli Auguri dai fortissimi legami con le lastre di Gordion, oppure caratterizzati da stretti rapporti con l'ambiente dei *Kleinmeister* ionici, come la tomba della Caccia e della Pesca, o con ambienti « clazomenii », come la tomba del Barone. La presenza, per lo più occasionale e saltuaria, di artigiani ionici a Tarquinia diminuisce sensibilmente con il primo quarto del V sec., quando si costituiscono scuole di pittori locali, come ci ha bene illustrato il Colonna.

Vorrei tornare un momento al problema delle scuole locali e in particolare a Rodi. La funzione di questo centro mi sembra sia stata nettamente sopravvalutata: tale affermazione è motivata non solo dall'analisi della situazione di Gravisca, dove è del tutto assente materiale epigrafico dell'esapoli dorica e nel quale la dominanza delle coppe B 3 rivela il ruolo esercitato dall'ambiente della Ionia centrale, ma anche dalla diffusione di materiali tradizionalmente attribuiti a Rodi, come i balsamari e soprattutto le « faïences ».

A proposito di quest'ultima classe siamo purtroppo fermi a von Bissing, mentre a mio avviso sarebbe necessario riflettere sul ruolo svolto da Naucratis. Il grande emporio egiziano appare un sito privilegiato per questo tipo di produzione non soltanto per l'antica esperienza tecnica in materia e per la vicinanza alle fonti di approvvigionamento dei contenuti dei balsamari, ma anche per la presenza di un quartiere di fabbriche di scarabei significativamente collegato al santuario di Afrodite, evidentemente il sito di più antica presenza dell'elemento emporico greco, anteriore alle fondazioni templari dell'epoca di Amasis. Se si eccettua una classe di balsamari presente a Gravisca e attribuibile a Rodi, come ha ricordato la dott.ssa Visentini, sulla base del tipo dell'argilla, la produzione ceramica dell'isola appare evanescente anche per il Wild Goat Style, come ha già rilevato il prof. Boardman.

Per quanto riguarda la Ionia centrale, debbo dire che sono stato colpito dalla relazione del prof. Hommel, che ha cercato molto efficacemente di attribuire lo stile di Fikellura a Mileto: ciò sembra coincidere molto bene con quanto si ricava dai dati del materiale di Gravisca, nel quale Mileto e Samo debbono aver fatto la parte del leone.

Quanto al problema delle c.d. coppe ioniche, direi che i dati della Etruria commentano abbastanza eloquentemente la relazione della dott.ssa Martelli. Da un lato si riscontrano rapporti molto stretti tra la situazione dell'Etruria con le aree marittime dell'Italia Meridionale: si notano, ad esempio, forti consonanze tra Gravisca e Pontecagnano, e forti discordanze, invece, con le situazioni dell'Italia Meridionale interna, dove penetrano esclusivamente, o quasi, prodotti imitati da *ateliers* coloniali. In Etruria invece la precoce scomparsa delle coppe di tipo B 2 e la relativa abbondanza di coppe di tipo B 3 (a Gravisca veramente notevole) dimostrano che l'approvvigionamento di questo tipo di vasellame è dipeso esclusivamente da importazione e che non vi sono mai impiantate fabbriche locali di imitazione. Ciò, a mio avviso, si spiega da un lato con la concorrenza di vasellame potorio di lusso più raffinato di importazione, dall'altro con la preponderante produzione locale per il consumo quotidiano, cui nel mondo greco-orientale erano appunto destinate in prevalenza le c.d. coppe ioniche.

Sarebbe a questo punto opportuno avviare il discorso sulle correnti di frequentazione. Mentre mi riservo di intervenire più tardi su questo, vorrei qui sottolineare un aspetto metodologico che riguarda il tipo di documentazione di cui disponiamo. Con le colleghe Visentini, Slaska e Pierro, si è voluto qui presentare la situazione di un emporio a fronte di quella della *polis* egemone. Dalle necropoli di Tarquinia scaturisce un quadro abbastanza diverso da quello di Gravisca: e ciò a mio avviso avviene perché in ambedue i casi l'ideologia condiziona fortemente l'evidenza. C'è da chiedersi, per esempio, quanto della documentazione delle anfore presentataci dalla dott.ssa Slaska dipenda dal tipo di culto prestato nel santuario, nel quale il vino aveva particolare importanza, e che significato abbia la parallela assenza di anfore simili dalla necropoli, dove invece il rituale prevedeva il sacrificio di altre derrate e di altri materiali ».

318